1 MON

FREE
READING

at

www.ForgottenBooks.com

By purchasing this book you are eligible for one month membership to ForgottenBooks.com, giving you unlimited access to our entire collection of over 1,000,000 titles via our web site and mobile apps.

To claim your free month visit:

www.forgottenbooks.com/free1213636

ISBN 978-0-428-41380-4
PIBN 11213636

ZEITSCHRIFT

FÜR DAS

GYMNASIALWESEN.

HERAUSGEGEBEN

VON

H. J. MÜLLER.

LXII. JAHRGANG,
DER NEUEN FOLGE ZWEIUNDVIERZIGSTER JAHRGANG.

BERLIN 1908.
WEIDMANNSCHE BUCHHANDLUNG
SW. 68, ZIMMERSTRASSE 94.

INHALT DES LXII. JAHRGANGES,

DES ZWEIUNDVIERZIGSTEN BANDES DER NEUEN FOLGE.

ERSTE ABTEILUNG.

ABHANDLUNGEN.

ZWEITE ABTEILUNG.

LITERARISCHE BERICHTE.

DRITTE ABTEILUNG.

BERICHTE ÜBER VERSAMMLUNGEN, NEKROLOGE, MISZELLEN.

VIERTE ABTEILUNG.

JAHRESBERICHTE
DES PHILOLOGISCHEN VEREINS ZU BERLIN.

ERSTE ABTEILUNG.

ABHANDLUNGEN.

Sophokles in der Schule[1]).

Neben Platon Sophokles in der Prima des Humanistischen Gymnasiums: das gehört sich; und zwar sind drei Tragödien zu lesen, eine in Unter- und zwei in Oberprima. Ist das möglich? O gewiß, wenn wir uns auf das Notwendige beschränken und keine Allotria treiben. Was sollen uns, um die Sophokleische Poesie zu charakterisieren, die Seitenblicke auf Aischylos und Euripides! Beide Dichter kennen unsere Schüler ja nur von Hörensagen. Obendrein sind die landläufigen Urteile über die beiden meist nur halb richtig oder ganz falsch, wie z. B. der oft gehörte Tadel der Euripideischen Prologe, oder das abgedroschene Σοφοκλῆς ἔφη αὐτὸς μὲν οἵους δεῖ ποιεῖν, Εὐριπίδην δὲ οἷοί εἰσιν, oder gar: Sophokles der Idealist, Euripides „der Vertreter des Realismus oder richtiger des Naturalismus, weil er die Menschen mit den Verirrungen und Gebrechen, 'mit der unverhüllten Brutalität des wirklichen Lebens' gibt". Wir mißbrauchen ferner den Dichter nicht zu Moralpredigten oder einer Sammlung von Lehren der Weisheit und Tugend, so sehr wir uns in die ethisch-religiösen und psychologischen Probleme der Tragödien zu vertiefen suchen[2]). Noch weniger stellen wir gelegentlich der Streit- und Wechselreden rhetorische Übungen an; denn diese λόγων ἄμιλλαι, die einst die Athener höchlich ergötzt haben werden, machen uns heute kein Vergnügen mehr. Wir halten uns endlich nicht auf mit Bühnenaltertümern und chorischer Technik, selbst bei den Chören verweilen wir nicht über Gebühr. Denn diese Chorlieder enthalten bei weitem nicht alle viel lyrische

---

[1]) Dieser Aufsatz ist veranlaßt durch **Christian Muff**: „**Sophokles in der Schule**". Vortrag, gehalten auf der 47. Versammlung deutscher Philologen und Schulmänner zu Halle a. S. (Neue Jahrbb. 1904 II,. 2, S. 65—90).

[2]) Über das Lehramt der Dichter kurz und treffend **Erwin Rohde**, Psyche II S. 222—224.

Perlen oder tiefsinnige Spekulationen über religiöse und sittliche
Probleme; manche steben auch nicht mit der Handlung in einem
notwendigen Zusammenhang. Seien wir doch ehrlich! Die Art,
wie wir die griechischen Rhythmen lesen, ist nur ein Schattenspiel und gibt trotz allen Wohlklangs der griechischen Sprache
nur eine schwache Vorstellung von der Wirkung, die ihr Vortrag
im athenischen Theater hatte. Gerade das musikalische Ohr vermißt so vieles, was es hören möchte. Saitenspiel, Gesang und
Tanz der Choreuten sind unwiederbringlich dahin. Für uns ist
Sophokles nicht in den Chören.

Die Chorlieder des Aias fügen sich aufs beste in den Zusammenhang der Begebenheiten und begleiten den Gang der
Handlung von Anfang bis zu Ende. Sie sind ein wesentlicher
Bestandteil der Ökonomie des Dramas, aber „Perlen lyrischer
Poesie" und hohe Gedanken finden sich nicht in ihnen. Ungefähr dasselbe gilt vom Philoktet. Der Chor handelt und lügt
eine ganze Weile tapfer mit, so wortreich er daneben das jammervolle Los des Philoktet beklagt. Nur eine lyrische Perle enthält
das Gedicht: das Schlummerlied. Die Chorgesänge in der Elektra
dienen zwar, rhythmisch und musikalisch dargestellt, zur Verstärkung des tragischen Pathos, sind aber an sich ohne bedeutenden
ästhetischen oder ethischen Wert. Von den Chorliedern der
Trachinierinnen urteilt Muff, sie ständen denen in andern
Stücken an Gehalt wie an Umfang nach; nur die Parodos sei
vortrefflich. Leider ist der Anfang fehlerhaft überliefert, wie so
vieles gerade in dieser Tragödie [1]). Der Chor selbst, sagt Muff
weiter, „ist ohne rechten Halt, ohne klare Überlegung und festen
Willen". Wo wäre er das denn nicht? Im Philoktet? Die Mann-
schaft ist ganz abhängig von ihrem Herrn und lediglich sein Echo.
Im Aias? Die salaminischen Schiffer sind unselbständig und vollkommen ratlos, sie klagen sich selbst der Verblendung und Pflichtvergessenheit an. Ein wenig mehr Haltung haben die Frauen in
der Elektra, aber sie können die Freundin nicht trösten und stützen,
lehnen sich vielmehr an sie an. Sagt doch die Chorführerin:
„Wir sorgen uns um deine wie um unsre Wohlfahrt; doch wenn
ich ungeziemend sprach, so siege deine Meinung: wir werden
dir gehorchen".

Man wird es daher verstehen, daß wir uns mit den Chorliedern dieser vier Tragödien nicht ungebührlich aufhalten. Gelesen werden sollen sie, aber ein längeres Verweilen lohnt sich
nicht. Der Lehrer wird den Schülern reichlich Hilfen geben und
die Hauptarbeit selber leisten, um Zeit zu gewinnen für den
Dialog, für die Technik, diese in ihrem vollen Umfang genommen,
und für die Einführung in ein tieferes Verständnis des Tragischen.
Etwas anders steht die Sache in den drei andern Tragödien.

---

[1]) O. Hense, Studien zu Sophokles (Leipzig 1882, Teubner).

Die Parodos der Antigone ist über alles Lob erhaben. Dem
ersten Stasimon (πολλὰ τὰ δεινά) will ich seinen Ruhm nicht
schmälern, aber man kann nicht behaupten, daß es aus der
Situation erwachse, sich an die vorhergehende Handlung an-
schließe und Licht über sie verbreite. Erst der Schluß klingt
äußerlich an die Situation an (Ewald Bruhn). Was den Choreuten
vorschwebt, ist die δεινότης (der Antigone oder des Kreon?),
und lediglich durch diese Stimmung hängt das Lied mit der
Handlung zusammen. Den Bacchuschor kurz vor der Katastrophe
lesen wir aus Gründen der dramatischen Ökonomie, aber die
πολυωνυμία des Gottes, seiner Attribute und Kultusstätten sagt
uns nichts mehr. Das vierte Stasimon (ἔτλα καὶ Δανάας
οὐράνιον φῶς) können wir ruhig überschlagen. Es wirkt nach
der unmittelbar voraufgehenden ergreifenden Szene ernüchternd
und erkältend; es beleidigt unser Gefühl, wenn aus der Mythologie als Beispiele Personen angeführt werden, die auch ihren
Tod in einem steinernen Grabgewölbe fanden. Desto liebevoller
und andächtiger werden wir uns in die übrigen Chorlieder versenken. Der Chor selbst, meint Bruhn, biete der Charakteristik
eigentümliche Schwierigkeiten. Natürlich; denn er hat eigentlich
keinen Charakter. Als Bürger Thebens und gehorsame Untertanen
ihres Königs müssen die Choreuten wohl „diplomatisieren". Nur
schüchtern wagen sie anzudeuten, daß ihnen der harte Befehl
nicht gefällt. Als Kreon gesprochen hat, sagen sie: „Der Mann
hat recht", und nach der Erwiderung des Hämon: „Der Mann hat
auch recht". Für die furchtlose und fromme Tat der heldenmütigen Jungfrau haben sie schlechterdings kein Verständnis. Die
Ermahnungen und Tröstungen dieser Graubärte klingen wie der
reine Hohn, und mit Recht ruft Antigone klagend aus: οἴμοι
γελῶμαι. Erst nach der Peripetie und Katastrophe erheben sie
sich zu der Einsicht, ὅσῳ κράτιστον χρημάτων εὐβουλία, und
zu der Schlußsentenz von der Besonnenheit und Frömmigkeit.
— Das zweite Stasimon im König Ödipus (εἴ μοι ξυνείη)
gehört, wie das vierte (ἰὼ γενεαὶ βροτῶν), zu den ausgezeichneten Liedern, aber es führt weit ab von Iokaste und Theben
und steht mit der Situation nur durch die Stimmung in Verbindung, wie Bruhn in der Einleitung zu seiner Ausgabe S. 44
bis 50 für mich überzeugend ausführt. Erwähnen wir noch aus
dem Ödipus auf Kolonos das erste (εὔιππου, ξένε) und das
dritte (ὅστις τοῦ πλέονος μέρους) Stasimon, so haben wir die
Chorlieder, die ein eingehendes Studium auf der Schule verdienen,
genannt. Es war nicht meine Absicht, eine Abhandlung über
den Sophokleischen Chor zu schreiben; ich wollte nur darauf hinweisen, daß nicht alle Lieder aus der Handlung entspringen und
bei weitem nicht alle der Bewunderung wert sind, die ihnen eine
panegyrische Beredsamkeit spendet.

Viel mehr liegt mir daran, einer verkehrten, nach meiner

Überzeugung abflachenden Theorie des Tragischen entgegenzutreten [1]).

Muff sagt, bei aller Verschiedenheit der Ansichten sei man
darin einig, daß die ehemals so berühmte Definition des Aristoteles
zu eng sei. Furcht und Mitleid seien nicht die einzigen tragischen
Gefühle, und nicht auf eine Reinigung dieser und ähnlicher Empfindungen komme es in erster Reihe an, „sondern auf eine be-
glückende Erhebung des Zuschauers". Mit Verlaub, darauf kommt
es durchaus nicht an, und die Aristotelische Definition ist noch
heute berühmt. Aristoteles hat sich vornehmlich an Sophokles
orientiert, und wer über Sophokles schreibt, tut wohl daran, die
verschiedenen Äußerungen des Aristoteles zu beachten. Übrigens
zielt die erwähnte Definition nicht auf das Wesen des Tragischen,
sondern auf die Form und Wirkung der Tragödie. Muff sagt
weiter, manche Ästhetiker seien zufrieden, wenn Leid und Jammer,
Zusammenbruch und Untergang sich vor unsern Augen abspiele.
Nun, zufrieden sind sie wohl nicht, aber das Leben hat eine so
schreckliche Seite, und wer wie der tragische Dichter in seine
Tiefen blickt, hat keinen Grund, „Freut euch des Lebens" an-
zustimmen. Muff sagt endlich, wer nach der Schuld des Helden
frage, sei in den Augen gewisser Leute ein „moralischer
Philister". In meinen Augen ist er das nicht. Wo eine Schuld
vorliegt, erkenne ich sie an; wo nicht, suche ich nicht danach.
Wenn ich einen guten und großen Menschen leiden sehe, so fällt
mir nicht ein, zu fragen: „Hat dieser gesündigt oder seine Eltern?"
Das Evangelium verbietet es auch (Joh. 9 und Luk. 13).

Bevor ich zu den einzelnen Tragödien des Sophokles übergehe, will ich die wesentlichen Merkmale des Tragischen, soweit
ich es verstehe, angeben, damit man mir nicht vorwerfe, ich
bleibe bei der bloßen Negation stehen.

Die Tragödie sieht den Menschen in des Lebens Drang. Sie
zeigt uns in stark bewegter dramatischer Handlung den Helden
im schweren Konflikt zwischen Pflicht und Neigung, im Kampf
für eine Idee gegen feindliche Mächte von innen und außen, im
Kampf mit dem Schicksal; der Held unterliegt (in der Regel,
nicht immer), Leiden und Tod sind das Ende nach dem strengen
Gesetz der Notwendigkeit: unter diesen Umständen und bei
diesem Charakter mußte es so kommen, wie es gekommen ist.
„Tragisch ist der Mann, der sich sein eigenes Grab gräbt, wenn
ich begreife, daß er sich's graben muß" (Ludwig Bellermann).
Von „beglückender Erhebung" oder gar „frohem Behagen" weiß
der tragische Dichter nicht zu sagen und zu singen.

---

[1]) Die Frage: Was ist tragisch? habe ich mir mit besonderer Rücksicht
auf Sophokles und in scharfer Polemik gegen Günther zu beantworten gesucht im Programm von Blankenburg 1887. Ohne wesentliche Änderungen
wieder abgedruckt in den Beiträgen zum Verständnis der tragischen Kunst
(Wolfenbüttel 1893, J. Zwißler). Das Buch von Georg Günther: Grundzüge
der tragischen Kunst, ist 1885 erschienen (Leipzig, W. Friedrich).

Aias hat sich noch in der Heimat vermessen, auch ohne göttliche Hilfe siegen zu können, und der eigenen Kraft allzusehr vertrauend im Kampf die Hilfe der Athene zurückgewiesen. Durch diese Hybris hat er sich den unversöhnlichen Zorn der Göttin (ἀστεργῆ θεᾶς ὀργήν 776) zugezogen, und um ihm die Größe der göttlichen Macht zu zeigen (τὴν θεῶν ἰσχὺν ὅση 118), schlägt sie ihn mit Wahnsinn. Dazu verhöhnt sie ihn noch, was ich einfach empörend finde. Man frage nur die Schüler nach dem Eindruck, den ihnen das Auftreten der Athene macht, und man wird, falls man ihr Gefühl nicht verwirrt hat, die richtige Antwort erhalten. Grausamkeit und kalte Rachsucht nennt Erwin Rohde dies Verfahren; und war ein solches mit der antiken εὐσέβεια und δεισιδαιμονία vereinbar, so sollen wir es durch moderne Vorstellungen nicht hinwegdeuten[1]. Ich begreife sehr wohl, daß Volkelt den Wahnsinn und die Schmach, von denen Aias getroffen wird, als ein unverhältnismäßig fürchterliches, unverdient grausames Schicksal und das Walten der Athene als äußerst parteiisch bezeichnet. Dagegen begreife ich nicht, wie Muff hat sagen und schreiben können: „Gerade das Gegenteil ist der Fall. Dank des gerechten und heilsamen Eingreifens der Göttin, durch das die Achaier gerettet werden, wird auch der Held geläutert und schließlich zu hohen Ehren geführt". Das sind Redensarten. Geläutert wird der Held überhaupt nicht. Den Göttern glaubt er keine Rücksicht mehr schuldig zu sein (589). In der zweideutigen Rede (646—692), in der er seine Umgebung über seinen Entschluß, freiwillig zu sterben, täuscht, spricht er nicht ohne Ironie von Lustrationen, durch die er vielleicht dem schweren Zorn der Göttin entrinne, und mit bitterm Humor fährt er nach Anführung des Sprichworts von den ἄδωρα δῶρα fort: „So werden wir denn in Zukunft den Göttern zu ‚weichen‘ wissen und die Atriden ‚verehren‘ lernen". In dem Monolog erbittet er vom Zeus keine große Gunst, sondern nur so viel, daß er einen Boten an Teukros sende, damit sein Leichnam nicht den Vögeln und Hunden zum Fraß vorgeworfen werde. Aber die Erinyen ruft er flehend an, daß sie die Flüche erfüllen, die er in seinem unversöhnlichen Haß gegen die Atriden schleudert. Wo ist da eine Spur von Reue, Sinnesänderung und Läuterung? Nicht Athene, sondern Teukros und vor allen Odysseus sind es, die dem Ersten der Helden nach Achilleus ein ehrenvolles Begräbnis verschaffen. Das erfüllt mich mit Genugtuung, aber daß es mein Herz „beglückte", kann ich nicht sagen. Selbst im Tode noch hassen die Machthaber den herrlichen Mann, an dessen Größe sie nicht heranreichen. Mitleid ist es, Mitleid mit der gefallenen, in Schmach und Schande gestürzten Größe, das mich ergreift, und Furcht, nach Lessing das ‚auf uns bezogene Mitleid. Niemand

---

[1] Erwin Rohde, Psyche II S. 238 mit der Anmerkung.

spricht das deutlicher aus als Odysseus, indem er edelmütig der
unedlen Göttin erwidert:

$$ \vec{\epsilon}\pi o\iota\varkappa\tau i\varrho\omega\ \delta\acute{\epsilon}\ \nu\iota\nu $$
$$ \delta\acute{\upsilon}\sigma\tau\eta\nu o\nu\ \tilde{\epsilon}\mu\pi\alpha\varsigma,\ \varkappa\alpha\acute{\iota}\pi\epsilon\varrho\ \ddot{o}\nu\tau\alpha\ \delta\upsilon\sigma\mu\epsilon\nu\tilde{\eta}, $$
$$ \acute{o}\vartheta o\acute{\upsilon}\nu\epsilon\varkappa'\ \ddot{\alpha}\tau\eta\ \sigma\upsilon\gamma\varkappa\alpha\tau\acute{\epsilon}\zeta\epsilon\upsilon\varkappa\tau\alpha\iota\ \varkappa\alpha\varkappa\tilde{\eta}, $$
$$ o\dot{\upsilon}\delta\grave{\epsilon}\nu\ \tau\grave{o}\ \tauo\acute{\upsilon}\tau o\upsilon\ \mu\tilde{\alpha}\lambda\lambda o\nu\ \tilde{\eta}\ \tauo\grave{\upsilon}\mu\grave{o}\nu\ \sigma\varkappa o\pi\tilde{\omega}\nu\ (121-124). $$

Das ist es. Was die hohen Häupter trifft, kann jederzeit auf
uns herniederfahren. Wenn irgendwo, so gilt es hier: „Das bist
du!" Die Starken fallen durch das Übermaß der eigenen Kraft,
die Edlen irren und freveln mit verstörtem Sinne: in solcher
Tragik liegt wenig Beglückendes.

In der Elektra vollziehen Tochter und Sohn an der entarteten Mutter ein gerechtes Gericht, „wir empfinden Genugtuung
über den befriedigenden Ausgang". Weiter nichts? Und das wäre
tragisch? Ich verstumme.

Die Trachinierinnen sind mehr als ein Ehebruchs- und
Eifersuchtsdrama. Da hat Volkelt, gegen dessen Auffassung Muff
Verwahrung einlegt, doch tiefer gesehen, wenn er auf das Walten
der Götter hinweist, das uns kurzsichtigen Menschen einerseits
als hart, grausam, willkürlich, andererseits als ein mit heiligem
Schauer umgebenes Geheimnis erscheint. Ebenso urteilt Erwin
Rohde. Götterwille ist es, der, von uns unverstanden, alles fügt.
„Damit in dem von der Gottheit festgesetzten Zeitpunkte Herakles
aus dem irdischen Leben gelöst werde, muß Deianeira, die innigste
Frauenseele, die Athens Bühne beschritten hat, aus liebendem
Herzen dem Geliebten unwissend furchtbare Todesnot bereiten
und selbst in den Tod gehen". Mag uns das gefallen oder nicht,
wir dürfen es nicht durch „fade Beschwichtigungsphrasen" hin-
wegzuschaffen suchen. Es ist nicht anders: eine unheilschwangere
Wolke hängt über dem Stück, aus der denn auch der ver-
nichtende Strahl herabfährt. — Mit einer schwermütigen Betrachtung beginnt Deianeira die Handlung. Sie ahnt das drohende
Verhängnis, ihr ist bange vor der Zukunft, ihr Leben steht vor
einer Schicksalswende. Sonst ist Herakles zu froher Tat ausgezogen, diesmal wie zum Sterben. Hat er ihr doch auf einer
Tafel seinen letzten Willen und sicher eintreffende Weissagungen,
die er im Hain der Seller zu Dodona erhalten, schriftlich hinterlassen. Danach soll sich sein Geschick binnen fünfzehn Monaten
entscheiden. Die Zeit ist um, und noch immer hat die sehn-
süchtig Harrende keine Kunde von dem in der Ferne weilenden
Gatten. Eben hat sie ihren Sohn Hyllos ausgesandt, da meldet
ein Bote, daß der Sohn Alkmenens lebt und den Landesgöttern
die Erstlingsgaben von seinem Siege mitbringt. Alsbald erscheint
auch sein Herold Lichas und mit ihm eine Schar gefangener
Frauen, unter ihnen verschämt und schweigend die rührende
Gestalt der Iole, die von Deianeira besonders freundlich, ja
herzlich empfangen wird. Sie ist des Herakles Buhle, und in der

Brust der liebenden Gattin steigen die ersten Regungen der Eifersucht auf. Obwohl sie dieselben bekämpft und den Gemahl, den
Eros wieder wie so oft besiegt hat, zu entschuldigen sucht, wird
sie doch von einem dunklen Drang zu dem geheimnisvollen
Nessoszauber getrieben und schickt dem Herakles das Gewand,
das ihr seine Liebe erhalten sollte, ihm aber den gräßlichsten
Tod bringt. Kaum hat sie dies erfahren, so stürzt sie sich, ihren
eigenen Dämon beklagend, ins Schwert. Was sie aus treuem
Herzen mit liebender Hand bereitet, das verkehrt sich, echt
tragisch, durch ein dunkles Verhängnis in sein Gegenteil und führt
den qualvollen Tod des Geliebten herbei. So ist Deianeira schuld
an dem Tode des Herakles, und dennoch ohne jede sittliche
Schuld. Zweimal bezeugt ihr Hyllos ausdrücklich, daß sie schuldlos
sei: ἥμαρτεν οὐχ ἑκουσία (1123), ἥμαρτε χρηστὰ μωμένη (1136):
genau die ἁμαρτία des Aristoteles, ein Fehltritt, der Unheil und
Verderben nach sich zieht. Das ist das Ängstliche in diesem
armen Leben, daß wir nicht wissen, was wir tun. „Des Menschen
Tun ist eine Aussaat von Verhängnissen, gestreuet in der Zukunft
dunkles Land, den Schicksalsmächten hoffend übergeben“. Hier
sind es die Schicksalsmächte, welche die besten Absichten mit
den schlimmsten Erfolgen lohnen. Es war alles vorherbestimmt.
Das spricht Sophokles selbst im vierten Stasimon aus: ἴδ' οἷον,
ὦ παῖδες, προσέμιξεν ἄφαρ τοὔπος τὸ θεοπρόπον ἡμὶν τᾶς
παλαιφάτου προνοίας κτλ., und das erkennt Herakles klar,
sobald er den Namen des Nessos hört: die θέσφατα erfüllen
sich alle (1145 ff.). So wollten die Götter das Ende des Herakles
herbeiführen. Warum gerade so? Darüber sind sie den Menschen
keine Rechenschaft schuldig. Ihre Wege sind unerforschlich und
unbegreiflich ihre Gerichte. Das war der Glaube des frommen
Sophokles. Und wenn dem so ist, dann brauchen wir uns nicht
zu sorgen, daß die Götter „bei Ehren bleiben“. Auch die Poesie
des Sophokles vermessen wir uns nicht zu verschönern. Wenn
einem Ausleger der Schluß des Stückes nicht erhebend genug
dünkt und er sich eine schöne Apotheose des Helden zurecht-
phantasiert, so ist das — Geschmackssache.

„Die Gottheit bringt einen Plan zur Ausführung, in dem der
einzelne Mensch und sein Geschick ihr nur als Werkzeug dient.
Damit das Vorbedachte in dieser planmäßigen Leitung der menschlichen Dinge bemerklich werde, wird mit Voraussagungen der
Zukunft, göttlichen Orakelsprüchen und den Verkündigungen der
Seher so oft und nachdrücklich in die Handlung eingegriffen.
Liegt nun in dem Plane der Gottheit die verhängnisvolle Tat,
das unverschuldete Leiden des einzelnen, so erfüllt sich der Plan,
mag dabei des Menschen Glück in Trümmer gehen, Schmerz,
Frevel, Seelenqual und Tod über ihn hereinbrechen. Das Wohl-
ergehen des einzelnen kommt nicht in Betracht, wo die Absicht
der über sein kleines Dasein weit hinausblickenden Gottheit er-

föllt werden soll. Ein reiner guter naiver Mensch, ohne Falsch
und Fehl, wie Philoktet, wird lange Jahre hindurch allen
Qualen preisgegeben, damit er mit den Wunderwaffen, die er
besitzt, nicht vorzeitig in den Gang der Entwicklung des Krieges
um Troja eingreifen könne. Er ist ein unfreiwilliger Märtyrer
für das Wohl der Gesamtheit" (Rohde). Wie ist es möglich, daß
ein aufmerksamer Leser die vielen Stellen im Stücke selbst, die
ausdrücklich darauf hinweisen, übersehen und vergessen kann?
Geschähe es, um sich die Freude über den glücklichen Ausgang
und ein „frohes Behagen" nicht trüben zu lassen, so möchte ich
ihn an Neoptolemos' Mahnung erinnern: καὶ ταῦτ' ἐπίστω καὶ
γράφου φρενῶν ἔσω (1325). Philoktets Leiden ist nicht „eigentlich unverschuldet", sondern wirklich und wahrhaftig unverschuldet; und Neoptolemos läßt n i c h t „einmal die Bemerkung
fallen, daß ein Versehen im Heiligtum der Chryse ihm das Verderben zugezogen habe". Aus den Versen 1326—28, die allein
gemeint sein können, geht das Gegenteil hervor: σὺ γὰρ νοσεῖς
τόδ' ἄλγος ἐκ θείας τύχης, Philoktet hat den ἀκαλυφὴς
σηκός vollkommen arglos betreten und sich keines Versehens
schuldig gemacht[1]).

Über die beiden Ödipus schwiege ich am liebsten. Was
Muff und vor Jahren ich selbst darüber geschrieben haben, läßt
sich nicht alles halten. Namentlich bedarf das Urteil über den
Ödipus auf Kolonos der Berichtigung. Ich kann mich heute nur
der Auffassung von Ludwig Bellermann in seiner Ausgabe und
Erwin Rohde in der Psyche anschließen. Im besondern möchte
ich noch auf folgendes hinweisen. Ödipus ist im zweiten Drama
ganz derselbe wie im ersten. Keine Reue — doch, eins bereut
er: die Selbstblendung, weil er sich bewußt ist, sie nicht verdient
zu haben —, keine Läuterung (νόμῳ καθαρός!), keine „Ergebung
in den göttlichen Willen und Demütigung unter die gewaltige
Hand der Götter". Die Redensarten von dem tiefen Gottesfrieden,
der Verklärung des frommen Dulders sind nichtig; und gar von
einer „Entschädigung für dieser Zeit Leiden durch Freuden im
Jenseits" (Muff) steht im Texte kein Wort. Der müde Greis
sehnt sich nach Erlösung von seinen Leiden, und die Götter
sind gnädig, sie entrücken ihn von dieser armen Erde. Das ist
alles. Schlicht und fast nüchtern spricht Ismene den tatsächlichen
Hergang aus: νῦν γὰρ θεοί σ' ὀρθοῦσι, πρόσθε δ' ὤλλυσαν
(394). Warum früher so und jetzt so? Warum? ὦ ἄνθρωπε,
μενοῦνγε σὺ τίς εἶ ὁ ἀνταποκρινόμενος τῷ θεῷ; Man lese
Kap. 9—11 im Briefe Pauli an die Römer und man wird auf-

---

[1]) Vgl. 191—200. Zu ὠμόφρων bemerken die Scholien: Χρύση τις
νύμφη ἐρασθεῖσα τοῦ Φιλοκτήτου καὶ μὴ πείσασα κατηράσατο αὐτοῦ.
Danach wäre sogar die Tugend des Philoktet an seinem Leiden schuld. Im
Sophokles steht davon nichts. Aber daß dunkle Mächte im Spiel sind, wird
überall hervorgehoben.

hören, die Gedanken eines großen Dichters umzubiegen, wenn er harte, den menschlichen Stolz demütigende Wahrheiten zu anschaulicher Erkenntnis bringt und in tragischer Schwere auf unser Herz legt. Von dem $\dot{o}\varrho\tilde{\omega}$ $\mu\grave{\varepsilon}\nu$ $\dot{\eta}\mu\tilde{\alpha}\varsigma$ $o\dot{v}\delta\grave{\varepsilon}\nu$ $\check{o}\nu\tau\alpha\varsigma$ $\check{\alpha}\lambda\lambda o$ $\pi\lambda\dot{\eta}\nu$ $\varepsilon\check{\iota}\delta\omega\lambda$ $\check{o}\sigma o\iota\pi\varepsilon\varrho$ $\zeta\tilde{\omega}\mu\varepsilon\nu$ $\tilde{\eta}$ $\varkappa o\upsilon\varphi\dot{\eta}\nu$ $\sigma\varkappa\iota\dot{\alpha}\nu$ (Ai. 1125 und 26) läßt sich nichts abdingen. „Um die Nichtigkeit und das Leid des Lebens, um sein kurzes Glück und die Unsicherheit seines Friedens erhebt sich in unvergeßlichen Versen die Klage" (O. R. 1186 ff. O. C. 1211 ff.). Ich wünsche, daß meine Schüler dies deutlich erkennen, tief empfinden und ernst bedenken. Die Befürchtung, daß wir durch solche Tragik „Pessimismus züchten" könnten, entlockt mir ein Lächeln. Aber vor einem flachen und matten Optimismus können junge Männer dadurch bewahrt werden. Wenn ein berber Geschmack zurückbleibt, so ist das gesund und herzstärkend. Ein lächelndes Antlitz zeigt die tragische Muse allerdings nicht; die Tragödie hat ihre $o\dot{\iota}\varkappa\varepsilon\dot{\iota}\alpha$ $\dot{\eta}\delta o\nu\dot{\eta}$, und die $\varkappa\dot{\alpha}\vartheta\alpha\varrho\sigma\iota\varsigma$ $\pi\alpha\vartheta\eta\mu\dot{\alpha}\tau\omega\nu$ ist noch kein leeres Wort. Wenn ein Jüngling in den Bannkreis des echten Tragikers tritt und bedeutende, sittlich ernste Männer ($\sigma\pi o\upsilon\delta\alpha\tilde{\iota}o\iota$, $\dot{\varepsilon}\pi\iota\varepsilon\iota\varkappa\varepsilon\tilde{\iota}\varsigma$ nach Aristoteles) kämpfen, leiden und sterben sieht, so ist nicht zu befürchten, daß durch ein tragisches Miterleben sein Lebensmut geknickt und seine sittliche Energie gebrochen werde. Alles Große stärkt den inwendigen Menschen, alles Erhabene trägt die Seele über sich selbst empor. Was Pseudo-Longinos von dem rhetorisch Erhabenen sagt, gilt auch von der eigentümlichen Lust der Tragödie: $\varphi\dot{v}\sigma\varepsilon\iota$ $\gamma\dot{\alpha}\varrho$ $\pi\omega\varsigma$ $\dot{v}\pi\dot{o}$ $\tauo\tilde{v}$ $\dot{\alpha}\lambda\eta\vartheta o\tilde{v}\varsigma$ $\ddot{v}\psi o\upsilon\varsigma$ $\dot{\varepsilon}\pi\alpha\iota$-$\varrho\varepsilon\tau\alpha\dot{\iota}$ $\tau\varepsilon$ $\dot{\eta}$ $\psi\upsilon\chi\dot{\eta}$ $\varkappa\alpha\dot{\iota}$ $\gamma\alpha\tilde{v}\varrho\dot{o}\nu$ $\tau\iota$ $\dot{\alpha}\nu\dot{\alpha}\sigma\tau\eta\mu\alpha$ $\lambda\alpha\mu\beta\dot{\alpha}\nuo\upsilon\sigma\alpha$ $\pi\lambda\eta$-$\varrho o\tilde{v}\tau\alpha\iota$ $\chi\alpha\varrho\tilde{\alpha}\varsigma$ $\varkappa\alpha\dot{\iota}$ $\mu\varepsilon\gamma\alpha\lambda\alpha\upsilon\chi\dot{\iota}\alpha\varsigma$ $\dot{\omega}\varsigma$ $\alpha\dot{v}\tau\dot{\eta}$ $\gamma\varepsilon\nu\nu\dot{\eta}\sigma\alpha\sigma\alpha$ $\check{o}\pi\varepsilon\varrho$ $\check{\eta}\varkappa o\upsilon\sigma\varepsilon\nu$. Sieht das aus wie Pessimismus? Doch darüber denke ein jeder, wie er will. Verwahrung aber muß ich dagegen einlegen, als ob ich die echte Tragik ausschließlich „im grauenvollen Untergang" sähe. Wenn ein tapferer Held im Kampfe mit feindlichen Mächten, innern und äußern, untergeht oder selbst von einer zürnenden Gottheit niedergeschmettert wird, so ist das gar nicht grauenvoll oder gräßlich ($\mu\iota\alpha\varrho\dot{o}\nu$); erschütternd ist es, wir erschauern in tragischem Leid, und dieses $\varphi\varrho\dot{\iota}\tau\tau\varepsilon\iota\nu$, das Schaudern, ist der Menschheit bestes Teil. Außerdem weiß ich sehr wohl, daß es griechische Tragödien mit glücklichem Ausgang gibt. Die Übersetzung „Trauerspiel" für Tragödie habe ich nicht erfunden. Ich weiß auch, daß tragisches Schicksal, oder wie man's nennen mag, nichts mit dem blinden dummen Fatum zu tun hat. Ich habe aber die im Hintergrund wirkende unsichtbare Macht, das göttliche Agens in ein helleres Licht gerückt, weil ich dem Bestreben, sie auszuschalten und beiseite zu schieben, nachdrücklich entgegentreten wollte. Natürlich steht bei der Lektüre die Handlung auf der Bühne im Vordergrund des Interesses, und die Interpretation legt das Hauptgewicht auf die handelnden Personen,

ihren Charakter, ihr sittliches Pathos, und auf die σύνϑεσις
πραγμάτων.

Nun aber, wie reimt sich mit der übergreifenden und zwingenden
Macht der Gottheit die menschliche Freiheit? Glücklicherweise
brauchen wir das Freiheitsproblem hier nicht zu lösen, der
Dichter löst es ja auch nicht; genug, daß seine Personen sich
entschließen und nach ihren Entschlüssen handeln, als ob sie
frei wären. Mit diesem „als ob" will ich an ein Urwort Goethes
erinnern, in dem auch der Ton auf „scheinfrei" und auf dem
„Müssen" liegt. Müssen wir sein, wie wir sind? Jedenfalls
handeln wir so, wie wir sind: operari sequitur esse. Hab ich
des Menschen Kern erst untersucht, so weiß ich auch sein
Wollen und sein Handeln. Woher aber dieser Kern unsers
Wesens, unser Charakter? Inwieweit angestammt, inwieweit
erworben? determiniert und indeterminiert? intelligibel und empirisch? So mag der Philosoph fragen, der Dichter motiviert
den Charakter nicht, sondern aus dem Charakter die Handlungen.
Und unser Lebenslos: wieviel erarbeiten wir selbst, wieviel wiegt
uns das Schicksal drein? Man sagt wohl, ein jeder sei seines
Glückes Schmied. Aber wir schmieden nicht ohne Amboß, und
das Eisen will den Tiefen der Erde erst abgerungen sein. Goethe
gebraucht das Bild vom Zettel und Einschlag: der Zettel sei uns
gegeben, den Einschlag machten wir selbst. Aber die Fäden
spinnen wir kaum alle aus uns selber heraus, sie werden uns
meistens gereicht. Aus zwei Faktoren gewinnen wir das Resultat
unsers Lebens. Nennen wir sie Schicksal und Anteil, Notwendigkeit und Freiheit, oder wie sonst: es läßt sich nicht aus-
klügeln, wieviel auf Rechnung des einen und des andern zu
setzen ist; dieses Exempel gebt nie restlos auf, wir operieren mit
inkommensurabeln Größen. Darum ist es vermessen, zwischen
Schicksal und Schuld, Leid und Verschuldung ein adäquates Verhältnis zu konstruieren. Die sogenannte poetische Gerechtigkeit
ist eine Absurdität, mit Goethe zu reden. Der Dichter gibt ein
Bild, ein idealisiertes und doch getreues Bild des Lebens, dessen
Gegensätze er in ihren Tiefen zu fassen sucht. Wenn die Sache
nur tragisch ist, so macht es keinen Unterschied, ob der Schwerpunkt auf der Notwendigkeit oder der Freiheit ruht. Für das
Leben wie für das Drama ist es gleichgültig, ob wir in unserm
Handeln frei sind oder nicht. Die Deterministen werden mit
dem gleichen Maßstab gemessen wie die Indeterministen. Genug,
daß wir handeln und unsern Willen betätigen. Der entschiedene
Wille wird uns zugerechnet, und die Folgen setzen sich durch,
ob nun der Wille zur Tat ein determinierter oder motivierter
oder frei schöpferischer war: δράσαντι παϑεῖν· τριγέρων μῦϑος
τάδε φωνεῖ. Bei Sophokles, ich wiederhole, ist in fünf von
sieben Tragödien das, was der Handlung Anstoß und Richtung
gibt, nicht der Wille und die Sinnesart des Helden, sondern ein

dunkles Verhängnis, ein wohldurchdachter Plan der weiter als die kurzsichtigen Menschen blickenden Gottheit oder einfach der Wille einer höheren Macht, die, unerbittlich wie das Schicksal, über den staubgeborenen Menschen schaltet und waltet. Die Gesetze und letzten Absichten dieser göttlichen Macht zu erforschen, ist uns versagt; ihre Heiligkeit rechtfertigen zu wollen, frommt nicht. Unsern Primanern aber ist es heilsam, wenn sie von den shwierigen Fragen nach Freiheit und Gebundenheit des Willens, nach Schuld und Schicksal etwas erfahren, damit sie Probleme des Denkens kennen lernen und auch an dem Problematischen des menschlichen Lebens nicht achtlos vorübergehen.

In den Sophokleischen Tragödien spielen unsichtbare Gewalten, persönliche oder unpersönliche Mächte und überzeitliche Weltgesetze entscheidend mit. Dennoch folgen die Helden auf der Bühne, von dem Hintergrunde losgelöst und sich freier abhebend, ihrer eigenen, oft „dämonischen" Natur. Sie finden in sich selbst das Gesetz und die Motive ihrer Handlungen, ihrer Erfolge oder ihres heroischen Untergangs. Und bei allem dem wollen wir eins nicht übersehen. So irrational das Verhältnis von Schuld und Schicksal, von Verschuldung und Leid, von Notwendigkeit und Freiheit ist: das Verhältnis von Charakter und Schicksal ist in gewissem Sinne proportional.

Wilhelm Raabe läßt in seinem Büchlein „Deutscher Adel" den jovialen Wirt Butzemann über dasselbe Thema philosophieren. Er habe, sagt dieser, von seinem Büffet aus oft in die Fidelität und das ewige Gerenne der Menschheit hineingesehen und sich dabei nach und nach eins abdestilliert: schuld haben sie beide nicht, weder der Mensch noch sein Schicksal; sie passen nur immer ganz genau aufeinander. Herr Butzemann drückt sich sehr entschieden aus, aber im ganzen wird er recht haben. Ohne Zweifel trägt es zum Verständnis des Sophokles erheblich bei, wenn Erwin Rohdes Worte Beachtung finden: „Auch wo Leid und Unheil dem Sterblichen nicht aus eigenem bewußten Entschluß und Willen, sondern durch dunkle Schicksalsmacht entsteht, ist es doch der besondere Charakter des Helden, der, wie seine Entfaltung unseren Anteil vorwiegend fordert, so den Verlauf der Ereignisse allein bestimmt und genügend erklärt. Das gleiche Mißgeschick könnte andre treffen, aber seine innere und äußere Wirkung würde nicht dieselbe sein wie für Ödipus und Aias. Nur tragisch unbedingte Charaktere können tragisches Geschick haben".

Dem Aias wird die Heldenkraft zum Fallstrick.

> τὰ γὰρ περισσὰ κἀνόητα σώματα
> πίπτειν βαρείαις πρὸς θεῶν δυσπραξίαις
> ἔφασχ' ὁ μάντις, ὅστις ἀνθρώπου φύσιν
> βλαστών, ἔπειτα μὴ κατ' ἄνθρωπον φρονῇ.

Ohne Gottes Hilfe getraut er sich zu kämpfen und zu siegen.
Daß die Waffen des Achilleus dem Odysseus zugesprochen werden,
kann seine Natur nicht verwinden. In rasendem Zorn stürzt
er davon, um sich an den verhaßten Atriden und an dem
Odysseus zu rächen. Da zeigt ihm Athene ihre Macht und straft
ihn mit Wahnsinn. In dieser Umnachtung des Geistes metzelt
er die Herden nieder. Das kann wiederum gerade er nicht ertragen, als die Helle des Bewußtseins wiederkehrt; er tötet sich
selbst. So fallen die Starken durch eigene Kraft. Und wie weiß
der reckenhafte Held unser Mitleid durch die weichen Töne, die
er im Monolog anschlägt, zu verstärken! Wie nahe tritt er unserm
Herzen in dem Abschied von Weib und Kind! Ein Mensch wie
wir, nur größer und heroischer, unbedingter. — Ein antiker
Robinson fristet Philoktet auf öder Felseninsel sein elendes
Dasein. Weil er felsenhart ist, scheitern alle Überredungskünste
an ihm; weil er zugleich ein guter, naiver und argloser Mensch
ist, glaubt er der Lüge eines knabenhaften Jünglings. Auf dem
lebendigen Widerspiel der kräftig voneinander sich abhebenden
Charaktere des Philoktet, Neoptolemos und Odysseus beruht in
dieser Tragödie das Interesse; die Situation ist durch ein Ereignis herbeigeführt worden, das zu bewirken oder zu verhindern
in keines Menschen Macht oder Absicht lag. — Den Herakles und
die Deianeira entschuldigt Muff zwar, aber durch ihr „ungerechtes
und unbesonnenes Verfahren", meint er, hätten sie „das Schicksal
entfesselt". O nein, sie haben das Schicksal so wenig entfesselt
wie Ödipus, sondern dieses vollstreckt durch sie gebieterisch
seinen Willen. Sie tun, was sie tun müssen, und gleichwohl
handeln sie ihrer Natur gemäß: Deianeira als das liebende Weib
und Herakles als der Heros, wie wir ihn auch sonst kennen. Vor
diesem gigantischen Schicksal aber sollte das schnell fertige Urteil
über Verschuldung und gerechte Vergeltung füglich verstummen.
Wenn Günther, um die Gleichung von Schuld und Strafe heraus-
zubringen, argumentiert: weil die Folgen schwerwiegend sind,
darum ist der an sich verzeihliche Irrtum eine schwere Schuld,
so heißt das die Dinge auf den Kopf stellen. Der Fehler ist
klein und verzeihlich, die Folgen sind groß und gräßlich. Wer
auf schmalem Pfad an einem Abgrund dahinwandelt, den kann
ein kleiner Fehltritt in den Abgrund stürzen. Das eben ist die
Angst des Irdischen, das Tragische in unserm Leben, daß in ge-
fährlichen Lagen auch das reinste Unternehmen zum Unheil und
Verderben ausschlägt. Die gestrengen Kritiker vermissen bei
Deianeira „ruhige Überlegung" und tadeln „das Pathos der
liebenden Frau". Nun wohl, weniger Pathos, weniger Liebe,
weniger Eifersucht; etwas mehr Gemütsruhe, Überlegung, Phlegma:
und die Liebe erlebt keine Tragödien.

Was Ödipus bis zum Beginn des Dramas tut und leidet, das
muß er tun und leiden; es ist von der Gottheit vorherbestimmt,

notwendig und unabwendbar. Aber der Gang der Handlung, die
Art und Weise, wie das Geheimnis aufgedeckt wird, die tragische
Analysis ist ganz und gar durch seinen Charakter bedingt. Wäre
er ein anderer, so trüge er sein Schicksal anders. Wer ist nun
dieser Ödipus und wie gestaltet sich sein Schicksal? Schon sein
Dasein ist, möchte ich sagen, verpönt, denn er war verfehmt vor
der Geburt (1184). Laios hat ihn erzeugt, obwohl Apollon weis-
sagte, der erbetene Sohn werde den Vater töten. Um dieses
Unheil abzuwenden, setzt die eigene Mutter das Knäblein mit
durchstochenen Fußgelenken auf dem Kithäron aus. Wahrlich,
von Kindheit auf wird an dem Ödipus schwer gesündigt. Aber
Iokaste erreicht, was sie verhüten will: der Knabe bleibt am
Leben. Denn der Diener übergibt ihn einem Hirten aus Korinth,
und dieser schenkt ihn seinem kinderlosen Königspaar. An
Kindes Statt angenommen und sorgfältig erzogen, wächst Ödipus
zum Jüngling heran. Da kommt der Schicksalstag: ein trunkener
Zecher wirft bei einem Gelage dem Königssohn vor, er sei seinem
Vater untergeschoben. Die Eltern suchen ihn zu beruhigen, aber
eine unzweideutige Antwort geben sie ihm nicht. Warum läßt
Ödipus sich nicht beschwichtigen? Weil es sein Charakter und
sein Schicksal nicht leiden. Es wurmt ihn, daß er den nun
einmal geweckten Zweifel an seiner Herkunft nicht zu lösen
vermag. Um sich Gewißheit zu verschaffen, wendet er sich an
das Orakel zu Delphi; aber der Gott antwortet auf seine Frage
nicht, sondern prophezeit ihm, er werde seinen Vater töten und
seine Mutter heiraten. Um dem verhängten Geschick zu ent-
fliehen, wandert er aus; aber wir wissen, daß er es selber er-
bauend vollenden muß. — Jahre hindurch herrscht Ödipus in
Theben mit Kraft und Klugheit, als plötzlich eine verheerende
Seuche ausbricht. An seinen König wendet sich das Volk; denn
wenn einer helfen kann, so ist er es. Doppelt schwer lastet das
Unglück auf der Seele des edlen Herrschers, der sein Volk wie
ein Vater liebt. Doch wir brauchen den Inhalt des Stückes nicht
zu erzählen, wollen aber diejenigen Charaktereigenschaften hervorheben, durch die der Gang der Handlung vornehmlich bedingt
wird. Jähzornig hat Ödipus den Laios samt seinen Begleitern
erschlagen, scharfsinnig hat er das Rätsel der Sphinx gelöst.
Jähzorn und Scharfsinn sind es, die bei der Entdeckung des
Mörders zumeist hervortreten. Als er hört, daß Räuber den
alten König erschlagen hätten, taucht sofort der Verdacht in ihm
auf: „Sollten sie gedungen gewesen sein? Gibt es vielleicht eine
feindliche Partei im Lande, die auch dir gefährlich werden
könnte?" Der Gedanke beflügelt seinen Eifer. Denn die Tyche
hat ihm den Thron geschenkt, er muß wachsam sein, ihn zu
bewahren (1080). Teiresias, dieser unheimliche Priester, peinigt
ihn durch rätselhafte Andeutungen bis aufs Blut, sagt ihm die
Tat auf den Kopf zu, enthüllt nach und nach all das Schreck-

liche und senkt ihm zuletzt durch Erwähnung seiner Eltern noch
einen scharfen Stachel ins Herz. Zornig erklärt er den frechen
Seher für den Mörder, nur daß er wegen seiner Blindheit nicht
selbst Hand angelegt habe, und als er aus dessen Munde den
Namen Kreon hört, da kombiniert er mit flackernder Phantasie
allzu scharfsinnig, dieser, der zur Befragung des Sehers geraten,
sei der Anstifter des Komplotts und wolle ihn um Thron und
Herrschaft bringen. Die Rechtfertigung Kreons steigert nur noch
seinen leidenschaftlichen Zorn; was Verdacht war, wird zur Gewißheit, der falsche Freund gilt für überführt, kurz, er verliert
jede Fassung und wird fortgerissen zu maßloser Selbstüberhebung.
Auf die Frage: εἰ δὲ ξυνίης μηδέν; erfolgt das barsche ἀρκτέον
γ᾽ ὅμως (628). Nun bewahrheitet es sich: φρονεῖν γὰρ οἱ
ταχεῖς οὐκ ἀσφαλεῖς (617) und: αἱ δὲ τοιαῦται φύσεις αὐταῖς
δικαίως εἰσὶν ἄλγισται φέρειν (674). Iokaste möchte das
dunkle Geheimnis auf sich beruhen lassen, Ödipus will völlige
Klarheit haben; Jokaste könnte nach dem Grundsatz: εἰκῇ
κράτιστον ζῆν, ὅπως δύναιτό τις (979) ruhig weiter leben,
auch als sie den Sachverhalt durchschaut hat, Ödipus vermag das
nicht: mit aller Gewalt setzt er es durch, daß die letzte Hülle
fällt und jeder Zweifel ausgeschlossen wird, dann stürzt er gebrochen, verzweifelnd von der Bühne. Nachdem das schwer-
mütige Chorlied ἰὼ γενεαὶ βροτῶν verhallt ist und der Exangelos
von dem Greuel im Hause, Iokastes Tod und Ödipus' Wüten
gegen . sich selbst ausführlich berichtet hat, erscheint der Un-
glücksmann wieder, völlig geblendet, ein Bild herzzerreißenden
Jammers. Beide Augen hat er sich ausgestochen, denn sie haben
gesehen, was sie nicht sehen sollten, und fortan sollen sie nichts
auf der Welt mehr sehen noch erkennen; nicht getötet, geblendet
hat er sich, denn wie dürften diese Augen es wagen, den ge-
mordeten Vater und die geschändete Mutter im Hades an-
zuschauen? Solange er das Augenlicht besaß, war er blind; nun
da er blind ward, ist er sehend geworden: er erkennt die Hand
der waltenden Götter. Ἀπόλλων τάδ᾽ ἦν, Ἀπόλλων, φίλοι, ὁ
κακὰ κακὰ τελῶν ἐμὰ τάδ᾽ ἐμὰ πάθεα (1329). Er klagt, aber
er klagt nicht an, weder Götter noch Menschen; denn er ist ein
frommer Mann. Aber ebensowenig duldet er still und gelassen,
wie etwa ein Büßer des Mittelalters; zu einem Gregorius auf dem
Steine hat er nicht das Zeug. Leidenschaftlich, wie wir ihn
bisher gekannt haben, reagiert er auf die Entdeckung des
Frevels und hält über sich selbst Gericht. Später, auf Kolonos
durfte er sagen: τὰ γ᾽ ἔργα μου πεπονθότ᾽ ἐστὶ μᾶλλον ἢ
δεδρακότα und: καίτοι πῶς ἐγὼ κακὸς φύσιν (O. C. 265 ff.);
Dem Kreon gegenüber durfte er mit allem Nachdruck sich darauf
berufen, daß er wider Wissen und Willen in Sünde gesunken sei
(O. C. 960 ff. 510 ff.): hier tut er es nicht, sondern nimmt die
Strafe auf sich, ja vollstreckt sie furchtbar an sich selbst. Er

ist der Täter seiner Taten, sie sind sein, und ihre Folgen kommen auf seinen Kopf; und wiederum sind es doch nicht seine Taten, denn er handelte im guten Glauben, er wußte und er wollte nicht, was er tat. So ist er schuld an seinem Unglück und doch nicht schuldig. Der Kern seines Wesens, seine sittliche Persönlichkeit ist unangetastet geblieben. Wer des blinden Ödipus Verhalten gegen den Chor und gegen den schwer gekränkten Kreon, seine weichen Klagen und wehmütigen Betrachtungen, seine Sehnsucht nach den Töchtern und liebevolle Sorge um sie unbefangen auf sich wirken läßt, der wird an Schuld und Strafe gar nicht denken, vielmehr voll tiefen Mitgefühls auf diesen leidgeprüften Mann bewundernd schauen. Freilich, dieses Mitleid würde uns peinigen und quälen, wenn Ödipus nicht ein schwacher Mensch wäre wie wir auch, nur größer und edler, wenn wir ihn nicht als den leidenschaftlichen, eigenwilligen, selbstherrlichen Mann im Streite mit Teiresias und Kreon kennen gelernt hätten. Er wollte in allem Sieger bleiben, und was er ersiegt hatte, ist ihm nicht treu durchs Leben gefolgt. Auch sein letztes Begehren, hinausgestoßen zu werden in die Einöde „seines" Kithäron wird nicht erfüllt; er bleibt in Theben. Ruhe und Frieden findet er erst auf Kolonos. Die Götter sind ihm gnädig und entrücken ihn in des Hades Reich. Er selbst aber, das wiederhole ich, ist im Grunde seines Wesens derselbe geblieben, seine Natur ist ungebrochen. Auch im Hain auf Kolonos gehen die dramatisch bewegtesten Szenen von ihm und seinem Zornmut aus. Zwar dem Theseus naht er sich ruhig und milde, aber dem Kreon und Polyneikes gegenüber bricht seine leidenschaftliche Natur in ungeminderter Stärke hervor. Man wundert sich, wie greulich der Alte seinen Söhnen fluchen kann und wie er beinahe rachsüchtig das Unglück der Vaterstadt vorausgenießt. Wilhelm Jordan schreibt, es zeige sich an seinem Beispiel, daß die Götter den Menschen durch Leiden zur Erkenntnis führen und seine Demut belohnen durch Barmherzigkeit. Sehr schön, aber auf Ödipus paßt es nicht. Dagegen hat der Dichter dies durch die Macht seiner Poesie erreicht, daß wir nicht bloß bis ins Mark erschüttert werden, sondern auch das tiefste Mitleid empfinden mit einem Manne, der schuldlos all dies Gräßliche erduldet, der zwar äußerlich gebrochen wird, aber innerlich aufrecht steht und nur der Götterstärke weicht. Dazu schreibt Sophokles uns noch eine große Wahrheit mit harten Zügen fest ins Herz, das im Weltlauf und im Menschenschicksal unerbittlich waltende Gesetz von des Menschen Ohnmacht und der Götter Macht. Demütigend genug für unsern Stolz, aber unwidersprechlich wahr: Menschenwitz ist machtlos gegen Götterwillen, der Mensch mit all seiner Größe ist ein eitles Nichts. Dieser Gedanke entstammt der Weltanschauung des frommen Sophokles, und in unserm Stück hat er ihn durch den

ganzen Aufbau der Handlung bis zur Katastrophe, im großen wie
im kleinen, mit völliger Klarheit herausgearbeitet. Mit schneidender
Schärfe, mit einer gewissen Unbarmberzigkeit hat er alle Konsequenzen gezogen, und das Mittel, uns dies recht fühlbar zu
machen, ist ihm die tragische Ironie. Darüber hat Ewald
Bruhn in der Einleitung zu seiner Ausgabe (S. 28 ff.) so eingehend und so vorzüglich gesprochen, daß ich mir jedes Wort
sparen kann. Die aber, denen jene Wahrheit nicht gefällt, verweise ich auf die Schrift neuen wie alten Testaments. Aus den
Psalmen und Propheten, besonders aus Römer 9—11 und Hiob
38 ff. habe ich gelernt, daß es dem Menschen nicht frommt, mit
Gott zu rechten, wohl aber ziemt, seine Allmacht und uner-
gründliche Weisheit demütig zu verehren. — —
    Elektra ist ganz und gar eine Charaktertragödie. Aus dem
Charakter und der Lage der mißhandelten Tochter wird das
Strafgericht über die entartete Mutter gerechtfertigt, allein aus
der Sinnesart und dem Gebaren der leidend und tätig an der
Handlung beteiligten Menschen werden die Motive für die Bluttat
gewonnen. Sophokles geht hinter Aischylos auf Homer zurück.
Wie es in der Odysse (α 46) vom Aigisthos heißt: καὶ λίην
κεῖνός γε ἐοικότι κεῖτ' ἐν ὀλέθρῳ, so sind in der Elektra die
σφαγαὶ ἔνδικοι (37), ist Orestes δίκη καθαρτής πρὸς θεῶν
ὡρμημένος (70). Nach der Orestie des Aischylos eine Elektra
auf die Bühne zu bringen, durfte nur ein Genie vom Range des
Sophokles wagen. Es ist erstaunlich, mit welcher Kunst der
Dichter ohne den Apparat der Erinyen und überirdischer Mächte
oder Gesetze, d. h. ohne alle Transzendenz aus rein immanenten
Gesetzen, aus der Situation und den Charakteren der mithandeln-
den und mitleidenden Personen die Tat als notwendig und geboten motiviert hat. Nach Gustav Freytags Urteil enthält die
Elektra die stärkste dramatische Wirkung aller Sophokleischen
Tragödien: Gemütsbewegungen eines höchst energischen und großartigen Frauencharakters, in ausgezeichneter Weise durch Wandlungen des Gefühls, durch Willen und Tat für die Bedürfnisse der
Bühne geformt. Die Trauer Elektras und die Erkennungsszene
seien von hinreißender Schönheit. In diese Kunst des Dichters
einzuführen, ist die Hauptaufgabe der Interpretation, und aus
dieser Kunst schöpfen wir mehr als die Einsicht in den „Zusammenhang von Schuld und Strafe", als die Empfindung der
„Genugtuung über den befriedigenden Ausgang". Befriedigend?!
„Erschütternd" wäre wohl das richtige Wort.
    Viel gelesen und oft mißverstanden ist Antigone, die
eigentliche Schultragödie. Zwar eine Schuld entdeckt auch das
Auge der poetischen Gerechtigkeit an der heldenmütigen Jungfrau
nicht; aber daß Antigone absolut im Recht und Kreon absolut
im Unrecht ist, sträubt man sich noch anzuerkennen. Muff
meint, von einer subjektiven Verfehlung dürfe nicht gesprochen

werden; sie frevle nur insofern, als sie ein objektives Recht, das Gebot des Landesherrn übertrete. Also keine subjektive Schuld, aber objektiver Frevel? Mir nicht recht klar. Der dafür angezogene Ausdruck ὅσια πανουργήσασα (74) erklärt sich aus dem Zusammenhang anders. Antigone will damit die Auffassung Ismenes und die Anordnung Kreons als zu Recht bestehend nicht anerkennen, sondern sie sagt: „Was mir ὅσιον ist, das ist euch ein πανουργεῖν". Und in der Tat, da liegt das tragische Moment. Der Praktiker versteht den Idealisten nicht und bedauert ihn bestenfalls als einen Toren, Ideal und Leben klaffen weit auseinander, Idee und Wirklichkeit stoßen hart aufeinander. Ob die Ästhetik in unserer Tragödie eine moralische oder eudämonistische Antinomie findet, gilt mir gleich. Ich begreife aber nicht, wie Muff angesichts solcher Antinomien und im Hinblick auf den Konflikt, in dem Antigone, die schwesterlichste der Seelen, durch ihre fromme Tat zugrunde geht, emphatisch fragen kann: „Ist dann aber nicht das Schicksal, das über sie hereinbricht, ganz unverdient? Sind wir dann nicht Zeugen eines Vorgangs, der durch das Ungereimte, Ungerechte, Unbarmherzige, das ihm anhaftet, uns empören oder doch tief traurig stimmen muß? Tritt hier nicht der Fall ein, von dem Volkelt spricht, daß sich ein schwerer, aufregender Druck auf unsere Seele legt und wir fühlen, an welch schmerzvollen Rissen, an welch gemeinen Widersprüchen, an welch unheimlichem Widersinn das Weltgeschehen leidet? Wenn dem so wäre, so würde ich für meinen Teil Bedenken tragen, eine solche Tragödie mit den Schülern zu lesen. Nein, auch bei der Annahme, daß Antigone schuldlos leidet, trägt das Stück doch keinen pessimistischen Charakter". Dies unglückselige „Verdienen" und Suchen nach der Schuld! Es fälscht von Grund aus den Begriff des Tragischen, das nun gar noch den Pessimismus fördern und die Moral der Jugend verderben soll. Tief traurig, aber nicht empörend ist es, gewiß. Die schmerzvollen Risse und Widersprüche im Weltgeschehen, die es kündet, wollen wir doch nicht verkleistern. Die Tragödie legt allerdings einen schweren Druck, ein dumpfes Gefühl auf unsere Seele, aber sie befreit uns auch von solchen Affekten: κουφίζεσθαι μεθ᾽ ἡδονῆς. Lange vor Bernays und allen Gelehrten hat Goethe den Kern der Katharsis getroffen, wenn er in den Wanderjahren (II, 5) sagt: „Hier nun konnte die edle Dichtkunst abermals ihre heilenden Kräfte erweisen. Innig verschmolzen mit Musik heilt sie alle Seelenleiden aus dem Grunde, indem sie solche gewaltig anregt, hervorruft und in auflösendem Schmerze verflüchtigt" (Vergl. auch Geibels Gedicht „Das Drama"). Um auf Antigone zurückzukommen: sie wird von dem Gegner, der seine Macht jäh und skrupellos gebraucht, zerschmettert; der Idealist scheitert an dem Widerstand der stumpfen Welt. Aber in der Begeisterung, der Hingabe an das Ideal, dem sittlichen Heroismus liegt des Beglückenden und Erhebenden genug. In unserer Tragödie feiern wir den Sieg der Idee noch mit, wie Muff das in beredten Worten darlegt. — Antigones Charakterbild schwankt nur in gewissen Kommentaren. Es kommt mir schief vor, wenn ich von Muff höre: „Antigone ist, was sie ist, die hochstrebende Heldenjungfrau, so ganz und ausschließlich, daß ihre Verlobung, ihr Liebesleben ganz zurücktritt; sie ist also das Symbol eines bestimmten Begriffs". Meines Bedünkens ist sie das nicht. Sie ist nicht „ganz Begeisterungsaufschwung", nicht personifiziertes Heldentum, obwohl sie ihre Pflicht heldenhaft und mit Neigung erfüllt. Sophokles hat seine Antigone nicht stilisiert, sondern mit so viel konkreten und individuellen Zügen ausgestattet, daß sie in voller Natürlichkeit vor uns leibt und lebt. Sie hat die Kraft des Hasses wie der Liebe. Herb und schroff gegen Ismene, jedoch nicht ohne daß es ihr selber wehe tut (551); überlegen, kühl und spöttisch gegen Kreon in einem Grade, daß die Kriminalisten daraus eine Schuld zu konstruieren vermochten, erscheint uns das stolze, starke Mädchen weich und gefühlvoll in den Klagen beim Abschied vom Leben, in der Trauer um das verlorene Lebensglück. Dabei ist freilich von einem sentimentalischen „Liebesleben" überall nicht die Rede. Aus dem Verse 572: ὦ φίλταϑ' Αἷμον, ὡς σ'ἀτιμάζει πατήρ vernehmen wir auf keinen Fall den Aufschrei eines liebenden Herzens. Die Sprecherin, Ismene, will nur sagen: „Wie bitter wirst du diese Weigerung des Vaters empfinden!" (Wecklein. Vgl. die Anmerkung Bruhns). Auf ihrem Todesgange klagt Antigone wiederholt, daß ihr Hochzeit und Ehe versagt sind, aber den Verlobten erwähnt sie mit keinem einzigen Wort. „Nur darum trauert sie mit echt hellenischem und echt natürlichem Empfinden, daß es ihr nicht vergönnt gewesen ist, das τέλος des Frauenlebens zu erreichen" (Bruhn). Vollends verkehrt wäre es, ihr ein christliches Martyrium anzudichten. Antigone hat nichts von der Demut, der Sanftmut und dem leidenden Gehorsam der christlichen Märtyrer.

Über die Religion des Sophokles hat Erwin Rohde so überzeugend und abschließend gehandelt, daß jedes Wort meinerseits überflüssig ist. Ich bin ein Freund der Lehre vom λόγος σπερματικός und verweise gern auf Vorahnungen der geoffenbarten Wahrheit und christliche Klänge in den alten Autoren. Aber ich meine, wir müssen dabei recht vorsichtig sein und dürfen nicht über das Ziel hinausschießen. Sonst droht die Gefahr des Synkretismus. Von einem „kindlich frommen Glauben" unsers Dichters, einer „nahen Verwandtschaft mit dem Geiste der christlichen Religion" wage ich wenigstens nicht zu sprechen. Auch die Ethik des Sophokles ist griechisch und nicht christlich. Der sittliche Gehalt, die Sentenzen und Lebensregeln, selbst Worte wie οὐ γάρ τί μοι Ζεὺς ἦν ὁ κηρύξας τάδε und die Berufung auf die ungeschriebenen, unzerbrechlichen Gesetze der Götter

(450 ff. vergl. O. R. 863 ff.) gehen durchaus nicht über den Gesichtskreis der Griechen hinaus, man denke nur an Sokrates und
Platons Apologie; und das berühmte *οὔτοι συνέχθειν, ἀλλὰ
συμφιλεῖν ἔφυν* (521) spricht Antigone keineswegs im Geiste
christlicher Liebe, sondern ohne alle Weichheit und schroff
ablehnend im Streite mit Kreon, der geäußert hatte, Eteokles
könne sich gekränkt fühlen, wenn dem Polyneikes dieselben Ehren
wie ihm zuteil würden. Ich bin, will sie sagen, nicht dazu da,
der Meinen Haß, sondern ihre Liebe zu teilen; nicht mehr. Muff
allerdings findet sich durch diesen Vers an das „Kindlein, liebet
euch untereinander" des Lieblingsjüngers Jesu erinnert. „Der
große Heidenapostel", schreibt er, „feiert die Herrlichkeit und
die Macht der Liebe in einem vollen Lobgesang. Beim Anblick
der innigen Gemeinschaft, welche die ersten Christengemeinden
verband, riefen die Heiden erstaunt: sehet, wie sie sich einander
so lieb haben! Die Liebe ist die Betätigung des Glaubens, ist
der Beweis für seine Wahrheit, sein Leben, seine Kraft: und zu
dieser Liebe bekennt sich Sophokles". Nein, das tut er nicht,
und die ganze Tirade paßt auf ihn wie die Faust aufs Auge.
Ein Dichter von seinem Range bedarf, um als Schulschriftsteller
empfohlen zu werden, des Heiligenscheins so wenig als der Entschuldigung seiner Schwächen und Schranken. Mögen unsere
Schüler ihn sehen, wie er ist, und seine Tragödien lesen, wie sie
lauten: das genügt.

Blankenburg am Harz. **H. F. Müller.**

ZWEITE ABTEILUNG.

LITERARISCHE BERICHTE.

Otto Pfleiderer, Die Entwickelung des Christentums. München 1907, J. F. Lehmann's Verlag. VIII u. 270 S. gr. 8. 4 ℳ. geb. 5 ℳ.

Den beiden Büchern „Religion und Religionen" und „Die Entstehung des Christentums" hat der gelehrte Verf. das dritte folgen lassen; sie bilden eine zusammenhängende Trilogie, die einen summarischen Überblick über das Ganze des religiösen Lebens der Menschheit von seinen primitiven Anfängen bis zur heutigen Entwickelungsstufe geben soll. Auch dieser Band ist aus den Vorträgen hervorgegangen, die Pfleiderer vor einer aus Studenten und Gästen zusammengesetzten Hörerschaft in der Berliner Universität gehalten hat. Der ungeheure Stoff erforderte eine weise Beschränkung. Die Erzählung der äußeren historischen Vorgänge mußte zurückstehen vor der Darstellung der treibenden Gedanken, durch die diese veranlaßt wurden. So hoffte der Verf. manchen unter den nicht theologischen Zeitgenossen zu einem besseren Verständnis der religiösen Dinge behilflich zu sein oder wenigstens die Anregung dazu zu geben, daß sie zur Ausfüllung der Lücken des hier Gebotenen zu größeren Werken greifen, unter denen er besonders die Bücher von Baur und Hase empfiehlt.

In der Einleitung beurteilt er die bisherigen Weisen der kirchengeschichtlichen Darstellungen. Der katholischen, optimistischen Geschichtschreibung, für welche die christliche Kirche eine von Anfang an gegebene göttliche Größe und Stiftung ist, ohne Entwickelung, ohne Umwandelung im Innern, ohne Auseinandergehen in Gegensätze, — der altprotestantischen, pessimistischen, für welche der Lauf der Geschichte im großen und ganzen nur ein Abfall ist von der im Neuen Testament geoffenbarten Wahrheit, — der rationalistischen, der die Kirchengeschichte ein Spiel von Irrtümern und Gewalt, ein Spiel menschlichen Meinens, Irrens und Fehlens ist, setzt Verf. die evolutionistische Geschichtsbetrachtung entgegen, die von Herder und Hegel in die Wissenschaft eingeführt, von Baur zuerst in der Darstellung der Kirchengeschichte zur Geltung gebracht ist. Nach diesen hervorragenden

Theologen ist das Christentum die Religion der Gottmenschheit, der Erhebung der Menschen zum Bewußtsein ihrer geistigen Einheit mit Gott und zur Freiheit in Gott. Wie diese allgemeine Geistesreligion im jüdischen Volke durch Jesus begründet, dann von den engen Schalen der jüdischen Volks- und Gesetzesreligion befreit, weiter durch Gegensätze hindurchgegangen und nach deren Lösung wieder neue Probleme geschaffen, die neue Kämpfe hervorriefen, wie so durch stetes Auseinandergehen in verschiedene Richtungen, deren jede für ihre Zeit eine relative Wahrheit und Berechtigung hatte, das Christentum das wirklich geworden ist, was es seiner Idee nach von Anfang an gewesen, dies darzustellen ist die Aufgabe der evolutionistischen Betrachtungsweise. Dadurch dient sie nur dem überaus wertvollen Zweck aller Geschichtserkenntnis, der eben darin besteht, daß wir die in der Vergangenheit liegenden Wurzeln unseres gegenwärtigen Lebens und Strebens zu verstehen und ihre nährende Kräfte zu bewahren vermögen, ohne sie doch zu Fesseln werden zu lassen für unsere freie Selbstbetätigung in der Gegenwart und für unser rastloses Streben nach den Idealen der Zukunft.

In großen Zügen zeigt uns der Verf., wie mit Paulus und Johannes das Evangelium aus den Schranken des Judentums befreit. durch philosophische Begründung zu der Weltreligion wurde, die der damaligen Zeit entsprach, wie dann die alexandrinischen Väter Klemens und Origenes an der Ausbildung der christlichen Lehre und Moral und der römische Lehrer Augustinus das Christentum zu einer fest organisierten Kirche ausgebildet hat nach dem Muster des römischen Staatswesens. Den Gedanken dieses Mannes ist der Verf. mit besonderer Liebe nachgegangen; ist doch von ihm die tief religiöse Auffassung des Christentums, als der den Willen von Sünde und Schuld, von Unfreiheit und Unseligkeit erlösenden und verzeihenden Gnade ausgegangen; aber er ist es auch gewesen, der die Gnade an die äußerlichen Kirchenmittel und Kichenmittler gebunden hat. In seiner Brust waren noch die zwei Welten, die später so weit auseinander gingen und heute noch die Völker trennen, friedlich beisammen, die kirchliche Gebundenheit und Äußerlichkeit des Katholizismus und die persönliche Innerlichkeit und Freiheit des Protestantismus. — Weiter folgt die Darstellung der mittelalterlichen Kirche mit ihrem Drange nach Weltentsagung und Askese, mit ihrem maßlosen Streben nach weltlichem Glanze und weltlicher Herrschaft. Wir bedauern, daß in dieser großartigen Schilderung der Verf. es unterlassen hat, die Bedeutung der Kreuzzüge für die Hebung des Glanzes der Papstherrschaft und für ihren endlichen Niedergang zu behandeln, haben doch gerade Hegel in seiner Geschichtsphilosophie und Baur in der Kirchengeschichte durch das Eingehen auf die innersten Motive den Aufgang und Niedergang dieser dem Geiste des reinen Christentums fremden, wahnsinnigen

Bewegung so ergreifend zu charakterisieren verstanden. — Die erste Vorbedingung der gelingenden Reformation hat die Renaissance gebildet, ihr widmet der Verf. eine freundliche Schilderung; als Zweites kam dazu die Konzentrierung des religiösen Strebens in einem durchschlagenden und allgemein verständlichen religiösen Gedanken, wie er nur in einer Persönlichkeit von solch tiefer Religiosität und zugleich von so allgemeiner Volkstümlichkeit möglich war, wie sie eben in der Person Luthers entstanden ist. Luthers Schriften aus den Jahren 1520—23 sind die Marksteine der neuen Zeit, der echte Ausdruck des protestantischen Geistes, in dem die Renaissance, das Erwachen der Menschen zu modernem Persönlichkeitsbewußtsein, zur religiösen Betätigung gekommen ist. Dieselbe Sache betrieben Zwingli und Calvin; ihnen beiden ruft Verf. tiefgehende Worte nach.

Aber der Protestantismus nahm noch viele mittelalterlichen Vorstellungen mit hinüber. Dieser Widerspruch rächte sich furchtbar in den gewaltigen inneren und äußeren Kämpfen im 16. und 17. Jahrhundert. Dann folgte die Zeit der Aufklärung, die mit allen kirchlichen Dogmen brach, aber auch die religiöse und sittliche Tiefe des Christentums nicht begriff. Dieser einseitig verstandesgemäßen Richtung trat in der zweiten Hälfte des 18. Jahrhunderts eine zweite Renaissance gegenüber, die in den großen Geistern jener Zeit, in Herder, Goethe, Schiller, Kant, Schleiermacher, Fichte, Hegel verkörpert war. Alle diese Männer, auch wo sie von der Kirche sich völlig fernhielten, standen mit ihrem hohen Menschheitsideal auf dem Boden des Christentums und arbeiteten an seiner Entwickelung mit. Die Schilderung der neuen kirchlichen Wissenschaft, der an diese sich anschließenden kirchlich-politischen Reaktion und ihre Kämpfe bilden den Abschluß des Buches.

Verf. sieht nicht ohne frohe Hoffnung in die weitere Zukunft. Die Männer der christlich-sozialen Bestrebungen für Volksbildung, Volkserziehung, Verständigung und Versöhnung der sozialen Klassen untereinander, kurz für Verchristlichung des ganzen Volkslebens und Verweltlichung des Christentums im Sinne Rothes beginnen neuestens auch theoretisch die Scheuleder des engen Dogmatismus der Schultheologie abzuschütteln und mit freiem Blick auf dem weltlichen Gebiete der allgemeinen, vergleichenden Religionswissenschaft sich umzusehn, eine Wendung von unabsehbarer Tragweite.

So sei denn dies Buch, das wie die beiden voraufgegangenen Teile durch den Geist des Freimutes und der strengen Wissenschaft, durch das Geschick in der Auswahl des Stoffes und durch die glänzende Form der Darstellung ausgezeichnet ist, den Kollegen bestens empfohlen.

Papier und Druck gefallen sehr.

Stettin.   Anton Jonas.

H. Marx und H. Teuter, Hilfsbuch für den evangelischen Religionsunterricht an höheren Lehranstalten. III. Teil. Mit zwei Abbildungen. Leipzig u. Frankfurt a./M. 1907, Kesselringsche Hofbuchhandlung (E. v. Mayer.) VII u. 325 S. 8. geb. 2,75 ℳ.

Schon die Überschrift, „Stufe der christlichen Welt- und Lebensanschauung", die von den Verfassern diesem Teile ihres Hilfsbuches gegeben worden ist, zeigt, worauf es ihnen in erster Linie ankommt. Sie wollen nicht eine Masse Einzelkenntnisse darbieten, sondern den Schülern, was ja das höchste Ziel für die gesamte Lehrtätigkeit ist, eine bestimmte Welt- und Lebensanschauung vermitteln.

Dazu haben sie m. E. auch den richtigen Weg eingeschlagen. Vielleicht hätten sie ihr Ziel noch sicherer erreicht, wenn sie sich im Umfange des Stoffes, wenigstens in der Kirchengeschichte, etwas mehr Beschränkung auferlegt hätten. Es ist zwar durchaus wünschenswert, auf die religiöse Entwickelung des antiken Heidentums und der griechischen Philosophie, die Geschichte der christlichen Liebestätigkeit und der neueren Philosophie sowie auf die gewaltigen Triumphe der Naturwissenschaften etwas genauer einzugehen, als es in den meisten Lehrbüchern geschieht, doch werden z. B. die volkstümlichen Religionen der alten Kulturwelt (S. 60), die christliche Sittlichkeit (§ 39), die katholische Charitas (S. 224) kürzer behandelt werden müssen. Der 3. Hauptteil, die evangelische Glaubens- und Sittenlehre, könnte m. E. ganz fehlen, ohne daß der Wert des Buches herabgesetzt würde. Die Lektüre der neutestamentlichen Schriften und der Augsburgischen Konfession sowie die Kirchengeschichte bieten reichlich Gelegenheit, um das Wissenswerteste aus diesem Gebiete durchzunehmen. Diesen Standpunkt vertreten die Lehrpläne mit vollem Recht. — Die Verfasser stehen auf dem Boden einer maßvollen Kritik und haben die gesicherten Ergebnisse der neueren Forschung zugrunde gelegt. Das erkennt man aus den klaren und bestimmten Ausführungen über die Entstehung des Kanons (§ 28), über das 4. Evangelium (S. 38 ff.), aus ihrer Auffassung des Sakramentswesens (S. 82), der Lehre von der jungfräulichen Geburt Christi (S. 91), des Trinitätsdogmas (S. 93—94) usw. Recht erfreuliche Klarheit und Unbefangenheit des Urteils zeigt z. B. die Charakterisierung Julians (S. 75), die treffenden Bemerkungen über das mönchische und evangelische Frömmigkeitsideal (S. 121—122) und die Mißstände bei der evangelischen Liebestätigkeit (S. 242), ganz besonders aber der Abschnitt über die unvollständige Durchführung der reformatorischen Grundsätze (S. 164 ff.). Wenn es hier heißt, daß die Reformatoren „uns kein fossiles Erbe, keine Summe unantastbarer Lehren" hinterlassen haben, sondern „ein lebendiges Prinzip", so sehen wir gerade hier, wie meisterhaft es die Verfasser verstanden haben, immer den Kern der Sache hervorzuheben. Man vergleiche auch ihr Urteil über den Einfluß

der Philosophie auf Halbgebildete und Ungebildete (S. 58), über
„das verhängnisvolle Erbteil der hellenischen Philosophie" (S. 85),
über den Charakter des Germanen und Romanen (S. 145), die
Übertreibung und Entstellung des Materialprinzips (S. 168) usw.,
und man wird zugeben müssen, daß die Verfasser den umfangreichen Stoff philosophisch verarbeitet und die treibenden religiösen
Kräfte vortrefflich herausgestellt haben.   Und wenn sie die Hoffnung aussprechen, dazu beizutragen, daß der Religionsunterricht
„aus seiner Isolierung an der Peripherie des höheren Unterrichts"
wieder in das Zentrum verpflanzt werde, so wird sich diese
Hoffnung sicher erfüllen.   Besonders die eingehende und sachgemäße Würdigung unserer klassischen Dichter und des Philosophen Kant in ihrer eminenten religiösen Bedeutung wird die
Brücke bilden, durch welche die Verbindung zwischen nationalen,
christlichen und allgemein menschlichen Ideen hergestellt wird.
— In den Rahmen des Gesamtbildes, dessen Entwurf den Verfassern des Hilfsbuches ein glänzendes Zeugnis für ihre ernste
und tiefe Auffassung des evangelischen Religionsunterrichtes aus-
stellt, fügen sich die beiden Illustrationen, Raffaels „Disputa" und
Kaulbachs „Reformationszeit", harmonisch ein und sind wohl geeignet, den Schülern das Verständnis für den charakteristischen
Unterschied zwischen Katholizismus und Protestantismus zu erschließen. — Zum Schluß sei noch bemerkt, daß die überall beigefügten Randnoten die Übersicht über den reichen Inhalt sehr
erleichtern.

Möge das Buch weite Verbreitung finden und, was im vielgestaltigen Leben der Gegenwart sehr not tut, vielen dazu verhelfen, sich eine feste Welt- und Lebensanschauung auf Grund
des Christentums zu erwerben.

Görlitz.   A. Bienwald.

Kirchners Wörterbuch der philosophischen Grundbegriffe.
Fünfte Auflage. Neubearbeitung von Carl Michaëlis. (Philo-
sophische Bibliothek Band 67.) Leipzig 1907. Dürrsche Buchhandlung.
V und 708 S. 8. 8 *M.*

Der vierten Auflage des Kirchnerschen Wörterbuchs in der
Neubearbeitung von Michaëlis, die wir an dieser Stelle im Jahre
1903 anzeigen durften, ist die fünfte bereits jetzt gefolgt. Die
Umarbeitung eines weit verbreiteten Buches ist, selbst wenn die
fachmännische Kritik sich einstimmig einverstanden erklärt, niemals für den weiteren Erfolg ganz ungefährlich; denn es ist überaus schwer deutlich auszusprechen, welche Bedürfnisse eigentlich
die unbestimmte Masse, die man als Publikum bezeichnet, den
für sie berechneten Arbeiten entgegenbringt. Von diesem Standpunkt aus muß die Tatsache, daß dem vorliegenden Buch der
Erfolg auch in der Neubearbeitung treu blieb, als eine bedeutsame bezeichnet werden. Die philosophische Bewegung, die wir

in deutschen Landen seit einigen Jahren beobachten können, muß
an Breite sowohl wie an Tiefe zugenommen haben; denn, was
Kirchner ursprünglich bot, war doch nur ein seichter Aufguß,
während man jetzt statt dessen ein solide gearbeitetes, zuverlässiges
Buch vor sich hat, das zwar billigen Ansprüchen an Verständlich-
keit in seiner klaren Darstellung vollauf entspricht, aber doch dem
Leser wissenschaftliches Interesse und ernstes Nachdenken zutraut. Die Umarbeitung in diesem Sinne hat also den Beifall
des Publikums gefunden. Man sieht deutlich, daß wäßrige
populäre Darbietungen oder eine gewisse agitatorische Literatur
das Streben nach gründlicher Belehrung nicht erstickt haben.

Die neue Auflage ist um etwa 120 Seiten gegen die vorhergehende angewachsen. Einige wertlose Artikel Kirchnerscher
Provenienz wurden gestrichen, viele Einzelheiten wurden gebessert, der Ausdruck geprüft und geschärft, die Disposition der
Artikel geklärt, einige zum Teil erheblich vervollständigt, ganz
neue hinzugefügt. Zu rühmen ist dabei das Bestreben, auch die
neuesten Anschauungen zu Wort kommen zu lassen, wobei sich
eine seltene Universalität der Kenntnisse des Bearbeiters auftut.
Ein glücklicher Gedanke war es, entscheidende Formulierungen
in der originellen Fassung einzuflechten; denn die Trockenheit,
die lexikographischer Darstellung immer anhaften muß, wird dadurch in willkommener und anregender Weise unterbrochen. Zu
wünschen wäre dabei, daß nicht nur die Antike, sondern auch
die moderne Philosophie zu Wort käme, die, abgesehen von
Kant, hierin etwas zurücktritt. Zu wünschen wäre ferner, daß
die fremdsprachlichen Zitate, zumal die griechischen, sämtlich
übersetzt würden; denn die weiten Kreise, in die das Buch gelangt, sind im allgemeinen des Griechischen unkundig. Und wieviel Gymnasialabiturienten übersetzen eine Stelle aus Plato und
Aristoteles mühelos? Graeca non leguntur. Auch äußerlich zeigt
sich das Bestreben nach größerer Wissenschaftlichkeit in der
philologisch genauen Angabe der meisten Zitate. Besonders dem
Fachmann, der das Buch zu rascher Orientierung in die Hand
nimmt, wird damit gedient sein, wie auch dem Studenten, der
wissenschaftliche Philosophie nach den Originalen treiben will.
Die kurzen etymologischen Hinweise bei den Fremdwörtern
werden wieder manchem Leser aus dem breiten Publikum willkommen sein, doch wäre hierin noch größere Gleichmäßigkeit zu
wünschen.

Es versteht sich von selbst, daß dem unermeßlichen Stoff
gegenüber nicht alle Wünsche befriedigt werden können. Dankenswert ist z. B. der neue Artikel „Aristotelismus", aber dann
wünscht man auch einen über „Hegelianismus". Auch die Zeittafel könnte hie und da verbessert und um die Namen der bedeutenden philosophischen Historiker unserer Tage vermehrt
werden. In der Literatur ist noch manches Veraltete zu streichen

und manches Neue hinzuzufügen. Einigen wichtigen Artikeln,
wie dem genannten über „Aristolelismus" fehlen Literaturangaben
fast ganz. Endlich kann man einem Rezensenten der vierten
Auflage, der empfahl, die Kirchnerschen Artikel anthropologischen
Inhalts zu streichen, im Grunde nur beipflichten. Es ist zwar
entsprechend dem am Eingang dieses Referats ausgesprochenen
Gesichtspunkt nicht leicht zu entscheiden, ob nicht im Publikum
ein stärkeres Interesse an solchen Auseinandersetzungen über
Vorzüge, Mängel oder Typen der Menschen vorhanden ist, als der
Wissenschafter anzunehmen geneigt ist, aber es kann doch nicht
geleugnet werden, daß der sonstige, wissenschaftliche Charakter
des Wörterbuchs von dem popularisierenden Ton dieser Artikel
absticht.

Solche Einwendungen sind gegenüber dem Wert der umfangreichen Arbeit belanglos. Es ist nur zu wünschen, daß sie von
einem frischen, wissenschaftlich-philosophischen Zeitgeist getragen
sich weitere und weitere Kreise erobern möge.

Berlin.   Ernst Goldbeck.

Johannes Haußmann, Untersuchungen über Sprache und Stil
    des jungen Herder. Leipzig 1907, Buchhandlung Gustav Fock.
    X u. 114 S. gr. 8. 2,50 *M.*

Untersuchungen über die Sprache und den Stil unserer
Klassiker dürfen stets auf liebevolle Aufnahme im Kreise des
Gymnasiums rechnen. Diese Klassiker und ganz besonders die
Klassiker des 18. Jahrhunderts sind ja Urheber und Förderer des
Schönen in unserer Vatersprache gewesen. Sie haben zu ihrer
Zeit neuschaffend und neubildend das Deutsche zu ungeahnten
Höhen geführt. Die Besten des 19. Jahrhunderts sind ihnen
nacheifernd gefolgt. Das anbrechende 20. Jahrhundert wird sie
gewiß nicht verlassen.

Herder nimmt unter den Klassikern der deutschen Sprache
eine besondere Stellung ein. Tiefer und anhaltender als Lessing
und die Dichter Weimars beschäftigte ihn die Frage nach dem
Wesen der Sprache und nach der Sprachentwicklung. Was er
hier gedacht und gesehen hatte, ward für seinen schriftstellerischen Stil zum Segen. Er erregte unter seinen Zeitgenossen
ungeheures Aufsehen. Goethe und viele Geringere fühlten durch
Herders Redeweise ihr eigenes sprachliches Können befreit und
in neue Bahnen gelenkt.

Die — ursprünglich als Leipziger Dissertation gedruckte —
Arbeit Haußmanns führt uns zu den Sprachgebilden des jungen
Herder. Es war berechtigt, Herders Jugendsprache gesondert zu
betrachten. Die Sprache des Mannesalters bedarf bei Herder
einer selbständigen Untersuchung. Die Sprache seines Alters muß
wiederum für sich betrachtet werden.

Das Untersuchungsmaterial, das Haußmann uns vorlegt, ist

inhaltlich interessant; die Art der philologischen Behandlung und der psychologischen Deutung nirgends langweilig. Vor allem: Haußmann hat es fast immer verstanden, nur das hervorzuheben, was wirklich Herders Eigenart kennzeichnet. Seine Leser werden ihm dafür Dank wissen.

Die wichtigsten Sprachmittel Herders seien in kurzer Andeutung genannt: Belebung der Wortvorstellungen durch plastisch gebildete Komposita. Transitiver Gebrauch von Intransitiven. Stoffbeseelung durch geschickt geformte Reflexiva. Ungenierte Anwendung der Konjunktivformen. Energische Umgestaltung der Hilfsverbkonstruktion und Wiedereinführung veraltender Verbformen. Plastische Einsetzung des Dativs anstelle präpositioneller Verbindungen. Bildung neuer Adjektiva durch Zusammensetzung. Verallgemeinerung der Worte durch Auslassen, Individualisierung durch Hinzusetzen des Artikels. Ausdrucksvolle Verwendung von Präpositionen.

Charakteristisch für Herders Stil ist die Vorliebe für beigeordnete Sätze und der Haß gegen die Periode. Charakteristisch auch der stets verständliche, aber nicht immer grammatisch richtige Gebrauch von Partizipialkonstruktionen. Charakteristisch das plötzliche Abbrechen der Sätze, der Einschub persönlicher Gedanken, Hinweisungen und Interjektionen, der Gebrauch von rhetorischen Figuren, von Inversionen, von außergewöhnlichen Wortstellungen. — Herders Sprache erscheint in der Darstellung Haußmanns als die Sprache dessen, der charakterisieren und lebhafte Vorstellungen erzeugen, der den Leser ganz in seinen Bann zwingen und ihn mit sich fortführen will. Das war der große Fortschritt über die Sprache des Rationalismus, der alles getan zu haben glaubte, wenn er deutlich, vernünftig und regelgerecht redete.

Bei der sonst erfreulichen Beschaffenheit der Arbeit Haußmanns bedauere ich lebhaft feststellen zu müssen, daß ein Aufsatz Suphans [1]) ohne hinreichende Anführung stark benutzt worden ist, von unbedeutenden Herübernahmen aus einer anderen Schrift [2]) zu schweigen.

Glasgow.   Günther Jacoby.

Abriß der Geschichte der deutschen Literatur. Zum Gebrauche an höheren Unterrichtsanstalten und zur Selbstbelehrung bearbeitet von E. M. Hamann. Fünfte vollständig neu bearbeitete Auflage (15.—20. Tausend). Freiburg im Breisgau 1907, Herdersche Verlagshandlung. 319 S. gr. 8. 2,70 (geb. 3,40) ℳ.

Das Werk ist eine verkürzte Bearbeitung der Geschichte der deutschen Nationalliteratur von G. Brugier und erscheint hier

---

[1]) S. Zeitschrift für deutsche Philologie IV S. 165 ff. (1875).
[2]) Längin, Die Sprache des jungen Herder. Diss. Tauberbischofsheim 1891.

in vollständiger Umarbeitung und erheblicher Erweiterung. Worauf sich diese bezieht, kann ich nicht beurteilen, da mir die 4. Auflage unbekannt ist. Verf. bemerkt in dem Vorwort, daß sie eine recht erkleckliche Zahl von Fehlern beseitigt habe. Aber sie hat dabei nicht wenige übersehen und manchen schiefen und unklaren Ausdruck stehen lassen.

Ich will nur einiges anführen. Gleich in § 1 wird behauptet, die Vorfahren der jetzigen Dänen, Isländer, Schweden und Norweger hätten in deutscher Zunge geredet; S. 2 die erste Lautverschiebung habe die neun stummen Konsonanten getroffen, die zweite aber „auf die Vokale gezielt". S. 17 steht das alte Mißverständnis, im Alexanderlied werde dem Helden zuletzt „vergeben". S. 35: Wirnt ist der Held in Konrads von Würzburg bedeutsamer Legende „Engelbart und der Welt Lohn". S. 45 ist von einem Ritterschlage deutscher Ritter die Rede. Ebenda werden die Stollen der Strophen Aufgesänge genannt. Das Falkenlied S. 47 ist fehlerhaft zitiert. S. 51 heißt es: als Gregor über Friedrich den Bann aussprach, schrieb Walther einige niedergedrückte politische Sprüche „gegen die ungnädigen Briefe von Rom". Luthers Bibelübersetzung zuerst vollständig gedruckt 1532 (S. 67). Ähnliche Fehler und Irrtümer fehlen auch im nhd. Teile nicht, wie daß Gretchen nicht nur im „Faust", sondern auch als Klärchen im „Götz" vorkomme, daß sich „Der König in Thule", „Das Veilchen" und „Heideröslein" auf Lilli Schönemann beziehe u. v. a.

Zahllos sind, besonders in der Darstellung der älteren Zeit, die schiefen und halbrichtigen Ausdrücke und Wendungen, welche beweisen, daß die Verf. nicht aus eigner Anschauung und an der einzigen Quelle geschöpft hat. Gerade in einem Schulbuch kann man in dieser Beziehung nicht vorsichtig genug sein. Es würde zu weit führen, das hier mit Beispielen zu belegen.

Mancherlei Wichtiges wie eine Charakteristik der Ritter und der höfischen Poesie, der mhd. Sprache wie der nhd. Schriftsprache fehlt.

Die Verf. beurteilt alles vom Standpunkt des gläubigen Katholiken, beruft sich auch bisweilen auf ultramontane Urteile. Dabei ist sie jedoch bemüht gewesen, auch Gegnern gerecht zu werden wie Luther. Bisweilen freilich, wie bei Walther v. d. Vogelweide, gerät dabei ihre Darstellung ins Schwanken. Die Zeit von 1500—1618 ist ihr die Periode der Verwilderung der deutschen Dichtung; was sie dann aber aus ihr hervorhebt, das geistliche Lied, das Volkslied, den Schwank, das Fastnachtspiel u. a., das will dazu schlecht passen. Sachs freilich beurteilt sie auffallend ungünstig. Sie nennt ihn Schusterpoet und bringt den unklaren Satz zustande: „Seine Kampfesart beweist, daß er Luthers Lehre von jeher (?) einseitig beurteilt hatte und dadurch (?) aus einem fromm gläubigen Katholiken ein begeisterter Partei-

gänger Luthers geworden war". Also nicht aus ehrlicher Überzeugung, sondern aus einseitiger (?) Beurteilung! Nachdem
auf S. 70 gesagt oder zitiert ist: „er dichtete alles und erdichtete
nichts", muß sie S. 71 anerkennen: „Künstlerisch hervorragend
war Hans Sachs in der eigentlichen (?) Erzählung und besonders (!)
im Schwank. Zu beiden (!) Gattungen holte er die Stoffe aus
dem täglichen Leben und häuslichen Treiben seiner vielgeliebten
Vaterstadt" etc. Daß „seine Derbheit bisweilen von Schmutz
unterlaufen ist" — das ist eine der Wunderlichkeiten im Ausdruck, denen wir recht oft begegnen.

Nach den hier mitgeteilten Proben wird man Bedenken
tragen, das Buch Schülern in die Hand zu geben. Wenn der
Lehrer Fachmann ist, d. h. auf Grund eigener Kenntnis der
Literatur (nicht einer Literaturgeschichte) mit den Schülern arbeitet,
wird er Veranlassung haben, überall Einspruch zu erheben und
zurechtzurücken; und das ist doch unerfreulich. Zur „Selbstbelehrung" aber? — Das könnte doch sehr üble Folgen haben,
da das Buch zur eignen Kenntnisnahme der Dichterwerke selbst nirgends Anleitung gibt.

Friedenau b. Berlin.   Karl Kinzel.

---

1) M. Wolff, Shakespeare. Erster Band. München 1907, C. H. Beck.
477 S. 8. Geb. 6 ℳ.

Der bekannte Shakespeareforscher Conrad sprach einmal das
Wort aus, daß, dächten wir Shakespeare aus unserer Seele hinweg, es nicht anders wäre, als wenn wir Goethe daraus hinwegdenken wollten. So sehr sind wir gewohnt, Shakespeare besonders seit Schlegels meisterhafter Übersetzung zu den Unseren
zu zählen, so tief sind seine Werke in das Bewußtsein des deutschen Volkes gedrungen. Deswegen wird auch jeder Versuch,
das Leben und die Werke des Meisters in neuer Beleuchtung zu
zeigen, immer wieder Leser finden. Die vorliegende Biographie
stellt sich schon äußerlich als ein Seitenstück von Bielschowskys
Goethe und Bergers Schiller dar, aber auch nach Inhalt und
Darstellung darf sie sich kecklich neben diese beiden Werke
stellen. Der erste Band, der bis jetzt vorliegt, führt uns durch
Shakespeares Leben und Dichtungen bis zu den späteren Historien
und schließt mit einem Ausblick auf diejenigen Tragödien, in
denen sich Shakespeares Meisterschaft auf ihrer Höhe zeigt.
Neues aus dem Leben des Dichters will und kann der Verfasser
nicht bringen. Aber er hat das vorhandene Material fleißig verwertet und verarbeitet; manches freilich beruht, der Natur des
Stoffes entsprechend, wie der Verfasser selbst sagt, mehr auf
Vermutung und Kombination als auf sicheren Beweisen. Vortrefflich werden die äußeren Lebensschicksale des Dichters in dem
genannten Zeitraum, sein Werden, die Einwirkung von Zeit und
Umgebung auf seine Wandelungen, diese Zeit und Umgebung

selbst, z. B. das alte London, die gesellschaftlichen Verhältnisse, die Zustände des Theaters und des Schauspielerstandes, Shakespeares Verhältnis zu den zeitgenössischen Dichtern, dargestellt, Aber nach Ausdehnung und Bedeutung überwiegt doch die Betrachtung der Werke vor dem Biographischen. Und diese Besprechungen der Werke und ihrer Zusammenhänge, in denen der Verfasser vielfach eigene Wege einschlägt, verdienen alles Lob, und jeder wird sich in sie mit Genuß und Nutzen vertiefen. Ich verweise besonders auf die Analysen von ,,Romeo und Julia" und ,,Richard III." als besonders ansprechend. Den Bacon-mythus tut er auf kaum mehr als einer Seite ab (S. 148); er ist ihm eine der größten Torheiten des vorigen Jahrhunderts. Hingewiesen sei noch auf die inhaltreichen Anmerkungen am Schluß des Bandes mit ihren sehr dankenswerten literarischen Nachweisen und das dem Titelblatt vorangestellte Shakespeare-porträt, eine Nachbildung des Droeshoutporträts in der Shake-speare Memorial Gallery in Stratford.

2) **Goethes Werke.** Herausgegeben von K. Heinemann. Leipzig, Bibliographisches Institut, o. J. Sechsundzwanzigster und neunund-zwanzigster Band. 485 u. 483 S. 8. Der Band geb. 2 ℳ.

Der sechsundzwanzigste Band, wie der fünfundzwanzigste von G. Ellinger besorgt, bildet die Fortsetzung des fünfundzwanzigsten und bringt den zweiten Teil der ,,Aufsätze über Theater und Literatur", und zwar die ,,Mitteilungen" aus dem ,,dritten bis sechsten Band der Zeitschrift ,,Über Kunst und Altertum", dann Beiträge zu verschiedenen Zeitschriften aus den Jahren 1820—1830, Ankündigungen und Geleitworte aus den Jahren 1813—1830, Aufsätze aus dem Nachlaß (darunter eine Besprechung von Sim-rocks Übersetzung des Nibelungenliedes), zuletzt noch einige Aufsätze als Nachtrag. Die Einleitung zum fünfundzwanzigsten Band, auf deren Inhalt wir bei Besprechung dieses Bandes hin-wiesen, gilt auch für den sechsundzwanzigsten Band.

Der neunundzwanzigste Band, besorgt von Wilhelm Bölsche, eröffnet eine Auswahl aus Goethes naturwissenschaftlichen Schrif-ten. Von den zwei so scharf gesonderten Abteilungen nämlich, in welche Goethes naturwissenschaftliche Schriften zerfallen, will der Herausgeber die physikalischen (Farbenlehre; Meteorologie; allgemeine Fragmente zur Physik) beiseite lassen, um die zweite Gruppe, die Schriften zur organischen Morphologie, die für unsere Zeit noch hochbedeutsam sind, ferner die Schriften zur Geologie und zur allgemeinen Naturwissenschaft, in ihrer ganzen Größe vorzuführen. Der Band wird eröffnet durch eine glänzend ge-schriebene Einleitung, wie man sie aus der Feder Wilhelm Bölsches nicht anders erwartete. Bölsche schätzt Goethe als Naturforscher sehr hoch ein. ,,So einzig Goethe als Dichter für uns ist, so kommt er uns in dem Moment, da er sich mit seiner ganzen

Kraft auch der Naturforschung zuwendet, doch noch einmal ein Stück näher: wir sehen ihn Jahre vor Ausgang seines 18. Säkulums schon angestrahlt vom ganzen Morgenrot des 19., das sich mit solcher Sicherheit selbst als Jahrhundert der Naturwissenschaft bezeichnet hat. Sind seine Dichtungen uns nie alt geworden, so sind seine naturwissenschaftlichen Schriften für uns doch noch in einer besonderen Weise jung und frisch" (S. 9); sind es doch die Biologen, Geologen und Physiker, die, wie Bölsche weiter ausführt, Goethe immer wieder für sich reklamieren. Und nun folgt ein historischer Überblick über Goethes naturwissenschaftliche Studien und Schriften nach der angegebenen Richtung.

Sehr wertvoll sind am Schluß auch dieser beiden Bände wieder die Anmerkungen mit ihrer Fülle literarischer Nachweise und Erweiterungen für alle diejenigen, die über die in den Bänden enthaltenen Schriften noch eingehendere Studien machen wollen.

3) J. W. Nagl und J. Zeidler, Deutsch-österreichische Literaturgeschichte. Wien, Carl Fromme. Dreiundzwanzigste bis neunundzwanzigste Lieferung. S. 241—576. 8. Die Lieferung 1 ℳ.

Wir werden in diesen Lieferungen bekannt gemacht mit der deutschen Volksdichtung in Westungarn, ihrem Reichtum an Zauberglauben und Märchen und ihren Volksschauspielen. Dann erfährt die josefinische Aufklärung mit ihren Licht- und Schattenseiten eine unparteiische Würdigung. Die Verfasser behandeln die Durchdringung der Poesie durch die Barock- und Rokokokunst und ihre Verjüngung durch einen volkstümlichen Einschlag, die mit schulmäßigen Absichten betriebenen Anfänge der Volks- und Jugendliteratur, die Publizistik, die Poesie der josefinischen Ära und ihre wichtigsten Erscheinungen, die Travestie (Blumauer!), die Ritterepopöe (Alxinger!), die beide entstanden unter der Einwirkung Bürgers und Wielands und der vorhandenen Formen altösterreichischen Humors und der Neigung zu heimischer Vergangenheit, die Verbreitung der Aufklärung in den Kronländern der Monarchie, die, wenn auch Wien tonangebend war, doch in der Kunst- wie in der Volksdichtung ihre durch geographische und ethnographische Verhältnisse begründeten Besonderheiten behaupteten. Dann schildern die Herausgeber den Ausgang des Josefinismus und den Übergang in die vormärzliche Zeit, das reiche theatralische Leben Alt-Wiens, und zwar die stete Wechselwirkung zwischen Kunst- und Volkspoesie, deren klassischen Ausdruck Grillparzer und Raimund bilden, insbesondere die grotesken Schöpfungen der Volkspoesie mit ihren drolligen Späßen, die Feenmärchen, Zauberopern, Ritterpossen, Parodien, Lokalpossen, die so treffend die Sitten und Anschauungen der breiten Schichten des Wiener Bürgertums widerspiegelten. Das letzte Heft beginnt noch

mit der Schilderung der vormärzlichen Literaturblüte und des
Überganges in die neuere Zeit, der Charakterisierung des genialen
Raimund und seines Antipoden Nestroy, ihrer Zeitgenossen und
Nachfolger. Zahlreiche Abbildungen (Porträts, Abbildungen von
Denkmälern, Gebäuden, Darstellungen von Bühnenrollen usw.)
sind auch diesen Lieferungen beigegeben.

Offenburg (Baden).   L. Zürn.

Richard Kunze, Die Germanen in der antiken Literatur. II. Teil:
   Griechische Literatur.; Mit ,einer Karte! von Altgermanien. Leipzig
   G. Freytag, Wien, F. Tempsky 1907. 128 S. 8. geb. 1,50 ℳ.

Dem im Jahrgange 1905 dieser Zeitschrift S. 651 angezeigten
ersten Teile ist nach einem Jahre der zweite gefolgt, der Ab-
schnitte aus griechischen Schriftstellern enthält und nach denselben Grundsätzen bearbeitet ist. Herangezogen sind: Strabo,
Josephus, Plutarchus, Appianus, Cassius Dio, Herodianus, Julianus,
Libanius, Zosimus, Procopius, Agathias. Der Inhalt der einzelnen
Stücke ist von etwas ungleichem Werte. Am wichtigsten dürften
zunächst einige sein, die zur Ergänzung und Erläuterung der
Tacituslektüre dienen können, wie der Triumphzug des Germanicus
(Strabo), das Verhalten der Germanischen Leibwache bei der Er-
mordung des Caligula (Josephus), Kämpfe und Tod des Drusus
(Dio), die Schlacht im Teutoburger Walde (derselbe), ferner aus
früherer Zeit die Kämpfe mit den Cimbern und Teutonen
(Plutarchus) oder aus späterer die Alemannenschlacht (Libanius)
und verschiedene Szenen aus den Gotenkriegen, besonders Alarichs
Erziehung, Eroberung Roms durch Totila, Tejas' Tod (sämtlich aus
Procopius).

Zur Klassenlektüre eignet sich nur der Abschnitt aus
Plutarchs Marius über die Cimbern und Teutonen, dieser aber
in hervorragender Weise. Denn es ist ohne Zweifel zu bedauern,
daß im allgemeinen unsere Schüler von Plutarch nichts Zusammenhängendes zu lesen bekommen und ihnen daher dessen Name
ein leerer Schall bleibt. Ich will es zwar nicht als Ideal hinstellen, daß wir als Schüler in der Klasse, die der jetzigen Obersekunda entspricht, ein ganzes Jahr lang nur Plutarch gelesen
haben, noch dazu Philopoemen und Flamininus, aber seine
Lektüre bietet doch vielerlei Anregung. Aus diesem Grunde hat
ja auch Wilamowitz einige Stücke aus ihm in den ersten Teil
seines Lesebuchs aufgenommen. Ein Versuch mit den oben genannten Kapiteln aus dem Leben des Marius würde sich immerhin
lohnen, etwa am Schlusse der Obersekunda oder am Anfange
der Unterprima.

Die übrigen Abschnitte können einerseits zu Übungen im
schriftlichen Übersetzen ins Deutsche oder zum Stegreifübersetzen,
anderseits zur Privatlektüre verwendet werden. Für die letztere

freilich ist ein angemessener Kommentar fast noch notwendiger als beim ersten Teile.

Zwickau.   Theodor Opitz.

---

1) **Heinrich Wolf, Die Religion der alten Griechen.** Gütersloh 1906, C. Bertelsmann. 108 S. 8. 1,50 ℳ (Gymnasial-Bibliothek, herausgegeben von Hugo Hoffmann, 41. Heft).

2) **Heinrich Wolf, Die Religion der alten Römer.** Mit einem Titelbild. Gütersloh 1907, C. Bertelsmann. 104 S. 8. 1,50 ℳ (Gymnasial-Bibliothek, herausgegeben von Hugo Hoffmann, 42. Heft).

Diese beiden Hefte gehören eng zueinander, sie sind von demselben Verfasser nach denselben Grundsätzen bearbeitet. Sie ruhen auf neueren mythologischen Forschungen, besonders auf Useners Schriften, daneben auf Rohdes Psyche und manchen anderen. Aus diesen Werken sind gute ausführliche Zitate in den Text verwebt, leider nicht selten ohne Quellenangabe, so daß für den Lehrer, der nachprüfen will, die Benutzung unbequem ist. — Die Religion beider Völker wird nicht als etwas Fertiges dargestellt, sondern als Werdendes, das sich fortwährend verändert. Die Darstellung geht demnach aus von dem „Augenblicksgott" der ältesten Zeit, wo z. B. der einzelne Blitz als Gottheit verehrt wird; sie behandelt weiter den „Sondergott", der über ein begrenztes Lebensgebiet herrscht, und kommt erst dann zu den eigentlich persönlichen Göttern. Sie verfolgt dann die allmähliche Entwickelung der Vorstellung von den Göttern in der Volksreligion, in Mythus und Sage, in Kultus und Theologie. Sie bleibt aber beide Male nicht bei der Volksreligion stehen. In dem Heft über die griechische Religion behandeln die letzten 20 Seiten die religiösen Gedanken, welche die Philosophen aufgebracht haben; sie schließen mit dem Monotheismus des Posidonius (103 ff.) und Mark Aurels (105), überhaupt der Stoiker und ihrer Annäherung an das Christentum, die nach Usener so weit geht, daß der aufgeklärte Heide in den wesentlichsten Punkten sich so sehr in Übereinstimmung mit den Christen fühlte, daß er zu einem Glaubenswechsel keinen Grund sah (101). Die Darstellung der römischen Religion läuft auch in Philosophie und Christentum aus und bespricht in einem Schlußkapitel die Auseinandersetzung des Christentums mit den großen geistigen Mächten der damaligen Zeit, dem Judentum, der griechisch-römischen Religion, dem römischen Staat und der Philosophie; vorher kommen die orientalischen Kulte zur Besprechung, die in das Reich eindringen, als ältester der Kult der Magna Mater, dann das Judentum, der Isis-Kult und besonders ausführlich die Mithras-Religion, aus deren Kreis auch das Titelbild genommen ist, das bekannte Relief des Mithraeums, wo Mithras den Stier ersticht; endlich natürlich der Kaiserkult.

Die Hefte heben scharf und bestimmt die wesentlich verschiedene Art der Entwickelung in beiden Religionen hervor. Bei den Griechen entfaltet sich alles 'organisch', die vorhandenen Vorstellungen werden immer von neuem umgebildet, auf höhere Stufe gehoben, und dabei zeigt sich der durchgreifende Einfluß großer Geister, Homers, Hesiods, der Tragiker u. s. f., aber auch einzelner Geistesrichtungen, des Mysteriendienstes, der Orphiker u. a. Bei den Römern ist der Gang der Entwickelung anorganisch, die staatlichen Interessen bestimmen sie, man nimmt nach der Lage des Staates, also insbesondere seiner Notlage, immer neue Elemente von außen hinzu; das beginnt schon mit der allmählichen Gräzisierung der römischen Religion durch den Einfluß der Sibyllinischen Bücher.

Natürlich muß eine solche Darstellung beide Male einen ungeheuren Stoff verarbeiten, sie muß sich auf die größten Hauptsachen beschränken und erhält naturgemäß doch etwas Skizzenhaftes. Liest man die Hefte hintereinander, so hat man zunächst das Empfinden, daß der Stoff in dem zweiten Heft besser bewältigt ist; doch war es da auch leichter, teils weil aus der Darstellung der Religion der Griechen manches vorauszusetzen war, teils weil die Sache selbst einfacher ist. Bei den Griechen führte die Überfülle des Stoffes doch bisweilen zu gewaltsamer Zusammendrängung ausgedehnter Gedankengänge auf kurzen Raum. So, wenn 14 f. dargestellt wird, wie die Persönlichkeit des Gottes Apollo sich bildet, indem er eine große Anzahl von verwandten Gottheiten in seinen Machtbereich zieht, die schließlich alle in der einen Gestalt zusammenfließen, und zwar in drei Gruppen: die Übel abwehrenden Götter, die Heilgötter und die Lichtgötter. Das ist eine weitblickende Hypothese, die eine ausgedehntere Behandlung verlangt. Ebenso skizzenhaft ist der Abschnitt über mythologische Bilder und Motive (21 ff.), der viel Mythendeutung enthält, die dem nicht eigens darauf geschulten Jüngling nicht leicht eingeht. Auch vergleichende Hinweise auf germanische, römische, indische Mythen sind in ganz leichten Andeutungen eingestreut. Die Aufstellungen sind geistreich, aber zum Teil doch auch sehr kühn. Poseidons Dreizack ist „ursprünglich mit dem Donnerkeil identisch", der sonst in der Hand des Zeus „zweiseitig" ist (11). Deukalio ist „der kleine Zeus", „das Zeusknäblein", welches wie die Lichtgottheiten Perseus, Dionysos in einem Kasten oder Schifflein über das Meer kommt; eine Flutwelle trägt ihn in die Höhe (26). „Auch die Keule des Herakles ist die Blitzwaffe" (32). Das scheint mir eine für Schüler zu kühne Kombinationstätigkeit.

Überhaupt: der Verfasser sagt ja, das meiste sei im Anschluß an seinen Unterricht entstanden und das eine mit Sekundanern, das andere mit Primanern in dieser oder ähnlicher Weise besprochen. Es ist aber ein großer Unterschied, ob das im münd-

lichen Verkehr geschieht, oder ob der Schüler auf stille häusliche
Lektüre angewiesen ist, bei der nicht jeden Augenblick eine Andeutung des Lehrers helfend eingreifen kann. Da wollen sie
eine Darstellung in behaglicher Breite haben, nicht ein Gerippe,
dem sie selbst erst Fleisch geben sollen. — Trotz dieser Bedenken scheide ich mit Dank von dem Verfasser der anregenden
Hefte.

3) A. Chudziński, Tod und Totenkultus bei den alten Griechen.
     Gütersloh 1907, C. Bertelsmann. 83 S. 8. 1 *M.* (Gymnasial-
     Bibliothek, herausgegeben von Hugo Hoffmann, 44. Heft.)

Dieses Heft der Gymnasial-Bibliothek berührt sich in manchen
Punkten mit den besprochenen Arbeiten Wolfs, es bildet zu ihnen
eine Ergänzung, zum Teil auch einen Gegensatz. An Tod und
Grab knüpfen sich ja überall eine große Menge von religiösen
Sitten und Anschauungen. Daher mußte denn auch von Chudziński die griechische Religion in ihrer Entwickelung der Darstellung zugrunde gelegt werden. Daneben tritt hier sachgemäß
vieles aus der Alltagsreligion, was Wolf unberücksichtigt läßt, da
er teils überhaupt nur die großen Grundzüge bespricht, teils sehr
bald übergeht in die höheren Regionen der Philosophie, der ge-
reinigten religiösen Begriffe, worüber wir in der späteren Zeit
die Volksreligion gar zu sehr aus den Augen verlieren. In seiner
Darstellung der Entwickelung, die die griechische Religion durchgemacht hat. steht aber Chudzinski vielfach im Gegensatz zu
Wolf. Während dieser mit den Augenblicksgöttern und Sonder-
göttern Useners beginnt, also mit den ersten Keimen griechischer
Religion, steht für Chudzinski Homer am Anfang der Darstellung,
nur gelegentlich verweist er auf frühere Zeiten, „da der Glaube
des griechischen Volkes noch der reine Dämonenglaube war"
(S. 28), den er auch „den wüsten Dämonenglauben" nennt (S. 35).
Wichtiger sind andere Unterschiede. Bei Wolf ist es die Rolle
der Philosophen, daß sie das Volk zu höheren, edleren religiösen
Begriffen emporheben, wodurch sie dann in seiner Darstellung
allmählich zu Trägern der ganzen weiteren Entwickelung werden.
Bei Chudzinski sind die Philosophen die den Glauben Unter-
grabenden, ihre Tätigkeit führt „zur Unterwühlung des ganzen
überkommenen Glaubens" (S. 15). Als Höhepunkt griechischer
Religiosität erscheint bei ihm die Zeit nach Homer, wo eine
„religiöse Reform" die Begriffe der Sündhaftigkeit, der Notwendigkeit der Buße, der Erlösungsbedürftigkeit einführt (S. 11 fg.), wo
dann auch die Anschauung vom Leben im Jenseits eine edlere
wird und endlich besonders Äschylus und Sophokles wirken, um
„Trost und Beruhigung in das verzagende Herz zu flößen", wo
der Tod eine sittliche Macht wird, da im Jenseits Lohn und
Strafe auf den Menschen wartet (S. 14). Und am Ende mündet
bei Wolf die Darstellung in einen Monotheismus, der kaum das

3*

Bedürfnis hat, zum Christentum überzutreten; bei Chudzinski
kommen wir in eine „untergehende Welt", „das sinkende Heidentum", das „nochmals unter den Schutz derselben Philosophie
flüchtet, die vor 500 Jahren begonnen hatte, ihm die Wurzeln
abzugraben" (S. 20), und das erst Hilfe beim Christentum findet.
Diese Gegensätze sind teils Ausflüsse verschiedener Grundanschauungen über die Religion und die letzten Dinge, teils Ergänzungen,
da im gewissen Sinne ja an beiden Wahres ist.

Diese großen Züge der Entwickelung der griechischen Religion bringt das 1. Kapitel. Das 2. behandelt die Vorstellungen
vom Hades und dem Zustand der Seelen nach dem Tode, das 3.
die Moira, die Todesgötter, die Mysterien, das 4. Tod und Bestattung, wobei S. 52 ausführlich die Gründe dargelegt werden,
weshalb sich das Christentum gegen die Verbrennung sträubt, das
5. die Totenverehrung, Gräber und Friedhöfe, das 6. den zu-
gehörigen Aberglauben, das 7. die Pflanzen, die man mit den
Toten in Verbindung brachte. Je weiter wir fortschreiten, besonders vom 4. Kapitel an, tritt in der Darstellung die Rücksicht
auf die im Laufe der Geschichte sich vollziehenden Änderungen
zurück, wenn sie auch nicht ganz verschwindet. Der Verfasser
bietet uns hier sehr sorgsame Kleinarbeit, eine Zusammenstellung
unendlich vieler Einzelzüge, die alle auf das gewissenhafteste mit
Zitaten belegt werden. Das ist ja in mancher Beziehung bequem
und dankenswert, es erweckt auch wohl das Gefühl, daß man
überall festen Grund unter den Füßen habe. Aber es hat doch
auch seine Bedenken. Zunächst geben die Belege zeitlich gar zu
wirr durcheinander. So beruft sich Chudzinski S. 63 für das
Begräbnis der Vaterlandsfeinde außer Landes auf Plutarch, Älian
und hinterher auch Plato. Gelegentlich (z. B. S. 54) werden
römische Sitten ohne weiteres unter die griechischen gemischt.
Dabei erwähnt Chudzinski die Bemerkung Prellers in seiner
Römischen Mythologie, die Gladiatorenspiele seien bis gegen das
Ende der Republik stets in Verbindung mit Begräbnissen gegeben,
seien also ein Rest alter Menschenopfer; er zitiert aber das
Prellersche Werk noch aus der alten einbändigen Ausgabe, die
doch seit 1881 verschwunden ist. Das Hellsehen der Sterbenden
wird belegt aus Plato, Diodorus Siculus und Cicero, es fehlen
aber seltsamerweise die bekannten Stellen aus der Ilias (S. 45).
Eine so verbreitete Sitte, wie die Grabspenden von Milch und
Honig bedarf doch nicht der Berufung auf so späte Schriftsteller
wie Lucian und Pausanias (S. 59)! Mit andern Worten diese
zahllosen Stellen sind zum Teil unkritischer Prunk. — Aber auch
abgesehen davon, für solche Darstellungen, die doch bieten wollen,
was man heute von diesen Sachen weiß, ist das mühselige Zusammensuchen solcher Einzelheiten weniger wichtig, als die Berücksichtigung dessen, was neuere Forscher und Denker daraus
gemacht haben. In dieser Richtung ist nicht genug geschehen.

Nehmen wir nur ein einziges Beispiel, den Genius oder Dämon des Todes. Chudzinski berührt S. 8 Lessings Abhandlung als lediglich vom ästhetischen Gesichtspunkte ausgehend und S. 7 Schillers Götter Griechenlands: „Seine Fackel senkt der Genius". Er müßte heute hinzusetzen: Das ist eine ganz späte Vorstellung, die mit der eigentlich griechischen Religion nichts zu tun hat: „Der Hellene des 6. Jahrhunderts war überreich an dämonischen Verkörperungen des Todes . . . Nur von dem langweiligen 'Genius mit der umgekehrten Fackel', den Lessings Abhandlung auf unsere langweiligen Kirchhöfe gebracht hat, wußten sie freilich nichts; sie hätten auch nichts mit ihm anfangen können" (v. Wilamowitz, Griechische Tragödien III 79, Einleitung zu Euripides' Alkestis). Von der Gestalt des Thanatos handelt Chudzinski S. 34: nur Euripides habe diesen „Todesengel" auf die Bühne gebracht, er sei aber dem Volksempfinden fremd gewesen; er konnte aus Wilamowitz' Ausführungen S. 81 fg. ersehen, daß diese reine Personifikation für die Bühne von Phrynichus geschaffen ist, daß sie aber auch in dem Märchen oder der äsopischen Fabel vom Manne mit dem Reisigbündel vorkommt und in der Sage von Sisyphus, daß es kein „Engel" war, sondern eine burleske plebejische Gestalt. Dazu läßt er das Homerische Brüderpaar Thanatos und Hypnos unerwähnt; auch S. 63, wo er davon spricht, man habe geglaubt, „daß es dem Verstorbenen angenehmer sei, im Heimats- oder Freundesland inmitten derjenigen, die er kannte und liebte, zu ruhen, als in der Fremde". Ich führe ohne weiteren Zusatz an, was v. Wilamowitz S. 81 über die Zwillingsbrüder Schlaf und Tod sagt: „Dieser Glaube ist den Athenern sehr teuer gewesen, als der mythische Ausdruck dafür, daß die Seelen ihrer Braven doch den Frieden fänden, auch wenn ihre Gebeine auf fernen Küsten blichen oder auf dem Meeresgrunde moderten. Die athenische Malerei hat den Vorgang ergreifend dargestellt; manchmal setzen die hilfreichen Träger auch andere Leichen an dem Grabmale nieder als die von Kriegern; ihre Bildung ist verschieden; gern tragen sie selbst die Gestalt von Gewappneten, sozusagen Kameraden". Wozu haben eigentlich solche Leute geforscht?

4) Edmund Lange, Sokrates. Mit einem Titelbilde. Gütersloh 1906, C. Bertelsmann. 72 S. 8. 1 *M.* (Gymnasial-Bibliothek, herausgegeben von Hugo Hoffmann. 43. Heft.)

Lange, der früher in der Gymnasial-Bibliothek über Xenophon und Thukydides die Hefte 9 und 16 geliefert hat, war naturgemäß bei der Behandlung Xenophons auf Sokrates gekommen. Damals ist in einer Besprechung der Wunsch geäußert, „daß die Sammlung doch auch ein besonderes Heft über diesen edelsten Vertreter des Griechentums bringen möchte". Er ist gern darauf eingegangen, und nun liegt das Heft, später allerdings, als er

hoffte, vor. Der Gedanke war wohl berechtigt, seine Ausführung
schwierig. Schon die Frage nach den zu benutzenden Quellen
macht bekanntlich Not. Wie weit darf das Bild, das Xenophon
von Sokrates entwirft, als echt gelten? Wie viel von Platons
Darlegungen haben wir ein Recht auf den wirklichen Sokrates
zu beziehen? Lange sucht aus dieser Schwierigkeit heraus-
zukommen, indem er sich an die Formel Schleiermachers hält:
„Was kann Sokrates über das von Xenophon gegebene Bild
hinaus noch gewesen sein, ohne daß ein direkter Widerspruch
mit diesem sich ergibt, und was muß er gewesen sein, damit
Platon sich berechtigt glauben konnte, ihn so einzuführen, wie
er es getan hat?" (S. 10. 42). Die Lösung mag im allgemeinen
richtig sein. Doch bleibt trotz ihrer noch vieles der Intuition
überlassen, einem gewissen Gefühl, welches richtig leitet, welches
aus der ganzen Vorstellung, die man sich von dem Manne bildet,
eine Entscheidung über das einzelne fällt, welches sich auch
sagt, was nach dem damaligen Stande der philosophischen
Forschung möglich war. An sich muß man doch auch bei einem
Philosophen, der so lange lebte und forschte, eine Entwickelung
voraussetzen, und bei manchen Punkten wäre es vielleicht nicht
aussichtslos, den jungen Sokrates von dem alten zu unterscheiden.
Und Platon war der Dichter-Philosoph. Er hatte selbst in seiner
Jugend Dramen gedichtet. Seine dichterische Ader konnte er
auch in seinen Dialogen nicht unterdrücken. Die dramatischen
Dichter aber legten ihren Personen Eigenschaften bei, die sie in
der Überlieferung nicht hatten; sie ließen sie Gedanken aussprechen, die dem Dichter persönlich oder seiner Zeit angehörten,
aber nicht der Zeit der Sage. Ich erinnere besonders an das,
was Johannes Geffcken, Das Griechische Drama S. 112, darüber
ausgeführt ist: „Noch immer ist seine (Sokrates') historische
Gestalt nicht in das volle Licht gerückt. Wir verdanken das
Platon, es ist seine schöne Schuld, daß er diesen einzigen
Menschen zu einem Heros, dem nichts auf Erden unerforschbar
war, umgeschaffen hat, zu einer Gestalt von unvergänglichem
Leben". Ich vermisse diesen Gedanken bei Lange.

Eine weite Schwierigkeit war die pädagogische Behandlung des Stoffes. Lange betont schon in dem Vorwort und nochmals am Schluß S. 72, daß es „ohne allen Zweifel zu den Aufgaben jedes Jünglings gehört, der die oberen Klassen unserer
höheren Schulen besucht, sich . . . in das Wesen und die
philosophische Anschauungsweise dieses großen Atheners ein-
zuleben". Unsere Schüler sind aber noch nicht philosophisch
gebildet, sie sollen es erst werden. Es wäre nun eine schöne
Aufgabe, Schülern an der Hand eines solchen Stoffes den Zugang
zu philosophischem Verständnis zu eröffnen. Dazu gehörte aber
mehr, als hier geschehen ist. Die Darstellung müßte sich nicht
an das in der Geschichte der Philosophie Herkömmliche halten,

sie müßte sich auch nicht begnügen, die von den Griechen gegebene Formulierung der Gedanken wieder zu geben. Sie müßte hineintauchen in die Gedankenwelt der Jugend und der Gegenwart, um dort Anknüpfungspunkte zu suchen, von denen Schüler zu philosophischem Verständnis kommen konnten. Was ist philosophisch, was unphilosophisch? (S. 41). „Ihre (der Ethik) systematische Ausbildung ist ja ohne metaphysische und psychologische Grundlegung ohnehin unmöglich" (S. 56). „Alle anscheinend qualitative Verschiedenheit ist also im Grunde eine quantitative" (S. 6 bei der Atomenlehre). Die Trugschlüsse Zenons „geben auf gewisse Denkschwierigkeiten zurück, die uns freilich nicht mehr beträchtlich vorkommen" (S. 4); auch dem Schüler nicht? Das sind nur wenige Beispiele, die zeigen sollen, daß eigentlich philosophische Bildung vorausgesetzt ist. Sie ließen sich leicht häufen. Ich kann darauf nicht weiter eingehen. In unserer unphilosophischen Zeit müssen ganz andere Mittel benutzt werden, um da Einsicht und Interesse zu wecken.

Die Darstellung ist gewandt und glatt. Auch sonst wird gelegentlich etwas als bekannt vorausgesetzt, was unbekannt ist, so S. 17 bei „jenen Nachbildungen von Syringen und Flöten tragenden Silenen, die wenn man sie öffnet, im Innern Götterbilder tragen". „Bekanntlich" steht S. 19 wie in Zeitungen, wo es bedeutet, daß man es nicht weiß. Ein endloser Satz von 15 Zeilen auf S. 23, die umständlich langweilige Einführung des Kapitels 16, ein Ausdruck wie „die Begründetheit" S. 45 mußte vermieden werden. Komisch sächselnd hört sich S. 33 der Druckfehler an: „in der einzigen öffentlichen Stellung, die ich begleitete", statt bekleidete.

Neustrelitz.   Th. Becker.

Felix Gaffiot, Le subjonctif de subordination en Latin. I. Propositions relatives. II. Conjonction *cum*. Paris 1906, Klincksieck. 221 S. 8. 5 *frs*.

Felix Gaffiot, Ecqui fuerit *si* particulae in interrogando Latine usus. Paris 1904, Klincksieck. 50 S. 8.

In der ersten Schrift bespricht der Verf. an der Hand einer reichen Beispielsammlung aus der Zeit von Cato bis Gellius den Konjunktiv in den bezeichneten Satzarten. In den Relativsätzen erklärt er ihn daraus, daß der Redende eine konsekutive, kausale oder konzessive (auch adversative) Färbung des Gedankens, in den Sätzen mit *cum* dieselben und noch einige besondere Arten von Schattierungen des Sinnes bewußt habe ausdrücken wollen. Das ist nun an sich nichts Neues, aber in der Ausführung zeigt sich doch manches Besondere. Zunächst sucht bei den Relativsätzen G. mit Geschick nachzuweisen, daß nicht der kausale usw. Sinn an sich den Konjunktiv bedingt, sondern erst die Absicht des Redenden, diesen Sinn hervorzuheben. Durch Gegenüber-

überstellen von indikativischen und konjunktivischen Sätzen wird
dies recht anschaulich gemacht. Über einzelne Beispiele kann
man andrer Meinung sein, wie z. B. leg. II 7, 16 *Quomque omnia,
quae rationem habent, praestent iis quae sint rationis expertia*...
der Konjunktiv sehr wohl durch Attractio modi, d. h. eine un-
willkürliche Angleichung (an *praestent*) herbeigeführt sein kann.
Aber im ganzen scheint mir das Ergebnis für die Relativsätze
unanfechtbar. Nur bei den indefiniten Relativsätzen (*sunt qui
dicant*) wird man doch stutzig. In den Sätzen aus Plautus und
Terenz halten sich Indikativ und Konjunktiv freilich so ziemlich
die Wage, aber in der negativen Form (*nemo est qui*) haben auch
sie nur den Konjunktiv. Bei Cicero überwiegt er bedeutend.
Sallust hat nur den Konjunktiv, und aus Livius kann G. nur
einen Satz mit Indikativ anführen. Und das soll alles nur Stil
des einzelnen Schriftstellers, nur bewußte Absicht oder habitude
de plume sein? Da wird es einem doch schwer, sich von dem
Gedanken loszumachen, daß im Lauf der etwa anderthalb Jahrhunderte in der Sprache selbst eine Wandlung vor sich gegangen
sei. Und eine Prüfung der einzelnen Sätze, die G. uns ja so
warm ans Herz legt, würde, glaube ich, doch Unterschiede zeigen,
die die Willkür des Schriftstellers einschränken. So ist S. 62 der
Satz Par. I 14 *Quicquam bonum est, quod non eum, qui id possidet,
meliorem facit?* doch nicht gleichwertig mit dem ihm gegenüber-
gestellten Imp. Pomp. 10, 28 *Quod genus esse belli potest, in quo
illum non exercuerit fortuna rei publicae?* Jener heißt auch auf
deutsch: „Gibt es irgend etwas Gutes, das den, der es hat, nicht
besser macht?" Dieses: „Welche Art von Kr. kann es geben, in
der ihn nicht das Schicksal umgetrieben hätte!" Auch im
Deutschen haben wir die Möglichkeit der umgekehrten Modus-
gebung („machte" und „hat"). Aber in jenem Satze ist der
Indikativ angezeigt, weil er eine Art dogmatischer Behauptung
enthält: „Jedes Gute (jede Tugend) macht seinen Besitzer besser".
Dieser stellt die Behauptung doch nicht ganz apodiktisch hin:
„In jeder Art von Krieg, sollt' ich meinen..."
      Im zweiten Abschnitte soll dasselbe Gesetz des Modus-
gebrauches für die Sätze mit *cum* nachgewiesen werden. Für
kausales *cum* mit Indikativ werden aus dem archaischen Latein
40 Beispiele angeführt, aus dem späteren (Cicero, Vergil, Juvenal)
19, für dasselbe *cum* mit Konjunktiv können aus dem archaischen
Latein, soweit nicht Attractio modi in Frage kommt, höchstens 7
gezählt werden, in deren zweien im Hauptsatz ein Infinitiv nach
aequom est steht, während in einem, Hec. 531, auch noch die
Attractio modi mitgesprochen haben kann. Die unzähligen
Stellen mit Konjunktiv aus dieser Zeit — sind nicht gezählt.
Aber doch wird jede Entwicklung des Sprachgebrauches geleugnet.
Bei dem konzessiv-adversativen *cum* liegt die Sache ebenso. Auch
hier verzichtet G. auf Anführung von Beispielen für den Kon-

junktiv aus der späteren Zeit. S. 125: „Pour la période classique, il serait superflu de citer des exemples de subjonctif, puisque c'est la construction donnée comme régulière". Aber für die alte Zeit war es eben noch nicht die als regelmäßig gegebene Konstruktion. Und doch keine Entwicklung des Sprachgebrauches?

Die Sätze, die G. unter *Cum* explicatif bringt, sind größtenteils solche, die man sonst koinzidente nennt. Von Sätzen dieser Art mit Konjunktiv führt G. aus Cicero etwa 15 an. Sie haben das Besondere, daß sie fast alle ein Verbum dicendi oder sentiendi enthalten und im Präteritum gewöhnlich nicht im Tempus mit dem Hauptsatze übereinstimmen. Diesen 15 gegenüber babe ich in meiner Schrift de coincidentia 209 Beispiele aus Cicero mit dem Indikativ nach *cum* aufgeführt. Da kann doch nicht gut mehr von Willkür des Schriftstellers die Rede sein.

Der interessanteste Abschnitt ist der nächste, Kap. 5, der die uns ungewohnte Überschrift *Cum* participial trägt. Dieses deckt sich großenteils mit dem sonst *cum* historicum genannten; jene Bezeichnung ist aber gewählt, weil diese Sätze nach Ansicht des Verfassers eine Art Ersatz für nicht bildbare oder ungelenke Partizipialkonstruktionen sind. Mit dem Indikativ sind diese Sätze reine Temporalsätze, mit dem Konjunktiv geben sie die nähere Bestimmung eines Nomens oder die näheren Umstände einer Handlung, einen charakteristischen Zug oder eine weitere Ausführung der Aussage des Hauptsatzes. Auch diese Erklärung ist nicht neu, das Neue aber, den Namen *cum* participial, konnte nur ein Franzose erfinden, der in seiner Sprache die ausgedehnte Anwendung von Partizipien gerade in der Erzählung vorfand, die uns Deutschen fremd ist. Nun mag sein, daß einem Franzosen jene Benennung etwas sagt, daß seine Anwendung von Partizipien sich einigermaßen mit dem konjunktivischen Gebrauche dieser *cum*-Sätze deckt, — uns sagt sie nichts. So erfährt also auch die schwierige Erklärung des Konjunktives in diesen Sätzen keine Förderung. Auch hier muß G. zugeben, daß der Konjunktiv in diesen Sätzen im alten Latein selten ist. Er findet eine genügende Erklärung dafür darin, daß ja die Erzählung bei Plautus und Terenz wenig Raum einnehme. Aber es finden sich in den Dialogen doch genug erzählende Abschnitte oder einzelne Sätze, und es ist doch bezeichnend, daß Cicero den Vers Aulul. 178 *Praesagibat mi animus frustra me ire, quom exibam domo* zitiert mit *exirem*. Natürlich soll auch dies für den Sprachgebrauch der verschiedenen Zeiten nichts bedeuten. Ein besondrer Abschnitt (S. 163 ff.) soll dann die Anwendung dieses Konjunktivs außerhalb der Vergangenheit zeigen. Aber von den 30 Beispielen bieten 18 die 2. Pers. Sing. und zwar meist (in 13 Fällen) im unbestimmten Sinne und unter den 12 andern sind 9 iterativ (*cum* = wenn) und in den andern dreien (Truc. 232. Har. resp. 9, 19. Off. I, 8, 26) steht der Konjunktiv neben Konjunktiv im Hauptsatze. Die Fälle scheinen doch alle nicht zum *cum* participial zu gehören. In den unter 2°, S. 169 gegebenen Sätzen würde ich kausalen Sinn annehmen.

Wer also nach dem Titel des Buches eine Erklärung des Konjunktivs der Unterordnung erwartet, der findet sich enttäuscht. Aber den Verf. trifft darum kein Vorwurf. Das wollte er auch gar nicht, sondern sein treibender Gedanke ist: Eine Entwicklung des Sprachgebrauches gibt es wohl im Gebrauche der Worte, im Vokabular, aber nicht in der Syntax[1]). Es gibt in jeder Sprache gewisse eherne Gesetze, von denen sich niemand freimachen kann, ohne einen Fehler zu begeben. Aber außerhalb dieser Gesetzesgrenzen herrscht persönliche Freiheit. So hat in allen Sätzen, wo bald der Indikativ, bald der Konjunktiv steht, der Redende die Wahl den einen oder den andern Modus zu setzen, natürlich mit einem gewissen Unterschied im Sinne. Das häufigere oder seltenere Vorkommen einer Konstruktion bei einem Schriftsteller entscheidet für den Sprachgebrauch gar nichts, sondern ist nur ein Zeichen seines Stils. Daher beweist auch die Statistik an sich nichts, sondern lediglich die Prüfung der einzelnen Fälle. — Damit steht Gaffiot etwa auf demselben Standpunkte wie bei uns Armin Dittmar, dessen Studien zur lat. Moduslehre ich in dieser Zeitschrift 1898 Nr. 28 besprochen habe. Ja wenn sich das beweisen ließe, so wäre es allerdings von einschneidender Bedeutung. Es würde etwa bedeuten: Laßt alles mühselige Zusammensuchen von Stellen und Vergleichen, von Beispielen aus älterer und jüngerer Zeit! Nur den Stil des einzelnen Schriftstellers kann man feststellen, und seine Absicht in dem einzelnen Falle muß man zu erkennen suchen. Oder mit andern Worten: Eine objektive Stütze der Erkenntnis wird uns entzogen und dem subjektiven Urteil das Tor weit aufgetan. Damit sind wir von dem Ziele gemeinsamer Verständigung und Erkenntnis wieder ein gut Stück abgetrieben. Aber glücklicherweise hat weder Dittmar noch Gaffiot seine These bewiesen. G. stellt die Beispiele einander gegenüber und meint dann, luce clarius gebe daraus seine Ansicht hervor. Aber die Beispiele sagen nicht jedem andern, was sie ihm sagen. Darum hat diese reiche Beispielsammlung doch ihren großen Wert und die Gegen-

---

[1]) Dies wird namentlich in dem Anhange S. 180 ff. weiter ausgeführt. Aber in der interessanten Zusammenstellung von Stellen über das Latine dicere vermisse ich die Fortsetzung von De Or. III 10, 38 in § 40: *Atque ut Latine loquamur, non solum videndum est, ut et verba efferamus ea, quae nemo iure reprehendat, et ea sic et casibus et temporibus et genere et numero conservemus, ut ne quid perturbatum ac discrepans aut praeposterum sit, sed* etc. (vgl. § 49 *non praeposteris temporibus*). Danach hat Cicero nicht nur Fehler gegen den Wortgebrauch gekannt, sondern auch gegen den richtigen Kasus-, Genus-, Tempusgebrauch und — Modusgebrauch, können wir dreist hinzufügen; denn dafür gab es damals noch keinen besonderen Ausdruck.

überstellung ist sehr lehrreich. Die Erklärung vieler Stellen ist von G. vortrefflich gegeben, und ein besonderes Verdienst ist es, daß er auf die handschriftliche Lesart immer hinweist und sie häufig rechtfertigt. Die Herausgeber des Cicero und Plautus haben allen Grund, sich diese Schrift genau anzusehen.

Die andre, zwei Jahre früher erschienene Schrift ist hervorgegangen aus den Vorarbeiten zu der zuerst besprochenen und verrät schon denselben Grundgedanken. Ein fragendes *si* mit dem Indikativ im abhängigen Satze, das es nur im Altlatein gegeben haben sollte, war eine Unmöglichkeit. *Si* mit dem Indikativ ist später nur konditionale Partikel, also darf es auch im Altlatein nur so gebraucht sein. Wenn aber in einem Satze wie *Vide si satis placet* das *si* bedingend ist, so wird es mit dem Konjunktive gebraucht auch nicht anders zu verstehen sein. Aber immerhin, H. Blase meint in seiner Besprechung in der Wchschr. f. kl. Ph. 1907 Nr. 27, daß alles in allem der Verfasser seine These bewiesen habe. Darum müssen wir die Ausführungen G.s doch noch etwas näher betrachten. Die Beispiele der in gewandtem Latein geschriebenen Dissertation sind nach Schriftstellern geordnet. Und da heißt es dann jedesmal am Schluß mit großem Nachdruck z. B. „Nusquam igitur, ut apud Plautum, ita apud Terentium, nec cum conjunctivo nec cum indicativo, *si* particula in interrogando invenitur". Ähnlich nach Besprechung der Stellen aus Cicero, Vergil, Horaz. Nun hat G. an vielen Stellen höchst wahrscheinlich recht, wie Bacch. 529 *Ibo ut visam huc ad eum, si forte est domi* durch die Parallelen Aul. 174 *Ego conveniam Euclionem, si domist* u. a. der Bedingungssatz wohl erwiesen ist. An andern Stellen kann man schwanken, die Übersetzung läßt sich sowohl mit wenn wie mit ob geben, und G.s Erklärung hat zuweilen etwas Gezwungenes, wenn z. B. Men. 141 *Iam sciam, si quid titubatumst, ubi reliquias videro* so verdeutlicht wird: „Sciam id quod titubatum est, si quid titubatum est, ubi primum reliquias videro" vel „si quid titubatum est, iam id sciam, ubi reliquias videro". „Ob etwas versehen ist", ist jedenfalls einfacher, und der Unterschied des Sinnes kann hier wirklich nichts entscheiden. Aber fügen wir uns, nehmen wir das Ergebnis einstweilen als richtig an. Da kommen aber die Beispiele aus Livius, und nun hat die Pauke ein Loch. „Hic facere non possum, quin *si* particulam ad interrogandum adhiberi fatear" nämlich in drei unter sieben Fällen. Was hilft es zu betonen, daß diese Fragesätze mit *si* nur nach *quaero* vorkommen (32, 35, 3 *percunctatus, si* ist doch gewiß auch nicht anders zu verstehen) und sich c. 38 auf die Patavinitas zu berufen. Der Umbrer Properz schließt sich mit drei Stellen an, zweimal nach *quaero*, einmal nach *perdiscere*. Aber der muß sich sagen lassen: „Propertius quidem malae Latinitatis auctorem se gerit, cum ita loquitur. In quo Graecum esse dicas, non Latinum". *Invide, tu tandem voces conpesce molestas!* hör' ich ihn antworten. „Auch ich verstehe Latine loqui, so gut wie Plautus, und habe nur eine in der lateinischen Sprache liegende Freiheit gebraucht. Du hättest von mir und Livius, der mich im übrigen gar nichts angeht, lernen sollen, daß es keins von den ehernen Gesetzen der lateinischen Sprache ist, daß *si* nur bedingend gebraucht werden dürfe". — Aber warum in aller Welt soll nicht *si* ebensogut fragend verstanden sein können, wie griech. *εἰ* oder das deutsche o b, das im mhd. sowohl bedingend wie fragend gebraucht wird? Und woher stammt denn der fragende Sinn des französischen *si*, des italienischen *se* usw.? Muß der durchaus aus dem Verfall der lat. Sprache entstanden sein? Kann nicht sehr wohl schon im guten Latein der Keim dazu liegen? Das einzige, was die natürliche Antwort auf diese Fragen verbietet, ist der Grundsatz des Verf., daß es keine Entwicklung in der Syntax der lateinischen Sprache gebe. Aber ich glaube, diese Behauptung bedarf doch noch anderer Begründung als sie bisher gegeben ist.

Ilfeld.   H. Lattmann.

Flavii Arriani quae exstant omnia, ed. A. G. Roos. Volumen I Alexandri Anabasin continens. Accedit tabula phototypica. Leipzig 1907, B. G. Teubner. LIV u. 426 S. 8. 3,20 *M.*

Der Vorarbeit zu einer neuen kritischen Ausgabe der Anabasis Arrians, die der Bibliothekar an der Universitätsbibliothek zu Groningen A. G. Roos in seiner Dissertation: Prolegomena ad Arriani Anabaseos et Indicae editionem criticam, Groningen 1904, geliefert hatte, hat er nun diese selbst folgen lassen. Der Textrezension geben prolegomena voraus, die der nur wenig abgeänderte Abdruck der früheren prolegomena sind (darüber Büttner-Wobst in WS. f. klass. Phil. 1904 Sp. 831—833). Ihr Hauptergebnis besteht in dem Nachweis, daß alle; erhaltenen Handschriften auf die zu Ausgang des 12. oder im Anfang des 13. Jahrhunderts geschriebene Handschrift A (Vindob. hist. Gr. 4) als ihren archetypus zurückgehen, aber zu einer Zeit abgeschrieben sind, da dieser noch unversehrt und noch nicht von einer späteren Hand entstellt war. Unabhängig von A sind uns einzelne Stücke in den Konstantinischen Exzerpten περὶ πρέσβεων und περὶ γνωμῶν, bei Grammatikern und Lexikographen und sonst erhalten, über das Verhältnis der durch sie vertretenen Textüberlieferung zu der handschriftlichen spricht sich Roos nicht aus. Von den früher ausgesprochenen Grundsätzen ist Roos teilweise abgegangen: hieß es damals semper ἐς et ξύν scripsi e. c., so schreibt er jetzt: scribendumque σσ et ττ, ξύν et σύν, ἐς et εἰς, εἴσω et ἔσω, γίγνομαι, γιγνώσκω et γίνομαι, γινώσκω, θαρρέω et θαρσέω, ἐθέλω et θέλω, ἔμελλον et ἤμελλον, prout codex exhibeat; damals änderte er mit Krüger προσχεῖν und προσχών in προσσχεῖν

und *προσσχών*, jetzt hat er die überlieferte Form wieder aufgenommen, damals nahm er aus A die Schreibweise *ξυνστρατεύω*,
συνξεύξας u. ä. auf, jetzt hat er sie wieder gegen *ξυστρατεύω*,
συξεύξας usw. aufgegeben. Der in A überlieferte Akzent ist beibehalten in *Γράνικος, Εὐμενής, Κρατερός*, bei anderen Namen
und Wörtern hat sich der Herausgeber von der Überlieferung in
A freigemacht (*Δραγγῶν, Ζαραγγῶν* vgl. S. XLIX) und bedauert
nachträglich, nicht *Λεοννᾶτος* oder *Λεόννατος* statt *Λεοννάτος*,
wie man in A liest, gewählt zu haben. In dem Abschnitte Addenda
et corrigenda werden einige Versehen im Text und in den kritischen Noten berichtigt und verschiedene Angaben nachgetragen,
die hauptsächlich auf Vorschläge von Castiglioni (vgl. WS. f. klass.
Phil. 1906 Sp. 973—974) und H. J. Polak Bezug nehmen; hingewiesen sei auf die von Hoffmann („Die Makedonen") festgestellten
Namenformen: *Κυννάνα, Ἀρύββας, Πολυΐδης, Μελαννίδας*. Die
Textüberlieferung ist bei Arrian eine verhältnismäßig gute; daraus
und aus der Abhängigkeit aller anderen Handschriften von A erklärt sich, daß bei Roos nicht so weitgehende Änderungen vorgenommen sind, wie in vielen neueren Ausgaben anderer Schriftsteller, und daß sein Text im wesentlichen kein anderes Aussehen
zeigt, als der in älteren Ausgaben (z. B. bei Geier oder Abicht).
Selbstverständlich hält sich mit Recht der neueste Herausgeber in
erster Linie an A und gewinnt dadurch verschiedene Lesungen,
die vor den älteren den Vorzug verdienen, z. B. IV 26, 5 *ἀνέ-
στελλεν*, V 26, 5 *ἁβροτέρου* (*ἀκροτέρου*) u. a., doch hat er m. E.
nicht ganz die Gefahr vermieden, sich auch da von A abhängig
zu machen, wo dies nicht berechtigt ist. Dahin rechne ich, daß
er wiederholt Formen von *στρατιά* stehen läßt, wo nur solche
von *στρατεία* am Platze sind (I 1, 2 *τῆς ἐπὶ τοὺς Πέρσας
στρατιᾶς* u. ö., in I 24, 1, wo von anecd. Bekk. I S. 129, 27 das
Richtige geboten wird), I 5, 5 *Πέλλιον* (*Πήλιον* bei Steph. Byz.,
Pelium bei Livius) schreibt, I 12, 3 u. ö. *Ἀρτοξέρξης*, obwohl in
excerpt. de sentent. 2 und auch III 25, 3 in A *Ἀρταξέρξης* gelesen wird, I 21, 4 und II 22, 7 *ἠρίφθη* statt *ἠρείφθη*, III 8, 4
und 11, 4 *Τόπειροι*, während III 23, 1. 2. 7; 24, 3; IV 18, 2;
VII 23, 1 die richtige Form *Τάπουροι* überliefert und von Roos
angenommen ist, IV 22, 2 *ἦσαν*, VI 1, 3 *ἐσδιδόναι* (VI 1, 5 *ἐκ-
διδόναι*), VII 14, 9 *περιηγγέλη* u. a. Zweifellos verderbt ist
IV 25, 6 *Ἀγριᾶνας τοὺς χιλίους* und durch *Ἀγριᾶνας τοὺς
ψιλούς* zu ersetzen. Zwar hat man IV 30, 6 *Ἀγριᾶνας ⟨καὶ⟩
τοὺς ψιλούς* und I 14, 1 *Ἀγριᾶνας ⟨καὶ⟩ τοὺς ἀκοντιστάς* (umgekehrt V 13, 4 *Ἀγριᾶνες [καὶ] οἱ ἀκοντισταί*) vorgeschlagen,
aber Stellen wie IV 29, 1 *τούς τε Ἀγριᾶνας ἄγοντα καὶ τοὺς
ψιλοὺς τοὺς ἄλλους* und VI 8, 7 *οἵ τε Ἀγριᾶνες καὶ ἄλλαι
τάξεις τῶν ψιλῶν* verbieten diese Änderungen und rechtfertigen
die Schreibung *Ἀγριᾶνας τοὺς ψιλούς*. An den angeführten
Stellen von A abzugehen, ist gerade so berechtigt, wie I 1, 1 bei

Πυθοδήλου, I 17, 3 Μιθρήνης, III 2, 2 Φηστνον, III 7, 7 Γορδυη-
νῶν, III 16, 2 Πά⟨τ⟩ρων, IV 8, 7 und VI 11, 7 Βουμήλῳ u. a.,
während die in A stehende Namensform von Roos als richtig angesehen wird: I 12, 8 Πετήνης, II 11, 8 Σανάκης, III 25, 8. 29, 5;
IV 7, 1 Ἀρσάκης (Ἀρσάμης), IV 22, 5 u. ö. Τυρίεσπιν, VII 21, 1
Πολλακόπας u. dgl. m. Auch Arrian hat sich Versehen zu schulden
kommen lassen, so in II 1, 4 und 2, 2 mit der Nennung des
Dareios bei Erwähnung des Antalkidasfriedens, doch lassen sich
mit dieser Annahme nicht III 21, 10 Σατιβαρζάνης (21, 1 Ναβαρζά-
νης) oder IV 7, 2 Βῆσσός τε ὁ Συρίας σατράπης καὶ Ἀσκληπιό-
δωρος ὁ ὕπαρχος (vgl. III 6, 8 und 16, 9) rechtfertigen. Zur
Herstellung des ursprünglichen Textes glaubt Roos öfters kleinere
Lücken annehmen zu müssen. Dies findet Bestätigung durch
I 4, 8. Hier fehlen in A die exc. de sent. 1 überlieferten Worte:
Ἀλέξανδρον δὲ ἀγασθέντες οὔτε δέει οὔτε κατ' ὠφέλειαν
πρεσβεῦσαι παρ' αὐτόν, deren Echtheit die benutzte Vorlage
(Ptolemaios) bezeugt: Strabo VII S. 301. φιλίαν γε μὴν ἀνδρὸς
τοιούτου περὶ παντὸς τίθεσθαι. Auf solche Lücken weist öfters
stehengebliebenes τε oder καί hin: I 9, 4 τῷ πλήθει τῶν τε
ἀπολομένων ⟨καὶ τῶν ἁλόντων⟩, I 10, 5 τῆς τε ἀποστάσεως
⟨καὶ τῆς ἀπωλείας⟩, VI 4, 4 ⟨δεκάτη⟩ καὶ πέμπτη, doch tilgt
auch Roos wie die Herausgeber vor ihm unerklärbares τε in
III 9, 1. 8 und V 27, 7. Ergänzungen solcher Lücken hat er teils
von anderen übernommen, teils selbst vorgeschlagen, letzteres ist
geschehen: I 10, 4 ⟨καὶ Θρασύβουλον⟩, 12, 8 Ῥεομίθρης ⟨καὶ
Ἀτιζύης⟩, 18, 7 ⟨πρὸς⟩ προησκημένον, 28, 7 ⟨ζῶντες δὲ ὀλίγοι
ἐλήφθησαν⟩, II 4, 9 διεφθάρθαι ⟨αὐτόν⟩, 7, 6 ⟨σφᾶς⟩ κρατήσειν, 25, 2 ⟨τὸ⟩ πρόσω (aus exc. de sent. 3), III 4, 4 ἤδη ⟨δὲ⟩,
6, 5 πιστὸς ἦν ⟨Ἀλεξάνδρῳ⟩, 7, 1 ⟨πεζοὺς δὲ ...⟩, 12, 5 ⟨ἦν
δὲ⟩, 22, 6 βασιλεύοντος ⟨ἂν⟩, 26, 1 προσηγγελμένη ⟨μὲν ἦν⟩,
IV 8, 9 ἵνα ἐγίνετο ⟨ὁ πότος⟩, 15, 5 ἐπετέτακτο ⟨κοσμεῖν⟩,
V 6, 7 ὅσοι ⟨ἄλλοι⟩ πολλοί, 9, 4 ⟨τὰς⟩ ἐν θέρει, 11, 3 ἐπὶ
τάδε ⟨τοῦ Ὑδάσπου⟩ (hier so wenig nötig wie 24, 8 τοὺς ἐπ-
έκεινα Ἰνδούς), VI 1, 3 ⟨ἢ⟩ ὥς, 11, 4 ⟨ἡ⟩ μάχη, 15, 1 καὶ
⟨Σόγδοι⟩ ἄλλο, 17, 4 ⟨διχῆ διένειμε καὶ τῇ πλείστῃ μοίρᾳ⟩
Ἡφαιστίων ἐπετάχθη, 19, 4 θύειν ⟨ἔφασκεν⟩, 29, 5 ⟨εἶναι⟩
ἑνὶ ἀνδρί, VII 14, 7 ἔστιν ὅτε ⟨ὅτι⟩, 21, 3 διώρυχες διήκουσιν
u. ö. Für unrichtig halte ich es, II 4, 7 bei δίψαντα und III 18, 9
bei δίψαντες die von anderen gemachte Ergänzung von ἑαυτὸν
oder σφᾶς wegzulassen, die Arrian sonst beifügt z. B. IV 30, 4
κατὰ τῶν κρημνῶν δίψαντες σφᾶς ἀπέθανον (III 18, 9 κατὰ
τῶν κρημνῶν δίψαντες ἀπώλοντο), 30, 8 u. ö.; ebenso halte ich
VI 24, 5 den Zusatz Krügers für notwendig: τὰς πορείας ποι-
εῖσθαι ⟨μακράς⟩. Hat an den angeführten Stellen der Text
durch Auslassung ursprünglicher Worte gelitten, so hat er anderswo
durch das Eindringen fremder Zusätze Schaden genommen; als
solche werden von Roos beseitigt: I 1, 16 [τὸν στόλον], II 12, 6

[αὐτῇ], III 6, 6 [ἐς τὰ βαρβαρικὰ γράμματα], 11, 8 [βασιλικῶν] (dafür muß man aber mit Hackmann ἑταιρικῶν oder vielleicht Μακεδονικῶν fordern), 22, 5 [τελευτῶν], 24, 1 [τάξις], IV 12, 1 [Μακεδόνας] (nicht in exc. de sent. 10), V 1, 6 [κατὰ τὸν μῦθον], VI 19, 5 ['Ινδῶν], 20, 5 [ἐν] τῷ παράπλῳ, VII 8, 1 [μένουσι], 21, 1 [ὁ Πολλακόπας]. Einen fremden Zusatz finde ich auch V 6, 2 in πρὸς τὴν ἐντὸς τὴν ἡμετέραν θάλασσαν, wo entweder τὴν ἐντός oder τὴν ἡμετέραν fallen zu müssen scheint; vgl. V 6, 7 ἐς τήνδε τὴν ἐντὸς θάλασσαν, VI 1, 3 τὴν ἐντὸς θά- λασσαν, 20, 3 ἐν τῆδε τῇ ἡμετέρᾳ θαλάσσῃ, VII 1, 2 ἐς τὴν ἡμετέραν θάλασσαν. Über neuere Emendationsversuche gibt die adnotatio critica Auskunft, solche, deren Richtigkeit nicht in Zweifel gezogen wird, haben Aufnahme in den Text gefunden. Anders als Roos denke ich I 1, 6 über das von Polak für ἐμπόρων vor- geschlagene βαρβάρων, diesem gegenüber bringt doch οἱ Θρᾶκες οἱ αὐτόνομοι nichts Neues, weshalb mir Krügers ὁμόρων viel mehr zusagt; auch II 24, 5 würde ich Gronovs κατὰ δή τι[να] νόμιμον παλαιόν die Lesung κατὰ δή τινα νόμον παλαιόν vor- ziehen. Von eigenen Vorschlägen des Herausgebers hebe ich her- vor: III 9, 3 αὐτοὺς (αὖ τοὺς), 27, 5 αὐτοὺς (αὐτὸς), IV 21, 2 χαλεπὸν εἶναι, 21, 4 ἀπετέτακτο, V 6, 4 ὡς δὲ, 7, 4 ἅμα δὲ (ὅτε δὲ), 14, 2 ὡς πλείονος ... τοῦ φόνου γενομένου, VII 1, 3 τὴν λίμνην τὴν Μαιῶτιν. Zu I 8, 7 διεκπεσόντες wird bemerkt: διεκπαίσαντες? Vgl. III 14, 5; 15, 2. Mag III 13, 6 bei διεξέπεσε eine Entstellung des Textes möglich erscheinen, so ist eine solche doch in III 14, 5 bei διεκπεσεῖσθαι ausgeschlossen, zu einer Änderung von I 8, 7 liegt daher kein Anlaß vor (Diod. XIX 19, 5 u. ö.). Nicht gut tut Roos daran, VI 19, 1 die Lesart von A² ἀπελείφθησαν preiszugeben und der Überlieferung von B zu folgen: ἐπὶ ξηροῦ ἀπελήφθησαν αὐτοῖς αἱ νῆες. Die Flut mag die Schiffe überraschen (§ 2 ὅσας ... κατέλαβε scil. τὸ ὕδωρ), aber bei dem Eintreten der Ebbe blieben die Schiffe auf dem Trockenen zurück: § 2 ὅσαι ἐν ξηροτέρᾳ τῇ γῇ ὑπελείφθησαν, vgl. VI 22, 6 καὶ ἀπολείπεσθαι μὲν τὰ δένδρα πρὸς τῆς ἀμπώτεως ἐπὶ ξηροῦ.

Zum Schlusse komme ich noch auf eine Stelle zu sprechen, an der noch niemand Anstoß genommen hat, die aber vielleicht doch nicht intakt ist. Zu VII 6, 3 werden ἐκ Περσῶν οἱ Εὔακαι καλούμενοι ἱππεῖς erwähnt, über die sonst nichts bekannt ist. Ich halte es nicht für ausgeschlossen, daß wir es hier mit den II 8, 6 bei dem schweren Fußvolke genannten Kardakern (τῶν καλουμένων Καρδάκων) zu tun haben, unter ihnen begreift Polyb (V 79, 11 und 82, 11) Leichtbewaffnete, Cornel Datames c. 8 aber Schwerbewaffnete, Leichtbewaffnete und Reiter, während Strabo XV 734 ihre kriegerische Tüchtigkeit und Mannhaftigkeit besonders hervorhebt: καλοῦνται δ' οὗτοι Κάρδακες ... κάρδα γὰρ τὸ ἀν- δρῶδες καὶ πολεμικὸν λέγεται. Daß von ihnen gerade die,

welche in besonderem Ansehen standen und durch Schönheit des
Leibes oder sonstige Vorzüge sich auszeichneten, in die Hetairen-
reiterei Aufnahme fanden, ist eine naheliegende Vermutung; die
Form *Κάρδακες* mag aber zu *Εὐάκαι* entstellt sein, so gut wie
in A aus den *πεζέταιροι* wiederholt *ἀσθέταιροι* geworden sind.

Daß man über die Behandlung einzelner Stellen mit einem
Herausgeber nicht überall gleicher Meinung ist, ist selbstverständlich; es bedarf daher kaum der ausdrücklichen Erklärung, daß
meine Bemerkungen nicht dazu bestimmt sind, dessen Verdienst
herabzusetzen. Roos' Bemühungen um die Herstellung des Arrian-
textes haben fast durchweg anerkennende Beurteilung erfahren,
so auch von dem inzwischen verstorbenen Büttner-Wobst, an
dessen Stelle er bei der Herausgabe der Konstantinischen Exzerpte
de virtutibus (I rec. et praefatus Th. Büttner-Wobst, edit. curavit
A. G. Roos.   Berlin 1906, Weidmannsche Buchhandlung) getreten ist.

Köln.   ————————   Fr. Reuß.

Masqueray, Abriß der griechischen Metrik, ins Deutsche übersetzt von Dr. phil. Br. Preßler, Oberlehrer am König-Wilhelms-
Gymnasium zu Magdeburg.   Leipzig 1907, B. G. Teubner. 243 S
kl. 8. 4,50 ℳ, geb. 5 ℳ.

Die Frage, ob es nötig war, ein elementar gehaltenes französisches Handbuch, damit deutsche Studenten es benutzen könnten,
ins Deutsche zu übersetzen, wird man nicht bejahen können, ohne
der geistigen Regsamkeit unsrer studierenden Jugend ein Armuts-
zeugnis auszustellen.   Aber vielleicht verdienen solch ein Zeugnis
gerade unsere jungen Philologen, die ja heute viel unmündiger
zur Universität kommen als vor einem Menschenalter.

Ob es aber wohlgetan war, den so für unreif erklärten Musen-
söhnen jetzt eine einfache Übertragung gerade dieses Handbuches
vorzulegen, ist eine andere Frage.   Wenn man jedoch bedenkt,
daß Masqueray das Unglück hatte, seine Arbeit kurz vor der Auferstehung des Bakchylides abzuschließen, daß er also in wichtigen
Punkten der Belehrungen verlustig gehn mußte, die alle Metriker
ohne Ausnahme aus dem neuen Funde geschöpft haben, so ist
das keine Frage mehr.

Und dies zwar sehr lesbar geschriebene und für solche, die
sich für Weils Ansichten interessierten, ohne dessen ältere Arbeiten zu kennen, demnach recht bequeme, im übrigen aber sofort veraltete französische Elementarbuch hat sich nun jemand
hingesetzt, Seite für Seite ins Deutsche umzuschreiben.   Nicht einmal die Mühe hat er sich gemacht, Zitate wie die aus Hillers
Anthologie durch Umsetzung in die Zahlen der neuen Auflage
benutzbar zu machen.   Wenn er den Phalaeceus immer 'Phaleceus'
nennt, so versteht man das ja: Phalécien; aber wenn er für
'mesodisch' (S. 203) immerfort 'monodisch' sagt, so kommt man

auf seltsame Gedanken: das hat gar nicht der Herr Oberlehrer Dr. phil. Br. Pr. gemacht, sondern — vielleicht seine Kusine.

Berlin.   ———————   Otto Schroeder.

1) **Madame de Maintenon, Extraits relatifs à l'éducation,** choisis et annotés par M. M. Henri Bornecque et Georges Lefèvre. Berlin 1907, Librairie Weidmann. 152 S. 8 geb. 1,60 ℳ.

Die Einleitung schildert in französischer Sprache das Leben und den Charakter der Madame de Maintenon, würdigt ihre Befähigung als Jugenderzieherin und gibt die Geschichte der Entstehung und Einrichtung der Erziehungsanstalt von Saint-Cyr und zum Schluß einen Bericht der Mᵐᵉ de Glapion über einen mit Mᵐᵉ de Maintenon in Versailles verlebten Tag. Dann folgen Auszüge aus ihren Schriften, die nach dem Inhalt geordnet sind: Allgemeine Pädagogik, Pflichten der Lehrerinnen, Zucht, Unterricht, moralische Erziehung in der Schule, endlich Ratschläge für das Leben. Da die Verfasserin reichlich Gelegenheit hatte, die Mängel der damaligen Erziehung zu beobachten und ihr späteres Leben fast ganz der Aufgabe widmete, Mittel zu ersinnen, die Erziehung junger Mädchen besser zu gestalten, wird man von ihr Beachtenswertes erwarten können. Und in der Tat sind die vorgetragenen Gedanken wertvoll und ihre Grundsätze meist zu billigen, nur S. 32, 1 Un châtiment ou une réprimande faite de sangfroid et quelquefois au bout de huit jours, leur fera plus d'impression dürfte auf Widerspruch stoßen. Eine Theorie der Pädagogik hat die Verfasserin nicht gegeben und ihre Lehren nicht in ein System gebracht; sie greift vielmehr die wichtigsten Erziehungsfragen heraus und weiß sie durch gut gewählte Beispiele aus dem Leben einleuchtend und anschaulich zu machen; vielfach ist die Auseinandersetzung dialogisch gehalten, wodurch sie interessanter und eindrucksvoller wird.

Die Anmerkungen geben Auskunft über die erwähnten Personen, stellen einige Abweichungen der damaligen Sprache von der heutigen zusammen und erklären dann im einzelnen, was dunkel oder schwierig ist. Auf grammatische Fragen wird selten eingegangen, obwohl il a peur qu'on entende S. 25, 9 und craindre qu'on ait mal compris 51, 18 wegen des fehlenden ne, und nous ne finissons d'en parler wegen des fehlenden pas, pour leur persuader ce qu'elles verraient dans la suite qui ne serait pas vrai. S. 32, 8 vgl. Lubarsch zu Lafontaine f. 2, 18, 3 und 6, 18, 19 wohl Beachtung verdienten. Auch mère par procuration S. 13, 3, saynètes S. 13, 15, si elle a du temps de reste S. 87, 10 konnte erläutert werden. vous dites S. 46, 35 wird als passé défini erklärt; aber dann müßte es doch den circonflexe erhalten! Zu S. 70, 3 liest man ss. ent. als Abkürzung von sous-entendu, Sachs verlangt sous-ent., was jedenfalls leichter verständlich ist. Im übrigen sind die Anmerkungen wertvoll und

geben mannigfache Belehrung, die anderwärts schwer zu beschaffen
ist. Einige Druckfehler finden sich, meist fehlende oder unrichtige
Accente; von andern erwähne ich leurs devoir S. 79, 33, tout
statt tous S. 89, 29, premir = premier 112, 28, vaiselle statt
vaisselle 119, 31, royaune statt royaume 84, 2.

2) **A. Mohrbutter, Lexikon für französische Grammatik.**
Leipzig 1907, Rengersche Buchhandlung Gebhardt & Wilisch. IV und
106 S. 8. brosch. 1,50 ℳ.

Da es oft schwierig ist, die gewünschte Auskunft über eine
grammatische Frage in dem systematischen Lehrbuch zu finden,
stellt der Verfasser das Wichtigste für Schüler in alphabetischer
Wortfolge zusammen. Jedoch entspricht die offenbar mühevolle
Arbeit nicht meinen Erwartungen. Die Formenlehre nimmt einen
zu breiten Raum ein; jedes unregelmäßige Verb, sogar die
Komposita, als besonderen Artikel aufzunehmen war doch wohl
unnötig und überflüssig, desgleichen eine Reihe von Adjektiven
wie „inquiet unruhig, fém. inquiète“, während doch unter
„Adjectiv“ diese Bildung angegeben ist, ferner „cage Käfig ist
weiblich“, „caillou Kieselstein pl. cailloux“ obwohl unter „Plural“
diese Bildung gelehrt wird. Sollte wirklich ein Schüler über
dergleichen schneller Auskunft haben wollen, als er sie in der Grammatik
zu finden hofft, dann mag und wird er sein französisches Wörterbuch aufschlagen, wo er auch sicherer ist, daß er nicht vergeblich nachschlägt, was ihm hier denn doch öfter begegnen
würde, so fehlt z. B. net, nette und unter fou wird die Plural-
bildung fous nicht angegeben. Sodann ist die Fassung der
Regeln nicht scharf und bestimmt genug oder unvollständig;
aber gerade in solcher lexikographischen Zusammenstellung ist
größte Genauigkeit und Zuverlässigkeit nötig, mehr als in einer
systematischen Darstellung, in welcher durch den Zusammenhang
der richtige Sinn sich leichter ergibt. Als besondere Artikel
werden ferner viele Adjektiva aufgenommen, nach denen der
Daß-Satz den Konjunktiv erfordert, wie „rare selten, il est —
mit Konjunktiv“, während dies unter dem Stichwort Konjunktiv
erwähnt ist; dergleichen Adjectiva finden sich zahlreich als besondere Artikel; kaum glaube ich, daß jemand, um sich hierüber
Gewißheit zu verschaffen, das einzelne Adjektiv nachschlagen
wird, anstatt unter dem Stichwort Konjunktiv; dabei ist noch zu
beanstanden die Fassung der Regel; es mußte doch heißen il est
rare que mit Konjunktiv. Man sage nicht, daß sich das von
selbst versteht; denn wer liest „fâché, être — böse sein mit
Konjunktiv“ muß die Konstruktion de ce que mit Indikativ oder de
mit Infinitiv für falsch halten, ebenso bei qu'importe einen
indirekten Fragesatz als unzulässig erachten. Unvollständig ist
auch“ il est vrai es ist wahr mit Indicativ“ ebenso bei certain,
vraisemblable u. a.; denn negiert, fragend oder bedingend er-

fordern sie ja den Konjunktiv; dies ist auch in der Regel vom Gebrauch des Konjunktivs S. 65 übergangen. „Leur ihr (wenn mehrere Besitzer dasind), der Plural ist leurs, es hat aber kein Femininum"; hier ist erstens der Ausdruck d a s e i n wenig geschickt, zweitens wäre leurs armées unstatthaft; es mußte heißen leur bleibt im Femininum unverändert, oder es hat keine besondere Femininform. Unter plusieurs fehlt, daß es im Femininum unverändert bleibt. Daß bei aimer mieux, préférer der zweite Infinitiv mit de steht, bleibt unberücksichtigt (je préfère mourir que d e trahir un ami). Unter dem Artikel Hervorhebung wird c'est — que erwähnt, aber nicht die etwaige Inversion, z. B. c'est à lui qu'appartiennent ces vêtements, was durch Hinweis auf Fragekonstruktion S. 45 erledigt werden konnte. Unter seul vermißt man le seul qui mit Konjunktiv. Unter ni — ni wird über die zuzufügende Negation ne nichts bemerkt. Bei échouer fehlt die Angabe, wann es mit être, wann mit avoir verbunden wird. S. 46 „gai munter, lustig, Adv. gaîment", aber ebenso gebräuchlich ist gaiement. S. 49 l e mai statt mai. Daß le Tasse bildet du Tasse, aber Le Sage abweichend de Le Sage ist nicht bestimmt zu ersehen S. 81. „Vor onze wird nicht apostrophiert" S. 73. Zunächst ist apostrophiert hier wie öfter inkorrekt gebraucht statt elidiert, sodann genügt die Regel nicht für Fälle wie ma onzième année u. a.; deshalb war zu sagen, onze gilt als ein konsonantisch anlautendes Wort. Daß es heißen muß, d e tels hommes fehlt unter tel. Unter Wiederholung fehlen Fälle wie un voyage si long et s i coûteux; il craignait que Narbal n'allât parler au roi et n e découvrît son imposture; endormir einschlafen statt einschläfern. Und so wäre noch mancherlei zu beanstanden.

Die Ausstattung ist gut, der Druck korrekt; nur S. 12 lies mère, S. 67 la couronne, S. 88 grâce, S. 39 ne—que statt que—ne, S. 87 chef-d'œuvre mit Tiret, vgl. S. 49.

3) H e r m a n n W a l l e n f e l s, Französische Vokabularien. 8. Bändchen. Der Bauernhof, zugleich im Anschluß an das bei Ed. Hölzel in Wien erschienene Anschauungsbild: Der Bauernhof. Leipzig 1907, Rengersche Buchhandlung Gebhardt & Wilisch. 35 S. 8. brosch. 0,40 ℳ.

Es werden in einzelnen französischen Sätzen mit gegenüberstehender deutscher Übersetzung die Verhältnisse und Zustände des Landlebens behandelt, zunächst das Dorf im allgemeinen, dann das Leben auf dem Dorfe in den 4 Jahreszeiten und der Bauernhof mil all seinem Zubehör. Der Verfasser legt zwar das Hölzelsche Bild zugrunde, beschränkt sich aber nicht auf dasselbe, sondern stellt aus den das Landleben behandelnden französischen Schriftstellern die wichtigsten Phrasen zusammen. Das Büchlein ist als Vokabularium wohl geeignet und wird bei Sprechübungen gute Dienste leisten. Für die Korrektheit der französischen Ausdrücke und Wendungen bürgt die sorgfältige

Durchsicht des Herrn Lascaux, Professeur au Collège in La Châtre.
S. 8 lies Kartoffeln als Plural.

Herford i. W. _____ **Ernst Meyer.**

Wilhelm Pfeifer, Lehrbuch für den Geschichtsunterricht an höheren Lehranstalten. V. Teil: Lehraufgabe der Unterprima. Mit einem Bilderanhange zur Kunst- und Kulturgeschichte (96 Abbildungen) zusammengestellt und erläutert von **Paul Brandt.** VI. Teil: Lehraufgabe der Oberprima. Mit einem Bilderanhange zur Kunstgeschichte (97 Abbildungen) zusammengestellt und erläutert von **Paul Brandt.** Breslau 1906/07, Ferdinand Hirt. IV. u. 234 S. bezw. VI u. 228 S. 8. geb. je 3,25 _M_.

Die zur Besprechung vorliegenden Teile V und VI des Pfeiferschen Lehrbuchs bilden den Abschluß des Ganzen.

Wie die früher in dieser Zeitschrift (Jahrg. 1905 S. 537—539) angezeigten, entsprechen auch diese Teile aufs genauste den Forderungen, welche die Lehrpläne an ein geschichtliches Lehrbuch stellen.

Ohne die Darstellung des Tatsächlichen in den Hintergrund treten zu lassen, hat sich Verf. vornehmlich die Klarlegung der inneren Verhältnisse angelegen sein lassen, um dem Schüler den Zusammenhang zwischen Ursache, Wirkung und Folge der großen Ereignisse aufzudecken, ihm den Blick für die Zeit- und Streitfragen unserer Tage zu schärfen und ihm so das Verständnis der Gegenwart zu erschließen. Indem er den oft recht spröden Stoff wohlerwogen gliedert und geschickt gruppiert, weiß er immer die großen Gesichtspunkte hervorzuheben und durch kräftige Betonung des Wesentlichen eine klare Anschauung auch der verwickeltsten Verhältnisse anzubahnen. Demselben Zwecke dienen auch die allgemeinen Übersichten, die in Form knappgefaßter Dispositionen sowohl größeren wie kleineren Abschnitten klärend vorangestellt sind. Starke Hervorhebung der die Zeit jeweilig bewegenden Ideen und treffende, porträtähnliche Charakteristiken der führenden Persönlichkeiten verleihen der Darstellung, die, durch zahlreiche Karten und synchronistische Tafeln erläutert, immer dem Standpunkte der Klasse Rechnung trägt, ihren besonderen Reiz, so daß das Lehr- und Lernbuch zugleich den Zweck eines reichhaltigen Lesebuchs erfüllt.

Dem Vortrage des Lehrers werden im allgemeinen nur die Richtlinien gegeben; es bietet sich ihm immer noch Gelegenheit genug, sich frei zu bewegen und durch die lebendige Stimme das gedruckte Wort zu ergänzen und zu vertiefen.

Eigenartig ist die Beigabe je eines Bilderanhanges, zusammengestellt und erläutert von Paul Brandt, über dessen Wert und Bedeutung Ref. sich ebenso wie über das der Obersekundastufe beigefügte kunstgeschichtliche Heft nur lobend und anerkennend äußern kann. Sorgfältig aus der reichen Fülle des Materials ausgewählt, bieten die Bilder in ihrer technisch trefflichen Ausführung ein charakteristisches Anschauungsmittel zur Belebung der geschichtlichen Vorstellungen und erziehen zugleich, ganz im Sinne der Lehrpläne, aufs wirksamste zu künstlerischem Sehen und Empfinden.

Alles in allem verdienen, wie die früheren, so auch die vorliegenden Teile des Pfeiferschen Lehrbuchs den Fachgenossen warm empfohlen zu werden; das, was Verf. geleistet hat, steht nicht im geringsten hinter dem zurück, was in neuester Zeit an brauchbaren und tüchtigen Hilfsmitteln für den geschichtlichen Unterricht auf dem Büchermarkt erschienen ist.

Wernigerode a. H.   M. Hodermann.

Dahlmann-Waitz, Quellenkunde der deutschen Geschichte. Unter Mitwirkung von P. Herre, B. Hilliger, F. Rörig, R. Scholz herausgegeben von Erich Brandenburg. Siebente Auflage. Ergänzungsband. Leipzig 1907, Dietrichsche Verlagsbuchhandlung (Theod. Weicher). 150 S. gr. 8. 3 ℳ, geb. 4 ℳ.

Durch diesen Ergänzungsband ist die neue Bearbeitung der von Dahlmann-Waitz begründeten bibliographischen Quellenkunde fertiggestellt und bis zum Jahre 1906 fortgeführt worden. Wenngleich Referent gewünscht hätte, daß Nachträge, wie er sie in dieser Zeitschrift 1905 S. 440 ff. und 1906 S. 736 ff. angemerkt, in größerem Maße, als geschehen ist, berücksichtigt worden wären, so trägt er doch keinen Augenblick Bedenken, auch diesen Ergänzungsband auf das nachdrücklichste zu empfehlen. Schon die äußere Tatsache, daß 150 Seiten Ergänzungen, worin allerdings das wiederum höchst brauchbare Register einbegriffen ist, sich nötig gemacht haben, zeigt augenfällig, wie schwer es selbst bei einer Mehrheit von Mitarbeitern ist, eine einigermaßen erschöpfende Bibliographie der deutschen Geschichte zu schreiben. Für die nächste Auflage ist eine möglichst vollständige Aufnahme aller irgend in Betracht kommenden Zeitschriften und derjenigen Bibliographien zu wünschen, welche die lokalgeschichtlichen Arbeiten oder Arbeiten über ein besonderes, in der vorliegenden Quellenkunde bereits behandeltes Gebiet zusammenfassen. Der schwierige Drucksatz ist auch in diesem Ergänzungsband sauber und sorgfältig. Nr. 751 Seite 12 ist nicht Masberg, sondern Mansberg zu lesen.

Dresden.   Eduard Heydenreich.

Wilhelm Sievers, Allgemeine Länderkunde. Kleine Ausgabe. Mit 65 Textkarten und Profilen, 33 Kartenbeilagen und 29 Tafeln in Ätzung und Farbendruck. Leipzig und Wien 1907, Bibliographisches Institut. 8. 17 Lieferungen zu je 1 ℳ oder 2 Bände in Leinen gebunden zu je 10 ℳ.

Die 1. Lieferung der gekürzten und einheitlich von W. Sievers gearbeiteten Ausgabe zeigt, in welcher Weise die große, aber ihres hohen Gesamtpreises wegen manchem uner-

schwingliche „Allgemeine Länderkunde" zusammengezogen ist, und
zwar an Sievers eigenstem Arbeitsgebiet, an Südamerika.

Die A n o r d n u n g d e s S t o f f e s ist die bewährte der großen
Ausgabe geblieben: voran eine allgemeine, gedrängte Übersicht
des ganzen Erdteiles, dann die Einzellandschaften nach Bau,
Oberflächengestalt, Gewässer, nach Klima, Vegetation und Tierwelt, nach Bevölkerung und Besiedlung.   Die Entdeckungs-
geschichte ist fortgelassen, um den Umfang zu verringern.

Der ·B i l d e r s c h m u c k im Text fehlt.   Dafür sind immer
je 4 charakteristische Abbildungen auf 2 Seiten Kunstdruckpapier
vereinigt.   Sie bilden durch ihre treffliche Ausführung einen weit
schöneren Schmuck als die vielen Textbilder, die großenteils in
Holzschnitt auf gewöhnlichem Buchdruckpapier die große Ausgabe
zieren.   Hervorragend sind die K a r t e n, während die f a r b i g e n
T a f e l n wie im großen Werk, so auch in der kleinen Ausgabe
der hohen Leistungsfähigkeit des Farbendruckes in Deutschland
keineswegs entsprechen, wenn man aus der Tafel Rio de Janeiro
einen Rückschluß auf die noch zu erwartenden, aber wohl ohne
Änderung aus der großen Ausgabe übernommenen Tafeln
ziehen darf.

Der Preis des Buches, das sich mit den 64 Seiten Text der
1. Lieferung vorzüglich einführt als ein sorgfältiger und geschickter, selbständig gearbeiteter und gut lesbarer Auszug aus
dem großen Werke mit Ergänzungen und Verbesserungen, wird es
jedem Lehrer der Erdkunde ermöglichen, sich das bald fertig
vorliegende Werk anzuschaffen.

Hannover.   A. Rohrmann.

———————

Fischer-Geistbeck, Erdkunde für höhere Lehranstalten. 6 Teile,
   Mit 8 Farbentafeln und 307 Abbildungen, Diagrammen und Kärtchen.
   Berlin und München 1907, R. Oldenbourg. IX u. 539 S. 8. 1. Teil
   (Grundbegriffe, Mitteleuropa) II u. 80 S. 0,70 ℳ. 2. Teil (Europa ohne
   das Deutsche Reich) IV u. 80 S. 0,75 ℳ. 3. Teil (Außereuropäische
   Erdteile) 92 S. 0,65 ℳ. 4. Teil (Deutsches Reich) 93 S. 0,70 ℳ.
   5. Teil (Europa, Wiederholungskurs. Verkehrswege. Mathematische
   Geographie) III u. 89 S. 0,70 ℳ. 6. Teil (Außereuropäische Erdteile,
   Wiederholungskurs. Verkehrswege. Allgemeine Erdkunde) 105 S.
   0,80 ℳ.

Das vorliegende Werk, das in 6 Heften den gesamten Lehrstoff der Erdkunde von der Quinta bis zu den Oberklassen behandelt, ist von der Kritik außerordentlich günstig aufgenommen.
Es hat in sehr kurzer Zeit eine weite Verbreitung gefunden.

Das w e s e n t l i c h N e u e, durch das sich das Buch dem
Inhalte nach von den meisten andern unterscheidet, ist e i n e
gesteigerte Berücksichtigung der anthropogeographi-
schen Verhältnisse.   Niemals sind die natürlichen Verhältnisse eines Landes an sich der Endzweck in dem Buche,
immer werden sie im Hinblick auf die Frage erörtert, welche

Vorteile und Nachteile sie für die Besiedelung haben, welchen Einfluß sie auf den Menschen gehabt haben. Die Verfasser erfüllen hiermit eine Forderung, die auf den letzten Geographentagen von berufener Seite gestellt ist. Auch die Art und Weise, in der die Landschaft als bestimmend für das Leben ihrer Bewohner dargestellt wird, ist durchaus zu loben, ich verweise in dieser Beziehung auf das 4. Heft, die Länderkunde des Deutschen Reiches, in der es mir den Verfassern besonders gelungen zu sein scheint, den Menschen als abhängig, als ein Produkt seiner Heimat in Gegenwart und Vergangenheit darzustellen.

Daneben tritt die naturwissenschaftliche, vor allem die geologische Seite mehr in den Hintergrund. Soweit sich dies in der Beschränkung geologischer Namen und Fachausdrücke äußert, ist auch dem unbedingt beizustimmen. Aber nach meinem Erachten ist auch die Sache selbst, die Entstehung der heutigen Bodenformen durchgängig zu kurz gekommen, und vor allem taucht sie zu spät in dem Buche auf. Erst in dem 4. Hefte (Obertertia) wird dem genetischen Prinzip etwas mehr Beachtung geschenkt. Die Verfasser sagen in ihrem Prospekt, daß der Jugend das Verständnis anthropogeographischer Erscheinungen ungleich näher läge als die vielfach schwer enträtselbaren Bewegungsvorgänge der Erdrinde, ein Satz, über dessen Richtigkeit sich wohl streiten läßt. Aber selbst wenn man ihn zugeben wollte, berechtigt er nach meinem Erachten nicht zu der in dem Buche, vor allem in den ersten Heften geübten Zurückhaltung auf geologischem Gebiete. Der Quintaner, der schon lernen und verstehen muß, daß sich nicht die Sonne, sondern die Erde bewegt, der wird auch Verständnis dafür haben, daß die Erdrinde nicht etwas Festes, Unveränderliches ist, daß die Oberfläche der Erde nicht immer so ausgesehen hat wie heute. Und sicher wird man da mit der Erklärung der Entstehung einer Landschaft nicht zurückhalten dürfen, wo durch sie das Erfassen und Behalten der heutigen Verhältnisse ungemein erleichtert wird. Als Beispiel möchte ich auf die Oberrheinische Tiefebene und ihre Randgebirge im 1. Hefte (Quinta) hinweisen. Die Fruchtbarkeit der Ebene wird erwähnt, die Ähnlichkeit der Randgebirge ist sogar im Druck hervorgehoben. Da würde ein kurzer Hinweis auf die Entstehung dieses Gebietes die nötige Verbindung geben, das Verständnis der Bodenverhältnisse würde vertieft und ihre Einprägung dem Schüler erleichtert werden, Ebenso fehlt, um in demselben Hefte zu bleiben, jeder Hinweis auf die Eiszeit, und doch werden dadurch die ganzen Oberflächenverhältnisse Deutschlands sofort klar.

Auch in der Form, in der Anordnung des Stoffes bringt das das Buch etwas wesentlich Neues. Am Schlusse der einzelnen Abschnitte sind die geographischen Einzel-

heiten in kurze Leitsätze zusammengefaßt, die in
ihrer kurzen, dogmatischen Abfassung, in ihrer Hervorhebung im Druck an mathematische Lehrsätze erinnern. Es ist dadurch das, was der Lehrer in der Stunde
aus dem durch die Karte Gebotenen herausarbeitet, auch für die
Wiederholung durch die Schüler schriftlich fixiert, und die
Wichtigkeit dieses Erarbeiteten wird durch den Druck dem
Schüler auch äußerlich vor Augen geführt. Es hat das entschieden seine großen Vorteile, der Schüler merkt von
vornherein, daß sich seine Wiederholung nicht allein auf die
Topographie beschränken darf, und eine sachgemäße Wiederholung wird ihm so leichter und dem Lehrer seine Arbeit bequemer werden. Aber auch gegen diese Art spricht
einiges. Daß einzelne dieser Sätze anfechtbar oder zu allgemein
gehalten sind, ist schon von Immendörffer, Wien, in seiner Besprechung in der Zeitschrift für die österreichischen Gymnasien
1907, Heft 1, erwähnt; mir ist in diesem Sinne in Heft II
Seite 41 aufgefallen: „Jütlands Küsten haben also ganz verschiedene Natur". Doch das sind, wie auch Immendörffer hervorhebt, Ausnahmen, die der Sache an sich nicht schaden können
und sich in einer zweiten Auflage, die das Buch wohl bald erleben wird, leicht ändern lassen. Viel schwerwiegender scheint
mir zu sein, daß dem Lehrer sein Weg zwar leichter
und bequemer gemacht ist, dafür ihm aber auch sehr
fest vorgezeichnet ist, daß seine Bewegungsfreiheit
im Erarbeiten solcher Leitsätze stark beschränkt ist.

Außer diesen prinzipiellen Einwänden verdient
das Buch in vollem Maße das Lob, das ihm schon in vielen
Besprechungen zuteil geworden ist. Der Text, der durchgehends
kurze, knappe, leicht verständliche Sätze aufweist, ist von einer
Fülle von Kärtchen, Profilen und Bildern unterbrochen. Die
Profile zeichnen sich durch große Einfachheit aus, über jedem
findet sich dasselbe Profil ohne Überhöhung, was sicher dazu
beiträgt, den Schüler vor Trugschlüssen, wie sie so leicht aus
der Betrachtung von Profilen hervorgehen, zu bewahren. Die
schwarzen Bilder sind durchaus zu loben, die bunten sind häufig
in den Farben, vor allem im Rot, etwas grell. Ebenso verdient
die äußere Ausstattung des Buches und der klare Druck uneingeschränktes Lob.

Dieses günstige Urteil soll auch durch die folgenden Einzelheiten nicht herabgesetzt werden. Im 1. Hefte hätten nach
den preußischen Lehrplänen die Seiten 12—34 fehlen
sollen. Sie enthalten Grundbegriffe der Erdkunde und eine
Übersicht der Länderkunde, also den Lehrstoff der Sexta, wo,
wie unsere preußischen Lehrpläne mit Recht sagen, die Benutzung
eines Lehrbuches ausgeschlossen ist. Dafür hätte der zweite Abschnitt dieses Heftes, kartographische Elemente, etwas

ausführlicher behandelt werden können. In der Länderkunde Mitteleuropas ist bei einzelnen Städten angeführt, daß sie eine Universität haben, bei anderen nicht, so nicht bei Leipzig, Freiburg, München, bei diesem auch nicht bei der zweiten Behandlung Deutschlands im 4. Heft.

Der Wasgenwald ist bei seiner ersten Erwähnung (S. 35) mit dem unschönen Namen „Vogesen" belegt, derselbe Name findet sich dann noch einmal im 5 Heft S. 43. S. 67 heißt es: Hannover Knotenpunkt wichtiger Bahnlinien (Köln—Berlin). S. 51: Das hessische Bergland besteht aus 2 vulkanischen Erhebungen, dem Vogelsberge und der Rhön. Im 3. Hefte sind bei der Einteilung Nordamerikas die natürlichen Landschaften zu wenig be-, rücksichtigt, das Felsengebirge hätte zusammenhängend behandelt werden müssen. Bei der Einleitung zu den deutschen Kolonien fehlt unter den Ursachen der Kolonisation die zielbewußte Erwerbung fremder Landstriche durch Staaten, um der eigenen Industrie die nötigen Rohstoffe zu sichern und den Auswandererstrom dem Heimatlande zu erhalten, die doch für unsere Kolonien hauptsächlich in Betracht kommt. Gemeint ist dies wohl mit der unter 6 angeführten „Ansammlung starker Kapitalkräfte, die nach Betätigung suchen", doch ist das wohl nicht ohne weiteres verständlich und auch das ideale, nationale Element zu wenig hervorgehoben. Im 5. Heft fiel mir auf, daß unter den Schweizern, die in geistiger Beziehung Einfluß auf Deutschland gehabt haben, daß unter Pestalozzi, Bodmer und Breitinger, Haller und Geßner, Keller und Böcklin die Schweizer Reformatoren fehlen.

Ich will meine Besprechung nicht schließen, ohne darauf hinzuweisen, daß das Buch auch dem Lehrer, an dessen Schule es nicht eingeführt ist, viele gute Dienste leisten kann, Es wird ihm manche Anregung geben und kann jedem in seinem kurzen, knappen Stil als Muster dienen.

Hannover.   O. Thiele.

------

1) Felix Klein, Vorträge über den mathematischen Unterricht auf höheren Schulen, bearbeitet von Rudolf Schimmak. Teil I: Von der Organisation des mathematischen Unterrichts. Leipzig 1907, B. G. Teubner. X u. 236 S. 8. geb. 6 ℳ.

Das Buch bringt einen Teil des Inhalts der Vorlesungen, die der Verfasser im Winterhalbjahr 1904/05 an der Universität Göttingen gehalten hat. Es bringt zunächst nur denjenigen Teil, der sich auf die Geschichte und die Organisation des mathematischen Unterrichts bezieht und diese kritisch darstellt. Zwei weitere Teile, die sich mit ausgewählten Fragen der Arithmetik bezw. der Geometrie befassen werden, sollen noch folgen.

Das bisher Dargebotene ist eine sehr anziehende Schilderung der augenblicklichen Lage und ihres Gewordenseins und führt den Leser vortrefflich in alle die Fragen ein, die die Neugestaltung des mathematischen Unterrichts betreffen. Sehr deutlich spricht dabei der Verfasser gegen mancherlei Mißverständnisse seinen und seiner Freunde Standpunkt aus. Wie seine Vorschläge nichts weniger als eine Vermehrung des Stoffes, eine Erhöhung der Anforderungen bezweckten, wie sie vielmehr darauf ausgehen, unter Ausscheidung von Veraltetem und Entbehrlichem den Lehrstoff der Schulmathematik von Gesichtspunkten aus zu durchleuchten, die seine Aneignung erleichtern und ihn mit dem modernen Leben in engere Verbindung zu bringen geeignet seien. Wie er durchaus davon entfernt sei, eine mathematisch-naturwissenschaftliche Fachbildung zu erstreben, wie er aber auch überzeugt sei, daß zur allgemeinen Bildung der Gegenwart und Zukunft die Bekanntschaft mit den Grundgedanken der modernen Mathematik gehöre, die in der Veränderlichkeit und der gegenseitigen Abhängigkeit der Teile lägen.

Seine Hörer macht er zunächst bekannt mit der Lage des Unterrichts in den Volksschulen, auf der Unter- und Mittelstufe der höheren Lehranstalten, und an den höheren Mädchen- sowie den mittleren Fachschulen. Sehr ausführlich unter Mitteilung mancher interessanter Einzelheiten und mit Hinweis auf die neuere Literatur des Gegenstandes bespricht er darauf den historischen Entwicklungsgang des mathematischen Unterrichts unserer höheren Schulen, um darauf die Lehrpläne der Mathematik für die Oberstufe vom Jahre 1901 einer historischen Betrachtung zu unterziehen und dabei besonders eingehend seine Forderung der Einführung der Elemente der Infinitesimalrechnung zu begründen. Der Schlußabschnitt endlich weist auf die Aufgaben hin, die den Hochschulen, den Universitäten sowie den technischen Schulen gestellt werden, damit diese Reformen Wirklichkeit werden können. Auch hier beleben verschiedene historische Exkurse die Darstellung.

2) K. G. Volk, Die Elemente der neueren Geometrie. Für die oberen Klassen höherer Lehranstalten und zum Selbststudium bearbeitet. Leipzig 1907, B. G. Teubner. VIII u. 77 S. 8. kart. 2 *M.*
Mit seinem Werk versucht der Verfasser zwei Hauptforderungen aus den Reformbestrebungen des geometrischen Unterrichts zu Hilfe zu kommen, der Berücksichtigung des geometrischen Bewegungsprinzips und der starken Betonung der Lagebeziehungen. Von diesen Gesichtspunkten aus stellt er nun die Elemente der neueren Geometrie dar, und es muß anerkannt werden, daß er einen Lehrgang geschaffen hat, der durch Klarheit und Übersichtlichkeit für den Schüler die unleugbar mit dem Stoff zunächst verbundenen Schwierigkeiten beiseite schafft, wie anderseits die Art der Behandlung, eben die Benutzung des Bewegungsprinzips, sein Interesse in hohem Maße zu erregen und wach zu halten geeignet ist. Wenn einerseits der Wunsch, die Begriffe und die Gedanken der Infinitesimalrechnung in die Schule einzuführen, die Gefahr mit sich bringt, den Unterricht in der Ober-

stufe noch mehr zu „arithmetisieren", als vielleicht schon der Fall ist, so bietet die Pflege und das Studium der Grundlagen der neueren Geometrie ein gutes Abwehrmittel. Es wird wohl nicht allerorts möglich sein, auf beiden Gebieten, in der Analysis und in der Geometrie, die Grenzen neu abzustecken, aber was verschlägt es, wenn je nach der Anlage und der Liebhaberei des Lehrers hier die eine, dort die andere Seite eifriger getrieben wird? Geben ja doch die offiziellen Lehrpläne selbst dazu Erlaubnis und Aufforderung.

Pankow bei Berlin.   Max Nath.

J. Heussi, Lehrbuch der Physik für Gymnasien und Realgymnasien, Oberrealschulen und andere höhere Bildungsanstalten. Siebente Auflage, vollständig neu bearbeitet von E. Götting. Mit 487 in den Text gedruckten Abbildungen. Berlin 1907, Otto Salle. XII und 475 S. 8. 5 *M.*

Dreizehn Jahre sind seit der letzten von A. Leiber besorgten Auflage dieses bekannten Lehrbuches verflossen. Wissenschaft und Methodik haben in dieser Zeit so große Fortschritte gemacht, daß es, trotz sorgfältiger Bemühung des Verfassers, den Charakter des Buches zu wahren, sich als notwendig herausstellte, bei der neuen Auflage eine weitgehende Umarbeitung eintreten zu lassen.

Das Darstellungsprinzip ist wie bisher rein systematisch, doch finden wir mehrfach eine neue Gruppierung des Stoffes, die mit wenigen Ausnahmen als zweckmäßig gelten kann. In allen Teilen des Buches tritt das Energieprinzip in den Vordergrund, insbesondere in der Mechanik, der Wärme und der Elektrizität, überall führt uns der Verfasser auf die Höhen der modernen Naturauffassung. Die Einführung des absoluten Maßsystems erscheint von diesem Standpunkte selbstverständlich, seine Anwendung in der Lehre vom Magnetismus und der Elektrizität ist in verständlicher Form und in angemessenen Grenzen zur Darstellung gebracht. In der Optik ist die bisher gebräuchliche, unvollständige Behandlung der Wirkung optischer Instrumente durch die moderne Abbesche Theorie, wenn auch nur mit Beschränkung auf die Grundbegriffe, in einer durch die Unterrichtspraxis bewährten Form ersetzt worden.

Da zu dem vorliegenden Werke noch ein für die Unterstufe bestimmter Leitfaden der Physik gehört, dem die Elemente der Chemie beigegeben sind, so finden wir den entsprechenden Abschnitt im Lehrbuche nicht mehr vor. Dagegen hat der Verfasser die Aufnahme des physikalischen Lehrstoffes der Unterstufe u. z. in neuen Zusammenhängen aus pädagogischen Gründen für zweckmäßig erachtet. Die Ausscheidung vieler veralteter Abschnitte und Figuren, für die allerdings eine große Anzahl neuer hinzugekommen ist, hat doch eine Verminderung des Buchumfanges zur Folge gehabt. Wenn das Lehrbuch nunmehr im allgemeinen wohl an Unterrichtsstoff so viel enthält, als auf den höheren Realanstalten mit Erfolg bearbeitet werden kann, so scheinen mir doch einige Abschnitte selbst für Gymnasien etwas zu dürftig ausgefallen zu sein. So verdienen die Abschnitte über elektrische Wellen, insbesondere über drahtlose Telegraphie, sowie die Teslaschen Versuche eine eingehendere Behandlung. In dem Kapitel über astronomische Geographie ist das Material über die Planeten und ihre Monde, sowie über die Erscheinungen der Finsternisse kaum ausreichend, eine Sternkarte ist dem Buch nicht beigegeben.

Vergleicht man die neue Auflage mit der alten, so steht man unter dem deutlichen Eindruck von den bedeutenden Fortschritten, welche inzwischen Wissenschaft und Technik auf allen Gebieten der Physik gemacht haben. Man hat es nunmehr mit einem modernen Lehrbuche zu tun, das in der Hand eines erfahrenen Lehrers gute Dienste leisten wird.

Berlin.   ———————   R. Schiel.

E. Prinz, Ausführliche Darstellung des Lehrverfahrens zur Bildung des musikalischen Gehörs für das Absingen von Noten. Erste bis dritte Stufe. Essen 1907, G. D. Bädeker. 47 S. 1,20 ℳ.

Eines der vielen Produkte, welche aus fleißiger, praktischer Beschäftigung mit dem Gesangunterricht in der Volksschule hervorgegangen sind, liegt uns in dem Buche von Prinz vor. Es ist nur für Lehrer geschrieben und zerfällt in einen theoretischen und praktischen Teil. Die Kunst, nach Noten richtig zu singen, ist das Ziel, das jeder Lehrer, der seine Sache ernst nimmt, bei seinen Schülern zu erreichen sucht. Was vor 45 Jahren, als der Schreiber dieser Zeilen die Volksschule besuchte, ganz unbekannt war, das wird jetzt vielfach in preußischen Volksschulen und, wie ich glaube, mit gutem Erfolge versucht. Das vorliegende Büchlein bietet uns eine Gewähr hierfür. Unter den Hilfsmitteln des Gesanges zieht Prinz das vertikale Notenklavier als das geeignetste allen andern vor. Die tönenden Noten geben der abstrakten Lehre erst die nötige konkrete Grundlage. Den Lehrgang skizziert er kurz S. 12 dahin: „Singen nach tönenden Noten, vom Ton zur Notentaste und zur Note, von der Note zum Ton!" Der praktische Teil gibt eine detaillierte Ausführung des Lehrverfahrens, dem man im ganzen nur zustimmen kann. Das Kind wird sicherlich dadurch angeregt werden. Immerhin gehört zur Anwendung des Verfahrens ein gut Stück Zeit und Geduld, und ich kann nur dringend wünschen, daß diese in der Volksschule wie in der höheren Schule für den Lehrer vorhanden ist, sonst bleibt der Erfolg aus. Der Preis ist etwas hoch.

Hamm i. W.   Hermann Eickhoff.

DRITTE ABTEILUNG.

Die 29. Versammlung des Vereins mecklenburgischer Schulmänner zu Rostock am 28. September 1907.

Die Versammlung war außergewöhnlich gut besucht, namentlich hatte der sehr starke Rostocker Zweigverein eine stattliche Zahl von Teilnehmern gestellt, aber auch von den übrigen höheren Schulen unseres Landes waren fast durchweg Vertreter erschienen, um an den Verhandlungen teilzunehmen und im persönlichen Verkehr mit den Amtsgenossen alte Beziehungen aufzufrischen und neue zu knüpfen. Die Versammlung wurde nach dem Eintreffen der Morgenzüge in dem großen schönen Saal der Realschule mit der Begrüßung der Anwesenden durch den Vorsitzenden eröffnet, und nachdem einige innere Angelegenheiten des Vereins erledigt waren, hielt Herr Direktor Dr. Bolle-Wismar einen Vortrag über die Frage, ob es wünschenswert und durchführbar sei, in der Prima des Gymnasiums eine Scheidung der Schüler in eine altsprachliche und eine mathematische Gruppe eintreten zu lassen. An den Vortrag, der mit allgemeinem Beifall aufgenommen wurde, schloß sich eine lebhafte Besprechung zunächst des ersten Leitsatzes: Es ist wünschenswert, den Schülern der Prima des Gymnasiums die Wahl zwischen erhöhter sprachlicher oder erhöhter mathematischer Bildung zu lassen. Nachdem vereinzelte Einwendungen gegen diesen Leitsatz widerlegt waren, wurde er nahezu einstimmig angenommen, die Besprechung der übrigen Leitsätze aber für die Versammlung des nächsten Jahres vorbehalten.

Im weiteren Verlaufe der Versammlung wurden noch zwei wichtige Bestimmungen getroffen. Erstens beschloß der Verein, nach dem Vorgange fast aller ähnlichen Vereine in Deutschland die Benennung „Verein mecklenburgischer Philologen" anzunehmen, und dann beauftragte er seinen Vorstand, er solle bei dem Großherzoglichen Ministerium die Bitte vortragen, die Verleihung des Professortitels für alle Oberlehrer aller höheren Schulen des Landes nach denselben, dem Dienstalter zu entnehmenden Grundsätzen erfolgen zu lassen.

Als Ort der nächsten Jahresversammlung wurde Wismar bestimmt; die Auswahl der in den Zweigvereinen zu bearbeitenden wissenschaftlichen Fragen wurde dem Vorstand übertragen. An die Versammlung schloß sich ein Festessen im reichgeschmückten Saal des Rostocker Hofes, das die Kollegen und ihre Damen noch lange zu fröhlichem Tun vereinte.

Schwerin.   Mulsow.

VIERTE ABTEILUNG.

EINGESANDTE BÜCHER

(Besprechung einzelner Werke bleibt vorbehalten).

1. **Meyers Historisch-Geographischer Kalender für das Jahr 1908. XII. Jahrgang.** Mit 566 Landschafts- und Städteansichten, Porträten, kulturhistorischen und kunstgeschichtlichen Darstellungen sowie einer Jahresübersicht. Als Abreißkalender eingerichtet. Verlag des Bibliographischen Instituts in Leipzig und Wien. 1,85 ℳ.

Einen ausgebreiteten Anschauungsunterricht von lebendigster Mannigfaltigkeit vermittelt auch dieser neue Jahrgang des nun schon zum zwölften Male erschienenen Kalenders, der in reichster Abwechslung Bilder aus Kultur- und Wirtschaftsgeschichte, Weltgeschichte und Geographie, Kunst und Technik vorführt und alle mit einem inhaltlich belehrenden, darstellerisch fesselnden Text versieht.

2. **Die Umschau,** herausgegeben von J. H. Bechhold. Jahrg. 12, Nr. 1.

3. **Das Banner der Freiheit.** Monatsschrift von Gottfried Schwarz. Jahrg. 12, Heft 143. Inhalt: Jesus-Hostie. 32 S.

4. *Παιδαγωγικὸν δελτίον, ἐκδιδόμενον ὑπὸ τοῦ ἐν Ἀθήναις Ἑλληνικοῦ διδασκαλικοῦ συλλόγου. Τόμος δεύτερον.* S. 82—224.

5. **Die Stimme,** Centralblatt für Stimm- und Tonbildung, Gesangunterricht und Stimmhygiene. Herausgegeben von Dr. Th. Flatau, Rektor K. Geist und Rektor A. Gusinde. Jahrg. 1, Heft 10—12 (S. 289—384).

6. **Vierteljahrsschrift für körperliche Erziehung.** Organ des Vereins zur Pflege des Jugendspieles in Wien usw. Herausgegeben von L. Burgerstein und V. Pimmer. Jahrg. 3, Heft 3 (S. 137—199).

7. **Jung-Deutschlands Flotten- und Kolonial-Kalender** 1908.

8. **Bezugsquellen-Adreßbuch für die Schule und den Bedarf des Lehrers,** redigiert von H. Konwiczka. Leipzig und Wien 1907, Akademischer Verlag. 275 u. 41 S. 4.

9. **Franktireurfahrten und andere Kriegserlebnisse in Frankreich. Kulturbilder aus dem Kriege 1870/71** (Band II von „Freuden und Leiden des Feldsoldaten") von Christian Rogge. Berlin 1907, C. A. Schwetschke u. Sohn. 2,50 ℳ, geb. 3,50 ℳ.

10. **Oliver Goldsmith, A selection.** Herausgegeben von A. Stoeriko. Mit einem Titelbilde. Leipzig 1907, G. Freytag. 144 S. 1,50 ℳ.

11. **S. R. Gardiner, Oliver Cromwell,** herausgegeben von A. Greef. Mit 1 Titelbild und 1 Karte von England und Wales. Leipzig 1907, G. Freytag. 134 S. geb. 1,40 ℳ.

12. **Th. Carlyle, Heroes and Hero-Worship.** Annotated by L. Hamilton. With 1 vignette. 130 S. 1,50 ℳ.

13. English Classics. Great Novels by Great Writers. Edited with notes by J. F. Bense. Groningen, P. Noordhoff. I. Scott, Ivanhoe. 1907. 292 u. XV S. geb.

14. H. A. Clay und O. Thiergen, Über den Kanal. Ein Führer durch England und die englische Sprache. Leipzig 1907, E. Haberland. VIII u. 276 S. geb. 3,50 ℳ.

15. F. Höhm, Geometrische Anschauungslehre für die I.—IV. Klasse der Mädchen-Lyzeen. Wien 1907, F. Tempsky. I. Teil: Für die I. u. II. Klasse. 52 S. steif brosch. 1 K. II. Teil: Für die III u. IV. Klasse. 42 S. steif brosch 0,80 K.

16. R. Schwering, Trigonometrie für höhere Lehranstalten. Dritte Auflage. Mit 17 Figuren. VII u. 55 S. 0.90 ℳ, geb. 1,30 ℳ.

17. O. Richter, Dreistellige logarithmische und trigonometrische Tafeln. Leipzig 1907, B. G. Teubner. 10 S. 0,50 ℳ.

18. P. Treutlein, Mathematische Aufgaben aus den Reifeprüfungen der badischen Mittelschulen. I. Teil: Aufgaben. Leipzig 1907, B. G. Teubner. X u. 158 S. geb. 2,80 ℳ.

19. H. Müller, Einführung in die Differential- und Integralrechnung. Zum Gebrauch an höheren Schulen. Leipzig 1907, B. G. Teubner. 38 S. kart. 1,20 ℳ.

20. M. Geistbeck, Leitfaden der mathematischen und physikalischen Geographie für höhere Schulen und Lehrerbildungs-Anstalten. Achtundzwanzigste und neunundzwanzigste Auflage mit 116 Abbildungen. Freiburg i. Br. 1907, Herdersche Verlagshandlung. VIII u. 185 S. 1,60 ℳ. geb. 2 ℳ.

21. W. Kaiser, Physikalische Schülerübungen in den oberen Klassen. Leipzig 1907, Quelle & Meyer. 47 S.

22. W. Leick, Praktische Schülerarbeiten in der Physik. Leipzig 1907, Quelle & Meyer. 44 S.

23. Pokornys Naturgeschichte des Tierreichs für höhere Lehranstalten. Bearbeitet von M. Fischer. Mit zahlreichen Abbildungen und 27 Tafeln. Siebenundzwanzigste Auflage. Leipzig 1907, G. Freytag. VI u. 293 S. geb. 4 ℳ.

24. F. Kienitz-Gerloff, Physiologie und Anatomie des Menschen mit Ausblicken auf den ganzen Kreis der Wirbeltiere. Mit 111 Abbildungen. VI u. 130 S. gr. 8.

25. M. Kraß und H. Landois, Lehrbuch für den Unterricht in der Botanik. Mit 4 Farbentafeln und 325 Textbildern. Siebte Auflage. Freiburg i. Br. 1907, Herdersche Verlagshandlung. XIV u. 326 S. 8. 3,60 ℳ, geb. 4,20 ℳ.

26. G. Müller, Mikroskopisches und physiologisches Praktikum der Botanik für Lehrer. Mit 235 Figuren. Leipzig 1907, B. G. Teubner. XVI u. 225 S. 4,80 ℳ.

27. Wissenschaft und Bildung, Einzeldarstellungen aus allen Gebieten des Wissens, herausgegeben von Paul Herre. Verlag von Quelle & Meyer in Leipzig 1907. geb. 1,25 ℳ.

L. von Graff, Das Schmarotzertum im Tierreich und seine Bedeutung für die Artbildung. IV u. 132 S.

Giesenhagen, Befruchtung und Vererbung im Pflanzenreich. Mit 31 Abbildungen. IV u. 132 S.

G. Holz, Der Sagenkreis der Nibelungen. IV u. 128 S.

M. Löhr, Volksleben im Lande der Bibel. 134 S.

H. Pohlig, Eiszeit und Urgeschichte des Menschen. Nach seinen Vorlesungen. VIII u. 142 S.

28. Fr. Dannemann, Das geschichtliche Element im naturwissenschaftlichen Unterricht. Leipzig 1907, B. G. Teubner. S.-A. aus Natur und Schule, Band VI. 8 S.

29. G. Steinmann, Der Unterricht in Geologie und verwandten Fächern auf Schule und Universität. Leipzig 1907, B. G. Teubner. S.-A. aus „Natur und Schule" VI S. 241—268.

30. J. Lorscheid, Lehrbuch der anorganischen Chemie. Mit 154 Abbildungen und 1 Spektraltafel. Siebzehnte Auflage von Fr. Lehmann. Freiburg i. Br. 1907, Herdersche Verlagshandlung. VIII u. 329 S. 3,60 ℳ, geb. 4,20 ℳ.

31. E. Volckmar, Kurzes Lehrbuch der Chemie zunächst für den Unterricht an höheren Lehranstalten. Dritte Auflage. Mit 71 Abbildungen. Gießen 1908, Emil Roth. XV u. 300 S.

32. Gustav Krüger, Der Tierschutz und die Jugend. Rede, gehalten am 27. 1. 1906. 0,05 ℳ. (Sonderabdruck aus „Tier- und Menschenfreund" 1906.)

33. Gaudeamus. Blätter und Bilder für unsere Jugend. Geleitet von Egid von Filck-Wittingbausen. Wien, G. Freytag und Berndt. X. Jahrgang. Band I u. II (396 S.). Preis des ganzen Jahrganges 5 ℳ, der Einzelnummer 0,35 ℳ.

34. Paul Wagner, Lehrbuch der Geologie und Mineralogie für höhere Schulen. Große Ausgabe für Realgymnasien und Oberrealschulen. Mit 284 Abbildungen und 3 Farbentafeln. Leipzig 1907, B. G. Teubner. VIII u. 208 S. gr. 8. geb. 2,80 ℳ.

35. Paul Bachmann, Grundlehren der Neueren Zahlentheorie. Mit 10 Figuren. Leipzig 1907, G. J. Göschen'sche Verlagshandlung. XI u. 270 S. geb. 6,50 ℳ.

36. Carl Graeber, Ideal-Schulgärten im 20. Jahrhundert. Unter Mitwirkung von H. U. Molsen. Mit 19 Plänen und Skizzen und 140 Abbildungen. Frankfurt a. O. 1907, Trowitzsch & Sohn. IV u. 309 S.

37. Alfred Lehmann und R. H. Pedersen, Das Wetter und unsere Arbeit. Experimentelle Untersuchungen über den Einfluß der meteorologischen Faktoren auf die körperliche und seelische Arbeitsfähigkeit. Mit 20 Figuren im Text. Leipzig 1907, W. Engelmann. 106 S. 2 ℳ.

38. Albert Sergel, Ringelreihen. Kindergedichte. Rostock 1907, C. J. E. Volckmann Nachfolger. 86 S.

39. Deutsche Bücherei.

a) Band 73. 74. E. v. Hartmann, Die sozialen Kernfragen. Band I: Die Verteilung des Arbeitsertrages. Mit einem biographischen Geleitwort von Alma von Hartmann. Zweite Auflage. 110 S.

b) Band 75. 76. E. v. Hartmann, Die sozialen Kernfragen. Band II: Die Erhöhung des Arbeitsertrages. Zweite Auflage. 204 S.

c) Band 77. 78. E. v. Hartmann, Die sozialen Kernfragen. Band III: Die Verminderung der Arbeitslast. Die Boden- und Bevölkerungsfrage. Zweite Auflage. 201 S.

d) Band 79. 80. Brüder Grimm, Deutsche Sagen, herausgegeben von Chr. Tränckner. 173 S.

e) Band 81. Kaspar Hauser von Anselm Ritter von Feuerbach. Mit einer biographischen Würdigung Feuerbachs von Leo Freiherrn von Egloffstein 85 S.

f) Band 82. 83. Heinrich Stümcke, Modernes Theater. Eindrücke und Studien. 187 S.

g) Band 84. Julius Kurth, Aus Pompeji. Skizzen und Studien.

h) Band 85. Hans Haas, Japanische Erzählungen und Märchen. 108 S.

i) Band 86. Elly Steffen, Aus deutscher Vorzeit. Vier alte Werke deutscher Dichtung in kurzer neuhochdeutscher Prosafassung für das deutsche Volk herausgegeben. 127 S. (Gudrun. — Otto mit dem Barte. — Flore und Blancheflur. — Der gute Gerhard. — Anhang: Der arme Heinrich, neu übersetzt.)

ERSTE ABTEILUNG.

ABHANDLUNGEN.

Zur Lage des Geschichtsunterrichts auf der Oberstufe des Gymnasiums.

Alles von Menschenhand und Menschengeist Geschaffene ist vergänglich und dem Wechsel unterworfen; so darf man denn auch nicht erwarten oder wohl gar dahin wirken wollen, die Gymnasien beständig in demselben Zustande erhalten zu sehen, und der Satz „sint, ut sunt, aut non sint" dürfte nirgends mit weniger Recht angewandt sein als vom Gymnasium. Viel mehr Gewicht mag hier auf ein anderes Wort gelegt werden, das wohl in der Eingangshalle vieler höheren Schulen zu lesen ist, ohne freilich immer richtig gedeutet zu werden, „non scholae, sed vitae discimus". Wie also alle Verhältnisse und Personen, von diesen sogar die bedeutendsten, den Charakter ihrer Zeit an sich tragen und ihr einen gewissen Tribut zollen, so kann sich auch das Gymnasium ihr nicht entziehen, es muß dem Zeitgeist Zugeständnisse machen in seinen Lehrzielen, im Inhalt und in der Methode der einzelnen Unterrichtsgegenstände. Von dieser Notwendigkeit legen Zeugnis ab die verschiedenen im Laufe der Zeiten aufgestellten Lehrpläne, diese Notwendigkeit wird auch fernerhin neue Lehrpläne hervorbringen. Bei der ungeheuren Entwickelung, die in der neuesten Zeit die Naturwissenschaften und die Technik genommen haben, bei den grundstürzenden Änderungen, die damit in der Produktion und im Verkehr der Länder eingetreten sind, bei dem politischen und wirtschaftlichen Aufschwung insbesondere des neuen Deutschen Reiches und bei seiner in Rücksicht auf seine Existenz sich immer mehr entwickelnden Weltstellung, kurz bei den neuen Aufgaben und Zielen, die unserm Vaterlande jetzt gestellt sind, muß auch die Vorbildung der Männer, die einst zur Regierung berufen sind, gewisse Modifikationen erleiden, und die Vertreter und wahrhaften Freunde einer humanistischen Bildung handeln weise, beizeiten auf die Anforderungen der Zeit zu achten und ihnen, soweit nötig, nachzugeben, nicht aber sich streng auf das Herkömmliche zu versteifen. Dann müssen doch wohl die Klagen derer verstummen, die heute dem Gymnasium wer weiß was alles vorwerfen und es zum Sündenbock für alle möglichen Mängel machen. Andernfalls könnte es kommen, daß das Gymnasium immer mehr Anhängerschaft verliert und daß es schließlich, wie es schon aus seiner beherrschenden Stellung verdrängt ist, sogar um die Gleichberechtigung mit den andern höheren Schularten kämpfen müßte. Das darf aber auf keinen Fall geschehen; denn abgesehen von allem andern wäre es ein nationales Unglück, wenn schließlich die Zahl der humanistisch Vorgebildeten so gering würde, daß sie nicht mehr den nötigen Tropfen Öl liefern könnten für die brausenden Wogen des Realismus und des übertriebenen Utilitarismus im öffentlichen Leben. Wenn nun aber auch das Gymnasium dem Einfluß des modernen Lebens sich nicht entziehen darf, so hat es sich ihm noch lange nicht zu unterwerfen: das steht außer allem Zweifel, daß den Neuerungen nur so weit nachgegeben werden darf, wie es unbedingt nötig ist, und ohne daß der Grundcharakter des Gymnasiums darunter leidet. Auch fernerhin muß die Beschäftigung mit der Kultur des klassischen Altertums die Grundlage und den Mittelpunkt des gymnasialen Unterrichts bilden, womit gewiß noch immer das allgemeine Ziel der höheren Lehranstalt: „Erziehung tüchtiger Menschen, die imstande sind, unserer Zeit und unserm Volke zu dienen" (Cauer, Palaestra vitae[1]) S. 3) erreicht wird, nur soll dies dem Gymnasiasten durch eine verhältnismäßige Anpassung an die Forderungen der Zeit erleichtert werden. Was davon als unabweislich notwendig erkannt ist, muß sich das Gymnasium in durchaus erreichbaren Grenzen zu eigen machen, das muß dann aber auch als zum Unterrichtsbetrieb gehörig festgelegt und nicht dem Wohlwollen einzelner überlassen werden.

Wie sind nun aber diese beiden Forderungen, Aufnahme des Neuen und Festhalten des Alten, miteinander zu vereinen? Wird dadurch nicht das Zuviel an Lehrfächern, unter dem das Gymnasium schon lange seufzt, noch vermehrt und die Worte „multum, non multa" immer mehr zur Karikatur? Sollte man nicht vielmehr nach Vereinfachung des Lektionsplanes streben, indem man prüft, was etwa an Unterrichtsfächern ausfallen könnte? Da soll denn gleich von vornherein betont werden, daß das Neue auf keinen Fall in selbständigen Lehrgegenständen eingeführt werden

---

[1]) In trefflicher Weise hat der begeisterte und tiefgründige Vorkämpfer des Gymnasiums in dieser Schrift, die allen humanistischen Kollegen zur Selbstprüfung und Nachachtung gar nicht dringend genug ans Herz gelegt werden kann, an zahlreichen Beispielen nachgewiesen, wie eine Erziehung durch Griechen und Römer nicht von der Welt, die uns umgibt, abzulenken braucht, sondern im Gegenteil tüchtig werden läßt sie zu begreifen — es braucht nur der Inhalt der Antike in der gehörigen Weise im Unterricht ausgenutzt zu werden.

darf, selbst dann nicht, wenn es gelänge, vorhandene Fächer zu
beseitigen oder zu beschneiden. Bekanntlich macht sich jetzt eine
Strömung bemerkbar, die Mathematik in ihrem Umfange auf der
Oberstufe des Gymnasiums zu verkürzen, um dem Gymnasium
seine Eigenart zu wahren und, was den beiden andern Anstalten
gewährt ist, auch für das Gymnasium zu erlangen. Es ist ja
richtig, wenn der Oberrealschule gestattet sein soll, ihre Zöglinge
ohne jede Kenntnis der alten Sprachen zu jedem Lebensberuf zu
entlassen, während das Realgymnasium doch wenigstens der einen
alten Sprache eine wenn auch dürftige Existenz bewilligt, warum
soll es da dem Gymnasium verwehrt sein, dies mit etwas geringeren Kenntnissen als bisher in der Mathematik zu tun? Der
Gedanke hat sehr viel für sich, besonders wenn man bedenkt,
wie viele Schüler, jedes mathematischen Sinnes bar, unter dem
Joche der Mathematik seufzen, und man kann ihm im Interesse
des Gymnasiums von ganzem Herzen die Ausführung wünschen.
Die dadurch freiwerdende Zeit dürfte jedoch unter keinen Umständen
neuen Lehrfächern zugute kommen, sondern schon vorhandenen,
wenn sie überhaupt wieder ausgetan werden soll. Wenn also dieser
Weg für Unterbringung des neuen Unterrichtsstoffes nicht gangbar
erscheint, so muß der zweite betreten werden, d. h. schon vorhandene Lehrgegenstände sind so auszubauen oder zu verändern,
daß darin das Neue geboten werden kann. Um was für Neues
handelt es sich denn hauptsächlich? Abgesehen von der Gesundheitslehre (sexuelle Belehrungen!) und Biologie, die diesmal außer
Betracht bleiben sollen, um die bildende Kunst, die Geographie und die Bürgerkunde. Daß diese besonders in den
Oberklassen des Gymnasiums eine gewisse Rücksichtnahme verdienen, wird wohl heute nur noch von ultraradikalen Schwärmern
geleugnet, braucht also nicht erst näher erörtert zu werden; bezüglich der Kunst und der Geographie ist dies auch in den Lehrplänen von 1901 anerkannt, für jene freilich in überaus bescheidener Weise, wenn S. 31 für die altsprachliche Lektüre die
Verwertung von künstlerisch wertvollen Anschauungsmitteln empfohlen wird, oder wenn nach S. 20 das deutsche Lesebuch kunstgeschichtliche Stücke enthalten soll, und nach S. 49 zur Belebung
historischer Vorstellungen charakteristische Anschauungsmittel zu
verwerten sind, während die Beschäftigung mit der Geographie
kräftiger betont wird, da nach S. 50 innerhalb jedes Halbjahres
mindestens sechs Stunden dafür zu verwenden sind; die Bürgerkunde, als jüngstes Kind der Zeit, findet noch keine Erwähnung.
Wie sind diese Gegenstände am besten unterzubringen?
Ohne Zweifel bieten alle bisherigen Fächer Berührungspunkte, und
überall wird Gelegenheit sein, auf derartige Fragen einzugehen,
in dem einen Fache mehr, in dem andern weniger; aber überall
wird das Eingehen auf solche Belehrungen ein gelegentliches sein,
es wird zu sehr vom Zufall abhängen, es wird sich danach richten,

was gerade gelesen und gezeichnet wird, und ohne Zwang wird sich niemals eine gewisse Vollständigkeit erzielen lassen. So erfreulich also die Beihilfe ist, die andere Fächer den Belehrungen im Bereiche der Kunst, der Geographie und der Bürgerkunde gewähren, es ist eben nur eine Beihilfe, die Hauptarbeit muß einem bestimmten Fache zufallen, das die Gewähr bietet, daß alles Nötige behandelt wird: das kann nur die Geschichte sein.

Wenn es die Aufgabe des Geschichtsunterrichts ist, nicht nur geschichtliches Wissen zu vermitteln, sondern den Schülern das Verständnis für die Entwickelung der Menschheit zu eröffnen, dadurch den historischen Sinn zu beleben und die Urteilskraft zu üben, so darf er sich nicht auf die äußere Geschichte eines Volkes beschränken, sondern er muß auch Einblick gewähren in dessen geistige und kulturelle Verhältnisse. Erst wenn man alle oder wenigstens die wichtigsten Äußerungen des Geisteslebens eines Volkes erkannt hat, kann man ein Urteil fällen über seine Bedeutung und Stellung unter andern Völkern, erst dann kann man das Volk und seine Geschichte ganz verstehen. Von dieser Auffassung ist man heute wohl allseitig durchdrungen, und es wird kaum noch eine Anstalt geben, an der im Geschichtsunterricht nicht auch die Kulturgeschichte die gebührende Berücksichtigung findet. Das Gebiet nun, auf dem das Geistesleben mit am deutlichsten in die Erscheinung tritt, ist das der bildenden Kunst, folglich ist die Beschäftigung damit vom Geschichtsunterricht gar nicht zu trennen.

Dasselbe gilt von der Geographie. Auch sie steht in allerengstem Zusammenhange mit der Geschichte, und zwar einmal mehr äußerlich, indem man sich zum Einordnen und Festhalten der einzelnen Vorgänge und Ereignisse auch die Lage ihres Schauplatzes klarmachen und merken muß, da ohne seine Kenntnis die Geschehnisse bald haltlos in der Luft schweben würden; ein viel intimerer Zusammenhang aber besteht darin, daß die Entwickelung eines Volkes von der Beschaffenheit eines Landes nicht losgelöst werden kann. Warum z. B. der Schwerpunkt der griechischen Geschichte im Osten, der römischen im Westen des Landes liegt, versteht man nur, wenn man die geographischen Verhältnisse berücksichtigt; der stolze Unabhängigkeitssinn der Niederländer, der sich nicht einmal gern einem Oranier beugte, wurde hervorgerufen durch die Lage des Landes, das dem tückischen Meere im beständigen Kampfe immer wieder abgerungen werden mußte; daß der Norweger sich mehr als ein anderes Volk mit dem Fischfang beschäftigt, ist die Folge der Beschaffenheit seiner Heimat, ebenso wie sein radikaleres Denken und Empfinden gegenüber dem schwedischen Nachbar; warum gerade der Italiener heute mit das größte Kontingent zu den Auswanderern stellt, wird gerechtfertigt durch die Bodenverhältnisse

Italiens; ebendarin hat auch die Entvölkerung Ostdeutschlands ihren Grund, da die reichen Bodenschätze im Westen unseres Vaterlandes hier eine reiche Industrie entwickelt haben, die immer mehr Arbeitskräfte verschlingt. So könnten noch unzählige Beispiele angeführt werden, die aufs deutlichste zeigen, in wie engem Zusammenhange Geschichte und Geographie miteinander stehen, und die Geographen selbst sind sich über die reinliche Scheidung beider Gebiete nicht klar, wenn manche von ihnen z. B. die Betrachtung von Staatsverfassungen sowie von Baudenkmälern geschichtlicher Bedeutung — Schiller-Goethedenkmal, Niederwalddenkmal, Kölner Dom — der Geographie zuweisen. Es bedarf demnach wohl keines weiteren Beweises, daß nur der Geschichte systematische Unterweisungen in der Geographie zugewiesen werden können.

Endlich die Bürgerkunde. Auch diese jüngste Forderung an das Gymnasium kann nur der Geschichtsunterricht erfüllen, da kein anderes Fach so viel Beziehungen zu ihr hat. Nicht nur können die politischen Einrichtungen und die Gesetze eines Volkes mit zu den Äußerungen seines Geisteslebens gerechnet werden, gehören also schon deswegen dem Geschichtsunterricht an, sondern es fallen der Geschichte außer dem schon oben erwähnten allgemeinen Ziele noch eine Reihe von Einzelaufgaben zu, deren wichtigste mit, die Erziehung zu staatlicher Gesinnung, eben Betrachtungen aus der Bürgerkunde erfordert. Denn die Erweckung des Staatsbewußtseins, d. h. das Gefühl der Verpflichtung der unbedingten Zugehörigkeit zu seinem Volke im Schüler wachzurufen, ist eben nur dann möglich, wenn er die Einrichtungen auf den einzelnen Gebieten der Verwaltung und des öffentlichen Lebens einigermaßen kennt. So stellt denn auch das Verlangen nach Berücksichtigung der Bürgerkunde im Unterricht eigentlich keine neue Anforderung an die Schule, sondern sie ist ein integrierender Bestandteil des Geschichtsunterrichts.

Nun wird gewiß von mancher Seite der Einwurf erhoben, daß mit diesen Belehrungen im Grunde genommen ja doch, wenn auch unter dem verhüllenden Namen des Geschichtsunterrichts, neue Unterrichtsgegenstände eingeführt würden. Dem ist zu erwidern, daß es ein großer Unterschied ist, ob ein Gegenstand in besonderen Stunden behandelt wird, wo sich sehr bald der Fachlehrer mit seinem Spezialistentum und übertriebenen Anforderungen geltend machen würde, oder organisch einem schon vorhandenen Lehrfache eingefügt wird. Damit ist aber zugleich die allgemeine Grenze gegeben, in der jene Sachen behandelt werden sollen — in durchaus weiser Beschränkung, zwanglos, ohne Anspruch auf Vollständigkeit; es darf auch gar nicht das Gefühl in dem Schüler aufkommen, daß etwas Neues gelehrt wird, alles bleibt in innigstem Zusammenhang mit der eigentlichen Geschichte und dient zur Erfüllung ihrer Aufgabe.

Wenn nun einerseits die kunstgeschichtlichen, geographischen und bürgerkundlichen Unterweisungen eigentlich nichts Neues für den Geschichtsunterricht bedeuten und deshalb auch in einem verständig erteilten Unterricht schon immer eine gewisse Berücksichtigung gefunden haben, so ist anderseits nicht zu leugnen, daß mit ihrer stärkeren Betonung die Geschichte in eine gewisse Notlage gerät: wächst doch das Pensum ohnedies von Jahr zu Jahr auf natürliche Weise sowie infolge von Ausgrabungen, Entdeckungen u. a. m. Deshalb hat man aber noch lange keinen Grund, an der Zukunft des Geschichtsunterrichts zu verzweifeln, sondern man muß auf Mittel und Wege sinnen, dieser Notlage zu begegnen; darum ist sie auch schon vielfach auf Direktorenversammlungen, in Fachkonferenzen, in wissenschaftlichen Zeitschriften, ja auch in Tagesblättern behandelt worden; viel Material ist damit gesammelt und reiche Erfahrung an den Tag getreten, trotzdem ist man zu allgemein verbindlichen Bestimmungen noch nicht gekommen, die Sache ist noch immer im Werden, und deshalb erscheint es wünschenswert, zur Klärung immer wieder Erfahrungen aus der Praxis mitzuteilen. Unter diesem Gesichtspunkte sind auch die folgenden Ausführungen zu beurteilen, die zeigen wollen, wie etwa die erwähnten Besprechungen sich dem Geschichtsunterrichte einfügen lassen.

Was zunächst die kunstgeschichtlichen Unterweisungen betrifft, so habe ich mich darüber bereits einmal in dieser Zeitschrift (1901 S. 718 ff.) sehr eingehend ausgesprochen, und ich kann mit Genugtuung feststellen, daß diese meine Ausführungen lobende Anerkennung seitens des Mitberichterstatters über ein ähnliches Thema auf der Direktorenversammlung von Pommern im Jahre 1903 (S. 108 f.) gefunden haben. Ich kann mich also diesmal ganz kurz fassen und will nur der Vollständigkeit halber die dort geäußerten Gedanken, denen ich nur wenig Neues hinzuzufügen habe, noch einmal in der Hauptsache wiederholen.

Ganz ungezwungen bietet sich zu solchen Betrachtungen Gelegenheit, wenn am Ende größerer politischer Abschnitte ein Blick auf die Geistesäußerungen dieser Zeit geworfen wird. Solche Querschnitte dienen zugleich als Ruhepausen in der Darbietung von Tatsachen und Ereignissen und zur besseren Aneignung derselben, da beide Gebiete des Geschichtsunterrichts durch zahlreiche Fäden miteinander verknüpft sind (vgl. Nelson, Progr. Gymn. Aachen 1897 S. 27). Auf eine derartige Geschichtsbehandlung haben denn auch bereits die meisten Lehrbücher Rücksicht genommen, indem sie am Ende eines Zeitraumes auch ein Kulturbild desselben einfügen. So kommt man denn ganz von selbst zu einer zusammenhängenden Vorführung der Leistungen eines Volkes auf dem Gebiete der Kunst; denn ohne daß man besonders darauf hinarbeitet, wird der Schüler den Fortgang in der Entwickelung erkennen und herausfinden. Solche Kunst-

besprechungen dürfen sich aber nicht etwa auf Griechen und
Römer beschränken, sondern sind auf alle Völker auszudehnen,
die für die Menschheitsgeschichte von Bedeutung sind, an deren
Kultur deshalb nicht schweigend vorübergegangen werden darf;
dahin sind zu rechnen die Ägypter, die Babylonier, Assyrer,
Araber, von den neueren, abgesehen von den Deutschen, besonders die Niederländer, Italiener u. a. m.

Wenn ich mir nun, auch gegen den Willen übereifriger
Reformer, als Ergebnis der Kunstbetrachtungen eine Bereicherung
des Wissens vorstelle, so soll es doch nicht scheinen, als ob nicht
in erster Linie damit eine größere Fähigkeit im Sehen bei den
Schülern erzielt werden sollte. „Was siehst du?" muß deshalb
bei der Betrachtung eines Kunstwerks immer wieder gefragt
werden, um aus den auf diese Weise reichlich zusammen-
gebrachten Bausteinen das Werk entstehen zu lassen. Freilich
muß sich dazu der Schüler auch in das Objekt vertiefen können;
es ist also an geeigneter, leicht zugänglicher Stelle möglichst vor
der Behandlung einige Zeit aufzustellen und darauf hinzuweisen.
Bei manchen Gegenständen wird es dann einer langen Besprechung gar nicht mehr bedürfen, da sie klar und durchsichtig
sind und durch sich selbst wirken. Anderseits würde aus der
bloßen Betrachtung bei den meisten Kunstwerken kein Resultat
herausspringen, und es erscheint dem Praktiker ganz unverständlich — wie ja freilich auch manches andere, was auf den Kunsterziehungstagen gesprochen wurde —, daß derartiges dort von
den Fanatikern der Kunst verlangt werden konnte, die dadurch
ihr Heiligtum vor der Entweihung in der Schule bewahren zu
müssen glaubten. Nun diese Leute haben wenigstens das eine
zu ihrer Entschuldigung anzuführen, daß sie meist durch Sachkenntnis nicht getrübte Urteile fällen. Wer immer wieder seine
Freude daran hat zu sehen, wie eifrig selbst auf der obersten
Stufe, wo doch sonst im allgemeinen eine gewisse Zurückhaltung
herrscht, die Schüler an solche Besprechungen herangehen, wie
sie das Richtige herauszufinden sich bemühen, wie der Begabtere
und künstlerisch mehr Veranlagte auch den Schwächeren mit
fortreißt und zur Beteiligung drängt, der möchte nimmer auf
dieses hervorragende Mittel zur Belebung des Unterrichts, zur
Erweckung des Kunstverständnisses und zur Ausbildung des Ge-
sichtssinnes verzichten, sondern kann nur immer wieder dazu
auffordern, wo dies noch nicht geschieht, einen Versuch damit
zu machen. Als mustergültiges Beispiel, wie solche Besprechungen
gestaltet werden können, mag Luckenbach „Antike Kunstwerke
im klassischen Unterricht" (Progr. Gymn. Karlsruhe 1901) empfohlen werden. Nur vor einem ist zu warnen: es darf nicht zu
viel kritisiert und ästhetisiert werden; denn nichts ist wider-
licher als junge Leute sich als Kunstkenner aufspielen zu sehen,
die sich berufen glauben, über jedes Kunstwerk zu urteilen.

Einen Kanon der zu besprechenden Kunstwerke aufzustellen, wie von mancher Seite versucht ist, halte ich für aussichtslos und überflüssig. In der Hauptsache kommt es darauf an, nicht möglichst viel vorzuführen, sondern nur das Beste und Charakteristischste; im übrigen wird die Auswahl nicht immer und überall dieselbe sein, das richtet sich nach der zur Verfügung stehenden Zeit, nach dem Verständnis und der Befähigung der einzelnen Schülerjahrgänge, nach dem Geschmack des Lehrers, nicht zum wenigsten endlich nach dem vorhandenen Material; denn von Besprechungen an kleinen Abbildungen oder wohl gar ohne solche kann ich mir keinen Nutzen versprechen. Im allgemeinen wird man ja heute über die Auswahl ebensowenig in Verlegenheit sein wie über die Beschaffung ausreichenden Materials — wenn die nötigen Mittel vorhanden sind —, und natürlich werden gewisse Darstellungen zum eisernen Bestande der Besprechungen an jeder Anstalt gehören. Wenn nun aber auch ein Kunstwerk an einer genügend großen Nachbildung, denn um solche wird es sich ja meist handeln, da selten Originale zur Verfügung stehen, besprochen ist, so ist es doch wünschenswert, daß der Schüler zur Repetition und zur Vertiefung einen Bilderatlas in Händen hat, worin dieselben Bilder noch einmal kleiner vorgeführt werden, während diese auf keinen Fall dem Lehrbuch eingefügt sein dürfen. Solcher Bilderhefte gibt es ja jetzt eine ganze Anzahl, das praktischste und künstlerisch am höchsten stehende ist aber ohne Zweifel das von Luckenbach, „Kunst und Geschichte", das sich denn auch, von Auflage zu Auflage in immer größerer Vollkommenheit erscheinend und nunmehr in drei Abteilungen die alte sowie die deutsche Geschichte umfassend, schnell eingebürgert hat und hoffentlich in Zukunft durch stärkere Berücksichtigung ausländischer Kunst noch brauchbarer wird.

Abgesehen von diesen an bestimmten Stellen im Geschichtsunterrichte regelmäßig wiederkehrenden Betrachtungen aus dem Gebiete der Kunst halte ich es für ersprießlich, mehrere Male im Jahre in besonders dafür anzusetzenden Stunden den Schülern einen zusammenhängenden Vortrag über irgend ein Gebiet aus der Kunst möglichst mit Hilfe des Skioptikons zu bieten; vielleicht ließe sich das auch mit den sogenannten Elternabenden vereinigen, wie das hie und da schon mit Erfolg geschieht. Schließlich müssen auch wohlvorbereitete Besuche von Museen und sonstigen Darbietungen auf künstlerischem Gebiete dazu dienen, die Bemühungen der Schule nach dieser Richtung hin zu unterstützen.

Wenn alle diese Mittel mit Verständnis angewandt werden, so kann schließlich ein Erfolg nicht ausbleiben, und die Klagen über mangelhaftes künstlerisches Verständnis und fehlendes Sehvermögen der Schüler von Gymnasien müssen allmählich verstummen.

Ich komme zur Einfügung der Geographie in den Geschichtsunterricht. Hier ist zunächst zu wiederholen, daß jede Geschichtstunde an und für sich der Geographie dient; nicht nur übt und schärft die immer vorhandene Karte das Auge des Schülers und prägt den Schauplatz der Ereignisse und die Wohnsitze der Völker bis in die Einzelheiten immer wieder ein, sondern durch das Eingehen auf die kulturellen und wirtschaftlichen Zustände der Völker, besonders des deutschen Volkes, müssen auch alle diejenigen Gebiete und Fragen nicht bloß gestreift, sondern teilweise wenigstens eingehend behandelt werden, die heute von den Vertretern der geographischen Wissenschaft ihrem Fache zugewiesen werden. Wenn man von der geschichtlichen Entwickelung eines Volkes spricht, kann man nicht stillschweigend vorbeigehen an der Gestaltung seines Landes und dem Einfluß desselben auf die Bewohner, man wird die Tier- und Pflanzengeographie berühren, die Beschaffenheit des Erdinnern, namentlich die die wirtschaftlichen Verhältnisse bedingenden Bodenschätze nicht unerwähnt lassen, man wird auf die wichtigsten Verkehrswege namentlich zu Wasser — zu Lande ist heute ja eigentlich alles durch Schienen verbunden —, auf die Bedeutung der großen Schiffahrtsgesellschaften und die regelmäßigen Dampferlinien hinweisen, man wird die genauere Bekanntschaft mit unsern Kolonien erstreben, man wird den ungeheuren Aufschwung des deutschen Handels und damit in Verbindung des deutschen Schiffbaues, das Verhältnis von Einfuhr und Ausfuhr, die Bedeutung der Kabel darlegen: kurz, alles, was unter dem Namen der Wirtschafts- und Verkehrsgeographie zusammengefaßt wird, ist zugleich Aufgabe des Geschichtsunterrichts.

Trotzdem also fast alles, was die Geographen verlangen, schon im Verlaufe der Geschichtsbetrachtungen einmal vorgekommen ist, so soll doch noch eine Reihe von Stunden abgezweigt und der zusammenfassenden Behandlung und Vertiefung alles dessen gewidmet werden; dazu genügen aber, wenn der Geographie so intensive Hilfe vom Geschichtsunterricht erwächst, sicherlich sechs Stunden im Semester, und es bedarf meines Erachtens keiner Verdoppelung dieser Zahl, die doch nur durch eine gewaltsame Auslegung des Wortes „mindestens" in den Lehrplänen gerechtfertigt werden könnte; eine Zahl, die übrigens von den enragierten Geographen auch nur als eine Abschlagzahlung betrachtet wird, da sie nichts Geringeres erstreben, als, in maßloser Überschätzung ihres Faches, die Geographie in den Mittelpunkt des gesamten Unterrichts zu stellen. Diese zwölf Stunden im Jahre müssen dann freilich auch für ihren Zweck verwendet und rationell ausgenutzt werden und dürfen nicht etwa davon abhängen, ob das Pensum der Geschichte früh oder spät erledigt ist. In diesen Zweck aber schließe ich nicht mit ein eine zusammenfassende und zugleich vertiefende Betrachtung der allgemeinen physischen Erdkunde, wenn auch nur in ihren dem Menschenleben am nächsten stehenden Beziehungen, der Ozeanographie, Klimatologie, hauptsächlich aber der Geologie, die vielmehr dem naturwissenschaftlichen Unterrichte zuzuweisen ist, da dazu denn doch wohl zu wenig Zeit vorhanden ist, außerdem besondere Kenntnisse nötig sind, die in ausreichender Weise beim naturwissenschaftlichen Lehrer anzunehmen sind, ebenso fällt die Behandlung von Fragen aus der mathematischen Geographie dem betreffenden Unterrichte zu — einzelnes, was gelegentlich besprochen wird, wird auch diese Gebiete nicht im Dunkeln lassen.

Bei der immerhin knapp bemessenen Zeit von zwölf jährlichen Stunden bedarf es einer überaus vorsichtigen Auswahl des Stoffes. Im Vordergrunde steht natürlich unser deutsches Vaterland mit seinen Kolonien, die übrigen europäischen Länder schließen sich mit Abstufungen an; von den fremden Erdteilen bedürfen wieder einige Länder einer eingehenderen Betrachtung, wie Vorderasien, Ostasien, Nord- und Südafrika, die Vereinigten Staaten von Nordamerika u. a., während für den größten Raum derselben die allgemeine Orientierung genügt; besondere Rücksichtnahme verdienen dabei die Länder, die mit Deutschland in engen wirtschaftlichen Beziehungen stehen. Für die Behandlung des umfangreichen Stoffes scheint es wichtig, um eine allzu große Belastung der Schüler zu verhindern, ihnen genau die Abschnitte des Lehrbuches, die sie für die nächste Stunde wiederholen sollen, anzugeben; die Wiederholung selbst geschieht möglichst schnell durch Frage und Antwort, und dann kommt die zusammenfassende Vertiefung, die, soweit möglich, unter Mitwirkung der Schüler stattfindet und es hauptsächlich mit Vergleichen oder der zusammenhängenden Erörterung einzelner Fragen zu tun hat. Um die eingehende Benutzung des Atlas bei der häuslichen Vorbereitung zu erzwingen und um sich von dieser selbst im weitesten Umfange schnell zu überzeugen, sind sogenannte Kartenextemporalien von Wert, natürlich von der größten Einfachheit und mit verschiedenen Aufgaben an einzelne Schülergruppen.

Was die Verteilung des Stoffes auf die drei oberen Klassen betrifft, so schließt sie sich am natürlichsten an den Geschichtsunterricht an: demnach fallen der II a neben Afrika und Asien die europäischen Mittelmeerländer, der I b Mitteleuropa, besonders das Deutsche Reich, der I a Nordeuropa, Amerika, Monsungebiet, Australien, Gr. Ozean sowie eine vergleichende Übersicht über den Kolonialbesitz der einzelnen Mächte zu; daran schließt sich passend an eine kurze Übersicht über Menschenrassen, Religion, Sprache.

Wie sind nun die geographischen Repetitionsstunden zu verteilen? Die einen sind für eine häufigere Unterbrechung

der Geschichtstunden durch eine oder höchstens zwei Geographie-
stunden, andere wollen Gruppen von je drei Stunden im Viertel-
jahr zusammenlegen, noch andere wünschen alle sechs Stunden
am Schluß des Halbjahres hintereinander zu erteilen. Ich halte
dies für das Richtigste; denn einmal wird dadurch der Geschichtsunterricht nicht so häufig gestört, wie wenn alle paar Wochen
eine geographische Stunde eingeschoben wird, und dann läßt
sich bei der Zusammenlegung der Stunden viel eher etwas Einheitliches und Zusammenhängendes liefern. Der Grund gegen die
Zusammenlegung, daß nämlich hierdurch die Arbeitskraft der
Schüler zu sehr in Anspruch genommen würde, da sie von
Stunde zu Stunde große Gebiete repetieren müßten, während
bei der Zerreißung schon Wochen lang vorher gesagt würde, was
das nächste Mal daran käme, so daß sie sich beizeiten darauf
vorbereiten könnten, scheint mir nicht stichhaltig; denn trotz des
Hinweises werden die Schüler, da sie auch sonst von Tag zu
Tag genug zu tun haben, die Repetition erst kurz vorher an-
fangen.

Wenn nun an das Gedächtnis der Schüler nicht allzu große
Forderungen gestellt werden, wenn ferner den geographischen
Zusammenfassungen im Geschichtsunterricht genügend vorge-
arbeitet ist, diese endlich möglichst interessant gestaltet werden, so werden auch die Schüler in der überwiegenden Zahl
Interesse daran haben und gern den vorübergehend größeren Anforderungen an den häuslichen Fleiß genügen. Erhöht kann dieses
Interesse noch dadurch werden, daß einmal die geographischen
Stunden nicht an das äußerste Ende des Semesters gelegt werden, um bei der Erteilung der Zensuren noch Berücksichtigung
zu finden, und daß ferner beim Examen in der Geschichts-
prüfung noch mehr als bisher Fragen geographischen Inhalts gestellt werden.

Ich meine, wenn so oder ähnlich mit dem geographischen
Unterricht auf der Oberstufe des Gymnasiums verfahren wird, so
kann der Erfolg nicht ausbleiben, ein Erfolg, der natürlich nicht
darin bestehen kann, perfekte Geographen zu erziehen — das
ist Aufgabe der Fachschule und des Fachstudiums —, wohl aber
junge Leute, die einigermaßen Bescheid wissen auf der Erde und
nicht ratlos den Fragen gegenüberstehen, die heute unser wirtschaftliches und soziales Leben so stark beeinflussen. (Eingehend
und mit Beibringung reichlichen Materials ist die Frage behandelt
worden auf den Direktorenversammlungen 1903 von Ost- und
Westpreußen und von Westfalen, denen manches von vorstehenden Ausführungen entnommen ist; sehr brauchbar erscheint auch für die Praxis der Leitfaden der Handelsgeographie
von Eckert 1905.)

Was endlich die Behandlung der Bürgerkunde im Geschichtsunterricht betrifft, so ist hier vor allem davor zu

warnen, sich durch allzu weitgehende Ansprüche beeinflussen zu lassen, wie sie auch von Pädagogen, z. B. von Gurlitt, der ja freilich durch die besondere Art seiner Ansichten fast immer zum Widerspruch herausfordert, vertreten werden, und die schließlich darauf hinauslaufen, den Schüler mit einer derartigen Gesetzeskenntnis auszustatten, daß er sich nachher womöglich in allen Lebenslagen zurechtzufinden weiß und kaum juristischen Rates bedarf. Wollte man darauf eingehen, so hieße das das Gymnasium wiederum zu einer Fachschule erniedrigen; davon darf also gar keine Rede sein, und es kann sich nur darum handeln, den Schüler mit den Einrichtungen unseres Staates auf den verschiedensten Gebieten im allgemeinen bekannt zu machen. Dabei kann vielleicht nach folgenden Gesichtspunkten verfahren werden: Gemeinde, Staat, Reich; Kaiser, Bundesrat, Reichstag; Reichskanzler, Reichsbehörden; Gesetze; Gerichte; Heer, Marine; Landwirtschaft, Handel, Gewerbe; Verkehrswesen, Kolonien; Finanzen, Steuern, Zölle; Kirchen-, Unterrichtswesen; Soziale Gesetzgebung; Landesvertretung und Verwaltungsbehörden in dem betr. deutschen Bundesstaat. Innerhalb dieser Abschnitte erfährt der Schüler das Wissenswerte von dem Charakter des Deutschen Reiches, von der Organisation der Behörden, von den Faktoren der Gesetzgebung und der Art, wie ein Gesetz zustande kommt, von der Gerichtsverfassung, vom Zivil- und Strafgerichtsverfahren, von der militärischen Organisation, von den Hauptproduktionszweigen, den Wirtschaftssystemen, Aus- und Einfuhr, vom Geldwesen und der Währung, von den verschiedenen Arten der Steuern und Zölle, vom Verhältnis von Kirche und Staat, endlich von den Wohlfahrtseinrichtungen. Fast alle diese Dinge erfahren eine zweifache Art der Behandlung: die eine zieht sich durch den ganzen Geschichtsunterricht hindurch und taucht bald hier, bald da auf, die andere besteht in einer systematischen Zusammenfassung. Für jene spielt die alte Geschichte eine wichtige Rolle, die vielfach zur Vergleichung moderner Verhältnisse herangezogen werden kann, die zwar räumlich und zeitlich dem Schüler viel näher stehen und trotzdem oft erst durch die entsprechenden antiken Verhältnisse ihre rechte Beleuchtung erhalten. Aus der reichen Fülle von Beispielen will ich mit kurzen Schlagworten nur einige hervorheben: Allgemeine Wehrpflicht in Sparta und Athen und in Preußen und ihre Einführung in der Zeit der höchsten Bedrängnis, Volksvertretung im Altertum und heute, Agrargesetzgebung und Ansiedlungskommission unter den Gracchen — preußische Ansiedlungskommission, Soziale Gesetzgebung (Koloniegründung, Getreideverteilung), Handel (Getreideeinfuhr in Italien!) und Industrie, Besteuerung, Schwurgerichte. Ebenso bietet die frühere Deutsche Geschichte eine Unmenge von Vergleichungspunkten: z. B. Reichsgründung Karls d. Gr. — die von 1871, Reformversuche unter Maximilian I. — Gewisse Einrichtungen des Neuen Deutschen Reiches, Kampf zwischen Kaiser und Papst — Kulturkampf der 70er Jahre, der Hohenstaufe Friedrich II. — Friedrich d. Gr. und die absolute Monarchie, Hansa — kurbrandenburgische Marine und Kolonialgründung — heutige Marine und Kolonien, Friedrich d. Gr. und der Osten — Ostmarkenpolitik, Reichstag und Gesetzgebung im Alten Reich und heute, Kabinettsjustiz — heutige Justiz, Merkantilsystem — Freihandel (Manchester) — Schutzzollsystem. So läßt sich fast alles, was der moderne Staatsbürger von den Staatseinrichtungen wissen muß, im Laufe des Geschichtsunterrichts seit Obersekunda vorbringen, allerdings nur gelegentlich, ohne System und Ordnung, und eifrig soll und muß der Geschichtslehrer diese Gelegenheiten benutzen, ohne freilich in Übertreibung zu verfallen. Alle diese einzelnen Bausteine müssen nun unter kräftiger Mithilfe der Schüler in mehreren Stunden hintereinander zu einem Gebäude zusammengetragen und unsere Staatseinrichtungen darin noch einmal systematisch vielleicht unter den oben genannten Überschriften untergebracht werden. Dazu bietet sich die allergünstigste Gelegenheit bei der neuesten Geschichte am Ende des Kursus der Oberprima, kurz bevor der Schüler ins Leben hinaustritt, so daß er doch wenigstens etwas davon mitnehmen wird. Es wird dann hoffentlich auch hier immer mehr die Klage verstummen, daß man auf dem Gymnasium zwar gründlich die griechische und römische Verfassung, nicht aber die deutsche kennen lernt, eine Klage, die insofern nicht ganz verständlich erscheint, als doch auch bisher schon davon die Rede war, und die nur so zu erklären ist, daß die Betreffenden entweder einen ausnahmsweise schlechten Geschichtsunterricht genossen haben oder aber, was wahrscheinlicher erscheint, so unaufmerksam im Unterrichte waren, daß ihnen die Durchnahme dieser Sachen ganz entgangen ist. Dieser Umstand muß nun auch wieder ein Sporn für die Fachmänner sein, auf die Einrichtungen des modernen Staates einzugehen, sooft sich Gelegenheit bietet, damit infolge wiederholter Behandlung doch schließlich auch bei dem unaufmerksamsten Schüler etwas sitzen bleibt. Zum Schluß sei noch für den, der die Mühe scheut, sich das nötige Material selbst zusammenzustellen, auf die „Deutsche Bürgerkunde" von Hoffmann und Groth hingewiesen, worin alle einschlägigen Fragen klar und übersichtlich behandelt sind, der auch die obige Kapiteleinteilung entnommen ist; bescheidenen Ansprüchen genügt die „Kleine Staatskunde" von Giese, zur Repetition wohl namentlich für Schüler bestimmt.

　　Ich bin mir wohl bewußt, daß sich gegen eine derartige Auffassung des Geschichtsunterrichts, wie ich sie in Vorstehendem darzulegen versucht habe, nicht wenige Stimmen erheben werden oder sich schon erhoben haben, Stimmen von solchen, die fürchten, daß dabei eine ausreichende Behandlung der geschicht-

lichen Tatsachen nicht stattfinden und somit befriedigende
Leistungen in der Geschichte überhaupt nicht mehr erzielt werden
können. (Darunter auch O. Jäger, Die Zukunft des Geschichtsunterrichts, Human. Gymn. 1904 u. 1905.) Sie wäre nur denkbar,
wenn entweder dem Unterricht in der alten Geschichte wieder
zwei Jahre in den beiden Sekunden zufielen oder aber die Zahl
der wöchentlichen Geschichtstunden in den drei oberen Klassen
auf vier erhöht und womöglich die Geschichte unter die Hauptfächer versetzt und den alten Sprachen in ihrer Bewertung
gleichgestellt würde. Gewiß, das alles sind Vorschläge, die der
immer mehr steigenden Bedeutung des Faches gerecht werden
und das Herz jedes Fachmannes erfreuen dürften, obgleich auch
mancherlei dagegen eingewendet werden könnte. Wenn man
z. B. immer wieder die Erfahrung macht, daß es schon seine
Schwierigkeiten hat, Obersekundanern an der Hand der Alten
Geschichte gewisse moderne Verhältnisse klarzumachen oder in
fruchtbarer Weise Kunstbesprechungen anzustellen, so wird diese
Schwierigkeit noch viel größer, wenn man die griechische Geschichte nach II b verlegt. Die Schüler sind eben hier in der
Mehrzahl noch zu unreif, und wenn einmal geändert werden soll,
dann schon lieber eine vierte Stunde in II a. Die Versetzung
ferner der Geschichte unter die Hauptfächer würde gewiß den
Wert des Faches in den Augen der Schüler heben und intensivere
Beschäftigung damit hervorrufen; damit wäre doch aber ohne
Zweifel auch eine neue Belastung der Schüler vorhanden, und die
muß vermieden werden. Solange also nicht mit unumstößlicher
Gewißheit nachgewiesen wird, daß nach den neuen Anforderungen
an die Geschichte das Maß der Kenntnisse darin nicht mehr den
Umfang erreicht, der durchaus verlangt werden muß, so lange ist
auch eine Veränderung der Lehrpläne nicht gerade dringend erforderlich. Daß aber ein bedenklicher Rückgang in den geschichtlichen Leistungen der Abiturienten zu verzeichnen wäre, stelle
ich auf Grund meiner langjährigen Erfahrungen durchaus in Abrede, ich bin vielmehr der Meinung, daß die jetzigen Leistungen
viel höher zu bewerten sind als meine eigenen vor 26 Jahren,
trotzdem ich zu den guten Historikern gehörte und nach der
alten Schule ausgebildet war. Zwar wird man heute die Kenntnis
mancher entlegenen Tatsache vermissen, dafür sind aber andere
Werte eingetreten, die viel höher einzuschätzen sind, und das
„Können" ist in das richtige Verhältnis zum „Wissen" gesetzt. Damit soll natürlich nicht geleugnet werden, daß eine Vermehrung
der Geschichtstunden angenehm wäre, das Fach könnte dann
den vielfachen Ansprüchen noch mehr gerecht werden; möglich
ist dies aber auch schon so, und es läßt sich mit den vorhandenen Mitteln der bedrängten Lage des Geschichtsunterrichts
begegnen.

Da gilt es denn zunächst, um Zeit für eine vertiefende Be-

handlung des Unterrichts zu gewinnen, die größte Sorgfalt auf
die Auswahl des Stoffes zu verwenden; es ist ja in dieser
Hinsicht schon manches in neuerer Zeit geschehen, es bedarf
aber ernster Prüfung, ob der Stoff nicht noch mehr vereinfacht
werden kann. Was nicht von Wert ist für das Unterrichtsziel
oder um des Zusammenhangs willen behandelt zu werden verdient, muß ohne Erbarmen dem Vergessen anheimfallen, wenn
damit auch manches Lieblingsthema aus alter Zeit in der Ver-
senkung verschwindet. Die neuesten Forschungen weisen hier
vielfach den Weg, an den man sich zuh alten hat; denn die feststehenden Resultate derselben sind natürlich dem Unterricht
dienstbar zu machen. So dürfte wohl, um nur eins anzuführen,
für den sogenannten 1. Samnitenkrieg ebensowenig noch Raum
zur Behandlung sein wie für die einzelnen Auswanderungen der
Plebs, von denen ja allerhöchstens die letzte Glauben verdient;
ebenso wäre es eine kolossale Zeitverschwendung und Kraftver-
geudung, wollte man all die Römerzüge der Deutschen Kaiser
dem Nachwuchs überliefern. Wie die Auswahl so bedarf auch
die Behandlung des Stoffes genauester Überlegung; manches
will eingehend besprochen sein, während anderes mit wenigen
Worten abgemacht werden kann. Die ganze äußere Geschichte
Roms bis auf Pyrrhus hat sich mit einer summarischen Behandlung
zu begnügen, Pyrrhus selbst erfordert längeres Verweilen; denn
dieser erste Zusammenstoß zwischen Rom und Griechenland ist
doch in mehrfacher Hinsicht recht beachtenswert und lehrreich.
Umgekehrt darf die älteste Zeit der Griechen nicht so übers Knie
gebrochen werden, da sie durch die zahlreichen archäologischen
Funde immer plastischer aus dem Dunkel hervortritt und auch
schon Homers wegen zum Eingehen zwingt. Was die orientalische
Geschichte betrifft, so soll sie ihrer heutigen Bedeutung entsprechend nicht allzu kurz gestreift werden. Ich habe ihr immer
eine ganze Reihe von Stunden gewidmet, aber nicht am Anfange
des Schuljahres, sondern vor den Perserkriegen, in die griechische
Geschichte eingeschoben; denn es empfiehlt sich, den Obersekundanern zunächst etwas näher Liegendes und Bekannteres
zu bieten. In der deutschen Geschichte verdienen, wie schon
gesagt, die Römerzüge meist kein näheres Eingehen, und die
brandenburgischen Herrscher bis 1640, die auch schon in anderm
Zusammenhange erwähnt sind, können, namentlich für Nicht-
preußen, in 1—2 Stunden erledigt werden, während der Große
Kurfürst und seine Nachfolger natürlich einer eingehenden Behandlung bedürfen. Dabei wird im Interesse einer tieferen Auffassung und gerechten Würdigung der einzelnen Hohenzollern ein
Hinweis auf die Endemannsche Schrift „Die Weltanschauung der
Hohenzollern und der moderne Materialismus" am Platze sein.
Je näher man der Jetztzeit kommt, um so breiter wird die Be-
handlung — die segensreichen Folgen der französischen Re-

volution, der Zusammenbruch und Wiederaufbau Preußens, das
allmähliche Erstehen des neuen Deutschen Reiches, die dabei
wirkenden Kräfte und Persönlichkeiten müssen dem Schüler mit
größter Klarheit vor Augen geführt werden. Überhaupt darf die
geschichtliche Persönlichkeit im Unterricht nicht zu kurz kommen;
denn bei allem Einfluß, den man der Zeit mit ihrer jedesmal
herrschenden Idee und mit ihren Strömungen und Forderungen
auf die Entwickelung der Dinge zuzuschreiben hat, muß man
sich hüten die Bedeutung des persönlichen Elements zu unterschätzen. Wirklich große Persönlichkeiten, wenn auch selbst nicht
ganz frei von den sie umgebenden Verhältnissen, waren noch
immer imstande, vorhandene Strömungen nach einer gewissen
Richtung hin in bestimmte Bahnen zu leiten; und was ist aus
Strömungen ohne solche Führung geworden! Also, wenn auch
den kulturgeschichtlichen Betrachtungen im Unterricht ein breiter
Raum zu gewähren ist, so dürfen sie doch nur stattfinden im
Rahmen der äußeren Geschichte; sie bildet die Basis für den
gesamten Unterricht, in sie ordnet sich alles ein, in ihrem Mittelpunkt steht die Persönlichkeit! Was wäre auch ein unpersön-
licher Geschichtsunterricht für die Schule! Welches erziehlichen
Momentes würde man sich mit seiner Einführung begeben! (Vgl.
Kaemmel, Moderne Forderungen an den Geschichtsunterricht der
höheren Schulen, Neue Jahrb. f. Phil. 1 2, 15 ff.) Bei der
Behandlung wirklich bedeutender Persönlichkeiten darf man natürlich auch mit der Zeit nicht geizen, sondern man muß alle zugänglichen Mittel heranziehen, um sie vor den Augen der Schüler
in plastischer Anschaulichkeit erstehen zu lassen. Dazu werden
neben fremden auch eigene Äußerungen derselben sehr dienlich
sein. Zur Charakterisierung eines Perikles dient seine Leichenrede,
ein Bismarck wird näher gebracht durch seine Reden und Briefe,
während bei Cäsar dem Schüler die meisterhafte Charakteristik
Mommsens nicht vorzuenthalten ist. Zur völligen Erkenntnis der
Persönlichkeit des Epaminondas ebenso wie eines Moltke wird
man ihre Gedanken über Taktik und Strategie entwickeln und
dieselben am besten klarlegen, indem man näher auf einzelne
Schlachten und ganze Feldzüge eingeht und sie durch einfache
Skizzen und Pläne erläutert. Doch muß man dazu nur wirklich
Typisches aussuchen, sonst kann man ohne ersichtlichen Zweck
gerade damit sehr viel Zeit verbringen, die eben auf der Oberstufe nicht vorhanden ist. Viel eher kann man gerade bei
Schlachtenschilderungen auf der Mittelstufe länger verweilen, wo
solchen Dingen in der Regel auch ein sehr lebhaftes Interesse
entgegengebracht wird. Auf alle Fälle muß man sich bei der
Auswahl sowie der Behandlung des Stoffes auf der Oberstufe bewußt bleiben, daß hier eben der Stoff hauptsächlich nur Mittel
zum Zweck ist, nämlich zum Zweck der Bildung des historischen
Sinnes! Damit ist noch keineswegs gesagt, daß die Dar-

bietung des Stoffes und damit der Gang der Unterrichtsstunde gegen früher ganz verschieden sein müßte. Ich habe in
dieser Richtung, als ich vor Jahren den Unterricht in den oberen
Klassen erhielt, verschiedene Versuche gemacht, bin aber immer
wieder zu dem alten Rezepte zurückgekehrt, daß es auch hier
das Beste ist, von Stunde zu Stunde chronologisch fortzuschreiten
und so allmählich das ganze Pensum zu erledigen, aber nicht
von vornherein mit dem Stoffe als mit etwas Bekanntem zu
operieren. Denn wenn auch in früheren Klassen die Einzelheiten alle behandelt sind, so wird doch im allgemeinen nur ein
verhältnismäßig geringes Wissen mitgebracht, und es bedarf
durchaus einer Auffrischung desselben, die freilich flott vorwärts
schreiten kann. Der Gang der Unterrichtsstunde wird sich nun
in der Regel so gestalten, daß zu Beginn das in der letzten
Stunde Durchgenommene repetiert wird, manchmal durch Einzelfragen, meist durch kleine Vorträge, die beide natürlich auch
weiter zurückgreifen dürfen, namentlich um den Zusammenhang
mit früheren Ereignissen herbeizuführen, und die möglichst so gestellt sind, daß der Schüler sich nicht allzu eng an das Lehrbuch anlehnt. Die Darbietung des Neuen, die der Repetition
folgt, wird meist durch den Vortrag des Lehrers erfolgen, der
aber gegebenenfalls durch Zwischenfragen, welche die Schüler
zur Mitwirkung heranziehen und die sich an ihre Urteilskraft
wenden oder an Bekanntes anknüpfen, unterbrochen wird. Dieser
Vortrag hält sich im allgemeinen an den im Lehrbuch gegebenen
Stoff, hier mehr gebend, dort weniger, hier eine andere Reihenfolge einschlagend, dort einen neuen Abschnitt einfügend oder
einen vorhandenen auslassend; auf keinen Fall darf der Anschluß sklavisch eng sein, ebensowenig aber zu frei mit dem
gegebenen Stoff gewirtschaftet werden, so daß vielleicht der
Schüler zu Hause bei der Repetition das Durchgenommene im
Lehrbuch gar nicht wieder erkennt. Zum Schluß werden die
Hauptgedanken des Vortrags noch einmal dispositionsartig zusammengefaßt, um dem Schüler die Wiederholung zu erleichtern.
Eine große Rolle spielt im Unterricht die Karte, und es muß
streng darauf gehalten werden, daß nicht nur die große Wand-
karte in jeder Stunde vorhanden ist, sondern daß jeder Schüler
auch seinen Handatlas vor sich hat; hier wird jeder Ort, der im
Unterricht erwähnt wird, aufgesucht, und der Schüler muß über
den Schauplatz so genau orientiert sein, daß er imstande ist,
darüber mit ein paar Strichen an der Tafel Rechenschaft zu
geben: auch wird die Repetition oft unter Zugrundelegung geographischer Gesichtspunkte betrieben werden. Infolgedessen darf
kein Geschichtsatlas von der einen Stunde zur andern im Klassen-
schrank untergebracht werden, sondern er wandert immer wieder
mit nach Hause und spielt hier die Hauptrolle bei der Vorbereitung des Schülers. „Niemals eine Geschichtsrepetition ohne

Atlas!" Daran muß der Schüler von unten an gewöhnt werden. —
Zu den stündlichen Repetitionen treten nun noch solche anderer
Art, die aus Zusammenfassungen und Gruppierungen des behandelten Stoffes nach verschiedenartigen Gesichtspunkten bestehen. Solche Wiederholungen sind im allgemeinen nur am
Platze, wenn größere Abschnitte vollendet sind, und es soll dadurch bewirkt werden, daß sich der Schüler freimachen lernt
von der chronologischen Folge und dem bisherigen Zusammenhange der Ereignisse und von der Herrschaft des Lehrbuches,
daß er gewöhnt wird, selbsttätig mit dem Stoffe umzugehen.
Erst wenn das gelingt, kann man sagen, daß der Stoff dem
Schüler vertraut ist. Fruchtbarer als im Laufe des Schuljahres,
weil umfassender, werden sich solche Wiederholungen natürlich
am Ende desselben anstellen lassen, am fruchtbarsten am Ende
des Pensums in Oberprima, da hier das ganze Gebiet der Geschichte zur Verfügung steht. Wer seinen Unterricht nur einigermaßen versteht, wird hierbei große Freude erleben, denn die
Schüler zeigen sich sehr eifrig bei der Arbeit und haben selbst
ihre Lust daran, zu sehen, wie aus dem umfangreichen Stoff das
Gewünschte sich herausschält. Um diese Freude am Gelingen
nicht von vornherein zu zerstören, muß natürlich auch hier
systematisch von einfachen zu schwierigeren Zusammenstellungen
fortgeschritten werden, und solche Fragen werden teils ohne Vorbereitung in gemeinsamer Arbeit in der Klasse behandelt, teils
auch zur häuslichen Vorbereitung aufgegeben; Zeit muß dazu auf
alle Fälle vorhanden sein, in Oberprima insbesondere das Pensum
bis Weihnachten erledigt sein. — Von großer Bedeutung für das
Gelingen des Unterrichts ist auch das Lehrbuch. Über dessen
Beschaffenheit auf der Oberstufe gehen ja die Ansichten
sehr weit auseinander, die einen wollen möglichst wenig ausgeführten Text, um dem Lehrer freiesten Spielraum zu lassen,
den andern kann der Text gar nicht umfangreich genug sein.
Ich meine, auch hier muß man die goldene Mittelstraße wählen:
das Buch darf nicht zu dürr, aber auch nicht zu umfangreich
sein, auf alle Fälle aber muß es so weit ausgeführt sein, daß
keine klaffenden Lücken den Zusammenhang stören. Der Behandlung des Ausdrucks ist die größte Sorgfalt zu widmen; deshalb werden nur vollständige, im logischen Zusammenhang
stehende Sätze geboten, und der Depeschenstil, das Entsetzlichste,
was man sich für ein Schulbuch denken kann, ist aufs strengste
verpönt! Glücklicherweise ist ja heute an guten Lehrbüchern
kein Mangel, so daß man beinahe in Verlegenheit kommt, welches
man empfehlen soll. Um nur etwas anzuführen, so dürfte die
Neubearbeitung Andräs von Endemann-Stutzer, zwei sehr erfahrenen Schulmännern, dem Ideale am nächsten kommen; auch
Neubauer und Bretschneider werden mit Recht viel benutzt, da
sie den Anforderungen entsprechen, die an ein gutes Lehrbuch

zu stellen sind, während die Schenkschen Bücher in ihrem ungeheuren Umfange und Detail, bei aller Anerkennung ihrer
sonstigen Vorzüge über das Ziel eines Lehrbuches hinauszu-
schießen scheinen und eben nicht mehr Lehr-, sondern Lesebücher sind, ein Vorwurf, der in geringerem Grade auch die im
Entstehen begriffenen Bearbeitungen von Knaake trifft, die sonst
viel Lob verdienen. Natürlich sollen die Schüler über einzelne
Abschnitte sich ausführlicher unterrichten, als es im Unterricht
und sogar mit Hilfe eines noch so umfangreichen Lehrbuches
geschehen kann: dazu werden sie auf geeignete Bücher aufmerksam gemacht, die sie sich entweder selbst anschaffen oder
aus Lehrer- und Schülerbibliothek entleihen. Um die Schüler
anzuhalten, solche Hinweise zu beachten, empfiehlt es sich vielleicht, aus diesen Gebieten zuweilen die Themata für die kleinen
Klassenarbeiten oder auch für Aufsätze und Vorträge zu entnehmen.

Ich bin am Ende mit meinen Ausführungen, die keineswegs
als allein seligmachend gelten wollen, jedenfalls aber den Vorteil
haben, einer langjährigen Praxis zu entstammen, und den Beweis
liefern können, daß der Geschichtsunterricht wohl in der Lage
ist, modernen Ansprüchen bis zu einem gewissen Grade entgegenzukommen, ohne daß damit eine Abnahme der Leistungen
verbunden zu sein braucht. Freilich große Anforderungen treten
mit dieser Art des Geschichtsunterrichts an den Lehrer heran,
von dessen Persönlichkeit der Erfolg wie kaum bei einem andern
Gegenstande — von der Religion abgesehen — abhängt. Er
muß den gewaltigen, vielseitigen Stoff nicht nur vollständig beherrschen und jederzeit zur Hand haben, sondern wie ein Künstler
ihn zu formen und nach dem jedesmaligen Zweck zu gestalten
verstehen und immer wieder auf Mittel und Wege sinnen, wie
er die verschiedenen Zweige des Unterrichts in lebendigen Zusammenhang und damit dem Schüler zum leichten Verständnis
bringt; er muß aber auch von der höchsten Begeisterung und
von der wärmsten Vaterlandsliebe erfüllt sein, denn nur so kann
er in den Herzen seiner Zuhörer selbst wieder die heilige Flamme
der Begeisterung entzünden und Vaterlandsliebe erwecken, Gefühle, die jeder Geschichtsunterricht auslösen muß und auch
auslösen kann, ohne daß die objektive Art der Darstellung
darunter zu leiden braucht. Darum ist auf die Ausbildung sowie
auf die Auswahl der Geschichtslehrer die größte Sorgfalt zu verwenden und vor allem der Unterricht in den oberen Klassen nur
bewährten Händen anzuvertrauen; hinsichtlich der Ausbildung ist
unbedingt Erfordernis, daß der Historiker auf der Universität
neben seinen eigentlichen Fachstudien auch geographische, besonders aber archäologische Studien treibt und dabei an praktischen Übungen teilnimmt, um sein eignes Sehvermögen zu
stärken und sich in den Besitz einer gewissen künstlerischen

Bildung zu setzen; denn darin muß man L. Gurlitt, dem man
sonst wegen seiner übertriebenen Aufstellungen so oft entgegenzutreten sich gezwungen sieht, gewiß beistimmen, daß an und
für sich künstlerische Bildung nicht Gemeinbesitz des höheren
Lehrerstandes ist (Neue Jahrb. f. Phil. X 194). Später,
im Amte, muß der Historiker durch Entsendung zu archäologischen Kursen, durch Beurlaubung zu Studienreisen mit ausreichender Unterstützung, durch Begünstigung wissenschaftlicher
Betätigung gefördert und für die Ausübung seines schweren Berufes frisch erhalten werden (vgl. des Verf. Aufsatz in dieser
Zeitschrift 1905 S. 193 ff.); so wird man schließlich die geeigneten
Persönlichkeiten für den überaus verantwortungsvollen und vielseitigen Unterrichtsgegenstand gewinnen können und damit die
Gewähr, daß der Geschichtsunterricht die ihm gestellten Aufgaben
erfüllt.

Dessau.   G. Reinhardt.

Ein Gedenkblatt für Friedrich Ludwig Jahn.

In verschiedenen Gegenden Deutschlands wird gegenwärtig
durch Veranstaltung von Feierlichkeiten die Erinnerung an den
vor hundert Jahren begonnenen Neubau Preußens und die damit
verknüpfte deutsche Einigung wachgerufen. Unter den Männern
jener Zeit, die mit scharfem Blick die Lehren der Niederlage bei
Jena erkannten und mit richtigem Griff die erfolgreichen Mittel
zur Wiederaufrichtung des Volksgeistes anwandten, darf der Turnvater Friedrich Ludwig Jahn nicht vergessen werden. Gebührt
ihm schon darum ein Kranz der Erinnerung, weil er zu den
mannhaftesten Bahnbrechern des deutschen Volkstums gehört,
so hat er noch ein besonderes Recht auf rühmende Erwähnung,
weil es gerade hundert Jahre her sind, daß er ein Werk begann,
welches unter allen schöpferischen Taten jener Zeit zu der volks-
tümlichsten geworden ist, das deutsche Turnen.

Wenn jemals das Wort zutrifft, daß es für einen Menschen
nicht gleichgültig ist, an welchem Orte und unter welchen Verhältnissen er geboren ist, weil sie die wichtigsten Bedingungen
für den Gang und das Ziel seiner Entwickelung sind, so ist dies
gewiß bei Jahn der Fall. Es war eine sehr glückliche Vereinigung vieler den Lebensgang mit der Macht der Naturgesetze
vorzeichnenden Umstände, als er am 11. August 1778 in dem
Dörfchen Lanz in der Priegnitz, dem nordwestlichen Teil der
Provinz Brandenburg, das Licht der Welt erblickte. Die Abstammung von einem Vater, welcher Pastor des Dörfchens, ein
Mann von selbständiger Denkweise und tüchtiger Redegabe war
und nach freier Methode den Knaben bis zu seinem vierzehnten
Lebensjahre unterrichtete, und die Herkunft von einer ausge-

zeichneten Mutter, die hilfreich, mutigen Charakters, streng in
ihren sittlichen Anschauungen, heftig, ja selbst aufbrausend im
Zorn war, wo es galt, das Recht zu verteidigen, waren die
grundlegende Mitgift für eine Charakterveranlagung, die seine
Größe wie seine Schwäche werden sollte. Das Leben in einer
Landschaft, deren zahlreiche geschichtliche Denkwürdigkeiten seit
den Tagen Kaiser Heinrichs I. seine Phantasie ebenso lebhaft an-
regten wie deren einfache fleißige Bewohnerschaft ihm den Sinn
für unablässig ringende Tätigkeit weckte, der Besitz einer schnellen
Auffassungsgabe und eines scharfen Gedächtnisses, die Neigung
zum Eigenwillen und zu kühnen Streichen, die sich schon frühzeitig darin zeigte, daß er mit Schmugglern über die Grenze
ging, machen es erklärlich, daß aus ihm eine Führernatur werden
sollte, die große Massen zu beherrschen, aber auch mit dem
Leben vielfach in Konflikt zu kommen geeignet war. Wenn
seine Schuljahre zeigen, wie er auf den Gymnasien in Salzwedel
und zum grauen Kloster in Berlin wegen Zusammenstoßes mit
seinen Lehrern entlassen wurde, und wenn seine Studienjahre
auf den Universitäten in Halle, wo noch heut die Sage von der
Jahnhöhle bei Giebichenstein von seinem Steinbombardement
gegen eine Anzahl Studenten erzählt, in Jena, wo er der ge-
fürchtete Beherrscher des Breiten Steins wurde, und in Greifs-
wald, wo er 1803 relegiert wurde, überall ein nicht rühmliches
Ende nahmen, so wird ihn gewiß niemand deswegen loben
können. Aber die damals herrschende Roheit auf den Hochschulen, der gegenüber er im Vollgefühl der körperlichen Gewandtheit und Kraft mit jugendlichem Ehrgeiz die Meisterschaft
zu behaupten suchte, macht vieles erklärlich. Außerdem legen
diese Jahre ein deutliches Zeugnis dafür ab, daß unter der
rauhen Schale seines Sichgebens doch ein guter Kern edelsten
Strebens verborgen lag, der in ehrlichem Ringen einen Weg
fand aus diesem Sturm und Drang. Schon der Entschluß, sich
dem Studium der damals noch wenig gepflegten deutschen Geschichte, Sprache und Literatur zu widmen und damit das un-
bekannte Land einer noch jungen Wissenschaft zu durchforschen,
war ein Beweis für seine eigentümliche Veranlagung, zeitlebens
selbständige Bahnen zu geben. Das Ziel, auf das diese alle
hinausliefen, war der hohe Gedanke, dem Vaterlande einen nützlichen Dienst zu erweisen. Aus dieser Bestrebung entsprang sein
heftiges Auftreten gegen das damalige Abbild deutscher Zersplitterung, die Landsmannschaften, und die höchstwahrscheinlich
von ihm schon 1800 verfaßte Schrift „über die Beförderung des
Patriotismus im Deutschen Reiche“, worin er mit einer Sprache
voll Wohllaut, Adel und Herzlichkeit für die bessere Pflege des
bisher stiefmütterlich behandelten Geschichtsunterrichts in hohen
und niederen Schulen mit der prophetischen Andeutung eintritt,
daß diese Beförderung in der damaligen stürmischen Zeit viel-

leicht notwendiger sei als je. Die Gelegenheit, welche die Ab-
klärung des ungestümen Mostes der Jugendfehler zu einem guten
Wein der Mannesreife vollenden sollte, brachte die Übernahme
einer Hauslehrerstelle bei dem Baron Lefort in Mecklenburg-
Strelitz, wo unter dem heilsamen Einflusse der vornehmen Um-
gangsformen sich zum ersten Male seine ungewöhnliche Erzieher-
gabe entfaltete, deren Zauberkraft nicht bloß die ihm anvertraute
Jugendschar an seine Person fesselte, sondern auch lebensläng-
liche Freundschaften mit angesehenen Leuten stiftete. Zu voller,
tüchtiger Männlichkeit hob ihn die 1805 in Göttingen begonnene
wissenschaftliche Vorbereitung zur akademischen Lehrtätigkeit, als
deren erste Frucht er ein von erstaunlicher Kenntnis und Beobachtungsgabe zeugendes Schriftchen mit dem Titel „Zur Bereicherung des hochdeutschen Sprachschatzes" erscheinen ließ.

Die Stunde, welche den durch diese Vorbereitungen aus-
gereiften Mann zur Klarheit über seine Bestimmung und zur Mitarbeit an dem gemeinschaftlichen Reformwerke der führenden
Geister der Nation berufen sollte, war die Schlacht bei Jena.
Wenn er in der Nacht nach dem verhängnisvollen Tage graue
Haare bekam und in der nächsten Folgezeit Zeuge von der
Flucht, der gräßlichen Kopflosigkeit und dem allgemeinen Zu-
sammenbruche wurde, an deren ohnmächtiger Betäubung seine
Versuche, die Flüchtigen zu hemmen und zu ermutigen, alle
scheiterten, so kann man sein Selbstbekenntnis verstehen, daß
er damals die Leiden des Vaterlandes tiefer gefühlt habe wie
mancher andere. Aber die ganze Kühnheit und Spannkraft
seines Geistes kommt auch in dem Wort aus jenen Tagen zum
Ausdruck: „Müßigsein und Zuschauen im Greuel der Zerstörung
gilt mir als wahre Vernichtung". In Wort und Tat trat er wie
ein Herold einer bessern Zeit mit Plänen der Erneuerung des
Volksgeistes vor die Öffentlichkeit. In Lübeck ließ er 1810 sein
Deutsches Volkstum erscheinen. Die denkwürdige Schrift, wie
keine zweite ein Spiegel des Jahnschen Geistes, bezeichnet als
Volkstum nicht allein das gemeinschaftliche Denken, sondern
auch die unverwüstliche Wiedererzeugungskraft einer Nation und
verlangt in glühendster Überzeugung von der Unzerstörbarkeit des
deutschen Geistes eine Zusammenfassung aller seiner Volksstämme
unter der Führung Preußens, das vermöge seiner geographischen
Lage und führenden Stelle in der Geschichte berufen sei, das
Haupt des zeitgemäß zu verjüngenden Deutschen Reiches zu
werden. Eines der wichtigsten Heilmittel gegen die Gebrechen
der Zeit sieht er in dem Erziehungswesen, dessen Pflanzstätten
im Dienste der Volkserziehung stehen sollten und das Urbild
eines vollkommenen Menschen, Bürgers und Volksgliedes in jedem
einzelnen zu verwirklichen haben. Neben dem Unterricht in der
deutschen Sprache, vaterländischen Geschichte als „Taten-
entzünderin", Handarbeit und Kunstbildung redet er mit großer

Begeisterung den Leibesübungen das Wort. Anstatt die Körperkraft wie einen vergrabenen Schatz verschimmeln zu lassen, müsse man die Volkskraft wecken, was eine höchst notwendige Aufgabe der Zeit sei, weil sie eine wichtige Vorarbeit für die Verteidigung des Vaterlandes bedeute. Manche Gedanken dieser Schrift schießen zwar über das Erreichbare hinaus und grenzen an Wunderlichkeiten, aber sie beweisen den Jahnschen Prophetenblick und starken Feuergeist, der in dunkler Nacht der Verzweiflung die Wege zur Rettung weist. In dieselbe Zeit, in der diese Schrift erschien, fällt die Entstehung des Turnens. Eine ganz neue Erfindung waren die von ihm angefangenen Leibesübungen nicht. Der von den Ideen der Aufklärung und von dem durch Rousseau begeistert ausgesprochenen Gedanken, auch in der Erziehung natürliche Wege zu gehen, getragene Gründer des Philanthropins in Schnepfental, Guts Muths, hatte sie schon vorher in seiner Anstalt eingeführt. Was aber bisher nur in den Anfängen vorhanden war und zum Teil wieder unterging, dem hat Jahn, ein ungleich Stärkerer wie sein Vorgänger, Leben gegeben und Bürgerrecht im Volke verschafft. Aus keimhaften Anfängen mit wenig Schülern des Gymnasiums zum grauen Kloster und der Plamannschen Erziehungsanstalt in Berlin, wo er angestellt war, begann Jahn 1809 das Turnen. Wenn der Entwickelungsgang des neuen Unternehmens schon in den beiden darauf folgenden Jahren zeigte, wie die Schar der teilnehmenden Jugend, die an den freien Mittwochs- und Samstags-Nachmittagen in der Hasenheide sich um den begeisterten und begeisternden Lehrer sammelte, aus allen Klassen zunahm, wie aus dem ursprünglichen Spielbetrieb durch sinnreiche Erfindung ein planvoller Aufbau von Gerätübungen erwuchs, wie eine instinktive Beobachtungsgabe des Meisters die Einführung neuer Geräte dem Vorbilde der Natur absah, wie er die Jugend zu fröhlicher Regsamkeit und Geschicklichkeit in der Selbstanfertigung der Geräte und der Anlage eines Turnplatzes zu begeistern verstand, und wie sein Herrschergeist die schönste Disziplin in der großen Menge aufrechtzuerhalten wußte, dann erscheint Jahn auf diesem Felde seiner ureigensten Tätigkeit als ein bewunderungswürdiger Bildner.

Um so weniger aber konnten sich seine Hoffnungen auf eine führende Rolle verwirklichen, die ihn im Bunde mit seinem Freunde Friesen im Jahre 1813 dem neu errichteten Lützowschen Freikorps zuführten. Wohl war er ganz der geeignete Mann, um mit eindrucksvoller Gewalt einen Aufruf an die Westfalen zum Aufstande zu richten und durch seine zündenden Worte den Aufruf des Königs „An mein Volk" zu unterstützen, wohl leistete er schätzenswerte Dienste durch eine Sammlung deutscher Wehrlieder für das Freikorps und durch die Betonung des Werts des Volkslieds, das er des Volkes Sturmfahne, Losung und Feldgeschrei nannte, aber die Enttäuschung über die Verwendung des

Korps, persönliche bittere Erfahrungen und die Unfähigkeit, der strengen militärischen Disziplin sich unterzuordnen, bestimmten ihn, aus dem Korps auszutreten. Während der Genesungszeit nach einer Krankheit schrieb er 1814 die „Runenblätter" noch im Dienste. Stellenweise schwer verständlich durch eigentümliche Verdeutschung von Fremdwörtern und selbstersonnene Wortbildungen erneuerte diese Schrift den sehnsuchtsvollen Grundgedanken des Volkstums von der Einigung Deutschlands unter Hinweis auf die unwürdige Rolle der damaligen Kleinstaaterei. Die Westgrenze müsse der Wasgau und Ardennenwald werden. Er schließt sie mit den Worten, die auffällig an eine bekannte Äußerung Bismarcks erinnern, daß die Wunde der staatlichen Zerrissenheit allein nach dem Rezept des alten Arztes Hippokrates gegen den Krebs geheilt werden kann, welches lautete: was Arznei nicht heilt, heilt das Eisen; was Eisen nicht heilt, heilt das Feuer.

Nach seinem Austritt aus dem Lützowschen Freikorps erhielt er einen Wirkungskreis, der ihm mehr zusagte als sein militärischer Posten. Er wurde Mitglied der Generalkommission für die deutschen Bewaffnungsangelegenheiten, die nach der Besiegung Napoleons die Aufgabe hatte, auch die wiedergewonnenen Rheinbundstaaten zur Ausrüstung der Landwehr und des Landsturms zu organisieren. Jahn bereiste in ihrem Auftrage auch die Rheinlande und machte durch seine schon längst berühmt gewordene, auffällige und derb-freimütige Erscheinung überall Eindruck. Obwohl er bei dieser Art Werbearbeit sich ganz in seinem Elemente fühlte, war die Frucht dieser Reisen doch mehr Enttäuschung als Ermutigung, weil er sah, daß am Rhein der „Franzosenteufel in allen Köpfen und Tröpfen spukte", wie er sich drastisch ausdrückte.

Es war zwar für ihn ein Lichtblick in eine bessere Zukunft, als er nach der Schlacht bei Waterloo den Einzug der Verbündeten in Paris mitmachte. In seiner stürmischen Begeisterung erstieg er eines Tages den vor den Tuilerien errichteten Triumphbogen, auf dem gerade Arbeiter bei der Herabnahme des vergoldeten Viergespanns der Siegesgöttin, einer Beute aus Venedig, beschäftigt waren, und schlug unter einer feurigen Ansprache an die Umstehenden mit wuchtigen Hammerschlägen der Göttin den Mund zu und die Siegesposaunen aus der Hand, ein Vorgang, der ihn in ganz Paris bekannt machte, weil die Blätter darüber Berichte brachten und ihn zum Führer des Korps der Rache stempelten. Aber seine politischen Hoffnungen, die er an die glänzenden Siege knüpfte, erfüllten sich nicht. Hatte er schon bei den Verhandlungen des Wiener Kongresses im Jahre 1814, denen er damals als Kurier im Dienste des Staatskanzlers Hardenberg beiwohnte, mit Traurigkeit beobachtet, wie man Preußen für seine außerordentlichen Anstrengungen in dem Feldzuge gegen

Napoleon nicht die gebührende Entschädigung bewilligte und den
Gedanken von der deutschen Einheit, die sein Lieblingswunsch
war, als höchst gefährlich bezeichnete, so brachte ihn jetzt die
Wahrnehmung geradezu in Zorn, daß der erhoffte Lohn für den
teuer erkauften endgültigen Sieg über Napoleon in Gestalt der
Reichseinheit noch nicht kam, und daß der aus den Kongreß-
verhandlungen hervorgegangene Deutsche Bund eine völlig unvoll-
kommene Verwirklichung einer würdigen Reichsgestalt darstellte.
Mißmutig und ahnungsvoll zugleich äußerte er am Schlusse der
Worte, die er auf der Rückkehr von Paris nach Berlin in das
Stammbuch der Wartburg schrieb, daß Deutschland einen Krieg
auf eigene Faust und ohne Verbündete brauche, um sich in
seinem Vermögen zu fühlen; es brauche eine Fehde mit dem
Franzosen, um sich in ganzer Fülle seiner Volkstümlichkeit zu
entfalten.

Desto eifriger sorgte er von jetzt ab für die Ausbreitung
des Turnens durch Wort und Tat. In welchem Geiste er es sich
dachte, zeigte er bald durch ein Buch, in dem er die Höhe
seiner schriftstellerischen Leistung erstieg, durch die 1816 erschienene Deutsche Turnkunst. Das Buch war gleich bei seinem
Erscheinen von großer Wirkung. Von hervorragenden Männern
priesen die einen die berechtigte Aufgabe des Turnens, das gegenüber der einseitigen Vergeistigung die Gleichmäßigkeit der menschlichen Bildung herstellen wollte, und das überall hingehört, wo
Menschen wohnen; die andern lobten die sittliche mit großem
Ernst verkündigte Auffassung des Turnens, weil es Selbsvertrauen
erwecke, das allgemeine Sittengesetz zu seiner höchsten Regel
·mache, dem Turnlehrer die schwere Verpflichtung übergebe, Be-
wahrer und Berater der Jugend und von Kindlichkeit wie von
Volkstümlichkeit innigst durchdrungen zu sein, dem Turner aber
Muster, Beispiel und Vorbild zu werden, frisch, frei, fröhlich und
fromm; die dritten bewunderten die Sprache des Buchs, die an
Reinheit, Anschaulichkeit, Folgerichtigkeit und Schönheit ihres
gleichen suche und zu den klassischen Schriften der Deutschen
zu zählen sei. Das schönste Lob aber wurde ihm durch den
Erfolg zuteil, daß infolge der machtvollen Anregung in allen
Landesteilen Deutschlands, besonders in Mecklenburg und Thüringen,
Turnanstalten entstanden und die Regierungen ihre Einrichtung
zu befördern anfingen. Der damalige Oberpräsident von Westfalen, Vincke, und der Regierungspräsident von Köln gingen mit
dem besten Beispiele voran. Mußte das Turnen bei dieser raschen
Ausbreitung auch die Feuertaufe der Kritik bestehen, in der von
Tagesschriftstellern, Schulmännern und Gelehrten es zum Teil
unter Übertreibungen sogar als eine für Körper und Geist höchst
gefährliche Unternehmung gebrandmarkt wurde, so ging es
dennoch aus diesem Schmelztiegel der Angriffe so geläutert hervor, daß das Jahr der heftigsten Befehdung, 1817, das Jahr

seines höchsten Ruhmes wurde. Jahn erhielt den Lorbeer der
ersten Unterrichtsanstalten, die philosophische Doktorwürde der
beiden Universitäten Jena und Kiel honoris causa.

Von dieser Höhe riß ihn aber ein jäher Sturz. Äußerungen
in Vorträgen über das deutsche Volkstum, in denen er mit un-
gewohnter Keckheit an der Staatsregierung Kritik übte, machten
ihn verdächtig; der Studentenstreich Maßmanns, welcher auf dem
Wartburgfeste am 18. Oktober 1817 bei der Stiftung der Burschenschaft in theatralischer Nachahmung der Verbrennung der Bann-
bulle durch Luther die Titel von Büchern zahlreicher Turnfeinde
verbrannte, die zum Teil hochangesehene Stellungen innehatten,
wurde in einer Beschwerdeschrift als „Vandalismus demagogischer
Intoleranz" bezeichnet und Jahn, obwohl er dem Feste fernge-
blieben war, in die Schuhe geschoben; am verhängnisvollsten
aber war es, daß der politische Mörder Sand, der den russischen
Staatsrat Kotzebue erstach, ein Burschenschafter und Turner war.
Die Folgen trafen am schwersten das Haupt Jahns. Unter der
Anklage, daß er an den bestehenden demagogischen Unter-
nehmungen führenden Anteil nehme und staatsgefährliche Grundsätze verbreite, wurde er verhaftet. Der nunmehr anbrechende
fast sechsjährige Leidensweg führte ihn in die Gefängnisse von
Spandau, Küstrin, Berlin, dann nach Kolberg, wo er unter Polizeiaufsicht stehen mußte, dann zur Verurteilung zu zweijähriger
Festungshaft, die schließlich dahin gemildert wurde, daß ihm der
Aufenthalt in Berlin sowie in jeder Gymnasial- und Universitäts-
stadt verboten, sonst aber freie Bewegung gewährt wurde. Er
nahm seinen Wohnsitz in Freiburg an der Unstrut, aber er trat
nun nicht mehr öffentlich hervor. Die Liebe der Turner aber
vergaß ihren getreuen Eckart nicht. Als ein Brand sein Haus
einäscherte, veranstalteten sie eine Sammlung für ihn, von deren
Ertrag er sich ein neues bauen konnte. An seinem Lebensabend
hatte er noch die Freude, daß der König Friedrich Wilhelm IV.
die Polizeiaufsicht über ihn aufhob, ihn noch nachträglich mit
dem eisernen Kreuz dekorierte und das Turnen als einen notwendigen Bestandteil in die Volkserziehung aufnahm. Das Vertrauen seiner Wähler schickte ihn 1848 in das Frankfurter
Parlament; aber enttäuscht kehrte er heim. Er trauerte seitdem
darüber, daß es der Zeit an Kraft und Geist gebrach, die Stämme
Deutschlands zu einem Volke zu verbinden. Dennoch hielt er an
dieser Hoffnung, weil sie zu eng mit seiner Lebensarbeit und
Denkart verknüpft war, unerschütterlich fest. Wie ein Vermächtnis überlieferte er sie in Frankfurt seinen Freunden in
seinem Schwanengesang: „Deutschlands Einheit war der Traum
meines erwachenden Lebens, das Morgenrot meiner Jugend, der
Sonnenschein der Manneskraft und ist jetzt der Abendstern, der
mir zur ewigen Ruhe winkt". Am 18. Oktober 1852 starb er
zu Freiburg a. U.

Mögen Jahn auch viele Mängel angehangen haben — denn wo viel Licht ist, ist viel Schatten —, das Vergängliche an ihm hat die Geschichte begraben, aber das Wertvolle lebt fort. Sein Werk, das jedes Kind in Deutschland kennt, hat ihn in die Reihe der populärsten Männer aus der Zeit der Befreiungskriege gestellt. Und der Meister hat heut seine Jünger auf dem ganzen Erdenrund. Erkannte er mit Prophetenblick, daß die Turnerei einmal eine heilsame Einrichtung der ganzen Menschheit werden würde, so war sie für ihn nach den wohlverstandenen Bedürfnissen seiner Zeit eine der Säulen, worauf sich der Bau des Deutschen Reiches erheben sollte. Und soll sie ihre Mission an unserm Volke weiter erfüllen, so darf sie nicht äußerlich als eine rein gymnastische Fertigkeit betrieben werden, sondern muß wie die Leibesübungen bei den Griechen des Altertums und den Rittern des Mittelalters von nationalem Geist durchdrungen sein.

Köln.   A. Tesch.

ZWEITE ABTEILUNG.

LITERARISCHE BERICHTE.

Ewald Horn, Das höhere Schulwesen der Staaten Europas. Eine Zusammenstellung der Stundenpläne. Zweite Auflage. Berlin 1907, Trowitzsch u. Sohn. VIII u. 209 S. 8. 6 ℳ.

Es kann als ein erfreuliches Zeichen des Interesses angesehen werden, das die Welt an der Entwickelung der Schule auch des Auslandes nimmt, daß dieses Buch nach wenig mehr als zwei Jahren in zweiter Auflage erscheinen muß. Es bietet aber auch für denjenigen, der sich mit den Angelegenheiten des höheren Unterrichts amtlich befaßt oder durch persönliches Interesse verbunden ist, eine reich fließende Quelle der Belehrung und der Anregung. Von 25 deutschen Staaten und aus 25 außerdeutschen Ländern teilt es die Lehrpläne (Stundenpläne) der einzelnen Organisationen für das höhere Schulwesen mit und verbindet damit Nachrichten über die genauere Verteilung des Lehrstoffes, über die Gestaltung der Prüfungen u. dgl. m., alles auf Grund eines in unermüdlicher Arbeit zusammengeschafften zuverlässigen, weil amtlichen Materials. Was er gibt, das bezeichnet der Verfasser als Rohstoff, dessen Umarbeitung er den Schulbehörden überlassen will, er weist darauf hin, wie in vielen der herangezogenen Länder das Schulwesen sich in voller Bewegung, in der Entwicklung zu neuen Zielen befinde, wie daher zunächst nur Beobachtung, Registrierung der vorgenommenen Versuche möglich sei. Ganz recht, aber gerade in dieser Periode ist dem Beobachter die Möglichkeit sehr schätzenswert, für den Vergleich des irgendwo neu Entstehenden mit dem Alten, dem Festgewordenen eine zuverlässige Stütze zur Hand zu haben. Sie findet man vollauf in dem dargebotenen Werke. — Die neue Auflage unterscheidet sich von der ersten nicht unwesentlich dadurch, daß sie die Einzelheiten über die Zielleistungen und Prüfungsaufgaben verschiedener Länder nicht wieder abdruckt, so daß die erste Auflage neben der neuen noch einen selbständigen Wert behauptet.

Pankow bei Berlin. Max Nath.

1) Eduard König, Die Poesie des Alten Testaments. Leipzig 1907, Quelle & Meyer. 160 S. 8. 1 ℳ, geb. 1,25 ℳ.

Unser Buch gehört zu der von Dr. Paul Herre unter dem Namen „Wissenschaft und Bildung" herausgegebenen Sammlung von Einzeldarstellungen aus allen Gebieten des Wissens; es will nicht nur dem Laien eine belehrende und unterhaltende Lektüre, dem Fachmann eine bequeme Zusammenfassung, sondern auch dem Gelehrten ein geeignetes Orientierungsmittel sein. In ihm wird unter besonderer Berücksichtigung der vergleichenden Methode und unter Heranziehung der arabischen und babylonischen Literatur die althebräische Dichtung nach Form und Inhalt eingehend untersucht und psychologisch-ästhetisch analysiert. So in der Anzeige. — Ich kann nur sagen, daß ich das Buch in seiner gespreizten, aus blumenreichen Wendungen in die gewöhnliche Sprechart abfallenden Darstellung mit wachsendem Unbehagen gelesen habe; es herrscht in ihm Nervosität. In der Einleitung beschäftigt sich der gelehrte Verf.ʾ mit dem Gegensatz von Poesie und Prosa; schon ein merkwürdiges Ding; um den Begriff Prosa festzustellen, hat er das größere lateinische Wörterbuch von Georges nachgeschlagen und ist mit dieser Hilfe zum Schluß gekommen, daß die Besonderheit der Darstellung alle literarischen Produkte in die zwei großen Gebiete Poesie und Prosa trennt. Sodann begibt er sich auf das Suchen der ersten dieses Schwesternpaares im Alten Testament, er fragt naiv, ob dies Suchen nicht auch gar neckisch sein wird. Doch schon hat er sie gefunden; er grüßt die holde Frau, wenn sie auch, entsprechend der alten Zeit und der überhaupt naturhafteren Art des Orients, sich in einem Morgengewande von einfacherem Schnitt und Faltenwurf, aber überraschend lebhaften Farben zeigt. Sie ist reimlos. Mangel des Reimes, sagt er, kennen wir ja auch an vielen (!) Dichtungen der Griechen und Römer, und reimlose Gedichte begegnen uns ja nicht selten bei Goethe und vielen neueren Autoren, wie z. B. Hebbels Dichtung „Gebet". Die Verse der Hebräer werden nicht nach dem Gesetz der Quantität der Silben gemessen; es gibt ja (!) auch noch eine andere Art von Rhythmus. Man weiß doch, daß das Nibelungenlied folgendermaßen beginnt: Uns ist usw. Damit ist der Übergang zur Beschreibung des akzentuierenden Rhythmus der hebräischen Poesie gefunden, weiter zum künstlichen Strophenbau und zu dem besondern Farbenglanz der Metapher, Vergleichung, Apostrophierung, Personifikation und sonstigen naiven und pikanten Ausdrucksweisen.

Nach einer Gesamtcharakteristik der verschiedenen Motive, welche die alten Sänger angeregt haben, geht Verf. auf die Besprechung der besonderen Arten der Poesie über. Hier rächt sich die Auffassung des Verf. von Poesie als Gegensatz zur Prosa. Eine epische Poesie der Hebräer gibt es nicht! So mögen sich

denn alle die Leser, welche an den zahlreichen epischen Erzählungen des Pentateuch und prophetischen Bücher ihre Freude
haben, abzufinden suchen. Die Poesie der Hebräer ist im wesentlichen Lyrik, epische Lyrik, wenn das Lied durch die Erzählung
eines historischen Ereignisses eingeleitet ist, lyrische Epik, wenn
das Lied episch abschließt. Beide Dichtungen führen zur Didaktik.
Unter diesen Gesichtspunkten betrachtet Verf. eine Reihe einzelner
Poesien, wir heben hervor die Behandlung der Psalmen, des
Buches Hiob, der Fabeln, Parabeln, Rätsel und Sprüche. Das
Drama fehlt den Hebräern, aber eine einheitliche Dichtung und
seiner Form nach dramaähnlich ist das Hohelied. Der Würdigung
dieses Gedichtes gilt der Schluß.

Mögen andere Leser das Buch mit mehr Befriedigung lesen,
ich habe keine Freude daran gehabt.

2) **Fritz Ross, Jesus der Christus.** Bericht und Botschaft in erster
Gestalt. Leipzig und Berlin 1907, B. G. Teubner. I u. 111 S. gr. 8.
geh. 0,80 ℳ.

Das Buch macht in seiner äußeren Form, wie in seinem
inneren Gehalt einen recht angenehmen Eindruck; es ist auf
streng wissenschaftlicher Grundlage aufgebaut, will aber der
frommen Erhebung dienen. Wenn die religiös bestimmte Weltanschauung, heißt es im Vorwort, unter den Gebildeten nur
spärlich Boden gewinnt und unter den Ungebildeten mehr und
mehr sich entwurzelt, so liegt es zum Teil daran, deß die Religion
noch immer in Formen übermittelt wird, die dem vernünftigen
Denken widerstreben. Scheint nicht dem Laien ihr ganzer Inhalt
mit Mirakel und Legende, mit wunderbaren Geschichten und
übernatürlichen Dingeu untrennbar verbunden zu sein? So wird
dann mit der Schale der Kern, mit dem Falschen und Unechten
das Wahre und Echte verworfen. Darum will Verf. den Versuch
machen, das Evangelium von allem zu trennen, was nicht
ursprünglich damit verbunden war. Dies glaubt er am besten
zu erreichen, indem er die evangelische Geschichte in zwei
Hauptstücke zerlegt, Bericht und Botschaft. Verf. beschreibt
genau das kritische Verfahren, das er beobachtet hat. Der Bericht folgt dem Evangelium des Markus mit Ausscheidung der
Einzelstücke, denen nach Annahme der historischen Forschung
eine Grundlage im Leben Jesu abzusprechen ist. So fehlt z. B.
die Geschichte der Auferstehung und Himmelfahrt. Ohne Angabe der Kapitel und Verse erzählt er meist im Anschluß an
Luthers Übersetzung in kleinen mit Überschriften versehenen
Stücken frei von Übermalung und Zusatz das, was die Zeugen
seiner Zeit von Jesus berichten; das zeitgeschichtliche Gewand
wird bei dieser Darstellung doch so durchsichtig, daß wir mit
unserem Denken und Empfinden die Wirklichkeit erkennen
mögen. Der zweite Teil, die Botschaft, losgelöst aus dem Zu-

sammenhang der Erzählung, der doch nur künstlich und un-
historisch ist, sucht in Anschluß an Matthäus und Lukas die alte
Sammlung der Sprüche Jesu zu rekonstruieren. Dem freundlichen Eindruck, den der Verf. beabsichtigt hat, wird sich niemand entziehen können, auch hier läßt Verf. ohne Angabe der
Kapitel und Verse unter besonderen Überschriften die Sprüche
aufeinander folgen. Was aber diese Darstellung besonders ge-
fällig macht, ist, daß Verf., wo der Heiland nach dem Urtext
ohne Zweifel in gebundener Rede oder in Strophen gesprochen
hat, dies im Druck durch Versabteilung deutlich macht. Die so
klar hervortretende kunstreiche Form wirkt bestrickend; es will
einem scheinen, als ob der Inhalt dadurch ein neuer geworden;
da merken wir so recht, daß wir im Lande der Dichtung und
der Wahrheit stehen. Ein ausführlicher Anhang gibt in knappen
Worten Aufschluß über alles, was der Erklärung bedarf; in
diesem Teile steckt ein gutes Stück geistiger Arbeit. Zum Schluß
folgt das Register der Stellen, die aus den drei Evangelien mitgeteilt sind. Die Verlagsbuchhandlung hat in der richtigen Erwägung, daß das Buch sich ganz besonders zum Geschenk eignet,
eine Geschenkausgabe in zweifarbigem Druck mit Buchschmuck hergestellt, geschmackvoll geb. 2,60 ℳ. Zum Schulgebrauch erschien als Sonderdruck „Die Botschaft" unter dem
Titel: Das Reich Gottes. (IV u. 47 S.) 8. geh. 0,40 ℳ.

Das saubere, treffliche Buch sei freundlichst empfohlen.

Stettin.   Anton Jonas.

_____

1) **Brugier**, Geschichte der deutschen Literatur. Nebst kurz-
   gefaßter Poetik. Für Schule und Selbstbelehrung. Mit einem Titelbild, vielen Proben und einem Glossar. Elfte Auflage. Freiburg i. Br.
   1904, Herdersche Buchhandlung. XXIX u. 818 S. gr. 8. geb. 4 ℳ.

Es ist neuerdings wiederholt der Meinung Ausdruck gegeben,
es könne zwischen dem evangelischen Christentum und dem
religiösen Katholizismus eine Annäherung herbeigeführt werden,
ja eine solche sei auf wissenschaftlich-theologischem Gebiete
bereits erfolgt. Das scheint die Ansicht unverbesserlicher
Optimisten zu sein; denn solange im politischen Leben die
Konfession ein leitendes Schlagwort bleibt, wird auch auf andern
Gebieten nicht viel zu hoffen sein. Anders vermögen wir auch
die Worte des Freiherrn v. Hertling nicht zu deuten, wenn er
als Präsident der Görresgesellschaft sagt: „Wir wollen Wissenschaft betreiben, so wie man Wissenschaft betreibt, nach den
Regeln der wissenschaftlichen Methode mit allen Freiheiten, die
dem Forscher unerläßlich sind, aber wir wollen katholische
Männer sein und wollen unseren Herzen das Feuer des Glaubens
erhalten, wir wollen uns erhalten die Liebe zur Kirche".

Das ist die Theorie einer konfessionell gebundenen Wissenschaft, welche Religion und Wissenschaft nicht genügend zu

trennen weiß und, statt dem Konflikt den Boden zu entziehen
und eine höhere Stufe fortschreitender Entwicklung zu erreichen,
geeignet ist, die vorhandene Spannung zu verstärken. Religion
und Wissenschaft sollten es als ihre Hauptaufgabe betrachten,
Mißverständnisse zu beseitigen und dahin zu streben, daß ohne
Vorurteil der Religion der anderen Kirche Verständnis entgegengebracht wird, das an sich ja schon ein wesentliches Moment
des Friedens bedeutet. Das gilt namentlich auch für das Gebiet
der Literatur, wo ja Denifle mit seiner polemischen Tendenz und
nicht ganz einwandfreien Kampfesweise selbst auf katholischer
Seite mehr Ablehnung als Zustimmung erfahren hat.

Wenn nun die Tendenz des vorliegenden Buches, dessen im
Jahre 1903 verstorbener Verfasser der positiv-christlichen (katholischen) Weltanschauung huldigt, dahin geht, daß die deutsche
Literatur nicht nur vom rein ästhetischen, sondern auch (und
zwar vorzugsweise) vom moralisch-religiösen Standpunkt aus zu
betrachten sei, so muß auch sie uns von vornherein etwas einseitig erscheinen.

Ein derartiger, scharf prononcierter Standpunkt kann leicht
zu der Annahme führen, als ob Verf. denjenigen Perioden der
Literatur, die vorzugsweise vom Geist des Christentums durch-
strömt und erwärmt werden, eine besondere Wertschätzung ent-
gegenbringe, dagegen an die Zeit des Humanismus, die zweite
klassische Blüteperiode und vor allem an die Gegenwart, in der
die Freudigkeit und Unmittelbarkeit des Glaubens vielfach getrübt
und vom Geist des Zweifels und Unglaubens angefochten erscheint,
keinen gerechten Maßstab anzulegen vermöge.

Diesen Vorwurf kann man aber dem Verf. im allgemeinen
nicht machen. Außer großer Sachkenntnis beweist er auch ein
natürliches Taktgefühl, mit dem er ohne Voreingenommenheit
jede Erscheinung auf ihren inneren Wert zu prüfen, jeder
Eigenart und Richtung sorgfältig Rechnung zu tragen bemüht ist.

Gewiß ist auch er überzeugt, daß uns die hochentwickelte
moderne Kultur nicht sittlicher gemacht hat, aber er weiß auch,
daß sie uns mit vielen Anschauungen bereichert hat, die, wenn
sie auch z. T. keinen absoluten Wert und keine bleibende Berechtigung haben, doch wohl von symptomatischer Bedeutung
sind und mancherlei Keime enthalten, die auch beachtet und
gepflegt sein wollen. Unserer Jugend soll ein gesunder Wider-
wille gegen alles Unwahre und Unechte eingeflößt werden, aber
sie soll auch nicht durch Totschweigen und Schlagwörter vorein-
genommen werden. In unserer ohnehin schon autoritätsarmen
Zeit sollen wir uns gewöhnen, die Überzeugung Andersdenkender
zu beachten und uns bemühen, alles aus seiner Zeit zu verstehen
und ein genetisches Verständnis der Dichterwerke erzielen; nicht
bloß durch Aufdeckung der Schwächen der einzelnen Dichterpersönlichkeit ein Bild menschlicher Unzulänglichkeit zeichnen,

sondern zugleich durch liebevolles Eingehen auf die Eigenart des Betreffenden zu erkennen suchen, wie jeder seiner Zeit seinen Tribut gezollt hat.

So viel über eine generelle Auseinandersetzung.

Was das Buch selbst betrifft, das in 11. Auflage erschienen ist und dadurch am besten seine praktische Brauchbarkeit beweist, so ist der zu behandelnde Stoff — im wesentlichen übereinstimmend mit Karl Gödeke — in acht Bücher zerlegt, die durch passende Überschriften näher bezeichnet und deren einzelne Abschnitte durch eingehende, einer orientierenden Übersicht dienende Vorbesprechungen eingeleitet werden. Auf diesen Vorbesprechungen beruht ein besonderer Wert des Buches, wenn auch, wie es in dem Charakter eines Schulbuches liegt, neue Aufschlüsse nicht gegeben werden.

Wie Verf. die Aufgabe, die er sich gestellt hat, zu lösen sucht, soll an einigen besonders markanten Beispielen gezeigt werden. Das Urteil eines Mannes, der sein Buch zu Ehren Gottes schreibt, der nicht den Menschen gefallen, sondern ihnen einen christlichen Friedensdienst erweisen will und der seine Hauptaufgabe darin erblickt, diejenigen aufzumuntern, die sich als Dichter des Kreuzes nicht schämen, muß natürlich überall da besonders herb ausfallen, wo „die verderbte Sittlichkeit sowie der freche Spott über das Heilige im Festkleide der poetischen Kunst einherstolziert". So einem Wieland und Heine gegenüber, von denen dieser als „Sklave seines Witzes", jener als unter dem Einfluß Rousseaus, Voltaires und Diderots stehend, im Glauben Schiffbruch leidend und die deutsche Poesie für längere Zeit der Frivolität preisgebend, wegen Mangels an jedem höheren idealen Streben („wie der Mensch so der Dichter") aufs schärfste verurteilt wird. Aber sind auch die Musen, deren Lieblinge sie waren, Hetären gewesen, so werden doch beide als Männer von gründlicher Bildung und hoher dichterischer Begabung, die die deutsche Sprache geschmeidiger, leichter und zierlicher gemacht, neue Anschauungen und Bilder in unsere Dichtung gebracht und den Wortschatz ansehnlich bereichert haben, voll gewürdigt. Auf Wielands bedeutsames Verhältnis zu dem von Goethe gebildeten Weimarer Kreise hätte wohl näher eingegangen werden können.

Völlig einwandfrei ist die Behandlung von Klopstock, Herder, Schiller, Uhland, Rückert, Geibel, Jul. Sturm, Fr. Reuter u. a. Auch von Gustav Freytag heißt es, daß man „sich von Herzen freuen darf, daß Deutschland einen solchen Dichter besitzt", obwohl seine Romane „ganz überflüssige Bemerkungen über Glauben, Mönche und ähnliches" und seine „Bilder aus der deutschen Vergangenheit" mancherlei „sittlich, religiös und kirchlich Anstößiges" enthalten.

Mit großer Vorliebe behandelt Verf. die religiöse Literatur in Dichtung und Prosa, die sich von Fischart und Hutten, Murner

und Nas bis auf Angelus Silesius und Klopstock seiner besondern
Wertschätzung erfreut. Beachtenswert ist es, daß dem protestantischen Kirchenliede ein besonderer Abschnitt gewidmet und
Dichtern wie Fleming, Paul Gerhardt u. a. warmes Lob gespendet wird. Zeigt Verf. den religiösen Dichtungen gegenüber
eine gewisse Weitherzigkeit, so daß man beinahe meinen könnte,
er wolle nach Leibnizens Vorgang die Wiedervereinigung oder
doch Annäherung der Protestanten und Katholiken ins Auge
fassen, so geht er anderseits mit den Dichtern des sogenannten
Deismus, „deren Lieder der Türke und der Israelit ebenso gut
singen konnte wie der Christ", sehr streng ins Gericht. Völlig
verfehlt dagegen ist es, wenn er die Hauptschuld an dem späteren
Niedergang der deutschen Literatur der Philosophie, „jener falschen
Philosophie, welche durch Kant begründet, durch Fichte, Schelling
und Hegel weiter entwickelt, durch ihre Schüler zu den letzten
Konsequenzen durchgeführt wurde und die Vergötterung des
lieben Ich lehrte". Hegels verderblicher Einfluß auf Heine konnte,
ja mußte gebührend hervorgehoben werden; das geschieht aber
nicht. Im übrigen vermögen wir dem Verf. auf diesem Gedankengange nicht zu folgen; er erinnert uns hier zu sehr an
die Methode eines Janssen, der, um zu zeigen, welche Wirkungen die moderne, von Glauben und Christentum losgelöste
Wissenschaft im Herzen der Menschen erzeugt, die geistigen
Heroen des 18. und 19. Jahrhunderts und selbst die vortreff-
lichsten Vertreter einer edlen Aufklärung (Al. v. Humboldt,
Schleiermacher u. a.) mit Schmutz beworfen hat. Demgegenüber
durfte u. a. auf den ebenso wohlwollenden wie feinsinnigen
v. Dalberg, letzten Kurfürsten von Mainz, hinzuweisen sein, der
auch als guter Katholik den großen Philosophen zu würdigen
verstand und sich z. B. in seinen „Grundsätzen der Ästhetik"
ganz auf Kantschen Boden stellte.

Mit der Annäherung an die Gegenwart wächst naturgemäß
die Schwierigkeit einer klaren Absonderung des Bedeutenden und
Wertvollen; um wieviel mehr für einen Literaturhistoriker, der
sich die besondere Aufgabe gestellt hat, dem Übergewicht des
Materiellen bei unserer an Oberflächlichkeit leidenden Generation
zu steuern. So ist die Darstellung der letzten Periode (S. 483
bis 724) besonders ausführlich, aber auch eigenartig, ja einseitig.

Nach einer mehr äußerlichen Betrachtung dieser Periode, die
kurzweg die demokratische (Zeit der jüdischen Literatur) genannt
wird, werden die verschiedenen Einflüsse philosophischer, politischer und sozialer Art dargelegt. Der Kampf der Gegensätze von
Kirche und Staat, Adel und Bürgertum, Kapital und Arbeit hat
dieser Zeit seinen Stempel aufgedrückt. Die Philosophie, die den
revolutionären Geist erzeugt hat, die politisch freisinnige Strömung,
der Kulturkampf, der Sozialismus, die Naturwissenschaften sind
schuld daran, daß der künstlerische Wert der Dichtungen hinter

den großartigen Erscheinungen der vorigen Periode zurückbleibt. Zwar sucht Verf., getreu seiner oben angedeuteten Stellung- nahme, auch den Dichtern der Neuzeit gerecht zu werden, indem er über den Mängeln das Lobenswerte (neue Stoffe und Ideen, schöne Sprache und Formvollendung) nicht unerwähnt läßt, aber von einem gründlichen Erfassen der modernen Dichtung kann doch kaum die Rede sein. Wenn er vom Kulturkampf sagt, daß ihn eine Menge von Dichterlingen benutzt habe, sich auf leichte Weise Ruhm zu verschaffen, oder wenn er mit Fr. A. Muth meint, daß in der Zeit materieller Interessen die Lyrik stirbt („der giftige Haß gibt nur Höllenpoesie, Gott ist die Liebe"), so ist dieses Urteil wegen seiner Einseitigkeit zu perhorreszieren.

Selbstverständlich darf man von gewissen Dichtern des Sozialismus „statt der christlichen Hymne des Gottvertrauens, der Geduld, der Genügsamkeit und Selbstverleugnung nur Klage- gesänge über tiefe Unterdrückung, grenzenloses Elend, sowie Dithyramben des Hasses gegen die jetzige Weltordnung, gegen Thron, Besitz, Altar und wild begeisterte Aufrufe zur Selbsthilfe" erwarten, aber man darf doch darum die Bewegung in ihrem ganzen Umfange nicht mit Schlagwörtern (materialistisch, pessi- mistisch, dekadent, international) abtun zu können glauben, ebensowenig wie man der Sturm- und Drangperiode bloß mit den Schlagwörtern „Genialität" und „Originalität" gerecht zu werden vermag. Die Weltanschauung der Jüngstdeutschen, die doch z. T. aus der reinen Quelle des Mitleids für die Armen und Elenden schöpfen und sich ernstlich bemühen, einen Ausweg aus dem sittlichen und künstlerischen Wirrsal zu finden, ist doch keineswegs immer sozialistisch. „Neues und Starkes und Frisches will werden . . . . . .". Man denke doch auch an Dichter, wie Wildenbruch, Fulda u. a., die ebenfalls versucht haben, auf dichterischem Wege die soziale Frage zu lösen. Von ersterem sagt Verf. in bezug hierauf nur „er machte der naturalistischen Tagesmode in der ‚Haubenlerche' seine Reverenz", während er Fuldas „Die Sklavin" und „Robinsons Eiland" gar nicht erwähnt. Von vielen wird wenig mehr als der Name, von Ibsen u. a. auch dieser nicht genannt. So ist die Darstellung der jüngsten deut- schen Literatur mit ihren Idealen und Problemen trotz mancher fesselnden Stellen im ganzen als etwas zu einseitig und dürftig zu bezeichnen.

Zum Schluß noch ein paar Worte über die Darstellung Luthers und der „sogenannten" (!) Reformation.

Selbstverständlich hat sich Verf. von einer polemischen Tendenz und der Anklage eines Denifle frei gehalten. Wir ver- argen es ihm auch nicht, daß er L. weder als Propheten einer neuen religiösen Anschauung noch als Entdecker eines neuen sittlichen Ideals und Begründer einer neuen Kultur anerkennt; hat doch selbst Hoensbroech dem religiösen L. gegenüber den

Kulturheros L. nicht genügend gewürdigt, obwohl dieser die Vorbedingung für jenen ist. Aber auch die Persönlichkeit L.s, seine
sprachschöpferische Tätigkeit, seine wissenschaftliche und dichterische Bedeutung erfährt eine unzureichende Bewertung. Es
finden sich darüber nur einige, an verschiedenen Stellen verstreute
Bemerkungen, und es wäre dringend zu wünschen, daß diese in
einer neuen Auflage in einem besonderen Abschnitte zu einem
etwas vollständigeren Bilde vereinigt würden.

Als störend ist schließlich noch der hier und da hervortretende Mangel an Einheitlichkeit zu bezeichnen. Dieser resultiert
einmal aus dem echt christlichen Bestreben, die Schärfe eines
Urteils hinterher bei der Einzelbesprechung etwas zu mildern
(vgl. die Abschnitte über Walther v. d. Vogelweide, Wieland,
Heine u. a.), dann aber auch daraus, daß Verf. seine Ausführungen mit zahlreichen Zitaten aus anderen Literaturgeschichten
(Vilmar, Kurz u. a.) durchflicht; bezeichnet er doch selbst mit
allzu großer Bescheidenheit sein Buch als Blumenlese. Ein besonderer Wert soll dem Buch dadurch verliehen werden, daß
Proben aus dem jeweilig behandelten Dichter beigegeben werden.
Dieses Verfahren kann gebilligt werden, wenn im großen und
ganzen für Umfang und Zahl derselben die Bedeutung des Autors
den Maßstab gibt, ohne daß dabei dem subjektiven Ermessen ein
zu weiter Spielraum gegeben wird. Wir wollen über diesen Punkt
mit dem Verf. nicht rechten; aber vielleicht ist manchen Gebildeten und Schülern, für die das Buch doch geschrieben ist,
mit Belegstellen aus Goethe, Schiller, Lessing, Klopstock usw.
nicht gedient, da diese sich in ihren Händen befinden, während
ihnen Proben von Liliencron, Ricarda Huch u. a. sehr erwünscht sind.

Überhaupt wird ja die Bemessung des jedem einzelnen Autor
einzuräumenden Raumes sehr leicht Anlaß zu Meinungsverschiedenheiten geben.

Nach dieser Richtung hin möge noch eine Ausstellung Platz
finden. Wir würden nämlich u. a. gern die umfangreiche und
überschewngliche Charakteristik des ebenso fanatischen wie genialen
Vorkämpfers der katholischen Weltanschauung, Jos. v. Görres,
missen, die einem seiner Biographen entnommen ist und für
eine deutsche Literaturgeschichte denn doch ein zu prononciert
politisches Gepräge hat. Dadurch, daß G. als eine „Säule der
deutschen Freiheit" einen Platz unter den Heldensängern
(patriotischen Romantikern) erhielt, war seiner Bedeutung für die
deutsche Literatur wohl reichlich Genüge geschehen. Warum
fanden dann nicht auch Joh. v. Müller und Fr. v. Gentz einen
bescheidenen Platz?

Völlig oberflächlich und überflüssig ist es, daß zur Kenntlich-
machung der Konfessionen die Namen der katholischen Dichter
und Schriftsteller mit einem Stern versehen sind.

Die Brauchbarkeit des Buches wird erhöht durch eine beigegebene Poetik, ein Glossar (für die alt- und mitteldeutschen Proben) und ein sorgfältiges Personen- und Sachregister.

Nehmen wir alles in allem, so ist ja nicht zu leugnen, daß sich Verf. nicht immer von konfessioneller Befangenheit frei erhalten hat, und es ist zu wünschen, daß bei einer Neubearbeitung den nach dieser Richtung hin gemachten Ausstellungen Rechnung getragen wird. Den Grundzug des Werkes aber bildet doch ein versöhnlicher, warmherziger Ton und die große Liebe zu unserer reichen poetischen Literatur, „welche nahezu Weltliteratur ist, ohne daß sie aufhört, national zu sein".

Druckfehler sind mir nicht aufgefallen außer S. 330 Z. 14 v. u. und S. 686 Z. 6 v. o.

2) Lindemanns Geschichte der deutschen Literatur. Herausgegeben und teilweise neu bearbeitet von Ettlinger. Achte Auflage. Freiburg i. Br. 1906, Herdersche Buchhandlung. XIV u. 1083 S. gr. 8. 10 ℳ.

Die vorliegende 8. Auflage des Lindemannschen Buches ist von Ettlinger besorgt (die 6. von Brüll und Seeber, die 7. von Anselm Salzer). Auch Ettlinger bleibt in pietätvoller Weise dem Grundsatze des verewigten Lindemann, die Geschichte unserer nationalen Literatur vom christlich-gläubigen Standpunkt darzustellen, getreu; aber auch er will nicht die Personen auf ihren Taufschein hin prüfen, sondern nach ihren Worten richten.

Es mag nicht immer leicht sein, unter gebührender Berücksichtigung des nationalen und ästhetischen Moments einen bestimmt vorgezeichneten Standpunkt einzunehmen und sich dabei den freien Blick für das richtige Verständnis der geschichtlichen Entwicklung zu wahren, besonders wo es sich darum handelt, das Buch in die neueste Zeit hinüberzuleiten. Aber es gibt auch ein Gefühl der Sicherheit, von einer durch innere Überzeugung gefestigten und geheiligten Weltanschauung aus die Erzeugnisse der Literatur auf ihren Wert und Unwert hin zu prüfen.

Je mehr wir davon überzeugt sind, daß es keine abschließende Wahrheit gibt, um so mehr werden wir auch aus divergierenden Ansichten lernen können, besonders wenn sie eine auf Sachkenntnis beruhende Begründung zeigen. Da in dem vorliegenden Buche die Lösung desselben Problems versucht wird, wie in dem Brugierschen, so muß, um Wiederholungen zu vermeiden, von vielen Einzelheiten, die beiden gemeinsam sind, abgesehen werden.

Einen großen Vorzug besitzt das Buch vor jenem darin, daß es aus einem Guß ist. Auch zeichnet es sich durch eine gewisse Großzügigkeit, durch eine glänzende Diktion und wissenschaftliche Tiefe und Gründlichkeit aus. Endlich enthält es bis in die neueste Zeit sehr sorgfältige Literaturnachweise, so daß man kaum eine wichtige Erscheinung vermißt. Zu Luther möchten wir Böhmer „Luther im Lichte der neueren Forschung", zu

Hrosuit vielleicht die Schriften von Dorer, Löher, Steinhoff und
Gundlach nachgetragen wissen. Daß wir wiederholt den Namen
Janssen und Denifle begegnen und auch von ihrem Geist einen
Hauch verspüren, kann uns nicht wundernehmen. So läßt sich
Verf. auch in dem, was er über Luther und die „Reformation" (!)
sagt, wenn er sich auch möglichst von Gehässigkeit fernhält, in
seinem Urteil doch in etwas einseitiger Weise von der Lehre
der katholischen Kirche leiten. Auch kann man sich aus den
Erörterungen über Luther, die sich an 14 verschiedenen Stellen
finden, kein Gesamtbild konstruieren. Zusammenhängend wird
über ihn nur an der Stelle gehandelt, welche die Überschrift
trägt „Luther und das Kirchenlied".

Sehr eingehend beschäftigt sich Verf. mit Schiller, dessen
Lebensgang er sorgfältig skizziert. Bei der Beurteilung Schillers
als Historiker ist Janssens gleichnamige Schrift zu sehr ausschlaggebend gewesen. Bemerkenswert dagegen ist, was über
den philosophisch-ästhetischen Bildungsgang Schillers gesagt wird.
Einem einseitigen Idealismus ist Verf. abhold und zieht ihm den
gesunden Realismus der Droste u. a. vor; aber im ganzen wird
er doch der Bedeutung Schillers gerecht. Der religiöse Maßstab,
an dem Schiller gemessen wird, hätte mehr zurücktreten müssen.
Er blieb ihm „ein Suchender, der die Quelle der Wahrheit
nicht fand".

Dem modernen Empfinden mit seinen Forderungen an Kunst
und Leben, seinem individuellen Drang nach Glück und seinem
Pochen auf das Recht der Persönlichkeit („sich ausleben wollen
bis in die Gründe des Daseins") steht Verf. kühl und abweisend
gegenüber. Die Pflege der Naturwissenschaften mit der daraus
gefolgerten materialistischen Weltanschauung und die sozialistischen
Bestrebungen sind ihm die Hauptursachen, aus denen sich das
Programm der „Jüngstdeutschen" erklären läßt. Diese Erklärung
ist etwas einseitig; es mußte auch noch anderen Ursachen nachgegangen werden. Auch mit dem Schlagwort „Pessimismus"
kommt man nicht weit. Und ist unsere jüngstdeutsche Literatur
wirklich jedem Idealismus abhold? Diese Frage muß man gründlich prüfen, auch wenn man der ganzen Rishtung keinen Geschmack abgewinnen kann. Manche Erscheinung, z. B. Jul. Harts
„Der neue Gott", ist gar nicht beachtet. Am verhängnisvollsten
ist nach Ansicht des Verfassers der Einfluß des Dichterphilosophen
Nietzsche. Seine gesellschaftsfeindliche Phrase vom Übermenschen-
tum wurde bereitwillig nachgeredet, weil sie der bestgehaßten
„Sklavenmoral" des Christentums zuwiderlief. „Man glaubt zu
denken, und man deliriert". Aber woher kommt es, daß
die Jugend dafür so empfänglich ist? Ist daran allein die
Neurasthenie der Zeit schuld hoc corruptissimo saeculo? Doch
genug der Einzelheiten, die aus dem reichen Inhalt beliebig
herausgegriffen sind. Als Merkwürdigkeit mag nur noch erwähnt

werden, daß Platen, über welchen doch, besonders in seinem Verhältnis zu Goethe, die neueste Zeit eine reiche Literatur gebracht hat, nur ganz nebenher bei Besprechung der Poesie des 13. Jahrhunderts erwähnt wird. Wir wollen daraus kein argumentum ex silentio konstruieren, sondern hoffen, daß bei einer Neubearbeitung das Versäumte nachgeholt wird.

Wir fassen unser Urteil dahin zusammen, daß das Lindemannsche Buch vielseitigen Anforderungen gerecht wird und, richtig benutzt, sehr anregend wirken kann. Auch als Nachschlagewerk ist es vermöge seines sehr sorgfältigen Registers wohl geeignet. Man kann aus ihm viel lernen, besonders da, wo weniger das katholische als das allgemein christliche Empfinden den Maßstab bildet.

Ein unbedeutender Druckfehler findet sich S. 1040, 2. Z. v. u.

Blankenburg a. H.   R. Wagenführ.

L. Sütterlin, Die deutsche Sprache der Gegenwart, ein Handbuch für Lehrer, Studierende und Lehrerbildungsanstalten. Zweite, stark veränderte Auflage. Leipzig 1907, R. Voigtländers Verlag. 451 S. 7 ℳ, geb. 8 ℳ.

Die Sütterlinsche Schrift über die deutsche Sprache der Gegenwart ist in der vorliegenden zweiten Auflage wesentlich verändert. Die Vermehrung der Seitenzahl von 381 auf 451 erklärt sich besonders aus der Vervollständigung der Lautgeschichte und dem weiteren Ausbau der Wortbildung. Ohne wesentlichen Stoffzuwachs ist die Syntax umgearbeitet worden, in der Weise, daß die Wortgruppe jetzt aus dem Satzgebilde abgeleitet wird; eine bedeutende Änderung zeigt auch die geschichtliche Entwickelung der einzelnen Erscheinungen, die jetzt geteilt und an den verschiedenen Stellen eingereiht ist, wo die betreffenden Gegenstände erörtert werden.

Der Verfasser ist bestrebt gewesen, das Buch mit den neuesten Forschungen in Einklang zu bringen, und hat zu diesem Zwecke nicht nur wichtige neuere Werke des Inlandes wie W. Wundts Völkerpsychologie gewissenhaft zu Rate gezogen, sondern auch ausländische Schriften, wie H. G. Wiwels Synspunkter for Dansk Sproglaere, Kopenhagen 1901, G. Sweets New English Grammar Logical and Historical, Oxford 1900, J. M. Hogvliets Lingua, Amsterdam 1903 u. a. verwertet. Zu loben ist ferner der einheitliche Aufbau, der namentlich bei der Darstellung der Satzlehre in die Erscheinung tritt, die gründliche psychologische Fundierung der ganzen Syntax, die sorgfältige Berücksichtigung der Phonetik sowie die Erläuterung aller Regeln durch hinreichende, meist den klassischen Schriftstellern entnommene Beispiele und durch Hinweise auf die entsprechenden Vorgänge in naderen modernen Sprachen, z. B. S. 342, 375 u. ö.

Zu tadeln ist in formeller Hinsicht der Schematismus, in sachlicher die Ungleichmäßigkeit und vielfach auch Ungenauigkeit der Behandlung. Schon ein Blick auf die Inhaltsübersicht lehrt, daß hier in schematischer Arbeit das Möglichste geleistet worden ist. So wird ein Abschnitt des dritten Hauptteils in folgender Weise gegliedert: α.) A B a b 1 2 I a aa bb b. aa bb c aa bb II A a b c B 1 α A I II. a 1 α aa bb cc dd usw.; erst nach im ganzen 103 Gliedern, die dem ersten α in verschiedener Abstufung untergeordnet sind, folgt dann β mit einer weiteren Masse von Unterabteilungen. Durch diese Rubrizierung werden aber zahlreiche *Wiederholungen* veranlaßt. Daher finden wir eine große Zahl von Spracherscheinungen doppelt, ja dreifach und öfter behandelt und infolge davon auf jeder Seite so und so viele Verweisungen auf Stellen, wo dieselbe Regel zu finden ist, allerdings manchmal in etwas anderer Beleuchtung, häufig aber auch nicht. So werden, um nur einige Beispiele herauszugreifen, die erstarrten Genitivformen *dero* und *ihro* S. 62, S. 193 und S. 196 behandelt, so die Mehrzahlbildung mit -s bei *Kerls, Mädels* u. a. S. 20 u. 207, die Endung -el S. 56, 64, 133, 142 usw. Dabei stimmen die Angaben, die an den verschiedenen Stellen gemacht werden, nicht immer überein; so finden wir z. B. über die Endung -*erei* an fünf verschiedenen Stellen folgende Angaben: S. 20 heißt es: „Die Endung -*erei* in *Raserei, Bücherei* ist im Mittelalter aus Frankreich herübergekommen". Dem entspricht, was S. 114 f. darüber gesagt wird, daß *chevalerie, boulangerie* und die nach ihrem Vorbilde geformten neueren Wörter *avoinerie, cochonnerie* zu Formen wie *Bücherei, Schweinerei* die Veranlassung gegeben hätten. S. 121 wird behauptet: „-*erei* in *Lauferei* und *Schreiberei* ist dadurch entstanden, daß -ei an Personenbezeichnungen auf -er antrat wie *Schreier, Springer*", u. ähnlich steht S. 137: „die ursprünglich von Personennamen auf -er wie *Rufer*, dann aber unmittelbar vom Zeitwort abgeleiteten Formen auf -erei wie *Ruferei, Singerei, Schreiberei*" usw. S. 138 heißt es in einer Anmerkung zu *Kinderei, Abgötterei, Büberei, Ausländerei, Sämerei, Bücherei:* „Selbstverständlich ist dieses -*erei* zunächst nur in den Ableitungen berechtigt, die wie *Abgötterei, Kinderei* von Mehrzahlformen auf -er ausgegangen sind"[1]). Demnach ist das Suffix -erei in *Bücherei* nach S. 20 ganz aus Frankreich übernommen, nach S. 138 nach dem Muster von Formen geschaffen, die ein -er in der Mehrzahl aufweisen wie *Kinder-ei* u. s. f. Wie viel klarer und übersichtlicher würde die ganze Sache geworden sein, wenn der Stoff zusammenhängend dargestellt und nicht so zerhackt worden wäre! Große Ungenauigkeit zeigt sich auch in dem von einem

---

[1]) S. 141, wo wieder Bildungen auf -*erei* erwähnt werden, handelt es sich bloß um die Bedeutung.

Schüler des Verf. zusammengestellten *Index*. Um bei den bisher genannten Beispielen zu bleiben, erwähne ich hier nur folgendes: Unter *dero* fehlt S. 62 und 196, unter *ihro* S. 62, unter *Kerls* ist fälschlich S. 51 mit angegeben, wo nur *Kerl*:*Karl* behandelt wird, aber nicht *Kerls*, bei *Mädchen* ist S. 207 zu streichen, wo die Formen *Mädchens* und *Mädcher* vorkommen, bei *Wüstenei* fehlt S. 121, im Sachindex unter der Endung *-erei* fehlen S. 115 und 137; bei *-el* steht S. 56, unter der Rubrik Endung vermißt man diese Seite, dagegen finden sich dort S. 64, 133, 142 u. a.[1]).

Die *Umgangssprache*, die nach S. IX des Vorworts in gleicher Weise wie die Mundarten und die Dichtersprache herangezogen werden soll, wird nach Ausweis des Index an vier Stellen berücksichtigt, aber was eigentlich Umgangssprache ist und worin sie sich von der Schriftsprache und von der Mundart unterscheidet, wird gar nicht erwähnt, nicht einmal in einer Anmerkung, während ihr in einer Schrift über die deutsche Sprache der Gegenwart doch ein besonderes Kapitel hätte gewidmet werden sollen.

Ungenau sind ferner *einzelne Angaben*; wenn man z. B. S. 152 liest: „berlinisch *eine zue Droschke*‘, so kann man auf den Gedanken kommen, daß dies nur in Berlin gesagt werde, ebenso erweckt die Angabe S. 205 oberdeutsch *Epfel* (Pluralform in Singularbedeutung) und S. 81 oberd. *treit* für trägt u. a. den Glauben, daß es sich hier um Spracherscheinungen handle, die ausschließlich oberdeutsch seien, während alle drei auch anderswo anzutreffen sind, z. B. im Altenburgischen. Bei *Dummerjan*, *Läderjan* S. 121 hätte auch auf den Einfluß der lateinischen Endung *-ianus* hingewiesen werden können; denn daß diese mitbestimmend gewesen ist, zeigen die weit verbreitete Aussprache *Lädrian, Dummrian* und Bildungen wie *Schlendrian*, die aus Humanistenkreisen ohne Einwirkung von Jàn (Johann) geschaffen worden sind (vgl. Kluge unter *Grobian* und *Schlendrian* und W. Wilmanns, Deutsche Gramm. II S. 393). S. 85 wird der Wegfall des n und des r am Wortschluß behandelt in Formen wie e = ein, *gebe* (Infin.) = geben, *da* = dar, *meh* = mehr usw. und im Anschluß daran erörtert, daß sich n auch zwischen aus- und anlautendem Vokal eindrängt wie in *woni* = wo ich, *zuenich* = zu euch; von der gleichen Verwendungsweise des r ist keine Rede (vgl. oberfränkisch *berim* = bei ihm, *zerenks*, zu euch, niederösterreichisch *kari*, kann ich; vgl. meine Ästhetik der deutschen Sprache 2. Aufl. S. 24 und Paul, Prinzipien der Sprachgesch. S. 97). S. 114 vermisse ich unter den griechisch-lateinischen Endungen, die sich an deutsche oder deutsch gewordene Wortstämme angesetzt haben, *-ist* (Hornist, Flötist, Blumist), *-ismus* (Berlinismus, Baunscheidtismus), *-ur* (Glasur von glasieren nach

---

[1]) z. B. fehlen unter Kanzleisprache S. 193 und 196.

dem Vorbilde von Tonsur, Rasur u. a.), -*tum* (Sammelsurium),
unter den französischen -*ade*, -*iade* (Robinsonade, Hanswurstiade,
Jeremiade), -*ette* (Stiefelette)[1]). S. 82 heißt es: „Unklar ist das
Verhältnis zwischen g und j, das sich in schriftsprachlichen
Doppelformen zeigt, wie *gäh* : *jäh*, *Gauner* : *Jauner*, *gäten* : *jäten*,
Gischt : mundartlich *Jascht* (!)[2]), *Geck* : *Jeck*. Doch liegt auch hier
wohl ein mundartlicher Lautwandel zugrunde, der g vor pala-
talen Vokalen in j übergehen ließ". Hier waren die Beispiele
sorgfältig zu scheiden. Bei *Gauner* liegt erwiesenermaßen ursprünglich gar kein g, sondern j vor, denn es kommt von
hebräisch *jānā*, betrügen (rotwelsch *jonen*, *junen*), bei *Gischt* ist
vermutlich dasselbe der Fall; denn die Wurzel entspricht altind.
yas, sieden, kochen, ahd. *jesan*, mhd. *jesen*, das der Verf. selbst
S. 56 angibt (Gischt : gären, mhd. jesen), bei *gäten* ist die Sache
vielleicht ähnlich (vgl. ahd. *jetto*, Unkraut). Hier haben wir demnach Übergang von j in g anzunehmen, wie er in verschiedenen
Mundarten namentlich Mitteldeutschlands bezeugt ist, am stärksten
im Vogtlande; bei *gäh*, *Geck*, *gähnen*[3]) dürfte der umgekehrte Fall
vorliegen, also Übergang von g in j, wie verschiedentlich in md.
und ndd. Mundarten. Auch sonst wird man mehrfach anderer
Meinung sein können; z. B. wird S. 323 behauptet, daß „die Umgangssprache bildliche Redeweisen weniger liebe". Gerade das
Gegenteil ist der Fall. O. Schröder, Vom papiernen Stil, 6. Aufl.
S. 30 sagt: „Er (der Papierne) ahnt nicht, daß der Stallknecht und
die Viehmagd in einem Jahre mehr Tropen und Redefiguren anwenden, als er in sämtlichen Literaturen der Welt auffinden wird".
So stark dies aufgetragen erscheint, so ist doch viel Wahres
daran. Was aber hier von der Mundart behauptet wird, gilt
großenteils auch von der Umgangssprache; sie ist entschieden
weit reicher an Tropen als die Schriftsprache.

Eisenberg S.-A.   O. Weise.

Adolf Matthias, Geschichte des deutschen Unterrichts.
München 1907, Oskar Beck. 446 S. gr. 8. 9 ℳ.

Das vorliegende Buch ist der erste Band des großen Werkes
„Handbuch des deutschen Unterrichts an höheren Schulen,
herausgegeben von Adolf Matthias". Gleich als ich anfing darin
zu blättern, stieß ich nach der Bemerkung, daß die hervorragenden Pfleger des deutschen Unterrichts vielfach gegen den
Strom schwimmen mußten, auf den Satz: „Denn mit dem Strome
bewegten sich in vergangenen Zeiten und auch heute noch nicht
selten die, die wegen des Umgangs mit den alten Sprachen den

---

[1]) Vgl. meine Schrift über „unsere Muttersprache" 6. Aufl. S. 170.
[2]) Hier ist doch von „schriftsprachlichen" Doppelformen die Rede.
[3]) Gähnen, ahd. ginên entspricht dem lat. hiare, griech. χειά, Loch, hat
also ursprünglich g. Auch ndd. jappen gehört hierher, wenn es zu mhd.
gaffen und ndl. gapen, gähnen gezogen wird.

Namen Humanisten für sich allein in Anspruch nahmen und
durch eine Gefolgschaft von lauten Mitläufern sich stärkten, von
denen viele deshalb so laut schrieen, weil sie die Reueempfindung
gewaltsam übertönen mußten, die ihnen der Gedanke doch
bringen mußte, daß sie eigentlich nur auf den Eselsbrücken
klassischer Bildung in ihrer Schulzeit sich bewegt hatten" (S. 3).
Dieser auch in der Form unschöne Satz wird noch übertrumpft
durch den folgenden auf S. 254. Nachdem die Worte des
Kaisers bei Eröffnung der Schulkonferenz am 4. Dezember 1890
angeführt worden sind, „weil sie grell die unwahre Arbeit an
unseren Gymnasien beleuchten, die nicht so ruhmreich ist, wie
es die strenggläubigen Freunde des Gymnasiums in Presse,
Parlament und Vereinen preisen", heißt es wörtlich weiter:
„Sind diese Freunde des humanistischen Gymnasiums unter sich,
so werden ähnliche Erinnerungen wie die kaiserlichen in ihnen
auftauchen und, wenn sie ehrlich die Schulzustände beurteilen
und die Wahrheit bekennen, dann mirabile videtur, quod non
rideat haruspex, cum haruspicem viderit. Denn nirgendwo wird
so viel auf Eselsbrücken gewandelt, als auf den Pfaden, die zu
sogenannter humanistischer Bildung führen". So grob fährt der
Verfasser die Humanisten zwar nicht immer an, aber „Dummheit
und Bequemlichkeit", „Scheinwissenschaft", „Schädigung vaterländischer Werte" (S. 207), ferner „Verdunkelung der Sonne
Homers durch Phrasenwolken von dem Werte humanistischer
und gymnasialer Bildung" (S. 249), sind doch recht kräftige Ausdrücke, und allerhand spöttische Bemerkungen über das alte
Gymnasium ziehen sich durch das ganze Buch. Matthias hegt
eben eine tiefe Abneigung gegen das humanistische Gymnasium.
Das wird er nach diesen Proben weder leugnen können noch
wollen.

Doch halt, er leugnet. Inzwischen ist nämlich das Januar-
heft 1908 der Monatschrift für höhere Schulen erschienen, und
gleich in der ersten Abhandlung „Mißverständnisse" versichert
der Herausgeber, die lebhaften und hart klingenden Worte über
das Gymnasium seien seinem großen Interesse für diese altehr-
würdige Anstalt, seiner herzlichen und warmen Wertschätzung
der humanistischen Studien entsprungen. Zur nähern Begründung beruft er sich auf seinen Aufsatz in der Internationalen
Wochenschrift I No. 20, 17. August 1907. Manches darin klingt
ja ganz freundlich, und ich will gern anerkennen, daß der Verf.
sich bemüht hat, dem Gymnasium wieder mehr gerecht zu
werden. „Aber es will nicht gelingen", sagt Paul Cauer in dem
Aufsatz „Thyrsosträger und Bakchen" (Hum. Gymnasium 1908 I),
und ich kann mich seiner siegreichen Polemik nur anschließen.
Wie es sich auch mit Matthias' Liebe zum Gymnasium und zur
humanistischen Bildung verhalten möge, jedenfalls hat er durch
die von mir angeführten Stellen sein Buch über die Geschichte

des deutschen Unterrichts nicht verziert. Die Darstellung erhält dadurch etwas Polemisches und Tendenziöses, das den Inhalt beeinträchtigt und dem Leser die Freude stört.

Die Einleitung (S. 1—7) handelt von der Entstehung des Buches, seiner Lückenhaftigkeit und seinem Werte. Eine Geschichte des deutschen Unterrichts ist an sich wertvoll, wird aber dadurch noch wertvoller, daß sich aus der historischen Betrachtung reicher Nutzen für das Verständnis der Fragen der Gegenwart ziehen läßt. „Es ist erstaunlich, wie gerade auf dem Gebiete des deutschen Unterrichts unwissende junge und alte Köpfe Fragen aufwerfen, die von Wissenden schon vor Jahren und Jahrzehnten beantwortet worden sind; erstaunlich, wie das längst Gefundene wieder verscharrt ist! Wollte man sich nur immer die Mühe geben, dieses verscharrte Gold wieder aufzusuchen und alles zu sammeln, was das Siegel unvergänglichen Wertes an sich trägt! Dann würde man einen sicheren Ausgangspunkt und zugleich einen bestimmten Weg zu allgemein anerkannten Prinzipien haben." Sehr richtig. Das Beste über den deutschen Unterricht ist bereits geschrieben, und zwar von Männern, die nicht auf den so geschmackvoll bezeichneten Pfaden ins klassische Altertum gelangt sind. — Die Anordnung des Stoffes ist chronologisch: Mittelalter (8—16), das sechzehnte (17—44), siebenzehnte (45 bis 93), achtzehnte (93—200), neunzehnte (201—437) Jahrhundert, ein jedes geschlossen mit einem Rückblick, das letzte auch mit einem Ausblick auf die Streitfragen der Gegenwart. Jedes Hauptstück gliedert sich nach sachlichen Gesichtspunkten: eine Anzahl von Ab- und Ausschnitten handeln vom Deutschen als Unterrichtssprache und Unterrichtsgegenstand, von Lehrmitteln (Grammatiken, Rhetoriken, Orthographiebüchern) und Lehrordnungen, wo es angeht auch von der Methode und dem Betrieb. Jedem Abschnitt folgen Anmerkungen, die einzelnes zum Texte weiter ausführen, in der Hauptsache aber die Quellen und die Literatur angeben. Vollständigkeit war nicht beabsichtigt, aber ein Blick auf die reichhaltige Literatur zeigt, daß das Feld des deutschen Unterrichts keineswegs nur kümmerlich bearbeitet, sondern nach allen Richtungen je länger, desto fleißiger und intensiver beackert worden ist. Auch in der Stille und im Verborgenen ist viele treue Arbeit geleistet. Matthias tut unsern Kollegen unrecht, wenn er ihnen andichtet, sie hätten das „Pauken" der griechischen und lateinischen Formenlehre lieber als den Unterricht in der Muttersprache.

Wer eine Geschichte des deutschen Unterrichts schreibt, wird sich freuen über jede Spur des Deutschen, die er in den Lateinschulen entdeckt, und die Männer auszeichnen, die neben dem Latein die Muttersprache pflegen; aber seine Vorliebe darf ihn nicht blind machen und das nec ridere nec lugere aut detestari, sed intellegere darf er nicht aus den Augen setzen.

Was soll es heißen, wenn von den Verfassern der deutschen Formelbücher oder Rhetoriken im 15. und 16. Jahrhundert gesagt wird, „daß diese Wilden, die der vielfach übertünchten Gelehrsamkeit der höheren Schulen fernbleiben mußten, doch im Grunde gebildetere Menschen waren, als jene hochfahrenden Verächter deutscher Sprache und Bildung. Denn manches in diesen Rhetoriken ist doch so, daß es hohes Lob verdient und daß noch heute mancher Lehrer des Deutschen bei seinen Vorfahren in die Schule gehen könnte". Freuen wir uns doch, daß auch außerhalb der Schule das Deutsche so schön gedeiht! Wer von Berufs wegen vornehmlich Latein treibt, braucht darum noch nicht „deutschfeindlich" zu sein, wie umgekehrt der Liebhaber des Deutschen nicht lateinfeindlich sein sollte. Es gibt ein falsches Bild, wenn die Deutschfreundlichen unter den Schulmännern eine gute, die andern eine schlechte Note erhalten. Die ehrwürdigen, in ihrer Art großen Rektoren der Reformationszeit, waren für ihre Person weder „verrömert" noch „entdeutscht"; sie als Männer mit einem mehr oder minder schweren und auffälligen „alten Zopf" hinstellen, heißt sie karikieren. Luther, der für die deutsche Sprache und Schule mehr getan hat als alle Schulmeister der Welt, wußte wohl, warum er so hart hielt über den Sprachen. Matthias weiß es auch (S. 20 f.). Dennoch wird er dem Humanismus und der Renaissance so wenig gerecht wie dem Mittelalter. Ich lasse mich aber auf keine Diskussion mit ihm ein. Denn er hält mich vermutlich für einen „strenggläubigen" oder mit neuem Terminus „Orthohumanisten", mit dem nicht zu streiten ist. Dagegen erlaube ich mir, lediglich zu meiner Rechtfertigung, mich auf einen Germanisten von dem Range Gustav Roethes zu berufen. Ich meine das köstliche Büchlein: „Humanistische und nationale Bildung, eine historische Betrachtung". Vortrag, gehalten in der Vereinigung der Freunde des humanistischen Gymnasiums in Berlin und der Provinz Brandenburg am 6. Dezember 1905 von Gustav Roethe. (Berlin 1906, Weidmannsche Buchhandlung. 35 S. 8.) Absichtlich greife ich einige markante Stellen aus dem Zusammenhang heraus, um zum Studium der inhaltreichen kleinen Schrift anzureizen.

„Es hat für unsere Nation und für ihr einzelnes Glied nie eine bessere Schule der Selbsterkenntnis und des fruchtbaren Selbstbewußtseins gegeben als den Humanismus. Für uns Deutsche besteht kein Gegensatz zwischen humanistischer und nationaler Bildung: im Gegenteil (S. 7). Man redet so viel von deutscher Art. Gut! Nur soll man nicht vergessen: von einer reinen deutschen Art vor antiken Einflüssen wissen wir auf dem Kontinent so gut wie gar nichts (S. 13). Wer heute seine Muttersprache liebt, wird die lateinische Zucht, die ihr beschieden war, still und laut preisen, nur vielleicht bedauern, daß die süße Rede von Hellas nicht früher ihre befreiende Wirkung geübt hat.

Die wissenschaftliche Arbeit zeigt, wo sie hinleuchtet, mehr und mehr, was uns Deutschen bis in die tiefsten Winkel unsers Lebens hinein der Einfluß der Antike gewesen ist. Man mag das beklagen, aber man darf es nicht leugnen. Wer deutsche Art und Eigenart verstehen will, er muß selbst durch die lateinische Schule, die die Nation in langen Jahren durchgemacht hat (S. 15). Frankreich hat uns oft gelähmt, wo uns Hellas und selbst Rom befreiten. . . Nibelungen, Walther, Wolfram: unsre teutonischen Freunde glauben wohl gar, durch diese deutschen Dichter die Alten ersetzen zu können. Ich fürchte, sie wissen nicht ganz was sie wollen (S. 16). Der geistige und auch der sittliche Reichtum des Humanismus ist erstaunlich. Allerdings treten vielfach formale Leistungen und Bestrebungen in den Vordergrund. Aber was war diesem Deutschland nötiger als Form in dem hohen und weiten Sinne der Renaissance? . . Der nationale Staat dankt seine innere Begründung nicht zum wenigsten den Philologen der Renaissance (S. 20. 21). Rom und Hellas bergen die Schlüssel zur nationalen Selbsterkenntnis. . . Rom hat uns in harter, aber unendlich segensreicher Schule zu Deutschen gebildet. Und Hellas zumal hat uns in wunderbarer Kongenialität gesteigert über uns selbst hinaus und doch auf unsrer Bahn (S. 29)".

Roethes Vortrag ist der beste Kommentar zu Matthias' Meinungen über den deutschfeindlichen und antinationalen Einfluß der Erziehung durch Griechen und Römer. Ich könnte mich auch auf Oskar Jäger berufen, der in der Versammlung des Gymnasialvereins zu Hamburg 1905 nicht mit „zierlichen Worten", sondern mit guten Gründen den Vorwurf, unserm Gymnasium mangle es an nationaler Gesinnung, zurückgewiesen hat. Aber selbst der Freund wird den Freund nicht überzeugen.

Ein zweiter Grundirrtum, der das ganze Buch durchzieht, besteht in der Überschätzung des Schulunterrichts, im besondern des deutschen. Nationaler Sinn und Patriotismus wachsen doch nicht bloß auf dem Boden der Schule, Fertigkeit im Gebrauch der Muttersprache und Kenntnis der deutschen Literatur werden doch nicht bloß auf der Schulbank erworben. Wir Humanisten bilden uns nicht ein, das Schicksal der Nation in der Hand zu haben. Gerade der Unterricht in deutscher Literatur und Sprache kann, wenn er schlecht erteilt wird, mehr schaden als nützen (Wendt bei M. S. 419). Tüchtige Lehrer für dieses Fach zu bilden,. halte ich für die vornehmste Aufgabe des Pädagogischen Seminars. Indessen fehlt es nicht an Wegweisern und Hilfsmitteln, wie die vielen, von Matthias an- und ausgezogenen Bücher zeigen, zu denen ich außer allgemeineren Werken wie Nägelsbachs Gymnasialpädagogik und Schraders Erziehungs- und Unterrichtslehre noch hinzufüge Paul Cauer, Von deutscher Spracherziehung (Berlin 1906). Die Gnesiohumanisten, um nach berühmten Mustern auch einen neuen Ausdruck zu prägen, sind nicht die schlechtesten Führer auf dem dornigen Pfade des deutschen Unterrichts. Was dieser verständigerweise leisten kann, sagen die preußischen Lehrpläne von 1901. Erreichen wir das dort gesteckte Ziel, so können wir zufrieden sein. Einen Herzenswunsch aber habe ich noch, und es ist mir ein Hochgenuß, hier Matthias für mich reden zu lassen. „Die Philosophie wird in den deutschhumanistischen Schulen, gymnasialen oder realen Charakters, wieder mehr Raum finden müssen. Was Österreich und Württemberg und andere Länder können, das werden Preußen und andere Staaten sich nicht nehmen lassen dürfen, um so weniger, als das Fachstudium auf unseren Universitäten heute so in den Vordergrund tritt, daß die meisten studierten Männer ihr Leben lang ohne philosophische Bildung bleiben; für diejenigen aber, die von unseren höheren Schulen unmittelbar ins Leben übertreten, ist es auch wahrhaftig kein Schaden, wenn sie „philosophieren" gelernt haben. Das hat schon Bernhardi gefordert, wenn er sagt, die Philosophie könne der Jüngling entbehren, aber kein gebildeter Mensch des Philosophierens. Die Schule hat auch aus einem anderen Grunde in dieser Richtung ernste Sorge aufzuwenden. Das Vertrauen, das die Philosophie mit dem Zusammenbruch der spekulativen Systeme verloren hat, ist wieder im Wachsen, besonders auf seiten der wissenschaftlichen Forschung. Denn jenseit der Grenzen der Einzelforschung liegen Fragen, die gelöst werden können und müssen; überall beginnt man von den Spezialwissenschaften aus zu philosophieren, von der Mathematik und Physik auf Erkenntnistheorie, von den beschreibenden Naturwissenschaften auf Biologie, von der Physiologie auf Psychologie, von der Rechts- und Staatswissenschaft auf Ethik. Da geht es doch nicht anders, als daß die höheren Schulen auf eine Propädeutik in irgend einer Form ihre Gedanken und ihre Sorgfalt wenden. Dem deutschen Unterricht ist diese Propädeutik nahe verwandt und ist ihr ein wichtiges Grenzgebiet. Eifrige Ausschau in dieses anzustellen, wird er sich nicht nehmen lassen dürfen" (S. 431). Eine halbe Seite kann ich noch weiter folgen, dann aber hört meine Zustimmung auf. Denn für eine Verminderung der lateinischen Stunden zugunsten der deutschen bin ich nicht zu haben.

Mit der Überschätzung des deutschen Unterrichts hängt zusammen die ungeheuerliche Forderung: „Das Deutsche hat im Mittelpunkt alles Wissens und Könnens zu stehen" (S. 332). Diese Phrase wird dadurch noch nicht zur Wahrheit, daß man sie oft und laut in die Welt hinausposaunt. Auch die „schönen Worte des Rektors von Pforta" können ihr nicht aufhelfen (S. 255). Schrader hat ganz recht: der deutsche Unterricht ist nicht der Schwerpunkt des Gymnasiums und der deutsche Aufsatz nicht der Ausdruck der Gesamtbildung des Schülers (dies letzte billigt auch Matthias S. 236 u. ö. mit der Prüfungsordnung von 1901); und Muff hat ganz unrecht mit der Behauptung, die allgemeine Überzeugung gehe jetzt dahin, daß das Deutsche die Erbschaft der alten Sprachen angetreten und die Aufgabe übernommen habe, im Mittelpunkt des gesamten Unterrichts zu stehen. Nicht die „Erbschaft" der alten Sprachen hat das Deutsche angetreten, aber reichen Gewinn hat es je und je aus den alten Sprachen gezogen. Inwiefern die aufgestellte Forderung einen Sinn hat und inwiefern nicht, das haben sachkundige und zugleich besonnene Schulmänner oft genug dargetan, so daß ich meine Worte sparen kann. Ich hoffe aber, daß die überschwengliche Redensart bald erstarrt und damit ihre Anziehungskraft verliert.

Matthias schmückt sein Buch mit dem Motto:

Was du ererbt von deinen Vätern hast,
Erwirb es, um es zu besitzen.

Unsere geistigen Väter, Nährväter im vollsten Sinne des Worts, sind die Griechen und Römer. Sie haben uns ein kostbares Erbe hinterlassen. Neben den Philologen sind wir Gymnasiallehrer berufen, dieses Erbgut zu erwerben, zu verwalten und gegen Angriffe zu verteidigen.

Blankenburg am Harz. H. F. Müller.

F. Lindner, Hilfsbuch für den deutschen Unterricht. Abriß der Poetik und Übersicht über die Literaturgeschichte. Berlin 1906, Ernst Siegfried Mittler und Sohn. IV u. 108 S. 8. geb. 2,60 *M.*

„Das vorliegende Hilfsbuch für den deutschen Unterricht ist in erster Linie zur Wiederholung dessen, was die Schüler im Laufe der Zeit in Poetik und Literaturgeschichte erlernt haben, für die Obersekundaner des Kadettenkorps bestimmt, die sich der Fähnrichsprüfung unterziehen". Dies ist nach dem Vorwort der Zweck, welchem das Werkchen dienen soll. Bei der Begutachtung desselben müssen wir uns auf diesen vom Verf. gekennzeichneten Standpunkt stellen. Da müssen wir denn sagen, daß es in hohem Grade dem genannten Zwecke dient. Dahin gehört, daß die von dem Verf. getroffene Auswahl nur das Allerwichtigste bietet, was sowohl in der Poetik wie auch in der Literaturgeschichte der Fall ist. Nachdem er in der ersteren von der Eigenart des deutschen Rhythmus und den Grundgesetzen des deutschen Versbaus im Gegensatz zu denen der Alten ausgegangen ist, stellt er die wichtigsten Regeln über die Natur der epischen und lyrischen Dichtungen dar; er wirft aber auch, was nach der Entwickelung der deutschen Poesie unumgänglich notwendig ist, auf die antiken Versmaße einen Blick. Alles ist kurz gehalten, aber klar und leicht übersichtlich, ebenso die Darstellung der Gattungen der Dichtkunst, die darauf folgt. Alle wichtigsten

Arten und Formen der Poesie werden in den Hauptpunkten erläutert, in Fußnoten wird auf die wichtigsten Vertreter derselben
hingewiesen. Demnach eignet sich dieser erste Teil des Lehrbuches sehr zu Wiederholungen, er ist aber auch zum Lernen
als Leitfaden recht brauchbar.

Schwieriger noch als in der Poetik war die Auswahl auf
dem großen, weiten Gebiete der Literaturgeschichte. Hier die
führenden Geister und wichtigsten Werke herauszunehmen, dazu
gehörte nicht allein eine gründliche Sachkenntnis, sondern auch
viel pädagogische Erfahrung und pädagogischer Takt. Ein Blick
in den zweiten, naturgemäß erheblich umfangreicheren Teil
unseres Hilfsbuches zeigt, daß Verf. auch hier sehr geschickt zu
Werke gegangen ist. Ausgehen mußte er naturgemäß von der
Entwickelung der deutschen Sprache und ihrer Eingliederung in
die größere Sprachengruppe. Daß in der ersten Hälfte der Darstellung auf die erste Blütezeit das Hauptgewicht gelegt wird,
ist natürlich; aber auch hier wie überall werden nur die wichtigsten Erscheinungen beleuchtet. Aus der Zeit bis zur zweiten
Blüteperiode ist nur weniges erwähnt und behandelt, denn die
Hauptsache ist und bleibt doch diese selbst. Da werden denn
die großen Dichter nach ihrem Lebensgange und in ihrem
Wirken geschildert. Von den bedeutendsten Dichtungen wird
eine kurze Inhaltsangabe mitgeteilt. Wenn wir uns auch sonst
für dergleichen Inhaltsangaben nicht recht erwärmen können,
weil sie eine gründlichere Lektüre beeinträchtigen können, so
müssen wir doch die hier gegebenen als wohl geeignet erklären,
den Inhalt der gelesenen Stücke aufzufrischen. Auch die neuere
und neueste Dichtung ist in ihren Haupterscheinungen berücksichtigt. — Wenn die vom Verf. gebotene Auswahl aus dem umfangreichen Stoffe zu billigen ist, so kommt dazu, daß in der
Darstellung Einfachheit und Klarheit herrschen. Allen Ballast
und alles Überflüssige hat Verf. vermieden; so sind, um nur
eines besonders hervorzuheben, die Jahreszahlen mit Recht auf
ein Mindestmaß beschränkt. Anmerkungen verweisen öfter auf das
von demselben Verf. herausgegebene vaterländische Gedichtbuch.

Wenn auch in erster Linie für das Kadettenkorps bestimmt,
an dem der Herausgeber selbst tätig ist, kann das praktische
Büchlein auch an anderen höheren Lehranstalten sehr wohl verwendet werden, man kann es den Schülern der oberen Klassen
auch zum Privatstudium recht empfehlen.

Köslin.   R. Jonas.

Johannis Vahleni Opuscula Academica. Pars prior: Prooemia in-
  dicibus lectionum praemissa I—XXXIII, ab a. MDCCCLXXV ad
  MDCCCLXXXI. Lipsiae MDCCCCVII, in aedibus B. G. Teubneri.
  IX u. 511 S. 8. geh. 12 ℳ.

An der Berliner Universität hatte sich bis vor kurzem der

Brauch erhalten, dem lateinischen Vorlesungsverzeichnis im Namen
des Rektors und Senates ein Prooemium vorauszuschicken, in
dem wissenschaftliche Fragen in einer solchen Weise erörtert
wurden, daß auch die Studenten aus dieser Lektüre eine Art von
methodischer Anleitung für ihre eignen Forschungen gewinnen
konnten. Boeckh, Lachmann, Haupt und Vahlen (seit Ostern 1875)
haben dieser Arbeit Kraft und Mühe gewidmet, und doch muß
man sagen, daß eine unglücklichere Art der Veröffentlichung als
diese kaum gedacht werden kann. Der Name des Verfassers und
ein Titel, der irgendwie über den Inhalt der Arbeiten Aufschluß
gegeben hätte, fehlte vollständig; im gewöhnlichen Buchhandel
waren diese Hefte nicht zu haben, und von den Antiquaren war
nicht zu erwarten, daß sie sie in ihren Katalogen immer richtig
und auffindbar aufführten, selbst in den Bibliotheken wußte man
oft diese weder dem Verfasser noch dem Inhalt nach bezeichneten
Schriften nicht so einzuordnen, daß sie auch wirklich benutzt werden
konnten. — Für die älteren Arbeiten war ja inzwischen gesorgt,
da sie in die Gesamtausgaben der Werke ihrer Verfasser aufgenommen und so zum wissenschaftlichen Allgemeingut geworden
waren. Nicht so Vahlens Proömien. Des Verfassers bekannter
Liberalität hatten ja seine älteren Schüler, Freunde und wohl
alle Fachgenossen, die zu dem verehrten Manne auf wissenschaftlichem Gebiete in Beziehung getreten waren, zu verdanken, daß
sie Exemplare seiner Proömien erhielten, und ich glaube, daß
keiner darunter ist, der sich den Tag, an dem ihm eine solche
freundliche und wertvolle Gabe zuteil wurde, nicht als einen
besonders erfreulichen angemerkt hätte. Aber gerade die Eigenart
dieser Arbeiten mußte es doch wünschenswert erscheinen lassen,
daß auch jüngeren Leuten, nicht nur in Berlin und nur gelegentlich, die Möglichkeit geboten würde, hier an der Hand
eines wahren Meisters zu lernen, was alles dazu gehöre, um sich
mit einer oft scheinbar einfachen, vielleicht auch zuerst gleich-
gültigen Frage in wahrhaft wissenschaftlicher Weise auseinanderzusetzen. Aus dem Vorwort erfahren wir, daß Vahlen selbst
einmal mit dem Plane umgegangen ist, eine Sammlung dieser
Arbeiten zu veranstalten. Damals kam es nicht dazu, und so
wurde der Plan aufgegeben und würde voraussichtlich in absehbarer Zeit nicht wieder aufgenommen worden sein, wenn sich
nicht einige ältere Schüler Vahlens entschlossen hätten, selbst
ohne Wissen des Meisters Vereinbarungen zur Herausgabe einzu-
leiten, die so guten Erfolg hatten, daß es nur noch der Ein-
willigung Vahlens bedurfte, um das Unternehmen gelingen zu
lassen. So muß denn ein Teil des Dankes, den alle Philologen
dieser kostbaren Gabe schulden, denen dargebracht werden, die
durch ihre Umsicht und Tatkraft dafür gesorgt haben, daß nun
auch diese Arbeiten publici iuris geworden sind, so daß hinfort
niemand mehr, der sie unbeachtet und unbenutzt läßt, sich

damit entschuldigen kann, sie seien ihm nicht zugänglich gewesen.

Der vorliegende Band bringt die Proömien I—XXXIII (1875
bis 1891), im wesentlichen so, wie sie damals geschrieben
wurden; hier und da sind weitere Belegstellen sowie einige Anmerkungen hinzugefügt, in denen der Verfasser seine Ansicht
noch eingehender begründet oder sich mit einer abweichenden
Auffassung auseinandersetzt.

Die Absicht, die Vahlen bestimmte, seinen Proömien gerade
die Form zu geben, die für sie so charakteristisch ist, kann
wohl kaum besser zum Ausdruck gebracht werden, als mit den
eigenen Worten des Verfassers (S. V): ‚Etenim in illo scribendi
genere non hoc secutus sum, ut meam aliquam sententiam
quantum satis esset argumentis probarem, sed quemadmodum
saepe dixi me ibi non doctis scribere, sed discentibus, ita hoc
egi potissimum, ut rationibus explicandis et a suo principio de-
ducendis viam monstrarem, qua via posset qui hoc ageret argu-
mentando aut refellendo quod vellet aliis persuadere; voluique
hunc praeter ea quae vivo ore prodocerem quasi alterum praeci-
piendi modum esse, quo ratiocinandi vi et exemplorum usu
principiis artis philologicae instituerem primum eos qui his
litteris se dedunt, tum quoniam haec ars demonstrandi a nullo
doctrinae genere aliena est etiam alios aliarum disciplinarum
alumnos‘. — Daß Vahlen das, was er hier als ein Programm
hinstellt, wirklich auch geleistet hat, wird von niemand ernstlich bestritten werden können, und so ist es wohl unnötig, über
den methodischen Wert dieser Proömien noch etwas hinzuzufügen, wie es auch überflüssig sein dürfte, des längeren auszuführen, daß die Feinheit der lateinischen Form, die uns hier
entgegentritt, nur von wenigen der Lebenden erreicht, sicher
von niemand übertroffen wird, so daß hier jüngeren Philologen, die sich den für wissenschaftliche Untersuchungen erforderlichen color latinus aneignen wollen, ein unschätzbares Vorbild geboten ist.

Nun kann man wohl öfter von solchen, die nur gelegentlich
das eine oder andere dieser Proömien gelesen haben, die Äußerung hören, daß in diesen Arbeiten der wissenschaftliche Ertrag
hinter dem methodischen und formellen Werte etwas zurück-
stehe; Vahlen selbst äußert sich bisweilen so, z. B. S. 33 am
Ende einer seiner gehaltvollsten Arbeiten. Diese Meinung, auch
wenn sie begründet wäre, würde also selbst im Sinne Vahlens
kaum ein Vorwurf sein. Die besten Lehrer, gerade die, die ihre
Schüler am meisten fördern und von ihnen, wenn auch vielleicht
nicht im Augenblick, so doch später bei gereifterem Urteil am
höchsten geschätzt werden, sind meist nicht diejenigen, die
fortwährend den Reichtum ihres Geistes spielen lassen und im
Grunde nur ihre eigene Person zur Geltung bringen wollen,

8*

sondern die andern, die in ruhiger und oft entsagungsvoller Arbeit sich den Bedürfnissen der Schüler anzubequemen wissen. Und so wäre eine so feine methodische Unterweisung, wenn auch eine bedeutendere Förderung der Wissenschaft damit nicht verbunden sein sollte, ein hohes Verdienst. Daß sich aber ein Mann wie Vahlen, trotz aller Entsagung, die dazu gehört haben muß, jahrein jahraus diese Schriften ausgehen zu lassen, damit begnügt haben könnte, nur methodisch anregend wirken zu wollen, wäre schon an sich undenkbar, und diejenigen, die so urteilen, wie eben erwähnt worden ist, werden auch schwerlich bestreiten wollen, daß jede einzelne dieser Arbeiten einen wertvollen wissenschaftlichen Ertrag abgeworfen hat. Das kann man ja vielleicht zugeben, daß der Verfasser auf dem ihm zu Gebote stehenden Raume mehr Fragen hätte aufwerfen und beantworten können, wenn er eben nicht für einen besonderen Zweck hätte schreiben wollen. Daß es nicht etwa in der Natur Vahlens liegt, alle Fragen in dieser lehrhaften und, wenn man einmal so sagen darf, umständlichen Weise zu behandeln, zeigen doch zur Genüge seine anderen Publikationen. Und da ist es nun gerade der Hauptwert der vorliegenden Sammlung, daß wir jetzt im Zusammenhange übersehen können, welche erstaunliche Menge wissenschaftlichen Ertrages in diesen Proömien steckt. Die jetzigen Überschriften geben ja nur einen schwachen Begriff davon, wenn sie auch immerhin zeigen, wie mannigfaltig der hier behandelte Stoff ist; wir finden hier vertreten Plato, Aristoteles, Lucian, den libellus de sublimitate; Sophokles, Euripides, Aristophanes, Theocrit, Callimachus; Cicero, Livius, Verrius Flaccus, Tacitus, Sueton; Ennius, Terenz, Catull, Lucrez, Vergil, Horaz, Properz und Juvenal. Aber nicht die Stellen allein, von deren Behandlung Vahlen ausgeht, werden auf das gründlichste erörtert, sondern es werden, und das ist oft die Hauptsache, so manche andere herbeigezogen, die über das Problem ein neues Licht verbreiten, nun aber selbst erst ihre richtige Beleuchtung erhalten, und das sind nicht Parallelstellen, wie man sie aus Lexiken und Grammatiken und sonst bekannten Hilfsmitteln zusammensuchen kann, sondern es handelt sich fast immer um feine Beobachtungen, die bis dahin überhaupt nicht angestellt waren, und oft um Stellen, die in den landläufigen Texten bereits nach dem allgemeinen Schema hergerichtet waren und die Form zeigten, die eben als unrichtig erwiesen werden sollte. So kann es kommen, daß zum Beweise der richtigen Überlieferung oder des Verständnisses einer Stelle eine Reihe anderer herbeigezogen wird, die, auch richtig überliefert, in den Ausgaben geändert oder von den Erklärern mißverstanden sind; man sehe z. B. S. 40 f. die Auseinandersetzung über eine eigentümliche Verwendung des Relativums (vgl. WS. f. klass. Phil. 1906 No. 7 S. 172). So kommt denn die Herbeiziehung dieser

sozusagen verschütteten und von Vahlen erst wieder aufge-
grabenen Beweisstellen diesen selbst zugute, und der hoffentlich
recht ausführliche Index, der dem zweiten Bande beigegeben
werden soll, wird denen, die diese Proömien nicht vollständig
und genau durchgearbeitet haben, zeigen, welche noch lange
nicht ausgenutzten Schätze hier zu heben sind. Das Verdienst,
auf das Cicero in den schönen Worten hindeutet ,quod munus
rei publicae adferre maius meliusve possumus, quam si docemus
atque erudimus iuventutem?', kann Vahlen nicht nur auf Grund
seiner persönlichen Lehrtätigkeit, sondern gerade auch wegen
dieser Proömien in reichstem Maße für sich in Anspruch
nehmen; damit ist aber seine Wirksamkeit noch lange nicht erschöpfend bezeichnet. Daß er nicht allein für die iuventus
wirkte, zeigen nicht nur seine allbekannten anderen Werke, sondern das werden auch diese Proömien denen zeigen, die sie
vorher noch nicht kennen zu lernen Gelegenheit hatten.

Berlin.   Franz Harder.

— — — —

Adolf Rademann, Vorlagen zu lateinischen Stilübungen im
   Anschluß an Ciceros Tuskulanen, Buch I, II und V.
   Berlin 1907, Weidmannsche Buchhandlung. 68 S. 8. 1,20 ℳ.
Der Verfasser erfreut uns von neuem durch Darbietung von
lateinischem Übungsstoff, diesmal im Anschluß an Ciceros Tuskulanen. Er hat sich mit Recht auf die drei am meisten gelesenen Bücher (I, II, V) beschränkt. Die Vorlagen schließen —
entsprechend den Bestimmungen der Lehrpläne — eine gedächtnismäßige Reproduktion des Gelesenen aus, setzen dagegen die Bekanntschaft mit dem lexikalischen und phraseologischen Material
der betreffenden Stelle voraus. Das den Schülern weniger Geläu-
fige wird außerdem in Fußnoten gegeben, die vielleicht seltenere
Vokabeln hier und da noch etwas reichlicher bieten könnten.
Wenigstens dürften dem Primaner bei einem Klassenexerzitium
Vokabeln wie „metaphysische Beweise" (S. 13), „Felsengrat" und
„einbalsamieren" (S. 31), „Blendung" (S. 67) nicht ohne weiteres
geläufig sein.
   Was die Anlehnung an den lateinischen Text betrifft, so hat
R., wie in früheren Arbeiten ähnlicher Art, meines Erachtens
durchaus die richtige Mitte einzuhalten gewußt. Die Arbeiten
dürften selbst für eine mittlere Schülergeneration nicht zu schwer
sein, obwohl grammatische Regeln recht reichlich in die Stücke
hineingearbeitet sind. Aufgefallen ist dem Unterzeichneten die
Länge des ersten Satzes der Vorlagen (S. 5), im weiteren Verlauf
der Durchsicht hat er stets nur kürzere Sätze gefunden. Die
Drucklegung ist korrekt. — Möge das treffliche Büchlein, das
gewiß Lehrern und Schülern in gleicher Weise willkommen sein
wird, den gewünschten Zweck erfüllen und reichen Segen stiften!

Berlin.   Max Koch.

1) **J. Worshoven, Napoléon Ier, Sa vie, son histoire depuis sa mort, ses poètes. Mit 5 Abbildungen. Trier 1907, Jacob Lintz. 107 S. 8 geb. 1,10 M.**

Nach Duruy werden zunächst die wichtigsten Ereignisse im Leben Napoleons aufgezählt, dann wird nach Legouvé sein gewaltiger Einfluß auf die Entwickelung Frankreichs auch nach seinem Tode geschildert. Daran schließt sich eine treffliche Auswahl der zahlreichen Gedichte der zeitgenössischen und späteren Dichter, welche Napoleons Taten und Persönlichkeit behandeln; nur Les vieux de la vieille von Gautier halte ich für weniger geeignet. Als Zugabe finden sich 5 Abbildungen und eine genealogische Tabelle der Familie Bonaparte.

Besonders wertvoll sind die Anmerkungen S. 87—107. Da die Gedichte zahlreiche Anspielungen auf Personen und Zeitereignisse enthalten, ist das Verständnis, namentlich für uns Deutsche, nicht leicht; man wird daher für jeden Wink dankbar sein, und hier mag der Herausgeber lieber zu viel als zu wenig geben. Das Auffinden der betreffenden Anmerkungen ist übrigens recht erschwert, da weder Seite noch Zeile angegeben ist.

Ces deux grands noms S. 30 wird richtig gedeutet auf Alexander und Caesar; bestätigt wird es durch S. 52, 25. Tribuns S. 31, 24 ist nicht ausreichend erklärt, wohl aber zu S. 49, 9; ein Hinweis auf diese Stelle hätte genügt; kolbach S. 76 ist erklärt, aber nicht S. 67; ebenso grognard S. 82, aber nicht S. 75. Druckfehler u. a. près des Cannes S. 9, 5 statt de; cerceuil S. 18, 3 statt cercueil; il S. 77, 15 statt ils. L'Autriche perdit 110 000 kilomètres S. 7, 15 fehlt doch wohl carrés.

2) **J. Michelet, Jeanne d'Arc, herausgegeben und erläutert von F. J. Wershoven. Mit 1 Abbildung. Trier 1907, Jacob Lintz. VIII u. 88 S. 8. geb. 0,90 M.**

Die Geschichte der Jeanne d'Arc hat ihre Anziehungskraft auf die Jugend noch heute nicht verloren; bisher benutzte man als Schullektüre einen Auszug aus Barante, Histoire des ducs de Bourgogne; aber Barantes Sprache enthält zu viele Archaismen und Abweichungen vom gewöhnlichen Sprachgebrauch; in dieser Hinsicht ist Michelet vorzuziehen, jedoch fesselnder und lebendiger schildert Barante; namentlich ist bei Michelet die Erzählung des Prozesses mit seinen Einzelheiten nicht durchsichtig und übt nicht genügende Anziehungskraft aus. Zu beachten ist bei ihm übrigens das löbliche Bestreben, das Wunderbare in Johannas Wirken natürlich zu erklären.

Der Herausgeber gibt in der Introduction das Wichtigste über Michelets Leben und schildert die Situation Frankreichs zur damaligen Zeit. In den Anmerkungen werden die nötigen sachlichen Belehrungen gegeben. Einige lexikologische und grammatische Besonderheiten verdienten aber wohl eine Berücksichtigung z. B. ydolastre = idolâtre S. 59, 31; les fols = les fous

S. 23, 14; y contredire S. 61, 31 vgl. Mol. Mis. 136 und Pascal,
L. Pr. 8; il en disait autant S. 51, 27 er sagte ganz dasselbe;
il le fit taire S. 49 und 51 mit Auslassung von se vgl. Benecke
II § 73; Tout le pays était couru par les hommes d'armes
S. 8, 28 wurde durchzogen; se laisser soulever à cette grande
marée S. 23, 10 vgl. Benecke II § 97, 8, wo wir statt des Dativs
die Präposition von oder durch gebrauchen.

3) J. Wershoven, Jéna—Waterloo—Sedan. Par Lanfrey, Duruy,
   Rousset. Mit 2 Abbildungen und 3 Karten. Trier 1907, Jacob Lintz.
   82 S. 8. geb. 0,90 ℳ.

Das Büchlein enthält die Schilderung der Schlachten bei
Jena von Lanfrey, bei Waterloo von Duruy und bei Sedan von
Rousset. Es ist sicherlich von Interesse, zu erfahren, wie die
Franzosen die Vorgänge und den Verlauf dieser wichtigen
Schlachten darstellen; am lesenswertesten scheint mir die Schil-
derung der Schlacht von Jena aus Lanfreys Feder, der auch die
Veranlassung und die weiteren Folgen bespricht; aber eine
Schlachtbeurteilung bleibt immer mißlich, zumal für einen Laien,
eine klare Anschauung wird er selten gewinnen; das trifft be-
sonders für Roussets Schilderung der Schlacht von Sedan zu,
obwohl nicht geleugnet werden soll, daß manche Einzelheiten
lebendig und interessant erzählt sind.

Der Herausgeber hat mit dankenswerter Sorgfalt die nötigen
Belehrungen über die ziemlich zahlreich vorkommenden Personen
und Örtlichkeiten gegeben und zur Erleichterung des Verständnisses zwei Karten beigefügt nebst zwei Abbildungen von
Napoleon.

4) J. Wershoven, Kriegsnovellen 1870—71. Von Daudet, Theuriet,
   Lemaître, Maupassant. Mit 2 Abbildungen und 1 Karte. Trier 1907,
   Jacob Lintz. 88 S. 8. geb. 0,90 ℳ,

Der Verfasser hat von verschiedenen Autoren acht Erzählungen zusammengestellt, die teils ernsten teils heiteren Charakters sind und mit dem Krieg 1870—71 in Zusammenhang
stehen. Die beiden ersten Le siège de Paris und La mort de
Chauvin von Daudet wird jeder mit Vergnügen lesen; L'enfant
espion, ebenfalls von Daudet, läßt schon die Absicht stark hervortreten, die verunglückten Ausfälle der Pariser Nationalgarde auf
Verrat zurückzuführen. La mère Sauvage von Maupassant ist zu
grausig. Un fils de veuve von Theuriet schildert den Schmerz
einer Mutter, die noch immer auf die Wiederkehr ihres Sohnes
hofft, von dessen Tod sie keine Kunde erhalten hat. La peur
von ebendemselben enthält zu viele seltene Wörter. No. 7
„Wer da" scheint mir nicht recht geeignet. Die letzte Képis et
Cornettes von Lemaître schildert in Briefform dezent und interessant, wie ein Offizier bei seiner Einquartierung die Bekanntschaft
einer jungen Dame macht, mit der er sich schließlich verlobt.

Die Anmerkungen beschränken sich darauf, die nötige sachliche Auskunft zu geben; es hätte. aber ohne Bedenken bei einer großen Zahl seltener Vokabeln die deutsche Bedeutung angegeben werden können. Auch auf einige Besonderheiten, wie partir en Crimée S. 49, 18 konnte aufmerksam gemacht werden.

5) **H. Taine, L'ancien régime Napoléon Bonaparte, herausgegeben und erklärt von F. J. Wershoven. Mit 2 Abbildungen. Trier 1907, Jacob Lintz. 104 S. 8. geb. 1 .M.**

Aus Taine, Origines de la France contemporaine gibt der Herausgeber in gekürzter Form die Abschnitte, welche die Zustände Frankreichs vor der Revolution und die Charakteristik Napoleons enthalten. Vieles von dem Dargebotenen ist gewiß lesenswert und auch für Schüler verständlich, indes ist die Lektüre wegen der zahlreichen Fachausdrücke, die sich auf Kleidung, Küchen- und Hauswesen, Jagd, Toilette u. a. beziehen, nicht leicht; auch der Inhalt wird zuweilen der Jugend weniger ansprechend sein, besonders im ersten Abschnitt. Die Anmerkungen enthalten wertvolle Belehrungen und suchen die sachlichen Schwierigkeiten zu heben; im Interesse des Lesers hätte aber noch die Bedeutung vieler veralteten oder seltenen Wörter angegeben werden sollen.

S. 20, 16 lies ou, S. 32, 15 Révolution, S. 35, 2 sucent, S. 46, 24 au, S. 49, 7 pénétration, S. 57, 34 déplaisait, S. 90, 1 Rameau.

Herford i. W. ——— Ernst Meyer.

Karl Lamprecht, Deutsche Geschichte. Der ganzen Reihe neunter Band. Berlin 1907, Weidmannsche Buchhandlung. XIV u. 516 S. 8. 6 .M.

Lamprecht bezeichnet das Reformationszeitalter als das individualistische, weil es den im Mittelalter durch Glauben und Denken, Recht und Sitte, Genossenschaft und Staat gebundenen einzelnen Individuen eine größere Freiheit einzuräumen begann; die Zeit etwa seit der zweiten Hälfte des 18. Jahrhunderts nennt er das Zeitalter des subjektiven Seelenlebens und erklärt alle neuen geschichtlichen Erscheinungen aus dem Übergange zu eben dieser Form des Lebens. Er unterscheidet in der ersten, bis etwa 1870 reichenden Periode die Phasen der Empfindsamkeit, des Sturmes und Dranges, des Klassizismus und der beginnenden Romantik. Im neunten Bande seiner Deutschen Geschichte, im 23. Buche des ganzen Werkes, wird zunächst die sozial- und verfassungsgeschichtliche Entwicklung geschildert, die dem allgemeinen Umschwunge des deutschen Seelenlebens seit der zweiten Hälfte des 18. Jahrhunderts zur Seite ging und folgte. Das erste Kapitel (bis S. 122), dessen erster Abschnitt, etwa ein Viertel des ganzen Kapitels, bereits in der Beilage zur Allgemeinen

Zeitung veröffentlicht worden war, ist betitelt „Neue Anschauungen von Staat und Gesellschaft" und behandelt in der Einleitung den Entwicklungstypus neuer sozialer und politischer Anschauungen im Bereiche hoher Kulturstufen im allgemeinen sowie in der deutschen Entwicklung im besonderen, schildert dann den Verfall des Absolutismus und legt mit besonderer Beziehung auf Herder dar, wie die ersten Versuche politisch-sozialen Denkens in Empfindsamkeit und Sturm und Drang sich gestalteten. „Es war eine Zeit, der selbst eine bloße Fata Morgana des neuen subjektivistischen Staates noch nicht erschien, der die Theorien eines Rousseau von der Souveränität des Gemeinwesens zunächst nur den Eindruck schöner und erhabener Ideen machten, die aber dennoch schon Gemeingefühle kannte, für diese eine demokratische Grundlage, und sei sie zunächst auch nur die des Kosmopolitismus, zu finden bestrebt war und dabei instinktiv innerhalb der Grenzen des Vaterlandes Halt suchte". In diesem Bereiche noch unbestimmter Empfindungen und Vorstellungen waren doch schon Ansätze künftigen politischen Denkens und Handelns zu finden; eine schon klarere Zeit erhob dann die Forderung einer subjektivistischen Erziehung der Staatsbürger als der unerläßlichen Vorbedingung für jede haltbare Staatsbildung und verwirklichte diese Forderung: es war „der eigentlich originale Beitrag unserer Nation zur Durchbildung des modernen öffentlichen Lebens des Subjektivismus überhaupt, ein Beitrag von schlechthin universalgeschichtlicher Bedeutung".

Bei der Schilderung des aufgeklärten Absolutismus geht Lamprecht näher auf Friedrich den Großen ein, der „ahnungsvoll eine neue Konzeption des Staates wahrnahm und sie in seinem alternden Denken sogar über die Grenzen des ihm möglich Erscheinenden aufsteigen ließ; nie aber würde er sie verwirklicht haben". Auch den Einfluß des Siebenjährigen Krieges auf die Entwicklung politischen Denkens hebt der Verfasser hervor. Dann verfolgt er die eigentliche Entwicklung der „synkretistischen Theorie" der Übergangszeit vom Individualismus zum Frühsubjektivismus. Göttingen wurde Hauptsitz der ganzen politischen Bewegung, deren wichtigste Vorstellungen und Forderungen Gesetzesstaat und Rechtsstaat waren. Was die Erfüllung dieser Forderungen, also die Durchführung von Reformen betrifft, so berücksichtigt die Darstellung alle die verschiedenen „Windungen des langen Weges". Unter den deutschen Staaten um 1780 war der preußische „zunächst noch der im mäßigen Sinne modernste"; doch es war sein Schicksal, daß er um die Wende des 18. Jahrhunderts „grundsätzlich" am ermattenden Schlusse der Entwicklung eines früheren Zeitalters stand, das Österreich Josephs II. hingegen am noch schwachen und doch zugleich radikalen Anfange eines neuen. Nur eine Wiederholung der Reformversuche konnte zu vollen Ergebnissen führen. „Es bedeutete

einen Sieg Preußens über Österreich von größter Bedeutung, daß
eine solche neue Reformperiode innerhalb seines Staatslebens tatsächlich eintrat, während sie Österreich nicht zuteil wurde". Der
Held, der unserem Volke diesen „immer noch frühen" Eintritt
in das Staatsleben der neuen Zeit vermittelte, war Stein. Er
hat „die erste bewußte und ausgesprochenermaßen reformatorische
Verwirklichung der Konzeption des modernen Staates auf
deutschem Boden, das erstmalige öffentliche Leben des Subjektivismus" angestrebt und zum Teil erreicht.

Als das weitaus wichtigste Gebiet für die neue, subjektivistische
Ordnung des Lebens erschien der Nation um 1760 schon, erst
recht aber um 1780 und auch noch um 1800 das der Erziehung und des Unterrichts, ein Gebiet, auf dem selbst
Friedrich der Große weitgehende Zugeständnisse in Theorie und
Praxis machte, die sich dann in den übrigen Staaten wiederholten. Die Frage der zeitgemäßen Erziehung „hat die stärksten
Leidenschaften und die temperamentvollsten Bemühungen entfesselt, wie sie denn auch die Zeit am ehesten mit jenem Selbstbewußtsein wirklicher Leistungen erfüllte, das schon auf die
nächst zurückliegende Vergangenheit als eine überwundene zurück-
blickte". An erster Stelle kam die Erziehung des Einzelmenschen
auf Grund einer weiteren Kenntnis des Seelenlebens in Betracht.
Als oberstes Ziel stellte man hin: ihn zur reinsten höchsten
Menschlichkeit auszubilden. Ein praktischer Idealismus der Erziehung setzte ein, in dessen Verwirklichung die späteren Zeiten
des 18. Jahrhunderts ihre nächste Aufgabe sahen, die nicht gelöst
werden konnte, wenn nicht eine körperlich freiere Durchbildung
erreicht wurde. Dies erkannte man und war sich einig in dem
„Feldzuge gegen Stubenhocken und Verzärtelei"[1]) Darüber hinaus
galt es alsbald auch, sittliche Ideale zu entwickeln: die Freiheit
des Glaubens, des Denkens, des Wortes; schließlich regte sich
auch die Idee einer allgemeinen deutschen Vaterlandsliebe.

Wenn irgendwo einmal klar der Beweis geliefert werden
kann, „daß nicht äußere Fürsorge noch so eingehender Art, ja
selbst nicht geistiger Fortschritt in dem einmal bestehenden
üblichen Zeitmaße die Institutionen baut, sondern das mächtige
Wesen und Eindringen eines völlig neuen Geistes, so ist er um
diese Zeit in der Geschichte des so einfachen und darum für
elementare Erkenntnis historischer Zusammenhänge besonders
lehrreichen Organismus der Volksschule erbracht worden".
Sie trat schließlich in den Ideenkreis ein, durch dessen Belebung
die Hochschulen wie die Mittelschulen umgebildet wurden; „gleichmäßig im Sinne der neuen Zeit erschien das Ganze des erzieh-

---

[1]) Die Knaben hatten zur Zeit des ausgehenden Individualismus nicht
selten, die Männer noch häufig Schnürbrüste getragen; mit Strümpfen an
den Füßen zu schlafen war gewöhnlich; daß es Friedrich II. nicht tat,
wurde ihm als Beweis der Abhärtung angerechnet.

lichen Kosmos befruchtet". Diese Entfaltung der Erziehung „war
der erste und vom nationalen Standpunkt aus zugleich am besten
gelungene, weil fast durchaus originale deutsche Beitrag zur
Entwicklung des modernen öffentlichen Lebens überhaupt";
wurden doch Unterricht und Erziehung der subjektivistischen
Zeit zum größten Teile aus öffentlichen Mitteln bestritten.

Auf verfassungsmäßigem Gebiete im engeren Sinne freilich
waren die Fortschritte bis zum Beginne des 19. Jahrhunderts
nicht bedeutend; denn der politischen Entwicklung in den
meisten Einzelgebieten „hing noch die ganze Erdenschwere einer
veralteten Staatsordnung an". Doch in der Theorie wurde eine
erste subjektivistische S t a a t s l e h r e entwickelt, in den Anfängen
schon von Christian Wolff, dann weitergeführt von Kant und von
Schiller und schließlich vollendet von W. von Humboldt (1792).

Am Schlusse des ersten Kapitels, das ich eingehender glaubte
besprechen zu sollen, werden über das neue Staatsideal kurze
Ausführungen gegeben; sie finden eine breitere und tiefere Begründung im dritten Kapitel (S. 203 bis 326), das überschrieben
ist: „L i q u i d a t i o n d e r a l t e n F o r m e n d e s w i r t s c h a f t l i c h e n
u n d s o z i a l e n L e b e n s ; B e g i n n i n n e r e r N e u b i l d u n g e n ".
In diesem Kapitel liegt unzweifelhaft der Schwerpunkt des
neunten Bandes, hier finden wir den echten Lamprecht, der
überall aus dem Vollen schöpft und daher den inneren Fortschritt
in der Tat anschaulich zu machen versteht. Die Geschichte der
äußeren Ereignisse, die im zweiten Kapitel (S. 123—202):
„S p r e n g u n g d e s a l t e n R e i c h s u n d d e r a l t e n S t a a t s -
v e r h ä l t n i s s e " und im vierten und fünften (von S. 327 an):
„D i e F r e i h e i t s k r i e g e ; W i e n e r K o n g r e ß ; H e i l i g e
A l l i a n z " geschildert werden, tritt vor den die innere Entwickelung behandelnden Abschnitten zurück. Der Verfasser meint,
er hätte vermutlich vor Bäumen den Wald nicht gesehen, wenn
er jene Geschichte in jede Einzelheit hätte verfolgen wollen, „die
heute der Bienenfleiß einer bis zu den entlegensten Quellen vor-
dringenden Forschung wieder aufgedeckt hat". Seiner neuen
Geschichtsauffassung weiß er bekanntlich die rein politischen Ereignisse, bei denen die Staatsmänner und die Feldherrn im
Vordergrunde stehen, organisch ein- und unterzuordnen. Ich
glaube, hier daran erinnern zu sollen, daß nach Lamprecht „die
Geschicke der Nationen, denen es überhaupt vergönnt ist, sich
auszuwirken, ihren eigenen Weg nach ihnen innewohnenden Gesetzen gehen, und auch ihre hervorragendsten Söhne haben demgegenüber nicht mehr Freiheit eigenen Wirkens, als etwa der
Durchschnittsmensch Willensfreiheit besitzt gegenüber der kleinen
Welt seiner Umgebung", eine Ansicht, der ich nicht ganz zustimmen kann. Doch es ist nur zu billigen, wenn in s o l c h e r
deutschen Geschichte der Untergang des Reiches mit all den
„Sächelchen auf den Nipptischen und Altären der einzelnen

Territorialverfassungen" nicht eingehend berichtet wird; denn im
allgemeinen ist daraus nicht mehr viel zu lernen, vor allem deshalb nicht, weil dabei so gut wie keine typischen Erscheinungen
menschlicher Entwicklung hervortreten. Es war vielmehr ein
„singulärer, unbeholfener, lethargischer" Zusammensturz.

Bei der Schilderung der Befreiungskriege, die jetzt
zumeist Gegenstand der kriegswissenschaftlichen und der diplomatischen Forschung sind, betont Lamprecht vor allem die Fortentwicklung des nationalen Lebens überhaupt. Er lehnt es
z. B. ab, von den Einzelheiten der Völkerschlacht bei Leipzig zu
erzählen; summarisch darüber zu berichten „wäre innerlich un-
geschichtlich, denn es nähme dem Ereignis das, was es ausgezeichnet hat: das Unmittelbare des Gräßlichen in Verbindung
mit weitesten Konzeptionen, Wahrheiten und Irrtümern". Dafür
weist er aber auf die charakteristische Erscheinung der Zeit hin,
„daß der innige Zusammenhang zwischen Volk und Regierung
noch nicht hergestellt war, der heute den Demokratismus aller
Staaten, auch der mehr oder minder absolut regierten, kennzeichnet". In einer Anmerkung lesen wir: „Über all dem diplo-
matisch-politischen Gezänk hat man ganz vergessen, daß die
Freiheitskriege, insbesondere der von 1813, Volkskriege waren".
Das Gezänk dreht sich auch um die Haltung des Königs Friedrich
Wilhelm III. von Preußen, über die bekanntlich sehr verschieden
geurteilt wird. Unser Verfasser hebt hervor, daß eine wirklich
wissenschaftliche Biographie dieses Herrschers fehlt, die namentlich auch seinen Charakter eindeutig aufklären muß, und meint,
die aufgeworfenen Fragen über die Haltung des Königs seien,
auch wenn richtig beantwortet, weit davon entfernt, die wesentlichsten Punkte in der Geschichte der Freiheitskriege aufzuhellen.
— Mit erfreulicher Vorliebe begleitet Lamprecht die Entwicklung
der Dichtung jener Zeit, von den Anfängen, da Freiheit nichts
bedeutete als äußere Befreiung und Sieg über den eingedrungenen
Feind, bis zu den Tagen, da das Wort leise den Sinn innerer
Freiheit zu erhalten begann.

Die bekannten Helden des Völkerfrühlings, die Sieger mit
dem Schwerte und mit der Feder, Blücher, Gneisenau (der
„eigentliche Besieger Napoleons auf deutschem Boden", wie der
Verfasser richtig urteilt), York, ferner alle die weniger erfreulichen
Erscheinungen auf dem Intrigenparkett der Diplomatie werden
mit kurzen, aber zumeist treffenden Worten charakterisiert. Über
Schill urteilt Lamprecht: seine Waffentaten dürfen, ebenso wie
die der Tiroler, am wenigsten nach ihrem äußeren Erfolge eingeschätzt werden. „Denn eben die Tatsache, daß ihnen dieser
nicht beschieden war, verbürgte ihnen erst die ungeheure, sich
mit der Idealisierung des Geschehenen in Gerücht, Dichtung, ja
Sage steigernde Wirkung". Von Preußens damaliger Politik heißt
es, sie hätte sich „schwach und aus Schwäche gefährlich, sich

und anderen untreu" gezeigt, während Österreich inzwischen den Kampf „gewiß zunächst in eigener Sache, aber doch auch im Sinne nationaler Fürsorge" geführt hatte. Eigenartiges oder irgendwie Bemerkenswertes bieten alle diese Abschnitte kaum. Man merkt, daß der Verfasser wichtige Quellenschriften und Einzelforschungen gerade so gut wie umfassende Darstellungen zu Rate gezogen hat; er gibt z. B. Boyens Urteil über Groß-görschen ausführlich wieder (S. 422) und fühlt sich gedrungen, des verstorbenen Zwiedineck Deutsche Geschichte im Vorworte besonders hervorzuheben.

Statt auf diese Seiten der Lamprechtschen Darstellung näher einzugehen, glaubt Referent vielmehr im Interesse der Leser dem dritten Kapitel aus dem oben angeführten Grunde noch einige Worte widmen zu sollen. Es hebt an mit dem Entwicklungs-gange des europäischen öffentlichen Lebens auf Grund der wirt-schaftlich-sozialen und der geistigen Veränderungen im Zeitalter des Frühsubjektivismus. Dessen Probleme wurden in Deutsch-land vor allem als solche subjektivistischer Erziehung erfaßt. Die Engländer und Franzosen dagegen traten aus der theoretischen und praktischen Betrachtung des Wirtschafts- und Gesellschafts-lebens in die Probleme des politischen Subjektivismus ein und „ergänzten durch ihr auf diesem Wege entwickeltes Denken die deutsche Entwicklung". Lamprecht legt kurz dar, wie in England die Gebundenheiten des Mittelalters schon früh einer besonders raschen Lösung entgegengeführt wurden und der Engländer schon früh die nationale Zugehörigkeit mit besonderem Nachdruck be-tonte. Sodann werden die Um- und Neubildungen im Wirt-schafts- und Gesellschaftsleben geschildert, „wohl die umfassendsten, mindestens die sichtbarsten, die eine ganz neue Konstitution so-zusagen des nationalen Körpers überhaupt bedeuteten"; eine kurze, aber in die Tiefe gehende Einleitung führt dies näher aus. Die Umgestaltung der bäuerlichen Schicksale im Mutterlande wie im Kolonialgebiete wird dann eingehend dargelegt und dabei her-vorgehoben, daß die Tatsachen der besonderen Entwicklung des deutschen Bauernstandes die für die Volksgeschichte des 16. bis 18. Jahrhunderts bezeichnendsten sind. Es handelt sich bei der Entwicklung des Bauernstandes um außerordentlich zerteilte Vor-gänge, und manche „Reihenentwicklungen der Liquidation", z. B. die Geschichte der Auflösung der ältesten Gebundenheiten an Dorf und Allmende, sind in den Hintergrund geschoben oder fast ganz zurückgedrängt worden. Die Linien des Gesamtverlaufes aber hat der Verfasser scharf gezogen. — Mit Rücksicht auf den mir zu Gebote stehenden Raum muß ich hier abbrechen.

Bekanntlich begegnete Lamprechts Versuch, einheitliche seelische Grundlagen und Entwicklungsstufen für die geschicht-liche Gesamtentfaltung nachzuweisen, anfangs lebhaftem Wider-spruch, ja heftiger Ablehnung, er findet jedoch nach und nach, wie auch aus dem Erscheinen neuer Auflagen (1906 der vierten des ersten Teiles) hervorgeht, immer mehr Zustimmung. In bezug auf manches einzelne werden natürlich die Ansichten stets geteilt bleiben. Auch in diesem neunten Bande ist inhaltlich und formell allerlei auszusetzen oder doch zu beanstanden. Z. B. S. 16 Picheln und Prachen (was dies letzte bedeutet, werden meines Erachtens nicht viele Leser wissen), 132 fernere Nachbarn, 189 Bevormundungsversuch, 193 Z. 6. v. o. doch, 213 Schuld der Nachfolger, 426 Poischwitz. Der Satzbau ist meist gewandt, nur S. 244 stört eine übermäßig lange Periode. Der Vorwurf einer etwas gezierten, durch unnötige — nur darum handelt es sich! — Fremdwörter entstellten Schreibweise kann auch dem neunten Bande nicht ganz erspart bleiben. Das Wort Liquidation kommt, und zwar nicht immer in derselben Bedeutung, zum Überdruß oft vor; institutionell (73), Absentismus (256), dispersiv (282) u. a. wären leicht zu vermeiden gewesen. An den Ausdrücken Bering (29 und öfter), Ausschläge (97), rentbar (128), brach herein (252), hob (253), einmahnen (321), „Nebeneiferrin" (337), einging (359), dank dessen (388) werden manche Anstoß nehmen. Nicht vergessen sei, daß das Register, nach vielen Stichproben zu schließen, zuverlässig und vollständig ist; nur „Humanität 85" vermisse ich; Druckfehler sind selten und meist belanglos, abgesehen von „galten" S. 16 statt glitten. Die häufige Anwendung des Doppelpunktes statt des Kommas ist mir an nicht wenigen Stellen aufgefallen.

Doch genug solcher äußerlichen Kleinigkeiten! Statt dabei länger zu verweilen, will ich lieber mit dem Wunsche schließen, daß der viel beredete und viel befehdete Verfasser seine Deutsche Geschichte bald zu Ende führt. Das scheint mir, offen gestanden, in jeder Beziehung wichtiger, als die Durchführung seiner in Dresden auf dem letzten Historikertage verkündeten weitausgreifenden Pläne in bezug auf kultur- und universalgeschichtliche Seminarübungen.

Görlitz.   E. Stutzer.

Adalbert Wahl, Vorgeschichte der französischen Revolution. Ein Versuch. Erster Band. Tübingen 1905, J. C. B. Mohr (Paul Siebeck). XVI u. 370 S. 8. 7 ℳ.

Wie groß ist doch die Macht der Legende! Wie groß besonders, wenn sie von schönen Phrasen und von Vorurteilen gestützt wird! Über ein Jahrhundert ist vergangen, und erst jetzt beginnt sich der dichte Nebel zu zerteilen oder gänzlich zu verflüchtigen, der bisher über der französischen Revolution gelegen hat.

Nicht wenig zu dem endlichen Siege der Wahrheit beigetragen zu haben, wird, das kann man schon heute sagen, das Verdienst Adalbert Wahls sein. Mit gar manchen irrigen Vorstellungen, die

noch immer in unseren besten Lehrbüchern ihren Ausdruck
finden, räumt er gründlich für alle Zeiten auf. Den Verfassern
dieser Lehrbücher und allen Geschichtslehrern sei deshalb
dringend das Studium dieser Vorgeschichte der französischen Revolution empfohlen.

Das es hier nicht möglich ist, den reichen Inhalt des Buches
genauer wiederzugeben, will ich die Hauptresultate, zu denen
Wahl durch seine Forschungen gelangt, zunächst kurzweg zusammenfassen. Es sind folgende:

1. Nicht eine Despotie — die nicht existierte — hat die
Revolution hervorgerufen. Die Regierung war seit dem Tode
Ludwigs XIV. im Gegenteile alles andere eher als despotisch. Sie
war unglaublich schwach, milde, gutmütig und zu Reformen
geneigt. Nicht Despotismus herrschte im Lande, sondern [fast
anarchische Zustände hatten mehr und mehr seit Ludwig XV.
überall Platz gegriffen.

2. Auch nicht wirtschaftliches Elend der Massen kann als
Ursache der Revolution angesehen werden, sondern das Bürgertum,
von dem die Revolution ausging, befand sich nicht nur in befriedigenden wirtschaftlichen Verhältnissen, sondern sogar in einem
großartigen wirtschaftlichen Aufschwung. Die Bauern, die eine
unbedeutende Rolle in der Revolution spielen, waren freilich teilweise in weniger guten Verhältnissen, ·jedoch keineswegs in so
jämmerlicher Lage, wie sie die Revolutionslegende schildert.

3. Die Regierung war nichts weniger als adelsfreundlich.
Von Richelieu bis zur Revolution wurde der Landadel immer
mehr entrechtet und gedrückt. Er war größtenteils verarmt und
ruiniert. Auch der Hofadel war teilweise verschuldet.

4. Das Verwaltungssystem des ancien régime war nicht
schlecht, die Regierung des Landes lag auch nicht in den Händen
einer unmoralischen und unfähigen Gesellschaft, denn nicht der
liederliche Hofadel regierte das Land, sondern die ehrenwerte
noblesse de robe, die aus den höheren Schichten des Bürgertums
hervorging. Nur einseitig war dieser Amtsadel: es war nämlich
„eine der ungemischtesten Juristenregierungen" der Weltgeschichte,
die das ancien régime kennzeichnete, und der Geist, der die alten
Formen erfüllte, ließ manches zu wünschen übrig.

5. Auch die Verteilung des Grund und Bodens unter Adel,
Geistlichkeit und Bauern war nicht wirtschaftlich so verkehrt,
wie früher angenommen wurde, respektive noch immer in unseren
Geschichtsbüchern angegeben wird.

6. Vielmehr die Unwürdigkeit und Energielosigkeit der
Herrscher, die verkehrte (besonders unter Ludwig XIV.) und
ruhmlose (unter Ludwig XV.) äußere Politik, die kostspieligen
Kriege seit Ludwig XIV. (einschließlich), die durch sie und (in
viel geringerem Grade) durch die Verschwendung am Hofe immer
steigende große Schuldenlast, das veraltete übele Steuersystem,

das die stärksten. Schultern (vornehmlich die der Handels- und
Industriewelt!) am wenigsten belastete und die besten Steuerquellen dem Staate nicht erschloß, durch seine Ungleichmäßigkeit
und Verkehrtheit aber große Unzufriedenheit hervorrief, manche
Mängel in der Rechtspflege, vor allem aber die Schlaffheit und
Inkonsequenz der Regierung und die dadurch geförderte Opposition der nach Popularität strebenden Parlamente, die gegen alle
Reformversuche unter dem Beifall des Volkes, zu dessen Bestem
sie geplant waren, Front machten, sowie die Angriffe der Privilegierten und der Wortführer der Aufklärung auf die Staatsregierung haben die Revolution vorbereitet. Den Untergrund
dabei bildet die individualistische Geistesströmung, die durch die
Teilnahme Frankreichs am amerikanischen Freiheitskrieg besonders gestärkt wurde.

Die ganze Bewegung ist ein Kampf um die Macht, das Ziel
des Bürgertums Teilnahme an der Staatsregierung, dann Herrschaft im Staate. Den Erfolg der Revolution ermöglicht der
Umstand, daß die Schlaffheit der Regierung auch in dem Heere
die übelsten Folgen gezeitigt hatte, mißverstandene Humanität
hatte die Disziplin ruiniert. Der Gang der Revolution war der,
daß Adel, Klerus und die Parlamente zuerst den Kampf um die
Macht mit der Krone allein führen, dann schiebt der Bürgerstand
diese, nachdem sie ihm die Wege geebnet, undankbar und skrupellos beiseite, d. h. vernichtet sie nach Möglichkeit und setzt
sich an ihre Stelle.

Daß die Darstellung in den meisten unserer Geschichtsbücher
ein ganz anderes und falsches Bild gibt, beruht zum Teil darauf,
daß sie die Zustände unter Ludwig XIV. mit denen unter
Ludwig XV. und Ludwig XVI. vermengt oder verwechselt. Unter
Ludwig XIV. herrscht Despotismus, nach seinem Tode Schlaffheit
und Anarchie, am Ende der Regierung Ludwigs XIV. Armut und
Elend, unter Ludwig XVI. ein nicht nur relativ großartiger wirtschaftlicher Aufschwung.

Ich beschränke mich nun darauf, besonders Wichtiges und
Markantes aus dem Werke mitzuteilen.

Sehr interessant ist der Nachweis, wie jämmerlich schwach
die Regierung seit Ludwig XV. war. Die Nichtausführung der
Gesetze ist fast zur Regel geworden, und eine öffentliche Kritik
läßt die Regierung über sich ergehen, wie sie heute in „keinem
monarchischen Staate denkbar wäre". Nicht nur Ungehorsam
sehen wir an der Tagesordnung, sondern auch volle Verachtung
der staatlichen Autorität im agressiven Vorgehen. Bauern roden
ohne weiteres große königliche Forsten aus und verwandeln sie
in Ackerland, benutzen jahrelang das Feld und bezahlen obenein
keine Steuern davon. So geschehen in der Dauphinée 1730 bis
1755. Anderwärts begegnen ähnliche Frechheiten. Das Ganze
versteht man nur, wenn man den Charakter Ludwigs XV. kennt.

Er war das Gegenteil eines Despoten, haltlos schwach, ohne jedes Selbstvertrauen, schüchtern und furchtsam gegenüber jeder energischen Opposition. Dabei war er aber weder töricht noch bösartig; die auswärtige Politik leitete er persönlich und zwar verständiger als Ludwig XIV. Wie verderblich die Regierung Ludwigs XIV. für Frankreich gewesen und wie verkehrt seine auswärtige Politik, weist Wahl nach meinem Ermessen überzeugend nach. Statt Frankreichs Macht gegen England allein einzusetzen, dem gegenüber es sich um die Macht auf der See und in den Kolonien in Amerika, in Indien usw. handelte, bekämpft Ludwig XIV. England und Österreich zugleich, ja sieht in letzterem den gefährlicheren Gegner. Durch diese falsche Politik hat er den Grund zur Revolution gelegt; denn in dem aussichtslosen Streben, beide Gegner niederzuwerfen, verzehrt sich Frankreichs Kraft. Obenein begeht der König noch den schweren Fehler, den besten Bundesgenossen im Kampfe gegen England, Holland, sich dauernd zu verfeinden. Ludwig XIV. hat die Finanzen, hat Frankreich ruiniert, der Sonnenkönig hat den günstigen Augenblick verpaßt, die Weltmachtstellung zu erringen, die nun England gewann. Wie gänzlich das Land bei seinem Tode erschöpft war, dafür haben wir ja eine ganze Menge Zeugnisse. Es wäre gut, wenn die Lehrbücher dieses traurige Resultat der Regierung Ludwigs XIV. noch etwas mehr betonten.

Interessant ist es auch, die „seit 1750 nie ruhenden Reformbestrebungen" kennen zu lernen. Welcher Kontrast überhaupt in den Regierungen Ludwigs XIV. und Ludwigs XV.! Außer durch seine Schlaffheit schadete dieser dem königlichen Ansehen besonders durch seine schamlosen Ausschweifungen. Unter seinem Urgroßvater war doch immer wenigstens der Schein gewahrt worden, nun glich der Hof bald einem Bordell. Wie frech die früher so viel beklagten Bauern unter Ludwig XV. wurden, haben wir gesehen, überhaupt kann „von einer Herrschaft des Grundherrn über den Bauern oder gar von einer feudalen Tyrannei . . . keine Rede sein". „Nur noch etwa der hundertste Teil der landwirtschaftlichen Bevölkerung war mit Resten von Hörigkeit behaftet". Der Bauer war der Stärkere gegenüber dem Adligen; von diesem wurde er nicht bedrückt, aber in seiner wirtschaftlichen Freiheit ist er durch den Staat gehemmt und von den Steuern über Gebühr belastet. Durch sie litt der Bauer am meisten, nicht durch die Abgaben an den Seigneur und die Kirche. Die Berechnungen der Abgaben von einem Bauerngut, wie sie Taine angestellt hat und wie sie in unsere Lehrbücher, z. B. in das vortreffliche Neubauersche und in die neue Weltgeschichte von Weber-Baldamus, aufgenommen worden sind, werden von Wahl als falsch nachgewiesen (siehe besonders den ersten Exkurs). So hoch waren sie nicht. Wenn nun wirklich vielfach unter Ludwig XV. die Lage der Bauern schlecht gewesen zu sein scheint, so besserte sie sich doch seit etwa 1760 merklich. Sehr interessant sind die angeführten Berichte von Engländern, die kurz vor der Revolution Frankreich bereisten und dort vielerorts großen Wohlstand bei den Bauern vorfanden. „Die kleinen Bauern in England sind jedenfalls ärmer" schreibt der eine, der 1789 Frankreich durchquerte. Er hat auch Savoyen, die Schweiz, mehrere deutsche Staaten und Holland bereist und ruft aus: „Wie jedes Land und jedes Volk, das wir gesehen haben, seit wir Frankreich verlassen, abfällt gegen dieses lebensvolle Land!" Damit stimmt es, wenn Wahl sagt: „Es liegt nicht nur eine Periode relativer Blüte vor, sondern mit jedem Maßstabe gemessen eine Zeit unerhörten Aufschwungs und Wohlstands". Eine ganze Reihe sehr gewichtiger Zeugnisse führt Wahl für die Blüte Frankreichs unmittelbar vor dem Ausbruche der Revolution an. Die Lage der ländlichen Arbeiter freilich hatte sich in den Jahren vor der Revolution, wie es scheint, in manchen Gegenden verschlechtert.

Bezüglich des Landadels meint der Verfasser: „Die tönenden Reden (in der Revolution) gegen den Adel trafen zum großen Teil eine schon innerlich gebrochene und wirtschaftlich vernichtete Gesellschaftsschicht". Hof- und Landadel sind durchaus zu scheiden, aber auch der reiche Hofadel geht wirtschaftlich dauernd zurück; er ist allerdings ein „Geschlecht von Drohnen". Im übrigen sind auch der Adel und die Geistlichkeit durch die Revolutionsmänner vielfach verleumdet worden. Wo unter Ludwig XVI. dem Adel und Klerus die Gelegenheit gegeben wurde, sind sie mit Hingebung und Opfermut für das Gemeinwohl eingetreten.

Besser noch lautet das Urteil über die noblesse de robe, das Personal der Regierung: „Rechtlichkeit, Fleiß, Unbestechlichkeit finden wir allenthalben", sie ist eine würdige Amtsaristokratie, „die in alten Traditionen der Arbeitsamkeit und Ehrbarkeit aufwuchs" und die ähnlich der Nobilität in Rom sich nach unten nicht gänzlich abschloß. Vielmehr ist ein fortwährendes Aufsteigen reicher Bourgeoisfamilien in sie zu beobachten.

Es ist die alte Geschichte: eine besiegte Partei, eine unterlegene Richtung wird nach der Niederlage durch die Kritik gänzlich zerpflückt, kein gutes Haar bleibt an ihr, der siegende Teil aber erhält uneingeschränktes Lob. So ging es dem preußischen Heere von 1806, so der Verwaltung des ancien régime. Von Grund aus taugte nach Jena die Armee Preußens nichts, alles war an ihr jämmerlich und verrottet. Man übersah, daß Teile dieser Armee (z. B. bei Preußisch-Eylau) Tüchtiges leisteten und, daß das geschmähte Offizierkorps von 1806 die Siege von 1813 erfocht. Ähnliches Unrecht geschah dem Beamtentum des ancien régime in der Kritik, und man übersah auch hier, daß die gepriesene Verwaltung Napoleons nur dadurch

ermöglicht wurde, daß sie · sich der vortrefflich geschulten Beamten eben dieses ancien régime bediente. So läßt sich überhaupt „die Legende von den durchweg unfähigen und unsittlichen
ersten Ständen, die in der Revolution von einem tüchtigen,
kernigen Bürgerstand abgelöst werden, nicht aufrechterhalten".
Ein Teil dieser Bourgeoisie bildete ja später den Grundstock der
Jakobiner und verdient wahrlich kein Lob auf Kosten der Be-
siegten. Daß mindestens so viel wie die privilegierten Stände die
wohlhabenden Bürger bei der Steuererhebung begünstigt wurden
und wie sich diese der Taille entzogen, weist Wahl genügend
nach. Das mobile Vermögen genoß in diesem ungerechten
Steuersystem fast völlige Freiheit. Das Schlimmste in ihm aber
war die ganz unglaublich verschiedene Verteilung der Steuern
auf die verschiedenen Landschaften, Städte usw. Hier wird zuweilen das Zwanzigfache derselben Steuer erhoben wie dort. Und
wie ungeschickt und belästigend war die Art der Steuererhebung,
besonders der verhaßten Salzsteuer!

Nun die Verteilung des Grund und Bodens. Auch da müssen
manche unserer besten Lehrbücher ihre Angaben korrigieren.
Schwer ist es natürlich hier bei der unzureichenden Statistik
genaue Zahlen für alle Landesteile zu geben. Indem Wahl die
für mehrere Landesteile und Gemeinden überlieferten einschlägigen
Zahlen seiner Schätzung zugrunde legt, kommt er zu ganz
anderen Resultaten als den herkömmlich angegebenen. Danach
würden im Durchschnitt im ganzen Land unter Ludwig XVI. auf
den Klerus höchstens etwa 10 %, auf den Adel etwa 30 %, die
Bürger 20 %, die Bauern 40 % des Grund und Bodens
kommen. Natürlich ist das auch keine ideale Verteilung bezüglich
der allgemeinen Wohlfahrt, aber doch keine so bedenkliche wie
die bisher angenommene.

Ganz besonders hervorragend ist die Rolle, die die Parlamente spielen. Da es in der Tat für jemand, „der die
kräftigen Staatswesen des 19. Jahrhunderts vor Augen hat",
schwer begreiflich ist, „daß eine Monarchie in der Beamtenschaft
dauernde und leidenschaftliche Feinde finden sollte", so wird
ihre Opposition oft als Spiegelfechterei aufgefaßt. Das war sie
aber gar nicht. Es wird dabei ganz richtig an das Grafenamt
in der fränkischen Monarchie und an andere Analogien erinnert
und die zutreffende Bemerkung gemacht, daß eben der Staat mit
dem Amt, sofern es als Eigentum des Inhabers eingerichtet war
oder dazu wurde, allzuviel von seiner Macht weggab. Als Eigentum
konnten aber gerade diese Parlamentsmitglieder ihr Amt ansehen,
hatten sie es doch gekauft und waren sie doch unabsetzbar!
Beiläufig war es übrigens mit dem Ämterkauf nicht so schlimm,
wie es gemeiniglich dargestellt wird, da dabei auch eine Prüfung
der Qualifikation stattfand. Gefährlich war nun bekanntlich d i e
Waffe in den Händen der Parlamente, daß sie das Recht be-

9*

saßen, die königlichen Gesetze einzuregistrieren und ihnen dadurch
erst Gesetzeskraft zu geben. Immerhin konnte ein energischer
Herrscher mit den Parlamenten leicht fertig werden. Man denke
nur an Ludwig XIV.! Blieb doch dem König als letztes Mittel
die Kissensitzung, in der er die Einregistrierung befehlen konnte.
Aber an Energie fehlte es [eben Ludwig dem XV.[1]) Unter ihm
machten die Parlamente rücksichtslos von ihrer Polizeigewalt
Gebrauch und von dem Rechte, selbständige Verfügungen zu erlassen. Durch solche wurde oft das Gegenteil von dem angeordnet, was der König befohlen hatte, ja es kam vor, daß
Verfügungen des königlichen Rates, die an den Straßen angeschlagen waren, heruntergerissen und durch solche des Parla-
mentes ersetzt wurden, und man strafte königliche Beamte, wenn
sie königliche Befehle ausführten, die nicht einregistriert waren!
Das Parlament von Besançon soll einen hohen königlichen Steuer-
beamten haben hängen lassen. Welche Ohnmacht des Königtums!
Diese Parlamente aber spielten sich — da es Reichsstände seit
1614 nicht mehr gab — als die Vertreter der Nation auf und
gewannen die größte Popularität, obwohl sie konservativ gegen
fast alle Neuerungen und Reformen waren. Ihre wahre Trieb-
feder war der Kampf mit der Krone um die Macht. Kann
man sich bei solchen Verhältnissen noch darüber wundern, daß
mehr und mehr Anarchie im Lande aufkam? Da griff Ludwig XV.
ein paar Jahre vor seinem Tode, um nicht gänzlich in diesem
Kampf um die Macht zu unterliegen, endlich zu dem vielleicht
einzigen Mittel, das noch helfen konnte: er schaffte die Parlamente ab. Dieser Staatsstreich vom Jahre 1770 konnte die
besten Folgen haben, ja es ist wahrscheinlich, daß nun, „nachdem der alte Zwiespalt an der Zentrale beseitigt war", überhaupt
eine Kräftigung und Heilung des Staatswesens erreicht worden
wäre, — wenn nicht leider Ludwig XVI. unglücklicherweise die
alten Parlamente wieder eingesetzt hätte. Diese schwächliche
Nachgiebigkeit gegen die populäre Strömung, die die alten Parlamente wieder verlangte, war sein Todesurteil. Denn nachdem
Ludwig XVI. später Turgot, der noch einmal die Macht der Parlamente zu brechen suchte, hatte fallen lassen, hat die Parla-
mentsherrschaft die Revolution herbeigeführt.

Die überall so auffallend hervortretende Schwäche der
Regierenden erklärt sich psychologisch daraus, daß sie selbst nicht
mehr an ihr Recht zu befehlen und zu regieren glaubten. Wahl
drückt das so aus, daß sich nicht mehr die Charaktere unter

---

[1]) Wie völlig den Tatsachen widersprechend ist Moldenhauers Darstellung im 4. Band der Weber-Baldamusschen Weltgeschichte, wenn er sagt,
der Streit mit dem Parlament wäre gewöhnlich (!) durch eine Kissensitzung
beendet worden, und dann fortfährt: „Ludwig XV. war nicht gewillt, die
königliche Machtvollkommenheit, wie sie sein Vorgänger geschaffen und
geübt, zu vermindern" usw. Welche Vorstellung von Ludwig XV.!

den Regierenden gefunden, „die geeignet und geneigt gewesen wären, auf die Weise des vorigen Jahrhunderts zu regieren. Sie waren dazu allzu weich und sentimental geworden". Wie kann aber der, der den Glauben an die eigene Sache verloren hat, mit Erfolg für sie eintreten! Gewiß hat der Verfasser recht, wenn er sagt: „Dieser innere Zweifel, der unter Ludwig XVI. in verstärktem Maße auftritt, hat mehr zur Herbeiführung der Revolution beigetragen, als die Mehrzahl der Gründe, die in den Vordergrund gestellt zu werden pflegen". Er nennt es die Selbstauflösung des Absolutismus. So kämen wir denn auf die geistigen Strömungen als auf das Hauptmotiv der Revolution, und die Sozialpsychologie Comtes fände hier, wie mir scheint, eine glänzende Bestätigung. Sehr hübsch schildert Wahl diese individualistische Geistesbewegung und vergleicht sie mit dem Individualismus der Renaissance. Man sträubte sich gegen jede Beschränkung der persönlichen Freiheit; Kirche wie Staat scheinen nur lästige Zwingherren zu sein.

Natürlich werden alle Heilungsversuche, die unter Ludwig XVI. an dem kranken Staatskörper angestellt wurden, eingehend geschildert, besonders die des charaktervollen Turgot, des eitelen Necker und des hochbegabten Calonne, dessen Verschwendung maßlos übertrieben worden ist.

Dabei tritt der humane Geist der Regierung unter diesem Könige ins schönste Licht. Über die viel berufenen lettres de cachet braucht man ja wohl heute kein Wort mehr zu verlieren: sie waren so gut wie außer Gebrauch, und die Preßfreiheit war in Frankreich größer als in England, ja die moderne Literatur wurde von der Regierung gegen die Angriffe von klerikaler Seite geradezu geschützt. „Die Freiheit", sagt Beugnot, „hatte sich in Frankreich niedergelassen, ohne daß jemand sie gerufen". Es erinnert das alles lebhaft an die Reformationslegende, die übertreibend die Sache so darstellt, als sei durch die Reformation erst die Freiheit in die Welt gekommen. In Wahrheit war auch die Reformation nur möglich geworden, weil eine für uns in mancher Beziehung unerhörte Freiheit in Wort und Schrift gegen die Autoritäten in Staat und Kirche schon bestand. So war die Revolution ebenfalls ein Produkt der Freiheit, die eine maßlos schwache Regierung gewährte, respektive ein Produkt der aus dieser Schwäche resultierenden Anarchie. Im Hinblick auf sie meint Wahl: „Man sieht, wie sehr den weichen Händen der Regierenden damals die Zügel entglitten. Das Aufhören jeglicher Regierung im Jahre 1789 war keine neue Erscheinung, sondern nur die verstärkte Fortsetzung alter Gewohnheiten". Er betont aber auch, daß „der alte Staat Frankreichs kein absterbender, verfaulender Körper war. Neue Ideen durchdringen und beleben ihn; tüchtige Kräfte regen sich in ihm in größter Zahl an der Zentrale wie unter den Provinzialbeamten und -versammlungen.

Unfähig nur, für sich selber mit der nötigen Härte das zu verlangen, was ihm gebührte, verwandte er allenthalben mit Erfolg größte Energie darauf, seine Pflicht seinen Untertanen gegenüber in vollem Maße zu tun". Welch anderer Ton als die üblichen Anklagen gegen das verrottete, jammervolle, schändliche ancien régime!

Ins Reich der Mythe gehört auch die so oft hervorgehobene Feindschaft der Stände untereinander, wenigstens war die Gegnerschaft zwischen Adel und drittem Stande im 18. Jahrhundert die Ausnahme, besonders unter Ludwig XVI. Die Geistesverfassung aller Stände war ja im Grunde dieselbe; auch dem Adel und dem Klerus war die absolute Monarchie verhaßt, auch sie waren von Reformideen erfüllt. „Erst im Herbst 1788 bemächtigte sich der Gemüter infolge einer systematischen Agitation die unselige Idee des Ständekampfs". Zum Schluß hebt Wahl noch die Verlogenheit hervor, mit der der tiers état die Tatsache verhüllen wollte, daß es wesentlich einen Kampf um die Macht galt und wie „bis zur Vernichtung des höchst entgegenkommenden und überdies wehrlosen früheren Führers" erbarmungslos weiter gekämpft wurde.

Mit besonderer Freude hat es mich erfüllt, daß der Verfasser auf Grund seiner fleißigen Studien und der aus ihnen gewonnenen Einsicht in die Verhältnisse einer viel verbreiteten „unzählige Male gedankenlos ausgesprochenen Auffassung" entgegentritt, „daß nämlich die Revolution unvermeidlich gewesen sei, daß sie habe kommen müssen". Ich kann es mir nicht versagen, Wahls eigene Worte zu zitieren: „Auf zahlreiche Arten war sie vielmehr zu vermeiden. Unter einem starken und harten Monarchen wäre sie nie ausgebrochen. Die Treue ferner von wenigen Kavallerieregimentern und der rechtzeitige Wille, sie einhauen zu lassen, hätten 1789 genügt, die Bewegung in ihren Schranken zu halten".

So sehr wir überzeugt sind, daß Wahls Forschungen immer mehr Anerkennung finden werden, so sind wir doch weit entfernt zu glauben, daß nunmehr über alle Einzelheiten der Vorgänge, die der Revolution den Boden bereiteten, volle Klarheit gewonnen sei. Das aber steht für uns fest, daß den Verfasser, wie er es in seinem letzten Exkurs versichert, nur die Absicht geleitet hat, die Wahrheit zu ermitteln, und daß er in der Tat die Wissenschaft „von einem Wust von Übertreibungen, Verleumdungen, Mißverständnissen und Klatsch" befreit hat. Und wenn wir uns nun noch einmal diesen Wust von Verleumdungen usw. vergegenwärtigen, vergegenwärtigen, daß durchaus nicht alles im ancien régime so schlecht und faul war, daß nicht eine despotische, sondern eine zwar sehr schwache, aber vom besten Willen erfüllte Regierung und diese nicht von einem im Elend verkommenen, geknechteten Volke, sondern von einem im Aufsteigen begriffenen, sehr wohlhabenden Bürgertum gestürzt wurde, daß es nicht ein Kampf um

das Recht (ius) war, das meistens auf seiten der Regierung stand,
sondern ein Kampf um die Macht, wenn wir dann der Greuel-
taten der Revolution gedenken und eingestehen müssen, daß es
niemals die Menschheit entwürdigendere Scheußlichkeiten gegeben
hat als in dieser französischen Revolution, Scheußlichkeiten, die
um so empörender sind, als sie im Namen der Nation, des
Rechtes, der Tugend verübt wurden — Prozeß der Königin, Tot-
quälerei des Dauphin, Noyaden usw. usw. —, müssen wir uns
da nicht schämen, wenn die leider echt deutsche Fremdtümelei
— oder ist es nur Gedankenlosigkeit? — nicht weniger unserer
Geschichtschreiber noch immer so tut, als wäre diese Revolution
ein Ruhmestitel der französischen Nation, um den wir sie beneiden müßten! Die großen Ideen der Revolution (der „wertvolle Gedankeninhalt") sollen diese Gemeinheiten vergessen
lassen? Woher stammen denn diese Ideen, sind sie Kinder des
franko-gallischen Geistes oder stammen sie nicht vielmehr aus
England und Holland? Diese großen Ideen in den Schmutz gezogen und besudelt zu haben, das ist die Ruhmestat der französischen Rdvolution, die so kläglich in die krasseste Militär-
despotie auslief. Unglaublich ist die Macht der Suggestion, die
gedankenlose Nachbeterei, — es ist wirklich endlich an der Zeit,
der Wahrheit die Ehre zu geben [1]). Aber die Folgen der französischen Revolution sind doch sehr segensreich gewesen! Gewiß!
aber doch nur in dem Sinne, daß nach der Niederwerfung der
Revolution die Ideen der Aufklärung, nunmehr von den Schlacken
befreit, ihren siegreichen Zug durch die Welt nahmen.

Wenn also ein bekannter Historiker glaubt, „aus dem
Stöhnen und Wutgebrüll" der Revolution doch den Klang der
Auferstehungsglocken zu vernehmen, so gehört er wie mancher
andere in diesem Falle, zu den Leuten, die zwar die Glocken
hören, aber nicht wissen, wo sie hängen. Diese Osterglocken
tönten aus England zu uns herüber, und ich vermag aus der
französischen Revolution nur einen schwachen Widerhall von
ihnen zu hören, der von gräßlichen Dissonanzen übertönt und
übertäubt wird. Das edele Metall zu diesen Osterglocken lieferten
Hellas und Judäa, die Glockengießer waren die Humanisten und
Reformatoren.

Diejenigen Leute, die gern sogenannte historische Gesetze
aufstellen, können nunmehr folgendes konstruieren: Revolutionen
entstehen gewöhnlich nicht unter einer starken despotischen Regierung, sondern unter einer milden und schlaffen (vgl. das
heutige Rußland unter Nikolaus II., vgl. England unter Karl I.,

---

[1]) Ob die Wahrheit bald siegen wird, ist freilich recht zweifelhaft.
Wie lange haben Tocqueville und Taine mit dem Vorurteil, der Phrase, der
Legende vergebens gerungen! Und bei Wahl kommt hinzu, — daß er sich
selbst nicht ganz der Macht der Suggestion hat entziehen können. Darüber
später bei Besprechung des zweiten Bandes, der inzwischen erschienen ist.

vgl. Preußen unter Friedrich Wilhelm IV.), sie geben gewöhnlich
nicht von einem ganz geknechteten, sondern von einem aufsteigenden und aufstrebenden Volke aus.

Sangerhausen.   J. Froboese.

Paul Herrmann, Island in Vergangenheit und Gegenwart. Mit
116 Abbildungen im Text, einem farbigen Titelbild und einer Übersichtskarte. Leipzig 1907, Wilh. Engelmann. Zwei Bände. XII
u. 376 S., VI u. 316 S. geb. zusammen 17,50 ℳ.

An der Hand eines Reiseberichtes führt der Verfasser Land
und Leute, Geschichte und Kultur Islands in flüssiger, leicht lesbarer Darstellung vor Augen und füllt durch die vielseitige und
umfassende Behandlung des Stoffes eine Lücke aus, die lange
Zeit hindurch empfunden wurde.

Das Werk gliedert sich inhaltlich in zwei Teile, in die
schlichte Erzählung der persönlichen Reiseerlebnisse
und in die zahlreich zusammenfassenden Kapitel über
Natur und Kultur der Insel.

Die Route ist erfreulicherweise nicht die schon so oft
von Touristen, Geographen und Philologen eingeschlagene von
Reykjavik nach Akureyri und zurück auf einem mehr oder minder
parallelen Wege, sondern Herrmann hat das von wissenschaftlicher Seite nur sehr selten bereiste Süd- und Ostland besucht, geführt von dem vortrefflichen Ogmundur.

Nach einer ausführlichen, vielleicht etwas zu eingehenden
Schilderung der Hinreise von Kopenhagen über Edinburg
nach Reykjavik entwirft der Verfasser, vornehmlich auf Grund
der Arbeiten von Thoroddsen, eine Skizze von der Entstehung und dem Aufbau der ganzen Insel. Da die
Geologie nicht das spezielle Arbeitsgebiet des Verfassers ist, sind
ihm begreiflicherweise in diesem Kapitel einige Irrtümer unter-
gelaufen. Bei einer Berücksichtigung der bahnbrechenden Arbeiten
des isländischen Geologen Helgi Pjetursson wäre z. B. die falsche
Angabe, der Palagonittuff sei vulkanischer Natur, unterblieben.
Er ist größtenteils glazialer Entstehung. Desgleichen ist die Mitteilung, der Dolerit sei präglazial, veraltet. Er entstammt wahrscheinlich einer späteren Zeit.

Mit dem Aufbau der Insel sind die Oberflächenformen aufs
innigste verknüpft. Von den Vulkanen werden drei Typen
unterschieden: kegelförmige Vulkane, Lavakuppen und Krater-
reihen. Zum ersten Typus wird auch das in letzter Zeit viel
genannte Vulkanmassiv der Askja gezählt, in der, nach einer
mündlichen Mitteilung des Herrn Spethmann, des einzig Über-
lebenden der vorjährigen Island-Expedition, die unter Leitung
des Dr. von Knebel auszog, die weißen Dampfsäulen (S. 57) erloschen sind oder wenigstens 1907 nicht mehr in die Erscheinung traten.

Auf das geologische Kapitel folgt eine Behandlung der Geschichte Islands. Sie wird in vier Perioden geteilt: die Besiedlung, der Freistaat, die Herrschaft norwegischer und dänischer Könige und die Selbstregierung der Gegenwart.

Nach diesen eingeflochtenen Kapiteln wird der Faden der Reisebeschreibung wieder aufgenommen. Reykjavik mit seinem eigenartigen Leben und Treiben entrollt sich vor unseren Augen. Dabei werden scharf die Unterrichtsanstalten, die gesundheitlichen Zustände wie auch die kunstgewerblichen Erzeugnisse beleuchtet. Ein weiteres Kapitel ist der Weidewirtschaft und Viehzucht, der Fischerei und Jagd gewidmet. Die Vorführung der Umgebung Reykjaviks veranlaßt den Verfasser zu Exkursen über das isländische Haus und zu einer sehr anziehenden und lesenswerten Abhandlung über die Wechselbeziehungen zwischen Island und Deutschland, ein Abschnitt, in dem der Verfasser, wie überhaupt in dem ganzen Werke, in erstaunlichem Maße die vorhandene Literatur beherrscht. Hiermit schließt der erste Band,

Der zweite Band wird durch den Besuch des großen Geysirs und der Hekla eröffnet. Von weiterem Interesse dürfte die Mitteilung sein: „Was ich an Berichten über eine Ersteigung der Hekla kenne, ist fast alles übertriebene Flunkerei oder mindestens aufgeregte Selbsttäuschung. Auf Island muß eben alles „schauerlich", „großartig" und „lebensgefährlich" sein!" Die Besteigung des Vulkans bietet keine Schwierigkeiten. Dagegen war es sehr gefahrvoll, die vielen Gletscherflüsse im Süden vom Inlandeis des Vatnajökull zu durchreiten. Dort dehnt sich einer der größten „Sandr" der Insel aus, Geröll, Sand und Lehm wird von unzählbaren flachen, aber reißenden Flüssen und Strömen durcheilt.

Hielt sich der Reisezug bisher an der Küste, an der Peripherie der Insel, so wandte sich Herrmann östlich des Vatnajökull auch dem zentralen Teile zu, ohne freilich bewohntes Gebiet zu verlassen. An der Jökulsá, einem der größten Ströme der Insel, ritt er nordwärts, vorüber an dem 107 m hohen Wasserfall des Dettifoss, nach dem entzückend gelegenen Asbyrgi an der Küste des nördlichen Eismeeres.

Noch einmal wandte sich der Verfasser südwärts, um den in der Reiseliteratur viel genannten Myvatndistrikt aufzusuchen mit seinen bizarren Lavaformen, seiner Mondlandschaft en miniature und seinem Solfatarenfeld. Dann traf er in Akureyri, seinem Reiseziel und der Hauptstadt des Nordlandes, ein.

Ein Rückblick und Ausblick beschließt das Werk. Herrmann faßt das Ergebnis seiner Studien in folgende Worte: „Im Verhältnisse zu anderen Völkern wird die Insel immer zurücktreten müssen, aber ihren bescheidenen Platz unter der Sonne wird sie sich gleichwohl behaupten können."

Das Buch ist reich illustriert. 117 meistens recht gute Bilder geben eine vortreffliche Vorstellung vom Lande und seiner Bevölkerung. Außerdem erleichtert eine klare Übersichtskarte das Verfolgen des Reisezuges und das Aufsuchen der erwähnten Siedlungen ungemein.

Von allen, die sich für Island interessieren, wird das Buch gern gelesen werden, bringt es doch bei der Reichhaltigkeit seines Inhaltes und bei seinem Bestreben, die Bewohner des Eis- und Feuerlandes, ihre Sitten und ihr Geistesleben zu ergründen, jedem Leser viel Neues und Interessantes.

Hannover.   A. Rohrmann.

_____

1) Schulte-Tigge-Mehler, Elementar-Mathematik. Ausgabe B, Oberstufe I. Synthetische Geometrie der Kegelschnitte in engster Verbindung mit neuerer und darstellender Geometrie. Berlin 1907, G. Reimer. VIII u. 72 S. 8. kart. 2,40 $\mathcal{M}$.

Der Kampf um die Existenz in der Schulbücherliteratur zwingt auch altbewährte Bücher, den Forderungen der Zeit Rechnung zu tragen und sich Umänderungen anzubequemen, die größer sind als die von Auflage zu Auflage vorgenommenen Verbesserungen einzelner Stellen. Auch Mehlers Werk ist dem Schicksal nicht entgangen. Freilich was hier vorliegt, ist eigentlich ein neues Buch; denn die Disziplinen der Schulmathematik, die es enthält, fehlten in dem „alten" Mehler bis auf den ersten Abschnitt ganz. Dieser, der die Lehren von harmonischen Punkten und Strahlen, Kreispolaren, Transversalen, Ähnlichkeitspunkten und die Apollonische Berührungsaufgabe enthält, ist ziemlich unverändert herüber gekommen. Neu aber sind der zweite und dritte Abschnitt. Der zweite bringt die Grundzüge der darstellenden Geometrie, allerdings sehr knapp, zu knapp für den Liebhaber der Disziplin, aber zweifellos ausreichend für das Bedürfnis des Gymnasiums, vielleicht auch für das des Realgymnasiums, wenigstens soweit es innerhalb der lehrplanmäßigen Mathematikstunden bewältigt werden muß. Es scheint, als ob allmählich eine etwas kühlere Schätzung der Bedeutung Platz griffe, die die darstellende Geometrie im mathematischen Unterricht hat. Dahingestellt mag bleiben, wieweit das berechtigt ist. Der dritte Abschnitt bringt in vier Kapiteln die Grundzüge der synthetischen Geometrie der Kegelschnitte, indem sie einmal als geometrische Orte, dann als Kegelschnitte, darauf als Zentralprojektionen des Kreises, endlich als Erzeugnisse projektiver Gebilde betrachtet werden. Der Lehrgang, der damit geboten wird, ist nach den Erfahrungen des Berichterstatters sehr geeignet, die Schüler lebhaft für den Gegenstand zu erwärmen und ihre Aufmerksamkeit dauernd zu fesseln. Es ist ja nicht selten der Vorschlag gemacht worden, angesichts der vielbeklagten Überfülle des Stoffes namentlich für die Realanstalten, die synthetische Betrachtung der Kegelschnitte auszuscheiden. Aber dadurch würde doch ein Gebiet der Behandlung entzogen werden, das ganz besonders geeignet ist, den Zusammenhang mathematischen Wissens den Schülern nahe zu führen und durch die Kenntnis allgemeiner Methoden ihr Können zu stärken. Die Darstellung in ihrer Kürze — sie umfaßt nur 32 Seiten —, Klarheit und Folgerichtigkeit zeigt den Meister der Lehrkunst. Ein besonders hervorzuhebender Vorzug des Buches sind die Figuren, die in tadelloser Korrektheit, meistens auf besonderen Tafeln, und in großer Zahl — 72 —, teilweise in mehreren Farben, ihm beigegeben sind. Es mag eine Freude sein, nach diesem Werkchen unterrichten zu können.

Noch stehen zwei Teile aus. Der eine soll die Arithmetik, Trigonometrie und Stereometrie der Oberstufe behandeln, der zweite die „funktionale" Geometrie (Graphische Darstellung von Funktionen, analytische Geometrie der Ebene, Grundzüge der Differential- und Integralrechnung). Was heute vorliegt, macht den Wunsch rege, daß die Fortsetzung und Vollendung nicht lange auf sich warten lassen möge. — Übrigens mag noch bemerkt werden, daß der Verf. zwei der oben erwähnten Tafeln, die die Kegelschnitte der Zentralprojektionen des Kreises darstellen, in vergrößertem Format als Wandtafeln beigegeben hat (Preis à 10 $\mathcal{M}$).

2) **Fritz Walther, Lehr- und Übungsbuch der Geometrie für die Unter- und Mittelstufe.** Mit Anhang (für Realanstalten): I. Ebene Trigonometrie. II. Abbildung und Berechnung einfacher Körper. Berlin 1907, O. Salle. VIII u. 204 S. 8. 2 $\mathcal{M}$.

Dieses Buch macht wirklich Ernst mit dem Versuch, in den geometrischen Lehrstoff der Unter- und Mittelstufe die Gesichtspunkte einzuführen, die als die leitenden in den modernen Bestrebungen aufgestellt worden sind. Das sind in erster Linie die, die Gebilde als beweglich zu betrachten und die Abhängigkeit der Veränderlichkeit des einen ihrer Stücke von den andern aufzuweisen und zu betrachten. Gleich stark betont es die Notwendigkeit eines anschaulichen, induktiven Verfahrens bei dem Vortrage der geometrischen Wahrheiten, namentlich auf der Unterstufe, bei dem propädeutischen Unterricht der Quarta. Dem Berichterstatter ist kein anderes Werk bekannt, welches ebenso vielseitig und konsequent die angegebenen Grundsätze befolgte. Sehr beachtenswert ist dann vor allem die Art, wie allmählich das Verständnis der Abhängigkeit vorbereitet wird, so daß schon auf früher Stufe der Begriff der Funktion festgestellt und durch eine Anzahl im vorhergehenden behandelter Beispiele erläutert werden kann. Dies geschieht gelegentlich der Betrachtung der Kreiswinkel (S. 72 ff.). Von da ab wird dann auch stärker als bisher der funktionale Zusammenhang der Größen hervorgehoben.

Das Buch ist also ein recht brauchbares Hilfsmittel und ein schätzenswerter Ratgeber für einen Unterricht, der in diesem Sinne erteilt werden soll.

3) **Oskar Lesser, Die Entwicklung des Funktionsbegriffes und die Pflege des funktionalen Denkens im Mathematik-unterricht unserer höheren Schulen.** Frankfurt a. M. 1907, Gebr. Knauer. 74 S. 8. 1,80 ℳ.

Der Versuche, die Vorschläge der Meraner Naturforscher-versammlung bezw. die Neugestaltung des mathematischen Unter-richts literarisch zu verwerten, Hilfs- und Lehrmittel zu schaffen, sind schon manche unternommen worden. Einer der eigen-artigsten und der glücklichsten scheint der gegenwärtige. Er stellt sich zunächst die Aufgabe, an ausführlich vorgeführten Beispielen zu zeigen, wie auf der Mittelstufe im mathematischen Unterricht zu verfahren sei, um den Begriff funktionaler Ab-hängigkeit bei den Schülern lebendig zu machen. Dann wendet sich der Verfasser der Arbeit auch der Oberstufe zu und bemüht sich besonders, die in den Meraner Vorschlägen so stark betonte „Determination" der Aufgaben an einigen Beispielen vorzuführen. Eine große Anzahl von Tafeln, die die zu einem solchen Lehr-gange gehörigen graphischen Darstellungen enthalten, zeigen, daß das Dargebotene als Ergebnis von Unterrichtserfahrung angesehen werden darf. Das Buch wird sich daher ganz besonders dazu eignen, bei einem ersten Versuch als Wegweiser und Ratgeber zur Seite zu stehen.

Pankow bei Berlin.   Max Nath.

Martin Vogt, Jugendspiele an den Mittelschulen. Vortrag, ge-halten in der Münchener Eltern-Vereinigung. München 1907, Verlag der Ärztlichen Rundschau (Otto Gmelin). 50 S. gr. 8. 1,20 ℳ.

In dem vorliegenden Heftchen bricht der Verfasser eine Lanze für die Einführung eines wöchentlichen Spielnachmittags an Gymnasien, Realgymnasien. Ober-Realschulen usw. mit pflicht-mäßiger Teilnahme aller Schüler. Es ist ein Vortrag für die Eltern unserer Schüler, der aber seiner Kürze, Klarheit und An-schaulichkeit wegen auch den Schulleitern und Kollegen dringend zum Lesen empfohlen werden kann. Neue Gedanken wird man von einem solchen Vortrage nicht erwarten, aber die Zusammen-stellung des Bekannten ist mit Geschick und mit großer Wärme durchgeführt, so daß man dem Gedankengange des Verfassers gern und sicherlich auch mit Zustimmung folgt. Nur im Ein-gange finden sich kleine Übertreibungen. Wenn gesagt wird: „Das Erziehungswesen von heute ist gegenüber dem vor 30 oder 40 Jahren bedeutend anspruchsvoller geworden. Fach um Fach hat man dem Lehrplan hinzugefügt", und dann weiter: „Die Aus-bildung der körperlichen Anlagen in den Schulen hat mit der

Geistesbildung keineswegs gleichen Schritt gehalten", so ist das nicht ganz richtig. Auf unsern Gymnasien wenigstens wüßte ich nur geringe Hinzufügungen zu nennen und keine, der nicht eine mehr als ausgleichende Erleichterung gegenüberstände, während die den körperlichen Übungen gewidmete Zeit in dankenswerter Weise von einer Stunde auf deren drei erhöht ist. Aber richtig ist dabei doch, daß daneben noch ein freier Spielnachmittag und zwar mit pflichtmäßigem Betriebe durchaus notwendig ist. Verf. zeigt dies, indem er zunächst die gesundheitliche Förderung durch die Jugendspiele aufweist, dann den Einfluß derselben auf die Charakterbildung in sehr beherzigenswerter Weise in den Vordergrund schiebt und endlich die Gründe untersucht, welche man etwa für die freiwillige Beteiligung der Schüler an den Jugendspielen ins Feld führen könnte. Bei Widerlegung der letzteren kommt er z. B. sehr mit Recht auf die Unmöglichkeit zu sprechen, von seiten der Eltern zu untersuchen, ob der Sohn seiner Angabe gemäß auf den Spielplatz gegangen ist oder die Zeit mit Flanieren in den Straßen oder mit Besuch von Kneipen verbracht hat. Freihalten dieses einen Nachmittags von den regelmäßigen Schularbeiten ist freilich eine notwendige, aber auch erfüllbare Forderung, die mit der Einführung des pflichtmäßigen Spielnachmittags verbunden ist. Aber es wird sich wohl herausstellen, daß der erfahrene Verf. auch darin recht hat, daß diese scheinbare Versäumnis durch erhöhte Leistungsfähigkeit der Schüler wettgemacht werden wird. Sehr treffend sind auch die Bemerkungen, welche am Schluß über die „Überbürdung" gemacht werden.

Halle a. S.   G. Riehm.

DRITTE ABTEILUNG.

Aus der Allgemeinen, der Philologischen und Archäologischen Sektion der Basler Philologenversammlung 1907.

In der ersten allgemeinen Sitzung vom Dienstag, 24. September, sprach Herr Rektor Dr. G. Finsler aus Bern über das Thema „Homer in der Renaissance". Den Ruhm, den dem Mittelalter unbekannten Homer für das Abendland wiedergewonnen zu haben, nahm im 15. Jahrhundert das gebildete Florenz der Mediceer in Anspruch. Zwar waren schon im 15. Jahrhundert Petrarca und Boccaccio bestrebt gewesen, sich über den Inhalt der Gedichte zu unterrichten. Die lateinische Prosaübersetzung des Leonzio Pilato war eine Frucht dieser Bemühungen. Aber in der Tat wurde Homer erst heimisch, als man Griechisch zu lernen begann; Leonardo Bruni und Carlo Marsuppini begannen Homer zu übersetzen, letzterer auf Wunsch des Papstes Nicolaus V. Eine vollständige Prosaübersetzung besitzen wir von Lorenzo Valla und Francesco Aretino. Von besonders eifrigem Studium Homers zeugt Basinis großes Gedicht Hesperis, in dem der junge Dichter gleich Vergil Italien ein homerisches Epos schenken wollte. Am Hofe Lorenzos weilte der Dichter Polizian, in dem sich die Liebe zur Antike mit edler italienischer Form verband. Er setzte Marsuppinis Arbeit fort. Seine Ambra ist ein wahres Preislied auf Homer.

Das 16. Jahrhundert kennzeichnet das Eindringen poetischer Theorie. Hieronymus Vida schrieb eine Poetica im Anschluß an Horaz, eine Anleitung zur Abfassung eines lateinischen Epos. Auf Leos X. Wunsch verfaßte er selbst das schöne Epos Christias, eine Verherrlichung der Passion mit stark kirchlicher Färbung, in dem Homers Einfluß überall hervortritt. Zu gleicher Zeit wird Aristoteles' Poetik bekannt und erringt sich die unbedingte Herrschaft. Die lateinische Poesie der Humanisten und Kleriker stirbt ab. Trissino in seiner Italia liberata da' Gotti, das den Sieg der Rechtgläubigen über die Ketzer verherrlicht, bedient sich des Italienischen, folgt aber sklavisch den Aristotelischen Regeln und dem Homerischen Vorbild. Seine Mißachtung des italienischen Rittergedichts, besonders Ariosts, rief eine herbe Polemik zugunsten der nationalen Poesie hervor, in der die ersten Angriffe auf Homer, das von Aristoteles aufgestellte Muster, laut wurden. Eine Versöhnung der verschiedenen Standpunkte vollzieht sich bei

Tasso, der den Homer zum Vorbild nimmt, aber einen historischen Stoff in der Form des Romanzo behandelt. Der Streit über den Wert seines Gedichts, verglichen mit Ariost, erstreckt sich nach und nach auf alle Epiker und endet in Paolo Benis Urteil, daß Tasso und Ariost die Alten, besonders den Homer, weit überragen. Noch weiter geht Tassoni, der Homer als Muster einfach verwirft. Erst am Ende des 18. Jahrhunderts lebt in Italien die Beschäftigung mit dem Dichter wieder auf.

Prof. Ed. Schwartz (Göttingen) behandelte Das philologische Problem des vierten Evangeliums. Nach sicherer Überlieferung ist der Apostel Johannes im Jahre 44 mit seinem Bruder Jakobus zusammen in Jerusalem von dem jüdischen König Agrippa I. hingerichtet worden. Die vulgäre Legende, daß er als alter Mann in Ephesus gelebt und dort gestorben sei, ist erst später entstanden und hat Bedeutung gewonnen, weil fünf Schriften: ein Evangelium, drei Briefe und die Apokalypse unter dem Namen des Apostels in das Neue Testament gekommen sind. Diese Schriften können alle erst nach dem Jahre 44 verfaßt sein; keine einzige gehört auch nur indirekt dem Apostel an. Sie sind ihm von einem Kleinasiaten im zweiten Jahrhundert zugeschrieben, der den ersten Johannesbrief wohl selbst verfaßt, die übrigen Johanneischen Schriften aber vorgefunden und mehr oder weniger zurechtgestutzt hat. Am stärksten ist das Evangelium überarbeitet; an einzelnen Beispielen wird dies zum Schluß des Vortrags gezeigt.

In der Philologischen Sektion gab in der ersten Sitzung vom Mittwoch, 25. September, zunächst Herr Geheimrat Prof. Dr. H. Diels aus Berlin einen Bericht über das neue Corpus medicorum antiquorum, das unter den Auspizien der Internationalen Assoziation der Akademien erscheinen und von den drei derselben angehörigen Akademien von Berlin, Kopenhagen und Leipzig bearbeitet werden wird. In den Jahren 1901—1906 wurde ein das große Unternehmen vorbereitendes Verzeichnis aller Handschriften der antiken Ärzte teils nach den Bibliothekskatalogen, teils durch Aufnahme des Materials an Ort und Stelle beschafft. Auf Grund dieses von der Berliner Akademie (Abhandlungen 1905 und 1906) herausgegebenen Materials wurde die Gesamtausgabe der griechischen Ärzte, die zunächst in Angriff genommen werden, auf 32 Bände gr. 8, jeder zu etwa 800 Seiten veranschlagt. Die Kosten sind (abgesehen von den Druckkosten) auf 150 000 ℳ berechnet. Eine große Anzahl von Mitarbeitern sind in und außerhalb Deutschlands für diesen Zweck gewonnen. Den Verlag hat die Teubnersche Buchhandlung übernommen. Der Druck hat bereits begonnen. Ein Probebogen wurde vorgelegt. Das Corpus soll das Fundament für eine wissenschaftliche Geschichtsforschung und Geschichtsdarstellung der antiken Heilkunde geben. Man hofft, es in 15 bis 20 Jahren zu vollenden.

Hierauf sprach Herr Professor R. Reitzenstein aus Straßburg über Horaz und die hellenistische Lyrik. Der Vortragende trat der Auffassung Kießlings entgegen, der das Verständnis der Oden damit erschlossen glaubte, daß er das Vorbild des Horaz in der Lyrik der klassischen Zeit nachwies und zeigte, wieweit der Dichter davon abhängig sei. Aber gerade Gedichte wie I 24 und III 9 können nur verstanden werden, wenn wir sie mit der modernen hellenistischen Lyrik und ihrer Technik in Zusammenhang bringen, die allerdings mit der Dichtkunst der klassischen Zeit durch viele Fäden verbunden ist. Freilich hat Horaz den von Catull behandelten Teil dieser Lyrik beiseite gelassen, aber nicht nur das Verständnis der Technik und der Stelle, auch Stimmung und Empfindung solcher Lieder wie III 22, III 13, I 30, III 26 werden uns erst durch Vergleich mit der einzig genauer bekannten Epigrammatik klar. Die klassische Lyrik bot Horaz die Möglichkeit, über den eng gewordenen Kreis des hellenistischen Empfindungslebens hinauszugehen und dem wieder erwachten politischen Interesse des neu sich bildenden Volkstums Ausdruck zu geben und so aufs neue in einer durch die Philosophie stark beeinflußten Zeit der Lehrer seines Volkes zu werden. So spiegelt sein Lied wie das der alten Lyriker Fühlen und Denken der eigenen Zeit; davon muß die Erklärung ausgehen und nicht von der Einzelnachahmung.

Sodann sprach Herr Professor Alfred Körte aus Gießen über die beiden Komödienpapyri aus Ghorân, die Jouguet im Bull. corr. hell. 1906 veröffentlicht hat. Beide enthalten je einmal den Vermerk χοροῦ, ohne daß ein Chorlied folgt, genau so wie an einigen Stellen unserer Aristophanestexte. Danach sind sie auch zu beurteilen und beweisen von neuem, daß auch der neuen Komödie der Chor nicht durchaus gefehlt hat, obwohl er für sie ein störendes Anhängsel war.

Zwei auf der Rückseite des einen Papyrus erhaltene, jedenfalls im 2. Jahrh. v. Chr. niedergeschriebene Prologe werfen ein überraschendes Licht auf die Entstehung der metrischen Hypotheseis, die wir zu Stücken des Aristophanes und Sophokles besitzen. Sie rühren beide nicht vom Dichter her und sind nicht zum Vortrag bestimmt, sondern geben in künstlicher Versspielerei den Inhalt des Stückes wieder. Metrische Hypotheseis haben sich also in hellenistischer Zeit im Anschluß an die erzählenden Prologe entwickelt.

Der Vortragende ging sodann auf die Streitszene einiger Jünglinge des zweiten Papyrus ausführlich ein und zeigte, daß dramatische Technik und Sprache des Fragments auf einen Dichter deuten, der später und geringer ist als Menander, und daß uns so die individuelle Größe Menanders um so deutlicher vor Augen tritt.

Darauf teilte noch Herr Geheimrat Diels die deutsche Übersetzung einer Szene des neuen Menanderfundes mit, die im Journal des Débats auf französisch erschienen war.

In der zweiten Sitzung der Philologischen Sektion begann Herr Professor H. Lietzmann (Jena) mit dem Vortrag: Die klassische Philologie und das Neue Testament. Seit den letzten Jahren ist die Überzeugung von der untrennbaren Zusammengehörigkeit theologischer und philologischer Wissenschaft zur Herrschaft gelangt, nicht durch theoretische Auseinandersetzung, sondern durch Taten. Der Vortragende gibt einen kurzen Überblick über das bisher Geleistete und die nächsten Aufgaben. In der Textkritik ist seit etwa hundert Jahren das Streben der meisten Forscher auf die genauere Erkenntnis der aus Hieronymus erschlossenen Rezensionen, der des Lucian, Hesych und Origenes-Eusebius, gerichtet; diese Aufgabe besteht noch für die nächste Zukunft, gewünscht werden vorbereitende Untersuchungen über den Septuagintatext. Während die Formenlehre der neutestamentlichen κοινή in der letzten Zeit intensiv bearbeitet worden ist, stellt die Lexikographie noch große Probleme:

Deißmanns Arbeiten haben da Bahn gebrochen. Wortregister zu den Inschriften sind spärlich (außer bei Dittenberger), und verschiedene Schriftsteller (Diogenes Laertius, Stoiker, Philo) bedürfen der Indices. Dagegen besitzen wir vorzügliche Hilfsmittel in den Registern der Papyruspublikationen. Am schwersten liegen die Aufgaben auf dem Gebiet der Syntax und Stilistik, wo hauptsächlich die Lehre von den Präpositionen und Konjunktionen und die Verbalsyntax zu beachten sein wird. Das reizvollste Gebiet, das der sachlichen Interpretation, des kultur- und religionsgeschichtlichen Verständnisses des Neuen Testaments, ist von den Philologen erst seit dem Erwachen des Interesses an religiösen Problemen und seit der Entdeckung des Hellenismus in Angriff genommen worden. Jetzt arbeiten philologische und theologische Forscher vereint, um den kulturellen Hintergrund der neutestamentlichen Religion zu beleuchten und ihre besondere Eigenart schärfer zu erkennen. Zu wünschen ist dabei, daß die philologischen Mitarbeiter sich mit der theologischen Arbeit gründlich bekanntmachen und daß das Gymnasium in den Stand gesetzt werde, das heranwachsende Theologengeschlecht mit genügender Sprach- und Sachkenntnis auszurüsten.

Herr Gymn.-Prof. R. Helbing aus Karlruhe redete über die sprachliche Erforschung der Septuaginta. Seitdem von der Philologie hauptsächlich an den Papyri und Inschriften erkannt worden ist, daß das hellenistische Griechisch keine degenerierte Sprache, sondern einfach ein frisch sich entwickelndes Reis am alten Stamme ist, hat man auch begonnen dem biblischen Griechisch, besonders der Sprache des N. T., Interesse entgegenzubringen, sowohl von philologischer (Blaß, Thumb) als auch von theologischer Seite (Deißmann, Schmiedel). Mit dem Inspirationsdogma fiel der Sonderbegriff einer biblischen Gräzität, und es gilt nun vor allem als reichste Quelle die κοινή zu erschließen. Heranzuziehen sind die gleichzeitigen Papyri und Handschriften der vorchristlichen Zeit und die erste κοινή-Literatur, dazu müssen zur Kontrolle unserer Handschriften nachchristliche Zeugen treten. Aus der Literatur der klassischen Zeit fallen wiederum Beziehungen zur Komödie auf. Die Erforschung der Sprache der LXX ist notwendig für eine kritische Ausgabe, sie bereitet vor zur Lösung der κοινή-Frage. Die sog. syntaktischen Hebraismen werden sich großenteils als echt griechische Konstruktionen herausstellen, deren häufige Anwendung allerdings der mechanischen Übersetzungsarbeit aus dem Hebräischen zuzuschreiben ist. Auch der Stil hat seine Parallelen im hellenistischen Griechisch.

In der Nachmittagssitzung sprach Herr Professor J. Wackernagel aus Göttingen über Probleme der griechischen Syntax. Der Vortragende stellte fest, daß die angeblich verschiedene Aktionsart der Passivfutura auf -σομαι und -θήσομαι ursprünglich nicht vorhanden war. Die Formen auf -θήσομαι dringen erst seit etwa 500 neben die früheren Passivfutura auf -σομαι ein und sind um 300 fast ausschließlich üblich. Das im 5. Jahrhundert gebildete φανήσομαι bekam allerdings in Anlehnung an den Aorist ἐφάνην vorwiegend den Sinn „ich werde sichtbar werden", was Bevorzugung der durativen Bedeutung für φανοῦμαι nach sich zog.

Während in den verwandten Sprachen der Konjunktiv zugunsten des Optativs verloren ging, siegt er im Griechischen trotz der Neigung des

Attischen für den Optativ. Diese in die κοινή aus dem Jonischen eindringende Tendenz ist im N. T. schon fast zum Abschluß gebracht.

Der vokativische Gebrauch von deus, der durch die Christen aufgekommen ist, stammt aus dem Hebraismus ὁ θεός der griechischen Bibel (vgl. λαός μου in der Anrede). Sonst ist der Vocativus pro nominativo besonders bei Adjektiven uralt (φίλος ὦ Μενέλαε), bei Possessiven durchaus ursprünglich (γαμβρὸς ἐμός — oculus meus).

Daß die Dativ- und Lokativfunktion in der II. Deklination durch eine ursprüngliche Dativform, in der III. durch eine Lokativform gegeben werden, ist, wie das Armenische zeigt, nicht ganz griechische Neuerung. So sind im Latein die ō-Formen von o-Stämmen, wenn mit Präpositionen verbunden, z. T. dem Dativ, nicht dem Ablativ zuzuschreiben.

Die dritte Sitzung der Philologischen Sektion am Freitag, 27. September, Vormittag, eröffnete der Vortrag von Herrn Professor F. Boll aus Würzburg über die Ergebnisse der Erforschung der antiken Astrologie. Da die Astrologie nicht etwa wie Vogelschau oder Blitzdeutung bloß eine spezielle Form der Voraussagung war, sondern ein großes einheitliches Weltbild von strenger deterministischer Geschlossenheit aufstellte, das auf orientalischem Gestirnkultus beruht, aber aus orientalischer Sternbeobachtung und griechischer Wissenschaft aufgebaut ist, war die Durchforschung des in Handschriften, Papyri und Kunstdenkmälern massenhaft vorliegenden Materiales eine Notwendigkeit für die Geschichte der antiken Religion, Philosophie und Wissenschaft. Die Ergebnisse erstrecken sich gleichmäßig auf den Orient wie auf Griechenland, bereichern vielfach auch unser Verständnis der antiken Astronomie und Chronologie und sind daneben auch für unsere Kenntnis der griechischen Sprachentwicklung, wie des antiken Lebens, namentlich der Völkerbeziehungen, von Wichtigkeit. Astrologie als Sterndeutung hat es bei den Griechen vor der hellenistischen Zeit nicht gegeben; aber mit den Grundlagen der Astronomie sind ihnen auch einzelne Voraussetzungen der Astrologie im 6. Jahrhundert bekannt geworden, deren Spur sich bei den Pythagoreern nachweisen läßt. Ganz vereinzelt begegnen in der astrologischen Überlieferung Parallelen zur kretischen Kultur.

Herr Gymn.-Prof. Dr. C. Ritter (Tübingen) wies darauf hin, daß der von Lotze bis auf Lutosławski und Natorp immer lauter erhobene Widerspruch gegen die herkömmliche Auffassung der Ideenlehre Platos, die sich auf Aristoteles stützte und namentlich von Zeller und Bonitz vertreten wurde, wohl begründet sei. Der Sophistes, der nach den Ergebnissen der Sprachstatistik die Schriften des Alters einleitet (d. h. nur dem Politikos, Timaios, Kritias, den Nomoi und vielleicht dem Parmenides vorausgeht) definiert die οὐσία als δύναμις τοῦ ποιεῖν καὶ πάσχειν. Die Tatsache, daß Aristoteles, der damals schon Schüler der Akademie gewesen sein muß, diese ontologischen Untersuchungen ignoriert, kann also weder wie bei Zeller damit entschuldigt werden, daß sie vor die Zeit der Schülerschaft des Aristoteles fallen, noch ist Windelbands Athetese des Sophistes und Politikos haltbar. Die Polemik gegen die φίλοι εἰδῶν im Sophistes wendet sich entweder gegen Platos eigene frühere Sätze über die Ideen oder gegen Mißverständnisse seiner Lehre durch Leser und Ausleger. Die Definition des Seins im Sophistes hat Plato in den folgenden Schriften immer festgehalten; auch die Sätze im Timaios (Kap. 18) widersprechen dem nicht. Jedenfalls findet sich in jenen späteren Schriften keine Äußerung Platos, die den Ideen irgendwelches phantastische Sein und Wesen beilegt. Übrigens lassen sich auch die Lehren früherer Dialoge über die Ideen in ganz vernünftigem Sinn verstehen, wie recht ähnlich klingende Ausführungen moderner Denker (Goethes, Schuppes, Chamberlains) zeigen.

Sodann sprach Herr Professor M. Pohlenz aus Göttingen über die erste Ausgabe des Platonischen Staates. Die einheitliche Komposition der erhaltenen Politeia einerseits und andrerseits die Nachricht des Gellius, der Bericht des siebenten Briefes, daß Plato schon vor der ersten sizilischen Reise mit den Grundzügen seiner politischen Theorie fertig war, der Umstand, daß im Timaios und in Isokrates' Busiris auf Platos Staatslehre und besonders auf die Anerkennung der ägyptischen Einrichtungen angespielt wird, machen die Annahme einer ersten, von der erhaltenen Politeia verschiedenen Ausgabe durchaus wahrscheinlich. Da die Abfassungszeit des Busiris in die Jahre 390—385 fällt und die Ekklesiazusen des Aristophanes Berührungen mit der platonischen Staatslehre aufweisen, die keineswegs allgemein kommunistische Ideen, sondern Einzelheiten eines genau durchdachten Programms betreffen, weisen diese erste Ausgabe der Politeia in die Jahre 392 oder 391. Der Dialog gab, indem er an Geschichtliches anknüpfte, praktische Vorschläge für die Gestaltung des Staatslebens In seiner späteren Theorie vom Idealstaate, d. h. in der uns vorliegenden Ausgabe der Politeia, hat Plato an verschiedenen Stellen Vorschläge des ersten, nunmehr verdrängten Entwurfes eingearbeitet. Als Plato nach 367 zeigen wollte, wie der Idealstaat sich unter gegebenen Verhältnissen bewähren würde, knüpfte er wieder an den ersten Staat an; aber der beabsichtigte Plan einer Tetralogie wurde nicht ausgeführt.

In der ersten, der „mykenischen" Kultur gewidmeten Sitzung der Archäologischen Sektion vom Dienstag Nachmittag begann Herr Institutssekretär Dr. G. Karo (Athen) mit dem Vortrage über „Mykenisches aus Kreta". Die Kuppelgräber, die Halbherr in Hagia Triada und Xanthudidis in Kumasa (südöstlich von Gortyn) ausgegraben haben, zeigen, daß in Kreta, im Gegensatz zu den kleinen Rundgräbern von Syra, große Stammesgrüfte in der Form von Kuppelgräbern schon in der Zeit der Kykladenkultur (= „frühminoischen" nach Evans) voll entwickelt waren. Die vornehmen Toten sind in tönernen Larnakes wie in mykenischer =„spätminoischer" Zeit beigesetzt. Das Totengerät ist ähnlich wie auf den Kykladen, nur im Stile viel weiter fortgeschritten. In der obersten Schicht von Hagia Triada gefundene Scherben von bunten kretischen (sog. Kamares-) Gefäßen und der Umstand, daß später um das Hauptgrab Nebenkammern angelegt wurden, beweisen die Kontinuität in Kultur und Totenkult bis in „mittelminoische" Zeit hinein. Kuppelgräber und Kammergräber sind auf Kreta von „mittelminoischer" bis in geometrische Zeit hinein nachgewiesen worden. Selten sind Kuppelgräber jedoch gerade in der Zeit der an Pracht alle kretischen Gräber übertreffenden Kuppelbauten von Mykenä und Orchomenos. Da jedoch dekorative Elemente und das konstruktive Prinzip auf dem Festland direkt von Kreta übernommen sind, ist der Schluß wahrscheinlich, daß die in die Zeit der Zerstörung der großen kretischen Paläste (ca. 1400) fallenden mykenischen Bauten von ausgewanderten kretischen Künstlern beeinflußt, wohl auch teilweise errichtet sind.

Die mächtigen Paläste und Städte in Kreta zeigen nicht die geringste Spur von Befestigung und sind ohne Rücksicht auf die strategische Position angelegt. Das beweist, daß die Insel im 2. Jahrtausend unter einem einheitlichen starken Königtum stand und durch eine mächtige Flotte gegen Angriffe von außen vollständig geschützt war, die sagenhafte Thalassokratie des Minos ist Abglanz historischer Wahrheit. Die Bedeutung der Flotte beweisen auch die reichen Funde schönster Kunst auf der wasserlosen Felseninsel Psyra, deren Besiedelung nur dadurch erklärt wird, daß sie den einzigen sicheren Hafen in der Mirabello-Bucht bot.

Herr Professor W. v. Bissing (München) sprach über die Beziehungen Kretas zu Ägypten. Der Vortragende legte den Nachdruck auf die chronologische Frage. Der relativen Chronologie der kretischen Funde, wie sie eruiert worden ist, können nur die ägyptischen Denkmäler eine absolute Grundlage geben. Jedenfalls weisen die kretischen Funde in Ägypten dieselbe relative Folge auf wie in Kreta und gestatten den Ausgang der mykenischen Kunst um 1100 anzusetzen. Der jüngere Palast ist zwischen 1450 und 1350 zerstört worden; daß er nicht allzu lange vor 1600 erbaut wurde, beweist ein unmittelbar unter einem Zimmer gefundener Steingefäßdeckel, der den Namen des Hyksoskönigs Siaau trägt (nach traditioneller Chronologie 2300, nach Ed. Meyers Chronologie 1700) und aus dem Schutt des ältern Palastes stammt. Irgendwelche erweisbare Beziehungen Kretas zu Ägypten vor der Hyksoszeit, insbesondere zur Zeit der XII. Dynastie oder des alten Reiches, haben nicht bestanden. Die Kamareswaare gehört in die Hyksoszeit. Die Spirale kommt in Ägypten unter der XII. Dynastie auf, wird in der Hyksoszeit und der XVIII. Dynastie erst voll ornamental ausgebildet; so kann auch sie also für die Beziehungen Ägyptens zu Kreta vor 2300 resp. 1700 nichts beweisen.

Herr Prof. Dr. H. Bulle aus Erlangen sprach über „Die Ausgrabungen von Orchomenos und das Verhältnis des griechischen Festlandes zu Kreta". Die Neue Zürcher Zeitung berichtet darüber: Das alte Orchomenos in Böotien galt als eine der reichsten Städte in der epischen Zeit. Sein schon seit lange bekanntes prächtiges Kuppelgrab, die großartigen Entwässerungsanlagen des Kopaïs-Sees bestätigen das. Hier Nachgrabungen zu veranstalten, war ein glücklicher Gedanke Furtwänglers, den auszuführen hochherzige Spenden privater Gönner sowie eine Unterstützung von seiten der bayrischen Akademie der Wissenschaften ermöglichten. Unter Leitung von Furtwängler, Reinecke und Bulle fanden sie 1903—1904 statt. Sie erstreckten sich vornehmlich auf das sogenannte Akontion, den Stadtberg, an dessen unterem Ende man eine Ansiedlung etwa aus dem Ende des 3. Jahrtausends fand, eine älteste Kulturschicht aus neolithischer Zeit. Die Ansiedlungen waren kreisrunde Hütten aus Lehm, Nachahmungen der ältesten Reisighütte; vorragende Lehmziegel bewirkten die in einer Höhe von 4—6 m abschließende Wölbung. Sie sind das erste Beispiel des Rundhauses auf griechischem Boden; das Kuppelgrab ist nichts weiter als die Benutzung der ältesten Hausform für die Wohnung der Toten. Diese Kulturschicht geht um die Wende des 3. Jahrtausends zugrunde, aber nicht

auf gewaltsamem Wege; die Bewohner scheinen die Stätten freiwillig verlassen zu haben. Die zweite Schicht ist von der ersten sehr verschieden.
Zunächst tritt an die Stelle der kreisrunden Form die ovale oder elliptische;
dadurch wird die Teilung in einzelne Räume leichter, und indem der Anfang der Ellipse abgetrennt und dafür eine Türanlage gemacht wird, beginnt
eine Fassadenbildung; ganz analog italischen Beobachtungen. Als Fund-
stücke treten Tonwaren auf, mit freilich noch sehr unvollkommenem Firnis,
mit Verzierung durch Einritzung oder Aufmalung linearer Muster. Eigentümlich ist diesen Anlagen das Vorhandensein eiförmiger Gruben, die sich
in Zimmern und Höfen vorfanden und mit Asche gefüllt waren; vielleicht
ein Brauch, der aus den religiösen Vorstellungen von der Heiligkeit der das
Feuer schützenden Asche entstanden war. Auf diese, etwa dem Anfang des
2. Jahrtausends angehörige Ansiedlung folgen neue Bewohner, anscheinend
aus der Fremde her eingewanderte; sie dürften, wie die gefundenen Reste
mykenischer matter Vasenmalerei schließen lassen, etwa mit den mykenischen
Schachtgräbern (d. h. 1700—1500) gleichzeitig sein. Im Hausbau findet man
hier den Übergang zum rechteckigen System, aber nicht den mykenischen
Megarontypus, sondern mehrzellige Anlagen. Zwischen und in den Häusern
liegen zahlreiche Gräber, in denen die Toten als „liegende Hocker" bestattet sind, eine Stellung, in der sie durch Stricke festgebunden waren,
eine weitverbreitete Bestattungsart, die man neuerdings auch in Tiryns und
auf Leukas gefunden hat. Merkwürdig ist allerdings, daß die Gräber so
innerhalb der Ortschaft angelegt sind. Zahlreich sind in dieser Fundschicht
die Spuren der Zerstörung und der Neubauten; es liegen da verschiedene
Schichten übereinander, die auf ein ununterbrochenes Bewohnen derselben
Stelle deuten. Dann kommt der Übergang zur jüngern Schicht (1500—1200),
mit Vasenfunden jungmykenischer Art; die Bauten aus dieser sind aber fast
ganz verschwunden, nur Brocken von Wandstuck mit Resten von Malerei
wurden gefunden. Das Kuppelgrab von Orchomenos ist der einzige stattliche Bau dieser jüngeren Epoche. Das Orchomenos der historischen Zeit
ist leider durch die Überbauung im byzantinischen Zeitalter völlig zerstört worden.

Die Ausgrabungen von Orchomenos lehren, daß das zweite Jahrtausend
in Böotien mehrfach Bevölkerungswechsel gesehen hat; von einer Urbe-
völkerung kann man nicht sprechen. Das Neue wird nach Mittelgriechen-
land von außen gebracht und zwar zunächst vom Norden. Wahrscheinlich
ist hier an Thessalien zu denken; die Minyer sind jedenfalls die letzte
Schicht, die bis zur dorischen Wanderung reicht. Nicht leicht ist es, das
Verhältnis von Orchomenos zu Kreta zu bestimmen. Ganz abweichend ist
der Hausbau, wie ja überhaupt die kretischen Paläste in Höhen- und Flächen-
anlage stark von den mykenischen differieren. Jedenfalls sind es, nach
Bulle, verschiedene Völker, denen diese Bauten angehören; die kretischen
Einwohner suchten in ihren Bauten vornehmlich sich gegen die Hitze zu
schützen, während sich auf dem Festlande der mehr nordische Charakter der
Bewohner bemerklich macht. Aber die Stämme des Festlandes lernten die
kretische Kultur kennen, die ganze Osthälfte von Hellas wird geradezu kre-
tisiert; alles materiell Importierbare wird übernommen, aber die elementaren
Bedürfnisse und Äußerungen des Volkstums bleiben unberührt. Wer sind

diese Bewohner? Wir dürfen sie, meint Bulle, dreist Achäer nennen wie
die homerischen Griechen; denn das homerische Epos spiegelt die Einzelheiten der mykenischen Kultur wieder; freilich mögen es solche sehr verschiedener Bruderstämme gewesen sein, aber eben doch Griechen, ältere
Brüder der Äolier, Dorier, Jonier. Die Schöpfer der mykenischen Kultur
auf Kreta aber sind nicht Griechen. Das Wesen dieser Kultur ist ganz
anders; ihre Bauweise ist die eines reinen Südvolks, sie haben üppige
Lebensgewohnheiten, ihre Kunst, ihre malerische Auffassung der Natur usw.,
all das ist ganz verschieden von griechischem Wesen. Immer wahrscheinlicher wird die Hypothese Ulrich Köhlers, daß diese Inselbewohner Karier
waren, die von Kleinasien herüberkamen und ihre Kultur weithin, auch nach
dem griechischen Festlande verbreiteten.

Herr Privatdozent Dr. H. Schmidt (Berlin) sprach über die Bedeutung des altägäischen Kulturkreises für Mittel- und Nordeuropa. Während sich die Einflüsse der klassischen Kultur der Mittel-
meergebiete auf Mittel- und Nordeuropa bis an den Anfang des ersten vorchristlichen Jahrtausends zurückverfolgen lassen, scheint der „mykenische"
Handel die Nordküste des Schwarzen Meeres überhaupt nicht berührt zu
haben und ist in westlicher und nördlicher Richtung nicht über die Ost-
küste Siziliens, Sardinien und den Nordrand der Adria hinausgegangen; dagegen lassen sich Fabrikate der vormykenischen Zeit bis nach Südfrankreich,
der Schweiz und Ungarn verfolgen. Umgekehrt hat ein zentraleuropäisches,
wahrscheinlich in Siebenbürgen lokalisiertes Kulturzentrum sowohl in vor-
mykenischer Zeit als zur Zeit der Stufe der Schachtgräber gewisse Elemente
dem ägäischen Kreise vermittelt. Die Fibel, die bei der mykenischen (und
später jonischen) Tracht keine Verwendung finden konnte und sich durch
die Funde als nichtmykenischen Ursprungs erweist, scheint im Bereiche der
oberitalischen Pfahlbaukultur entstanden zu sein. Auch die großartige
Entfaltung der Spiralornamentik in der Stein- und Bronzezeit Mittel- und
Nordeuropas ist durchaus selbständig dem ägäischen Kulturkreise voran-
geschritten.

Donnerstag, den 26. September fand ein Ausflug der Archäologischen
Sektion nach Windisch bei Brugg statt. Unter Führung der Herren Professor Dragendorff aus Frankfurt a. M., Rektor Heuberger, Direktor L.
Fröhlich, Pfarrer E. Fröhlich, Dr. Eckinger aus Brugg wurden die Ergebnisse der Ausgrabungen besichtigt, welche seit zehn Jahren von der Gesellschaft Pro Vindonissa betrieben werden: das Amphitheater, das Nordtor und
die Schutthalde am Abhang des Plateaus, auf dem im 1. Jahrhundert n. Chr. das
Standlager der 21. Legion war; hier stecken die Pfähle und Bohlen der
Palisaden noch wohlerhalten im Fallschatt. Die Sammlung der Kleinfunde
in der Kirche von Königsfelden birgt eine Fülle von Gebrauchsgegenständen,
wie wir sie von andern antiquarischen Fundstätten überhaupt nicht kennen.

Die zweite Sitzung der Archäologischen Sektion vom Freitag Vormittag
eröffnete der Vortrag von Professor H. Thiersch aus Freiburg i. Br. „zur
Tholos von Epidauros". Die Tholos, dieser durch die griechischen
Ausgrabungen im Heiligtum und Heilort des Asklepios aufgedeckte Rundbau,
ist in ihrer eigentlichen Bestimmung bis auf heute noch nicht aufgeklärt.
Auch ihre bisherigen Rekonstruktionen sind unvollständig und unrichtig.

Es läßt sich sicher nachweisen, daß die zylindrische Wandung des Kern-
baues Fenster hatte, wahrscheinlich eine geschlossene Kuppel über dem
Mittelraum und ein hölzernes Podium über der offenen Mitte des „Laby-
rinthes" unter dem Fußboden war. Dieses Podium war die „Thymele",
auch der der ganze Bau dann gleichartig benannt wurde. Alle Elemente
seiner eigenartigen Konstruktion, auch besonders der Hohlräume unter dem
Fußboden, erklären sich aus akustischen Grundsätzen. Dadurch wird die
Vermutung, der Bau habe zu musikalischen Aufführungen gedient, endgültig
bestätigt. Die Tholos war eine Art Odeion, ein Kiosk für die Kurmusik
des Asklepieions.

Ähnliches scheint auch von dem noch unerklärten Rundbau in Delphi
zu gelten. . Das „Philippeion" in Olympia ist eine aufs halbe Maß verkleinerte, in anderem Sinne verwendete und darum mit Ausscheidung der
besonders akustisch wirksamen Momente gebaute Nachahmung der Tholos.
Bezeugt als Lokal für musikalische Darbietungen sind die Skias in Sparta
und das Odeion in Athen, aus dem wir einen dekorativen Auszug im Lysi-
kratesdenkmal besitzen. Das Arsinoeion in Samothrake hatte wahrscheinlich
innen einige ringsum laufende, hölzerne Sitzreihen, entsprechend den Stein-
sitzen im Telesterion von Eleusis, für die Zuschauer der orgiastischen
Rundtänze, welche die Mysterien mit ausmachten. Das von Cassius Dio erwähnte „Odeion" in Rom ist wahrscheinlich nichts anderes als das Pantheon,
dessen Erbauung laut den in ihm nachgewiesenen Ziegelstempeln (Trajani-
scher und Hadrianischer Periode) gerade in die Zeit fällt, für welche die
Haupttätigkeit des Apollodor von Damaskus bezeugt ist. Damit ist einer
der großartigsten Bauten ihr Meister, einer der genialsten Architekten aller
Zeiten, wiedergefunden.

Es folgte der Vortrag von Herrn Privatdozent Dr. W. Vollgraff in
Utrecht über die Ausgrabungen in Argos. Zuerst wurden untersucht
die Reste der ältesten vormykenischen Burg auf der Aspis. Eine Reihe
mykenischer Felsgräber am Fuß desselben Hügels beweist, daß Argos auch
in mykenischer Zeit besiedelt war. Die Lage der Stadt in der klassischen
Zeit stimmt ungefähr mit derjenigen der modernen Stadt überein. In ihren
beiden Burgen, der hohen Larissa und der niedrigeren Aspis, sind die Fundamente von Tempeln aufgedeckt worden; die Funde der Larissa reichen
von geometrischer Zeit bis ins Mittelalter. Den Lauf der Mauern, welche
die Stadt mit den beiden Burgen verbanden, kann man größtenteils noch
deutlich erkennen; in der Ebene ist die Stadtmauer aber noch nicht gefunden worden. Bis jetzt sind aufgedeckt: der Bezirk des Pythischen
Apollon und der angrenzende Bezirk der Athena, daneben die Fundamente
eines kleinen Rundbaus und eines rechteckigen Gebäudes, das wahrscheinlich
das μαντήον war; sodann das monumentale Brunnenhaus der römischen
Wasserleitung und anstoßend eine durch eine Polygonalmauer gestützte
Terrasse, welche in der Mitte ein kleines archaisches Gebäude trug; hier
hat der uralte Gerichtshof der Stadt gelegen, der κριτήριον oder πρών hieß.
An der Agora, an welche die meisten wichtigen Heiligtümer der Stadt
grenzten, ist bisher ein prostyler Tempel aus Kalkstein aufgefunden worden;
eine wichtige darin gefundene Inschrift des 5. Jahrhunderts enthält den Teil
eines Vertrags zwischen Knossos und Tylissos. Von zwei im Temenos des

Pythischen Apollon gefundenen Inschriften bezieht sich eine aus dem
1. Jahrhundert auf die Mysterienfeier in Andania, die andere zeigt, daß
der Letokult in Argos erst viel später eingeführt ist, als man bis jetzt
annimmt.

Herr Dr. A. v. Salis (Basel) berichtete über die Ausgrabungen der
Berliner Museen in Milet, bei welchen er längere Zeit als Archäologe tätig
war. Das Unternehmen bietet große technische Schwierigkeiten, da die Bau-
reste durch die fortwährenden Überschwemmungen des Mäander und durch
heftige Erdbeben versprengt und verwirrt worden sind. Freigelegt sind bis
jetzt in größerem Umfange erst die Reste des hellenistisch-römischen Milet.
Der Vortragende schilderte die Entwicklung der Stadt von Alexander d. Gr.
bis zum Ausgang der Kaiserzeit und versuchte die Besonderheiten in der
Anlage des Ganzen aus den lokalen Bedingungen zu erklären. An einigen
Beispielen wurde gezeigt, wie sich die Rekonstruktion der Überreste für die
endgültige Publikation gestalten wird.

In der allgemeinen Schlußsitzung vom Freitag Nachmittag sprach
Herr Professor Perdrizet (Nancy) unter Vorweisung von Lichtbildern
über die wichtigsten Resultate der französischen Ausgrabungen in
Delphi (1892—1901). Vor Beginn dieser Ausgrabungen schien es aus-
gemacht, daß sie für die Kunstgeschichte viel weniger ergebnisreich sein
würden als für die Epigraphik. Das Resultat hat diese Annahme widerlegt.
Die Epigraphik ist freilich sehr reich bedacht worden, da die Zahl der gefundenen Inschriften tausend weit übersteigt, und da solche allerersten
Ranges darunter sind (Cippus der Labiaden, Gesetz über den Zinsfuß,
Hymnen mit Notenbeifügung, Päan auf Dionysos, Archive der Naopen, der
Techniten und der Pythais). Aber die archäologischen Entdeckungen sind
noch wichtiger. Die Ursprünge des pythischen Heiligtums müssen, wie die
Mythen es voraussehen ließen, in einer sehr weit zurückliegenden Epoche
gesucht werden. Der große Altar und die östliche Tempelwand ruhen auf
einer mykenischen Trümmerschicht. In den Fundamenten hat man ein Fragment eines rituellen Steingefäßes von minoischer Arbeit und kretischer Herkunft gefunden: das ist eine Bestätigung des Zeugnisses des homerischen
Hymnus, nach dem die ersten Apollopriester in Delphi Kreter aus Knossos
gewesen sind.

Die Ausgrabungen haben uns die Topographie des Heiligtums kennen
gelehrt und gestatten uns, den Wert der Beschreibung des Pausanias richtig
einzuschätzen. Dieser Reiseführer hat Delphi gesehen und es auf einziger
Grundlage seiner an Ort und Stelle gesammelten Notizen beschrieben; aber
er hat nicht alles notiert, was der Mühe wert gewesen wäre, und hat mehr
als einen Irrtum begangen. Der schwerste betrifft den Tempel des Apollo:
der von Pausanias beschriebene Tempel ist zwar der, den er selbst gesehen
hat und dessen Trümmer durch die Ausgrabungen zutage gefördert worden
sind; aber dieser Tempel stammt aus dem 4. und nicht, wie Pausanias
meint, aus dem 6. Jahrhundert. Aus den Inschriften erfahren wir, wann,
von wem und mit wessen Geld er gebaut worden ist. Anderseits haben
die Ausgrabungen fast nichts über die innere Einrichtung und die Lage des
Adyton ergeben. Vom Tempel des 6. Jahrhunderts hat man Reste der Giebel
gefunden, in sehr schlechtem Zustand. Sie sind von jonischer Arbeit wie

die Mehrzal der gleichzeitigen delphischen Monumente; die hellenische Kultur des 6. Jahrhunderts ist durchaus jonisch. Was die spätarchaischen Skulpturen, die Metopen vom Schatzhaus der Athener und die Statue des Wagenlenkers, betrifft, so wird ihr archäologischer Wert erst dann ihren reinen Kunstwert erreichen, wenn man sie einst genau datieren und ihnen den richtigen Platz in der Entwicklung der Plastik wird anweisen können.

Herr Museumsdirektor Prof. Dr. Schuchhardt (Hannover) sprach über: „Hof, Burg und Stadt bei Germanen und Griechen". Der Vortragende zog eine große Parallele zwischen ältestem germanischen und ältestem griechischen Siedelungswesen und gewann damit für das griechische eine Reihe von überraschenden Aufklärungen. So wie im Sachsenlande, nach den archäologischen Feststellungen der letzten Zeit, die älteste fürstliche Wohnform der Herrenhof am Fuße einer Fluchtburg ist, erst später der Herr, mit Zurücklassung seiner Scheunen und Ställe, eine kleine feste Burg bezieht, an deren Fuße sich dann ein offener Weiler und schließlich die Stadt entwickelt, so ist es auch in Griechenland gegangen. Die durch große Ausgrabungen uns gewonnene „mykenische" Kultur" steht in der Mitte der ganzen Entwicklung. In ihr herrscht die Herrenburg mit der offenen Siedelung (Troja, Tiryns, Mykenä); aber wir erkennen, wie sie aus älteren Formen herausgewachsen ist und in spätere übergeht. Odysseus wohnt noch auf dem einfachen Gutshofe; bei seiner Rückkehr findet er seinen Hund vor dem Herrenhause auf dem Miste. Ebenso ist die Fluchtburg nachzuweisen. In Italien gehört sie zu den Einrichtungen des Servius Tullius und heißt pagus, welcher Name sich dann auf das Burggebiet, den „Gau", ausgedehnt hat. Ebenso bezeichnet in Griechenland Polis ursprünglich die Fluchtburg und die Herrenburg, dann deren Gebiet, den Gau, und schließlich die Hauptstadt und den Staat. Das klassische Beispiel für dies alles ist die Entwicklung von Athen. Keineswegs ist dort, wie die bisherige Auffassung will, die Akropolis die älteste „Stadt" gewesen, die sich dann zunächst nach Süden zum Ilissos, wo die alten Heiligtümer Olympieion, Pythion, Delphinion und die Kalirrhoe liegen, ausgedehnt hätte, sondern umgekehrt; hier am Ilissos war der Keim der ganzen Siedelung, hier hat der Königshof des Aigeus gelegen und jene Heiligtümer neben sich geschaffen, während die Akropolis nur Fluchtburg war. Theseus hat dann die alte Fluchtburg zur Herrenburg gemacht, und die Adelsgeschlechter von ganz Attika haben sich um sie herum ihre Winterhäuser gebaut, wie die Meder um Ekbatana, die Hannoveraner um die Burg Lauenrode.

Ähnliche Analogien zum Germanischen lassen sich an vielen andern Plätzen leicht erkennen.

Verhandlungen der Direktoren-Versammlungen in den Provinzen des Königreichs Preußen seit dem Jahre 1879.
Berlin 1907/1908, Weidmannsche Buchhandlung.

75. Band: 15. Direktoren-Versammlung in der Provinz Pommern.

1. Ist ein Bedürfnis nach freierer Gestaltung der Studien in der Prima der höheren Schulen vorhanden, und wie würde ihm bejahendenfalls entsprochen werden können?

2. Der deutsche Aufsatz in den oberen Klassen.

3. Die schriftlichen mathematischen Arbeiten auf den Gymnasialanstalten nach Zahl, Umfang und Schwierigkeit.

4. Welche Erfahrungen sind mit den Bestimmungen vom 25. Oktober 1901 über die Zensierung und die Versetzung der Schüler gemacht?

5. In welcher Weise sind auf der Oberstufe der höheren Schulen die bis dahin erworbenen Kenntnisse in der Erdkunde festzuhalten und zu erweitern?

6. Die Pflege des mündlichen deutschen Ausdrucks.

76. Band: 26. Direktoren-Versammlung in der Provinz Westfalen.

1. Empfiehlt es sich, den Unterricht in der Prima nach Anlage und Neigung der Schüler freier auszugestalten? Wie ließe es sich bejahendenfalls ermöglichen?

2. Über die Reformbestrebungen auf dem Gebiete des mathematischen Unterrichts mit besonderer Berücksichtigung der Vorschläge der Unterrichtskommission der Gesellschaft deutscher Naturforscher und Ärzte.

3. Behandlung der Realien beim Unterricht in den fremden Sprachen.

4. Wie kann das Gymnasium den Vorteil ausgleichen, den die realen Anstalten durch die fremdsprachlichen Ansätze haben?

77. Band: 13. Direktoren-Versammlung in der Provinz Posen.

1. Der deutsche Unterricht an den höheren Lehranstalten, mit besonderer Berücksichtigung der durch die Schüler polnischer Muttersprache entstehenden Schwierigkeiten.

2. Inwieweit ist eine Umgestaltung des mathematischen Unterrichts an den höheren Lehranstalten im Sinne der Meraner Vorschläge zu empfehlen?

3. Was kann die höhere Schule der Ostmark tun, um das Heimatgefühl in der ihr anvertrauten Jugend zu erwecken und zu vertiefen?

4. Kann den Schülern der oberen Klassen Freiheit in der Wahl der verbindlichen Unterrichtsfächer gewährt werden, ohne daß ihre geistige Ausbildung dadurch beeinträchtigt wird?

5. Empfiehlt sich der Gebrauch von Schülerpräparationen bei der altsprachlichen Lektüre?

6. Die Pensionsverhältnisse und Unterbringung der auswärtigen Schüler der höheren Lehranstalten.

78. Band: 17. Direktoren - Versammlung in den Provinzen Ost- und Westpreußen.

1. Empfiehlt es sich, in der schriftlichen Reifeprüfung am Gymnasium die Übersetzung in das Lateinische durch eine Übersetzung aus dem Lateinischen zu ersetzen?

2. Wie sind die auf die körperliche Ausbildung der Schüler gerichteten neuen Bestrebungen, insbesondere die Forderung eines Spielnachmittags mit der Erreichung der lehrplanmäßigen Unterrichtsziele zu vereinigen?

3. Wie kann das Interesse an Wetter und Himmelserscheinungen in den Schülern gepflegt werden?

4. Welche Erfahrungen sind bis jetzt mit Einrichtungen gemacht, die den Schülern der oberen Klassen gegenüber den Vorschriften der Lehrpläne größere Bewegungsfreiheit gewähren sollen?

5. Wert der Rangnummern in den Zeugnissen.

VIERTE ABTEILUNG.

EINGESANDTE BÜCHER

(Besprechung einzelner Werke bleibt vorbehalten).

1. **Meyers Großes Konversations-Lexikon.** Ein Nachschlagewerk des allgemeinen Wissens. Sechste, gänzlich neubearbeitete und vermehrte Auflage. Mit mehr als 11000 Abbildungen im Text und auf über 1400 Bildertafeln, Karten und Plänen sowie 130 Textbeilagen. Achtzehnter Band: Schöneberg bis Sternbedeckung. Leipzig und Wien 1907, Bibliographisches Institut. 952 Lex.-8. eleg. geb. 10 ℳ.

Der vorliegende neue Band legt ein beredtes Zeugnis dafür ab, daß der Verlag aufs erfolgreichste bestrebt ist, die Artikel zu bereichern und nach dem Stande der Gegenwart zu ergänzen. Dies zeigt sich auf allen Gebieten, in den Naturwissenschaften, der Geschichte und Geographie, der Technik usw.; die Aufsätze sind von Sachverständigen mit großer Sorgfalt verfaßt und versagen nirgends. Ganz besonders schön ist auch dieses Mal das Illustrationsmaterial.

2. **Mikrokosmos,** Zeitschrift zur Förderung wissenschaftlicher Bildung, herausgegeben von der Deutschen mikrologischen Gesellschaft unter der Leitung von R. H. Francé in München. Stuttgart, Franckhsche Buchhandlung. Band 1 (1907). Heft 5/6.

3. **Th. Newest** (Hans Goldzier), **Einige Weltprobleme.** Teil VI: Vom Zweck zum Ursprung des organischen Lebens. Wien 1908, Carl Konegen (Ernst Stülpnagel). 193 S. 3 ℳ.

4. **C. Wenzig, Weltanschauungen der Gegenwart im Gegensatz und Ausgleich.** Einführung in die Grundprobleme und Grundbegriffe der Philosophie. Leipzig 1907, Quelle & Meyer. 152 S. kl. 8. geb. 1,25 ℳ.

5. **Richard Falckenberg, Kant und das Jahrhundert.** Gedächtnisrede zur Feier der hundertjährigen Wiederkehr des Todestages des Philosophen. Zweite Auflage. Leipzig 1907, Dürr'sche Buchhandlung. 28 S. 0,60 ℳ.

6. **A. Frank, Die Erkenntnis Gottes durch die Natur.** Hannover 1907, Carl Meyer (G. Prior). 35 S. 0,60 ℳ.

7. **Erich Wetzel, Die Geschichte des Königlichen Joachimsthalschen Gymnasiums 1607—1907.** Mit Porträts, Vollbildern, Vignetten, Plänen und einer Karte. Halle a. S. 1907, Buchhandlung des Waisenhauses. XXII u. 417 S. 4. 10 ℳ.

8. **Ernst Bahn, Ernst Fritze, Karl Todt, Erich Wetzel, Zur Statistik des Königlichen Joachimsthalschen Gymnasiums.** Halle a. S. 1907, Buchhandlung des Waisenhauses. 24 + 20 + 24 + 40 + 30 + 70 S. mit 6 Taf. 4 ℳ.

9. Novae symbolae Joachimicae. Festschrift des Königlichen Joachimsthalschen Gymnasiums, veröffentlicht vom Lehrer-Kollegium. Halle a. S. 1907, Buchhandlung des Waisenhauses. 280 S. mit 3 Tafeln.

10. Adalbert Merx, Die Bücher Moses und Josua. Eine Einführung für Laien. Tübingen 1907, J. C. B. Mohr (Paul Siebeck). 160 S. 1 ℳ, kart. 1,25 ℳ, in Geschenkband 2 ℳ. (Religionsgeschichtliche Volksbücher II 3, I u. II.)

11. Paul Mehlhorn. Die Blütezeit der deutschen Mystik. Tübingen 1907, J. C. B. Mohr (Paul Siebeck). 64 S. 0,50 ℳ, kart. 0,75 ℳ. (Religionsgeschichtliche Volksbücher IV 6)

12. Alfred Bertholet, Daniel und die griechische Gefahr. Tübingen 1907, J. C. B. Mohr (Paul Siebeck). 64 S. 0,50 ℳ, kart. 0,75 ℳ, in Geschenkeinband 1,50 ℳ. (Religionsgeschichtliche Volksbücher II 17.)

13. H. Weinel, Die urchristliche und die heutige Mission. Ein Vergleich. Tübingen 1907, J. C. B. Mohr (Paul Siebeck). 64 S. kart. 0,75 ℳ, feine Ausgabe 1,50 ℳ. (Religionsgeschichtliche Volksbücher IV 5. Abonnenten erhalten hierzu die Julinummer des Monatsblattes „Die Religion in Geschichte und Gegenwart" unberechnet.)

14. A. Leitzmann, Martin Luthers geistliche Lieder. Bonn 1907, A. Markus und E. Weber. 31 S. 0,60 ℳ.

15. Felix Salomon, Die deutschen Parteiprogramme. Leipzig 1907, B. G. Teubner. Heft I: von 1844—1871. VIII u. 112 S. 1,40 ℳ. — Heft II: von 1871—1900. VI u. 136 S. 1,60 ℳ.

16. K. Tumlirz, Deutsche Sprachlehre für Mittelschulen. Zweite Auflage. Wien 1908, F. Tempsky. VI u. 145 S. gr. 8. geb. 1 K 65 h

17. Keller-Stehle-Thorbecke, Deutsches Lesebuch für höhere Mädchenschulen. Zweiter Teil (4. und 5. Schuljahr), bearbeitet von E. Keller. Dritte Auflage. Leipzig 1908, G. Freytag. 336 S. gr. 8. geb. 3,20 ℳ.

18. O. Lehmann und K. Dorenwell, Deutsches Sprach- und Übungsbuch. Hannover 1907, Carl Meyer (G. Prior). I. Sexta. Vierte Auflage. IV u. 91 S. 0,60 ℳ. — II. Quinta. IV u. 99 S. 0,75 ℳ.

19. Denkmäler der älteren deutschen Litteratur, herausgegeben von G. Bötticher und K. Kinzel. Halle a. S. 1907/08, Buchhandlung des Waisenhauses.

a) Das Nibelungenlied, erläutert von G. Bötticher und K. Kinzel. Neunte Auflage. VIII u. 179 S, 1,40 ℳ.

b) Walther von der Vogelweide und des Minnesangs Frühling, erläutert von K. Kinzel. Vierzehnte bis sechzehnte Auflage. VIII u. 123 S. 1,10 ℳ.

c) Der arme Heinrich von Hartmann von Aue und Meier Helmbrecht von Wernher dem Gärtner, erläutert von G. Bötticher. Vierte Auflage. VII u. 126 S. 1,10 ℳ.

d) Die Literatur des siebzehnten Jahrhunderts, erläutert von G. Bötticher. Dritte Auflage. X u. 144 S. 1,20 ℳ.

20. Rudolf Bartels, Zu Schillers „Das Ideal und das Leben". Halle a. S. 1907, Buchhandlung des Waisenhauses. 48 S. 1 ℳ.

21. R. Neubauer, Martin Luther. Eine Auswahl aus seinen Schriften in alter Sprachform. Zweiter Teil. Dritte Auflage. Halle a. S., 1907, Buchhandlung des Waisenhauses, XV u. 283 S. 2,80 ℳ.

22. G. Bötticher und K. Kinzel, Geschichte der deutschen Literatur mit einem Abriß der Geschichte der deutschen Sprache und Metrik. Zwölfte bis fünfzehnte Auflage. Halle a. S. 1907, Buchhandlung des Waisenhauses, XII u. 202 S.

23. G. Schmidt, Cornelio Nepote e Q. Curzio Rufo, letture latine. Edizione italiana fatta sulla 4ª edizione tedesca da G. Vettach. Con 2 carte. Vienna 1907, F. Tempsky. 76 S. gr. 8. geb. 1,50 K.

24. **G. Schmidt, G. Vettach, Fraseologia.** Note di chiarative e vocabolarietto per Cornelio Nepote e Q. Curzio Rufo, lettere latine. Colla scorta della 3ª. edizione tedesca di G. Schmidt ridotta ad uso dei ginnasi con lingua d'insegnamento italiana da G. Vettach. Vienna 1907, F. Tempsky. 67 S. gr. 8. geb. 1,40 K.

25. **Cornelii Nepotis vitae.** Für den Schulgebrauch eingerichtet von M. Gitlbauer. Mit einem Wörterbuch, wesentlich erweitert von K. Fecht. Fünfte Auflage. Freiburg i. Br. 1907, Herdersche Verlagshandlung. XIV u. 244 S. kl. 8. 1,25 M, geb. 1,60 M.

26. **M. Manilii Astronomica.** Edidit Theodorus Breiter. I. Carmina. Lipsiae 1907, sumptibus Dieterichii (Theodori Weicher). XI u. 149 S. Lex. 8. 3,80 M.

27. **F. F. Abbott, Notes upon Mss.** Containing Persius and Petrus Diaconus. S.-A. aus Classical Philology II (1907). S. 331—333.

28. **F. F. Abbott, The Accent in Vulgar and Formal Latin.** S.-A. aus Classical Philology II (1907). S. 444—460.

29. **W. Wartenberg, Vorschule zur lateinischen Lektüre** für reifere Schüler besonders an Reformschulen. Vierte Auflage von E. Bartels. Hannover 1907, Norddeutsche Verlagsanstalt O. Goedel. VIII u. 244 S. geb. 2,80 M.

30. **J. Steiner und A. Scheindler, Lateinisches Lese- und Übungsbuch.** Zweiter Teil. Fünfte, gekürzte, vereinfachte Auflage von Robert Kauer. Wien 1907, F. Tempsky. 236 S. geb. 3 K.

31. **Sedlmayer-Scheindler, Lateinisches Übungsbuch für die oberen Klassen der Gymnasien.** Vierte Auflage von H. St. Sedlmayer. Wien 1908, W. Tempsky. 263 S. 2 K 64 h, geb. 3 K 20 h.

32. **F. Hübener, cand. theol., Übersichts- und Repetitions-Tabellen zur Lateinischen Grammatik.** Zu beziehen vom Herausgeber, Wallstraße. Preis 0,30 M portofrei, 20 Stück 5 M. Kolberg 1907, im Selbstverlage des Herausgebers. 11 S. 4.

33. **Karl Schenkl, Griechisches Elementarbuch.** Im Anschlusse an die sechsundzwanzigste Auflage der Griechischen Schulgrammatik von Curtius-Hartel sowie an die erste Auflage der kurzgefaßten Ausgabe bearbeitet von Heinrich Schenkl und Florian Weigel. Einundzwanzigste Auflage. Wien 1907, F. Tempsky. 240 S. 8. 2 K 50 h, geb. 3 K.

34. **Die ausländischen Klassiker,** erläutert und gewürdigt für höhere Lehranstalten sowie zum Selbststudium von P. Hau, H. Wolf und einigen Mitarbeitern. 1. Bändchen.: Ödipus und sein Geschlecht. Fünf Tragödien von Aeschylus, Sophokles, Euripides übersetzt von Donner. Neu bearbeitet von Prof. Dr. Wolf, Düsseldorf. Erster Teil: Text. Leipzig 1907, Heinrich Bredt. 334 S. 8.

35. **Platos Apologie des Sokrates und Kriton** nebst den Schlußkapiteln des Phaidon und der Lobrede des Alkibiades auf Sokrates aus dem Symposion. Für den Schulgebrauch herausgegeben von A. Th. Christ. Mit einem Titelbild. Fünfte Auflage. Leipzig 1908, G. Freytag. 118 S. kl. 8. 1,20 M.

36. **A. Biese, Griechische Lyriker in Auswahl.** Zweiter Teil: Einleitung und Erläuterungen. Zweite Auflage. Leipzig 1907, G. Freytag. IV u. 100 S. 1,20 M.

37. **Anton Burger, Die gleich- und ähnlichlautenden Wörter der französischen Sprache.** Ein Beitrag zum methodischen Studium des französischen Wortschatzes, seiner Orthoëpie und Orthographie. St. Pölten 1907, Sydy's Buchhandlung (L. Schubert). 32 S. 0,85 M.

38. **M. Jöris, Erzählungen für den ersten Geschichts-unterricht.** Für deutsche höhere Mädchenschulen. Leipzig 1907, G. Freytag. Ausgabe A: Aus der alten und deutschen Geschichte. Mit 66 Abbildungen, 1 Farbendrucktafel und 2 Karten. Zweite Auflage. IV u. 115 S.

2 *M.* — Ausgabe B: Aus der deutschen Geschichte. Mit 1 Karte von Deutschland und 58 Abbildungen. Zweite Auflage. IV u. 91 S. 1,50 *M.*

39. A. Giese, Deutsche Bürgerkunde. Einführung in die allgemeine Lehre vom Staate, in die Verfassung und Verwaltung des Deutschen Reiches und des Preußischen Staates und in die Elemente der Volkswirtschaftslehre. Vierte Auflage. Leipzig 1907, R. Voigtländers Verlag. VIII u. 168 S.

40. B. Im'endörfer, Lehrbuch der Erdkunde für Mädchenlyzeen und verwandte Lehranstalten. Wien 1907, F. Tempsky. I. Teil: 1. Klasse. Mit 27 Abbildungen. Zweite Auflage. 59 S. 1 *K* 10 *h.* — II. Teil: 2. Klasse. Mit 26 Abbildungen. Zweite Auflage. 80 S. 1 *K* 40 *h.* — III. Teil: 3. Klasse. Zweite Auflage. 64 S. 1 *K* 10 *h.*

41. W. Ule, Lehrbuch der Erdkunde für höhere Schulen. Ausgabe A in zwei Teilen. Erster Teil: Für die unteren Klassen. Mit 2 farbigen und 53 Schwarzdruckabbildungen. Sechste Auflage. Leipzig 1907, G. Freytag. VIII u. 144 S. geb. 1,80 *M.*

42. Otto Zacharias, Das Süßwasser-Plankton. Einführung in die freischwebende Organismenwelt unserer Teiche, Flüsse und Seebecken. Mit 49 Abbildungen. Leipzig 1907, B. G. Teubner. 131 S. 1,25 *M.* (Aus Natur und Geisteswelt 156. Bändchen.)

43. K. Smalian, Grundzüge der Tierkunde. Für höhere Lehranstalten. Ausgabe A für Realanstalten. Mit 416 Textabbildungen und 30 Farbentafeln. Leipzig 1908, G. Freytag. 304 S. gr. 8. geb. 4 *M.*

44. K. Smalian, Grundzüge der Pflanzenkunde. Für höhere Lehranstalten. Ausgabe A für Realanstalten. Mit 344 Abbildungen und 36 Farbentafeln. Zweite Auflage. Leipzig 1908, G. Freytag. 288 S. gr. 8. geb. 4 *M.*

45. Fr. Bachmann und R. Kanning, Rechenbuch für höhere Mädchenschulen. Drittes Heft. Sechstes Schuljahr. Bearbeitet von Fr. Bachmann. Dritte Auflage. Leipzig 1907, G. Freytag. 58 S. 0,70 *M.*

46. H. Schubert und A. Schumpelick, Ausgewählte Resultate zur Arithmetik für Gymnasien. Erstes Heft. Leipzig 1907, G. J. Göschensche Verlagshandlung. 26 S.

47. K. Krauß, Praktisch erprobte Aufgabensammlung für den ersten Unterricht im Rechtschreiben, Sprachlehre usw. Unterstufe. Fünfte Auflage. Gießen 1907, Emil Roth. 77 S. 0,50 *M.*

48. Fr. Burmeister, Lehrgang der Stolzeschen Stenographie. Im Auftrage der stenographischen Prüfungskommission zu Berlin unter Mitwirkung von G. Schumann bearbeitet. Berlin 1907, Weidmannsche Buchhandlung. IV u. 112 S. kart. 1,60 *M.*

49. Universität und Schule. Vorträge auf der Versammlung deutscher Philologen und Schulmänner zu Basel gehalten von F. Klein, P. Wendland, A. Brandl, A. Harnack. Leipzig 1907, B. G. Teubner. 89 S. Lex.-8. 1,50 *M.*

50. Richard Wickert, Die Pädagogik Schleiermachers in ihrem Verhältnis zu seiner Ethik. Leipzig o. J., Theodor Thomas. VIII u. 155 S.

51. Edmund Neuendorff, Moderne pädagogische Strömungen und ihre Wurzeln im geistigen Leben der Zeit. Progr. der Realschule zu Haspe 1907. 80 S.

52. Max Borchert, Philosophische Essays. Brackwede i. W. 1907, Dr. W. Breitenbach. VII u. 72 S.

53. Albrecht Hübl, Geschichte des Unterrichts im Stifte Schotten in Wien. Herausgegeben anläßlich der Zentenarfeier des k. k. Schottengymnasiums. Wien 1907, Carl Fromme. XI u. 335 S. Lex.-8.

54. Paul Siebert, Kirchengeschichte für höhere Schulen. Zweite Auflage. Leipzig 1907, B. G. Teubner. IV u. 145 S. geb. 1,60 *M.*

55. **Festschrift zur 49. Versammlung deutscher Philologen und Schulmänner in Basel im Jahre 1907.** Basel 1907, Buchdruckerei Emil Birckhäuser. 538 S. Lex.-8. 15 *M.* (Enthält 22 wissenschaftliche Arbeiten.)

56. **Ed. Stettner, Wozu studiert man noch heutzutage Latein und Griechisch?** Wien 1907, Kommissionsverlag von Carl Gerolds Sohn. IV u. 167 S. 2,60 *M.*

57. **A. Schaefer, Einführung in die Kulturwelt der alten Griechen und Römer.** Hannover 1907, C. Meyer (G. Prior). VIII u. 269 S.

58. **F. K. Hultgren, Deutsche Dichtungen in lateinischem Gewande.** Leipzig 1907, Giesecke & Devrient. XIII u. 182 S. kl. 8. Mit Kopfleisten und Schlußstücken. 3 *M.*

59. **Steiner und Scheindler, Lateinisches Lese- und Übungsbuch.** Bearbeitet von R. Kauer. Wien 1907, F. Tempsky. Erster Teil. Siebte Auflage. 190 S. 2 *K* 50 *h.* Zweiter Teil. Fünfte Auflage. 238 S. 2 *K* 40 *h,* geb. 3 *K.*

60. **Max C. P. Schmidt, Stilistische Exerzitien.** Zum Gebrauche an den lateinischen Universitäts-Seminarien. Heft 1. Leipzig 1907, Dürr'sche Buchhandlung. 19 S. 0,50 *M.*

61. **Harvard-Studies in Classical Philology.** Volume XVIII 1907. Published by Harvard University, Cambridge. V u. 220 S.

62. **Plautus Trinummus,** erklärt von J. Brix. Fünfte Auflage von M. Niemeyer. Leipzig 1907, B. G. Teubner. VI u. 160 S. 1,60 *M.*

63. **Roy C. Flickinger, On the Prologue of Terence's Haanton** (sic). 6 S. (S.-A. aus Classical Philology vol. II.)

64. **L. Annaei Senecae naturalium quaestionum libri octo.** Edidit Alfred Gercke. Lipsiae 1907, in aedibus B. G. Teubneri. XLVIII u. 278 S. 3,60 *M.*

65. **Hermann Schöne, Repertorium griechischer Wörterverzeichnisse und Speziallexika.** Leipzig 1907, B. G. Teubner. IV u. 28 S. kl. 8. 0,80 *M.*

66. **Aeschyli tragoediae.** Iterum edidit revisas H. Weil. Lipsiae 1907, in aedibus B. G. Teubneri. LXVIII u. 312 S. 2,40 *M.*

67. **Euripidis Helena.** Mit erklärenden Anmerkungen von N. Wecklein. Leipzig 1907, B. G. Teubner. 103 S. 1,60 *M.*

68. **Otto Schroeder, Sophoclis Cantica digessit.** Lipsiae in aedibus B. G. Teubneri 1907. VII u. 86 S. 1,40 *M.*

69. **J. W. White, Enoplic Metre in Greek Comedy.** 25 S. (S.-A. aus Classical Philology vol. II.)

70. **August Ritter von Kleemann, Platonische Untersuchungen II: Menon.** 25 S. (S.-A. aus dem Archiv der Philosophie.)

71. **Lucian, Ausgewählte Schriften,** erklärt von J. Sommerbrodt. Zweites Bändchen. Dritte Auflage von R. Helm. Berlin 1908, Weidmannsche Buchhandlung. X u. 135 S. 1,80 *M.*

72. **Plutarch, Biographie des Aristeides,** herausgegeben von J. Simon. Leipzig 1907, B. G. Teubner. Text IV u. 38 S. Kommentar 81 S. 1,80 *M.*

73. **K. Fecht und J. Sitzler, Griechisches Übungsbuch für Untertertia.** Fünfte Auflage. Freiburg i. Br. 1907, Herdersche Verlagshandlung. XI u. 178 S. 1,80 *M,* geb. 2,20 *M.*

74. **W. Stahl, De bello Sertoriano.** Diss. Erlangen 1907. 90 S.

ERSTE ABTEILUNG.

ABHANDLUNGEN.

Wie „gewinnen wir Homer die Art ab"?

„Gewinnt man einer fremden Arbeit die Art nicht ab, wie sie behandelt werden will, so kann eine Übersetzung oder Umbildung nicht gelingen" schreibt Goethe einmal in einem Briefe an Prinz August von Gotha (Weimar. Ausg. IV 11, S. 241). Dies Wort scheint mir besonders für ein näheres Verstehen und Übersetzen der homerischen Gedichte von Bedeutung zu sein. Hier liegt nämlich nach meiner Ansicht der eigentümliche Fall vor, daß wir die Art nach einer gewissen Richtung hin schon lange und sicher genug kennen, sie aber noch lange nicht ausgiebig und prinzipiell genug zur Übersetzung selbst dem Original praktisch „abgewonnen" haben. Es ist schon längst bekannt und unbestritten, daß die Stilart Homers die des gemütlichen, schlichten Erzählers ist, der seinen Zuhörern breit und anschaulich und im einfachsten Periodenbau berichtet. Denn wenn auch in letzter Zeit wieder bei einigen Gelehrten die Vermutung aufgetaucht ist, daß die homerischen Epen, so wie sie uns vorliegen, gleich von Anfang an aufgeschrieben und nicht mündlich überliefert seien, so bleibt durch diese Hypothese die Tatsache doch unberührt, daß von einer ausgebildeten Schriftsprache nicht die Rede sein kann, daß vielmehr der Satzbau sich durchaus in den Grenzen kunstloser, fast kindlicher Redeweise hält. Bei den vielfachen Versuchen, in den homerischen Sinn und Geist durch Erklären oder Übersetzen tiefer einzudringen, scheint mir nun dieser feststehende Charakterzug bisher noch zu wenig beachtet. Selbstverständlich müssen wir von vornherein darauf verzichten, eine völlig deckende Übertragung zu finden. Die ist ja bekanntlich von keinem Werke einer fremden Sprache möglich, nicht einmal bei dem einzelnen Worte. Um so mehr müssen wir uns bemühen, uns dem Original wenigstens zu nähern und zwar nicht nur bei der Übersetzung der Worte im einzelnen, sondern vor allem in dem Suchen nach der entsprechenden Stilfärbung,

in diesem Falle also in der des einfachen, kindlichen Erzähler-
tones. Für einzelne Ausdrücke ist ja schon der Schlichtheit öfter
das Wort geredet worden, z. B. von Cauer, Kunst des Übersetzens,
S. 11 ff.; ich möchte aber hier den Nachdruck auf den Begriff
„Färbung" und „Ton" legen; dieser wird nicht bestimmt durch
gelegentliche Angleichung einzelner Redewendungen und Begriffe,
sondern durch Wiedergabe des ganzen Sinnes und Geistes, wie
er das Epos erfüllt und sich nicht zum mindestens im Satzbau
und in der Verbindung der Sätze miteinander durch Partikeln
kundgibt.   Gerade bei dieser letzteren sehr charakteristischen
Seite des homerischen Stiles möchte ich hier stehen bleiben, weil
mir hier eine Änderung in der Auffassung besonders nötig und
zugleich leicht möglich erscheint.   Nötig ist sie wohl deswegen,
weil die meisten bekannten Übersetzungen metrisch gehalten sind
und darum auf eine Wiedergabe des gewaltigen Partikelreichtums
naturgemäß verzichten müssen, und weil andrerseits die prosai-
schen Erklärungs- und Übersetzungsversuche darauf ausgehen, an
jeder Stelle die dort vorhandene logische Beziehung verstandes-
gemäß herauszuarbeiten und diese durch die möglichst genau
entsprechende deutsche Partikel scharf und präzis auszudrücken.   Eine solche exakte Hervorhebung des jedesmaligen
inneren Verhältnisses der einzelnen Satzteile ist für das erste eindringende Verständnis gewiß förderlich und ratsam.   Wollten wir
aber dabei stehenbleiben, so hieße das nichts anderes, als von
einem ziemlich weiten Abstande aus auf eine nähere Wiedergabe
homerischer Stilart verzichten.   Wollen wir wirklich versuchen,
in der Übersetzung denselben Eindruck zu erwecken, den die
griechischen Zuhörer bei dem Vortrage der homerischen Gesänge
hatten — und das ist ja die Hauptforderung einer guten Übersetzung —, so müssen wir auch den schlichten Erzählerton beibehalten.   Denn vor der griechischen Festversammlung stand
eben weder ein auf dem feierlichen Kothurn Vossischen Stiles
einherschreitender Dichter noch ein in allen Künsten der Logik
und Rhetorik ausgebildeter Redner, sondern ein einfacher Sänger,
dem gar nichts daran lag, die in kunstvoller Schriftsprache noch
gar nicht ausgebildete Sprache zu verfeinern und logisch durchzuarbeiten, sondern der in der Sprache des Volkes als Mann des
Volkes reden wollte. — Eine Erkenntnis dieser Tatsache würde
uns nun nichts nützen, wenn eine solche Angleichung des Tones
in unserer Sprache nicht zugleich möglich wäre.   Finden wir
also bei uns eine dem bei Homer so eigentümlichen und so
häufigen Partikelgebrauch zur Verbindung selbständiger Sätze entsprechende Erscheinung?   In unserer Schriftsprache gewiß nicht,
in ihr ist eine solche Häufung gar nicht denkbar.   Aber ich
glaube, wir dürfen hier einen Schritt weiter tun und Homer auf
seinem eigenen Gebiete entgegenzukommen suchen und, wie
Homers Satzbau aus der mündlichen Redeweise genommen ist,

so auch unsere Umgangssprache zu deren Wiedergabe in
Anspruch nehmen. Ist dies doch nach dem oben Gesagten
eigentlich erst die richtige Sphäre, in der wir uns bewegen
müssen, wenn wir der eigentümlichen homerischen Stilart nahe-
kommen wollen. Und wenn wir hier nun tatsächlich ähnliche
Erscheinungen finden sollten, so können wir gewiß sein,
wenigstens in diesem Punkte einer wirklichen „Übertragung" uns
zu nähern und der „fremden Arbeit die Art abzugewinnen", indem wir dann nicht zufällige, einzelne Ähnlichkeiten gefunden
haben, sondern innerlich verwandte, die mit Naturnotwendigkeit
erwachsen sind aus demselben Boden, — dem auch noch nach
Jahrtausenden auf denselben Grundgesetzen beruhenden Satzbau
der Umgangssprache.

Einen bescheidenen Anfang zu dem Versuche, diesen Gedanken
durchzuführen, möchte ich nun damit machen, daß ich einige
der gebräuchlichsten homerischen Partikeln in diesem Sinne be-
handle. Da ist zunächst die so unendlich oft gebrauchte Partikel
δέ, die durch ihr zahlloses Vorkommen dem homerischen Stil
geradezu ein besonderes Gepräge verleiht und doch durch ihre
Farblosigkeit dem „Übersetzer so viel Not macht" (Cauer, Rh.
Mus. 89 S. 346 „Zur homerischen Interpunktion"), natürlich
nur dem nachdenkenden Übersetzer, denn der gedankenlose Anfänger übersetzt sie schlankweg überall durch „aber" und hat
dadurch das δέ wie das „aber" gründlich in Verruf gebracht.
Denn in welcher natürlichen mündlichen oder schriftlichen Redeweise fände sich auch nur ein Zehntel der Massenanwendung
dieser deutschen Adversativpartikel. Für Homer aber sollen
Wendungen wie folgende als selbstverständlich gelten: „So sprach
er, es freute sich aber Diomedes" (VI 212). Also trauerte
man für gewöhnlich in der homerischen Zeit „bei einer
guten Nachricht"?! Diesem „aber" ist also mit allen Mitteln
der Krieg zu erklären und zwar um so mehr, als entsprechend
seiner Häufigkeit durch δέ die allermannigfaltigsten Vorstellungen ausgedrückt werden, also auch logische Beziehungen
ganz entgegengesetzter Art: Anknüpfung, Begründung, Einräumung,
Folge, Ursache, Hinweisung, ja sogar Bedingung; zuweilen lassen
sich außerdem diese Verhältnisse im Deutschen besser durch bei-
ordnende, zuweilen durch unterordnende Konjunktionen wiedergeben. So meint Cauer (Kunst des Übersetzens, Absch. IX), daß
es kaum eine deutsche Konjunktion gebe, die nicht gelegentlich
für δέ eintreten könne und nennt Beispiele mit „und, darum, so,
da, so daß, weil, obwohl, wenn, falls". Freilich hält er selbst eine
solche Spezialisierung des einen Wortes δέ für eine Vergröberung,
zieht sie aber immerhin der beständigen Wiedergabe durch „aber"
oder „nun" vor, wodurch das Verhältnis der Gedanken nicht
klar gemacht werde. Das ist gewiß richtig für das erste, exakte

Verstehenlernen in Schulen, wo die jungen Leute zur scharfen
Auffassung der logischen Verhältnisse der Sätze zu einander durch
die Forderung, einen möglichst präzisen Ausdruck dafür zu finden,
gezwungen und erzogen werden sollen. Ferner könnte man für
solchen Wechsel in der Übersetzung den Umstand anführen, daß
Homer ja selbst bei augenscheinlich ganz analog gebauten
Sätzen für δέ zuweilen andere Partikeln setzt. Die Tatsache ist nicht zu leugnen. So steht nach einer einleitenden
Bemerkung eine sich daraus ergebende Aufforderung ˙mit δέ
22, 165, dagegen mit ἀλλά XI 288, mit ἀλλ' ἄγετ' V 467, mit
τῷ XVI 207 (s. C. Hentze, Die Parataxis bei Homer). Eine
Willenserklärung als Folge wird angeschlossen an allgemeine Urteile mit δέ VIII 203, mit τούνεκα 3, 49, mit τῷ XXI 589, mit
ἀλλά V 428, mit ἀλλά γε VI 429. Nach einer Aufforderung
wird die Absicht zu antworten ausgesprochen mit τοιγάρ
(„werde ich reden") I 74, mit δέ 3, 80, mit αὐτάρ 5, 97. Die
Zurückweisung der Ansicht eines andern geschieht mit ἀλλά
X 37, mit ἀτάρ XXIV 241, mit δέ XX 184. Ein Wunsch wird
durch eine Zusage eindringlicher gemacht mit αὐτάρ X 378, mit
δέ VI 341 und XVI 129, dagegen mit einem Nebensatze, der mit
ὄφρα beginnt XVIII 408. Nach einer Aufforderung wird eine
Zusicherung gegeben mit δέ XI 788, genau in derselben Gedankenfolge mit ἔπειτα I 582, mit αὐτάρ XII 77, ja sogar in der Form
der Unterordnung 10, 287. An eine nur scheinbare Aufforderung
schliefst eine Warnung an mit δέ 1, 376, mit ἀτάρ IV 29 u. ö.
Die Folge nach einem Wunschsatz wird eingeleitet mit δέ
XIV 107, mit τῷ XIII 55; die Vergleichung einer Person mit
einer andern, die unter gleichen Verhältnissen anders denkt oder
tut, wird mit ἀλλά begonnen 14, 375 ff., mit δέ V 877. Vergleichung und Steigerung zugleich wird mit νῦν δέ XXII 235,
mit νῦν αὖ IX 900 eingeleitet. — Zur Aufzählung der verschiedenen Besitzer des fürstlichen Zepters wird in regelmäßigem
Wechsel αὐτάρ und δέ angewandt II 102. Dem μέν gegenüber
steht in zahllosen Fällen δέ, aber zuweilen auch αὐτάρ, z. B.
II 406, III 69, V 847. Ganz besonders überzeugend scheint aber
die Identität von δέ mit einer andern Partikel, wenn eine Reihe
von Versen wörtlich an einer andern Stelle mit nur ganz geringfügigen Änderungen wiederholt wird und zu diesen geringfügigen
Änderungen die Vertauschung des δέ mit einer andern Partikel
gehört. Der Bericht über die Sendung der Athene zu Achilleus,
um ihn vor dem äußersten zu bewahren, I 195 ff., wird nämlich
im Munde der Botin, I 208 ff., wörtlich wiederholt, nur daß πρὸ
δὲ μ' ἧκε usw. statt πρὸ γὰρ ἧκε θεά, λευκώλενος Ἥρη gesetzt wird. Natürlich konnte vor με γάρ aus metrischem Grunde
nicht stehen, aber konnte nicht ebenso wie an der ersteren Stelle
das Objekt weggelassen werden? Steht also hier nicht ganz
offenbar das γάρ dem δέ gleichwertig, ebenso wie bei den zahl-

reichen andern oben angeführten Stellen andre Partikeln dem
δέ gleichwertig sind? Gleichwertig — gewiß, aber doch eben
nicht gleich! Mögen also die oben angeführten Parallelstellen
noch so klar beweisen, daß in den teils mit *δέ*, teils mit andern
Partikeln ausgestatteten Sätzen dieselbe Gedankenordnung vorhanden ist, der Ausdruck dieser identischen Gedanken ist und
bleibt ein verschiedener! So gewiß es also für das erste, eindringende Verständnis genügt, die Identität des Gedankens der
entsprechenden Sätze dadurch wiederzugeben, daß wir das *δέ*
entsprechend der jeweiligen korrespondierenden andern Partikel
(αὐτάρ, τῷ, ἀλλά usw.) verschieden übersetzen, so gewiß ist damit das Bild des homerischen Textes, in dem jene Gedanken
ausgedrückt sind, noch nicht getreu wiedergegeben. Ein grau in
grau gehaltenes Bild kann ja in lebhafteren Farben mit Sonnen-
beleuchtung umgemalt und so verständlicher gemacht werden;
will man aber möglichst getreu kopieren, muß man die gleichmäßige Färbung möglichst beizubehalten suchen und entdeckt dabei
vielleicht noch besondere Feinheiten des Originals. Dazu kommt
nämlich, daß *δέ* trotz seiner gewohnheitsmäßigen Häufung doch
sicher öfters mit bestimmter Absicht oder wenigstens mit
bestimmter Wirkung gewählt ist. In einigen Stellen scheint
mir das auf der Hand zu liegen. Der regelmäßige Wechsel
zwischen αὐτάρ und *δέ* II 102 ff. läßt die ganze Reihe der
Zepterträger in einzelnen zusammengehörigen Gliedern von je
zwei Besitzern erscheinen. In den angeführten parallelen Stellen,
wo eine Willensäußerung an allgemeine Urteile sonst durch die
handgreiflich hinweisenden Partikeln τούνεκα 3, 49, τῷ XXIII 589,
ἀλλά V 428, ἀλλά γε VI 429 ausgeschlossen wird, wird der Grund
der Aufforderung am allgemeinsten und am wenigsten aufdringlich
durch *δέ* da angedeutet, wo ein Gott um Hilfe gebeten wird
VIII 204. In der angeführten Stelle V 847 verlangt die Deutlichkeit αὐτάρ ὁ 849; denn wenn statt dessen ὁ *δέ* gewählt wäre,
würde man nach dem vorausgehenden ὁ μέν (V. 847) leicht
denken, es sei eine andre Person gemeint, was nicht der Fall
ist; und auch bei der sonst wörtlich wiederholten Stelle I 195 ff.
= 208 ff. kann doch ein bemerkenswerter Unterschied des Sinnes
festgestellt werden. Oben V. 195 ff. wird die Entsendung der
Göttin durch Here als einziger Grund ihres Kommens angeführt,
V. 208 ff. dagegen wird der Hauptgrund von Athene vorher genannt: ἦλθον παύσουσα usw. „ich kam herab, um deinen Zorn
zu sänftigen". Demgegenüber erscheint die Frage, durch wen
sie auf diesen Gedanken gebracht sei, minder wichtig und wird
deshalb mit einer Partikel von allgemeiner Bedeutung *δέ* angefügt. Ebenso scheint dieselbe wohl am Platze in einer Reihe
von Versen, wo die Übersetzung durch verschiedene, präzisere
Partikeln als unnötige Vergröberung, ja geradezu als eine einseitige Auffassung des Sinnes erscheint. Ich meine den

λόγος ἐσχηματισμένος des Agamemnon zur Prüfung der Stimmung des versammelten Heeres im zweiten Buche der Ilias, wo
er über Fortsetzung des Kampfes redet und Zu- und Abraten miteinander wechseln läßt. Die Zuhörer sollen im unklaren über die Absicht des Königs gehalten werden, damit ihre
eigene Herzensmeinung sich offenbare; so bleibt denn auch zuweilen der Zusammenhang und das Verhältnis der einzelnen,
durch δέ miteinander verbundenen Sätze mit Fug undeutlich.
Soll z. B. in V. 122 der mit δέ angeknüpfte Satz τέλος δ' οὔ
πώ τι πέφανται einen dem vorhergehenden Satz untergeordneten
Gedanken enthalten: „Es ist schimpflich unverrichteter Sache zu
kämpfen, ohne daß ein Ende zu sehen ist", oder einen gegensätzlichen Gedanken enthalten „allerdings ist noch nichts entschieden". Soll der mit δέ angeknüpfte Gedanke von dem
sehnsüchtigen Warten der Familie V. 136 eine Zurückweisung
oder eine Bestätigung der vorausgehenden Behauptung des
schlechten Zustandes der Schiffe bedeuten? ebenso der mit ἄμμι
δὲ ἔργον V. 137 angeführte Gedanke? Überall würde hier durch
eine Entscheidung für eine eine einseitige Bedeutung darstellende
Partikel wie „aber", „dagegen", „und außerdem" das Inderschwebelassen des Sinnes und damit der ganze feine Zweck
der doppelsinnigen Rede vereitelt. Ähnlich ist es mit den rasch
hervorgestoßenen Worten des tapferen Menelaos III 98, 101 ff.
Es wäre hier gar nicht dem Charakter des kurzangebundenen
Kriegshelden gemäß, wollten wir hier die logischen Beziehungen
der einzelnen Sätze scharf herausarbeiten und zum Ausdruck
bringen. Man fühlt wohl durch, was er meint, aber mehr ist
gar nicht beabsichtigt, das würde dem „im raschen Anlauf"
(ἐπιτροχάδην III 213) sprechenden Redner gar übel stehen.

Alle diese Erwägungen müssen uns zu dem Versuche nötigen,
für die vielgebrauchte, vieldeutige Partikel δέ auch eine möglichst
einheitliche Übersetzung von allgemeiner Bedeutung zu
finden. Das verlangt nicht nur der Sinn einzelner Stellen, von
denen zuletzt Beispiele angegeben waren, nicht nur der berechtigte Wunsch, ein griechisches Wort möglichst auch durch
ein Wort wiederzugeben, sondern vor allem auch das gerade
in der häufigen Anwendung von δέ gegebene eigentümliche
Gepräge des homerischen Stiles. Die kunstlose Aneinanderreihung selbständiger Sätze durch δέ entspricht doch eben
ganz der naiven, volkstümlichen Denkweise Homers; die Sätze
sind weder zu einer künstlichen Periode vereinigt, noch durch
Partikeln mit logisch scharf umrissener Bedeutung verbunden, es
genügen für die unbestimmten Vorstellungen unbestimmte, mehrdeutige Partikeln, und es bleibt dem Hörer überlassen, aus der
Betonung oder durch ähnliche sinnliche Mittel den besonderen
Sinn herauszuhören. Um nun aber eine möglichst treffende einheitliche Übersetzung des griechischen Wörtchens zu finden,

müssen wir uns zuerst fragen, ob sich nicht ein bestimmter Gebrauch von δέ feststellen läßt, aus dem heraus man wenigstens
eine Grundbedeutung erkennen kann. Gewöhnlich teilt man
diesen in zwei Gruppen: in die der Anknüpfung und die der
Korresponsion. Doch wir kommen, glaube ich, der Urbedeutung
näher und werden zugleich den daraus abgeleiteten Bedeutungen
gerechter, wenn wir beide zusammennehmen und δέ als die den
dazu gehörigen Ausdruck hervorhebende Partikel fassen, sei
es, daß ein ganzer Satz, ein Satzteil, ein einzelnes Wort an und
für sich oder in engem Zusammenhang mit andren entsprechenden
Satzgliedern hervorgehoben werden soll. Der Begriff der Verbindung und Korresponsion ergibt sich hieraus von selbst, erscheint
aber immer als der aus der Urbedeutung abgeleitete. Solche
auf das neu Mitzuteilende hinweisende Situationszeichnung am
Anfang des neuen Satzes findet sich ja nicht nur im Griechischen.
Unzweifelhaft tritt noch in einzelnen Stellen der ursprüngliche
Begriff der Hervorhebung und nicht der der Verbindung da auf,
wo neben δέ noch zur Verbindung der Sätze τε sich findet,
z. B. I 403, V 306 = 359, VI 147. Diese Grundbedeutung wird
natürlich am klarsten dargestellt da, wo ein einzelnes Wort hervorgehoben wird. Aus diesem Gebrauch entwickelt δέ sich dann
zur Verbindungspartikel mehrerer Sätze. Deutlich ist der Übergang zu dieser andern Bedeutung an den Stellen, wo es zwar
schon Sätze aneinanderreiht, mit Vorliebe aber an ein und dasselbe, am Anfang der Sätze immer wiederholtes Wort anschließt,
das dadurch ·hervorgehoben wird. So I 309 ff.: ἒς δὲ .... ἒς
δὲ .... ἀνὰ δὲ .... ἒν δὲ .... I 436 ff., wo viermal hintereinander ἒκ δ' am Anfang des Verses gesetzt ist; ähnlich II 383
und 384 εὖ δὲ ... εὖ δὲ. So kann aus der energischen Hervorhebung eines Wortes schließlich eine bloße Anknüpfung eines
neuen Gedankens werden.

Nach dieser Feststellung des Gebrauchs von δέ wüßte ich
nun im Deutschen keine Partikel, die auch nur entfernt sich mit
dem griechischen δέ deckte, als das Wörtchen „da", und zwar
besonders auch deswegen, weil sie ebenfalls ganz aus der Begriffs-
sphäre einer volkstümlichen Sprechweise genommen ist und in ihr,
d. h. in der Umgangssprache auch eine Menge bestimmterer logischer Verhältnisausdrücke an und für sich oder mit Hilfe der Betonung ersetzt. Ist das richtig, so haben wir nicht nur eine
einigermaßen deckende Übersetzung eines sehr häufig vorkommenden Wortes vorgeschlagen, sondern zugleich damit ein gut Teil
des naiven Tones homerischer Denk- und Sprechweise ins Deutsche
übertragen. Um dies recht zu würdigen, müssen wir freilich mit
einer Vorstellung brechen, mit der wir seit den Tagen des Voßi-
schen Homer an die Übersetzung dieses Dichters heranzutreten
pflegen, ich meine die Vorstellung des Feierlichen, Erhabenen.
Gewiß gibt es dessen genug in Gedanken und Worten, die z. T.

ein altehrwürdiges Gepräge haben, aber die Satzverbindung ist
durchaus volkstümlich, und so dürfen wir uns auch nicht scheuen,
so seltsam es uns zunächst anmuten mag, aus unsrer Umgangssprache Material zur Übersetzung herbeizuholen und uns auch die
dort etwa erweiterte Anwendung eines Wortes zu nutze zu
machen. So gewinnen wir ein weites Feld für die Verwendung
des Wörtchens „da". Es wird zunächst ebenso wie δέ zur Hervorhebung eines einzelnen Wortes gebraucht, und zwar entweder
am Ende des Satzes: „einen schrecklichen Bescheid gab er da"
(I 326: κρατερὸν δ' ἐπὶ μῦθον ἔτελλεν), oder dem δέ entsprechend hinter dem hervorzuhebenden Worte, das am Anfang
steht, z. B. I 497: ἠερίη δ' ἀνέβη „am frühen Morgen — da
stieg sie empor". Weiter wird „da" dem Griechischen entsprechend zur Hervorhebung eines ganzen Satzes gebraucht, z. B.
I 33: Ὣς ἔφατ', ἔδδεισεν δ' ὁ γέρων „So sprach er, da erschrak der Greis", oder auch eines Satzteiles, nämlich zur Einleitung des Nachsatzes, z. B. I 57ff.: ἐπεὶ ... ὁμηγερέες ...
γένοντο, τοῖσι δ' ἀνιστάμενος μετέφη ...Ἀχιλλεύς „Als sie
zusammengekommen waren, da stand unter ihnen Achilleus auf".
Aus dieser Grundbedeutung folgt nun ebenso wie bei δέ, daß
viele andere Bedeutungen implicite in „da" vorhanden sein
können; das geht eben auch im Deutschen aus der Natur der
Sache hervor. Denn wird ein Wort oder Satz betont an den
vorhergehenden angefügt, so kann das aus den verschiedensten
Gründen geschehen; z. B. kann der hinzugesetzte Gedanke eine
Begründung oder das Gegenteil enthalten. Es kann also „da"
für „daher" stehen, z. B. I 10: νοῦσον ἀνὰ στρατὸν ὦρσε
κακήν, ὀλέκοντο δὲ λαοί, „Er sandte eine schlimme Krankheit
durch das Lager, da gingen die Mannen zugrunde", oder „da"
steht für das Gegenteil „dagegen", „statt dessen" u. ä., z. B.
III 367 ἐφάμην τίσασθαι Ἀλέξανδρον, νῦν δέ μοι ἄγη ξίφος
„ich glaubte, ich könnte mich an Alexander rächen, da zer-
brach . .". Ferner kann die Hervorhebung des neuen Gedankens
zur bloßen Anknüpfung herabsinken, z. B. I 52: αἰεὶ δὲ πυραὶ
καίοντο „da brannten immer . .". Verständlich bleibt der Gedanke
trotz der Beibehaltung desselben Wortes immer.

So finden wir „da" in mannigfaltiger Weise als Ersatz für
δέ. Nun gibt es aber im Deutschen noch ein Verbindungs-
wörtchen, das von „da" gar nicht zu trennen ist, weil es in gewissen Fällen genau denselben Sinn hat und doch statt „da" gebraucht werden muß, wenn die Verbindung der Sätze durch Gemeinsamkeit des Subjekts o. ä. eine engere ist, das ist das Wörtchen „und". Wie nahe verwandt sich beide Partikeln in
gewisser Beziehung sind, und wie beide doch durch eine feine
Gebrauchsgrenze getrennt sein können, mag die Notwendigkeit
einer verschiedenen Übersetzung von δέ bei den ganz ähnlich
gebauten Sätzen I 33 und 245 zeigen. Dort heißt es, wie schon

angeführt: „So sprach er, da erschrak der Greis", hier dagegen:
„So sprach der Pelide und warf das Zepter zur Erde". Beide
Male enthält die vorausgehende Rede den Ausdruck des Zornes
und die mit δέ eingeleiteten Sätze eine Wirkung dieses Zornes.
Der Sinn ist also derselbe; trotzdem setzen wir im zweiten Falle
lieber „und", weil dasselbe Subjekt bleibt; also nicht eines Be-
deutungsunterschiedes wegen, aus einem formell-grammatikalischem
Grunde müssen wir uns den Wechsel gefallen lassen. Außerdem
tut uns „und" treffliche Dienste bei einem sehr gewöhnlichen
Gebrauche des δέ, den wir schon erwähnt haben (S. 167),
nämlich wenn sie in Korresponsion mit μέν oder mit einem auf
andere Weise hervorgehobenen Satzteile steht. Hier ist die übliche Übersetzung „zwar — aber" nur selten am Platze, sie hat
meistens etwas Steifes und Papierenes an sich; ein „und" mit
der richtigen Betonung, wie es in der lebhaften Rede des täglichen Lebens oft gebraucht wird, ist mindestens ebenso berechtigt und hat gewöhnlich eine viel größere Wirkung. So I 15:
ἐλίσσετο πάντας Ἀχαιούς, Ἀτρεΐδα δὲ μάλιστα δύω „er bat
alle Achäer und am meisten (betont) die beiden Atriden" oder
I 76: ἐγὼν ἐρέω, σὺ δὲ σύνθεο „ich werde sprechen, und du
vernimm es".

So kommen wir also wohl dem durch δέ bestimmten Charakter homerischer Satzverbindung näher, wenn wir zur Übersetzung des δέ nicht eine bunte Mannigfaltigkeit von Partikeln
wählen, von denen jede einzelne am betreffenden Platze das
logische Gedankenverhältnis schärfer ausdrücken mag, aber zugleich auch weiter von einer getreuen Übersetzung ein und derselben Partikel abführt, die die Vorstellung vieler logischer Beziehungen in sich zu fassen vermag. Dementsprechend setzen
wir als eigentliche Wiedergabe des δέ „da" mit der Variante
„und". Selbstverständlich müssen wir uns dabei vor der Pedanterie hüten, zu behaupten, jedes δέ müsse nun so übersetzt
werden; so mathematisch genau können sich zwei Sprachen auch
in einem einzelnen Worte nicht decken. Da δέ ein Wort betont,
so wird zuweilen auch, wie in der Umgangssprache, die bloße
Betonung genügen, eine Verbindung von „und" und „da" wird
sich mitunter von selbst darbieten, einige Male werden wir auch
nicht um die Wahl einer präziseren Partikel ohne Zwang herum-
kommen; im allgemeinen aber werden wir mit „da" („und") auskommen, wenn wir dabei aus dem Gebrauch der Umgangssprache
zu schöpfen uns gewöhnen. Ausgehen können wir jedenfalls
immer von der angegebenen Grundbedeutung, und das ist vielleicht schon ein Gewinn.

Es gilt nun noch im einzelnen zu beweisen, daß sich der
vorgeschlagene Weg tatsächlich der Regel nach zur Übersetzung
der vielgebrauchten Partikel eignet. Wir haben dazu das erste
Buch der Ilias gewählt und beginnen mit der gebräuchlichsten

Anwendungsform der Partikel, nämlich bei der Anknüpfung eines Satzes.

Wir betrachten zunächst die Fälle, wo „da" die Regel ist und zwar zunächst zu Beginn eines Satzes oder Satzteiles. Am Anfang eines selbständigen Satzes steht es vor allem, um die Folge eines vorausgehenden Ereignisses oder eine überraschende Neuigkeit mitzuteilen. „So sprach er, da erschrak der Greis" (V. 33). „So sprach er, da hörte ihn Apollo" (V. 43). Dazu gehört die gerade im ersten Buch häufig vorkommende Formel für den Beginn der Erwiderung: τὸν δ' ἠμείβετ' „da antwortete er". Ähnliche Fälle sind sehr zahlreich. Z. B. I 33, 43, 46, 52, 58, 68, 84, 101, 121, 130, 139, 148, 172, 188 (das erste δέ), 199 (das erste δέ), 206, 215, 223, 243, 247, 285, 292, 314, 317, 327, 345, 347 (zweites δέ), 357, 359, 364, 370, 380 [1]) (zweimal), 382 (zweimal), 382 (zweimal), 383, 387 (zweimal), 413, 446, 457, 495, 498, 511, 517, 529, 533 (das zweite δέ), 544, 551, 560, 568, 570, 571, 595, 599. Selbstverständlich bleibt es dem subjektiven Ermessen überlassen zu entscheiden, ob in einzelnen Fällen ein Ereignis mehr oder minder stark hervorgehoben werden soll, ob es als Folge oder Wirkung betrachtet werden soll. Nicht selten wird es — und das ist die zweite Gruppe von Fällen — nur schlicht an das Vorausgehende angereiht, besonders wenn eine Reihe von nacheinander eintretenden Handlungen zu einem Gesamtberichte in kurzen durch δέ verbundenen Sätzen zusammengefaßt werden, so die Absendung der Chryseis V. 307 ff., ihre Empfangnahme durch Chryses 446 ff., das Opfer 460 usw. und die Abfahrt von Chryse 480. Hier wird man bei bloßer Anreihung, also bei den mehr untergeordneten Mitteilungen lieber „und" wählen (S. 168), beim Eintritt einer neuen Gruppe zusammengehöriger Dinge. So würde ich in dem Berichte von der Abfahrt von Chryse 479 ff. folgenden Wechsel vorschlagen: „Da sandte ihnen Apollo günstigen Fahrwind, da stellten sie den Mastbaum auf und spannten die Segel aus, da blies der Wind hinein und die Woge brauste, da fuhr das Schiff mit der Strömung". Dagegen werden wir vielleicht bei dem Opferbericht V. 462 ff. außer am Anfang wohl überall „und" bevorzugen, sobald uns hier die Handlungen gleichartiger und in weniger deutlichen Abschnitten sich vollziehend erscheinen. Je nach Geschmack, ja sogar nach augenblicklicher Empfindung wird man hier zwischen „da" und „und" verschieden wählen. Dabin rechne ich Verse wie 34, 35, 44, 48, 49, 52, 83, 103, 104, 142, 144, 197, 245, 280, 309, 310, 311, 328, 329, 347, 351, 384, 428, 435, 436, 437, 438, 439, 447, 449, 450, 461, 462, 463, 479, 480, 481, 483, 592, 593. Wahrscheinlich wird man „und"

---

[1]) S. darüber u. über die folgenden Verse S. 176.

wählen da, wo eine besonders enge Verbindung der Gedanken
und Sätze vorliegt, z. B. wo der zweite inhaltlich mit dem ersten
zusammenfällt; so 214 „halte an dich und gehorche mir", ähnlich
422, 492, 559, 565, 575, oder wo die beiden Gedanken von
einer Konjunktion abhängig oder in anderer Weise unter einem
Begriffe zu gleich untergeordneten Sätzen vereinigt sind, so 19
„zu zerstören und wohlbehalten nach Hause zurückzukehren";
ähnlich 162, 185, 193, 245 und 246, 410, 471, 485, 493, 579.
Die Aufstellung von Regeln ist hier ebenso mühsam, als das
Sprachgefühl leicht und sicher zwischen „da" und „und" entscheiden wird. Dagegen wird drittens „da" immer am Platze
sein zur Übersetzung des eigentümlichen Gebrauchs von δέ zur
Einleitung des Nachsatzes. V. 193 „Als er noch überlegte
..., da kam Athene". V. 137 „Wenn ihr es mir nicht gebt,
da (in der Umgangssprache gleich „dann") werde ich es mir
selbst holen". Ebenso V. 324. Schließlich ist noch eine vierte
für die homerischen Gedichte besonders charakteristische Gruppe
von Beispielen zu nennen, in denen der Gebrauch von δέ pleo-
nastischer Natur ist und dazu dient, einen einzelnen, meistens
schon eine Hinweisung enthaltenden Begriff hervorzuheben.
Auch hier finden wir in unserer Umgangssprache ähnliche Bildungen; denn nichts ist dieser eigentümlicher als der Pleonasmus,
und keine Partikel wird häufiger im Deutschen pleonastisch zur
Hervorhebung angewandt, als gerade wieder „da". Agamemnon
hat soeben mit schroffen Worten dem Chryses die Zwecklosigkeit
seines Verweilens im Lager vorgehalten, nicht einmal Zepter und
Binde Apollos werde ihn da schützen können. Da bringt er ohne
Übergang die Rede auf dessen Tochter und hebt im scharfen
Gegensatz zu dem bisher Gesagten den neuen Satz mit einem
Hinweis auf diese an. V. 29: τὴν δ' ἐγὼ οὐ λύσω „die (auf die
es nämlich hier besonders ankommt) werde ich nicht losgeben".
Hubatsch sagt: „Denn ich gebe die Tochter nicht los". Wie
schief eine solche Spezialisierung des δέ wirken kann, ist hier zu
erkennen. Der Grund in der schroffen Fortweisung des Priesters
liegt gar nicht in der Absicht, seine Tochter zu behalten, sondern
in seinem übertriebenen Herrscherbewußtsein, das sich durch die
Anwesenheit des Priesters verletzt glaubt; darum spricht er die
Aufforderung in gereiztem, drohendem Tone, dann macht er eine
Pause und fährt mit einer Handbewegung nach seiner Hütte hin
in selbstbewußtem Tone fort: „Die da..". Ähnlich heißt es
V. 328: τὼ δ' αὐτὼ μάρτυροι ἔστων „ihr beide da sollt Zeugen
sein". 348: ἡ δ' ἀέκουσ'... γυνή „das Weib da". 362: τί δέ
σε φρένας ἵκετο πένθος; „was da für ein Leid...?" V. 367:
τὴν δὲ διεπράθομεν „die hatten wir da zerstört". Ähnlich 391,
419 („dieses Wort da"), 474 („der freute sich da"). Noch mehr
unserem „da" der Umgangssprache entsprechen solche Fälle, wo
augenscheinlich nicht ein hinweisendes Pronomen, sondern eine

Zeitangabe durch δέ hervorgehoben werden und in einen Gegen-
satz zu einem anderen vorher erwähnten Zeitpunkt gebracht
werden soll. So V. 141, wo Agamemnon die Herbeiholung eines
Ersatzes auf eine gelegenere Zeit verschiebt: νῦν δ' ἄγε νῆα
μέλαιναν ἐρύσσομεν ... „für jetzt, da laßt uns das Schiff ins
Meer ziehen" würde man ohne Zwang bei uns sich mündlich
ausdrücken können. Ebenso V. 169; nachdem Achilles von seinem
Verdienste und den geringen Belohnungen in den früheren
Kämpfen gesprochen, wendet er sich plötzlich der so veränderten
Gegenwart und Zukunft zu: νῦν δ' εἶμι Φθίην δ' „Jetzt — da
gehe ich nach Phthia zurück" würde auch bei uns jemand sagen,
der vom Zorn hingerissen an elegante und korrekte Redeweise
nicht denkt; wie schwach würde hier ein „jetzt aber" oder „jetzt
nun" klingen. Eine ganz ähnliche Vorstellung erfüllt Thetis, als
sie V. 414 ff. sich ausmalt, wie Achilleus bei seinem kurzen Leben
doch eigentlich ein Anrecht auf Glück und Freude habe. Plötzlich
kommt ihr im Gegensatz dazu die so traurige Gegenwart zum
Bewußtsein, V. 416 νῦν δ' ... „jetzt — da wardst du zugleich
kurzlebend und unglücklich". V. 555 tut Here, von ihrem Gemahl ausgescholten, so, als ob sie ihn künftighin bei all seinem
Tun in Ruhe lassen wolle; dann fügt sie aber, sich ganz unerwartet zur Gegenwart wendend, im Widerspruch mit den unmittelbar vorausgehenden demütigen Worten hinzu: „Jetzt, da
fürchte ich, du hast mit Thetis gesprochen". Eine bestimmte
Zeitangabe wird ebenso hervorgehoben V. 425 δωδεκάτῃ δέ ...
„am zwölften Tage, da wird Zeus wiederkommen und dann gehe
ich sogleich zu ihm", so tröstet Thetis ihren klagenden Sohn.
V. 53 wird berichtet, daß Apollos Pestpfeile neun Tage lang ge-
flogen seien, und dann fortgefahren τῇ δεκάτῃ δ' ... καλέσσατο
λαὸν Ἀχιλλεύς „am zehnten, da" oder „da, am zehnten berief
...". Von solchen Fällen ausgehend, werden wir dann auch
andere Anwendungen von δέ als Betonungen einzelner Begriffe
verstehen und ebenfalls mit dem hervorhebenden „da" übersetzen.
So V. 326: κρατερὸν δ' ἐπὶ μῦθον ἔτελλεν „einen schrecklichen
Bescheid gab er ihm da". Vergleiche auch V. 497. Hierher
möchte ich auch V. 47 ziehen: ὃ δ' ἤιε νυκτὶ ἐοικώς, wo, wie
ich glaube, die beiden letzten Worte betont werden sollen. Das
Pronomen braucht gar nicht hervorgehoben zu werden; denn unmittelbar vorher ist Apollo durch das gewichtige αὐτοῦ ausgezeichnet. Schon Wackernagel hat erkannt (s. Cauer, Kunst des
Übersetzens V, Abschn. 3), daß manche Partikeln gern an die
zweite Stelle des Satzes treten, wenn sie auch logisch zu
einem anderen Worte gehören; dem entspricht nun wieder
ganz unser „da" in der Umgangssprache, das auch oft nicht zu
dem zu betonenden Worte gesetzt wird, sondern in wirksamer
Stellung an den Schluß, wie schon die Übersetzung von V. 326
zeigte; sodann auch hier: „der Nacht vergleichbar ging er da".

Ähnliche Fälle eines nicht hinter dem zu betonenden Worte stehenden δέ finde ich im ersten Buch in V. 180 σέϑεν δ' ἐγὼ οὐκ ἀλεγίζω, denn in Gegensatz zu den Myrmidonen, an die Agamemnon den Achilleus verächtlich verweist, stellt er sich selbst, er werde sich nicht um ihn kümmern, das δέ gehört also eigentlich hinter ἐγώ. V. 184: (ἐγὼ δὲ κ' ἄγω Βρισηίδα) steht zu dem τὴν μέν (die Chryseis V. 183) im Gegensatz nicht ἐγώ, sondern Briseis. Die letzten Beispiele zeigen schon, daß wir oft auch mit der bloßen Betonung des hervorzuhebenden Begriffes auskommen, und daß die Hinzufügung oder Weglassung des „da" dem subjektiven Ermessen überlassen bleiben muß. Das gilt besonders von solchen Fällen, wo δέ sich an ein einsilbiges Wort anschließt, was Homer mit Vorliebe tut. Besonders auffällig ist diese Gewohnheit im ruhigen, epischen Berichte, wenn jeden Hauptsatz ein einsilbiges Wort mit angehängtem δέ beginnt. Man kann hier im Zweifel sein, ob die auch sonst beliebte Zusammenstellung eines einsilbigen Wortes mit δέ (z. B. V. 309 ff.) bestimmend für Stellung und Wahl der Worte ist oder ob eine Hervorhebung des ersten Wortes beabsichtigt ist. Letzteres liegt sicher in V. 436—439 vor, wo vier Verse hintereinander mit ἐκ δ' beginnen. Die Gewichtigkeit der Ausschiffung der endlich zurückgegebenen Chryse soll augenscheinlich dadurch bezeichnet werden. Hier würde in der Übersetzung wohl ein viermal an die Spitze gestelltes „heraus" genügen, ein „da" kann ja in Gedanken hinzugefügt werden, ohne jedesmal pedantisch auch ausgesprochen zu werden. Auf diese Weise können wir denn auch zuweilen ungezwungen zu einer feineren Übersetzung kommen, wenn nur immer das ursprünglich hinweisende „da" hindurchklingt, So V. 5 „da (so) wurde der Ratschluß des Zeus erfüllt". V. 10 „Er sandte die Pest, da (daher) gingen die Mannen zugrunde". V. 133 „Du willst dein Ehrengeschenk behalten und befiehlst mir da (darum), diese zurückzugeben". V. 181 „Ich drohe dir da (vielmehr) folgendes". V. 315 Sie warfen die Befleckung ins Meer, „da (dann) opferten sie". V. 390 Die Chryseis schickten sie im Schiffe fort, „da (dabei) fanden sie Geschenke". V. 475 und 477 ἦμος δέ „als da (dann)". In V. 280, 290, 564 steht δέ hinter εἰ; hier wird immer auf eine bekannte Tatsache, nicht auf eine unsichere Bedingung hingewiesen („was das da betrifft, daß ..."). Interessant sind nun noch zwei Fälle, wo δέ als Begründungspartikel aufgefaßt werden kann. V. 259 fordert Nestor die beiden streitenden Helden, Agamemnon und Achilles, auf, ihm zu gehorchen mit den Zusätzen: 1. Ihr seid beide jünger als ich, 2. Bessere Männer als ihr haben schon auf mich gehört. Die erste Begründung wird mit δέ, die zweite mit γάρ eingeleitet, und augenscheinlich enthält auch der zweite Zusatz einen schwerer wiegenden Grund und wird auch als solcher durch eine breite, ein Dutzend Verse lange Ausführung

gekennzeichnet. Der erste Zusatz steht verglichen mit dem
zweiten, zwischen Begründung und Anknüpfung, nähert sich einer
einfachen Erklärung und kann auch im Deutschen ohne jede
Partikel mit Hervorhebung des ersten Wortes übersetzt werden.
„Beide seid ihr jünger als ich. Denn ich bin schon ..". V. 491
wird der Gemütszustand des grollenden, sich vom Kampfe zurück-
ziehenden jungen Helden beschrieben, wie er sein liebes Herz
verzehrte bei den Schiffen bleibend, und dann hinzugesetzt:
ποθέεσκε δ᾽ ἀυτήν τε πτόλεμόν τε; diese Worte könnte man ja
auf die verschiedenste Weise einleiten je nach dem inneren Verhältnis, in das man sie zu dem Vorausgehenden bringt: „aber",
„denn" (Hubatsch), „nur" (Voß), „obgleich", „dennoch", „weil".
Vielleicht soll aber von allen den Beziehungen etwas in dem δέ
anklingen, es wird eine neue Seite des Verzehrens angeführt, die
sogar im Widerspruch mit dem selbst von ihm geäußerten
Wunsche, nach Hause zurückzukehren, steht; also ist der Zusatz
wohl am besten einfach danebenstellend aufzufassen: „und (dabei)
sehnte er ..". Wir haben oben (S. 167) erwähnt, daß der
Gebrauch von δέ gewöhnlich gegliedert werde in den der Verbindung und den der Korresponsion. Bisher ist die erste Gruppe
behandelt worden, wo der eigentliche Platz für „da" war, zuweilen nur mit „und" wechselnd. Das eigentliche Feld für „und"
ist nun bei der Korresponsion. Trotzdem es hier nun meistens
einem vorausgehenden μέν folgt und μὲν—δέ scheinbar mit
Sprachnotwendigkeit durch „zwar—aber" übersetzt werden muß,
so wüßte ich in diesem Zusammenhange keinen einzigen Fall,
wo dies geschehen müßte, vielmehr paßt das in diesem Zusammenhange in der Umgangssprache allgemein gebräuchliche „und" in
den weitaus meisten Fällen weit besser als das steifleinene „aber".
Folgende δέ im ersten Buche möchte ich dazu rechnen: V. 4 die
Seele und den Leib. V. 16 Alle Achäer und am meisten die
Atriden. 107 Immer ist dir das Böse lieb und noch nie hast
du ein gutes Wort gesagt. 120 Die Beute ist verteilt und es
ziemt sich nicht. 137 Wenn die Achäer mir ein Ehrengeschenk
geben — schön; und wenn sie es mir nicht geben (mit demselben Tone als die erste Bedingung gesprochen, klingt dies
scheinbar so unbedeutende „und" noch ruhiger und zuversichtlicher als „aber" und entspricht ganz der gefaßten Stimmung,
in der der König gleich darauf die Debatte über diesen Gegenstand zu beendigen wünscht). (S. V. 140.) Ähnlich verhält es
sich V. 167, 175, 191 („Die Achäer aufjage und den Atriden
töte", ein „aber" wäre hier papierener Stil), 198, 225, 247,
252, 258 (wo sich die Vorstellung von „sowohl—als auch" von
selbst aufdrängt, wie auch 288 und 289), 308, 313, 369, 375,
409, 434, 454, 472, 487, 501, 533, 609. So möchte ich auch
V. 76 und 297 auffassen, wo der Redende mit dem Hörenden
in Korresponsion gesetzt wird, ja sogar V. 20, wo Chryses doch

entschieden sagen will, daß seiner und der Achäer Wünsche in gleicher Weise in Erfüllung gehen möchten. Darum treffen wir wohl den Sinn am besten, wenn wir beide Wünsche mit demselben Hilfsverb einleiten: „Möchten euch die Götter geben .., nach Hause zurückzukehren, und (das Nächste mit besonderer Betonung) möchtet ihr mir meine Tochter lösen". Ich wüßte nicht, auf welche Weise wir die Zusammengehörigkeit beider Wünsche einfacher und deutlicher ausdrücken könnten als durch das schlichte „und" mit darauf folgender Betonung.

Fassen wir das Bisherige zusammen. Sowohl der Häufigkeit des Gebrauchs als der Bedeutung nach entspricht das δέ bei Homer unserm „da", das in bestimmten, dem Sprachgefühl entsprechenden, meistens aber auch in Regeln zu fassenden Fällen mit „und" abwechselt. Dabei werden wir den Gebrauch der Umgangssprache zu Hilfe nehmen besonders bei der schlichten Anknüpfung von Hauptsätzen, bei der Einleitung des Nachsatzes, bei der Hervorhebung eines einzelnen Begriffes und bei der Korrespondsion. Ein unverbrüchliches Gesetz aber für absolut alle Fälle soll die Anwendung von „da" („und") nicht sein, wenn nur immer von der Grundbedeutung der Hinweisung ausgegangen wird. Ja die Übersetzung wird sogar verschieden lauten können je nach dem Zweck, den wir mit ihr verbinden. Bei der Einführung in Homer werden wir wohl strenger auf genauere Bezeichnung der logischen Gedankenverhältnisse durch spezielle Partikeln halten müssen, ebenso werden wir bei schriftlicher Übersetzung geneigt sein, dem Mangel an der Fähigkeit, Betonung und Gebärde auf dem Papier auszudrücken, durch grobkörnigere Ausdrucksweise Rechnung zu tragen. Jener Hilfsmittel der Verkehrssprache werden wir uns dagegen am vollkommensten bedienen können im mündlichen Vortrag und schriftlich vor solchen, die schon einigermaßen in das Verständnis eingedrungen sind. So werden wir hoffen können, nicht nur zuweilen schiefe Übersetzungen zu vermeiden, sondern überhaupt dem Eindruck näher zu kommen, den die griechischen Hörer von dem Liede des Sängers hatten. Durch solche schlichte Wiedergabe des den homerischen Satzbau geradezu beherrschenden δέ kommen wir in die richtige naive Stimmung, in den epischen Erzählerton, wie er noch in unseren Märchen und in der Redeweise kindlicher Berichte herrscht. So ist es vielleicht nicht unwichtig, zur Rechtfertigung unserer Übersetzungsvorschläge darauf hinzuweisen, daß der Sprachmeister Goethe die Erzählung des kleinen Karl in „Götz von Berlichingen" genau in demselben Stile geformt hat. Fast sämtliche Sätze sind hier durch „und" oder „da" verbunden. Am unmittelbarsten erinnert diese Stelle an den Stil der Verse I 380—392, den zweiten Teil des Berichts des Achilles an seine Mutter. Während der erste Teil wörtlich aus dem Anfang der Ilias wiederholt ist und einen etwas feierlicheren Charakter trägt,

geben diese Verse mit ihren vielen kurzen „da"-Sätzen besonders
anschaulich die Sprechweise eines Kindes vor seiner Mutter
wieder. Cauer führt in dem oben zitierten Aufsatze über die
Interpunktion der homerischen Epen S. 348 aus, daß sich der
Widerspruch zwischen dem mündlichen Vortrag der homerischen
Gedichte und unserer Lektüre gedruckter Lieder kaum beseitigen
lasse, daß das „behagliche Geplauder des alten Sängers" sich
schwer durch die Interpunktion wiedergeben lasse. Nun hat
Goethe das kindliche Geplauder u. a. auch durch die gleichförmige
Verbindung der Sätze durch „und" und „da" auch für den Leser
anzudeuten verstanden, warum sollten wir nicht das gleiche mit
den gleichen Mitteln bei Homer versuchen? Wir werden uns
freilich immer bewußt bleiben müssen, nur Unvollkommenes zu
erreichen, weil der Geist beider Sprachen nicht identisch ist. So
müssen wir uns öfters auch durch bloße Betonung ohne jede
Partikel helfen, während es der Sprache Homers widerspricht,
Sätze unverbunden nebeneinander zu stellen. Aber wir können
doch vielleicht bei unsern Hörern und Lesern wenigstens annähernd eine ähnliche Stimmung erwarten, wie sie in der altgriechischen Vortragshalle herrschte, und haben damit tatsächlich
einen Teil der Übersetzungsarbeit geleistet.

Einiges aus späteren Büchern möchte ich zur Bestätigung
der aus dem ersten Buche mitgeteilten Beobachtungen anführen.
Fast unzählige Male ist $\delta\acute{\epsilon}$ als Einleitung einer unmittelbaren
Folge durch „da" zu übersetzen. Ebenso wechseln wir bei
längeren in kurzen Sätzen verfaßten Berichten zwischen „da" und
„und" und bloßer Hervorhebung, z. B. II 17ff., 41, 93. Wir
greifen unwillkürlich zu „da" bei Eintritt eines ganz neuen,
überraschenden Ereignisses, z. B. II 244, III 96, 325, 364,
IV 79, V 390, VI 119, oder beim Nachsatz wie II 189, 322, 367,
IV 221. Wir erinnern uns des in der Sprache des gewöhnlichen
Lebens zur Hervorhebung eines einzelnen Begriffes gebrauchten
„da", z. B. II 5, 63, 82, 114, 274, 381, III 233, 367 u. ö.,
IX 185 $\dot{\epsilon}\pi\grave{\iota}$ δ'.. „daran war ein Steg". Wir werden oft
„und" bei enger Verbindung bevorzugen und finden die Wahl
dieser deutschen Partikel bei der Korresponsion als die treffendste
bestätigt. Mit Festhaltung dieser Gesichtspunkte hoffe ich,
einzelne Stellen dem Original gemäß fassen und übersetzen
zu können; ich meine zunächst die bekannte Stelle aus dem Ver-
gleiche der Menschengeschlechter mit dem Laube $\check{\epsilon}\alpha\varrho o\varsigma$ δ'
$\dot{\epsilon}\pi\iota\gamma\acute{\iota}\gamma\nu\epsilon\tau\alpha\iota$ $\check{\omega}\varrho\eta$ (VI 148), wir müssen uns nur in den Augenblick des Vortrags lebhaft hineindenken und uns einbilden, wir
bildeten den Vergleich eben selbst und wollten ihn Zuhörern
vorführen. Eben hat man von dem wechselnden Lose der Blätter
gesprochen — die einen weht der Wind zur Erde, die andern
läßt der Wald neu aufsprießen —, da fällt dem Dichter ein, es
könne so scheinen, als meine er, daß das zu derselben Zeit ge-

schehe. Um diesem Irrtum zu begegnen, will er anfügen: das geschieht natürlich zu einer andern Zeit als der Blätterfall, es ist dann Frühling. Unwillkürlich verweilt er dann gleich bei der eben bezeichneten Zeit, ihr ist das Aufblühen der Menschengeschlechter gleich, jener das Absterben. Dieser blitzartig und halb unbewußt sich vollziehenden Gedankenfolge geben die Verse Ausdruck; so erklärt sich das Einschieben der Zeitbestimmung und die der Ordnung der Begriffe im Bilde V. 147 nicht entsprechende, umgekehrte Stellung von φύει und ἀπολήγει. So werden die Worte von ἄλλα δέ ϑ' ὕλη (V. 147) bis ἡ μὲν φύει (V. 149) gewissermaßen in einem und zwar erhobenem Tone gesprochen, zu dem auch die rasch eingeschobenen Worte: „Frühlingszeit ist's da (dann)" gehören; hinter φύει ist eine kleine Pause zu denken, und die letzten Worte ἡ δ' ἀπολήγει entsprechen dann auch in der Senkung der Stimme den ersten Worten: φύλλα τὰ μέν τ' ἄνεμος χαμάδις χέει. In ähnlicher Weise glaube ich auch bei den anderen von Cauer (Kunst des Übersetzens, Abschn. IX) angeführten und zum genaueren Verständnis präziser übersetzten Beispielen von δέ mit meinen Übersetzungsvorschlägen auszukommen. Ich würde „da" vorschlagen bei dem Beispiel 13, 53 „So sprach er, da mischte Pontonoos", 1, 43 Aigisthos gehorchte dem Hermes nicht, „da hat er jetzt alles auf einmal gebüßt", 13, 86 „da fuhr es sicher dahin", 2. 85ff. „du möchtest uns da einen Schandfleck anheften". „Und" möchte ich wählen 22, 6ff., „wenn ich es treffe und Apollo mir Ruhe verleiht", 9, 290 „und floß zu Boden", 17, 456ff. „und (dabei) liegt vieles vor dir". Mit bloßer Betonung möchte ich mich begnügen 9, 144 „Der Mond schien nicht, er verbarg sich hinter Wolken". An zwei anderen Stellen scheint auf den ersten Blick des Gegensatzes wegen „aber" für δέ unvermeidlich. Il 200 und 201 steht allerdings ἄλλων und σὺ δ' im Gegensatz zu einander, und man könnte geneigt sein, zu übersetzen „während du unkriegerisch bist" oder „du aber bist unkriegerisch"; ebensogut aber könnte man den Satz als Begründung für die vorausgehende Aufforderung, stillzusitzen, auffassen und sagen: „denn du bist" oder „du bist ja". Was Homer gemeint hat, ist nicht mehr zu ergründen oder vielmehr das δέ zeigt, daß beide möglichen Beziehungen ihm unbewußt vor Augen schweben; dann versuchen wir aber auch am besten, beide Vorstellungen in der Übersetzung zu vereinen, indem wir mit betontem Pronomen sagen: „du bist unkriegerisch". Il 346 ist der Gegensatz zwischen den Kriegerischen und den elenden Feiglingen noch verschärft: τούςδε δ' ἔα φϑινύϑειν; diese zweite Aufforderung wird aber viel wirksamer als durch „aber" durch „und" mit der ersten zusammengestellt in dem Sinne: Tu du das deine „und laß die ins Verderben rennen". — Auch in den folgenden Gesängen steht δέ keineswegs immer hinter dem zu

betonenden Worte, z. B. II 160 = 176 (betontes Wort εὐχωλήν!),
III 211 (ἑζομένω!), 261 (ἡνία!), 311 (αὐτός!), 367 (ἑτώσιον!),
266 (ἀνίπτοισιν), IX 608 (Διός!) oder nicht hinter dem sich
im Gegensatz zu einem vorausgehenden befindenden, so II 479,
III 51, IV 63, 225. Die Stellung des δέ hier an zweiter Stelle
ist also eine rein mechanische, gewohnheitsmäßige und zwingt
den Vortragenden, das hervorzuhebende Wort noch besonders zu
betonen, gerade wie im Deutschen, wo ja auch meistens „da"
nicht hinter dem zu betonenden Worte steht und eine besondere
Betonung nötig macht. IX 335ff. wird ja meistens ἄλοχος als
ehrende Bezeichnung für die Lieblingssklavin des Achilleus, Briseis,
aufgefaßt. Die Meinung Cauers aber (Rhein. Mus. XLIV, 1889,
S. 356), daß damit die rechtmäßige Gattin Agamemnons gemeint
sei, paßt ganz zu unserer Auffassung des δέ in der Korresponsion, das am besten durch „und" mit starker Hervorhebung der
nächsten Worte zu übersetzen ist; demnach möchte ich hinzusetzen „und" (die nächsten Worte im Tone des Vorwurfs, vielleicht
verstärkt durch „dabei") hat er eine Gemahlin".
    Um aber Wesen und Anwendungsweise der homerischen
Partikeln, also auch des δέ, noch genauer zu erfassen, möchte
ich hier noch die Betrachtung der Partikel ἄρα heranziehen,
weil wir bei ihr in der glücklichen Lage sind, durch Vergleichung
fast gleichlautender stereotyper Formeln einen Schluß auf die
Bedeutungsschwere zu ziehen, die Homer solchen Partikeln bei-
mißt. Nach einer Rede findet sich nämlich eine bestimmte
Reihe unter denselben Verhältnissen immer in derselben Weise
wiederkehrender Ausdrücke für die Tatsache, daß die Rede beendet ist, und zwar einige mit, einige ohne ἄρα ohne jeden
sichtbaren Bedeutungsunterschied, augenscheinlich nur nach den
Bedürfnissen des Metrums gewählt. Eigentümlich ist dabei, daß
für einen bestimmten zur Verfügung stehenden Teil von Versfüßen immer nur ein bestimmter Ausdruck gewählt wird. So
heißt „so sprach er" zur Ausfüllung eines Daktylus mit nach-
folgendem Vokal immer ὡς ἔφατ' I 43, 457, 568 usw., mit nach-
folgendem Konsonanten ὡς φάτο I 188, 245, 345ff., wenn ein
Daktylus und eine Hebung zur Verfügung steht immer ὡς ἄρ'
ἔφη I 584, II 265, V 111, als Trochäus, wenn ein Vokal folgt
ὡς φάθ' II 182, IV 104, wenn ein Konsonant folgt ἠ ῥα. „So
sprachen sie" als Daktylus ὡς φάσαν II 278 usw., als Daktylus
und Hebung ὡς ἄρ' ἔφαν III 161, 324, VI 181 usw. Das ἄρα
wird also hinzugefügt oder weggelassen augenscheinlich je nach
Bedürfnis des Metrums ohne jede Rücksicht auf einen Sinnunter-
schied, und doch muß ἄρα eine besondere Bedeutung haben!
Cauer formuliert diese für die Schüler in Form eines Sätzchens
(Kunst des Übersetzens V, 3) „wie sich denken läßt, wie man
annehmen muß". Dieser Erklärung gemäß wird ja auch, wenn
die Stimmung des Unmuts als aus den Worten des Vorredners

natürlicherweise erwachsend bezeichnet werden soll, eine stereotype Formel immer mit ἄδα angewandt. Τὸν δ' ἄρ' ὑπόδρα ἰδών I 148, IV 349 usw. Dieser zweifellos festgestellte Sinn der Partikel ἄρα muß also auch in den oben angegebenen Wendungen für „so sprach er" usw. vorhanden sein; er muß aber ein so zarter und flüchtig andeutender sein, daß diese Partikel ganz nach den Bedürfnissen des Metrums gebraucht oder nicht gebraucht wird. Darin scheint nun ein besonderes Kennzeichen der homerischen Partikel überhaupt zu liegen, die ihre Übersetzbarkeit so schwierig macht.. Unsere deutschen Partikeln sprechen die in ihnen liegende Bedeutung mit ganz anderer Wucht aus, sie sind von zu grobem Stoffe, als daß sie die zarte Beziehungsandeutung, die in der griechischen Partikel liegen kann, nicht muß, immer wiedergeben könnten. An solchen Stellen haben wir nur die Wahl, die freiere Andeutung durch eine spezielle Partikel zu vergröbern oder dadurch zu verflüchtigen, daß wir ihr Dasein in der Übersetzung nur durch den Ton andeuten. Etwas Ähnliches hatten wir ja auch bei der Partikel δέ festgestellt, die wir in gewissen Fällen ja auch gar nicht selbständig, sondern nur durch Hervorhebung des dazu gehörigen Wortes andeuten konnten. Unsere Sprache ist eben nicht so fein und reich ausgestattet wie die griechische, in der in einem Satze vier und mehr Partikeln zu einer Harmonie zusammenklingen können, während wir uns meistens mit wenigen gröberen Lauten begnügen und die Nebentöne weglassen müssen. Trotzdem müssen wir versuchen, auch bei diesen Wörtchen in der Wiedergabe nicht bei scharfer, je nach dem Zusammenhang wechselnder Spezialisierung stehen zu bleiben, wodurch wir die Partikel doch eigentlich nur erklären, nicht übersetzen. So glaube ich, daß wir ganz wie bei δέ, auch für ἄρα eine Grundbedeutung finden können. Das ist das nachgestellte „denn", das nach hinzeigenden Wörtern in unserer Umgangssprache häufig in dem Sinne einer der Erwartung entsprechenden Handlung gesetzt wird. Apollos Zorn und das Tragen der Pfeile ist berichtet, nun fährt Homer I 46 fort: ἔκλαγξαν δ' ἄρ' ὀιστοὶ (δέ = „da", ἄρα = „denn") „da erklangen denn die Pfeile auf den Schultern des Zürnenden". Wird dagegen ein Ausspruch oder ein Ereignis durch eine entsprechende schon vorhandene Tatsache oder einen schon vorhandenen, aber jetzt erst erwähnten Umstand neubestätigt, so setzen wir lieber „eben". Achilleus hatte die Vermutung ausgesprochen, Apollo zürne wegen eines nicht vollbrachten Gelübdes. Der Priester hatte sich dagegenbei Achilleus des Schutzes gegen einen mächtigen Herrscher versichert und beginnt dann seine Offenbarung mit den Worten V. 93: οὔτ' ἄρ' ὅ γ' εὐχωλῆς ἐπιμέμφεται [ich bat dich vorhin um deinen Schutz...] „Er zürnt eben nicht wegen eines Gelübdes sondern ..". Wir geben also im Vergleich zu dem nachgestellten „denn" durch „eben"

kein anderes inneres Verhältnis des einen Gedankens zum andern
wieder, sondern wählen einen in der deutschen Sprache bei dieser
Ordnung der Gedanken nun einmal gebräuchlichen Ausdruck.
Wir können also mit Recht „eben“ eine Variante von „denn“
nennen, gerade wie „und“ von „da“. Z. B. könnten wir dieselbe Vorstellung des ursächlichen Zusammenhangs zwischen
Pfeiltragen und Erklingen (s. oben) auch umgekehrt ausdrücken,
dann müßten wir aber statt „denn“ „eben“ gebrauchen: „Die
Pfeile erklangen — er trug sie eben beim Gehen auf den
Schultern“. So hätten wir analog der Übertragung von δέ eine
dreifache Möglichkeit ἄρα im Deutschen zu behandeln: entweder
ist sein Gewicht so leicht, daß wir am besten auf eine Wiedergabe verzichten, oder wir gebrauchen das nachgestellte „denn“
mit der Variante „eben“. Die Entscheidung im einzelnen wird
auch hier öfters Sache des Geschmacks sein; zuweilen wird man
auch eine spezielle, sich unwillkürlich aufdrängende Partikel
gebrauchen.

Zur Erläuterung möchte ich die aus den ersten fünf Büchern
der Ilias gesammelten Stellen mit ἄρα in folgender Ordnung zu
behandeln vorschlagen. Unübersetzbar, ich möchte fast sagen,
nur fühlbar irgend einer vorhergegangenen Äußerung entsprechend
scheint mir ἄρα an folgenden Stellen, es sind hauptsächlich
formelhafte Übergänge „so sprach er“ usw. I 68, 428, 569,
584, II 48, 265, 342, 419, 433, 621, 752, 835, 853, III
61, 161, 310, 324, 355, 396, 398, 447, IV 106, 349, 411,
446, 447, 476, 483, 520, V 111, 137, 239, 251, 280, 333, 416,
427, 543, 607, 674, 800, 849, 871, 888. Zieht man von diesen
die formelhaften Wendungen ab, so bleiben tatsächlich nur wenige
andere über, von denen sich vielleicht auch noch einige durch
„denn“ oder „eben“ übersetzen ließen. Anreihen möchte ich
hier sogleich die Stellen, an denen Aufzählungen stattfinden und
ἄρα auch unübersetzt gelassen werden kann oder vielleicht einem
deutschen „ferner“ oder „weiter“ entspricht. So II 103, dann
im Schiffskatalog 522, 546, 584, 615, 676, 716. In den meisten
Fällen kommen wir aber mit „denn“ aus, oft in der Verbindung
„da‑‑denn“, als Übersetzung von δ’ ἄρα (δέ = da), zuweilen der
Deutlichkeit wegen zu einem „denn auch“ zu erweitern. Dazu
möchte ich folgende Fälle rechnen: I 8, 48, 148, 292, 433, 529,
308, 330, 405, 465, 471, 500, 501, 599, II 1, 16, 18, 20, 45,
59, 211, 268, 310, 421, 425, 426, 428, 760, 761, 780, III 7,
8, 77, 95, 113, 120, 226, 261, 264, 311, 313, 334, 344, 362,
381, 395, 424, 448, IV 15, 93, 135, 139, 148, 198, 208, 218,
232, 254, 379, 525, V 15, 43, 47, 48, 69, 89, 94, 209, 299,
334, 353, 363, 421, 547, 550, 556, 574, 584, 592, 660, 663,
682, 687, 692, 694, 738, 748, 762, 780, 836, 862. Selbstverständlich wird es auch unter dieser Menge einige Fälle geben,
wo mancher statt dessen auf eine Übersetzung verzichtet, wenn

dann nur wenigstens die vorgeschlagene Grundbedeutung hindurchklingt, z. B. da, wo auf eine feststehende Gewohnheit angespielt wird, wie II 95, 425, 426, III 334, IV 218. Es bleiben noch die Stellen übrig, wo ich mich für „eben" in dem angegebenen Sinne entscheiden würde. Es wird öfter an ein „wie schon gesagt" anklingen, z. B. III 302, oder in Verbindung mit einem Relativum („eben der") den Genannten von anderen gleichen Namens unterscheiden (z. B. V 70, 77, 612), oder hinter einem Demonstrativum stehend unmittelbar zu diesem gezogen werden können; so ὡς ἄρα „ebenso", z. B. II 784 u. ö., τὸν μὲν ἄρ' „eben den" (der schon genannt war). Die Stellen mit ausgesprochenem oder anklingendem „eben" sind folgende: I 56, 65, 93, 96, 113, 236, 430, II 21, 36, 38, 213, 222, 309, 482, 572, 620, 632, 642, 728, 742, 784, 870, III 13, 153, 183, 187, 302, 374, IV 82, 245, 378, 459, 467, 488, 501, 524, V 45, 70, 77, 79, 90, 137, 205, 312, 434, 503, 511, 537, 543, 578, 587, 612, 615, 621, 650, 676, 680, 735, 752, 858, 904.

Zum Schluß möchte ich noch erwähnen, daß in den beiden von Cauer (Kunst des Übersetzens, V, 3) gebildeten Gruppen von Beispielen mit ἄρα, die dort angeführt werden, um zu beweisen, wie verschiedenartige, spezielle Übersetzungen für ἄρα im Deutschen eintreten können oder müssen, wohl mit je einer der beiden oben vorgeschlagenen Übersetzungen wenigstens für Homer auszukommen ist. So 7, 39 ff. „Ihn bemerkten denn auch die Phäaken nicht, denn Athene ließ es nicht zu, die eben [wie ihr euch erinnert] Nebel über ihn ausgegossen hatte". 5, 355 „Da sprach er denn unmutig". 5, 397 „Da kommt die Genesung denn ersehnt". Für die zweite Gruppe paßt durchweg „eben". 9, 107 ff. „Die [die Kyklopen, die soeben ὑπερφίαλοι genannt sind] eben im Vertrauen auf die Götter weder pflanzen noch pflügen". 17, 464 „Doch der blieb stehen fest wie ein Fels, der Wurf hatte ihn eben nicht erschüttert". XVII 142 Glaukos hat gesehen, wie Hektor den Leichnam des Patroklos preisgibt; da ruft er: „Du warst eben dem Kampfe lange nicht gewachsen". 19, 282 ff. Odysseus wäre längst heimgekehrt, wenn er es nicht vorgezogen hätte, erst noch Schätze zu sammeln: „aber das erschien ihm eben nützlicher".

Die Ausdehnung dieses Übersetzungsprinzips auf andere Partikeln und auf andere Gebiete der homerischen Sprache sei einer andern Gelegenheit vorbehalten.

Bielefeld.   Johannes Seiler.

Horaz Carm. IV 8.

Die Ode des Horaz Donarem pateras bat durch ihre Schwierigkeiten eine gewisse Berühmtheit erlangt. Bentley sagt von ihr:
omnino meretur hic locus, vel ipsius Horatii causa, cuius honos
·et doctrina hic maxime periclitantur, diligenter expendi. Dieser
Aufgabe hat sich Anton Elter unterzogen[1]): er gibt eine weit aus-
greifende Interpretation großen Stils, die das lebhafte Interesse des
Fachlehrers in Anspruch nimmt ebensosehr durch die streng
methodische Forschung, wie durch die über das begrenzte Gebiet
der Ode hinausgehenden Untersuchungen und ihre zum Teil überraschenden Ergebnisse. Manche Stücke des Inhalts haben bereits
die Teilnehmer an den Bonner Ferienkursen erfreut und gefesselt. Über diese Interpretation also soll hier berichtet werden,
und der Bericht darf um so ausgiebiger sein, weil die Hochschul-
programme nicht eben leicht erhältlich sind, dann auch, weil nur
ein ausreichender Einblick in den Gang der Untersuchung und
ihre Zusammenhänge das richtige Verständnis für die Resultate
vermittelt. Wissenschaftlich dazu i m e i n z e l n e n Stellung zu
nehmen liegt aufserhalb des Rahmens dieser Ausführungen[2]).

Von den Schwierigkeiten, die die 8. Ode des 4. Buches
bietet, ist wohl die bekannteste, daß sie sich nicht der lex
Meinekiana fügt: sie enthält 34 Verse, eine nicht durch 4 teilbare Zahl. Zweitens entbehrt der Vers non incendia Carthaginis
impiae der Cäsur. Weiter scheint da zu stehen, daß ebenderselbe
Afrikanus Hannibal besiegt und Karthago in Brand gesteckt habe.
Endlich stören die Worte non celeres fugae ... incendia nach
ihrer landläufigen Auffassung den Zusammenhang. Denn es ist
unlogisch, die Flucht Hannibals und seine rückwärts geschleuder-
ten Drohungen der Dichtung des Ennius gegenüberstellen, während
der Gegensatz zwischen Marmordenkmälern und dieser Poesie
wohlbegründet ist.

Diese Anstöße und Unverständlichkeiten sucht Elter durch
eine scharfe und auf das Verständnis des Ganzen gerichtete Interpretation der Ode aus dem Wege zu räumen. Er faßt zunächst
zusammen die Verse 1—12, die die Einleitung enthalten und
mit der propositio thematis, pretium dicere muneri, schließen.
Es folgt die Behandlung der Verse 13—22, die eine große Periode
bilden, denn neque in Vers 20 hat eine unverkennbare Beziehung
zu dem vorhergehenden non, und endlich die der Schlußverse,
die, oberflächlich betrachtet, sich glatt und einwandfrei lesen.

---

[1]) A. Elter. Donarem pateras .... Horat. Carm. IV 8. Bonn 1907
(Programm der Universität zum 27. I. 05, 3. VIII. 07, 27. I. 06, 27. I. 07.)
[2]) Sie decken sich im wesentlichen mit dem Vortrage, den ich am
5. Dezbr. 07 in der altsprachlichen Sektion des Freien Deutschen Hochstifts
zu Frankfurt a./M. gehalten habe.

Um eine Verständigung, auch im einzelnen, leichter und sicherer zu ermöglichen, soll hier zunächst eine Übersetzung der Ode gegeben werden. 'Schenken würde ich, Censorinus, meinen Freunden Schalen und hübsche Bronzesachen mit freigebiger Hand, schenken würde ich Dreifüße, die Siegespreise griechischer Kämpfer, und Du würdest nicht die schlechtesten Gaben bekommen — falls ich eben reich wäre an Kunstwerken, wie sie Parrhasius hervorgebracht hat, oder Skopas, dieser ein Meister darin in Stein, jener in flüssigen Farben einen Menschen oder einen Gott hinzustellen. Indes ich bin nicht in der Lage dazu, und Du — Du brauchst und magst so feine Sachen nicht. Woran Du Freude hast, das sind Gedichte, und Gedichte Dir zu schenken, dazu bin ich in der Lage, wie auch den Wert der Gabe zu deuten.

Nicht mit eingemeißelten offiziellen Inschriften ausgestattete Marmorblöcke, durch die tüchtige Heerführer nach dem Tode wieder Atem und Leben bekommen, nicht die schnellen Fluchten und die auf seine Seite zurückgeschleuderten Drohungen Hannibals, nicht der Brand des verruchten Karthagos, verkünden leuchtender jenes Mannes Ruhm, der den Ehrennamen von dem bezwungenen Afrika heimgebracht hat, als die kalabrischen Musen, und überhaupt, wenn die Blätter schwiegen, mag Dir wohl Deiner Taten Lohn versagt bleiben.

Was wäre der Ilia und des Mars Sohn, wenn Vergessenheit neidisch sich den Heldentaten des Romulus in den Weg stellte? Den Äakus, entrissen den Fluten des Styx, entrückt die Kraft und die Gunst und der Mund des mächtigen Sängers als Gott auf die Inseln der Seligen. Den ruhmeswerten Helden läßt die Muse nicht sterben. Der 'Himmel ist es, mit dem die Muse beseligt. Ihr verdankt es Herkules, der rastlose Held, wenn er, wie er's sich gewünscht, bei Jupiters Mahle schmaust; der Dioskuren leuchtendes Gestirn rettet tief unten aus dem Meere das leckgewordene Fahrzeug; umkränzt die Schläfen mit grünendem Weinlaub führt Liber unser Flehen zu gutem Ende'.

Der Gedanke der einleitenden Verse 1—12 ist einfach und durchsichtig: 'Gerne würde ich Dir etwas recht Schönes schenken, zugleich auch etwas, woran Du Deine Freude hast. So schenke ich Dir Gedichte, und ich meine, die Gabe ist nicht zu verachten'. Die Gedichte, die Horaz dem Freunde schenkt, sind nach Elter die drei Bücher Oden, von denen ein Dedikationsexemplar gleichzeitig mit unsrer Ode an jenen abgeht. Bisher nahm man wohl allgemein an, daß unter carmina eben unser Gedicht zu verstehen sei; dieser Auffassung widerspricht aber grammatisch der Plural carmina, und sachlich vermißt man in den folgenden Versen jedes Persönliche; die Macht des Gesanges wird zu Censorinus in keine Beziehung gesetzt. Was wir vermissen, tritt noch deutlicher und handgreiflicher durch die Zu-

sammenstellung mit der folgenden Ode hervor, die den gleichen
Grundgedanken — die Unsterblichkeit von des Dichters Gnaden —
durchführt; denn hier findet dieser Grundgedanke auf den
Adressaten Anwendung, und gar vieles weiß Horaz an dem
Freunde zu rühmen. Lollius mochte also wohl ein Gedicht als
eine wertvolle Gabe empfinden, aber woran sollte Censorinus sie
als solche erkennen?

Größer sind die Schwierigkeiten in dem mittleren Teile:
hier sind von den vier angeführten Anstößen drei vereinigt. Alle
beseitigt Elter mit einem Schlage, indem er die Worte non
celeres fugae . . . Carthaginis impiae als Stücke der Inschrift
eines eben in jener Zeit gesetzten Scipiodenkmals auffaßt.
Sie machen demnach die Worte incisa notis marmora publicis an
einem konkreten Beispiele anschaulich. Daraus folgt, daß der
formal und sachlich beanstandete Vers non incendia Carthaginis
impiae auf das Konto desjenigen zu setzen ist, der die Statue
errichtet hat: auf dessen Konto gehört also sowohl die fehler-
hafte Cäsur als auch die Ungeheuerlichkeit der Behauptung, derselbe Afrikanus habe Hannibal besiegt und Karthago eingeäschert.
Gerade dieses lustige Quiproquo gibt den Anlaß zu dem Grundgedanken des Gedichtes: Gedichte sind besser als Denkmäler, zumal mit Inschriften so fragwürdigen Inhalts.
Demnach enthält der mittlere Teil ein Lob des Dichters
Ennius, dem gegenüber das neueste Scipiodenkmal mit seiner
unglücklichen Inschrift gänzlich zurücktreten muß, und dieses Lob
des Ennius soll eine Art Empfehlung für die Gedichte des Horaz
sein, wie sie 'dem alten Schelm der Satiren' gut zu Gesichte
steht. Um die Beziehung der Stelle auf ein Scipiodenkmal wahrscheinlich zu machen, weist Elter darauf hin, wie sehr in Rom
die griechische Sitte Denkmäler zu setzen überhand genommen
hatte, auch daß dabei die Grenze der geschichtlichen Wahrheit
häufig überschritten worden sei.

Am ausführlichsten und eingehendsten beschäftigt sich Elter
mit dem Schluß des Gedichtes, über den bisher die Erklärung
ohne ernstliche Bedenken hinweggegangen war. Wozu, fragt er,
der ganze historisch mythologische Exkurs? Nach der durch das
Scipiodenkmal herausgeforderten Verteidigung des Ennius müsse
allerdings das Lob der Dichtung etwas allgemeiner gefaßt werden,
aber man vermisse doch eine Beziehung zu dem Vorhergehenden,
insbesondere zu Ennius; auch scheine ja der Dichter im Heroen-
lied stecken zu bleiben, so daß die Anwendung auf seine carmina
kaum möglich sei. Die Verknüpfung im einzelnen und der Zusammenhang im ganzen sei wenig geklärt, der letzte Vers unbestimmt und beziehungslos. Die Dichter seien vollständig aus-
geschaltet. Und dann: was ist das für eine Gesellschaft von
Helden? wer hat sie so zusammengebracht? Horaz oder die
Tradition? auf wen geht ev. die Tradition zurück? „Wenn

Ennius den Scipio unsterblich gemacht und die Muse allein diese
Helden unter die Götter versetzt hat, so wird es doch wohl auch
die Muse eines bestimmten anerkannten Dichters sein, der diese
Apotheose vollzogen: wer aber ist dann der große Dichter, der
durch solche Vergötterung in der Tat bewiesen hätte, daß an
diesen himmlischen Lohn der Poesie alle irdischen Ehren nicht
von fern heranreichen?" Auf solche Fragen antwortet der Verfasser etwa mit folgendem Gedankengange. Mit der Unsterblichkeit des Romulus — also wohl auch gleicherweise des Scipio —
kann nicht die Unsterblichkeit im Liede gemeint sein; das ergibt sich aus dem, was über Äakus gesagt ist: consecrat muß
hier in dem Sinne der Apotheose verstanden werden. Wie
dieser von Jupiter als göttlicher Richter über Gerechte und Ungerechte in der Unterwelt bestellt wird, so geht Romulus nach
seinem Tode zu den himmlischen Göttern ein. Beide sind Göttersöhne, und beide erhalten durch die potentes vates nach dem
Tode die Vergötterung. Überhaupt sind die Helden unseres Gedichts besonderer Art: sie gehören nicht zur Masse derjenigen,
von denen es in der folgenden Ode heißt: vixere fortes ante
Agamemnonem multi, sed omnes illacrimabiles — urguentur ignotique
longa — nocte, carent quia vate sacro. Den Übergang zu Herkules,
den Tyndariden und Liber vermitteln die beiden Sätze dignum
laude virum Musa vetat mori und caelo Musa beat. Beide
drücken denselben Gedanken aus, der eine negativ, der andere
positiv: wer des Lobes würdig ist, den läßt die Muse nicht
sterben, vielmehr der Himmel ist der Muse Lohn. Ihr verdankt
es Herkules — das ist der Sinn des sic —, die Tyndariden und
Liber, wenn sie nach ihrem Tode in den Kreis der Götter aufgenommen worden sind; an ihnen ist die Macht des Gesanges
sichtbar geworden. Diese Apotheose muß in der den Gebildeten
bekannten Schilderung eines berühmten Dichters eine Vorlage
haben. Denn es ist eine gleichwertige Reihe von Romulus bis
Liber, also auch ein Dichter und ein Gedicht, in dem sie alle
zusammengefaßt waren, — nicht historische Persönlichkeiten wie
Scipio, sondern Göttersöhne, die ihren Sitz im Himmel eben
diesem Dichter verdanken. Wer ist der Dichter? Bevor Elter
diese Frage beantwortet, legt er zunächst folgendes fest: wenn
jene Halbgötter im Zusammenhang unsrer Ode etwas beweisen
sollen, so müssen auch die laudes Africani eine Apotheose, eine
Apotheose Scipios gewesen sein. Bei dieser Annahme stellt sich also
die Apotheose Scipios durch Ennius neben die des Kreises
jener Heroen; das führt zu dem Schlusse, daß Ennius den
Scipio in die Gesellschaft jener Heroen eingeführt hat,
und zwar in einem Gedichte, in dem von der Apotheose
Scipios die Rede war. Wahrscheinlich wird dieses Ergebnis
durch den Nachweis, daß jene Verbindung von Halbgöttern eine traditionelle ist. Diesem Nachweis dienen

weitere Parallelen aus der antiken Literatur, zunächst aus Horaz
selbst, bei dem mit dieser Gruppierung die Vergötterung des
Augustus in Verbindung gebracht zu werden pflegt, die durch
das Einreihen in den feststehenden Kreis erst möglich gemacht
wird. Dieser muß aber vor Horaz irgendwie einmal beinahe
kanonisch festgelegt worden sein. Daß er bei Cicero so vorkommt, beweist, daß die Beispiele nicht erst durch die Beziehung
auf den Kaiserkult zusammengestellt sein können. Der Anlaß,
aus dem sie bei Cicero erwähnt werden, ist interessant. Als
dieser nämlich, durch den Tod seiner Tochter Tullia in maßlosen Schmerz versetzt, ihr einen Tempel und einen Kult ein-
richten wollte, sieht er dazu keine andere Möglichkeit, als daß er
sie eben in jenen Kreis einreiht. Wichtiger ist eine Stelle aus
Laktanz (Div. inst. I), aus der hervorgeht, daß auch unser
Scipio mit diesen Halbgöttern auf eine Stufe gestellt
worden war (Hercules, qui ob virtutem clarissimus et quasi Africanus inter deos habetur, nonne ..). Ja ebenderselbe Laktanz
hat uns eine Stelle aus Ennius erhalten, wonach Ennius es
war, der den Afrikanus unter die Götter erhoben hat.
...... Ille autem, qui infinita hominum milia trucidarit .. non
modo in templum, sed etiam in caelum admittitur. Apud Ennium
sic loquitur Africanus:

>si fas endo·plagas caelestum ascendere cuiquam est,
>mi soli caeli maxima porta patet. ......

Den letzten Zweifel behebt eine Stelle aus Silius Italicus
(Pun. 15, 69), in der die Virtus dem jungen Scipio das Leben
im Himmel in Aussicht stellt in Kreise der dazu einge-
gangenen Göttersöhne — eben dieses hat ihm Ennius
tatsächlich gegeben.

Wir fassen zusammen: im Anschluß an das verfehlte
Scipiodenkmal preist Horaz die Dichtkunst ausschieß-
lich in der Weise, daß nur von Scipio und nur von
Ennius die Rede ist, im besonderen von der Apotheose
Scipios durch Ennius. Das führt zu der weiteren Frage:
in welchem Werke des Ennius stand die Apotheose? Die Antwort
lautet: Sie stand in dem 'Scipio' des Ennius, der kein satirisches
Gedicht ist, wie man wohl annahm, sondern ein breit angelegtes
episches Gedicht. Es kann trotz Vahlen erst nach Scipios Tod
(183) verfaßt sein. Die Beispiele, nach deren Vorgang Ennius'
Muse den Scipio mit dem Himmel ehrt, sind von ihm mit Bedacht ausgewählt aus den stadtbekannten altverehrten
römischen Göttern; es sind diejenigen unter ihnen,
die nach griechischer Sage als Menschen gelebt hatten
und zu Göttern geworden waren.

Auffallend ist in diesem Kreise bei Horaz die Erwähnung
des Äakus, der sonst nicht dazu gehört. Sie erklärt sich aber,
wenn wir eine Nekyia des Scipio annehmen, wie ja tatsächlich

eine solche bei Silius Italicus überliefert ist, eine Hadesfahrt des Scipio, bei deren Beschreibung der Richter dort eine große Rolle spielen mochte. Hier in der Unterwelt hat auch die Apotheose Scipios ihren Schauplatz: in der Form einer Vision — es handelt sich also nicht um eine wirkliche Apotheose, sondern um die Verheißung einer solchen — hat Scipio dort seine göttliche Bestimmung, seine Auffahrt zu Herkules und Romulus geschaut. Die Apotheose des Romulus aber hinwiederum war eine direkte poetische Nachbildung der Apotheose des Herakles, und der Dichter dieses ältesten Liedes von der Vergötterung des Romulus war wieder Ennius; das ist der Sinn der Worte: quid foret' Iliae Mavortisque puer, si taciturnitas obstaret meritis invida Romuli? d. h. was wäre Romulus ohne Ennius? Ennius also hat, und zwar dies in seinen Annalen, den Romulus in den Kreis jener griechischen Heroen versetzt, die allein auch in Rom ihren Kult hatten, nicht ganz aus freier Erfindung, aber er hat doch die Sache gewissermaßen sanktioniert.

Von hier aus kommt Elter zu den weiteren Zusammenhängen dieser Erscheinung, so daß wir uns nunmehr etwas mehr von dem Gedichte entfernen. Es ist nüchterner Rationalismus, wenn Ennius, der Übersetzer und Geistesverwandte des Griechen Euhemeros, die Götter zu Menschen und die Menschen zu Göttern macht. Die Apotheose des Scipio ist Euhemerismus, ebenso wie es Euhemerismus war, alte in Rom öffentlich verehrte Götter, Herkules, die Castores, Liber — nur so, nicht Bacchus heißt in diesem Kreise der Gott —, in Anlehnung an griechische Sage auf die Erde hinabzuziehen und ihr Menschentum hervorzukehren. Daher ist es ein Irrtum zu behaupten, daß der römische Kaiserkult direkt vom orientalisch hellenistischen Herrscherkult abzuleiten sei. Vielmehr fand die von Osten herüberkommende Sitte der Menschenverehrung in Rom einen durch Ennius wohl vorbereiteten Boden. Im besonderen hat Ennius das Eigenartige an der Kaiserapotheose, die Angliederung an den römischen Staatskult, begründet, und die Erinnerung an ihn und seine Poesie ist bei den Gebildeten der Augusteischen Zeit noch durchaus lebendig. Das ist wichtig für die Auffassung des Horaz von der Vergötterung des Augustus; diese hält sich eben im Rahmen der römischen Tradition an Romulus-Quirinus usw. Zu des Ennius Zeit war eine solche Vergötterung euhemeristisch gewesen und eine kecke Neuerung, jetzt war das anders, und so zerfällt der Vorwurf, die Augusteischen Dichter, und unter ihnen Horaz, hätten die Poesie in den Dienst der Vergötterung gestellt, in sich zusammen. Diese Göttlichkeit der Kaiser ist eine Göttlichkeit von der Menschen Gnaden, ein Geschenk der Dankbarkeit und Verehrung. So ist die Apotheose kein Markstein in der Entwicklung der römischen

Religion, wohl aber der feste Maßstab für die Beurteilung des
allgemeinen Seelenglaubens.   Denn noch ist der Glaube an die
Unsterblichkeit der Seele, soviel man davon reden mochte, keineswegs ein sittlich religiöser Faktor im Leben der Menschen.   In
diesem einschränkenden Sinne hängt die Apotheose zusammen
mit Menschenkult und Götterglaube, Totenverehrung und Jenseits-
glaube, Andenken und Fortexistenz der Seele.

Nachdem Elter auch diese Gebiete kurz gestreift hat, faßt
er das Ergebnis zusammen.   Der Scipio des Ennius ist der
berühmte rote Faden, der sich durch das Gedicht hin-
durchzieht; an dem einen Beispiel zeigt Horaz die
Macht des Gesanges, indem Ennius dem Scipio das
Höchste gegeben hat, dem gegenüber alles andere
verschwindet — auch Kunstwerke aus Marmor mit Bildnis
und Ruhmesworten.   Es sind weiter die typischen Beispiele des 'Scipio', auf die sich Horaz bei der Konse-
kration beruft.   Ennius und Horaz verbindet eine einheitliche konstante Überlieferung.

Wir sehen, der Hintergrund der Ode ist immer bedeutsamer
und unser Horizont immer weiter geworden.   So gewinnt die
Tatsache an Wichtigkeit, daß das Versmaß unseres Gedichtes dasselbe ist wie das der in dem Organismus der Odenbücher besonders hervortretenden Gedichte I 1 und III 30 und daß dieses
Versmaß nur in diesen drei Oden verwendet wird, weiterhin, daß
die Gedankengänge der drei Oden nahe verwandt sind, endlich daß
unser Gedicht, wieder in Übereinstimmung mit den beiden andern
Gedichten, an wohl berechneter Stelle steht d. i. genau in der
Mitte des vierten Buches.   Der Schluß ist zwingend, daß auch
dieses aus der Masse der übrigen hervorragen . muß.   In der Tat
spiegelt es die Stimmung des Dichters zur Zeit der Vollendung
und Herausgabe seiner Liederbücher trefflich wieder; denn es
ist das feierliche Bekenntnis seiner Auffassung von
seinem poetischen Beruf.   Deutlich ruft IV 8 zugleich die
Erinnerung wach an die Oden, in denen Horaz, dem Beispiel des
Ennius folgend, dem Augustus Aufnahme unter den bekannten
Götterkreis verkündet.

Eben die Beziehung auf Augustus führt uns auch zu einer
richtigen Deutung der beiden letzten Verse.   Es ist längst bemerkt worden, daß der vorletzte Vers ornatus viridi tempora
pampino mit dem Schlußvers der 25. Ode des 3. Buches
cingentem viridi tempora pampino eine auffallende Ähnlichkeit
hat.   Die Ähnlichkeit ist so auffallend, daß einige, die dafür keine
Erklärung fanden, den Vers kurzerhand für unecht erklärten.
Nun weist Elter auf die Bedeutung jener ganzen Ode hin, in
der der Dichter, von dionysischer Begeisterung getragen, die
Apotheose des Kaisers besingt.   An diese Ode will Horaz durch
die Wiederholung jener Worte erinnern, der Kaiser tritt, auch

ohne genannt zu sein, vor unsre Phantasie, denn was die
Apotheose Scipios durch Ennius ist, das ist jene Ode
auf Augustus durch Horaz. So werden denn die vota
deutlich als vota pro Caesare Augusto, und so wird es immer be-
greiflicher, daß unsre Ode in der Mitte desjenigen Buches gestellt ist, in dem weit mehr als in den anderen der Sänger sich
mit Bewußtsein in den Dienst des Kaisers stellt.

Es ist ein weiter Weg, auf dem wir Elter gefolgt sind: von
der Götterliste in der Censorinusode bis zu den letzten Darlegungen. Und doch war's kein Irrweg, nicht einmal ein Um-
weg, denn in gerader Linie sehen wir von unserem jetzigen
Standpunkt auf den Ausgangspunkt zurück. Aber eben dieser
Ausgangspunkt erinnert uns an eine Schwierigkeit, die wir aus
dem Gesichte verloren zu haben scheinen: unsre Ode verstößt
ja gegen das Vierzeilengesetz, das 1834 Meineke zuerst in
seiner Textausgabe des Horaz angewendet hat. Über dieses Bedenken spricht sich Elter aus in den an dritter und vierter Stelle
stehenden Programmen. Es geht davon aus, daß die sogenannten
Strophen der ersten Ode des ersten Buches durch nichts
als solche erkennbar sind, — es sei denn durch den seit 1834
vom Drucker freigelassenen Zwischenraum; so rücksichtslos laufen
sie über Satzende und Sinnesabschnitt hinweg. Wenn die Teilbarkeit durch 4 das einzige Kriterium einer solchen Strophe
abgebe, so sei diese Seite der Verskunst eine Kuriosität, nichts
weiter. Daraus nimmt Elter Anlaß, das durch seine Einfachheit
verblüffende Gesetz auf seinen Sinn und seine Berechtigung
zu prüfen, die Tatsache zu deuten und in ihrem inneren Grunde
zu begreifen. Nur dann werden wir auch den Einzelfall verstehen und eventuelle Ausnahmen richtig würdigen können.

Nach einem Überblick über die Vorläufer Meinekes folgt
zunächst die Feststellung der Tatsachen. Danach besagt das Gesetz für die Mehrzahl der Oden nichts Neues. Denn die sapphischen, alcäischen und viele der asklepiadeischen Oden bestehen
an sich aus metrisch abgegrenzten vierzeiligen Strophen, 78 von
102 (103 mit Miserarum est). Auffallend ist nur, daß auch alle
distichisch, ja 5 von den 6 monostichisch abgefaßten Oden (I 1,
III 30, IV 8 und I 11, I 18, IV 10) — also fast ein Viertel —
eine durch 4 teilbare Verszahl haben. Das ist nicht etwa erklärt,
wenn man meint, Horaz habe in den monostichischen und
distichischen Gedichten die feste vierzeilige äolische Strophe der
78 Gedichte nachgebildet. Denn das wären doch eben nur scheinbar lyrische Strophen und als solche nur zu entdecken durch Aufzählung der Verse. Wirkliche Strophen sind sie damit noch
nicht. So ergibt sich als die primäre Frage: was ist und
was bedeutet eine Horazische Strophe?

Die Äußerlichkeit der bisherigen Auffassung tritt sofort zutage bei folgender Überlegung. Die technischen Einrichtungen

der Schrift, die wir heute haben, die Strophen mit dem Auge
zu erkennen, gab es im Altertum nicht. Die Alten hätten danach
immer erst beim letzten Verse erkannt, ob ein Gedicht strophisch gebaut war oder nicht. Denn diese Vierteilung war doch keineswegs
allgemein üblich. Daher muß die Strophe eine sinnfällige
Einheit sein — fürs Ohr, nicht für das versezählende
Auge, sie muß rhythmisch und syntaktisch ein Ganzes
sein. Je entwickelter die metrische Strophenform ist, um so
freier wird die Sinnteilung sein dürfen, je einfacher die metrische
Strophe, desto mehr müssen sich Metrum und Sprachform gegenseitig ergänzen. In der Tat fallen die Abschnitte des
Sinnes und der Interpunktion viel häufiger mit dem
Strophenende zusammen, als man anzunehmen geneigt ist, und Ausnahmen haben ihre bestimmten künstlerischen Gründe.[1]), wie Elter an den alcäischen und sapphischen Oden des zweiten Buches zeigt. Demnach sind
die alcäischen und sapphischen Strophen Sinnstrophen, und
wie diese auf die griechische Lyrik zurückgeben, so die
Strophe überhaupt. Denn Lieder wollen die Oden des
Horaz sein, und alle Lieder sind strophisch gebaut. In der Bestimmung der Horazischen Oden, gesungen zu werden
zu Leier und Flöte, wie einst die Lieder des Alcäus und der
Sappho, darin liegt der Grund ihrer strophischen
Gliederung.
     Das führt zu der weiteren Frage: wie wurden die Horazi-
schen Oden vorgetragen? Die Beantwortung der Frage hängt ab
von dem Grundcharakter seiner Lyrik. Ausgehend von der
'Festkantate' des carmen saeculare weist Elter nach, daß, so be-
fremdend auch die Sache zunächst sein mag, wir uns Horaz als
Dichter und als Komponisten vorzustellen haben: er hat sogar
das carmen saeculare selbst dirigiert. Carmina nennt er daher
seine Gedichte d. i. Lieder im eigentlichen Sinne. Das Wort
lyricus hat er zuerst von sich gebraucht — selbst Cicero
kennt es nicht als lateinisches Wort —, und es gibt den Charakter
seiner den äolischen Lyrikern nachgebildeten Poesie aufs beste
wieder. Wenn aber Horaz Liederdichter und Komponist zugleich
ist, so ergibt sich daraus für den Strophenbau seiner Oden, daß
sie zum Singen gedacht und darum wie Lieder strophisch abgefaßt sind. Denn der Gesang setzt eine Melodie voraus, die
strophenweis wiederholt wird. Damit soll nicht gesagt sein, daß
alle komponiert und gesungen worden sind: der Zusammenhang
mit der griechischen Lyrik bedeutet nur, daß die Möglichkeit
des Gesanges vorausgesetzt werden kann. So gehören Melodie

---

[1]) Dieselbe Beobachtung gilt, soviel ich sehe, von den Klopstockschen
Oden; es ist nicht ohne Bedeutung für Horaz, daß sein Nachahmer ihm in
diesem Punkte — gewiß nicht mit Bewußtsein — gefolgt ist.

und Verstechnik auch bei Horaz noch zusammen, und diese
Technik ist keineswegs etwas nur Äußerliches. Demnach steht
die Frage so: wenn alle Oden des Horaz strophisch sind, so
sind sie auch alle mehr oder weniger Lieder; ob sie aber
strophisch sind, das ist für jede durch Einzeluntersuchung festzustellen. Denn es ist prinzipiell möglich, daß Zweck und Inhalt
eines Gedichtes die strophische Komposition ausschließen.

Eine solche Einzeluntersuchung auf Grund der gewonnenen
Ergebnisse über den Grundcharakter der Lyrik des Horaz
stellt nun Elter an in bezug auf I 1, von dem er ausgegangen ist.
Eine Übersicht über die Anfänge der 9 'Strophen' läßt augenscheinlich erkennnen, daß das keine Strophen sind, weil die
mangelnde Rücksicht auf den Sinn unmöglich macht, sie zur
Leier gesungen sich vorzustellen. Dagegen ergeben sich völlig
einwandfreie, wirkliche Strophen, echte Sinnstrophen mit richtigem
Abschluß, wenn wir die erste mit Vers 3 sunt quos curriculo
und die weiteren entsprechend beginnen lassen. Das ist kein
Zufall, vielmehr hat diese Einteilung innere Berechtigung. Denn
die Anrede an Mäcenas in den beiden ersten Versen steht in
keiner Beziehung zu dem folgenden Inhalt. Ebenso wird am
Schlusse der Ode die Anrede des Mäcenas nur mit Hilfe der
fast vergessenen Einleitungsverse verständlich, auch fällt auf, daß
das quod si des vorletzten Verses in den unmittelbar vorhergen-
den Worten keine rechte Beziehung hat. Dieser Riß im Anfang
und am Ende des Gedichtes muß zusammenhängen mit der
Tatsache, daß das Mittelstück ein selbständiges Gedicht
ist, das sich in rechte, echte Strophen teilt. Inhaltlich ist es
wohl abgerundet und mit feinem Humor durchwürzt: es schildert die Liebhabereien und Passionen der lieben Mitmenschen,
sein — Horazens — Sport ist die Dichtkunst, die ihn fern von
den Alltagsmenschen seine eigenen Wege gehen läßt. Danach
ist das Hauptstück der Ode als Prolog wohl am Platze, indem
hier Horaz sich als lyrischen Dichter vorstellt. Ebenso passen
auch die dadurch getrennten Anfangs- und Schlußverse aufs
beste zusammen; denn die in jenen eingeleitete Widmung
kommt in diesen zum Ausdruck. Mäcenas soll entscheiden, ob
der Freund ein lyrischer Dichter ist (in III 30 läßt sich Horaz
stolz von der Muse selbst den Lorbeerkranz reichen!), und in
Vertrauen auf dessen günstiges Urteil sendet ihm dieser seine
Liedersammlung. Demnach unterscheiden wir ein äolisches
Lied, umgeben von einer nichtlyrischen Widmung, die
einer kurzen Epistel, einem Begleitwort gleich zu setzen ist.
Wenn nun aber I 1 ein Lied aus 8 vierzeiligen Strophen enthält, aber nicht schlechtweg aus 9 vierzeiligen Strophen besteht,
so hat das insofern eine grundsätzliche Bedeutung, als es
schlagend beweist, daß das Prinzip aller Strophik bei
Horaz noch lebendig und wirksam ist.

Von der Untersuchung von I 1 wendet sich Elter zu III 30.
Hier sind Sinnstrophen nicht vorhanden, schon deshalb ist die
Ode kein carmen lyricum. Dann aber auch wegen des Inhalts;
denn die Ode handelt nur von dem Dichter selbst, und eben-
deshalb hat Horaz sie gewiß nicht singen wollen. Endlich ist sie
— und das kommt zu überzeugendem Bewußtsein, wenn wir die
Verse als Prosa gedruckt sehen — trotz aller Pracht der Sprache
nuda oratio, sie ist λόγος, nicht μέλος. Weil sie aber kein Lied
sein soll, deshalb ist sie nicht strophisch aufzufassen — trotz
der 4 × 4 Verse. Das eine darf man immerhin zugeben, daß
eine ungerade Zahl · — etwa 15 statt 16 — gegenüber den
anderen Gedichten eine Stillosigkeit gewesen wäre.

Dasselbe Resultat ergibt ein genauerer Einblick in das Wesen
und die Eigenart desjenigen Gedichtes, das das α und ω der
vier Abhandlungen Elters bildet. IV 8 ist, wie oben erwähnt,
ein Begleitschreiben für das dem Freunde übersandte Dedikationsexemplar, und ein solches auch nur gesungen zu denken ist ungereimt — ebenso ungereimt, wie wenn man sich das Begleitschreiben Epist. I 13 in 19 Hexametern in Musik gesetzt denken
wollte. So ist Carm. IV 8 eine Epistel, keine Ode, daher ohne
Strophenbildung, ja ohne Tetraden, und so gehören sie auch inhaltlich zusammen, die drei einzigen in Ascl. min. geschriebenen
Gedichte. Mit feinem Stilgefühl hat Horaz die drei zur Buch-
form gehörigen Widmungs- und Geleitsgedichte anders
als die übrigen behandelt: nicht melisch, sondern rezitativ sind
sie gehalten. Dieses Resultat nimmt aber der lex Meinekiana
die Berechtigung einer schematischen Gültigkeit, indem es die
natürlichen Grenzen ihres Geltungsbereichs festlegt. Damit ist
die Bahn frei gemacht für ein inneres Verständnis der Kunst
des Horaz. Indem wir als ratio der strophischen Gliederung die
Bestimmung für den wirklichen oder gedachten musikalischen
Vortrag erkannt haben, muß eben diese für jedes einzelne Gedicht unter Berücksichtigung von Inhalt und Form festgestellt
werden.

Die Wanderung, die wir unter berufener Führung gemacht
haben, hat sich gelohnt: wir verdanken ihr eine Fülle von Anregung und Belehrung auf den verschiedensten Gebieten[1]),
manche Aufklärung und Klärung in Dingen, von denen wir nur
eine unklare oder oberflächliche Vorstellung hatten, einen tieferen
Einblick in Fragen, die gerade heute unsere Wissenschaft be-

---

[1]) Hier mag darauf hingewiesen werden, daß Elter zum Bonner Ferien-
kurs von 1906 seine bereits in den Wiener Studien veröffentlichte Übersicht über die Anordnung der Oden hat abdrucken lassen, aus der hervorgeht, daß das für die Reihenfolge der ersten 11 Oden des 1. Buches maßgebende formale Prinzip auch für die weitere Reihenfolge — wenn auch
nicht ausschließliche — Geltung hat. Das Ergebnis beweist, daß Horaz in
erster Linie ein formales Verdienst für sich in Anspruch nimmt.

wegen. Selbst da, wo die Hypothesen gewagt und stark sub-
jektiv sind; verdient der Forscher unsern Dank, da er Möglichkeiten und Ausblicke eröffnet, wo bisher alles versperrt schien.
Begreiflicherweise hat der Bericht manchen Sprung und manche
Lücke in der Beweisführung, die gerade durch die methodische
Strenge ihr zu folgen zwingt, und schon dieser Umstand mag
zum Studium der Abhandlungen selbst Anlaß geben. Dies
empfiehlt sich aber auch deshalb, weil der rege wissenschaftliche
Geist, der Drang, die Probleme gründlich und ohne Rest zu erledigen und vor neuen nicht zurückzuschrecken, um auch diese
wieder an der Wurzel zu fassen, die Weite des Gesichtsfeldes,
die feinsinnigen Bemerkungen und Beobachtungen in kleineren
Dingen, z. B. über den Humor des Horaz, die völlige Beherrschung des Stoffs und nicht zuletzt die lichtvolle und vorwärts-
drängende Sprache und Darstellung den Leser gewinnen und mit
sich fortreißen. Freilich werden wir darum nicht alles unterschreiben wollen, was Elter vorträgt. Der scharfsinnigen Kombination, wenn sie auch zu einer einheitlichen und geschlossenen
Auffassung der ganzen Ode führt, vermögen gröber Veranlagte
doch nicht überall zu folgen, und manchmal (ich denke besonders an die Aakusstelle und ihre Konsequenzen) will es scheinen,
als ob doch etwas gar zu viel aus dem Gedichte herausgeholt
werde, so daß dem Verfasser selbst zuweilen vor seiner 'Ver-
wegenheit' (S. 40, 30) bange wird. Im besonderen halte ich
auch die historische Ungeheuerlichkeit, der gegenüber die von
Elter zur Stütze angeführten geschichtlichen Irrtümer und Ver-
wechslungen harmlos genug sind, für ausgeschlossen, schon deshalb weil die Insobrift eine amtliche, eine offizielle ist (der Gegensatz zu notae publicae sind notae privatae, nicht etwa solche,
die unter Ausschluß der Öffentlichkeit erscheinen) und wir
doch einer römischen Behörde eine so unglaubliche Verwechslung
nicht zutrauen dürfen. Danach werden wir uns nach einer
anderen Erklärung des berüchtigten Verses umsehen müssen.
Vielleicht ist diese in folgender Richtung zu suchen. Ist der
Vers wirklich mit den vorhergehenden Worten nach der be-
stechenden Hypothese Elters ein Teil der Inschrift, so dürfen wir
nicht vergessen, daß diese Inschrift von Horaz doch eben nur
skizziert, nicht ihrem Wortlaute nach überliefert wird. Sie setzt
demnach bei dem römischen Leser — und nur auf diesen kommt
es hier an — die Kenntnis der vollständigen Inschrift voraus,
und aus dieser ergab sich das richtige, jede Verwechslung aus-
schließende Verständnis. Möglich immerhin, daß, was uns Servius
zu Vergil Äneis I 20 berichtet: in Ennio enim inducitur Iuppiter
promittens Romanis excidium Carthaginis, für dieses
Verständnis Bedeutung haben kann. Im übrigen — so berechtigt
auch der konservative Grundzug der zeitgenössischen Horazkritik
sein mag — gerade hier ist doch die Möglichkeit einer Inter-

polation nicht so kurzerhand abzuweisen. Denn der Grund zu
einer solchen liegt nahe genug. So selbstverständlich sind die
vorhergehenden Worte Hannibalis minae retrorsum reiectae denn
doch nicht, und es wäre nicht der beschränkteste Abschreiber
gewesen, der diese zurückgeschleuderten Drohungen
richtig durch eine Randbemerkung auf die incendia
Carthaginis deutete. Denn damit erkannte er, daß die ganze
Stelle sich auf die Zeit unmittelbar nach der Schlacht bei Zama
bezieht, damals als Hannibal nach Hadrumetum eiligst floh und
als seine Drohung Rom zu zerstören (Hannibal ante portas!)
umgeschlagen war in die Drohung Scipios, Karthago einzu-
äschern (Scipio ante portas!).

Zum Schlusse möchte ich kurz die Punkte zusammenfassen,
in denen Elter meines Erachtens die Erklärung von IV 8 wesentlich gefördert hat, und die sich wohl als 'tragfähiges Fundament'
erweisen werden. Er hat
1) carmina in Vers 11 richtig gedeutet,
2) für die Worte non celeres bis impiae eine durchaus befriedigende und einleuchtende Erklärung gegeben,
3) die Bedeutung des Ennianischen Scipio gebührend hervorgehoben, als des leuchtendsten Beispiels dafür, daß die
   Apotheose der höchste Lohn der Poesie ist,
4) die Beziehung der Ode auf Augustus nachgewiesen, ihre
   bevorzugte Stellung in der Mitte des vierten Buches verständlich gemacht und sie so mit I 1 und III 30 auf
   eine Stufe gestellt,
5) die scheinbare Abweichung von der lex Meinekiana aus
   der ratio dieses .Gesetzes heraus in sich selbst aufgelöst.

Frankfurt a./M.   Wilhelm Knögel.

Anm. Im Rheinischen Museum für Philologie 1907 (Band 62, Heft 4
S. 631—634) behandelt J. W. Beck (Amsterdam) dieselbe Ode. Er stimmt
mit Elter (und Cauer) darin überein, daß sie von Anfang bis zu Ende echt
ist. Im übrigen meint er, Horaz habe die beiden Scipionen keineswegs verwechselt; man dürfe nicht 'in dem Namen Ennius stecken bleiben', man
müsse vielmehr 'an einen großen Dichter denken'. Der Nachdruck sei zu
legen auf Scipio den Jüngeren, dem gegenüber der Ältere 'hier beinahe im
Schatten stehe'. Die drei anderen Schwierigkeiten der Ode werden nur
eben gestreift, nicht hinweggeräumt. Man darf vermuten, daß Beck diese
Darlegungen nicht veröffentlicht hätte, wenn ihm die Arbeit Elters schon
bekannt gewesen wäre.

ZWEITE ABTEILUNG.

LITERARISCHE BERICHTE.

Georg Kerschensteiner, Grundfragen der Schulorganisation. Eine Sammlung von Reden, Aufsätzen und Organisationsbeispielen. Leipzig, 1907, B. G. Teubner. VIII u. 296 S. 8. geb. 3,20 ℳ.

Von den 10 Reden und Aufsätzen des vorliegenden Bandes behandeln die 8 ersten wesentlich das eigenste Schaffensgebiet des Verfassers: 1. Zwischen Schule und Waffendienst, 2. Berufs- oder Allgemeinbildung, 3. Produktive Arbeit und ihr Erziehungswert, 4. Der Ausbau der Volksschule, 5. Umgestaltung des gewerblichen Schulwesens in München, 6. Die drei Grundlagen für die Organisation der Fortbildungsschule, 7. Zeitgemäße Ausgestaltung der Mädchenfortbildungsschule, 8. Eine Aufgabe der Stadtverwaltung; in nahem Zusammenhange damit steht der zehnte: „Lehrerbildung". Umfangreiche Anmerkungen (S. 245—296) geben Literaturnachweise und reichliche Organisationsbeispiele. Schon die Titel zeigen, daß der Verfasser von den Einzelfragen, wie sie ihm sein Beruf als Leiter des städtischen Schulwesens in München stellt, immer zu allgemeinen Gesichtspunkten aufsteigt; das Vorwort formuliert deren zwei: „Erstens: Jede öffentliche Schule im modernen Staate, mag sie eine allgemeine oder eine Fachschule sein, muß ihre Hauptaufgabe darin erblicken, soweit als möglich einsichtige, willenskräftige und für die Gesamtheit nützliche Staatsbürger heranzubilden. Zweitens: Nur durch praktische, auf ein wohlumgrenztes Gebiet beschränkte Arbeit, die den Fähigkeiten des einzelnen entspricht, gelangt der Mensch zu wertvoller Bildung".

In klarer, edler Sprache treten die Gedanken in den Reden wie in den Aufsätzen gleich lichtvoll hervor; die warme Begeisterung des Verfassers für seine hohe Lebensaufgabe berührt um so wohltuender, als sie nirgends ins Leere greift, sondern überall durchaus der Wirklichkeit Rechnung trägt; der Verfasser hat vollkommen das Recht, als Wegweiser aufzutreten, da er in erfolgreicher Arbeit selber den Weg gegangen ist und energisch weitergeht, der zu seinem Ziele führt.

18*

Wenn er immer wieder betont (besonders nachdrücklich z. B. S. 83), daß die öffentlichen Unterrichts- und Erziehungsein- richtungen des modernen Staates und der Gemeinden nur ein Ziel: „Die Erziehung zum Staatsbürger" haben können, so liegt dieses Ziel allerdings durchaus in der Richtung seiner gesamten Erörterungen; es ist um so entschiedener ins Auge zu fassen, als es zu unserem unleugbaren Schaden auf höheren wie niede- ren Schulen lange Zeit und immer noch allzusehr vernachlässigt ist. Aber der weitblickende Verfasser wird selber weder ver- kennen noch leugnen, daß über diese notwendige reale Forde- rung hinaus allermindestens als Ideal die Erziehung zu wahrem Menschentum zu erstreben ist. Die rücksichtslose Energie, deren der praktische Schulpolitiker gerade auf einem solchen Posten, wie ihn Kerschensteiner behauptet, notwendig bedarf, um sich durchzusetzen, hat ihn im allgemeinen, wie in manchen einzelnen Punkten zu einiger Einseitigkeit des Urteils geführt, die indes dem bedeutenden Eindruck des Ganzen in keinerlei Weise Ab- bruch tut.

Den Lesern dieser Zeitschrift muß ganz besonders der neunte Aufsatz dringend empfohlen werden; er war unter dem gleichen Titel: „Die fünf Fundamentalsätze für die Organisation höherer Schulen" zuerst in der Beilage der Münchener Allgemeinen Zeitung 1907 No. 52 und 53 erschienen. Das, was uns wirklich not tut, um unseren Schülern die Grundlage wahrer Geistes- und Charakterbildung zu geben, ist nirgends klarer, schlichter, ein- drucksvoller dargelegt worden; hier zeigt sich recht, zu welch tiefer Einsicht, zu wie weitherziger, hochsinniger Anschauung den Verfasser der eigene, merkwürdige Bildungsgang und weiterhin der selbstgeschaffene bedeutende Lebensberuf geführt hat. Frei- lich das eine Bedenken darf nicht verschwiegen werden: wenn wir mit Kerschensteiner, aus der Grundforderung der Einheit des Bildungsstoffes gefolgert, uns neben dem alten humanistischen Gymnasium ein naturwissenschaftliches, ein neusprachliches, ein technisches Gymnasium als völlig gleichwertige Bildungsanstalt denken, so wird die Wirklichkeit dieses Nebeneinander eben- bürtiger Schulen nur in großen Städten sehen können; kleinere Gemeinden werden eben immer wieder vor die Frage gestellt werden, ob sie durch eine einseitige Bildungsanstalt oder durch eine solche, die möglichst vielen Ansprüchen gerecht zu werden sucht, sei es mehr nützt oder weniger schadet; „hart im Raume stoßen sich die Sachen".

Indes, eine Besprechung eines so ausgezeichneten Buches darf nicht mit einem Zweifel schließen. Sein reicher Inhalt bietet eine solche Fülle des positiv Guten, daß wir dem Verfasser nicht dankbar genug sein können, daß er uns wieder eine so wertvolle Gabe gespendet hat.

Sondershausen.   A. Funck.

Wilhelm Münch, Jean Paul, der Verfasser der Levana. Berlin 1907, Reuther & Reichard. VIII u. 237. gr. 8. 3 ℳ, geb. 3,60 ℳ.

Wieder eine reizvolle pädagogische Schrift des gelehrten Verfassers, erschienen als erster Band des von Rudolf Lehmann herausgegebenen Sammelwerkes: Die großen Erzieher, ihre Persönlichkeit und ihre Systeme. Unser Buch stellt sich als eine Art Jubiläumsschrift der vor genau hundert Jahren veröffentlichten Levana dar; es will eine lebendige Einführung in diese reiche und nicht eben durchsichtige Gedankenwelt sein. Jean Paul gab seiner Erziehungslehre den seltsamen Namen Levana, den Namen jener Gottheit, die die römischen Frauen anriefen, wenn sie das neugeborene Kind dem Vater zu Füßen legten, damit er es aufhebend als das seinige anerkenne, um mit ihr die Kinderwelt überhaupt den Vätern und den Müttern von neuem vor die Füße zu legen, damit sie sich ihrer Pflicht der echten Anerkennung in Liebe und der verantwortlichen Auferziehung recht voll bewußt würden. Münch zergliedert den Stoff in vier Kapitel. Im ersten behandelt er das Hervorgehen der Levana aus dem äußeren und inneren Leben ihres Verfassers. Es will ihm scheinen, als ob, nachdem die Gemeinde jener edlen Männer und Frauen, die dem Dichter lebenslang Treue gehalten, seit Jahrzehnten dahin ist, manche Anzeichen eines gewissen Wiederauflebens des Interesses an Jean Paul sich zu erkennen geben als ein wirklicher Umschlag seelischen Bedürfnisses. Der Reichtum des Dichters an bedeutenden Gedanken, das tiefe Verständnis des menschlichen Innenlebens, alle die Blitze der Erkenntnis, die über das Ganze des menschlichen Lebens hinauszucken, dürfen nicht verschüttet werden; Jean Paul verdient es, für die Nation, für die Menschheit immer wieder lebendig gemacht zu werden; er ist doch, wie nur wenige Schriftsteller in allen Zeiten und Nationen, Erzieher seiner Mitwelt geworden, Erzieher durch Inhalt und Geist seiner Schriften, dem gegenüber alle Form oder vielmehr Formlosigkeit nicht ins Gewicht fällt. Es folgt nun weiter unter der Beschränkung, durch die die Aufgabe des Verf. bestimmt ist, die überaus klar und anziehend geschriebene Geschichte des äußeren und inneren Lebens des Dichters, eine liebevolle Charakteristik seiner werdenden Persönlichkeit, wie sie sich unter den Strömungen seiner Zeit immer voller und harmonischer gestaltete in seinem häuslichen Leben, in seinem schulmeisterlichen Wirkungskreis, in seinen Dichtungen. Eine feste Weltanschauung hat Jean Paul angestrebt und errungen. Im kräftigen Mannesalter hat er die Levana geschrieben. Mit rückhaltloser Dankbarkeit und freudigem Wohlgefallen wurde das Buch aufgenommen. Goethe, den Jean Pauls schriftstellerische Art im übrigen mehr verstimmt als befriedigt hatte, erklärte diesmal „nicht genug Gutes" von diesen Blättern sagen zu können, in denen sich eine „unglaubliche Reife" kundgebe, in denen des

Autors „Tugend ohne die mindeste Untugend" erscheine. Als der Dichter nach einem Leben reich an Arbeit und an Lohn im November 1825 zu Bayreuth begraben ward, wurde im Trauerzuge ein Exemplar der Levana einhergetragen, und die Lehrer und Schulwelt von Bayreuth geleitete ihn zur letzten Ruhe; weithin in Deutschland aber gedachte eine große Zahl nicht gewöhnlicher Menschen seiner als Erziehers der Seelen, eines echt menschlichen Freundes der Welt der Erzieher wie der zu Erziehenden.

Im zweiten Kapitel, dem Hauptteil, führt Verf. in den Aufbau und den Gedankengehalt der Levana. In der Wiedergabe des Inhaltes ist Münch der anscheinend so willkürlichen und wirklich etwas launenhaften Anordnung des Verf. treu geblieben nicht bloß, um den Eindruck dieser Seite des Buches nicht zu verlieren, sondern auch um für die Lektüre des Werkes selbst als bequeme Hilfe zu dienen. Unter Beobachtung derselben Überschriften faßt er die einzelnen Bruchstücke, wie sie Jean Paul nennt, zusammen, fügt aber dann, kenntlich gemacht durch kleineren Druck, in Auswahl jedesmal eine Anzahl jener zündenden Gedankenblitze und geistreichen Einfälle an, die den Inhalt des Buches so überaus reizvoll, packend, aber auch heiter und humoristisch machen. Wenn irgend etwas, so wird gerade dieser Bericht zum Lesen des Ganzen anregen.

Das dritte Kapitel schildert die Stellung Jean Pauls inmitten der pädagogischen Denker seiner Zeit, zunächst sein Verhältnis zu Rousseau, dann zu den Philanthropinisten Salzmann, Basedow, zu den Neuhumanisten Gesner, Ernesti, Heyne, Wolf, Niethammer, Herder, Hamann, Goethe, Arndt, weiter zu Pestalozzi, Schwarz, Graser, Herbart, Schleiermacher. Die Darstellung führt uns tief in die Gedanken der großen pädagogischen Geister; das ihrer jedem Eigentümliche und Bahnbrechende wird in Vergleichung gestellt zu dem, was Jean Paul gedacht und gewollt hat, und nach der Weise des echten Forschers abgewogen, wie sich der Dichter mit den einen begegnet, von andern auch angeregt ist, wie er manche abgewiesen, von andern ganz unberührt geblieben, aber, und das ist der befriedigende Schluß, wie er sich selbst in seiner Eigenheit behauptet hat. Jean Pauls Gefühl, daß sich unter den europäischen Völkern das deutsche zum erziehenden erhoben, hat sich im weiteren Verlauf des vorigen Jahrhunderts als richtig erwiesen, da hier zumal den reichlichen Ideen die planvoll festen Organisationen nebst methodisch-technischer Vervollkommnung folgten und dem Ausland auf geraumer Zeit großen Respekt abgewannen. Aber der Festigkeit folgte freilich, fügt Münch resignierend hinzu, eine gewisse Erstarrung; es sei darum wünschenswert, mehr zu den Ideen sich zurückzuwenden, damit das pädagogische Leben wieder ein flüssiges werde; nicht für alle Arten von Bauwerken sei ein felsiger Untergrund der günstigste, oder, wenn wirklich für Bauten, dann nicht für das Gedeihen des lebendig Organischen.

Im vierten Kapitel sucht Münch den Wert der Levana zu bestimmen; er entwickelt zuerst den philosophischen Standpunkt des Verfassers. Dieser ist mehr Gefühlsmensch als durchdringender Denker. Die Begriffe Gott, Freiheit, Sittlichkeit, Unsterblichkeit sind die Angelpunkte seines Denkens, wie die letzten Ergebnisse; er teilt die Antipathie gegen die orthodox-pietistische Anschauung von der ererbten und allgemeinen tiefen Sündhaftigkeit mit der Aufklärung. Die Aufgabe der Erziehung ist ihm, den in jedem ruhenden „idealen Preismenschen" oder „Hochmenschen" zur möglichst vollen Entwickelung kommen zu lassen. Daher soll die erzieherische Tätigkeit auf Behütung, Läuterung und Kräftigung gerichtet sein, aber auch eine erregende oder entzündende Einwirkung, eine beschränkende und heilende. Unseres Verf. Aufgabe duldet aber nicht ein bloßes Vorführen des reichen Gedankengehaltes. Mit ihm, dem erfahrenen Pädagogen, werden wir gedrängt zu gemeinsamer Prüfung, zur Beistimmung, zur Abwehr, und so wird durch die Richtlinien, die uns Münch gibt, gerade das letzte Kapitel zu einem doppelten Genuß, es wirkt auf uns in gleicher Weise erhebend und läuternd der Dichter, wie der Historiker. Ich schließe mit den letzten Worten des Verf.: Seinen Helden überschätzt leicht, wer eine Monographie über ihn schreibt. Und wer sich lange in ein Buch vertieft hat, mag darin schließlich des Wertes und des Reizes zu viel finden. Aber wenig Bücher — gerade auch Bücher über Erziehung — vertragen so viel Vertiefung wie die Levana Jean Pauls.

Das auch äußerlich schön ausgestattete Buch sei angelegentlichst empfohlen.

Stettin.   Anton Jonas.

Maschke, Die realistische Vorbildung und das Rechtsstudium. Berlin 1907, Franz Vahlen. II u. 58 S. 1,40 ℳ.

Eine der wichtigsten und folgenschwersten Entscheidungen auf dem Gebiet des reichbewegten schulpolitischen Lebens des letzten Jahrzehnts war die Erklärung von der Gleichwertigkeit der humanistischen und realistischen Vorbildung und im Anschluß daran die Zulassung der realistisch vorgebildeten Abiturienten zum Rechtsstudium. Die Verwaltung hat zwar selbst erklärt, daß sie den Gang durch das humanistische Gymnasium für die geeignetste Vorbereitung zu diesem Studium halte, aber die Zeit will ihr Recht haben, und schon gehören Hunderte von Realgymnasial- und Oberrealschulabiturienten zu den Jüngern der Themis, und viele stehen auch schon als Referendare im Berufsleben. Wie diese alle sich bewähren werden, muß die Zukunft

lehren. Vorläufig sieht man ihnen vielfach mit Mißtrauen entgegen, ja scheut sich auch nicht an maßgebender Stelle, ihnen
Schwierigkeiten zu machen. Zur Klärung der inneren Berechtigung der ganzen Frage, die adhuc sub iudice est, bietet einen
willkommenen Beitrag die oben erwähnte Schrift, deren Verfasser
juristische und philosophische resp. philologische Vorbildung in
sich vereint und durch seine Tätigkeit an den Kursen zur Einführung in die Latinität der römischen Rechtsquellen auch praktische Erfahrungen gesammelt hat.

Die Broschüre zerfällt in zwei Teile, einen allgemeinen und
einen besonderen. In dem ersten Aufsatz des allgemeinen Teiles,
dessen Überschrift „Antike und Christentum" lautet, weist
der Verfasser nach, wie die Ideen des Hellenismus direkt und durch
die Vermittelung des hellenistischen Judentums in die Lehre Christi
übergreifen und wie zum Verständnis des Evangeliums und der
auf ihm erwachsenen Ideen auch das Verständnis der Welt gehört, der es verkündet wurde. Von diesem Standpunkt aus betont er am Schluß, daß ein Zurückdrängen des klassischen Altertums an den Grundlagen des Christentums rütteln müsse.

Der zweite Aufsatz trägt die Überschrift „Antike und
Germanentum". Auch dieser gipfelt in dem Nachweis, daß
die germanische Kultur eine unerschöpfliche Fülle von Anregungen
aus der Antike erhalten habe, seit den Tagen Karls des Großen
durch die Zeiten der großen Volksepen bis zum Auftreten des
Humanismus und der Reformation, bis zu Winckelmann, Goethe
und Wilhelm von Humboldt.

In dem dritten Aufsatz des allgemeinen Teiles „Nationale
Kultur" wird aus den beiden vorhergehenden die Folgerung
gezogen, daß bei der notwendigen Begründung des christlichen
und germanischen Elements auf der Antike es selbstverständlich
sei, daß der Jurist, der Repräsentant der Staatsgewalt, nur durch
ein inneres Erfassen des ganzen Inhalts der Antike zu einem
Wirken auf dem sicheren Boden der Nationalität befähigt werden
könne.

Das Ergebnis dieser drei allgemeinen Betrachtungen ist
also, daß der Jurist als Christ, als Germane, als Mitglied eines
nationalen Kulturkreises gar nicht der humanistischen Vorbildung
entraten könne. Der Nachweis, daß auch die spezielle Erwägung der fachmäßigen Vorbildung unserer Juristen dasselbe
Resultat habe, daß die Antike auf unser Rechtsleben stark und
unverlierbar eingewirkt habe, bleibt dem zweiten, besonderen Teil vorbehalten.

Der erste, umfangreichste Aufsatz, „Vergangenes und
heutiges Recht", führt aus, daß mit dem modernen Staat und
seinem Beamtentum die neue Rechtswissenschaft überhaupt in der
Verbindung des Humanismus mit der Jurisprudenz entstanden sei,
daß aber überall, wo die nationale Tradition lebendig blieb, sich

ein rein deutsches Recht ausgebildet habe, daß so die Geschichte
der deutschen Rechtswissenschaft eine Verschmelzung des germanischen und römischen Rechts bedeute, daß in der unzweifelhaft
im natürlichen Lauf der Dinge bevorstehenden Weiterentwicklung
die führende Rolle zur Zeit dem Germanisten zufalle.

Der zweite Aufsatz „Das römische Recht als Teil der
Altertumskunde" untersucht, welche Art und welches Mehr
klassischer Kenntnisse dem Juristen für die Lösung seiner Aufgabe
unerläßlich sei, sofern er eine universale Fachausbildung anstrebt.
Die Erforschung des römischen Rechts habe bei der eigentümlichen Natur der Quellenschriften, die mit der gesamten lateinisch
und griechisch geschriebenen Literatur des römischen Altertums
identisch seien, den Juristen vor eine rein philologische Aufgabe
gestellt, und grundlegende Untersuchungen könnten nur von
einem Mann geführt werden, der wie z. B. Mommsen das juristische Rüstzeug voll beherrsche und zugleich mit der philologischen
Methode vertraut sei. Auch die Bedeutung der griechischen
Philosophie für die Entwicklung des römischen Rechts sei noch
nicht aufgeklärt; so viel sei aber sicher, daß die Rechtsgeschichte
des Römischen Reiches in absehbarer Zeit in sehr viel weiterem
Umfange zu erfassen sein werde als die Schriften der klassischen
Juristen ihn böten: alles Erwägungen, die für den Juristen eine
gründliche Kenntnis der Antike zu einer condicio sine qua non
machten.

Nach diesen von philosophischen und historischen Gesichts
punkten aus angestellten allgemeinen Betrachtungen der Sachlage gibt
der Verfasser im nächsten Aufsatz eine „Entwickelung der Realschulen", in der er sich auf den allein vernünftigen Standpunkt
stellt, daß die Gleichberechtigung der 3 neunstufigen Anstalten
keine Beraubung, sondern eine innere Bereicherung der Gymnasien bedeute, spricht dann im folgenden Aufsatz, „Das Rechtsstudium der Realabiturienten", von den Erfahrungen, die
man an den sogenannten Kursen gemacht habe, betont, daß diese
im allgemeinen das Ziel erreichten, den Realschülern die zum
Verständnis der Quellen erforderlichen lateinischen Sprachkennt-
nisse zu vermitteln und sie in diese Quellen einzuführen, bedauert aber, daß die Kürze der Zeit es nicht erlaube, ihnen das
tiefere Verständnis für die Probleme geschichtlicher Entwickelung
zu erschließen.

Im nächsten Aufsatz werden „praktische Vorschläge"
für eine etwaige Neuordnung des Studienplanes gemacht; im
folgenden, „Strömungen in der heutigen Jurisprudenz",
wird u. a. die Frage aufgeworfen, ob die Erwägung, daß die Aufgabe der Jurisprudenz das Studium der Lebensverhältnisse und
Lebenserscheinungen, die vom Recht geregelt werden, und nicht
bloß die Betrachtung dieser Regeln selbst sei, nicht Zweifel aufkommen lasse, ob Gymnasialabiturienten trotz ihrer historischen

Vorbildung für das Rechtsstudium noch geeignet seien; ob nicht vom Standpunkt des Naturrechts aus, bei der ungeheuren Rolle, die Technik und Industrie heute auch im forensischen Leben spielten, die Zulassung der Realabiturienten selbstverständlich sei. Und diese Erwägung führt in den letzten Aufsatz, „Naturforschung und Technik", von denen die erstere neben der Stellung des historischen Prinzips im heutigen Rechtsleben im Rahmen der allgemeinen Kultur in die Wagschale falle, so machtvoll, daß es auch dem Juristen unmöglich erspart bleiben könne, sich mit ihren wirklichen und mehr noch mit ihren vermeintlichen Resultaten auseinanderzusetzen. Es sei aber nicht zu befürchten, daß sie zersetzend wirken könne. Gefährlicher seien die Ansprüche, die von den Vertretern der Technik, getragen von der gewaltigen wirtschaftlichen Entwickelung des letzten Jahrhunderts, erhoben würden. Verfasser meint mit Recht, Zivilisation, die von der Technik geschaffen werde, sei noch lange nicht Kultur.

Man muß dem Verfasser zugeben, daß er bei seiner unzweifelhaften Überzeugung von der Notwendigkeit der klassischen Vorbildung für den Juristen seine Aufgabe mit strenger Objektivität behandelt und die ganze Frage von großen und tiefen Gesichtspunkten aus betrachtet hat. Auch ich bin der Meinung, daß die humanistisch Gebildeten gleichsam die Blüten am Baum der Menschheit seien. Aber nicht jede Blüte entfaltet sich zur Frucht. So sind auch die empfänglichen Naturen unter unseren Gymnasiasten, denen „die Offenbarung der Antike die Seele still gemacht hat", sehr, sehr dünn gesät. Sehr bedenklich stimmt auch, was der Geheime Baurat Peters im Oktoberheft der Monatschrift für höhere Schulen über die Nachwirkung der Gymnasialstudien im späteren Leben aus eigener Erfahrung und nach Beobachtung in weiten Kreisen mitteilt. So mag es wohl heute nur noch wenige hohe juristische Beamte geben, die, wie der verstorbene Reichsgerichtspräsident Dr. Simson, täglich ihre Seele im Homer laden. Größer mag wohl die Zahl derer sein, die mit saurem Schweiß sich einen Standpunkt zu erobern suchen, der es ihnen ermöglicht, Bücher wie z. B. Haeckels Welträtsel unter dem richtigen Gesichtspunkt zu betrachten. Und in diesem Ringen läßt sie ihre gymnasiale Vorbildung gänzlich im Stich.

Barmen.   Gerhard Michaelis.

1. Deharbe-Linden, Katholischer Katechismus. Regensburg 1906, Pustet. 140 S. 8. geb. 0,35 ℳ.
2. Baldus, Kirchengeschichtliche Charakterbilder. Köln 1907, J. P. Bachem. 117 S. 8. geb. 1,40 ℳ.
3. Rauschen-Capitaine, Kirchengeschichte. Bonn 1907, P. Hanstein. VII u. 137 S. 8. geb. 1,90 ℳ.
4. Rauschen-Capitaine, Glaubenslehre. Das. 1908. VII u. 120 S. 8. geb. 1,90 ℳ.

5. **Rauschen-Capitaine, Apologetik** (als Anhang zur Glaubenslehre). Das. 1908. 51 S. 8. 0,90 ℳ.

Seit mehr denn 25 Jahren ist kein für Gymnasien brauchbares Lehrbuch der katholischen Religion erschienen. Notgedrungen hatte man zu wählen zwischen König, Dreher oder Wedewer. Mit dem Katechismus war's ganz ebenso. Selbst der „kleine" Deharbe ist wenig brauchbar. Er enthält viele streng theologische Definitionen, die zwar vermittelnd überleiten zum Pensum der mittleren und oberen Klassen, das Verständnis auf der Unterstufe jedoch nicht fördern und den Unterricht unnötig aufhalten. Glücklicherweise beginnt man heute diese Mängel zu fühlen, und man wagt den Versuch, ihnen abzuhelfen. P. Linden hat den Deharbeschen Katechismus neu bearbeitet und ein treffliches Buch geschaffen. Alle scholastisch wissenschaftlichen Begriffe und Definitionen sind fortgefallen, der Kern ist geblieben. Der Ausdruck ist auch für den Sextaner verständlich, das Ganze mit Zitaten aus der Hl. Schrift und praktischen Bemerkungen belebt. Der neue Katechismus hat sich an den deutschen Schulen im Auslande bewährt; es wäre demnach nur wünschenswert, wenn er auch bei uns recht bald Eingang fände.

Für die Kirchengeschichte auf der Mittelstufe hat Baldus einem langgefühlten Bedürfnis abgeholfen. Seine „Kirchengeschichtlichen Charakterbilder" haben in 3 Jahren bereits 4 Auflagen erlebt. Bezüglich der Auswahl der einzelnen Charakterbilder kann man dem Verfasser nicht immer beipflichten, auch vermißt man eine „Charakterschilderung" des Altertums, des Mittelalters und der Neuzeit allgemein, wie solche wohl in No. 3, 23 und 32 naheliegt.

Ein Lehrbuch der kath. Religion für die Mittelstufe, das eine systematische Erweiterung des Katechismus wäre, steht leider noch aus.

Dagegen erscheint augenblicklich für die Oberstufe ein Leitfaden, den Rauschen-Bonn und Capitaine-Eschweiler nach den Grundsätzen bearbeiten, die auf dem Konveniat katholischer Religionslehrer von Westdeutschland zu Düsseldorf 1906 festgesetzt wurden. Bis jetzt sind zwei Teile der Öffentlichkeit übergeben, die Kirchengeschichte und die Glaubenslehre; daneben ist noch ein kurzgefaßtes Repetitorium der Apologetik erschienen. Die Sittenlehre ist für Oktober 1908 angekündigt. Rauschens Lehrbuch vereinigt abgesehen von Kleinigkeiten, deren Verbesserung der Neuauflage zufällt, alle Vorzüge eines wirklichen „Lehr"buches. Die Gesichtspunkte sind lichtvoll geordnet, der Stoff eingehend verarbeitet, ohne Nebensächliches breitzutreten. An manchen Stellen würde sich allerdings mehr die positive Darlegung statt der negativen empfehlen, z. B. Glaubenslehre § 6, 2. § 14, 3. § 32, 4. Auch sind § 27, 3 und § 28 nicht scharf genug geschieden. In der Kirchengeschichte läßt § 43, 4 ein definitives

Urteil vermissen, § 39, 1 verlangt eine ausführlichere Schilderung:
das „Weiberregiment" würde die Anmerkung sachlich erklären;
§ 7 könnte die klassische Literatur noch mehr berücksichtigen
(Cicero, Tacitus, Plinius, Sueton, Ammian, Eusebius, Ulpian).
Diese Ausstellungen vermindern jedoch keineswegs den hohen
Wert des Buches. Seine Einführung würde Lehrern und Schülern
viel unnütze Arbeit ersparen.

Schrimm.   Johannes Noryskiewicz.

O. Behaghel, Die deutsche Sprache. Das Wissen der Gegenwart
Band 54. Vierte Auflage. Wien und Leipzig 1907, Tempsky und
Freytag. 380 S. geb. 4 ℳ.

Behaghels Buch über die deutsche Sprache braucht nicht
mehr gelobt zu werden, es hat schon genug des Lobes gefunden
und sich auch bereits einen großen Kreis von Freunden erobert.
Die neue Auflage zeigt die Vorzüge der früheren und dazu noch
manche Verbesserung, namentlich zahlreiche kleinere Zusätze,
durch die das Bild reicher und farbiger gestaltet wird. Daß dabei die neuesten Forschungen überall berücksichtigt wurden, ist
selbstverständlich. Sehr dankenswert erscheint die Beigabe eines
kleinen bibliographischen Wegweisers, d. h. eines Verzeichnisses
von Schriften und Abhandlungen, durch die der Leser angeregt
wird, über einzelne Punkte weitere Aufklärung zu suchen
(S. 342—58), sowie die Vervollständigung des Wort- und Sach-
registers. So reiht sich denn die vierte Auflage würdig an ihre
Vorgängerinnen an.

Für eine hoffentlich bald erforderliche fünfte möchte ich
einige Bemerkungen machen. Da die Schrift für einen größeren
Leserkreis bestimmt ist, wünschte ich mehr etymologische Beigaben nach Art der S. 166 über got. *biut* und S. 172 über
Kümmelblättchen; so könnte S. 167 bayrisch *Pfinstag* erklärt
werden, so S. 75 *Dückdalben* und *Etmal*. Die Literaturangaben
müßten überall die neuesten Auflagen enthalten: S. 342 steht
O. Weise, Unsere Muttersprache, 4. Auflage, Leipzig 1902 statt
6. Auflage 1907, ebenda O. Weise, Ästhetik der deutschen Sprache,
Leipzig 1903 statt 2. Auflage 1905, S. 344 G. Wustmann, Allerhand Sprachdummheiten, 2. Auflage 1896 statt 3. Auflage 1903,
S. 350 Schrader, Bilderschmuck der deutschen Sprache, Berlin
1889 statt 6. Auflage 1902, S. 355 L. Sütterlin, Die deutsche
Sprache der Gegenwart, jetzt 2. Auflage Leipzig 1906, E. Förstemann, Altdeutsches Namenbuch, jetzt 2. Auflage 1901, S. 350
„Haberland, Krieg im Frieden. III. Teil. Ritter und Turniere im
heutigen Deutsch. Programm von Lüdenscheid 1893, 1895,
1896" soll heißen: „Drei Teile und zwar 1 und 2: Etymologische Plaudereien über unsere militärische Terminologie, 1893
und 1895, 3. Ritter und Turniere usw. 1896".

Seite 164 steht: „Wir vermögen zwar von Wörtern wie
Silber und *Hanf* mit ziemlicher Bestimmtheit zu sagen, daß sie
nicht ursprünglich Bestandteile der germanischen Sprache gewesen sind, aber welche Völker es nun waren, die uns diese
Ausdrücke vermittelt haben, darüber sind wir kaum imstande,
auch nur Vermutungen zu wagen". So verzweifelt liegt die Sache
doch nicht; denn es sind schon solche Vermutungen ausgesprochen
worden, die noch dazu sehr viel Wahrscheinlichkeit für sich
haben. O. Schrader in seinem Reallexikon der indogermanischen
Altertumskunde S. 766 und in seiner Sprachvergleichung und Urgeschichte, 3. Auflage, II. S. 190 leitet κάνναβις ab von cere-
missisch *kene*, *kine*, Hanf und syrjänisch *pis*, Nessel (vgl. turko-
tatarisch ken-dir, Hanf) und V. Hehn „Silber" von der pontischen
Stadt Ἀλύβη (= Χαλύβη), von der schon Homer sagt Il. II 857:
τηλόθεν ἐξ Ἀλύβης, ὅθεν ἀργύρου ἐστὶ γενέθλη, während es
F. Hommel im Korrespondenzblatt 1879, No. 7 und 8 und Archiv
für Anthropol. XV, Suppl. S. 162 ff. mit einem ursemitischen
sirpara verbinden möchte, was weniger wahrscheinlich ist.

Warum (S. 150) *trippeln* seinen Anlaut von *traben*, *trappen*,
treten haben und der Rest des Wortes nach einem alten *zippeln*
gebildet sein soll, begreife ich ebensowenig, als daß *zupfen* auf
gleiche Weise aus *ziehen* und *rupfen* hervorgegangen sein soll.
Trippeln ist weiter nichts als Ablautform von *trappeln* (vgl. *rippeln*:
rappeln, *schwippen*: *schwappen*, *zwicken*: *zwacken*), und *zupfen*
wird, wenn man es nicht mit Kluge und Heyne von *Zopf* = am
Zopfe ziehen ableiten will, am besten auf dieselbe Wurzel wie
Zapfen und *Zipfel* zurückgeführt. *Sackerlot* (vgl. S. 103) ist
schwerlich aus *Sakrament* entstellt, vielmehr aus sacré nom de
Dieu, wie auch Kluge im Etym. Wörterb. richtig angibt. Denn
bei solchen Euphemismen wird gerade der Vokal gern rein erhalten (vgl. *Potz* = Gottes, *Du großes Loch* = Du großer Gott,
weiß Kohle = weiß Gott). Nach S. 151 hat der Brüsseler Alchi-
mist van Helmont das Wort *Gas* „ganz willkürlich" erfunden.
Er selbst aber sagt: Ideo paradoxi licentia in nominis egestate
halitum illum gas vocavi non longe a chao veterum secretum,
also schwebte ihm bei der Wortbildung der Ausdruck chaos vor.
Nach S. 155 ist das Suffix -*heit* in Schönheit, Krankheit, Wahrheit ein „altes" Wort, aber es lebt ja noch mundartlich fort,
z. B. in Hessen, „lediger heit, junger heit" usw. (vgl. Crecelius,
Oberhess. Wörterbuch, S. 456). S. 166 heißt es „*impfen* (vgl.
putare)". Der Anlaut erklärt sich aber nur bei Ansetzung eines
mlt. *impitare*; ebenda mußte bei *Essig (acetum)* der Konsonanten-
umstellung Erwähnung getan und dabei auf ähnliche Fälle (*Ziege*,
kitzeln, *Erle*) hingewiesen werden. S. 211 *Wirsching* lautet
schriftsprachlich *Wirsing*; dem latein. Grundwort *viridia* steht
noch näher altenb. *Börsch*, Wirsing. S. 337. *Detmold* heißt ur-
kundlich nicht *Thietmella*, sondern zu Karls des Großen Zeit

Theotmalli, 1074 *Thedmali,* 1350 *Detmelle* (vgl. Egli, Nomina geographica, S. 246). S. 247 ahd. *hevianna,* Hebamme ist nicht als altes Mittelwort von *heben* aufzufassen, sondern besser als Zusammensetzung von *heben* und *anna =* lat. *anus,* alte Frau, also Hebefrau (vgl. Schrader, Reallexikon der idg. Altertumsk., S. 348).

Eisenberg S.-A.　　　　　　　　　　　O. Weise.

Ludwig Adam, Über die Unsicherheit literarischen Eigentums bei Griechen und Römern. Düsseldorf 1907, Verlag der Schaubschen Buchhandlung. 220 S. 8. 4 *M.*

Es ist eine interessante Seite des antiken Schrifttums — ganz abweichend von unsern modernen Anschauungen —, die in dieser Einzelschrift behandelt wird. — Ein Verlagsrecht gab es bei Griechen und Römern so wenig wie überhaupt eine Sicherstellung des geistigen Eigentums; das Buch, das ein Schriftsteller aus der Hand gab, war damit publici iuris; die Verfasser waren auf das Takt- und Anstandsgefühl ihrer Zeitgenossen und der Späteren angewiesen. Wohl empfanden sie es oft bitter, wenn ihr Eigentum ohne ihren Willen verwandt wurde, sei es daß es von anderen vor der Zeit (nicht selten in guter Absicht) veröffentlicht wurde, sei es daß einzelne Teile willkürlich verwertet wurden. So erging es Ovid mit den Metamorphosen, so Galen mit seiner Schrift περὶ ἀρίστης αἱρέσεως, so trieb Hermodor mit Abschriften von Platos Werken in Sizilien einen schwunghaften Handel; ja manche gaben fremde Schriften als eigene heraus, und Martial sagt von einem gewissen Fidentinus in diesem Sinne geradezu: fur es. Aber eine gesetzliche Handhabe gegen Mißbrauch oder Vertrauensbruch gab es nicht. Auch das war etwas Gewöhnliches, daß die Worte und Sätze eines Verfassers von andern für augenblickliche Zwecke willkürlich verändert wurden. Namentlich erlaubten sich die Alexandriner dies vielfach. Aristobulos, der Hauptvertreter der Behauptung, alle griechische Weisheit stamme aus jüdischer Quelle, schob den ältesten Dichtern, Orpheus, Homer, Hesiod, eine Menge erdichteter Verse unter, um die Anfänge griechischer Weisheit auf die Bibel zurückzuführen. Daher stammen viele Interpolationen, die überhaupt bei den alexandrinischen Juden, die von den Ptolemäern aus politischen Gründen begünstigt wurden, sehr beliebt waren. Manche Kirchenväter, wie z. B. Clemens Alexandrinus, standen auf gleichem Standpunkte wie Aristobulos.

Was nun die Annahme von Plagiaten bei den Historikern betrifft, so kann man das Verfahren dieser Schriftsteller, die nach Exzerpten arbeiten mußten, wie z. B. Plinius in seiner naturalis historia, keineswegs als Diebstahl bezeichnen; nur war es allgemein Sitte, die Quelle und die Art ihrer Verwertung im einzelnen Falle nicht anzugeben. Man betrachtete eben das einmal

Gefundene als gemeinsames Gut. Auch bei dem gleichartigen Verfahren der Redner kann man von bewußtem literarischen Diebstahl nicht reden, zumal es Gepflogenheit war, schablonenmäßig Eingänge und Überleitungen anzubringen, auch das bessere Gedächtnis der Alten es nahelegte, bekannte Aussprüche berühmter Vorgänger, auch längere Partien, zu zitieren. Ebenso machten die Komiker nicht selten aus dem Gedächtnis Anleihen bei anderen, führten auch von jenen angeschlagene Gedanken weiter aus. Freilich machten sie einander oft den Vorwurf des Plagiats; aber die Komödie wie die Parodie hatten oft die Anführung und Ausnutzung bekannter Dichterstellen nötig, was ebensowenig als literarischer Diebstahl im strengen Sinne betrachtet werden kann. Ein gleiches ist von gelegentlichen Entlehnungen oder Bezugnahmen bei den Tragikern zu sagen. Tatsächlich unselbständiger waren die römischen Dichter, die sich oft eng an griechische Vorbilder anschlossen oder diese vollständig übertrugen; aber sie hatten eben die Kunstdichtung in die römische Poesie erst einzuführen. Daher die Nachahmungen und Entlehnungen bei Plautus und Terenz, auch bei Ovid und Vergil, der z. B., wie wir durch Macrobius wissen, ganze Partien des zweiten Buches von Pisander übertrug; aber Macrobius selbst fügt sofort, gleichsam entschuldigend, hinzu: es sei das ein Beweis dafür, quantum ex antiquiorum lectione profecerit, wie ihn auch Seneca gelegentlich deshalb entschuldigt, was bezeichnend ist für die Anschauung der Alten überhaupt. Im allgemeinen erkannten aber die Alten selbst die Nachahmung oder Entlehnung guter Muster nicht als Diebstahl; wenn bei den Römern sich häufiger Anlehnung zeigt als bei den Griechen, so kann man die Erklärung dafür einmal in der natürlichen Entwicklung der römischen Literatur erkennen und sodann in der größeren Schwierigkeit der mehr verstandesmäßigen künstlerischen Arbeit der Römer gegenüber der genialen Kunst der Griechen, zumal die Nachahmung wie bei Ovid und Vergil keineswegs eine sklavische war.

Wenn es somit zunächst keinen eigentlichen Diebstahl in der Literatur gab, so gab es doch Verfälschungen und Entstellungen genug, die man beschönigend als διασκευή oder διόρθωσις bezeichnete. — Nach Aufzählung einiger besonders kennzeichnenden Beispiele spricht Verf. eingehend über das Verfahren der Diaskeuasten mit Homer und kommt damit auf ein von ihm mit besonderer Vorliebe bearbeitetes Feld. Er findet hier eine größere Anzahl von Interpolationen heraus und stellt die wichtigsten auf diese Weise in die Dichtung gekommenen Stellen zusammen, wobei sich aber ergibt, daß die alexandrinischen Kritiker und die Scholiasten manches Unentbehrliche verwarfen. Auch in den Hymnen wurden von den Rhapsoden manche Homerische Verse eingeschaltet, ja es wurden aus solchen ganze Dichtungen von ihnen zusammengestellt, Centone (nicht etwa die der späteren christlichen Zeit), für die ebenfalls der Name ῥαψῳδίαι gang und gäbe war. Nicht anders erging es den Dichtungen Hesiods durch die Willkür der Rhapsoden. Dies alles weist darauf hin, daß namentlich die alexandrinischen Epiker es mit dem literarischen Eigentum älterer Dichter nicht genau nahmen. Aber der Vortrag Homerischer Dichtungen brachte schon in ältester Zeit von selber viele Veränderungen mit sich. Und da Homer selbst **Dichter und Rhapsode** war, so wurden — und gerade diesem Gedanken gebt Verf. mit Eifer nach — aus einer **ursprünglichen** Ilias entweder zum Aufbau der Haupthandlung oder zum Ausbau einzelner Teile Stücke herübergenommen und eingeschaltet; ersterem dienten z. B. die „Monomachie und ὁρκίων σύγχυσις nebst den im 7. Buche verarbeiteten Verhandlungen zwischen beiden Völkern, an welche sich die ἐπιπώλησις Agamemnons schloß, ein aus der ursprünglichen Ilias herausgehobenes Stück, das künstlich mit der im 5. und 6. Buche geschilderten Διομήδεια und Ἕκτορος καὶ Ἀνδρομάχης ὁμιλία verbunden wurde, die Peripetie, d. h. die Bestrafung der Troer für ihren Vertragsbruch zu erzielen" (S. 48), dem Ausbau dienen die ἆθλα ἐπὶ Πατρόκλῳ im 23. Buche, die sich ohne Schwierigkeit aus dem Gedichte herausheben lassen. Auch die Telemachie in der Odyssee, die Verf. gleich jenen Partien einer eingehenden Analyse unterzieht, dient dem letzteren Zwecke. Homer, der die beiden Gedichte **bereits vorfand**, hat „nicht die Einzellieder zueinander in Beziehung gesetzt und auf ein gemeinsames Ziel gerichtet, sondern aus den größeren Epen, die ab ovo Ilions Geschick und des Odysseus Heimkehr und Leiden besangen, hat er den neuen Aufbau beider Gedichte bewirkt". Auch die einer späten Zeit angehörende sogenannte Tabula Iliaca, die uns durch ihre Bilder und Beischriften mancherlei Aufschluß über den Inhalt der Ilias des trojanischen Zyklus gibt, läßt erkennen, daß dem Künstler bei ihrer Anfertigung eine andere Ausgabe der Ilias vorlag, als wir sie haben. Insonderheit die Διὸς ἀπάτη, die auf der Tabula fehlt, legt dies nahe; der Dichter dieser letzteren hatte dann, um sie einzufügen und sie mit dem übrigen Bau der Handlung zu „verzahnen", eine Reihe einzelner Einschaltungen auch sonst nötig, deren Entstehung auf diese Weise zu erklären ist. Dasselbe trifft zu bei der Äneasepisode und der Theomachie, die ebenfalls auf der Tabula keinen Platz gefunden haben. Die Theomachie ist gedichtet in Anlehnung an die Diomedie und hängt aufs engste mit der Äneasszene und ihren Erweiterungen zusammen. Dies die Kombinationen des Verf., von denen manche etwas gesucht erscheinen. Was die Verwertung der sogenannten „Tabula Iliaca" in dem vorliegenden Buche betrifft[1]),

---

[1]) Diese ist veröffentlicht von O. Jahn, Griechische Bilderchroniken. Aus dem Nachlasse des Verfassers herausgegeben und be-

so erscheinen die Beweisgründe, die Verf. daran knüpft, keineswegs durchaus zwingend. Wir können nicht ermessen, nach welchen Prinzipien von dem oder den Verfertigern der Reliefs die Auswahl der einzelnen Szenen getroffen ist, ob nicht die vorhandenen Bilder uns selbst nur eine Auswahl aus einer ursprünglich größeren, dem Gedichte genauer folgenden Reihe von Darstellungen bieten. Auch künstlerische Zwecke können den Verfertiger geleitet haben. Dazu zeigt mitunter ein einzelnes Bild in sich Abweichung von der Homerischen Darstellung; z. B. ist in Σ Thetis bei ihrem Besuche bei Hephaistos von einer Frauengestalt (einer Nereide?) begleitet, und Hephaistos hat drei Kyklopen als arbeitende Gehilfen bei sich in der Werkstätte, von denen die Ilias nichts weiß[1]). So erscheint es nicht zulässig, auf dieser Grundlage bestimmte Beweise aufzubauen, wie Verf. dies tut.

Immerhin ergibt die größere letzte Hälfte der Untersuchung in außerordentlich fleißiger Kleinarbeit, daß auf epischem Gebiete die größte Freiheit in der Ausnutzung fremder Geistesprodukte herrschte. Ein Rechtsschutz fehlte eben für die Sicherung des geistigen Eigentums; aber nicht bloß im Altertum, sondern das ganze Mittelalter hindurch bis in die neuere Zeit. Dies in bündiger und einleuchtender Weise zusammenhängend dargetan und durch viele schlagende Beispiele belegt zu haben, ist dem Verf. als Verdienst anzurechnen, das nicht dadurch geschmälert wird, daß vielleicht gegen eine oder die andere Einzelkombination eine Einwendung erhoben werden könnte.

Einige wenige Druckversehen sind der Korrektur entgangen; so stört S. 42 in dem Zitat aus Macrobius alienigenias (st. alienigenis) und cornpilarint (st. comp.), S. 48 μήγενηται (st. μὴ γένηται), S. 60 ἅλωσις (st. ἅλ.), S. 137 in v. 315 δήμοι und ἔνϑοϑι (st. δή μοι und ἔνδοϑι).

Hanau.   O. Wackermann.

Dörwald, Beiträge zur Kunst des Übersetzens und zum grammatischen Unterricht. Ein Hilfsbuch für den griechischen Unterricht in Obersekunda. Berlin 1907, Weidmannsche Buchhandlung. V u. 64 S. 8. 1,20 ℳ.

Der Verfasser hat seinem Buche: „Aus der Praxis des griechischen Unterrichts in Obersekunda" die oben genannten Beiträge folgen lassen, die sich auf den Unterricht in derselben Klasse beziehen.

Die einzelnen Beiträge sind nicht von gleichem Werte. Die Abschnitte 1 und 3 enthalten zum Teil so elementare Dinge, daß sie

---

eadigt von Ad. Michaelis. Bonn 1873. Die Reliefs befinden sich jetzt im Museo Capitolino.
    [1]) Vgl. O. Jahn a. a. O. S. 19 und 26.

vom Beginn der Lektüre ab beachtet werden müssen. Für die Übersetzung der psychologischen Ausdrücke Homers und der ethischen
der Memorabilien werden beachtenswerte Winke gegeben. Den
letzten Abschnitt, in dem „aus der Herodotlektüre die bezeichnendsten Beispiele für die Regeln der griechischen Syntax" zusammengestellt sind, halte ich für recht überflüssig. Solche Stoffsammlungen haben nur Wert, wenn der Schüler sie selbst anlegt.
Aber in der Gegenwart, wo man gegen den klassischen und besonders gegen den griechischen Unterricht so unentwegt und von
kurzsichtigen Eltern unterstützt Sturm läuft, sind solche zeitraubenden Anforderungen an die häusliche Arbeitskraft streng zu
vermeiden.

Der Verfasser wünscht seine Beiträge auch in den Händen
vorgeschrittener Schüler zu sehen, weil sie „zu eigenem Nachdenken und selbständigem Arbeiten anregen". Dieser Hoffnung
stehe ich sehr skeptisch gegenüber. Die öffentliche Meinung hat
die Schüler so gegen den klassischen Unterricht aufgehetzt, daß
ihre Abneigung nur durch die Art des Unterrichts überwunden
werden kann. Gedruckte Unterweisungen verfangen dabei nicht.

Charlottenburg.   Gotthold Sachse.

W. Niedermann, Historische Lautlehre des Lateinischen.
Heidelberg 1907, C. Winter. XVI u. 115 S. 8. 2 ℳ.

Es gereicht mir zu besonderer Freude, das in der Überschrift genannte schmucke Büchlein anzeigen zu dürfen. Und
zwar in doppelter Hinsicht. Einesteils wegen seines eigenen
Wertes, andernteils aber, weil es die Einführung darstellt in ein
überaus dankenswertes Unternehmen, das die rührige Universitätsbuchhandlung von C. Winter in Heidelberg in die Wege geleitet
hat. Nachdem sie schon seit Jahren eine vortreffliche Sammlung
von streng wissenschaftlichen Handbüchern aus dem Gebiete der
indogermanischen Sprach- und Altertumskunde hat erscheinen
lassen, darunter auch A. Waldes schöne Etymologie des Lateinischen, hat sie nunmehr einen von dem anerkannten französischen Indogermanisten A. Meillet besonders nachdrücklich
betonten Gedanken aufgegriffen und tatkräftig in die Wirklichkeit
umgesetzt, nämlich den, auch auf dem grammatischen Gebiet die
Kluft überbrücken zu helfen, die sich unleugbar in den letzten
Jahrzehnten zwischen Wissenschaft und Schule aufgetan hat und
die zu schließen ein dringender Wunsch beider in Betracht
kommender Parteien sein muß. Mit vollstem Rechte ist dieses
Thema in seinem gesamten Umfange auf der soeben abgeschlossenen 49ten Philologenversammlung zu Basel ausführlich
behandelt worden. In der Grammatik der alten Sprachen handelt
es sich nun vornehmlich darum, die entweder auf bloßen
Drill hinauslaufende oder aber nach dem Vorbilde der alexandri-

nischen Techniker' höchstens mit den Kategorien der formalen
Logik wirtschaftende Behandlung zu ersetzen durch die psycholo-
gisch-historische Methode, welche zunächst dem Lehrer und dadurch mittelbar auch dem Schüler einen Einblick verschafft in
die inneren Gründe der Erscheinungen und in die organische
Entwicklung des Sprachlebens. Gelingt dies, so ist damit zweierlei
erreicht, erstens die Eingliederung der so oft als öd und
langweilig verschrieenen Grammatik in die gesamte Denkrichtung der
Gegenwart und zweitens die Erweckung des Interesses der Lernenden, bei denen nun nicht mehr bloß das mechanische, sondern
auch das judiziöse Gedächtnis in Tätigkeit tritt und für die sich
mit einem Schlage ganze Strecken bisher in seiner Vereinzelung
undurchsichtigen und dunklen Stoffes erleuchten. Wenn irgend
eine Art der Behandlung dem klassischen Sprachunterricht die
so mannigfach verloren gegangenen Sympathien wieder gewinnen
kann, so ist es gewiß diese, durch welche die richtige Erfassung der
tatsächlichen Vorgänge des Sprechens nicht wie bis jetzt des
öfteren erschwert, sondern ausnahmslos erleichtert wird. Fragen
wir aber, wie Niedermann im einzelnen diese ebenso lockende
wie schwierige Aufgabe gelöst hat, so erweckt schon der Umstand
ein äußerst günstiges Vorurteil für ihn, daß der ersten französischen Ausgabe seines Versuches die Ehre eines begleitenden
Vor- und Fürwortes aus der Feder des schon genannten A. Meillet
widerfahren ist, und daß jetzt auch die von einem bewährten
jüngeren Linguisten, E. Hermann in Bergedorf, unter Mitwirkung des Verfassers vortrefflich ausgeführte Übersetzung in die
Welt hinaustreten durfte mit der warmen Empfehlung eines
unserer hervorragendsten gegenwärtigen Sprachforscher, Jak. Wackernagel, von dem die leitenden Gesichtspunkte klar hervorgehoben
sind. Und die günstige Voraussetzung täuscht nicht! Niedermann,
dem wir beiläufig bemerkt zur soeben erfolgten Berufung auf einen
akademischen Lehrstuhl Glück zu wünschen in der Lage sind, ist
nicht umsonst selbständiger Gelehrter und praktischer Schulmann zugleich. In der ersten Eigenschaft beherrscht er den Gegenstand nach
der inhaltlichen, wie nach der methodischen Seite ausgezeichnet, in
der zweiten weiß er ihn mit großer Geschicklichkeit vorzuführen.
Man liest sein Büchlein mit Spannung und hat von der ersten
bis zur letzten Seite das Gefühl, als ob man sich auf dem Boden
einer modernen oder doch jedenfalls auf dem einer zu neuem
Leben erweckten Sprache bewegte. Es ist wohl noch nicht
häufig vorgekommen, daß man in einer lateinischen Lautlehre
eine Abbildung der menschlichen Sprachwerkzeuge findet und
ebensowenig wird man da so leicht die *Scipioneninschrift* vom
Jahre 259 v. Chr. oder das *Senatus consultum de Bacchanalibus* im
unverkürzten Wortlaut abgedruckt antreffen. Dabei ist der Vortrag gemeinverständlich im besten Sinne: durch und durch getragen von dem Geiste der heutigen vergleichenden Sprach-

forschung und auf ihren Ergebnissen fußend beschränkt er sich
mit grundsätzlichem Verzicht auf die übrigen indogermanischen
Sprachen, die griechische nicht ausgenommen, auf das Lateinische
selbst und liefert damit den nicht selten überraschenden Beweis,
wieviel eine wirklich genetische Betrachtungsweise durch die
Beobachtung der aristarchischen *lex Homerum ex Homero inter-
pretandi* erreichen kann. Es ist die reife Frucht jahrelanger ziel-
bewußter Arbeit, die uns hier in einem bequem zu lesenden
Überblick dargeboten wird, und für mich besteht kein Zweifel
darüber, daß jeder Gymnasiallehrer, der seine Schüler von der
bloßen Einpaukung zur wirklichen Aneignung führen will, von
dem hier in so vorzüglicher Ausführung gebotenen Hilfsmittel
Gebrauch machen wird. Man kann dem Unternehmen zu dieser
Eröffnung nur Glück wünschen und hoffen, daß sich die übrigen
Bändchen, die vorläufig für Griechisch, Französisch, Deutsch und
elementare Phonetik angekündigt sind, auf entsprechender
Höhe halten werden. Dann wird von dem auch hübsch ausgestatteten Büchlein eine erfreuliche Belebung und Vertiefung
unseres ganzen Grammatikbetriebs ausgehen, die u. a. den klassischen Studien zum Segen werden muß, weil sie in ihrem Teile
dazu beitragen wird, das Band wieder fester zu schließen, welches
sie mit den Lebenden verknüpft, die am Ende doch immer
Recht behalten.

Stuttgart. ――――――― Hans Meltzer.

Marie Pancritius, Studien über die Schlacht bei Kunaxa.
Wissenschaftliche Frauenarbeiten herausgegeben von Jantzen und
Thurau. 1 Heft 2. Berlin 1906, A. Duncker. 80 S. 8. 2,50 ℳ.

Während bei G. Cousin, Kyros le Jeune en Asie mineure,
Paris 1905, der jüngere Kyros und der Geschichtschreiber seines
Feldzugs, Xenophon, sehr schlecht wegkommen, wird die Perser-
geschichte des Ktesias, dessen Glaubwürdigkeit von den Zeitgenossen sehr gering eingeschätzt wurde, als eine hervorragende
Quelle über die Unternehmung des persischen Prinzen angesehen,
deren Verfasser das Vertrauen der leitenden Persönlichkeiten besessen und die Möglichkeit zu genauen Informationen gehabt
habe. Der Nachricht Plutarchs, daß Xenophon die Anabasis unter
dem Namen des Themistogenes veröffentlicht habe, mißt Cousin
keinen Glauben bei, nimmt aber zwei Ausgaben der Anabasis an,
in deren zweiter uns erhaltener der der persischen Sprache unkundige Schriftsteller die Darstellungen des Ktesias und Themistogenes benutzt habe. In scharfem Gegensatz zu dieser Annahme,
für die vielfach Beweise nicht beigebracht sind, stehen die Ergebnisse, zu denen die oben angeführten Studien über die
Schlacht von Kunaxa gelangt sind. Wie Cousin die Glaubwürdigkeit Xenophons herabzusetzen bemüht ist, so spricht die Verfasserin dieser Ktesias alles kritische Verständnis ab und

will für militärische Vorgänge nur den Fachmann Xenophon gelten lassen. Hat jener die Tätigkeit des Atheners als Heerführers unterschätzt, so sieht Pancritius in ihm den Intelligentesten in einer intelligenten Schar und einen der Mutigsten unter vielen Tapferen und gibt der Überzeugung Ausdruck, daß die Schlacht bei Kunaxa einen anderen Ausgang genommen hätte, wenn Xenophon ʼan Klearchs Stelle gewesen wäre. Der Inhalt ihrer Abhandlung ist in folgende fünf Kapitel gegliedert: 1. Xenophon und Ktesias, 2. Zahlen, 3. die Schlacht, 4. die Truppen, 5. Kyros. Läßt Cousin die Berücksichtigung der neueren Literatur vielfach vermissen und entnimmt er seine Angaben teilweise älteren Auflagen von Rehdantz und Vollbrecht, so sind auch bei Pancritius neuere Arbeiten nicht verwertet worden, die ihr wohl manches in anderem Lichte hätten erscheinen lassen; dahin rechne ich vor allem die von A. v. Meß im Rhein. Mus. 61 S. 360 ff. veröffentlichten Untersuchungen über Ephoros, die den Nachweis erbringen, daß die Anabasis Xenophons, nicht die Darstellung des Sophainetos (Volquardsen, E. Meyer) oder des Ktesias (Kämmel), die Hauptquelle des Ephoros-Diodor gewesen ist.

In dem ersten Kapitel setzt Pancritius sich mit der von mir im Wetzlarer Gymnasialprogramm von 1887 dargelegten Annahme der Benutzung des Ktesias durch Xenophon auseinander und tritt für die Selbständigkeit des letzteren ein, dessen Bericht E. Meyer treffend als Soldatenjournal bezeichnet habe. Die Zitate aus Ktesias (I 8, 26) sind gewiß unecht — das habe auch ich a. a. O. ausgesprochen —, gleichwohl haben die Περσικά des Knidiers Xenophon vorgelegen. Daß dieser in der Hauptsache sich auf eigene Erinnerungen stützte und seiner Anabasis ein Tagebuch zugrunde legte, schließt durchaus nicht die Benutzung des Vorgängers, der im königlichen Lager gestanden hatte, für solche Vorgänge und Verhältnisse aus, die sich der Beobachtung und Kenntnisnahme des erst nachträglich zum Heere des Kyros gekommenen Atheners aus. Pancritius hebt neben den persönlichen Eigenschaften, die diesen für seine Aufgabe befähigten, auch die für die Beobachtung günstigen äußeren Verhältnisse hervor, übersieht aber, daß er nach den Worten des Cheirisophos (III 1, 45) vor der Ergreifung der Feldherren nur eine bescheidene Rolle im griechischen Heere gespielt haben kann. Die sachlichen und sprachlichen Übereinstimmungen mit dem stark verkürzten Auszuge des Ktesias bei Photios können zufällig sein, sind es aber nicht, wenn sie sich mehrfach finden ($\mathring{\alpha}\sigma\vartheta\epsilon\nu\acute{\eta}\sigma\alpha\varsigma$ — $\mathring{\eta}\sigma\vartheta\acute{\epsilon}\nu\epsilon\iota$, $\mathring{\alpha}\pi\epsilon\lambda\alpha\acute{\nu}\nu\epsilon\iota$ $\mathring{\eta}\tau\iota\mu\omega\mu\acute{\epsilon}\nu o\varsigma$ — $\mathring{\alpha}\pi\mathring{\eta}\lambda\vartheta\epsilon$ $\mathring{\alpha}\tau\iota\mu\alpha\sigma\vartheta\epsilon\acute{\iota}\varsigma$, $\tau\grave{\eta}\nu$ $\delta\grave{\epsilon}$ $\kappa\epsilon\varphi\alpha\lambda\grave{\eta}\nu$ $\kappa\alpha\grave{\iota}$ $\tau\grave{\eta}\nu$ $\chi\epsilon\widetilde{\iota}\rho\alpha$ $\mathring{\alpha}\pi\acute{\epsilon}\tau\epsilon\mu\epsilon$ $\alpha\mathring{\upsilon}\tau\grave{o}\varsigma$ — $K\acute{\upsilon}\rho o\upsilon$ $\mathring{\alpha}\pi o$$\tau\acute{\epsilon}\mu\nu\epsilon\tau\alpha\iota$ $\mathring{\eta}$ $\kappa\epsilon\varphi\alpha\lambda\grave{\eta}$ $\kappa\alpha\grave{\iota}$ $\mathring{\eta}$ $\chi\epsilon\acute{\iota}\rho$). Die bei beiden Schriftstellern gleichlautende Nachricht, daß viele von Artaxerxes zu Kyros übergetreten seien, niemand aber von Kyros zu Artaxerxes (Photios § 58, Xenoph. An. I 9, 29), erklärt Pancritius zwar für auffällig,

betrachtet sie aber als ein geflügeltes Wort, das seinen Ursprung
im Lager des Kyros gehabt habe und durch Klearchos zu Ktesias
gelangt sei. Doch wie man diese einfache tatsächliche Mitteilung
für ein geflügeltes Wort, für ein landläufiges Zitat ansehen kann,
ist mir unverständlich. Über die Ursachen, die zum Bruder-
kampfe führten, werden zwei Überlieferungen geschieden; Ktesias
wird die von Xenophon abweichende Version zugeschrieben, doch
bei ihm ein Widerspruch mit sich selbst vorausgesetzt: „Dann
steht ein an anderer Stelle erhaltener Teil seines Berichts
(Äußerung der Parysatis: „Tissaphernes ist die Ursache dieses
Unglücks") in vollem Widerspruch dazu". Ktesias befindet sich
mit Xenophon in voller Übereinstimmung über die Ursachen des
Kampfes: διαβάλλεται Κῦρος ὑπὸ Τισσαφέρνους — Τισσα-
φέρνης διαβάλλει τὸν Κῦρον. Die Annahme, daß Xenophon in
seiner Darstellung schon auf vorausgegangene Veröffentlichungen
Bezug genommen habe, ist an und für sich nicht unmöglich,
hat doch auch Aristobulos, der an Alexanders Feldzügen beteiligt
war, in seinem Bericht über diese die vorausgegangene Alexander-
geschichte des Kallisthenes benutzt. Hartmann hat die Ansicht
ausgesprochen, daß Xenophon die vier ersten Bücher der Anabasis bald nach den Ereignissen unter dem Namen des Themistogenes herausgegeben und die drei letzten Bücher viel später zur
Abwehr geschrieben habe, Pancritius folgt ihm darin, wenn sie
auch das Werk des Themistogenes (III 1, 2) nicht mit der uns
vorliegenden Anabasis für identisch hält und für eine spätere
Überarbeitung der zuerst veröffentlichten Bücher eintritt. Ich
halte Hartmanns Annahme für unrichtig. Am Tage, da die Feldherren ergriffen wurden, hat Xenophon selbst die Mitteilung der
Gesandten des Tissaphernes über Klearchs Ermordung mitange-
hört (II 5, 37 ff.), gleichwohl läßt die Antwort, die er am nächsten
Tage Apollonides gibt: III 1, 27 οὐ νῦν παιόμενοι, κεντούμενοι,
ὑβριζόμενοι οὐδὲ ἀποθανεῖν οἱ τλήμονες δύνανται καὶ μαλ'
οἶμαι ἐρῶντες τούτου; auf Kenntnis von dem Berichte des
Ktesias über Klearchs Tod schließen: Plut. Art. c. 18. παρακαλεῖν
αὐτὸν καὶ διδάσκειν ὡς χρὴ μικρὸν εἰς τὸ κρέας ἐμβαλόντα
μαχαίριον ἀποκρύψαντα πέμψαι καὶ μὴ περιιδεῖν ἐν τῇ βασιλέως ὠμότητι τὸ τέλος αὐτοῦ γενόμενον. Den von Krumbholz
gegen Ktesias erhobenen Vorwurf bewußter Fälschung macht
Pancritius sich nicht zu eigen, sondern nimmt bei Photios § 49
einen Irrtum und für Plutarch Artax. c 2 καὶ γὰρ εἶχεν εὐ-
πρεπῆ λόγον κ, τ. λ. einen anderen Ursprung an, mahnt aber
gleichwohl seinen Mitteilungen gegenüber zur Vorsicht, da er
wenig Gelegenheit zu zuverlässigen Erkundigungen gehabt habe.
Eingehend wird seine Erzählung über den Tod des Kyros behandelt, deren Spuren sie bei Diodor nicht finden kann, während
von Meß gerade das betreffende Stück zu den aus Ktesias ent-
lehnten Partien Diodors rechnet. Sie ist, so führt letzterer aus,

die romanhafte Ausgeburt der üppigen Phantasie des Geschicht-
schreibers, deren schlimmste Auswüchse Ephoros beseitigt hat.
Auch Pancritius schätzt den Wert der Ktesianischen Erzählung
nur gering ein und läßt bloß seine Mitteilungen über die zweifache Verwundung des Kyros gelten, weil er selbst die Leiche
gesehen und mit dem Interesse des Arztes betrachtet habe. Seine
Beobachtungen — die beiden Wunden, die blutige Satteldecke,
die Rache der Parysatis — soll der Geschichtschreiber durch
eigene Kombination verbunden haben, der wirkliche Verlauf der
Ereignisse dagegen folgender gewesen sein: „Ein Wurfspieß trifft
ihn in die Kniekehle, und ein starker Blutstrahl durchdringt die
Satteldecke. Im nächsten Augenblick fällt er an der Schläfe
tödlich verwundet". Die Ausstellungen, die an Ktesias Bericht
gemacht werden, sind teilweise recht gesucht und werden von
der Verfasserin selbst nicht ernst genommen. So bemerkt sie
zu Plutarchs Worten Κῦρον δὲ τοῖς πολεμίοις ἐνειλούμενον ὁ
ἵππος ἐξέφερεν ὑπὸ θυμοῦ μακράν (c 11): „Daß Kyros ein
hartmäuliges, widerspenstiges Pferd geritten haben soll, zeigt, wie
unwahrscheinlich Ktesias auch in nebensächlichen Dingen erzählt",
eignet sich dann aber später selbst diesen Zug der Ktesianischen
Darstellung an und schreibt: „Um sein Werk zu vollenden, reitet
Kyros rücksichtslos in den Hagel von Geschossen, welche dem
feindlichen Offizier von allen Seiten zufliegen, hinein" (S. 41).
    Über die Stärke der Heere und ihre Verluste geben Xeno-
phon und Ktesias abweichende Zahlen. Man hat diesen neuerdings Mißtrauen entgegengebracht, Pancritius hält das für unge-
rechtfertigt und läßt das Heer des Kyros beim Aufbruch von
Sardes 70000 Mann (Ktesias) zählen und während des Marsches
auf 100000 Mann (Xenophon) steigen, während der König mit
400000 Mann (Ktesias) von Ekbatana aufgebrochen sei. Ob wir
es bei Diodor mit den Zahlen des Ktesias zu tun haben oder mit
Kombinationen des Ephoros, läßt v. Meß unentschieden, indem
er darauf aufmerksam macht, daß alle das Verhältnis von 5 : 1
aufweisen: 400000 : 80000 (Stärke), 15000 : 3000 (Verluste),
50000 : 10000 (Garde im Zentrum). Kyros stand, wie gleichfalls v. Meß hervorhebt, in der Mitte seiner Schlachtordnung und
hier fand auch der Zusammenstoß mit dem Könige statt
(XIV 23, 5); damit läßt sich Xenophons Angabe über die Ausdehnung des königlichen Heeres nicht vereinigen.
    Die Erzählung des Tissaphernes, daß er durch die ihm
gegenüberstehende griechische Abteilung hindurchgeritten und an
der Plünderung des griechischen Lagers teilgenommen habe, muß
zurückstehen gegen die Nachricht Diodors, die ihn nach der Verwundung des Königs den Oberbefehl übernehmen läßt. Auch die
Mitteilungen des Ktesias über den Seelenzustand des Königs tragen
das Gepräge der Wahrheit, während seine Zeitangaben mit denen
Xenophons unvereinbar sind. Dem asiatischen Heere, das für

Kyros focht, mißt Pancritius größeren militärischen Wert bei als
dem königlichen, auch bestreitet sie die Antipathien, die Cousin
zwischen dem asiatischen und griechischen Heere des Kyros vor-
aussetzt. Über die hellenischen Soldaten urteilt sie günstiger,
als dies von anderer Seite geschehen ist, berechtigte Verwunderung
muß aber wecken, was sie zu den von Xenophon gerügten häßlichen Zügen bemerkt: „was man im modernen militärischen
Leben nicht an die große Glocke bringt, wird hier naiv gemeldet".
Isokrates hat das Griechenheer des Kyros nicht für eine Elite-
truppe gehalten: IV 104 οὐκ ἀριστίνδην ἐπειλεγμένους, ἀλλ' οἱ
διὰ φαυλότητας ἐν ταῖς αὐτῶν οὐχ οἷοί τε ἦσαν ζῆν. In der
Frage, wer den Bruderkampf verschuldet habe, schiebt Pancritius
mit Xenophon Tissaphernes die Schuld zu und verwirft die Überlieferung, der zufolge Parysatis die Absicht gehabt haben soll, die
Thronfolge zugunsten ihres jüngeren Sohnes zu ändern. Kyros
hatte von seinen Eltern eine hohe militärische Stellung in Vorderasien erhalten, sie wurde Tissaphernes unbequem und darum
suchte er durch Verleumdung beim Könige den unbequemen
Nachbarn loszuwerden. Für den Mißerfolg der Erhebung trägt
Klearchos die Verantwortung; hätte er dem Befehle des Kyros in
der Schlacht gehorcht, dann wäre dieser als Sieger in Babylon
eingezogen.

Schon aus dem Mitgeteilten läßt sich der vielfach etwas
überschwengliche Ton erkennen, in dem die Verfasserin ihre
Darlegungen gehalten hat; auf manche Bemerkung hätte sie verzichten dürfen, so auf S. 7, A. 1: „Der Leichtsinn, mit welchem
die Führer in die Höhle des Löwen — hier wohl mehr Fuchs-
bau — gehen". Gesucht ist die Erklärung zu Anab. I 4, 18:
„Griechen und Perser zeigen hier den altindogermanischen Glauben
an die weissagende Kraft des Wassers"; Xenophons Worte besagen hier nichts anderes, als die Hervorhebung des „sprichwörtlichen Kaiserwetters" in den Berichten unserer Zeitungsschreiber.
In der Form verunglückt ist ein Satz, den man auf S. 49 liest:
„Wenn, wie Cousin glaubt, diese nicht marschiert wären, wenn
sie gewußt hätten, daß es gegen den König ging, dann wären
sie, als sie die Wahrheit erkannten, auch sofort zum königlichen
Heere übergetreten".

Köln.   ───────   Fr. Reuß.

Chalamet, A travers la France in gekürzter Fassung und mit Kom-
    mentar herausgegeben von Max Pflänzel. Mit 1 Karte und
    12 Bildern. Berlin 1907, Weidmannsche Buchhandlung. VIII und
    109 S. 8. geb. 1,40 ℳ.

Wenn für die schulgemäße Bearbeitung dieses Werkes als
einziger Beweggrund angeführt worden wäre, dadurch eine Abwechslung in das bisher von Brunos „Tour de la France" beherrschte Gebiet der Lektüre zu bringen, so wäre dem Heraus-

gaber schon der Beifall aller Fachgenossen sicher. Um so größer aber ist dieser Beifall, sobald man erkennt, wie mancherlei Vorzüge Chalamets Buch vor dem Brunoschen auszeichnen. Zwar braucht es an sich noch nicht als Vorzug angesehen zu werden, „daß wir es hier mit mehr Personen zu tun haben als dort"; es könnte dieser Umstand sogar zu der Befürchtung Anlaß geben, daß dadurch die Einheitlichkeit und Übersichtlichkeit der Erzählung zu Schaden kommt. Allein, wer das Werkchen liest, wird bald zu der Überzeugung gelangen, daß der Autor es vortrefflich verstanden hat, dieser Klippe aus dem Wege zu geben, daß er die große Zahl der in die Erzählung eingeführten Personen auf das ungezwungenste miteinander in Verbindung setzt und daß er das Hineinziehen all der verschiedenen Landstriche Frankreichs, die er zu berücksichtigen für notwendig hält, überaus geschickt zuwege gebracht hat. Da läßt er den einen Sohn der im Mittelpunkt der Erzählung stehenden Familie, Jean Felber, nach den im Kriege von 1870/71 durchgemachten Strapazen seine Wiedergenesung in den Savoyer Bergen suchen und später als Verwundeten in die Bretagne transportiert werden. Die Tochter, Marie, führt ihr Lehrerinberuf durch die Franche-Comté und die Auvergne in den Südosten des Landes. Beide erhalten durch angeknüpfte Freundschaften Gelegenheit, daneben noch mehrere andre Gegenden selbst vorübergehend zu besuchen oder doch über dieselben unterrichtet zu werden. Und nur die Reisen der jüngeren Söhne, Gaspard und Louis, erinnern uns ein wenig an die im „Tour de la France" beliebte Herbeiführung der zweckentsprechenden Erlebnisse u. z. auch darin, daß die in betracht kommenden Helden sich dem deutschen Staatsverbande zu entziehen suchen und deshalb gezwungen sind, das Weite zu suchen. *Dans quelques semaines*, so heißt es in Kapitel 26, *les jeunes gens de l'âge de Gaspard devaient être incorporés dans l'armée allemande. Pour échapper à cette incorporation, il n'y avait qu'un moyen, c'était de partir, de s'exiler ... Ils furent obligés de se cacher ... Ils partirent à la tombée de la nuit ...* Solche und ähnliche, bei aller Vorsicht doch nicht ganz zu vermeidende Stellen in den einschlägigen französischen Werken sollten jedenfalls davon zurückhalten, diese unsren Schülern gar zu häufig zugänglich zu machen, bloß um ihnen in unterhaltender Weise eine Kenntnis des französischen Landes beizubringen, wie sie ihnen so eingehend vom eignen Lande schwerlich jemals beigebracht wird. Die Franzosen haben, man muß es gestehen, eine große Zahl von Werken dieser Gattung, und Chalamets gehört zu den besten, wie das die in kurzer Zeit abgesetzten fünfzig Auflagen zur Genüge beweisen. Immerhin dürfen wir über die gegenwärtige Bevorzugung der Realien im französischen Lektüreunterricht die klassischen Geisteswerke unsres Nachbarvolkes nicht vergessen.

Im übrigen ist der Stil des uns vorliegenden Werkchens stellenweise geradezu klassisch und durchweg mustergültig, der Inhalt sehr anziehend, die Schilderungen niemals ermüdend. Der Kommentar zeigt die weise Beschränkung und die Sorgfalt, die wir in den Bahlsen-Hengesbachschen Ausgaben zu finden gewöhnt sind. Die Wahl des beigegebenen Bildwerks verrät die Einsicht und den Geschmack des Herausgebers.

Frankfurt a. M. _____   **Max Banner.**

1) **Jules Forest, Exercices de phraséologie et de style.** Leipzig 1907, Rengersche Buchhandlung. VIII u. 214 S. 8. 2,80 *M.*

Dies Buch führt das Motto: l'exemple instruit mieux que tous les préceptes; es soll — ohne Regeln und grammatische Abstraktion — eine Wiederholung der „wesentlichen Formen des Französischen" ermöglichen. Es ist für solche Lernende bestimmt, welche die Regeln schon aus andern Grammatiken gelernt haben und nun — besonders nach einer längern Unterbrechung dieses Studiums — das Bedürfnis einer Wiederholung und einer Gedächtnisauffrischung empfinden.

Ob die Abfassung des Werkes in französischer Sprache für diesen Zweck besonders geeignet ist, läßt sich wohl bezweifeln.

Voraus geht eine kurze recht hübsch geschriebene Darstellung der Bildung und Entwickelung der französischen Sprache.

Dann kommen Vorbemerkungen über Wortbildung und Wortzusammensetzung; das Präfix von emporter ist aber nicht — wie der Verf. es tut — auf die lateinische Präposition in, sondern auf inde zurückzuführen.

Es folgt ein hübsches, z. T. humoristisches Gespräch zwischen Lehrer und Schüler über die Schwierigkeit der Sprache und über die verschiedenen Arten der Fehler, die man machen kann.

Es folgt der Hauptteil über die Konjugation der regelmäßigen und der unregelmäßigen Verba, durch zahlreiche Beispielssätze illustriert, welche meistens der Umgangssprache entnommen sind und auch die gebräuchlichen Ableitungen und stammverwandten Formen enthalten. Den Schluß dieses Abschnittes bildet eine Zusammenstellung der unregelmäßigen Verba, leider in derselben Reihenfolge wie in den vorhergehenden Kapiteln. Viel praktischer wäre eine alphabetische Zusammenstellung ohne Rücksicht auf die Zugehörigkeit zu einer der vier Konjugationen.

Es folgen zahlreiche Beispielssätze zu den andern Wortarten, zum Gebrauch der Zeiten und Aussageweisen und zur Rektion der Verba. Den Schluß bildet ein alphabetisches Verzeichnis der in den Übungssätzen enthaltenen Wörter.

2) **Cyprien Francillon, La conversation française nebst Schlüssel zum „Français pratique".** Leipzig 1906, Rengersche Buchhandlung. VI u. 352 S. 8. 4 *M.*

Der gewaltige Unterschied zwischen Schriftsprache und Ver-

kehrssprache bewirkt, wie der Verf. ausführt, daß in Frankreich
unbeholfen, hilflos und verlassen dasteht, wer selbst mit gründlichen Schulkenntnissen hingekommen ist; denn gerade die Wörter
und Redewendungen, die man in der Umgangssprache am nötigsten hat, werden von der Schriftsprache vermieden. Dieses Buch
enthält nun in seinen 115 Sprechübungen die gebräuchlichsten
Wörter, Ausdrücke und Wendungen, Fragen und Antworten,
Höflichkeitsformeln und Gallizismen, die den Verhältnissen und
Vorgängen des täglichen Lebens gelten.

Das Buch soll aber außerdem und hauptsächlich ein Schlüssel
zum „Français pratique" sein. Da dieses andere Werk mir nicht
vorliegt, kann ich nicht beurteilen, wieweit es diesen Zweck
erreicht.

Tilsit. Prof. Josupeit.

Th. Lindner, Weltgeschichte seit der Völkerwanderung. In
neun Bänden. Fünfter Band: Die Kämpfe um die Reformation. Der
Übergang in die heutige Zeit. Stuttgart und Berlin 1907, J. G.
Cottasche Buchhandlung Nachfolger. XII u. 518 S. 8. 5,50 ℳ,
geb. 7 ℳ.

In den Einleitungen zum dritten und vierten Bande seiner
Weltgeschichte erklärt sich Lindner gegen die übliche Einteilung,
die das Mittelalter bis zur Reformation rechnet und mit ihr die
„neue" Zeit beginnt. Er stellt vielmehr die Reformation in eine
lange Entwicklungsperiode, die etwa vom Anfang des 13. bis in
die Mitte des 17. Jahrhunderts reicht. Denn die Verbreitung der
reformatorischen Bewegungen über Europa nahm längere Zeit in
Anspruch, und der Kampf der beiden Konfessionen, welcher die
Folge war, ist von den Anfängen nicht zu trennen; erst der
Dreißigjährige Krieg brachte den Abschluß. Außer diesem äußeren
Grunde nötigen noch mehr innere Gründe zu jener Einteilung.
Das bürgerliche Laientum entwickelte sich sehr langsam, aber
nachhaltig. Mit der einseitigen Herrschaft der kirchlichen Forderungen und Einrichtungen vertrugen sich die durch die zunehmende
Erwerbstätigkeit hervorgerufenen neuen Bedürfnisse nicht, sondern
sie drängten vorwärts, bis ihnen die Reformation einen entsprechenden Ausdruck gab. Aber sie brachte noch keine grundsätzlich neue Zeit, weil der bisher leitende Gedanke, das Leben
unter die übersinnliche Idee und damit unter die Religion zu
stellen, nicht aufgegeben wurde. Erst als Religion und Kirche
aufhörten, Denken und Dasein allseitig zu bestimmen, konnte eine
neue Zeit einsetzen.

Die sowohl politischen wie geistigen Kämpfe, unter denen
die Einheit der abendländischen Weltgruppe sich auflöste, hingen
so eng untereinander zusammen, daß dieser fünfte Band nicht
wie die früheren in Bücher zu teilen war; er bildet ein Buch
für sich. Dennoch gestalteten sich die Vorgänge in den einzelnen

Ländern so eigenartig, daß jedes gesondert behandelt werden
mußte, damit hervortritt, welchen Anteil es damals an dem allgemeinen Gange nahm und wie es zugleich für die Zukunft seine
äußere und innere Geschichte gestaltete. In zwanzig Abschnitte,
deren Aufzählung nicht erforderlich scheint, gliedert der Verfasser
den Stoff und berücksichtigt nicht nur die staatlichen und wirtschaftlichen Verhältnisse, sondern auch Wissenschaft, Literatur
und Kunst, und zwar mit derjenigen Ausführlichkeit, die heutzutage in einer Weltgeschichte gefordert wird. Zu Beginn dieses
fünften Bandes beantwortet Lindner die Frage, auf welche Weise
die geschichtliche Entwicklung im allgemeinen vor sich
gehe, folgendermaßen: „Dem ersten Blick bieten sich überall als
Grundlage die staatlichen Gemeinschaften dar, und sie sind die
Leiber, in welchen sich das Alltagsleben der Völker abspinnt, als
solche von höchster Bedeutung. Aber es gibt auch historisch gewordene Völkergruppen, welche über die staatlichen Schranken
hinausreichen. Diese Bedingungen sind als Erzeugnisse langer
Zeiten dauernd und schwer veränderlich, und in dieser Allgemeinheit und Beständigkeit liegt ihre Macht. In den Gruppen walten
allgemeine Ideen über der bunten Vielheit der jeweiligen geschichtlichen Erscheinungen, und im Rahmen dieser Ideen spielen sich
auch die Vorgänge des staatlichen Einzellebens ab. Jede Änderung des allgemeinen Seins der Gruppe werden daher auch die
einbegriffenen Staaten empfinden; anderseits beeinflußt die Eigenart, welche die Teile besitzen, in ihnen den Hergang, so daß er
in jedem verschieden zustande kommt. So liegt im Zusammen-
spiel allgemeiner Ideen mit den von Ort und Zeit gegebenen
Einzelbedingungen das erste Wesen geschichtlicher Entwicklung".
Diese Sätze bezeichnen den Standpunkt des Verfassers sehr deutlich und sind deshalb hier im Wortlaut angeführt.

. Das Gesetz von dem inneren Zusammenhange der Lebensformen, dem Ineinandergreifen der Dinge und der Einzelpersönlich-
keiten läßt gerade die Lindnersche Weltgeschichte scharf und klar
hervortreten; ihre Eigenart liegt in dieser Einheitlichkeit sowie in
der sehr ruhigen, abgeklärten und vorsichtigen, oft etwas ein-
förmigen Darstellungsweise. Folgende Stellen scheinen mir besondere Hervorhebung zu verdienen. „Für sittlicheres Leben des
Volkes war die Mehrheit der Jesuiten gewiß nicht minder besorgt als ihre protestantischen Predigtgenossen; bei schweren
Volksnöten, bei Seuchen und Pest haben sich viele Mitglieder
glänzend bewährt. Trotz aller Abrichtung, die sie durchmachten,
blieben auch Jesuiten Menschen im guten und bösen Sinne und
schwerlich handelten nicht alle, die Gutes taten, bloß zu dem
Zwecke, für den Orden zu wirken. Daß die Jesuiten auch für
manche Wissenschaft Großes leisteten, wird noch zu erwähnen
sein. Freilich, auch dabei leitete sie der Zweck des Ordens, und
sie schufen erst eine katholische Wissenschaft, wie sie vorher nicht

bestanden hatte. Diesen Erwägungen zugunsten des Ordens stehen
jedoch Einwürfe zur Seite, die schon damals nicht bloß Protestanten, sondern gute Katholiken gegen ihn erhoben" usw.
„Die Italiener machten zwar aus der Politik eine Kunst und
schrieben Bücher darüber, aber sie selber zogen aus ihnen keine
nutzbringenden Lehren". „Mancher Streit ist über Don Carlos'
Schicksal gegangen, doch, wenn auch das Urteil über die seelische
Haltung des Vaters ein schwankendes bleiben wird, in der Hauptsache sind die Akten geschlossen". In bezug auf die Wiedertäufer hebt der Verfasser hervor, daß „zwar nicht hunderttausend,
wie Übertreibung behauptet hat, vielleicht etwa nur zweitausend —
immerhin eine gewaltige Zahl, doch ist eine zuverlässige Berechnung unmöglich —" unter Karl V. grausamen Todes starben.
„Kaum kann ein Zweifel sein, daß Maria Stuart um den An-
schlag gegen Darnley wußte, daß Bothwell ihn im Einvernehmen
mit ihr ausführte ... Briefe und Gedichte an Bothwell, die man
bei ihm in einer Kassette gefunden haben wollte und über deren
Echtheit noch heute gestritten wird, galten als Zeugnis ihrer
Schuld". „Elisabeth half sich gern mit kleinen Maßregeln.
Daran hatte ihre Sparsamkeit, die zur schmählichen Knauserei
ausarten konnte, einen wesentlichen Anteil, und alle ihre Verbündeten hatten darunter zu leiden. Ihre Politik war, wie ihr
gesamtes Wesen, durchaus selbstsüchtig und persönlich. Sie hatte
das höchste Ziel erreicht, das einem Herrscher zuteil werden
kann: das Volk sah in ihr sich selbst, erblickte in ihr seine Verkörperung und seine Schutzgöttin. Das muß zum Urteil über
sie genügen; wer wollte die Fäden des Gewebes auseinander zerren
und mürrisch nachspüren, wie weit sie Elisabeths Einschlag
waren?" „Schon lange war es Gustav Adolfs Ideal, in den
Deutschen Krieg einzugreifen; ein unwiderstehlicher innerer Drang
danach lebte in ihm. Politische und religiöse Gründe flossen dem
Könige zusammen, wie das im Charakter der Zeit lag". „War
Wallenstein ein Verräter? Diese vielerörterte Frage ist unbedingt zu bejahen, wenn man ihn nur als kaiserlichen General
betrachtet, und etwas anderes war er nicht, mochte er auch noch
so große Vollmachten besitzen. Entwürfe für seine Person und
für das Reich mischten sich bei ihm, und ein großer Geist wird
stets zugleich das Allgemeine ergreifen". „Der Dreißigjährige
Krieg wird gewöhnlich als Religionskrieg bezeichnet. Aber ihm
fehlt das hauptsächliche Kennzeichen solcher, die Anteilnahme des
Volkes. Er wurde zwar nicht ein eigentlicher Religionskrieg, aber
ein Krieg um die Religion. Er war auch ein Kampf ums Dasein".
„Die Reformation brachte nicht ein neues Christentum, nur
eine neue Art der christlichen Religion, die mit der bisherigen
allgemeinen noch durch manche Bänder zusammenhing".

Diese Sätze werden genügen als recht bezeichnende Beispiele
für Lindners Auffassung und Ausdrucksweise; sein Werk ist übrigens

bereits dreimal in dieser Zeitschrift angezeigt worden, zuletzt 1906 S. 387 ff. Auch im fünften Bande finden sich im Anhange alle wichtigen literarischen Angaben; nach Stichproben zu schließen, ist das Personen- und Ortsverzeichnis wiederum vollständig und genau. Nur wenige Anmerkungen hat der Verfasser für nötig gehalten, z. B. über die Teilungen der thüringischen Fürstentümer, über die Namensform Wallenstein oder über seine Ausführungen an anderem Orte. Druckfehler habe ich nicht viele gefunden, einen störenden nur S. 163: gebendes statt gebendes. Auch in bezug auf die Ausdrucksweise ist mir nur weniges aufgefallen, z. B. S. 9 rückwendig, 382 Fall unter die Herrschaft, 406 hochfliegendst.

Die Geschichtslehrer in den oberen Klassen möchte ich schließlich noch besonders auf den letzten Abschnitt hinweisen, der die Ergebnisse des ganzen Bandes sehr klar und übersichtlich zusammenfaßt und einen inhaltreichen Ausblick auf den weiteren Gang der Dinge bietet. Möge Lindners gediegene Weltgeschichte, in der das vollständige Fehlen von Abbildungen bei der jetzt oft störenden Überfülle auf diesem Gebiete — ich scheue mich nicht, es zu sagen — geradezu wohltuend berührt, möge diese Weltgeschichte zu baldigem glücklichen Ende geführt werden!

Görlitz.   E. Stutzer.

EINGESANDTE BÜCHER.
(Besprechung einzelner Werke bleibt vorbehalten).

1. **Meyers Kleines Konversations-Lexikon.** Siebente, gänzlich neubearbeitete und vermehrte Auflage in sechs Bänden. Mehr als 130000 Artikel und Nachweise mit etwa 520 Bildertafeln, Karten und Plänen sowie etwa 100 Textbeilagen. Dritter Band: Galizya bis Kiel. Leipzig und Wien 1907, Bibliographisches Institut. 1024 S. Lex.-8. eleg. geb. 10 ℳ.
Schnell ist dem zweiten Bande der dritte gefolgt und reiht sich ihm würdig an. Die Ergebnisse wissenschaftlicher Forschung finden sich in allen Artikeln verwertet, und in Politik, Handel, Industrie, Technik usw. wird auf der Stand der Gegenwart gebührend Rücksicht genommen. Überall wird bestimmt und klar Auskunft erteilt. Unterstützt wird das Ganze durch ein vorzügliches Illustrationsmaterial. Gewiß greifen viele zu diesem „Kleinen Meyer", und sie werden sich nicht getäuscht sehen.

2. **G. Budde, Philosophisches Lesebuch** für den englischen Unterricht der Oberstufe. Mit biographischen Einleitungen und Anmerkungen. Hannover 1908, Hahnsche Buchhandlung. VI u. 247 S. geb. 2,25 ℳ.

3. **Baruch de Spinoza.** Theologisch-politischer Traktat. Dritte Auflage. Übertragen und eingeleitet nebst Anmerkungen und Registern von C. Gebhardt. Leipzig 1908, Dürrsche Buchhandlung. XXXIV u. 423 S. 5,40 ℳ, geb. 6 ℳ.

4. **A. Wenzel, Die Weltauffassung Spinozas.** Erster Band: Spinozas Lehre von Gott, von der menschlichen Erkenntnis und von dem Wesen der Dinge. Leipzig 1907, W. Engelmann. VIII u. 479 S. 9 ℳ.

5. **G. Brunner, Die religiöse Frage im Lichte der vergleichenden Religionsgeschichte.** München 1908, C. H. Beck'sche Verlagsbuchhandlung (Oskar Beck). 135 S. geb. 1,80 ℳ.

6. Παιδαγωγικὸν δελτίον. Τόμος δεύτερος, Τεῦχος τρίτον.

7. **Xenien.** Eine Monatsschrift. Herausgegeben von Hermann Graef. Leipzig, Verlag für Literatur, Kunst und Musik. Vierteljährlich 3 Hefte. 1 ℳ, Einzelheft 0,35 ℳ. Jahrg. 1908, Heft 1.

8. **A. Gutzmer, Die Tätigkeit der Unterrichtskommission der Gesellschaft deutscher Naturforscher und Ärzte.** Leipzig 1908, B. G. Teubner. XII u. 322 S. geb. 7 ℳ.

9. **Otto Dornblüth, Hygiene der geistigen Arbeit.** Zweite Auflage. Berlin 1907, Deutscher Verlag für Volkswohlfahrt. 258 S. 3,50 ℳ, geb. 4 ℳ.

10. **F. Meyerholz, Erkenntnisbegriff und Erkenntniserwerb.** Eine Natorp-Studie. Hannover 1908, Carl Meyer (G. Prior). 68 S. 8. 1,20 ℳ.

11. **E. Javal, Die Physiologie des Lesens und Schreibens.** Autorisierte Übersetzung nach der 2. Auflage des Originals nebst Anhang über deutsche Schrift und Stenographie von F. Haass. Mit 101 Figuren und 1 Tafel. Leipzig 1907, W. Engelmann. XXXIV u. 351 S. 9 ℳ, geb. 10 ℳ.

12. **R. Eucken, Der Sinn und Wert des Lebens.** Leipzig 1908, Quelle & Meyer. IV u. 162 S. 2,20 ℳ, geb. 2,80 ℳ.

13. **K. Witte, Singular und Plural.** Forschungen über Form und Geschichte der griechischen Poesie. Leipzig 1907, B. G. Teubner. VIII u. 270 S. 8 ℳ.

14. **Claus Peters, De rationibus inter artem rhetoricam quarti et primi saeculi intercedentibus.** Diss. Kiel 1907. 101 S.

15. Langenscheidts Taschenwörterbuch der dänischen und deutschen Sprache. Mit Angabe der Aussprache nach dem phonetischen System der Methode Toussaint-Langenscheidt, bearbeitet von Anker Jensen, zusammengestellt von F, A. Mohr. Teil I: Dänisch-Norwegisch-deutsch (XVI u. 646 Seiten); Teil II: Deutsch-dänisch (LVI u. 474 Seiten). Preis jedes Teiles 2 M. Beide Teile in einen Band gebunden 3,50 M.

16. Freytags Sammlung französischer Schriftsteller. Leipzig 1906/1907, G. Freytag.
a) Pierre Loti, Pêcheur d'Islande; herausgegeben von K. Reuschel. VII u. 142 S. geb. 1,60 M.
b) Wörterbuch zu Molière, Les femmes savantes, bearbeitet von E. Pariselle. 25 S. 0,30 M.
c) Wörterbuch zu Daudet, Le petit chose, bearbeitet von G. Balke. 55 S. 0,60 M.

17. Fr. Coppé, Auswahl. Für den Schulgebrauch herausgegeben von G. Franz. Leipzig 1907, G. Freytag. 143 S. geb. 1,50 M.

18. H. Margall, Vier Erzählungen aus En pleine vie. Für den Schulgebrauch herausgegeben von B. Röttgers. Leipzig 1907, G. Freytag. 79 S. geb. 1 M.

19. G. Weitzenböck, Lehrbuch der französischen Sprache. Teil, mit 1 Münztafel. Siebente Auflage. Leipzig 1907, G. Freytag. 172 S. 2,50 M.

20. G. Weitzenböck, Lehrbuch der französischen Sprache. II. Teil. B. Sprachlehre. Fünfte Auflage. Leipzig 1906, G. Freytag. 90 S. 1,50 M.

21. G. Weitzenböck, Lehrbuch der französischen Sprache. Teil II: Übungsbuch. Mit 25 Abbildungen, 1 Karte und 1 Plan von Paris. Sechste Auflage. Leipzig 1908, G. Freitag. VI u. 196 S. geb. 2,50 M.

22. G. Weitzenböck, Lehrbuch der französischen Sprache für höhere Mädchenschulen und Lehrerinnenseminarien. II. Teil. B. Sprachlehre. Zweite Auflage. Leipzig 1907, G. Freytag. 90 S. 1,70 M.

23. Ch. Kingsley, Westward Ho! In gekürzter Fassung für den Schulgebrauch herausgegeben von J. Ellinger. Leipzig 1906, G. Freytag. 152 S. geb. 1,20 M.

24. Wörterbuch zu Mark Twain, A Tramp Abroad, bearbeitet von M. Mann. Leipzig 1906, G. Freytag. 46 S. 0,50 M.

25. L. Hamilton, The English News-Paper Reader. Leipzig 1908, G. Freytag. 365 S. gr. 8. geb. 4 M.

26. Aus Natur und Geisteswelt. Band 185. E. Sieper, Shakespeare und seine Zeit. Mit 3 Tafeln und 3 Bildern. Leipzig 1907, B. G. Teubner. 140 S. geb. 1,25 M.

27. Freytags Schulausgaben und Hilfsbücher für den deutschen Unterricht. Leipzig 1906/1907, G. Freytag.
a) Hebbel, Die Nibelungen, herausgegeben von A. Neumann. 272 S. geb. 1,50 M.
b) Goethe, Aus meinem Leben, 2. Band. Mit 1 Titelbild, herausgegeben von K. Hachez. 168 S. geb. 0,80 M.
c) Kleist, Prinz Friedrich von Homburg, herausgegeben von A. Benedict. Mit 1 Plan der Schlacht bei Fehrbellin. Dritte Auflage. 112 S. geb. 0,60 M.
d) P. Hagen und Th. Lenschau, Auswahl aus den höfischen Epikern des deutschen Mittelalters. Erster Band: Hartmann von Aue und Gottfried von Straßburg. 104 S. geb. 0,80 M.

28. Schiller, Don Karlos, herausgegeben von G. Frick. Leipzig 1907, B. G. Teubner. 242 S. steif brosch. 1,20 M.

29. R, Eickhoff, Weltpolitik und Schulpolitik. Leipzig 1908, B. G. Teubner. 16 S. 0,40 M.

ERSTE ABTEILUNG.

ABHANDLUNGEN.

Zu Horaz carm. II 13 Ille et nefasto.

„Die Philologen verstehen keinen Scherz": wie oft haben wir diese Anklage aus Moriz Haupts Munde gehört! Ob sie heute noch mit Recht erhoben werden dürfte? Ich meine, wir sind andere geworden; und wenn es den Auslegern der Alten jetzt noch begegnet, daß sie den lachenden Mund des Schriftstellers nicht sehen, so ist nicht Unempfänglichkeit für heitere Darstellung daran schuld, sondern irgend etwas anderes. So z. B. hat bei der Erklärung von Horaz carm. II 13, 21—36 die uns im Blute liegende Hochachtung vor allgemein angenommenen Auffassungen ihren hemmenden Einfluß geübt. Freilich kommt in diesem Falle noch ein zweites hinzu. Wo Horaz heiter ist, bringt er das gewöhnlich unmittelbar zum Ausdruck; und hier geht eine ernste Betrachtung voraus und es schließt sich an die Stelle, die ich als eine heitere anspreche, noch ein großartiges Bild voll tragischen Ernstes (v. 37—40): kein Wunder, daß man um so weniger ein Nebeneinander zweier Darstellungen entgegengesetzten Charakters vermutete. Nun will sich aber der üblichen Erklärung, der ich auch lange gefolgt bin, der Wortlaut nicht fügen: und die daraus entspringenden Bedenken brachten mich allmählich zu einer anderen Auslegung. Diese aber beseitigte nicht nur die Anstöße, sie lehrte mich auch, das bisher gering geachtete Gedicht tiefer verstehen und damit anders einschätzen.

Daß im Anfange des Gedichtes der Verf. nicht ernst spricht, sondern in den übertriebenen, künstlich gesteigerten Verwünschungen gegen den Pflanzer des Unglücksbaumes sein Humor zum Ausdruck kommt, wird allgemein anerkannt. Den ernsteren Ton der Betrachtung (V. 13—20) aber, der mit quid quisque vitet einsetzt, glaubte man durch das ganze weitere Gedicht festgehalten. So sagt Gebhardi (Ästhetischer Kommentar): „Der Tod hat für den Dichter nichts Schreckliches. Wie Sokrates in seiner Verteidigungsrede malt Horaz sich das schöne Zusammensein mit den

Sängern der Vorzeit im Elysium aus, seinen Idealen, denen zu
gleichen er sein Leben lang bemüht gewesen ist. Welche Lust,
den kampfesmutigen Liedern eines Alkaios, den schmelzenden
Klängen einer Sappho zu lauschen! Ja auch die Schrecken des
Todes, die Ungetüme der Hölle überwindet die Macht des Gesanges. Tod, wo ist dein Stachel? Hölle, wo ist dein Sieg?''
Nur im Ton verschieden, in der Sache übereinstimmend erklärt
Kießling: „Horaz malt sich aus, was er wohl als Dichter im Reiche
der Schatten geschaut haben würde: natürlich die Meister des
äolischen Liedes, deren Gewalt noch über die Qualen der Ver-
dammten preisend die Ode mit einer Verherrlichung der Macht
der Poesie schließt''.

Es sollen nun, wie gesagt, gegen solche Auffassungen nicht
allgemeine Erwägungen, die sich aufdrängen, geltend gemacht
werden [1]), sondern lediglich der Wortlaut des Gedichtes, der m. E.
schon allein für sich deutlich genug Einspruch erhebt.

In der Schilderung der Unterwelt (V. 21—40) zeichnet der
Dichter die Wirkung, die die Lieder des Alkaios auf drei Gruppen
von Wesen ausüben, einmal auf die Masse der Toten, dann auf
die zu auserlesenen Strafen Verurteilten, drittens auf die Ungeheuer
der Unterwelt. Mit der diesen gewidmeten Strophe:

> Quid mirum, ubi illis carminibus stupens
> Demittit atras belua centiceps
> Aures et intorti capillis
>   Eumenidum recreantur angues

haben wir es zunächst zu tun. Nach Inhalt und Vortrag gliedert
sie sich in zwei Teile: das von den Schlangen der Eumeniden
Gesagte ist farblos, abstrakt gehalten (recreantur), in den Worten
über den Cerberus erstrebt der Dichter sinnliche Anschaulichkeit:
demittit aures atras. Greift ein Schriftsteller aber zu solcher
Malerei, so wird sie nach seiner Meinung da, wo der innere Vorgang ohnehin erzählt ist, ihn lebhafter darzustellen, wo das nicht
der Fall ist, auch allein für sich ihn mit unzweifelhafter Sicherheit zu bezeichnen geeignet sein müssen. An unserer Stelle muß
also Horaz das letztere geglaubt haben. Denn stupens nennt nur
die Ursache; welche der möglichen Wirkungen des stupor aber
eingetreten ist, hat der Dichter allein mit demittit aures bezeichnen
wollen. Es scheint ihm aber, wenn man die Ausleger höit, miß-
glückt zu sein: ihre Erklärungen widersprechen einander und dem
Zusammenhang. Nach Dillenburger z. B., Kießling und neuerdings
Städler läßt der Cerberus seine Ohren hängen, weil er über den
Liedern seines Wächteramts vergißt. Aber, wenn die Töne die
Ursache seines Verhaltens sind, müßte er ihnen seine Ohren doch

---

[1]) Diese Einwände würden natürlich von der Schwierigkeit ausgehen,
Horaz einen Glauben an Dinge zuzuschreiben, die längst ineptiae aniles geworden waren.

erst recht öffnen. Nach Rosenberg sind die herabhängenden
Ohren ein Zeichen dafür, daß der Hund einschläft: und das soll
dem „ob solcher Lieder stutzenden" Tiere widerfahren sein?

Man sieht zugleich, daß das demittit aures nicht so erklärt ist,
wie wir es im gewöhnlichen Leben pflegen, sondern daß ihm dem
vorausgesetzten Zusammenhange zuliebe eine ganz andere Deutung
aufgezwungen ist: das widerspricht aber der Natur solcher Malerei,
zumal da, wo sie wie an unserer Stelle die Versinnlichung des
geistigen Vorgangs darbieten soll. Fragen wir uns aber, was uns
denn im alltäglichen Leben das Senken der Ohren beim Hunde
bedeutet, so gibt es, worauf schon Peerlkamp und Obbarius nachdrücklich hingewiesen haben, nur e i n e Antwort: es ist ein Zeichen
der Angst und Furcht. Davon müssen wir als dem festen
Punkte also ausgeben.

Es entsteht nun zunächst die Frage, woher denn die Angst
und Furcht komme. Hierauf antwortet der Dichter mit: illis
carminibus stupens. Läßt man damit auch die Lieder der
Sappho umfaßt sein, so ist allerdings aus diesen die Furcht
unerklärlich. Aber diese Beziehung ist nicht notwendig, sie
ist sogar vom Dichter abgewehrt. Er hat ja die Lieder, denen
die Toten lauschen, deutlich in zwei Gruppen geschieden. Das
von den Liebesklagen der Sappho und denjenigen Gesängen des
Alkaios Gesagte, die von den Leiden des Krieges und der See-
fahrt handeln (V. 24 — 28), schließt er durch die Zeilen ab
(V. 29. 30): utrumque sacro digna silentio mirantur umbrae
dicere und stellt ihnen die noch viel mehr begehrten Lieder
von dem Kampfe gegen die Tyrannen und ihrer Vertreibung entgegen: sed magis pugnas et exactos tyrannos densum umeris
bibit aure volgus, und auf diese berühmten, viel bewunderten
Dichtungen zielt m. E. der Dichter mit: illis carminibus stupens.

Solch Hinweis aber begründet die Angst. Denn, wenn der
Cerberus hört, daß Tyrannen, deren Macht unerschütterlich schien,
doch von den Unterdrückten verjagt wurden, muß ihn die Ahnung
überkommen, daß auch einst seine Herrschaft ein Ende nehmen
werde. Mit ihm stutzen aber ob solcher Aussicht auch die Eumeniden und so gewinnen die Schlangen Zeit, sich zu erholen.

Daß nun diese Vorstellung, der Cerberus und die Eumeniden durch die Lieder wispernder Schatten eingeschüch-
tert und bestürzt, von großer Komik ist, bedarf keiner
weiteren Darlegung. Der Dichter hat die Komik noch dadurch
gesteigert, daß er den Cerberus — ich danke Schimmelpfeng für
seinen Hinweis auf die Zahl — zweihundert, sage und schreibe
zweihundert Ohren herabklappen läßt (centiceps demittit aures).
Aber auch vorher bei der Schilderung der Schatten und ihres
Treibens hat es Horaz an lachenerregenden Zügen nicht fehlen
lassen. Oder kann man ernst bleiben, wenn man sich vorstellt,
daß die ἀμενηνὰ κάρηνα θανόντων sich an Liedern weiden, die

von der Liebe und des Kampfes Leid erzählen, noch eifriger sich
aber um den Sänger drängen, wenn er die herben Gewalttaten in
den Kämpfen gegen die Tyrannen vorträgt? Und müssen wir
uns nicht notwendig das vom Dichter Gegebene vervollständigen
und uns ausmalen, daß die leichten, luftigen Nebelgestalten wie
einst auf der Oberwelt so auch jetzt dort unten durch ϑόρυβος,
durch lebhafte Bewegung von Hand und Fuß ihrem Beifall, sobald der Sänger geendet, Ausdruck geben?

Übrigens zeigen es auch schon die Eingangsworte dieses Abschnittes, daß der Dichter mit lachendem Auge von den möglich
gewesenen Folgen seines Unfalls spricht. Wenn mir jemand erzählt, daß wenig gefehlt habe, so läge er jetzt im Grabe, so
spricht er im Ernste. Sagt er mir aber, er sei mit knapper Not
der Reise in den Himmel und der Begegnung mit Petrus entgangen, dann scherzt er. So aber drückt sich Horaz aus:

> Quam paene furvae regna Proserpinae
> Et iudicantem vidimus Aeacum
> Sedesque discretas piorum.

Und kommen dem Leser doch Zweifel — denn aus dem
gewohnten Gedankengange reißt man sich nur schwer los —, so
vergegenwärtige er sich immer wieder, daß das Jenseits für Horaz
keine Wirklichkeit ist, sondern zu den portenta poetarum gehört,
daß ein Aeacus es allein den Dichtern verdankt, wenn er drüben
seines Richteramtes waltet (IV 8, 27):

> Ereptum Stygiis fluctibus Aeacum
> Virtus et favor et lingua potentium
> Vatum divitibus consecrat insulis.

Den Schluß des Gedichtes macht ein großartiges Bild. Zittern
die Tyrannen der Unterwelt bei den Liedern des Alkaios, so
fliegt durch die Herzen derer, denen der Götter Willkür furchtbare Leiden aufgeschmiedet, die erquickende Ahnung, daß diese
einst ein Ende nehmen, die Gerechtigkeit siegen und der Tag der
Rache kommen werde. Denn die Reihe der hier aufgezählten
Heroen entspricht nicht etwa, wie Kießling meinte, dem bloßen
Zufall, sondern der Notwendigkeit, zur Veranschaulichung der
Tyrannis solche anzuführen, die ungerecht leiden. Das trifft aber
nicht nur bei dem hochherzigen Menschenfreunde Prometheus,
bei dem zum Tischgenossen des Zeus erhobenen und dann in
menschlicher Schwäche gefallenen Tantalus, sondern auch bei
Orion zu. Wir müssen nur auf diejenige Form der Sage eingehen, die den Zeitgenossen des Dichters schon aus Homer bekannt und in ihrer späteren pathetischen Umbildung so recht
nach dem Geschmacke der nacheuripideischen Zeit war. So hatte
Jstrus nach dem Zeugnisse Hygins (de astronomia c. 34 = ed.
Bunte S. 73 V. 12) der Sage folgende aufreizende und tief ergreifende Wendung gegeben: Istrus dicit Oriona a Diana esse

dilectum [1]) et paene factum, ut ei nupsisse existimaretur. quod
cum Apollo aegre ferret et saepe eam obiurgans nihil egisset,
natantis Orionis longe caput solum videri conspicatus, contendit
cum Diana eam non posse sagittam mittere ad id, quod nigrum
in mari videretur. quae cum se vellet in eo studio maxime arti-
ficem dici, sagitta missa caput Orionis traiecit. itaque eum cum
fluctus interfectum ad litus eiecisset et se eum Diana percussisse
plurimum doleret, multis eius obitum prosecuta lacrimis inter si-
dera statuisse existimatur.

Tief wie der Schmerz Dianas muß der Grimm und die Empörung Orions über die ihm widerfahrene, von Adelshochmut
eingegebene Untat gewesen sein. So paßt Orion zu Prometheus
und Tantalus. Zorn und Racheverlangen toben in ihm und treiben
ihn in steter Unrast dahin. Bei jedem Wurf nach dem jagdbaren
Tiere denkt er des gehaßten Feindes, dem er das tödliche Ge-
schoß lieber gönnte. Wie süß müssen ihm da die Lieder ge-
klungen haben, die vom Sturze der Tyrannen erzählten und in
ihm die Hoffnung belebten, daß auch der Gewalttätige, der sich
an ihm so brutal vergangen, einst am Boden liegen werde! [2])

Sehen wir nun von hier aus rückwärts, so offenbart sich in
dem Gedichte ein einheitlicher Grundgedanke: unwilliges Staunen
über das unverständliche Schicksal, dem wir anheimgegeben sind.
Mit rauher Faust greift es in unser Leben gerade da, wo wir es
nicht erwarten. Ja überhaupt sind es nicht Vernunft und Gerechtigkeit, die unser Geschick gestalten, sondern unbegriffene, die Gerechtigkeit höhnende Mächte: das sagt die letzte Strophe mit
ihrem großartigen symbolischen Bilde.

Das war aber auch schon am Anfang gesagt. Im ersten Teile,
der das den Dichter erregende Ereignis und damit die Veranlassung zu den Betrachtungen erzählt, die den Hauptstock des
Gedichtes bilden, versichert er ja, daß er das ihm drohende
Schicksal nicht verdient habe, und er hat bezeichnend genug mit
diesem Worte den Abschnitt geschlossen:

> te triste lignum, te caducum
> in domini caput immerentis.

----

[1]) Auch bei Ovid, der den Untergang Orions anders erzählt, heißt es
(Fasti V 357):   comitem sibi Delia sumpsit.
   Ille deae custos, ille satelles erat.

[2]) Freilich wird c. III 4, 70 Orion tentator Dianae virginea domitus
sagitta genannt, und das scheint eine andere Auslegung unsers Gedichts zu
fordern. Aber einmal hatten die Dichter schon lange den Brauch, unter den
verschiedenen Formen einer Sage nach dem augenblicklichen Bedürfnis zu
wählen, und dann ist doch, wenn irgend eine Strophe im Horaz, so sicher
diese unecht. Die platte Prosa des Eingangs „testis mearum sententiarum",
die sinnlose Betonung des „mearum" — es ist vorangestellt —, die Geschmacklosigkeit, den einheitlichen Gedanken der vorhergehenden Strophe
deshalb, weil er dreifach gewendet ist, als eine Mehrheit von Ansichten zu
bezeichnen, beweisen die Unechtheit zur Genüge.

Und dem entspricht es nun, daß das ganze Gedicht in der Schilderung der jenseits unschuldig Leidenden ausklingt. Wie Horaz voll Unwillen auf den niedergestürzten Baum sah, so blicken sie in sittlicher Empörung auf den Urteilsspruch, den die Götter ihnen gefällt haben.

Aber der Dichter ist weit davon entfernt, seinen Groll dem Weltlauf gegenüber festzuhalten. Das Gegenbild seiner Stimmung gibt er nicht in einem wirklichen Geschehnis, sondern in einem Vorgang, den die Phantasie geschaffen und das Jenseits, in das zu stürzen ihm drohte, vor dem er eben noch zurückgebebt, schildert er in launigem Humor als einen Ort unendlicher Freuden. Er darf sich zu dieser Höhe mit vollem inneren Rechte erheben; denn der Anfang seiner Betrachtung zeigt uns ja, daß er seinen Fall als den Einzelfall eines allgemeinen Gesetzes begriffen:

> Quid quisque vitet, numquam homini satis
> Cantumst in horas: navita Bosphorum
> Thynus perhorrescit neque ultra
> Caeca timetve aliunde fata...
> Sed improvisa leti
> Vis rapuit rapietque gentes.

Wie in die Unvollkommenheiten der Alltäglichkeit, so fügt Horaz sich also auch in die Unvollkommenheiten des Weltlaufs: als etwas Gegebenes, wogegen zu kämpfen umsonst ist, nimmt er die einen wie die anderen hin.

Marienburg.   Fr. Heidenhain.

Zur Pflege der Redeübungen.

Die Redeübungen, freien Vorträge, Übungen im mündlichen Vortrage, oder wie immer dieselbe Sache benannt werden mag, erfreuen sich noch nicht der richtigen Wertschätzung von seiten der Schule. Der Grund ist wohl darin zu suchen, daß Autoritäten auf dem Gebiete des deutschen Unterrichtes sich zu absprechenden Urteilen über dieses Unterrichtsmittel verleiten ließen, bevor nach einer vorurteilslosen, längeren Erprobung ihres Wertes überhaupt eine abschließende Kritik am Platze war. Diese ungünstigen Urteile besonders reichsdeutscher Schulmänner blieben auch in Österreich nicht ohne Wirkung, und wenn auch hier alle Mittelschulen zur Pflege der Redeübungen verpflichtet sind, erfüllen manche Lehrer diese Pflicht doch ohne Begeisterung, weil sie ihr eben schon mit Voreingenommenheit entgegenkamen und sich daher auch nicht versucht fühlen, einen Weg zu finden, der sie zu einer besseren Meinung führen könnte.

Aber es ist doch Aussicht vorhanden, daß sich diese Übungen bei uns allmählich zu allgemeiner Anerkennung durchringen werden. Der Erfolg der letzten Jahre besteht darin, daß ihr Wesen schärfer erfaßt und eine Durchführungsform gefunden wurde, die alle jene erzieherischen Werte zur Geltung bringt, welche mit der richtigen Pflege der Übungen sich verbinden.

Die Redeübungen haben vor allem den Zweck, den Schüler im Gebrauche der freien Rede auszubilden und damit sein ganzes Wesen selbständiger zu machen. Eine ängstliche Beschränkung auf bestimmte Stufen ist nicht notwendig, man darf es vielmehr für möglich halten, ihre Verwendung mit dem deutschen Unterrichte in fast allen Klassen zu verbinden.

Nur möge man sich, um die besten Früchte der Redeübungen zur Reife zu bringen, nicht, wie es leider noch oft geschieht, von ihnen falsche Vorstellungen machen. Die Redeübung soll keineswegs nur einem Schüler Gelegenheit bieten, eine besondere Redefähigkeit zu beweisen, mit einem erborgten Wissen zu prunken, für das die Mitschüler kein Verständnis haben, weil es ihrer Erfahrung möglicherweise völlig ferne liegt. Sondern jede Übung steht im Dienste der ganzen Klasse. Der Stoff, den der Vortragende behandelt, muß einem Gebiete entnommen sein, in dem alle Schüler entweder durch den Unterricht oder durch die natürliche Erfahrung wohl bewandert sind. Damit fallen die prunkenden Themen wie z. B. „Die hysterische Lyrik der Gegenwart", „Die Kunst der Chinesen", „Die Malerei der Japaner", „Die Frauen in der Philosophie", und wie sonst die Auswüchse einer falschen Auffassung der Redeübungen von seiten der Lehrer noch heißen mögen.

Also aus der Erfahrung der Schüler müssen die Übungen hervorgehen. So nur ist der Vortragende imstande, ehrliche Arbeit zu leisten; er hat es dann nicht nötig, bei fremder Weisheit Anleihen zu machen, und so nur sind seine Zuhörer in der Lage, nicht nur der Form der Vortrages ihr kritisches Auge zuzuwenden, sondern auch seinen Inhalt zu bewerten, zu verbessern, wo der Vortragende fehlte, zu ergänzen, was seiner Aufmerksamkeit entging, aber auch anzuerkennen — und darin liegt ein fruchtbarer sittlicher Zug —, wo die eigenen Kräfte nichts Besseres vermocht hätten. Aus dieser Wechselwirkung zwischen der Arbeit des Vortragenden und der seiner Mitschüler erfüllt sich in der besten Weise, was früher als Zweck der Redeübungen aufgestellt wurde.

Schon jetzt ist es möglich zu erkennen, daß die freien Vorträge nicht an die höchsten Klassen der Mittelschule gebunden sind. Mindestens lassen sie sich bereits auf der Mittelstufe mit gutem Erfolge verwenden und nicht leicht wird ein besseres Mittel gefunden, den Unterricht zu beleben und die jugendliche Selbsttätigkeit zu fördern. Aber natürlich ist es Sache des Lehrers, den Stoffkreis der Übungen sorgfältig jeder Altersstufe anzupassen. In den mittleren Klassen wird am sichersten der Inhalt eines Lesestückes, das mit den Schülern durchgenommen wurde, zur Grundlage einer Übung bestimmt. Sehr geeignet sind z. B. Auf-

gaben, deren Ziel die Ausführung eines Charakterbildes ist, etwa
jene des „wilden Jägers" nach dem Gedichte Bürgers oder hervorragender geschichtlicher Persönlichkeiten nach Lesestücken, die dazu
den Stoff bieten. Gut ist es in solchen Fällen, das Verständnis
der Schüler für die Form durch andere Lesestücke vorzubereiten,
die selbst schon Charakterbilder sind.

In den höheren Klassen wächst der Stoffkreis der Übungen.
Die Schullektüre steuert reichlich dazu bei, und damit dem
deutschen Unterrichte keine Zeit entzogen werde, soll die Lektüre
immer die Hauptquelle bleiben. Da sind Themen recht ergiebig,
die über mehrere Dramen oder andere Werke der Lektüre sich
erstrecken, nur darf sich die Aufgabe nicht in Kleinigkeiten verlieren, da sonst leicht das Interesse der Zuhörer erlahmt. Recht
dankbar erwiesen sich z. B. die Themen: Der Kampf ums Recht
im „Götz", im „Erbförster" und im „Michael Kohlhaas", Krieger-
typen im „Wallenstein", Das Wunderbare in den Dramen Schillers,
Sittengeschichtliches in „Kabale und Liebe" u. a. Doch muß
andererseits in der Wahl der Themen die Beziehung zum deutschen
Unterrichte nicht gar zu ängstlich gewahrt werden, es darf auch
die Kulturgeschichte ein Plätzchen beanspruchen, besonders die
Geschichte und ·die Verhältnisse der engeren Heimat und des
Studienortes, soweit die Klasse darin bewandert ist oder ohne
große Mühe die nötigen Kenntnisse sich erwerben kann. „Was
erzählen uns die Namen der Gassen und öffentlichen Plätze unserer
Stadt?", „Welche geschichtlichen Erinnerungen knüpfen sich an
unseren Studienort?", „Kunstdenkmäler in der Studienstadt", das
sind Aufgaben, die sich mit unseren Absichten sehr wohl vereinigen
lassen. Ein reges Interesse weckten auch die Themen: „Die
deutschen Personennamen" und „Die deutschen Ortsnamen", für
die der Stoffkreis auf die Namen der Mitschüler, auf die der Bewohner des Schulortes und im zweiten Falle auf die Ortsnamen
des Heimatlandes beschränkt wurde. Zur näheren Kennzeichnung
dieser Aufgaben sei noch erwähnt, daß es sich um den Versuch
handelte, die namenbildenden Kräfte klarzulegen.

Neben der Altersfrage wird der Lehrer für die Auswahl der
Redeübungen auch den geistigen Stand seiner Klasse zu berücksichtigen haben. Und es gibt gewiß Jahrgänge, die gerade im
deutschen Unterrichte außerordentliche Qualitäten entwickeln, weil
hier mehr als in den anderen Fächern die Selbsttätigkeit sich zu
entfalten vermag und weil sich hier alle Geisteskräfte in lebendige
Arbeit umsetzen lassen, die in den anderen Fächern geweckt
worden sind. Vorausgesetzt, daß sich in einer Klasse im Durch-
schnitte eine besondere geistige Höhe bemerken läßt, darf der
Lehrer es auch unternehmen, allgemeine Lebensfragen, die zu
dem Wissen der Schüler sichere Beziehungen haben, in den
Übungen zur Lösung vorzulegen, und damit einer Forderung
genügen, die heute mehr als sonst an die Pforten der Schule

pocht, nämlich Schule und Leben fruchtbar zu verknüpfen. „Was ist Bildung?" „Welche Wandlungen erfuhr der Bildungsbegriff im Laufe der Zeiten?" „Quellen der Bildung" und ähnliche Themen erweisen sich für reifere Schüler als nicht zu schwierig. Man braucht vor einem Thema nicht zurückzuschrecken, weil vielleicht die Schüler dasselbe nicht erschöpfen könnten. Wären solche Gründe für die Schule maßgebend, dann dürften wir auch die Meisterwerke alter und neuer Zeit unseren Schülern nicht überlassen, da sie ja auch an den erfahrensten Mann noch unlösbare Fragen stellen. Für unsere Zwecke genügt es, die Wahrheit zu suchen. 18—20jährige junge Männer treten, auch ohne daß die Schule sie anleiten müßte, schon von selbst an höhere Fragen heran, jener aber kommt es zu, daß sie ihre Schüler lehrt, keine oberflächlichen Phrasen bei solchen Versuchen zu gebrauchen, sondern ernst und gründlich an Arbeiten schwieriger Art zu gehen und es bescheiden einzugestehen, wenn ihren Kräften Grenzen gesetzt sind.

Für die Durchführung der Redeübungen empfehlen sich im allgemeinen folgende Stufen: Auswahl des Themas, Vortrag, Auftreten des Hauptrezensenten, Kritik durch die Mitschüler, Erwiderung des Vortragenden und endlich das abschließende Urteil des Lehrers.

Ob die Auswahl des Themas der Lehrer allein zu treffen hat oder ob es den Schülern gestattet werden solle, eigene Themen anzumelden, ist noch immer eine strittige Frage. Sie verliert aber an Bedeutung, wenn völlige Klarheit über das Wesen der Redeübungen besteht; denn damit sind den Schülern exotische Stoffe abgeschnitten, und treffen ihre Wünsche mit den Forderungen zusammen, die früher gestellt wurden, so mag man sie ruhig gewähren. Am besten aber ist es, wenn der Lehrer seiner Klasse eine Reihe von Themen vorlegt — es ist hier hauptsächlich an die Oberstufe gedacht — und es jedem Schüler überläßt, jenes auszuwählen, dessen Bearbeitung seinen besonderen Neigungen entspricht. Nicht alle bringen ja einem Stoffe die gleiche Vorliebe entgegen, und wenn auch manche Umstände hoffen lassen, daß ein jeder sein Bestes daransetze, auch einer aufgezwungenen Arbeit gerecht zu werden, verspricht doch die mit freierem Willen übernommene günstigere Erfolge. Wie Büchertitel nicht immer den Inhalt scharf bezeichnen, so ist es auch notwendig, daß der Lehrer das gestellte Thema kurz erläutere, damit alle Schüler wissen, wohin seine Absichten zielen. Es ist ja gewiß nicht ohne Interesse, alle möglichen Lösungen versuchen zu lassen. Da aber eine Redeübung für gewöhnlich mit einer Stunde als dem höchsten Zeitmaße zu rechnen hat, erscheint es doch geboten, die Aufgabe genau zu begrenzen.

Der zum Vortrage bestimmte Schüler erhält nun Zeit, den Stoff zu sammeln, zu ordnen und in die sprachliche Form zu gießen. Von ihm noch vor dem Tage des Vortrages eine Abschrift desselben zu verlangen, könnte als überflüssige Belastung bezeichnet werden, wenn nicht triftige Gründe dafür sprächen. Das jugendliche Alter drängt leicht zu unerwarteten, nicht schulgemäßen Abschweifungen, versucht sich gerne an der Kritik von Dingen, für die in der Schule kein Platz ist, und daher bestehe der Lehrer auf das schriftliche Elaborat. Während des Vortrages nimmt der Redner den Ort des Lehrers ein, der alles vermeiden muß, was die schülerhafte Befangenheit noch verstärken könnte, und deshalb auch am besten in einer Schülerbank sich niederläßt. Es kommt vor, daß manche Lehrer nach dem Ende des Vortrages, um sich von der Aufmerksamkeit der Zuhörer zu überzeugen, von irgend einem Schüler den Gedankengang wiedergeben lassen. Einmal aber stört diese Prüfung die angeregte Stimmung und anderseits ist sie imstande, die folgende Kritik zu verwirren. Diese übt zunächst der Hauptrezensent, der zu diesem Amte auch schon früher bestimmt wurde. Er hatte für die Redeübung sich nicht weniger sorgfältig vorzubereiten als der Vortragende selbst, nur daß die schriftliche Ausarbeitung ihm erspart blieb. Inhalt und Form des Vortrages, die Haltung des Vortragenden fallen in den Bereich seines Urteils, das, wie schon früher bemerkt wurde, sich nicht allein im Aufsuchen der Schwächen gefallen darf, sondern zuerst die guten Seiten zu beleuchten hat. Die Arbeit des Hauptrezensenten wird dann ergänzt durch die übrigen Mitschüler. Der Lehrer selbst hält mit seinen Ansichten noch zurück. Er hat nur dafür zu sorgen, daß die Kritik sich in sachlicher Ordnung und in gemessener, vornehmer Form bewegt. Wo die stramme Leitung versagt, könnte leicht bei den lebhaften Temperamenten der Schüler eine heillose Verwirrung einreißen und aller Erfolg der Übungen wäre gefährdet. Sobald die Kritik erschöpft ist, erhält der Vortragende noch einmal Gelegenheit, auf die gemachten Einwürfe zu erwidern, Mißverständnisse aufzuklären und angegriffene Anschauungen zu verteidigen. Dann erst tritt der Lehrer in die sachliche Behandlung des Ganzen ein. Indem er die gemeinsame Tätigkeit des Vortragenden, seines Hauptrezensenten und der übrigen Schüler überblickt, unternimmt er es, der Mühe des ersteren gerecht zu werden, zu beurteilen, in welchem Grade der zweite seiner Aufgabe genügte, und welchen Wert die Mitarbeit der Klasse zu beanspruchen hat. Er zieht die Summe aus den Vorzügen und Fehlern, welche die Stunde zeitigte, und prägt seinen Schülern ein, was für die weiteren Übungen als Gutes zu wahren ist, welche Schwächen in der Zukunft zu meiden sind.

Der Nutzen der Redeübungen ist wirklich recht bedeutend. Der vortragende Schüler ist gezwungen, ein größeres Stoffgebiet sorgfältig zu durchforschen; denn er wird sich alle Mühe geben, Lücken zu vermeiden, die den Mitschülern Angriffspunkte bieten könnten. Ein gesunder Ehrgeiz wird so anerzogen und die erfreulichen Ergebnisse gründlicher Arbeit fördern die Arbeitslust. Selbstbewußtsein und Sicherheit des Auftretens, die aus der glücklichen Lösung der Aufgabe erstehen, sind ein gutes Erbteil, das die Schule durch diese Übungen ihren Schülern für das Leben vermittelt. Besonderer Nutzen erwächst natürlich für die sprachliche Seite des Unterrichtes. Gegen den papierenen Stil gibt es kein besseres Kampfmittel als diese rednerischen Auftritte. Denn das Gehör empfindet ganz sicher als Mißton, was dem Auge noch besonderes Wohlgefallen bereiten kann. In der freien Rede ist mit langen, gekünstelten Perioden nicht viel anzufangen, und mußte ein Vortrag den Vorwurf des Schwulstes und der Unklarheit über sich ergehen lassen, dann meiden die späteren zweifellos solche üble Erscheinungen, für die man sonst gerne den klassischen Unterricht verantwortlich macht, während ihre Ursachen in Wirklichkeit darin zu suchen sind, daß in unseren Schulen die freie Rede viel zu wenig gepflegt wird. Nicht mindere Vorteile ziehen auch alle übrigen Schüler aus den Vorträgen. Sie sind hier Richter, entfalten daher eine freiwillige Aufmerksamkeit; sie reden diesmal nicht wie sonst, wo die Frage des Lehrers ihnen den Weg weist, sondern äußern frei und unmittelbar, was sie bemerkten; sie lernen sich selbst beobachten, achten auf eine gewählte Form der Sprache; es geht ihnen das Verständnis für eine gute äußere Haltung auf, indem sie aus der des Vortragenden Lehren nehmen für die Erziehung ihres eigenen Wesens.

Die Redeübungen können mit gleichen Erfolgen auch in allen anderen Fächern der Mittelschule gepflegt werden. In den klassischen Sprachen böten übersichtliche Fragen über ein gelesenes Kunstwerk, Vergleiche zwischen verschiedenen dichterischen Schöpfungen, ja auch sprachliche Untersuchungen, die dem Verständnisse und der Teilnahmsfähigkeit der Schüler angemessen sind, reiches Material. Der Geschichtsunterricht und die Naturwissenschaft fände gleichfalls an ihnen ein Mittel zur Vertiefung und Belebung, auch in der Religionsstunde und selbst in der Mathematik gäbe es für sie genug Gelegenheit, Nützliches zu wirken. Kein Lehrplan steht im Grunde genommen ihrer Verwertung im Wege, wenn sie sich nur in den richtigen Grenzen bewegen und das Interesse des Lehrers sich ihnen freundlich zuwendet.

Olmütz i. Mähren.   Franz Ingrisch.

Der neueste Erlaß über den Nachweis der Befähigung zur Erteilung des Gesangunterrichts an höheren Lehranstalten.

Im Novemberheft des Zentralblattes f. d. g. Unterrichtsverwaltung ist die von vielen Seiten gewünschte Verordnung des

Ministers über die Erwerbung der Befähigung zur Erteilung des Gesangunterrichts durch Oberlehrer erschienen. Schon gibt es, wie ich aus Erfahrung weiß, Studenten, die sich neben der wissenschaftlichen Ausbildung auch der Musik widmen. Das Examen in der Musik haben sie an der Universität Halle - Wittenberg zu bestehen. Die Anforderungen, welche an den Kandidaten in der Prüfungsordnung gestellt werden, sind nicht gering. Er soll sich in Vorlesungen eine tüchtige literarische und theoretische Bildung angeeignet haben. Er soll Kirchen- und Volkslied kennen, mit den musikgeschichtlichen Werken einigermaßen vertraut sein, mit einem hervorragenden Meister oder einer musikgeschichtlichen Epoche sich eingehend beschäftigt haben. Harmonielehre, Kontrapunkt, musikalische Formenlehre, Lied, Motette und Kantate sollen ihm bekannt sein, dazu die Gesangstechnik mit ihren physiologischen Voraussetzungen und die Pädagogik des Schulgesangs. Praktisch soll er leisten:

1) Niederschrift eines einfachen Musikdiktats behufs Feststellung des musikalischen Gehörs.

2) Soll er selbst gesanglich so geschult sein, daß er nicht zu schwere Stücke einwandfrei vorsingen kann. Im Klavierspiel soll er die Begleitung eines Oratoriumchors fließend vom Blatt spielen können, leichte Sätze transponieren und die Partitur von leichteren a capella-Sätzen auf dem Klavier wiedergeben können. Im Violinspiel werden nur geringe Anforderungen gestellt.

3) Übungen im Satz von 2- 3- und 4-stimmigen Volks- und Kirchenliedern und Aussetzen des Basses einer leichteren Arie des 17. oder 18. Jahrhunderts. Die Aufgaben sind in einer Klausur zu bearbeiten.

4) In einer Probelektion ist die Kenntnis der Lehrweise in den unteren Klassen und in der Chorklasse nachzuweisen.

Das Zeugnis über die bestandene Prüfung wird dem Lehramtszeugnis als Anhang beigefügt.

[] Die eben genannten Anforderungen verlangen eine ganz respektable Vorbereitung zum Bestehen der Prüfung. Daß der Kandidat dieselbe Zeit hierauf verwenden muß wie auf die Vorbereitung für ein wissenschaftliches Fach, steht fest. Nur wer in der Praxis gestanden hat, vermag ein maßgebendes Urteil über das Verhältnis der beiden Fächer zueinander und über die Bewertung [des Musikunterrichts im Organismus der Schule abzugeben. Über die Zeit, welche zur Vorbereitung auf das Gesangsexamen nötig ist, werden ja später am besten die Examinanden selbst urteilen können; über das Maß von geistiger Kraft und Arbeit, das jetzt zur Erteilung des Gesangunterrichts nötig ist, kann auch jetzt schon der urteilen, welcher Gesangunterricht gibt und einen Vergleich anzustellen vermag mit dem, was er für andere Fächer leisten muß. Da steht zunächst die Tatsache fest, daß sowohl die körperliche wie geistige Leistung in der Chor-

stunde eine ungleich schwierigere ist wie in jeder andern Stunde.
Es kostet dem Lehrer große Mühe und erfordert die gespannteste
Aufmerksamkeit, wenn er gute Disziplin halten will. In keiner
andern Stunde gibt es solche Schwierigkeiten zu überwinden wie
in der Gesangstunde. Und dann soll er ganz solus Klavier spielen,
hören, intensiv hören und noch die Augen überall haben. Nein,
eine Chorstunde erfordert die 2-, ja 3 fache Leistung einer
anderen Unterrichtsstunde. Wie oft geht man wie aus dem Wasser
gezogen, todmüde aus der Gesangstunde nach Haus. Nun noch
die Vorbereitung! Der Gesanglehrer muß weiter arbeiten, die
neuere Literatur überschauen, Passendes aussuchen, selbst arran-
gieren. Hat er hierzu keine Zeit, so wird aus dem ganzen Unterricht nichts Rechtes. Ein Gesanglehrer, der den Gesang als
Nebenfakultas hat, und nicht intensiv dafür arbeiten kann, wird nie
etwas Rechtes leisten. Wer dagegen den Gesang als Hauptfakultas
besitzt und sich mit Lust und Liebe diesem Unterrichtsfache
widmen kann, daneben aber noch einige Fakultäten hat, die
ihm die Möglichkeit der Beschäftigung in wissenschaftlichen Unterrichtsstunden gewähren, der wird Tüchtiges leisten können. Schon
jetzt wird an mich die Frage gerichtet: „Wird die Befähigung im
Gesange als Fakultas angerechnet?" Leider muß ich da mit nein
antworten. Und doch wird diese Forderung mit Notwendigkeit
erfüllt werden müssen, sollen wir etwas vorwärts kommen auf
dem Gebiete des Gesanges. Die deutsche Musik ist wahrlich
jedem Zweige des Wissens ebenbürtig, ja noch mehr als das, sie
hat es verdient, daß ihr der alte Ehrenplatz an der Schule, den
sie Jahrhunderte hindurch besaß, wieder eingeräumt werde.
Darum bedarf der erwähnte Erlaß noch der Ergänzung, daß
die Befähigung zum Unterricht im Gesange als volle Fakultas im
Zeugnis angerechnet und dadurch die Leistung des Gesanglehrers
nicht als eine technische, sondern als eine ästhetische und geistige
charakterisiert wird. Erst dann wird sich eine größere Anzahl
von Freiwilligen aus dem Oberlehrerstande einfinden.

Hamm i. W.   H. Eickhoff.

ZWEITE ABTEILUNG.

LITERARISCHE BERICHTE.

Max Frischeisen-Köhler, Moderne Philosophie. Ein Lesebuch zur Einführung in ihre Standpunkte und Probleme. Stuttgart 1907, F. Enke. 412 S. gr. 8. 9,60 ℳ.

Dieses Rudolf Lehmann gewidmete Buch gibt eine Einführung in die Probleme der modernen Philosophie, indem es die führenden Denker selbst in charakteristischen Auszügen zu Worte kommen läßt. Der Leser soll die verschiedenen Standpunkte kennen lernen und zu eigener Stellungnahme veranlaßt werden: darum stehen die großen Streitfragen im Vordergrunde. Es werden nacheinander die Probleme der Erkenntnistheorie und Logik, der Naturphilosophie, der „Geistesphilosophie" (Psychologie und Historizismus), der Ästhetik und der „Praktischen Philosophie" (Determinismus und Begriff der Pädagogik) in ihren Lösungsversuchen vorgeführt; in den sehr ausführlichen Anmerkungen am Schluß des Bandes (S. 343—402) werden kritische Literaturnachweise und wertvolle Ergänzungen geboten, in denen sich der Verfasser als selbständiger Forscher in der Richtung Diltheyscher Gedankengänge erweist. Denselben Eindruck gewinnt man aus der durchdachten, vornehm gehaltenen und doch nicht ohne Wärme geschriebenen Einleitung (S. 5—48): sie läßt bei völliger Selbständigkeit der Beweisführung im einzelnen die Schule des Berliner Philosophen durchfühlen. Es wird hier mit Geschick die Anordnung nach strittigen Fragen gerechtfertigt: diese solle nicht zur alles negierenden Skepsis führen; es finde ohne Zweifel ein dauernder Fortschritt zu einheitlicher Erkenntnis in der Philosophie statt, so gut wie in den positiven Wissenschaften: gerade die methodische Untersuchung an Einzelfragen fördere ihn; über manches freilich werde man niemals einig werden, und zwar gerade über die letzten und allumfassenden Überzeugungen und Weltinterpretationen: vielleicht lasse das Weltproblem mehrere gleichberechtigte, aber einander entgegengesetzte Lösungen zu.

Die Auswahl verdient die höchste Anerkennung; wer selbst versucht hat, mit der modernen Entwickelung Fühlung zu be-

halten, merkt bald zu seiner Freude: es sind in der Tat immer
die bedeutendsten Denker der Gegenwart an der Stelle herangezogen, wo sie Entscheidendes zu sagen haben oder doch ältere
Ansichten geschlossen zusammenfassen. So ist mit vollem Recht
— um nur einiges anzuführen — Mach als Repräsentant des
sensualistischen Monismus, Natorp als Führer der Marburger
Schule des Kritizismus eingeführt; Stumpf ist die Autorität für
die Theorie der Wechselwirkung gegen Ebbinghaus, der in
seinen Grundzügen der Psychologie den Parallelismus mit Prägnanz
verteidigt hat; Ostwald vertritt die Energetik gegen Wundt;
Dilthey verteidigt gegenüber der physiologischen Psychologie
Münsterbergs seine „beschreibende und zergliedernde" Psychologie; in den geschichtsphilosophischen Fragen stehen sich
Nietzsche in einem seiner glänzendsten Essays: Vom Nutzen
und Nachteil der Historie für das Leben (Unzeitgemäße Betrachtungen, Zweites Stück) und Troeltsch (Die Absolutheit des
Christentums und die Religionsgeschichte) gegenüber, wozu die
scharfe Charakterisierung des Windelband-Rickertschen Standpunkts
im Verhältnis von Naturwissenschaft und Geschichte und des
Herausgebers eigene Begründung der Geschichte als Geisteswissen-
schaft eine lehrreiche Ergänzung bieten. Eigens für dieses Buch
hat Konrad Lange einen übersichtlichen und seine früheren Darlegungen etwas modifizierenden Abriß seiner Illusionstheorie geschrieben, der nun mit Lipps' Theorie der Einfühlung kontrastiert;
in der Wertung der Pädagogik als Wissenschaft oder Kunst wetteifern miteinander die Auffassungen von Rein (und Dilthey) und
Lehmann. Eine einzige Ausstellung möchte ich machen. William
James als Vertreter des Indeterminismus erscheint mir nicht
glücklich gewählt zu sein; ich gestehe, sein Hauptwerk „Principles
of psychology" nicht zu kennen, nur seine ins Deutsche übersetzten und von Paulsen eingeleiteten Essays (Der Wille zum
Glauben), aus denen auch das Bruchstück in unserem Werk genommen ist. Sie sind mehr unterhaltend als streng wissenschaftlich, dem Geschmacke des englischen, allgemein interessierten,
aber nicht gelehrte Erörterung liebenden Publikums angepaßt;
gerade auch das herausgehobene Stück zeigt die typischen Züge
der Popularphilosophie: redselige Breite, viel „Drum und Dran",
Abschweifungen, Wiederholungen, Rhetorik und Bilder statt kurzer,
sicherer Fassung der Begriffe. Jedenfalls sticht diese Art von dem
festen Gefüge der übrigen Abschnitte und auch von der zwar
etwas weitläufigen, aber ungemein klaren Diktion Paulsens, der
ihm als Verfechter des Determinismus gegenübergestellt ist, sehr
unvorteilhaft ab. — Vermissen wird der einzelne natürlich manches,
was ihm am Herzen liegt. Es wird bei solcher Auswahl viel
Raum für subjektive Wünsche bleiben. Nach meinem Dafürhalten
hätte Eduard von Hartmann mehr Berücksichtigung verdient;
in den Anmerkungen sind Stücke aus seiner „Weltanschauung der

modernen Physik" und dem „Problem des Lebens" ausgehoben; gewiß mit Recht, obwohl beide Werke wesentlich nur über die Arbeiten anderer kritisch referieren, natürlich mit festem eigenen Standpunkt. Ich glaube, daß sowohl die Kategorienlehre, wie die Religion des Geistes hätten herangezogen werden können; wie denn überhaupt die Religionsphilosophie zu kurz gekommen ist, so gut wie die Soziologie. Doch ich weiß sehr gut, daß bei einer solchen Zusammenstellung nicht nur der rein objektive Maßstab gilt, sondern viel von Autoren, Verlegern und der Umfangs- und Preisbestimmung abhängt, und ich glaube, der Leser hat alle Ursache, für das Gebotene dankbar zu sein.

Es wäre nun vermessen, wollte sich ein Rezensent aus dem Lehrerkreise, der eben nur philosophische Interessen hat, jenen hochbedeutenden Männern gegenüber als sachlichen Kritiker aufspielen; es kann auch niemand interessieren, auf welche Seite im Einzelfalle ich mich zu stellen geneigt bin. Nur das eine darf ich sagen: Wer dies Buch mit Liebe und in ernstlicher Vertiefung durcharbeitet, wird dauernden Gewinn davon haben. Er wird sich auch nicht mit diesen Bruchstücken begnügen wollen, sondern sicherlich an einer Reihe von Stellen sich veranlaßt sehen, zu den ausführlichen Werken selbst zu greifen, — und eben das ist eine der Absichten des Herausgebers. Insbesondere kann dem Lehrer des Deutschen in Prima nur dringend geraten werden, sich eingehend mit dem Werke und den hier zur Diskussion gestellten Problemen zu beschäftigen: sein Unterricht wird reife Früchte davon tragen. Nicht zunächst und überall so, daß unmittelbar die einander widerstreitenden Theorien den Schülern geboten werden sollen: da ließe sich sonst bald das böse Wort zitieren von dem „kurzen Gedärm" derer, die gestern erst lernten, was sie heut schon lehren (obwohl bei einer guten Klasse recht wohl die Freiheit oder Unfreiheit des Willens, die Wertung der Geschichte, der ästhetische Genuß und die psychologischen Fragen genau nach dem Buche besprochen werden können); — sondern mehr in dem Sinne, daß durch gegenseitiges Abwägen der Argumente und die intensive Denkarbeit, die nötig ist, um zu einer Entscheidung in so viel Fragen zu kommen, die eigene philosophische Erkenntnis und Reife wächst und dadurch der ganze Unterricht auf eine Höhe gehoben wird, die den angehenden Studenten die Möglichkeit der Umschau und Orientierung bietet und ihnen später das Verständnis der modernen Richtungen erleichtert, wie überhaupt das Philosophieren nahelegt. Wer Deutsch in Prima unterrichten will, hat meines Erachtens die Pflicht, solche Hilfsmittel zu studieren, und das Buch gehört darum unbedingt in jede Lehrerbibliothek, um so mehr, da die vollständigen neueren Werke darin zu fehlen pflegen. Aber ich gehe weiter und empfehle es sogar aus voller Überzeugung für die Primanerbibliothek: ein reifer Schüler, dessen philosophisches Interesse geweckt ist —

und einige davon sind in jeder Prima —, kann durchaus alles verstehen, zumal wenn der Lehrer, wie er soll, sich um die Privatlektüre kümmert und ihm dies und jenes zu erklären bereit ist, — mit einziger Ausnahme vielleicht der erkenntnistheoretischen Abschnitte. Das meiste liest sich leichter, als die ästhetischen Abhandlungen Schillers, deren Verständnis doch allen Schülern ohne weiteres zugemutet wird. Doch mögen über die Aufnahme in die Schülerbibliothek immerhin die Meinungen auseinandergehen: für den Lehrer selbst bleibt der Wert des Buches unbestreitbar.

Berlin. A. Reimann.

Festgabe zum 100jährigen Jubiläum des Schottengymnasiums, gewidmet von ehemaligen Schottenschülern. Wien 1907, Wilhelm Braumüller. II u. 410 S. 4. 10 *M*.

Das Schottengymnasium in Wien, welches durch einen Erlaß des Kaisers Franz I. im Jahre 1807 an Stelle des aufgehobenen Gymnasiums zu St. Anna ins Leben gerufen ist, hat seinen Namen dem Umstande zu verdanken, daß es in engster geistiger und materieller Verbindung steht mit dem Jahrhunderte alten Wiener Schottenstift, einer Benediktinerabtei, aus deren Mitteln zum großen Teil die Kosten der Anstalt bestritten werden und deren Mönche fast ausschließlich den Unterricht erteilt haben und noch erteilen. Die Tüchtigkeit dieser Mönche auf wissenschaftlichem und pädagogischem Gebiete hat dem Schottengymnasium schnell und zugleich dauernd die Sympathie der gebildeten Kreise von Wien und Niederösterreich gewonnen und das Schottengymnasium zu einer der besuchtesten Mittelschulen Österreichs gemacht. Alle Bevölkerungsschichten haben ihre Knaben und Jünglinge dorthin zur Vorbildung für höhere Berufe gesendet; wenn man aber nach dem Verzeichnis der Mitarbeiter an dieser Festgabe urteilen darf, so scheint besonders stark der österreichische Adel unter den Zöglingen der Anstalt vertreten gewesen zu sein, denn unter den 44 Verfassern der Beiträge befinden sich 13 Mitglieder dieses Standes; sie machen also fast ein Drittel aus. Einige der Mitarbeiter sind auch bei uns wohlbekannte Persönlichkeiten, z. B. der Historiker Heinrich Friedjung, der Berliner Strafrechtslehrer Franz von Liszt und der Politiker Prinz Alois von Liechtenstein.

Der Inhalt der Festgabe ist ein aufserordentlich mannigfaltiger. Das erklärt sich daraus, daß Männer der allerverschiedensten Lebensstellungen Beiträge geliefert haben. Neben Arbeiten, die ganz feuilletonistischen Charakter tragen, stehen andere von streng wissenschaftlicher Art. Und diese entnehmen ihren Stoff den verschiedenartigsten Gebieten. Historische, archäologische, philologische im engeren und weiteren Sinne, literaturgeschichtliche, pädagogische, juristische, medizinische Abhandlungen wechseln mit solchen, die alte Erinnerungen an die Schulzeit und die Lehrer

wieder wachrufen und in schöner, pietätvoller, oft durch einen
feinen Humor gewürzter Weise von all dem Guten sprechen, was
die alten Schottenschüler ihrem Gymnasium und den Männern
verdanken, die dort ihre Jugend geleitet haben. Auf einzelne Abhandlungen und ihren Inhalt möchte ich an dieser Stelle nicht
eingehen; nur auf zwei Punkte soll noch besonders hingewiesen
werden. Einmal nämlich ist bemerkenswert, daß auch der berühmte österreichische Dichter Robert Hamerling oder, wie er
eigentlich hieß, Rupert Hammerling ein alter Schottenschüler war,
und daß die Tagebuchaufzeichnungen, welche er in seiner Schulzeit gemacht hat, in dieser Festschrift veröffentlicht sind. Zweitens
aber finden wir hier einen längeren Aufsatz des österreichischen
Landesschulinspektors — nach unserm Sprachgebrauch: Provinzial-
schulrates — Dr. A. Scheindler mit dem Titel „Pro Gymnasio“,
der zeigt, daß dieselben Angriffe, welche bei uns im Deutschen
Reiche auf das Gymnasium gemacht werden, auch in Österreich
eine Rolle spielen, der aber auch beweist, daß es dort wie bei
uns Männer gibt, die diese Angriffe mit überlegener Sachkenntnis
abzuwehren verstehen. Ich halte diesen Aufsatz für das bedeutendste Stück der ganzen Festschrift. Einen besonderen Reiz
erhält das Buch noch durch Zeichnungen des Malers Maximilian
Liebenwein, der auch ein alter Schottenschüler ist und in einem
humorvollen Schlußworte zeigt, daß er mit gleicher Gewandtheit
wie den Zeichenstift auch die Feder zu führen versteht. Alles
in allem ist diese Festgabe ein schönes Zeugnis sowohl für die
Tüchtigkeit der Lehrer des Schottengymnasiums wie für die Gesinnung ihrer früheren Zöglinge, die noch nach so langen Jahren
mit dankbarer Verehrung an ihren ehemaligen Erziehern und der
Stätte hängen, der sie die Grundlage ihrer Bildung verdanken.

Halle a. S.   O. Genest.

_____

1) W. Rein, Deutsche Schulerziehung, in Verbindung mit hervorragenden Fachmännern herausgegeben. Erster Band. München 1907,
J. F. Lehmanns Verlag. XIII u. 266 S. 8. 4,50 ℳ.

Es liegt hier der erste Band eines sehr bedeutungsvollen
Werkes vor, welches allen denen willkommen sein wird, die auf
das Wohl und auf eine gesunde Entwickelung unseres Volkes bedacht sind. Für diese alle gilt es, nicht allein für die Gegenwart
zu sorgen, sondern auch für die Zukunft. Und dies kann man
nur dadurch, daß man auf die Jugend einwirkt, die doch die Zukunft des Volkes darstellt. Der hochverdiente Herausgeber hat
nun in diesem Bande, dem bald ein zweiter folgen soll, eine Anzahl von gediegenen Aufsätzen zusammengefaßt, welche alle darin
gipfeln, daß sie zeigen wollen, „was die Schule zur Weckung und
Stählung des vaterländischen Sinnes im Dienste der volkstümlichen
Kultur, die ein Teil der Menschheitsentwickelung ist, tun kann
und tun soll“. Doch wir müssen einen Überblick über den In-

halt des Bandes geben, damit man weiß, was man von ihm
zu erwarten hat. Nach einer Einleitung des Herausgebers folgt
ein Aufsatz „Zur Organisation des Knabenschulwesens" von dem-
selben. — „Zur Organisation des Mädchenschulwesens" von Dr.
Gertrud Bäumer. — „Religionsunterricht" von Thrändorf. —
„Ethische Jugendlehre" von Fr. W. Förster. — „Philosophische
Propädeutik" von P. Ziertmann. — „Geschichtsunterricht" von
H. Landmann und F. Neubauer. — „Heimatkunde und Heimat-
leben" von E. Scholz. — „Zeichnen und Modellieren" von C. Götze.
— „Handarbeitsunterricht" von Pabst. — „Die deutsche bildende
Kunst in unseren Schulen" von C. Schubert. — „Gesang" von
Andreae. — „Die körperliche Schulerziehung in Deutschland" von
v. Vogl. — Man sieht: eine ganze Reihe von Fragen wird aufgeworfen und behandelt, die im Mittelpunkt des Interesses stehen,
die so recht auf die nationale Seite unserer ganzen Erziehung ab-
zielen; denn dies ist ja der Zweck, den der Herausgeber mit
seinem Werke verfolgt, im Sinne des Wortes des großen Moltke,
welches er als Sinnspruch vorangestellt hat: „Die Stärke Deutschlands beruht auf der Homogenität seiner Bewohner; und diese
wahre Homogenität kann nicht durch äußere Dinge hervorgebracht
werden; sie muß durch die Gemeinschaft der geistigen und sittlichen Grundlagen, durch die Volksbildung erzeugt werden".

In der Einleitung zieht W. Rein Grundlinien für das, was
erstrebt werden soll. Er weist auf die mannigfachen Bestrebungen
hin, die darauf hinzielen, unsere Volkskraft gesund zu erhalten.
So suche man das Wohnungselend zu verringern, man kämpfe
gegen die ungesunde Geschäftsspekulation, man trage Fürsorge
zur Verhütung des jugendlichen Verbrechertums u. a. Auch die
Schulerziehung wolle sich in Reih' und Glied stellen mit allen
denen, die das Höchste und Beste von unserem Volke erwarten
und fordern. Dazu müßten die Schulen eben nicht reine Lern-
schulen sein, sondern auch die Bildung des Willens erstreben.
Nicht nur das Geräusch der Worte solle erklingen, sondern „Spiel-
plätze, Werkstätten und Schulgärten sollen Zeugnis ablegen von
frischem Tun". Dazu brauche man freilich nicht allein Lehrer,
sondern auch Erzieher. So solle in echt nationalem Geiste in
der Schule gewirkt und erzogen werden. Das Buch solle Eltern
und Erzieher anregen, „immer tiefer in die deutsche Vergangenheit und in deutsches Wesen hineinzublicken, Volkstum und Volks-
kunst, Heldentum und Dichtung, Philosophie und Religion in ihrer
Bedeutung für unsere Erziehung und für die Aufgaben des Tages
immer klarer erkennen und immer wärmer erfassen zu lernen".
In diesem Sinne soll das Buch wirken. Auch einige Stimmen
aus dem Auslande will der Herausgeber uns hören lassen, damit
wir erkennen sollen, wie andere Nationen auf eine vaterländische
Erziehung hinzuwirken bemüht sind und damit wir auch daraus
lernen können.

Die beiden ersten Aufsätze stellen Gesichtspunkte auf für das Knaben- und Mädchenschulwesen. Im ersteren betrachtet Rein das Erziehungsschulwesen und das Fachschulwesen. Er wünscht einen einheitlichen Aufbau unseres Schulwesens, einen gemeinsamen Unterbau für die höheren Schulen; nach einem dreijährigen Elementarunterricht soll ein für Gymnasien und Realschulen gemeinsamer dreijähriger Unterbau folgen, darauf ein sechsjähriges Gymnasium, Realgymnasium und Oberrealschule. Dann folge das Studium oder die sonstige Berufsausbildung. — In ähnlicher Weise behandelt der zweite Aufsatz das Mädchenschulwesen. Dasselbe solle sich dem im ersten Abschnitt des Buches dargestellten einheitlichen Aufbau des Knabenschulwesens eingliedern, was nach den Vorschlägen der Verfasserin auch sehr wohl angehen würde. Auch hier nämlich solle ein sechs- bis siebenjähriger Unterbau vorausgehen, darauf solle ein drei- bis vierjähriger Aufbau folgen. Dem Oberbau in den Knabenschulen müßte ein ebensolcher in den Mädchenschulen entsprechen, andrerseits müsse sich eine neue höhere Frauenschule angliedern. — Es ist nicht zweifelhaft, daß die hier gemachten Vorschläge zu einer Einheitlichkeit unseres Schulwesens führen könnten. Ob sie jemals zur Verwirklichung kommen werden? — Wir können natürlich auf die folgenden, den Innenbetrieb der Schule behandelnden Aufsätze nicht genauer eingehen; das würde viel zu weit führen. Wir machen nur darauf aufmerksam, daß sie sämtlich in dem Sinn und Geist geschrieben sind, den wir am Eingange als den Grundzug des Herausgebers bezeichnet haben. Das Buch wird von allen Fachgenossen mit großem Nutzen gelesen werden, aber wir wünschten es auch in den Händen der Eltern, für die, wie wir sehen, W. Rein es ganz besonders bestimmt hat. Sie würden durch die Lektüre desselben einen tieferen Einblick in das bekommen, was unsere deutsche nationale Schule eigentlich will und soll. Dann könnte es erreicht werden, daß Schule und Haus miteinander arbeiten an der nationalen Erziehung unserer Jugend.

2) **Julius Ziehen, Aus der Werkstatt der Schule.** Studien über den inneren Organismus des höheren Schulwesens. Leipzig 1907, Quelle u. Meyer. VI u. 207 S. 8. 4 ℳ.

Aus dem reichen Schatze seines Geistes und seiner Erfahrungen bietet uns der bekannte Pädagoge hier eine Reihe von 25 Aufsätzen, welche einen tieferen Einblick in den Organismus und den Betrieb der höheren Schulen gewähren. Diese Aufsätze waren schon in früheren Jahren entstanden und an verschiedenen Stellen veröffentlicht worden. Sie wollen, wie der Verf. sagt, „nur zur Nachprüfung einzelner Teile unserer Lehraufgaben und unseres Lehrverfahrens anregen, nicht aber eine abschließende Darstellung gewisser Unterrichtsgebiete und ihrer Methodik geben". — Der erste Aufsatz handelt „Über ein künftiges deutsches Reichsschulmuseum". Wir kennen den Verfasser als den Urheber des Gedankens an ein solches. In fünf Leitsätzen bringt er hier seine Gründe zur Schaffung eines solchen zum Ausdruck. Daß dessen Errichtung „auf die Einheitlichkeit der Entwickelung unseres gesamten Schulwesens einen günstigen Einfluß ausüben würde", glauben wir gern. Wenn man damit Ernst machen wollte, so würden sich die Ortsfrage und andere damit zusammenhängenden Fragen wohl lösen lassen. Der zweite Aufsatz behandelt „Die Universität und die Umgestaltung des höheren Unterrichts" und stammt aus dem Jahre 1902. Verf. weist darin nach, wie die Universitäten infolge der in Preußen im Jahre 1901 erfolgten neueren Regelung des höheren Schulwesens (vor allem infolge der Gleichberechtigung der drei Arten von höheren Lehranstalten) gewisse Umwandlungen und Änderungen erfahren müßten, obgleich natürlich aus der Ungleichmäßigkeit des Schülermaterials die Universitätsprofessoren nicht etwa eine Ungleichmäßigkeit ihrer Anforderungen in den Vorlesungen, Übungen oder Prüfungen herleiten dürften. Martin von Schanz und Wilhelm Schrader hätten jene Idee der Gleichberechtigung abgelehnt. Gegen beide wendet sich Ziehen, dessen Standpunkt in dieser Frage ja bekannt ist. Im dritten erscheint „Ein Beitrag aus Belgien zur Lehre vom inneren Organismus unserer höheren Schulen". Gemeint ist der bekannte belgische Schulmann F. Collard in seiner Schrift Méthodologie de l'enseignement moyen. Méthodologie générale. Méthodologie spéciale: Langue maternelle, Latin, Grec, Langues vivantes, Histoire et Géographie. Hier bekommen wir interessante Aufschlüsse über das belgische und französische Schulwesen, die auch für uns sehr lehrreich sind. Übrigens hat Collard auch in Deutschland Erfahrungen gemacht und diese hier verwertet. Auf mannigfachen Gebieten können wir von ihm lernen, so z. B. hinsichtlich des Inhalts der grammatischen Beispiele: durchweg dringt er auf eine Vereinigung der sachlichen mit der sprachlichen Belehrung. — Die Aufsätze 4—10 behandeln den sog. Frankfurter Lehrplan, an dem bekanntlich der Verf. unseres Buches lebhaften Anteil nimmt. Sie haben nacheinander zum Inhalt: 4. Die Weiterentwickelung des Frankfurter Lehrplans. 5. Die lateinlose höhere Schule und der Frankfurter Lehrplan. 6. Die Mitarbeit der Vorschule am Frankfurter Lehrplan. 7. Der französische Anfangsunterricht und der Frankfurter Lehrplan. 8. Zur Weiterführung des Französischen in den Mittelklassen des Gymnasiums mit Frankfurter Lehrplan. 9. Das Verhältnis des Realgymnasiums zum Gymnasium in den Mittelklassen (Tertia) nach dem Frankfurter Lehrplan und 10. Die Gestaltung des lateinischen Unterrichts im Oberbau des Realgymnasiums nach dem Frankfurter Lehrplan. Sie stammen aus den Jahren 1895 bis 1899 und gewähren einen genaueren Einblick in den Lehrgang des nach Frankfurter System gestalteten Reformgymnasiums, auf

den wir hier im einzelnen nicht eingehen können. Verf. ist überzeugt, daß die Frankfurter Lehrpläne bei richtiger Durchführung
„bei den Schülern eine geschicktere und raschere Auffassung des
Satzganzen erzielen können, was wohl am meisten durch die
frühzeitige Auffassung der gesprochenen Fremdsprache veranlaßt
ist". Ob diese Erfahrungen durchweg gemacht werden, bleibt
vielleicht zunächst noch dahingestellt. Jedenfalls empfehlen wir
die Lektüre dieser einschlägigen Aufsätze Ziehens jedem, der sich
über die Frankfurter Lehrpläne genauer unterrichten will. — Die
folgenden drei Ausführungen betreffen die deutsche Lektüre:
11. Über den Lehrmittelapparat zum deutschen Lesebuch. 12. Die
deutsche vaterländisch—politische Dichtung und ihre Verwertung
für die Schule. 13. Über bildliches Anschauungsmaterial zu den
Dichtern der Freiheitskriege. Alle drei dienen sehr der Förderung
der bezeichneten Lektürestoffe. — Die vier folgenden handeln
von dem neusprachlichen Unterricht: 14. Über neuphilologische
Gesellschaftsreisen. 15. Das französische Präparationsheft in den
Oberklassen. 16. Über die Behandlung der Realien im französischen Unterricht. 17. Zum Realienplan englischer Sprechübungen
in den drei Oberklassen des Realgymnasiums. Da handelt es sich
um eine möglichst praktische Gestaltung des neusprachlichen
Unterrichts. In 15 verteidigt er das französische Präparationsheft
in den oberen Klassen und gibt an, wie er es geführt wissen
will, damit es seinen Zweck erfüllt. — Die nächsten sieben Aufsätze beziehen sich auf den geschichtlichen und erdkundlichen Unterricht: 18. Das System der Lehrbücher und Hilfsmittel für den
Geschichtsunterricht. 19. Zur Behandlung der Kriegsgeschichte
im Geschichtsunterricht. 20. Der altgeschichtliche Anfangsunterricht bei lateinlosen Gymnasialschülern. 21. Archäologie und Geschichtsunterricht. 22. Auch ein Hilfsmittel für den Unterricht
(gemeint sind hier Reisehandbücher, so Meyers Führer durch das
Mittelmeer und seine Küstenländer). 23. Das System der Lehrmittel für den erdkundlichen Unterricht. 24. Über kolonial-
wissenschaftliche Belehrung auf unseren höheren Schulen. —
Auch die in diesen Aufsätzen erörterten Fragen sind durchaus
zeitgemäß. Ebenso der letzte, 25. Zur Schulung des Auges und
zur Erweckung des Kunstsinns im Zeichenunterricht. Bekanntlich
hat der Zeichenunterricht neuerdings eine ganz andere Gestalt
angenommen, als er früher hatte. Jetzt gilt es Schulung des
Auges und der Hand. Wie dieselbe zu erreichen sei, zeigt Verf.
in seinen Ausführungen.

Man wird mir vielleicht entgegenhalten: diese Anzeige
skizziert doch nur ganz kurz den Inhalt des Buches. Gewiß,
aber das erschien mir eben in erster Linie notwendig. Auf eine
genauere Besprechung konnten wir uns bei seinem großen Reichtum nicht einlassen. Wir können auf denselben nur hinweisen.
Die Lektüre des Buches wird für jeden von großem Nutzen sein,

für Lehrer und Nichtlehrer. Die ersteren erhalten eine Übersicht über manche wichtigen Punkte namentlich in den Reformschulen, die ganz besonders in dem Verfasser einen eifrigen und sachkundigen Vertreter und Verteidiger gefunden haben, die letzteren werden sich sicherlich mit Interesse in so wichtige Unterrichtsfragen vertiefen.

3) G. Hauber, Die Hohe Karlsschule. (Heft 9 des Werkes: Herzog Karl Eugen von Württemberg und seine Zeit. Herausgegeben vom Württembergischen Geschichts- und Altertums-Verein. Mit zahlreichen Kunstbeilagen und Textabbildungen.) Heft 9 mit 37 Abbildungen im Text, 5 Tafeln, einer Doppeltafel und einer Tafel mit 2 Unterrichtsplänen. Eßlingen 1907, Paul Neff Verlag (Max Schreiber). 116 S. gr. 8. 2 ℳ.

Es ist ein für das Königreich Württemberg sehr verdienstvolles Werk, von dem uns hier ein Heft vorliegt. Und der Inhalt dieses Heftes hat nicht allein für die engere Heimat des Werkes Interesse und Bedeutung, sondern für unser ganzes deutsches Vaterland, weil es die Verhältnisse und Einrichtungen schildert, in denen Schiller eine Anzahl von Jahren gelebt und sich wissenschaftlich ausgebildet hat.

Ein eigenartiger Fürst war es, dessen Zeit und Wirksamkeit in diesem auf streng geschichtlichen Grundlagen ruhenden Werke dargestellt ist. Aus seinem innersten Wesen ging die Schule hervor, welche mit Recht als seine große Schöpfung bezeichnet wird. Sie war mit seiner Person aufs engste verknüpft und ist mit seinem Tode erloschen. Ihr Name ist mit jenem Fürsten für alle Zeit aufs engste verbunden.

Die Schule hat in ihrem etwa 24 jährigen Bestehen mancherlei Wandlungen durchgemacht. Sie begann im Februar 1770 mit der Ausbildung von Knaben im Alter von 12 bis 15 Jahren für die Gärtnerei und das Baugewerbe. Aber sie nahm dann späterhin einen mächtigen Aufschwung, sie wurde zu einer Art Universität. Das interessante Heft bietet nun eine auf gründlichstem Quellenstudium beruhende Geschichte der Anstalt von ihren ersten Anfängen an. Wir bekommen ein anschauliches Bild von ihrer äußeren Entwickelung und von ihrem inneren Werdegang. Wir erhalten einen Einblick in die Art, in welcher die einzelnen Wissenschaften gelehrt wurden; in den gesamten Unterrichtsplan (für die Jahre 1778 und 1782 finden wir ihn vollständig abgedruckt). Aber neben dem sachlichen tritt das persönliche Moment deutlich hervor: die (zum Teil nicht unbedeutenden) Männer, welche an der Hohen Karlsschule gewirkt haben (mehreren hat ja auch Schiller ein dankbares Andenken bewahrt), werden in ihrem Wirken geschildert und uns durch Abbildungen veranschaulicht. Überhaupt sind die Abbildungen eine sehr willkommene Beigabe, so die großen auf die Gründung und Geschichte der Anstalt bezüglichen Tafeln, die Preismedaillen u. a. — Ein inter-

essantes Stück Schulgeschichte liegt vor uns. Wenn die Anstalt
auch mancherlei Mängel hatte — sie lassen sich aus den Anschauungen der damaligen Zeit sehr wohl erklären und lagen in
den Verhältnissen und der Eigenart der Personen —, so hat sie
doch unleugbar auch große Verdienste gehabt. In diesem Sinne
begrüßen wir das Erscheinen des interessanten Heftes und
empfehlen seine Lektüre den Fachgenossen, aber nicht nur diesen
allein, sondern der ganzen gebildeten Welt.

    Köslin.   ——————   R. Jonas.

1) A. Reukauf und E. Heyn, Evangelisches Religionsbuch. Teil I
—III. Teil I mit einer Karte von Palästina. Zweite durchgesehene
Auflage, viertes bis sechstes Tausend. Leipzig 1907, Ernst Wunder-
lich. V u. 110, IV u. 95, V u. 138 S. 8. geb. Teil I u. II je 0,60 ℳ,
Teil III 0,80 ℳ.

Teil I enthält biblische Geschichten für die Mittelstufe ge-
gliederter Schulen aus dem Alten und Neuen Testament. Die
beiden andern Teile sollen als biblisches Lesebuch für die Oberstufe dienen. Die Einteilung ist übersichtlich, Sprache und Satzbau einfach und klar, die einzelnen Gedanken sind durch treffende
Überschriften deutlich hervorgehoben. Die historischen Rückblicke
und die Bibelkunde des Alten (Teil II) und Neuen (Teil III) Testaments zeigen, daß es den Verfassern Ernst ist, die gesicherten
Ergebnisse der Forschung auch der Schule zugänglich zu machen.
Teil I schließt mit den beiden ersten Hauptstücken, die beiden
andern Teile mit einer Zeittafel.

2) E. Heyn, Kirchengeschichte in 2 Bänden. Leipzig 1906 und 1908,
Ernst Wunderlich. XII u. 248, XVI u. 448 S. 8. geb. Teil I
3,80 ℳ, Teil II 5,60 ℳ.
3) A. Reukauf und E. Heyn, Lesebuch zur Kirchengeschichte für
höhere Schulen. Leipzig 1908, Ernst Wunderlich. VIII u. 340 S.
8. geb. 2 ℳ.

Beide Bücher, Kirchengeschichte und das Lesebuch, gehören
zusammen, indem jene als Kommentar zu diesem dient. Die
Verfasser stehen auf dem Standpunkte, daß den Mittelpunkt des
kirchengeschichtlichen Unterrichts im allgemeinen die Quellen
bilden müssen. Durch die geschickte Auswahl in den Quellen-
stücken und die dazu in der Kirchengeschichte gegebenen Erklärungen haben sie in der Tat diese Lehrmethode sehr verlockend gemacht. Schon die Einteilung (Märtyrerkirche, Reichs-
kirche, Papstkirche, Reformationskirchen, Evangelische Kirche)
scheint mir recht glücklich. Durch die Überschriften und eine
kurze Disposition ist der Hauptinhalt der einzelnen Quellenstücke
deutlich hervorgehoben. Meisterhaft hat es Heyn in der Kirchengeschichte verstanden, einen hohen Grad von Anschaulichkeit zu
erzielen. Man vergleiche z. B. in Teil I die treffliche Darstellung
der Reise des Ignatius von Antiochien nach Rom (S. 12—14),

des Theaters in der römischen Kaiserzeit (S. 36—37), des Konzils
zu Konstanz (232—233), in Teil II den Abschnitt über den Ablaß
(27—30), das Leipziger Religionsgespräch (51—55), den Reichstag
zu Worms (75—79), das Leben Livingstones (412—417). Daß
die Verfasser den reichen Stoff völlig beherrschen und ihn innerlich verarbeitet haben, zeigt besonders der Rückblick im Lesebuch
(283—334) — in Teil I der Kirchengeschichte finden sich dieselben Ausführungen im Anschluß an die oben angegebenen
Hauptabschnitte —, wo in gedrängtester Weise die Entwickelung
des Christentums unter Hervorhebung der treibenden Faktoren
vor Augen geführt wird. Mit sicheren, festen Strichen ist hier
z. B. das Bild von der Festsetzung des Christentums als Kirche
und der Entwickelung der Lehre über die Gottheit Christi vom
Johannes-Evangelium bis zum Nicänischen Symbol gezeichnet.
Dieselbe philosophische Betrachtungsweise tritt in der tiefen Auffassung des Reformationsgedankens (vgl. K. I 208—209, 234 und
II 24) sowie in einzelnen feinen Bemerkungen hervor, wie z. B.
über das Rätselhafte des Genies (I 102), die transzendenten Fragen
des Ostens und die praktischen des Westens (I 129), über Feuer-
bestattung (I 174), das Eintreten großer Erneuerungen (II 6), die
Ähnlichkeit unserer Zeit mit der Zeit vor der Reformation (II 7),
das Wesen der großen Führer der Menschheit (II 251), die „Reduktion" als Hauptarbeit des Denkens über die Religion (II 362),
die Einheit des Seelenlebens (II 374) usw. Durchdrungen von
dieser Überzeugung, daß Religion eine zentrale Funktion des gesamten menschlichen Geisteslebens ist, haben die Verfasser die
Kirchengeschichte in innigste Verbindung mit den andern Geistesrichtungen gebracht. Darum erfahren unsere großen National-
dichter ebenso wie der Philosoph Kant die ihnen gebührende
Würdigung, und 10 Abschnitte im Quellenbuche (S. 209—247)
lassen Kant, Lessing, Schiller, Herder, Schleiermacher, Goethe zu
Worte kommen. Mit vollem Rechte nehmen Schleiermachers
Reden einen breiten Raum ein, und seine weitreichende Bedeutung für die Entwickelung der neueren Theologie, besonders
auch seine Stellung zu Herder und Kant, wird in lichtvoller Weise
dargestellt. Den Schluß des eigentlichen Quellenbuches, an das
sich der oben genannte Rückblick und eine Zeittafel anschließt,
bilden Abschnitte aus Paulsens „Ethik" und Harnacks „Wesen
des Christentums". — Sehr wohltuend berührt das Bestreben der
Verfasser, trotz ihres freien Standpunktes — Harnack, Karl Müller,
Hausrath, sowie der Meister der Kirchengeschichte Karl Hase sind
besonders ihre Führer — „nirgends bloße Nachtreter liberaler
Ideen heranzuzüchten, wodurch die alte Unfreiheit nur mit einer
neuen Unfreiheit erkauft würde, sondern willige Sucher nach
evangelischer Wahrheit." Dieses schwierige Problem haben sie
m. E. durchaus richtig angefaßt, und wenn es überhaupt möglich
ist, den kirchengeschichtlichen Unterricht vorwiegend auf Quellen-

lektüre zu gründen, so haben sie den richtigen Weg dazu gewiesen. Dabei wird der Lehrer allerdings der privaten Tätigkeit
der Schüler viel überlassen müssen, die der Kirchengeschichte
ein tieferes Interesse entgegenbringen. Denn so wertvoll es
zweifellos ist, die Quellen selbst reden zu lassen und aus ihnen
den Geist vergangener Zeiten unmittelbar zu vernehmen, so ist
doch der lebendige Vortrag des Lehrers, die Wirkung von Person
auf Person auch nicht zu unterschätzen. Dafür muß also noch
Zeit übrig bleiben. Wie man aber auch darüber denken mag, so
kann man doch getrost behaupten, daß die Verfasser mit be-
wundernswertem Fleiße und tiefem pädagogischen Verständnis
ihre Aufgabe erfaßt, soweit sie lösbar ist, gelöst und sich ein
unbestreitbares Verdienst um die Förderung des Religionsunterrichtes erworben haben. Darum ist dem Werke die weiteste Verbreitung zu wünschen.

Druckfehler: I 3 derentarteten (der entarteten), I 97 Anm.
Philisophie, I 111 der Christentums, im Menschen Jesns, II 363
dem denkstolzen Zeitgenossen (den), II 364 muße (mußte).

Görlitz.   A. Bienwald.

----

1) Willy Scheel, Deutsche Kolonien. Koloniales Lesebuch zur Einführung in die Kenntnis von Deutschlands Kolonien und ihrer Bedeutung für das Mutterland. Berlin 1907, C. A. Schwetschke & Sohn.
   VIII u. 226 S. 8. 2,80 ℳ.

Das Buch soll zusammen mit Scheels Flottenlesebuch: „Deutschlands Seegeltung“ dazu dienen, des Vaterlandes überseeische Interessen dem deutschen Volke und namentlich der deutschen
Jugend nahe zu bringen; denn „wer etwas durchsetzen will, muß
die Jugend gewinnen“. Wenn für die Unterklassen der Lehranstalten ein von der Deutschen Kolonialgesellschaft zusammen-
gestelltes Auswahlheftchen genügt und durch Vorführung von
Abbildungen einige Kolonialkenntnis auch schon unter kleineren
Schülern verbreitet werden kann; wenn für die Mittelstufen ein
Beschreibungen und Schilderungen von Land und Leuten bietendes
Lesebuch am Platze ist, um den erdkundlichen Unterricht zu
unterstützen: so sind Scheels „Deutsche Kolonien“ für den
Zögling der Oberklassen berechnet, dessen Interesse für Kolonisation, und was damit zusammenhängt, geweckt werden soll.
Doch möge, so wünscht der Herausgeber, auch der Student, der
junge Kaufmann und Soldat, dem soziale und handelspolitische
Fragen nicht ganz fern bleiben dürfen, zu dem Buche greifen,
sowie auch die Mitglieder der Fach- und Fortbildungsschulen,
Seminare, Kadettenkorps, Kadettenschulen, der Marineschule, Deck-
offizierschule usw. Bereiten ihm dann auch noch Universitäts-
seminare, Schüler- und Volksbibliotheken bei sich eine Stätte und
wird es nebenher zu Prämien und Geschenken verwendet, so

dürfte sich die Hoffnung erfüllen, die bei der Zusammenstellung der Aufsätze obgewaltet hat. Sie sind so ausgewählt, daß weder streng fachwissenschaftliche Arbeiten noch auch rein populäre Schilderungen Zutritt erhalten haben. Dieser konnte natürlich nur Schriftstellern bewilligt werden, die als Fachleute anerkannt sind. Die benutzten Quellen finden wir hinter dem Inhaltsverzeichnis angegeben. Zur Einführung dient der Dernburgsche Vortrag: „Koloniale Lehrjahre" mit dem schön verwerteten Zitat Offenb. Joh. 3, 11. Und das gibt mir Anlaß zu einer einen anderen Aufsatz des Buches — ich habe sie noch nicht alle durchprüfen können — betreffenden Bemerkung. Soeben hat ein hoher Staatsbeamter nach einer Mitteilung der Tagesblätter seine Freude darüber ausgedrückt, daß in beiden Ländern, Deutschland und England, ein starkes und zunehmendes Verlangen nach wärmeren gegenseitigen Beziehungen herrsche. Das kann natürlich Männer der Fachwissenschaft, die die Entwickelung unserer Kolonialmacht darlegen, nicht abhalten, über die vielen Schwierigkeiten ein offenes Wort zu sagen, die Deutschland auf seinem Wege zum heute erreichten Bestande bereitet worden sind. Aber in einem zunächst oder doch jedenfalls auch für Schülerhand bestimmten Buche empfiehlt es sich, was als Gehässigkeit des Tones ausgelegt werden könnte, zu vermeiden. Daß durch die Abtretung Helgolands nur der deutschen Eitelkeit geschmeichelt wurde, daß Englands Vorschläge unverfroren und naiv waren, daß es großmütig deutsche Ansprüche anerkenne und sein Ränkespiel nie aufgegeben habe, daß man gleisnerische (nicht gleißnerische!) Freundlichkeit zeigte, die Eingeborenen durch Lügen und Drohungen wankelmütig machte, neidisch Schutzlosigkeit der Nebenbuhler benutzte, daß lange angehäufter Vorrat von Groll und Mißgunst die Maske scheinbarer Freundlichkeit „durchbrach": dies und Ähnliches, z. B. der Hinweis auf den bekannten spanischen General, den „Schreier" und „Großsprecher", seine leidige Ordensangelegenheit vom Jahre 1885 und „Papas Puppenspielentscheidung", kann anderswo unbedenklich hingenommen werden, — in ein Schulbuch gehört es nicht. Der Geschichtslehrer hat doch vor den Ohren unreifer Jugend nicht „in Politik zu machen". An einer Stelle rächt es sich immer, wenn man sich auf zwei Stühle setzen will. Im übrigen gibt der Anhang eine durch ihre Kürze für den vorliegenden Zweck angenehm auffallende „Übersicht über den heutigen Stand unserer Kolonien" und ein brauchbares Sachregister, das auch Naturwissenschaftliches berührt. Ein Bild vor dem Titel zeigt das landwirtschaftlich-biologische Institut Amani in den Usambarabergen. So regt das Buch mannigfaltig an; noch reicherer Bilderschmuck würde wohl nicht unwillkommen sein, freilich den (mir nicht bekannten) Preis erhöhen.

2) Deutsche Schulausgaben herausgegeben von ·J. Ziehen. Dresden
(Leipzig, Berlin 1908), Verlag von L. Ehlermann.
  Shakespeares Julius Cäsar von E. Wasserzieher. Band 43.
  95 S. 0,80 ℳ.
  Rückerts Gedichte in Auswahl von H. Schladebach. Band 44.
  128 S. 1 ℳ.
  Bismarcks Reden und Briefe in Auswahl von E. Stutzer. Band 45.
  119 S. 1 ℳ.
  Begleitstoffe zur Betrachtung der deutschen Literatur-
  geschichte des 16.—18. Jahrhunderts. Ausgewählt und ein-
  geleitet von Karl Kinzel. Band 46. 192 S. 1,45 ℳ.
  Sophokles' König Ödipus übersetzt von Martin Wohlrab.
  Band 47. 72 S. 0,60 ℳ.

An brauchbaren Hilfsmitteln für die Lektüre des Julius
Cäsar in der Schule fehlt es nicht. Was für Wasserziehers
Kommentar von vornherein einnimmt, ist der im Vorworte mit
erfreulichem Mute ausgesprochene Grundsatz, daß man in der
Erklärung sich so viel als möglich zu beschränken habe, da nicht
die einzelnen Steine des Gebäudes, wie R. Genée sagt, sondern
dessen Pfeiler und Gewölbe nach ihrem Gesamteindruck zu be-
sichtigen seien. Der Einfachheit des Baues gemäß wird eine
kurz gehaltene Gliederung des Stückes vorgeführt, indem für
weiteres Studium auf Wohlrabs bekannte ästhetische Erklärung
und einige andere Schriften verwiesen wird, die für den Einblick
in die Literatur des Dramas in erster Linie heranzuziehen sich
empfiehlt. Wer sie nicht zur Hand hat, wird sich auch schon
durch Wasserziehers Darlegungen über den Gang der Handlung
nach der Abfolge der Aufzüge (S. 5—13) gefördert sehen.
Weitere Abschnitte der Einführung sind: die „einheitliche Idee",
die „geschichtliche Grundlage" und der „einigen Hauptcharakteren"
gewidmete Abschnitt. Zuletzt werden des Dichters Verhältnis
zum geschichtlichen Drama und die Entstehungsgeschichte des
Dramas mit einigen Worten dargetan. Die „Einzelerläuterungen"
geben ungefähr 30 Anmerkungen,· beiben somit hinter der Fülle
von Stoff weit zurück, der z. B. in der Schmittschen Ausgabe
(Paderborn, Schöningh) unter dem Texte angehäuft ist. Diese
viel größere Ausführlichkeit des letztgenannten Kommentars hängt
mit dem Zwecke der Sammlung zusammen, die auch für den
Privatgebrauch berechnet ist. Für die Schule bietet sie m. E.
alles in allem oft zu viel, wofern nicht der Unterrichtende einen
wesentlichen Teil seiner Arbeit sich vorweggenommen sehen soll.
Dazu rechne ich freilich die sachlichen Einzelerklärungen nicht,
und hier hätte Wasserzieher etwas mehr tun können, ohne an
den auch von ihm verspotteten Portier oder Kastellan zu erinnern, der uns bei einer Besichtigung überall seine eigene werte
Person aufdrängt. In den Gang der Handlung und die Eigenart
der verschiedenen Charaktere kann und soll der Schüler in gemeinsamer Arbeit mit dem ihn anleitenden Lehrer eindringen,
und beide werden dankbar sein, wenn ein mit der Stätte gründ-

lich Vertrauter ihnen „die Treppen und Zugänge" anweist, die sie entweder noch nicht betreten oder nicht mehr völlig in Erinnerung haben. Für ein sich breitmachendes Akkompagnement müssen sie bestens danken; denn sie möchten gern auf ihre Weise ihr Lied singen. Wenn ich Vermehrung der Einzelnotizen wünsche, so meine ich das beileibe nicht in dem Sinne, daß sie um ihrer selbst willen aufgestapelt werden, was von dem Genusse der Dichtung ablenkt, statt ihn zu begünstigen (vgl. meine Schulschrift: Zur Behandlung deutscher Gedichte usw. Wissensch. Beilage zum Jahresbericht des Lessing-Gymnasiums zu Berlin 1895. S. 6 f.). Und doch hilft es nichts: an manchen Stellen wird auch den Einzelheiten eine genauere Betrachtung gewidmet werden müssen, will man nicht in die Irre gehen oder gar üble Fehltritte tun. Im ganzen kann die Wasserziehersche Arbeit den Schülern und insofern auch den Amtsgenossen wohl empfohlen werden; sie finden in ihr den Text der Schlegelschen Übersetzung mit denjenigen Änderungen vor, „die die Vergleichung mit dem Urtext und die heutige Sprache verlangten".

In welchem Umfange wir einen Dichter wie Rückert, bei dem ‚alles alt und doch neu' ist, im Unterricht heranzuziehen haben, darüber läßt sich streiten. Die Gründlichkeit seiner Behandlung in den gangbaren Literaturgeschichten ist recht verschieden. Das Rob. Riemannsche Buch (Weichers Deutsche Literaturgeschichte II) nennt z. B. die unverwelklichen Sträuße seiner Lyrik überhaupt nicht, die uns im „Liebesfrühling" entgegenduften. Ist die Meinung, daß das „für Oberprimaner und Studierende" nichts sei? Auch Kinzel übergeht die Dichtung in seinen ‚Gedichten des 19. Jahrhunderts'. Bei Schladebach wird eine Auslese aus ihr geboten. Man wird das gutheißen. Denn wer den novellenartigen Liederzyklus nicht kennt, kennt Rückert nicht: er war mit dem zufrieden, was er lebt' und sang. Allerdings ist hierbei festzustellen, daß unser Herausgeber sich Benutzer beiderlei Geschlechts für sein Büchlein denkt und wünscht. Allzuviel Zeit kann man Rückert natürlich in den Lehrstunden nicht widmen; aber für die Privatlektüre der Schüler und ihre durch die Lehrpläne verfügten frei gesprochenen Berichte ist er, der „Feind alles hohlen Scheines und seichten Wesens" trotz seiner manchmal unbedeutenden Reimereien, „ein Idealist in des Wortes schönster Bedeutung und einzigartiger Erzieher", sicherlich nicht außer acht zu lassen. Schladebach bedauert nicht ganz mit Unrecht, daß Rückert in der Schule stiefmütterlich behandelt wird. Freilich mag das zum Teil seinen Grund darin haben, daß „seine Verse nicht zergliedert, sondern gelesen und mitempfunden sein wollen". In unsere Auswahl sind vornehmlich die von deutscher Art zeugenden Gedichte aufgenommen worden, während die von mannigfachen Reimspielereien durchzogenen morgenländischen Dichtungen, Rückerts besondere

Liebhaberei, weniger zu Worte gekommen sind, abgesehen von
der „Weisheit des Brahmanen" mit ihrer „Fülle gediegener Grundsätze und tiefer Gedanken". Im ganzen ist natürlich in erster
Linie die Lyrik berücksichtigt worden, in der uns seine Haupt-
stärke entgegentritt.

Wer reichere Belehrung über den Dichter wünscht, findet
S. 8 die wichtigsten literarischen Hilfsmittel angegeben. Das
Notwendigste für das Verständnis hat der Herausgeber selbst den
einzelnen Gruppen oder Liedern beigefügt, auch sofern es sich
auf die Form bezieht. So machen wir an seiner Hand einen
Spaziergang durch des Meisters Gedichte, die Vaterland, Jugend
und Heimat, Liebeslenz, Aufenthalt in Italien, das Pantheon,
Haus und Zeitläufte zum Gegenstand haben. Auch in die Kinder-
totenlieder gewinnen wir einen Einblick, die er „nicht für die
Welt, sondern für sein Herz und Haus schrieb" und handschrift-
lich seinen Freunden mitteilte. Mit dem Beschluß der Sammlung,
dem Morgenländischen (Weisheit, Ghaselen, Vierzeilen, Östlichen
Rosen, Erzählungen, Parabeln, Sagen und Geschichten), sind es
im ganzen gegen 300 Nummern, die vorgeführt werden. Ein
Bildnis und ein Faksimile der Handschrift vervollständigt die
Kenntnis des Dichters. Man darf sich der Gabe freuen.

Die Reden und Briefe Bismarcks sind von Stutzer, der
uns soeben auch mit dem sehr ansprechenden, im gleichen Verlage erschienenen „Lesebuch zur deutschen Staatskunde" beschenkt
hat, um nach Treitschkes Vorschlag durch liebevolles Verstehen
und Erklären der vaterländischen Vergangenheit zu kräftigem
Nationalstolz und damit zu freier menschlicher Bildung anzuleiten — denn das Buch wendet sich an die weiten Kreise der
geistig strebenden Volksgenossen —, für den Schulgebrauch
ausgewählt worden. Die Beschränkungen, die er sich dabei auferlegt hat, sind daher aus pädagogischen und didaktischen Rücksichten erwachsen. Es kam ihm zustatten, daß er mehrfach auf
das in derselben Sammlung enthaltene Quellenbuch zur deutschen
Geschichte seit 1815 von Ziehen verweisen konnte. Durch geschickt einführende Vorbemerkungen über die nationale, die Ver-
fassungs- und die soziale Frage hat er volleres Verständnis der
abgedruckten Reden und Briefe ermöglicht und jedem der Abschnitte (1815—1847, 1847—1851, 1851—1862, 1862—1871,
1871—1890) eine Einleitung, eine kurze Abschlußbetrachtung
und neben erläuternden Einzelnoten verbindende sachliche Ausführungen beigegeben, die den Bismarckschen Gedanken eine dem
gesteckten Ziele dienende Einheitlichkeit verleihen. Sehr hübsch
ist die Zusammenstellung der „Merkworte" des großen Staats-
mannes, die nach bestimmten Begriffen geordnet sind. Eine Zeittafel macht den Schluß des Ganzen, und ein Nachweis weiterer
Hilfsmittel kommt dem gelegen, der, durch die vorliegende Sammlung angeregt, weitere Umschau in der Bismarckliteratur halten

möchte. Was „aus der Mitteilung an den Deutschen Reichstag
über das Hinscheiden Wilhelms I. (9. 3. 1888)“ ausgehoben ist,
klingt in eine kurze Darlegung über „des Kanzlers Sturz“ und
seine letzten Lebensjahre aus. Seine berühmteste und längste
Reichstagsrede vom 6. 2. 1888 über die politische Gesamtlage
Europas ist, wenn nicht vollständig, so doch ausführlicher als in
dem erwähnten Buche von Ziehen herangezogen worden. Es
darf ein glücklicher Gedanke genannt werden, daß Stutzer bei
seiner Auslese auch Roon hat zu seinem Rechte kommen lassen,
dessen hilfreiche „politische Autorität dem König gar nicht zu
ersetzen“ war, „da niemand mit dem Herrn so viel Salz gegessen
hat wie er“ (Br. vom 30. 10. 67).

Des Herausgebers eigene Bemerkungen zeugen überall von
ruhiger Sachlichkeit, wie er z. B. nicht nur darauf hinweist, daß
sich der König in bezug auf manche Verhältnisse von keinem beeinflussen ließ, sodern auch die große, zu tiefgreifenden Meinungs-
gegensätzen führende Verschiedenheit hervorhebt, die in ihrem
innersten Wesen zwischen Wilhelm I. und seinem Minister bestand. Wenn S. 63 die Leser den neben kühner Entschlußkraft
kluge Geschmeidigkeit entwickelnden Staatsmann bei seiner „vielleicht größten diplomatischen Tat die undankbare Aufgabe“ lösen
sehen, nach dem Siege bei Königgrätz „Wasser in den brausenden
Wein zu gießen und geltend zu machen, daß wir nicht allein in
Europa leben, sondern mit Nachbarn“, die berücksichtigt sein
wollen, so gehört auch das in das gerade für die Jugend nicht
unwichtige Kapitel von löblicher Mäßigung. Ein den unvergeßlichen Mann darstellendes Pastell· sehen wir nach einem i. J.
1895 von F. v. Lenbach entworfenen, im Besitze von Horst Kohl
befindlichen Bildnis an der Spitze des Bändchens wiedergegeben.
Wer über die Behandlung der Reden im Unterrichte Genaueres
erfahren will, hat Stutzers im III. Jahrgange der Monatschrift für
höhere Schulen (Berlin 1904, Weidmannsche Buchhandlung) veröffentlichte Abhandlung einzusehen.

Der Verfasser, dem wir in den „Denkmälern“ (Halle, Buchhandlung des Waisenhauses) die Auswahl aus Hans Sachs und dem
Kunst- und Volksliede der Reformationszeit verdanken, hat jetzt
in der hier berücksichtigten Sammlung dem Schüler ein Gebiet
der deutschen Literaturgeschichte erschließen wollen, das, scheinbar
etwas abseits liegend, ihm gleichwohl in seiner Art Anlaß bietet,
eigene Geistesarbeit zu betätigen. Wenn dabei zugleich der Weg
zu den Quellen aufgezeigt wird, an denen sich volleres Wissen
schöpfen läßt, als es das vorliegende Büchlein selbst mitteilt, so
ist neben dem strebsamen Schüler auch an den jüngeren
Studenten gedacht, der sich seiner in der Tat mit Erfolg bedienen wird. Bei dem Zwecke des literarischen Unternehmens
ist es begreiflich, wenn Kinzel über das Notwendigste nicht
hinausgegangen ist, so daß manches Wertvolle und Charakteristische

hat unterdrückt und für die religiöse Lyrik des 16. und 17. Jahr-
hunderts auf die Kirchengesangbücher verwiesen werden müssen.
Die Einleitung gibt in knappen Zügen einen geradezu meisterhaften
Überblick über die Entwickelung unserer Literatur bis zu dem
Punkte, wo die Tore gesprengt waren, um (in der Mitte des
18. Jahrhunderts) eine neue Blütezeit ihren Einzug halten zu lassen.

Im einzelnen wird zunächst Hans Sachs ein größeres Kapitel
gewidmet, derart, daß wir nach einer allgemeinen Übersicht über
sein Leben und künstlerisches Schaffen mit einer Anzahl seiner
Dichtungen bekannt gemacht werden. Daß daneben das „Neue
Lied" Ulrichs von Hutten mit kurzer Hervorhebung seiner Bedeutung und einem Hinweis auf C. F. Meyers ihn betreffende
epische Dichtung aufgenommen ist, verdient Billigung. Bei
Fischart hat sich Kinzel wohl mehr, als ihm selber lieb gewesen
ist, bescheiden müssen. Allerdings ist der Abriß seines Lebens
eingehender gehalten als der ihm entsprechende im vierten Heft
des dritten Bandes der „Denkmäler". Es folgt dann das Volkslied, abermals mit knappen, aber sehr lesenswerten Andeutungen
über sein Wesen und seine geschichtlich hervorgetretene Wertschätzung. Die Auswahl selber zeigt die Lieder nach ihrem
epischen oder lyrischen Charakter gruppiert, so daß auch ihnen
für besseres Verständnis einige Fußnoten beigegeben sind. Das
bekannte Muskatellerlied findet sich meines Wissens in Fischarts
Geschichtsklitterung, was gerade hier angedeutet sein könnte.
— Für das 17. Jahrhundert wird Opitz nach seiner Bedeutung
gewürdigt, ein Blick auf sein Buch von der Poeterei geworfen
und von seinen eigenen Gedichten dieses und jenes mitgeteilt.
Ihm schließen sich Fleming und Dach und v. Logau an, der auch
im Hinblick auf Lessing und Ramler die Berücksichtigung verdient, die ihm zuteil wird. Gryphius und v. Grimmelshausen
mit Proben aus Horribilicribrifax und Simplicissimus machen
den Beschluß. — Am Eingange des 18. Jahrhunderts stehen der
zum ersten Male wieder in wirklicher Dichtersprache sich ergebende
v. Haller und sein Gegenbild v. Hagedorn, der feierliche Ernst
neben der geselligen Heiterkeit, die Jünglinge einst singen und
empfinden ließ wie ihren liebenswürdigen Mentor die Nach-
eiferung der britischen Vorbilder neben der künstlerischen Erziehung durch französische Muster, bei der gleichwohl „ungestörte
Selbständigkeit" in den kritischen Streitigkeiten der Gotschedianer
und Schweizer dem Geschmacke Nachstrebender zu dienen weiß.
Sodann kommt Gellert in reicher Auswahl seiner besseren Sachen
zum Worte, dgl. v. Kleist und Gleim. So kann das Kinzelsche
Buch, das nach seiner ganzen Anlage zu weiterer Umschau und
tieferem Eindringen in die behandelte Literaturperiode anregt,
demjenigen warm ans Herz gelegt werden, der sich durch Heranziehung fördernder „Begleitstoffe" davor wahren will, von den
Dingen mitzureden, ohne sie selbst zu kennen.

In Wohlrabs ästhetischer Erklärung des König Ödipus liegt eine so achtunggebietende Leistung vor, daß man mit Interesse auch an seine Schulausgabe des Stückes herangeht. Bemerkenswert ist dabei, daß er es neu übersetzt hat. Da es an guten Verdeutschungen des Dramas nicht fehlt, ist man berechtigt, an die Wohlrabsche einen hohen Maßstab anzulegen, um so mehr als er das Ziel verfolgt hat, den Text so wiederzugeben, daß einerseits der wesentliche Inhalt Vers für Vers zur Geltung komme, anderseits einer unserer Klassiker das Werk geschrieben haben könnte. Das ist immerhin ein dehnbarer Begriff, selbst wenn der sechsfüßige Iambus in den fünffüßigen umgewandelt ist. O. Weise (Ästhetik der deutschen Sprache S. 242) findet zwar, daß für die gemessene Art der antiken Tragödie der ernste, würdige Schritt des iambischen Trimeters ganz geeignet, für die größere Beweglichkeit der neuzeitlichen Menschen dagegen nicht am Platze ist. Auch Schiller habe daher mit Recht in der Übersetzung Euripideischer Stücke dem Fünffüßler den Vorzug gegeben. Aber sollen denn wir neuzeitlichen Menschen dem antiken Drama durchaus mit der uns kennzeichnenden Beweglichkeit nahen? Wohlrab selbst erklärt den Umstand, daß Sophokles' Stück nicht den ersten Preis erhielt, daher, daß in einer Zeit, in der die Gläubigkeit den Orakelsprüchen gegenüber geschwunden war, eine Dichtung „mit so orthodoxer Tendenz" keine rechte Würdigung fand. Damit wird es bei uns nach Tausenden von Jahren nicht günstiger stehen, selbst wenn man dem in seiner Art einzigen Werke ein anderes Mäntelchen umhängt. Es ist und bleibt ein antikes Stück, das wir als solches aufzufassen und zu bewerten haben und dem wir daher auch getrost sein altertümlich anmutendes Gewand belassen dürfen. Das mag nun sehr rückständig klingen; aber in den Chorliedern tut es auch Wohlrab, sehr gegen Weises Vorschlag, der nicht wünscht, daß man im Bunde mit Humboldt, Droysen, Donner durch Festhaltung des griechischen Metrums den Ohren der Hörer und der Muttersprache, vor allem durch Verzicht auf den Reim, Gewalt antue. Umgekehrt möchte z. B. Viehoff (Vorschule der Dichtkunst) den Trimeter in der deutschen Metrik nicht außer acht gelassen, ja selbst in ganzen Tragödien von antikem Ton verwendet sehen. Ob Wohlrab — ich habe hier die Form seiner Übertragung im Auge — eine freie „Nachdichtung" gelungen ist, um durch sie auch weiteren Kreisen eine Vorstellung von dem kunstvollen griechischen Drama zu geben, das zu entscheiden will ich poetisch besonders veranlagten und daher berufenen Beurteilern überlassen. Selbst wenn hier und da der Eindruck bestehen sollte, daß leichter Fluß der Verse vermißt wird und diese mit einiger Härte und Sprödigkeit auftreten, wird das die Leistung im ganzen ebensowenig beeinträchtigen, wie wir über Lessings Nathan, bei dem es sich freilich um einen der ersten Versuche

handelt, wegen der von manchem selbst seiner größten Verehrer
beanstandeten geringen Vollendung der Form den Stab brechen
(s. z. B. L. Wachler, Vorlesungen über die Geschichte der deutschen Nationalliteratur II² S. 171).

Da die Ausgabe Schulzwecken dienen soll, so kann man in
ihr gewisser, das Verständnis fördernder Anmerkungen nicht entraten. Ob Wohlrab hier alles Erforderliche beigebracht hat, darf
zweifelhaft erscheinen; so vermisse ich zu V. 641 eine Verweisung auf V. 623, der im Widerspruch dazu steht, wenn nicht
Änderung des Wortlautes an der späteren Stelle vorgenommen
oder ihr entsprechende Auslegung zuteil wird [1]). Für die Einsicht
in den Gang der Handlung und die Auffassung des Ganzen ist
wie auch über die Vorfabel in der Einleitung das Nötige gesagt.
Es berührt angenehm, daß hier von einem gequälten Versuche,
Ödipus die Schuld an seinem Unglücke aufzubürden, ebenso Abstand genommen ist, wie von der auf V. 1329 f. sich stützenden
gegenteiligen Behauptung, daß er völlig unschuldig leide. In
dieser Hinsicht sind S. 15 ff. sehr lesenswert; im übrigen hat
man im Auge zu behalten, daß bei der Abwägung des Für und
Wider der Dichter eigentlich aus dem Spiele bleiben muß. „Die
Grundlage seiner nie genug zu bewundernden Kunstschöpfung
fand er fertig vor: Schuld und Strafe in Einklang zu setzen,
konnte nicht seine Aufgabe sein, falls er nicht den Sinn der
Sage verderben wollte" (Schneidewin — Nauck). Doch wie dem
auch sei: Ödipus (ὅς ὑπ' ἄλλων οὐδὲν ἐξειδὼς πλέον οὐδ'
ἐκδιδαχθεὶς ἄτας ὑπερορνυμένας πόλει σοφὸς ὤφθη) begeht
„Verfehlungen im Denken", die einen seinen Charakter [2]) treffenden

---

[1]) Nachdem Ödipus gesagt hat, er wolle Kreon nicht verbannen,
sondern töten, kann dieser doch nicht die Worte sprechen: „Er will mich
in die Verbannung stoßen oder töten" (Wohlrab) oder gar äußern: „Er
schwankt nur noch, ob er Verbannung vorzieht oder Tod" (v. Wilamowitz-
Moellendorff).

[2]) Ob Ödipus beim Zusammenstoß in der Schiste durch Handgreif-
lichkeiten oder harte Worte der Gegner (was V. 804 f. ἐξ ὁδοῦ πρὸς
βίαν [= οὐ πρὸς ἡδονήν] ἐλαύνεσθαι sehr wohl heißen kann; vgl. Eurip.
Phoen. 40 τυράννοις ἐκποδὼν μεθίστασο) gereizt wurde, ist von keinem
Belang. Letzteres hat seinerzeit z. B. Ramler in seiner Mythologie behauptet, der ihn auch im Widerspruch mit der Sophokleischen Darstellung
nach (Asklep. Tragil.? — C. Robert: de) Apoll. bibl. 3, 5, 7 auf einem
Wagen dem königlichen Gefährt begegnen läßt, was ihn, „die Schwierig-
keit des Ausweichens auf den alten Wegen mit eingeschnittenen Gleisen"
(Preller, Griech. Myth.) vorausgesetzt, entlasten würde. Jedenfalls kann er
ἕρπων ἄναυδος μέγα φρονῶν — Eurip. l. l. (nicht = mit hohem Geist
[Schiller], sondern ὑπὸ μεγαλοφροσύνης — ostentationis causa — Nicol.
Dam. fr. 15; Roscher, Myth. Lex. III s. v.) — die der Orakelstätte (Be-
kränzung des Königs, bei freilich nicht ganz sicherer Deutung, Overbeck,
Her. Gal. S. 61!) zustrebenden Reisenden nach ihrem gesellschaftlichen
Charakter nicht verkannt, ihm also schwerlich ein dem des Solonischen
Kodex entsprechender Gesetzesparagraph (v. Wilamowitz-Moellendorff, Kiel.
S. 7) zur Deckung gedient haben noch ihm alsbald jede Erinnerung an sein

Stich ins Sittliche haben, und wollen wir auch nicht aus Galanterie gegen eine kleinliche Moral das Laster auf der Bühne sich erbrechen sehen, — daß sich, trotz allem Ereifern über solche „Grille", die Tugend zu Tisch setzt, das gehört, wenn es nicht im Hause eines nach faden Rezepten arbeitenden Scharwerkers geschieht, auch zu jener Heiterkeit der Kunst, die uns aus dem niederdrückenden Ernste des Lebens zu lichten Höhen erhebt.

Pankow b. Berlin.   **Paul Wetzel.**

Paul Herrmann, Deutsche Mythologie in gemeinverständlicher Darstellung. Zweite, neubearbeitete Auflage. Mit 21 Abbildungen im Text. Leipzig 1906, W. Engelmann. VII u. 445 S. 8. geb. 9,20 ℳ.

Nicht vermehrt, sondern in ihrem Umfange wesentlich verringert, erscheint Herrmanns treffliche Deutsche Mythologie in zweiter Auflage, und diese Selbstbeschränkung hat ihr großen Nutzen gebracht. Viel zweifelhaftes Gut, namentlich aus dem modernen Aberglauben und der Heldensage, das die erste Auflage unbedenklich zum Aufbau der germanischen Götterlehre verwendete, ist abgestoßen, bedenkliche oder phantastische Deutungen, wie sie dilettantische Kritiklosigkeit und überkühne Gelehrtenphantasie nirgends üppiger erzeugt hat als auf diesem Gebiete, sind aufgegeben; jede Seite verrät die nachbessernde Hand, alles irgend brauchbare Material ist von neuem sorgfältig durchgeprüft; die wertvollen Andeutungen der Bekehrerviten und Konzilakten, nur zu oft die einzigen lebendigen Zeugnisse des Heidentums, tendenziös gefärbt und doch unantastbar, sind nirgends sorgfältiger verzeichnet, — nicht einmal von Jakob Grimm.

Mit wissenschaftlicher Gründlichkeit vereint Herrmann geschmackvolle Darstellung, Schwung und Wärme; sein Ziel, ein Volksbuch zu liefern, den Sinn zu wecken und zu fördern für die Eigenart altdeutschen Volkstums, erreicht er glänzend. Er erfüllt so ein Bedürfnis; was an Konkurrenzwerken vorliegt — die trefflichen Handbücher Mogks und Golthers rechne ich nicht dazu, weil sie ihr gelehrter Apparat dem Laien verschließt, und E. H. Meyers in der Form völlig ungenießbare Germanische Mythologie (Mayer und Müller) sollten die Fachleute schon wegen des erbärmlichen, augenmörderischen Papieres und Druckes einfach ab-

---

so entsetzlich verlaufenes Abenteuer geschwunden sein, bei dem er es nach seinem eigenen Berichte zu einem τὸν ξένον (l'inconnu — Brunck) οὐ μήν ἴσην γε τίσασθαι kommen ließ. Seine „erbliche Belastung" bleibt besser beiseite; denn es ist sonderbar, wenn Wohlrab meint, es wäre für Laios τὸν παίδων γένος ὄλβιον αἰτοῦντα), hätte er. gewollt, ein Leichtes gewesen, das ihm zugedachte Schicksal dadurch zu vermeiden, daß er „überhaupt keine Ehe einging" (vgl. Aeschyl. Sept. c. Theb. 750 u. Eurip. Phoen. 13 f. 21 f.). Der Pelopsfluch aber in dem angeblichen Orakel schwebt so gut wie ganz in der Luft.

weisen —, ist teils gar zu knapp wie Mogks Göschenheft und
Zehmes Abriß, zwei sonst recht empfehlenswerte Büchlein, teils
unwissenschaftlich, wie die jüngst erschienene geradezu absurde
Germanische Mythologie v. Negeleins, in der zudem vom Sanskrit
fast mehr die Rede ist als vom Deutschen. Das einzige gleichwertige Buch, E. H. Meyers Mythologie der Germanen (Trübner),
ist, bei allen Vorzügen, leider gar zu durchsetzt von den zahlreichen haltlosen Hypothesen, von denen der beste Kenner der
germanischen Götterlehre sich nicht losmachen konnte. An die
Seite zu stellen ist Herrmann nur de la Saussayes The Religion
of the Teutons, das eine deutsche Übersetzung verdiente.

Herrmann verzichtet im Interesse der Volkstümlichkeit auf
alles gelehrte Beiwerk; aber schade ist doch, daß er nicht als
Anhang Quellen- und Literaturnachweise bringt. Er bietet auch
dem weiter Forschenden so viel Neues, schwer Zugängliches, daß
eine Erleichterung sich lohnte. Auch würde dann deutlicher,
was des Verfassers Eigentum ist; jetzt ist das von den Entlehnungen nicht immer zu scheiden; zufällig habe ich mir dafür
notiert D. Mythol. S. 226, Nord. Myth. S. 244 = Weinhold,
Ztschr. f. d. Phil. 21 S. 15.

Die Eigenart seines Buches findet Herrmann selbst darin,
daß er, einer Anregung Saussayes folgend, als erster versucht,
die deutsche Mythologie nur aus deutschen Bausteinen aufzubauen, die bisher stets an erster Stelle verwerteten und seit
J. Grimm und Simrock, ja schon seit Klopstock weit über-
schätzten nordischen Zeugnisse ganz beiseite zu schieben. Der
Gedanke ist sehr schön; aber zum Ziele führt er nicht. Denn das
ist doch eine wirklich germanische Mythologie, auf deren Unter-
grunde sich die einzelnen Stammesmythologieen erheben. Die
deutsche Heldensage bleibt unverständlich ohne die skandinavische
Überlieferung; für die Götterwelt gilt das gleiche. Es ist ja
traurige Tatsache, daß von den 3000 Jahren, die wir für die
Geschichte des germanischen Heidentums voraussetzen dürfen,
zwei Jahrtausende völlig verschüttet und einigermaßen zusammenhängende Berichte heidnischen Gepräges nur aus dem letzten
Jahrhundert erhalten sind, als die alte Naivität längst verschwunden war, als die zersetzende Wirkung von Antike und
Christentum schon begonnen und fremdartiges Rankenwerk aller
Art den schlichten Väterglauben übersponnen, ja erdrückt hatte.
Zu lückenhaft, zu trümmerhaft ist das deutsche Material; nur
der Norden liefert den Mörtel, es zum geschlossenen Bau zu-
sammenzufügen. Daß die norwegisch-isländische Tradition, so
viel auch in ihr auf Rechnung gekünstelter Skaldenlaune, keltischen und sonstigen gelehrten Importes, scholastischer Systemati-
sierungswut, christlicher Dogmatik, feindseliger Satire, nordischer
Landschaft kommt, doch weit mehr bedeutet als wurzelfremde
Neuwucherungen und eine konservativere Würdigung verdient,

als man ihr heute statt der früheren Vertrauensseligkeit vielfach
gönnt, hat vor allem Kauffmann gelehrt. Ganz ausgezeichnet hat
Herrmann die Nordische Mythologie in einer besonderen Schrift
behandelt: beide Bücher waren notwendige Vorarbeiten; doch erst
ihre Synthese wird das Werk krönen.

Sorgfältig werden — um ein Beispiel zu nennen — die
zahlreichen sicherlich Donar geweihten Herkulesinschriften verzeichnet und erklärt. Aber recht erläutern sie doch erst die
Thorlieder des codex regius, deren einige zum ältesten Bestande
der nordischen Götterlieder gehören; sie erst machen die wunder-
volle interpretatio Romana Herkules—Donar, die nicht äußerem
Zufall, sondern der Wesensähnlichkeit beider Göttergestalten entstammt, verständlich und sind der schönste Kommentar der spärlichen deutschen Überlieferung, vielmehr als der zweifelhafte
dutigo — Spruch. Ein lebensvolles Bild des altgermanischen
Donnergottes zeichnet Herrmann nicht; es mußte blaß ausfallen,
weil die nordischen Komplementärfarben fehlen. Viel plastischer
tritt Wodan hervor; kein Wunder, ist er doch der einzige Gott,
für den die deutschen Quellen reichlich fließen, besonders in den
noch heute lebendigen Sagen von der Wilden Jagd, selbst wenn
sie weniger auf den alten Gott zurückgehen als auf die Naturauffassung, die auch ihn schuf, und sich viel fremdartiges Ge-
sindel an seine Stelle gedrängt hat. Loki wird begreiflicherweise
nie genannt, und doch verdient er bei Requalivahanus, der durch
ihn erst faßlich wird, eher Erwähnung als der abstrakte nordische
Forseti bei dem friesischen Fosite, mit dem er nichts zu tun
hat. — Oder Balder! Des Lesers Hoffnung, etwas von dem ihm
seit der Jugend lieben Mythus zu hören, muß Herrmann natürlich enttäuschen, und selbst das Wenige, was er bringt, ist bedenklich. Gegenüber der ersten Auflage hat er energisch gestrichen; Loschs törichte Spekulationen über Balder und den
weißen Hirsch, die Parallelen Haedcyn—Herebeald, Baltram—
Sintram, die Hartunge und — wiewohl hier Müllenhoffs genialer
Blick doch wohl den Rest eines Mythus erkannt hat! — sogar
die Harlungensage sind aufgegeben. Und dennoch bleibt zu viel
übrig. Mag selbst Kauffmanns scharfsinnige Interpretation des
zweiten Merseburger Zauberspruches irren, mag Bugges Ver-
werfung der mythologischen Deutung der mit Balder und Phohl
zusammengesetzten Ortsnamen unberechtigt sein, mag sogar der
ags. Baldaeg der Berücksichtigung wert sein, was wissen wir
mehr, als daß zwei Götter in den Wald reiten, des einen Roß
den Fuß verrenkt und nach allerlei vergeblichen Bemühungen
von Wuotan geheilt wird? Das ist schlechterdings alles! Hätten
nicht der nordische Mythus und eine ganz unsichere Etymologie
den Blick getrübt, nie wäre man auf Grund des zweiten Merseburger Zauberspruches auf die Idee vom Ritte des Lichtgottes in
die Unterwelt, seinem Falle und seinem neuen Aufgange ge-

kommen. Auch die Alces der Nahanarvalen, für die Herrmann
vier Etymologien anführt, helfen nichts für einen urgermanischen
Balder; er gehört wirklich nicht in eine deutsche Mythologie;
das haben Bugge, Olrik und Kauffmann trotz all ihrer Abwege
sicher erwiesen.

Auch sonst enthält Herrmanns Besprechung der höheren
Götter viel Problematisches; das liegt in der Natur der Sache
und ist kein Vorwurf. Im Gegenteil, seine Ausbeutung der
Taciteischen Zeugnisse und seine Deutung der Inschriften, unserer
wertvollsten und echtesten Quellen, ist fast durchweg verständig
und besonnen, frei von den Phantastereien Detters, Jäkels,
Hofforys u. a. Erklärer, wie von der übertriebenen Skepsis Kauff-
manns. Im einzelnen mag man andrer Meinung sein. Der
Heldensage will Herrmann trotz seiner kritischen Bemerkungen
S. 182, die gegenüber der ersten Auflage einen völligen Wandel
der Anschauungen bekunden, doch noch zu viel abgewinnen.
So sind ihm Kriemhild und Hagen immer noch Gespenster, rein
mythische Wesen, die Siegfried in die Gewalt der dämonischen
Unterweltsmächte bringen, Angehörige der Luren, denen Laistners
Rätsel der Sphinx unverdiente Berühmtheit gebracht hat. Auch
Herrmann teilt den alten, neuerdings wieder von Jiriczek ver-
fochtenen Irrtum, Hagen sei unlösbar mit der ursprünglichen
Siegfriedgeschichte verbunden und gehöre daher dem Alben-
geschlechte an — die von Jordan und Wagner poetisch verklärte
Hypothese —, während wir ein rechtes Verständnis der Nibelungen-
sage nur erreichen, wenn wir Kriemhild und Hagen dorthin
weisen, wohin sie von Anfang an gehören, in die historische
Burgundensage, und Hagen als ephemeres Werkzeug Brunhilds
fassen, die zunächst die einzige Mörderin Siegfrieds war und es
bei Ibsen wieder geworden ist. Genau so erklärt sich, nebenbei
bemerkt, Lokis Rolle im nordischen Baldrmythus. Nicht Snorre,
sondern Saxo lehrt diesen verstehen; es ist Kauffmanns Kardinal-
fehler, daß er Loki der Urform des Mythus zuweist, während für
diese nur der Gegensatz Hod – Baldr (wie in der Nibelungen-
sage der Widerstreit Brunhild—Siegfried), vorauszusetzen ist und
sich erst auf späterer Stufe der Sagenentwicklung wie dort
Hagen, so hier Loki an die Stelle des eigentlichen Mörders schob,
offenbar verführt durch eine falsche Verkoppelung der Voluspá-
srophen 34 und 35. — Auch der Ausnutzung des modernen
Volksaberglaubens und des Märchens kann man teilweise skepti-
scher gegenüberstehen als Herrmann, den dürftigen Notizen Cäsars
weniger Wert beimessen, die Alaesiagen, den Mercurius Channini,
die Baduhenna, Nehallenia, Haeva anders beurteilen, den germanischen Feuergott Wieland so wenig anerkennen wie die zweifelhafte Dame Ostara, die mythische Deutung Irings und mit
Heinzel die Orendels ablehnen, an Frijas Weiterleben in der Frau
Holle nicht glauben und in den merwlp des Nibelungenliedes

keine deutschen Walküren, sondern rein poetischen Zierat
finden, — sicherlich ist das meiste, was Herrmann bringt, klar,
übersichtlich, zuverlässig und vielfach überzeugend oder doch
glaubhaft.

Wie dürftig es in Wahrheit um die deutsche Überlieferung
steht, erhellt schon daraus, daß den Göttern noch nicht ein
Drittel des Ganzen gewidmet ist, weit weniger als der sog.
niederen Mythologie zufällt. Herrmann folgt der landläufigen
Scheidung zwischen Schöpfungen des Animismus und Gebilden
der Naturbeseelung. Er geht nicht so weit, wie es lange Mode
war und noch heute in vielen Köpfen spukt, im Seelenkulte die
älteste Quelle religiöser Phantasie zu suchen — ein grober
psychologischer Irrtum —, aber er gönnt ihm doch den ersten Platz
und subsumiert ihm vieles, was ganz andern Ursprunges ist, so
manche Erscheinungen des Hexenwahnes, die Wechselbalg- und
Werwolfsagen, den Matronenkult; sogar Kriemhilds Totenwacht
bei Siegfried erscheint in diesem Zusammenhange! In bunter
Fülle, lebendig und packend geschildert, zieht dann die bald
herzlich vertrauliche, bald unheimlich drohende Schar der
Elementargeister an uns vorbei, vom fingerlangen Wicht bis zum
berghohen Riesen, nur daß auch hier die Ableitung aus Natur-
vorgängen, der die Wald- und Wasserdämonen und die meisten
Kategorien der Riesen gewiß entstammen, aber sicher nicht z. B.
die Hausgeister, mitunter zu weit greift. Alle Zeugnisse, von
den Fabeleien des Pytheas bis zu den Berichten des Burchard,
Caesarius, Gervasius, vom Beovulf bis zu den Volksbüchern, von den
Andeutungen der Bekehrer und der Indiculi bis zu den wertvollen Mitteilungen in Luthers Tischreden und weiter bis zu den
neuesten Sammlungen heutigen Volksaberglaubens sind sorglich,
mit kritischer Behutsamkeit verwertet; auch der dichterischen
Bearbeitungen wird gedacht. Nur Kopisch vermisse ich; wenige
Dichter waren so innig mit dem Volksglauben vertraut und haben
ihn so anmutig geformt. Auch Arndts Märchen und Voß' Idyllen
enthalten viel wertvolles Gut. Andrerseits sind auch in diesen
Abschnitten die Grenzen öfters zu weit gezogen. Mit Vorliebe
verwertet Herrmann die mhd. Dichtung. Aber das verwirrende
Drachen-, Zwergen- und Riesengetümmel, das sie erfüllt, ist
romanischen oder keltischen Ursprungs oder reine Dichter-
phantasie; es gehörte zum Stil des romantischen Epos und er-
zeugte sich nach bestimmtem Schema immer neu. Die Artus-
und auch die Wolfdietrichepen sind unverwertbar; die Wunder-
wesen des Herzogs Ernst entstammen dem Orient. Auch die
starke Ausnutzung der märchenhaften Dietrichepen erregt Bedenken; die in ihnen anklingenden Tiroler Volkssagen von den
Willkürprodukten phantastischer Spielleute zu sondern, ist nicht
immer leicht. Übrigens konnte S. 103 Uhland als Quelle genannt werden. An den Meerriesen Wate und den Eisriesen Ise

vermag ich nicht zu glauben. Die merowingische Stammsage
Merovech—Meervieh ist so albern, daß sie fortbleiben sollte.

Auch die anscheinend durchaus deutschen und volkstümlichen Quellen heischen Vorsicht. In den dieser Geister- und
Dämonenwelt gewidmeten Kapiteln stimmen ganze Seiten mit den
entsprechenden Abschnitten der Nordischen Mythologie im wesentlichen überein, und eine romanische, keltische, slawische Mythologie kann oft genug auch nichts andres bringen. Die Heimat
all dieser wunderlichen Elementarwesen ist das Märchen, das
Märchen, wie es ein Fouqué verstanden hat; wie dieses sind sie
international. Gewiß ist daneben vieles echt deutsch, zumal
wenn die zeitliche oder örtliche Bedingtheit offen liegt; manches
ist erst bei uns aus gleicher psychologischer Wurzel entsprossen,
wie bei den andern Völkern, nicht weniges aber auch Phantasie
einzelner ätiologischer Erklärer oder moderner Sagenredaktoren
und ein beträchtlicher Bruchteil einfach ausländische Entlehnung.
Der Vampyrismus ist slawischen Ursprunges, in den Elfensagen,
soweit sie nicht aus dem Orient kommen, fallen die romanischen
und keltischen Parallelen auf. Das zeigen die Untersuchungen
von Wilhelm Hertz im Spielmannsbuch und die irischen Elfen-
märchen der Grimms — auch W. Grimms Einleitung ist wichtig —,
ein hochinteressantes, übrigens von modernen Märchenfabrikanten
öfters ausgeschriebenes Büchlein, das leider vergriffen, in Bibliotheken selten und antiquarisch unerschwinglich ist. Ein Neu-
druck wäre sehr zu wünschen.

Etwas anderes sei nur gestreift. Daß mit der Zurückführung
auf Animismus und Naturbeseelung nicht die tiefsten Wurzeln
religiösen Denkens freigelegt sind, ist zweifellos. Ein Wandel
der Anschauungen bahnt sich deutlich an. Die Bedeutung von
Ritus und Kultus, die religiöse Übung tritt kraftvoll in den
Vordergrund; viel weiter als es Grimm und Müllenhoff, Mann-
hardt und Uhland vermochten, wird heute der Rahmen auch für
die germanische Mythologie gespannt. Die Ergebnisse von Frazers
Golden Bough, von Robertson Smiths, Huberts, Mauß' Forschungen
und im Zusammenhange damit die Folkloristik, die ethnographi-
schen Parallelen, deren Verständnis Spencer und Tylor eröffneten
und die oft freilich ungebührlich überschätzt werden, der Einfluß
der Soziologie auf die Religionsgeschichte, all das kann auf die
Dauer nicht unbeachtet bleiben. Für die antike Mythologie sind
Usener in seinen Italischen Mythen und andern religionsgeschichtlichen Untersuchungen, Maaß, Dieterich — so in seinem prächtigen Büchlein Mutter Erde —, Wünsch, v. Prott, Samter u. a.,
für die indische Oldenberg, für die germanische nach dem Vorgange englischer und nordischer Gelehrter Kauffmann in seinen
Untersuchungen über Loki und Balder, deren Konsequenzen
allerdings zum Teil abzulehnen sind, zu wertvollen Resultaten
gelangt und haben gezeigt, daß die zuerst bei den semitischen

Religionen gemachten Beobachtungen auch für die indogermanischen Völker nutzbar werden können. Mit Spannung erwarten wir den Abschluß des zweiten Teiles von Wundts weltumspannender Völkerpsychologie, der, weit mehr als der oft unzulängliche erste Teil auf dem Gebiete der Sprachbetrachtung, eine Revolution in der religionsgeschichtlichen Methode hervorrufen und die herkömmliche Formelsprache beseitigen wird. An einer Stelle der Nordischen Mythologie lehnt Herrmann die neue Richtung sehr entschieden ab, die Göttermythen aus traditionellen Riten, magischen Elementen, zeremoniellen Bräuchen abzuleiten, und das ist um so weniger zu tadeln, als der Vorarbeiten gerade für die deutsche Mythologie noch zu wenige sind und er sein Gebäude ja nicht auf völlig neuem Fundamente aufrichten, sondern die bisherigen Forschungen für weite Kreise zusammenfassen will, von den alten Geleisen also nicht wohl abweichen kann. Auch ich fürchte, daß die moderne Methode, so weit sie auch den Blick für die elementaren Kultformen, die konstruktiven Bestandteile des religiösen Lebens öffnet, die poetischen Elemente, die Bedeutung des Dichters und der immer neu und immer originell schöpferischen poetischen Phantasie für die Mythenbildung verschüttet, weil sie eben am Elementaren, sozusagen am Naturmenschlichen haften bleibt, daß über all den Survivals, dem Aufspüren ethnographischer Zusammenhänge, psychologischer Grundformen der Sinn für das subjektive Moment religiösen Denkens verloren geht, daß an die Stelle früherer Einseitigkeiten eine neue Einseitigkeit tritt, die, wenn auch nicht das Wichtigste, so doch das Feinste und Zarteste preisgibt. Man vergißt über dem Sakralen und Traditionellen das Intuitive und Persönliche, über der religiösen Übung die religiöse Dichtung. Nur das Wenigste in ihr läßt sich ohne Gewaltsamkeit als Zauberspruch, als rituelles Lied erklären; auch was Tylor verächtlich als ‚Priesterreligion‘ ausschalten will, hat für die Formung religiösen Empfindens, das doch mehr begehrt als Brauch und Formel, das auch für Herz und Phantasie lebenswarme Gestaltung verlangt, die ungeheuerste Bedeutung; neben dem Zauberer, dem Magier, dem Priester steht gleichberechtigt der Dichter, der, bewußt oder unbewußt, in den wundersamen Vorgängen der Natur Leben spürt und Leben kündet, der in ihr die göttliche Stimme hört und die göttliche Bewegung sieht und sie ausdeutet, plastisch, menschlich, persönlich, wie es ihm sein Geist gebietet.

Vielleicht bietet sich für Herrmann Gelegenheit, auf die rituellen Bestandteile des Mythus näher einzugehen, wenn er in einer neuen Auflage eine Übersicht dessen vorausschickt, was wir über Glauben und Kultus der Indogermanen wissen. Durch Schraders Reallexikon und seines Antipoden Hirt Buch über die Indogermanen wird solche Grundlegung möglich; zum rechten Verständnis der germanischen Mythologie ist sie unerläßlich. Viel

Anregung bietet auch Muchs Germanischer Himmelsgott. Daran
müßte sich anschließen eine geschichtliche Einleitung von der
Art, wenn auch nicht von dem Umfange, wie sie Saussaye bringt,
auch eine knappe Quellenübersicht etwa in der Art E. H. Meyers.
Dabei wären die Beziehungen der Germanen zu den Kelten einerseits, den Slawen und Litauern andrerseits zu erörtern, und das
Ganze würde in eine Betrachtung des antiken und des christlichen Einflusses ausmünden. Gleichungen wie Tanaros—þunaras,
Fairgunis—Perkúnas—Peruaŭ kämen so zu ihrem Rechte. Auch
die Abspaltungstheorie erführe vielleicht eine Revision.

Ganz vortrefflich, eine Fülle neuer Quellen erschließend, ist,
um das noch zu bemerken, das Kapitel über Kultus und heidnischen Brauch der alten Deutschen, wobei mit Recht die spätere
Volkssitte, die ja auffällig konservativ geblieben ist, in weitem
Umfange verwertet ist. Über Einzelheiten läßt sich natürlich
streiten, und so auch die über die der Kosmogonie und Escha-
tologie gewidmeten Schlußbetrachtungen, denen ich in recht wesentlichen Punkten nicht beizutreten vermag. Doch verbietet der
Raum, darauf noch einzugehen.

Alles in allem hat uns Herrmann ein Buch geschenkt, dem
recht viele Leser zu wünschen sind. Sie werden ebensoviele
Freunde werden nicht nur des Verfassers, sondern vor allem des
deutschen Altertums und damit des deutschen Volkstums. Es
ist eine nationale Tat!

Pforta.   Georg Siefert.

Friedrich von der Leyen, Einführung in das Gotische.
München 1908, Becksche Buchhandlung. 181 S. gr. 8. 3,20 ℳ.

Ist des zweiten Bandes I. Teil, 1. Abt. des Handbuches zum
deutschen Unterricht von Adolf Matthias und ein sehr nützliches
Buch. Ich prüfe es nicht auf seinen wissenschaftlichen Wert,
sondern auf seine pädagogische und didaktische Brauchbarkeit.
Denn der Verfasser hat lediglich ein praktisches Ziel im Auge. Er
stellt sich eine doppelte Aufgabe: die eine, den Studierenden in
das Gotische hineinzulocken, ihm dessen Erfassung als eine leicht
zu bewältigende und wünschenswerte Arbeit zu zeigen, durch die
er sich den Grund für spätere umfassende und eindringende
Studien der deutschen Grammatik legt; die zweite, dem Lehrer,
der früher Gotisch lernte (so!) und dem es entfiel (so!), seine
Erinnerung rasch und freundlich aufzufrischen, indem sie ihm zugleich das Wesentliche aus den Ergebnissen der neueren Forschung
mitteilt. Nebenher sei bemerkt, daß mir wie hier der Gebrauch
des Imperfektums statt des Perfektums wiederholt aufgefallen ist.

Vermutlich um „anzulocken" beginnt die sonst gut orientierende Einleitung mit einem Lob der gotischen Sprache. V. d. Leyen
wundert sich, daß Wulfila in seinem Glaubensbekenntnis kein Wort

sagt über Christus den Erlöser und den Heiland, und erklärt sich
das damit, daß die jugendstarken Goten damals wabrscheinlich gar
keine Vorstellung von menschlicher Sünde und Schwäche hatten.
Aber um die Soteriologie handelt es sich in den trinitarischen
Streitigkeiten jener Tage gar nicht, zu einem Sündenbekenntnis
war also keine Veranlassung. — Was im Codex argenteus steht,
hätte genau angegeben werden sollen. Ebenso alles, was wir über
die Schicksale dieses Codex wissen. Mit der Notiz, daß der Text
des N. T., den Wulfila übersetzte, mit dem des Chrysostomos
übereinstimmt, werden die meisten nichts anzufangen wissen.
Welchen griechischen Text druckt denn Verf. ab? Es scheint der
textus receptus zu sein. Oder ist es der des Chrysostomos?
Woher das παρακαλοῦντες (got. bidjandans) statt παρακαλοῦμεν
(2. Kor. 6, 1)? Mir fehlen hierorts die Hilfsmittel, um solche
Fragen zu beantworten. Das Abdrucken gewisser Abschnitte aus
dem gr. N. T. kommt mir wie ein Luxus vor. Wo die Vorlage
des Wulfila von den gangbaren Ausgaben abgewichen zu sein
scheint oder wirklich abwich, konnte es mit einem Worte angemerkt werden. Lieber wäre es vielleicht den Studenten gewesen, wenn das eine oder andere Stück in gotischer Schrift nach
dem Original reproduziert worden wäre. — Daß die phonetischen
Vorbemerkungen sich auf das Unentbehrliche beschränken, freut
mich. Wann der Diphthong ai = ē oder ai, und der Diphthong
au = o oder au ausgesprochen werden muß, hätte nach dem Vorgang von Streitberg viel öfter bezeichnet werden sollen. Der Anfänger wird trotz der gegebenen Regeln nur zu oft im Zweifel
sein. Dagegen brauchte im ersten Lesestück, wenn gatairan zweimal in einem Verse vorkommt, nur das erstemal ein Akut über
dem i zu stehen, und gar dreimal hintereinander in einem einzigen Verse darauf hinzuweisen, daß ei wie i zu sprechen sei,
war überflüssig.

Die Lautlehre steht nicht vor, sondern hinter der Formenlehre. Und das ist gut. Der Anfänger würde, wenn sie ihm
gleich nach den ersten Schritten in den Weg träte, dadurch nur
gestört und abgeschreckt werden. Mit Recht hat der Verf. sie in
den Schatten der Formenlehre gestellt und ihre Schilderung auf
knappem Raum zusammengedrängt (8 Seiten). Die Lautverschiebung
(9 Seiten) findet sich zwischen Kap. II (Verb) und Kap. IV
(Nomen). Wäre es nicht zweckmäßiger, statt vom Gotischen vom
Indogermanischen (Griech., Lat.) auszugehen? Für den Neuling
dürfte eine ganz einfache und übersichtliche Tabelle am Platze sein.

§ 8 handelt von den Genera, Tempora und Modi des Verbs
(die Anmerkungen sind unnütz), § 9 von starken und schwachen
Verben (ausnahmsweise ohne Anmerkungen), und nun folgt gleich
ein Übungsstück (Matth. 5, 17—26). Ist das praktisch? Mag ein
erwachsener Mensch viel weniger durch das Auswendiglernen der
Paradigmen, als durch die Bestimmung der einzelnen Formen und

Kasus in den Texten selbst sich die Flexion der Verba und Nomina
einprägen: ohne eine einzige Verbalform zu kennen und ohne ein
Paradigma, an dem er die einzelnen Formen und Kasus bestimmen
kann, vor Augen zu haben, wird er einem Text doch gar zu ratlos gegenüberstehen. Hat er aber ein Paradigma (ohne Sprachvergleichung!) vor Augen, so bringt es viel mehr Gewinn, die
Formen selbst zu analysieren, als sie sich analysieren zu lassen.
Die genau wörtliche Übersetzung allein, so wertvoll sie ist, tut es
nicht. Unser Führer mutet uns, scheint mir, zuviel zu, wenn er
erst nach ausführlicher Behandlung des Ablauts (§ 10—12 nebst
einem Übungsstück, über 12 Seiten) das Paradigma *baira* und auch
dies nur im Präsens Aktiv bietet.

Doch das sind Ansichten. Es führen mancherlei Wege nach
Rom. Seien wir dankbar auch für diese Gelegenheit, Gotisch zu
lernen und dadurch unsern deutschen Unterricht zu befruchten.

Blankenburg am Harz.   H. F. Müller.

Paul Harre, Lateinische Schulgrammatik. Zweiter Teil: Syntax.
    Vierte Auflage, bearbeitet von H. Meusel. Berlin 1907, Weidmann-
    sche Buchhandlung. XIV u. 256 S. 8. 2,60 ℳ.

H. Meusel schloß im Jahre 1900 die Vorrede seiner ersten
Bearbeitung dieser Syntax in deren vorigen Auflage mit den
Worten: „Harres lateinische Schulgrammatik hat bei ihrem Erscheinen seitens der Kritik eine außerordentlich günstige Aufnahme gefunden, aber der äußere Erfolg entsprach den Urteilen
der Kritik und dem innern Wert des Buches nicht: erst nach
sieben Jahren ist eine neue Auflage nötig geworden. Der vorliegenden Bearbeitung wird schwerlich ein besseres Los beschieden
sein: bei der jetzt herrschenden Strömung und dem Bestreben,
den Schülern nur die unentbehrlichste Nahrung, nur das not-
dürftigste trockene Brot zu bieten, ist wenig Aussicht, daß eine
Grammatik allgemeiner Anklang findet, die mehr bietet, die
höheren Zielen zustrebt, die das Verständnis der sprachlichen
Erscheinungen erschließen will und dem denkenden Schüler bis
zur obersten Stufe auf Schritt und Tritt eine treue Ratgeberin
sein soll, ja selbst dem jungen Philologen nützlich und förderlich
sein kann". Was Meusel vorausgesehen, ist eingetroffen: genau
nach sieben Jahren erscheint diese vierte Auflage. Der Herausgeber hat ihr wieder in wissenschaftlicher wie in pädagogischer
Hinsicht die gleiche Sorgfalt und Gewissenhaftigkeit zugewendet,
die alle seine Arbeiten auszeichnet. Im Vorworte hat er über
seine Tätigkeit genaue Rechenschaft gegeben, um den Lehrer über
die Unterschiede dieser Auflage von der vorigen zu unterrichten.
S. XI Zeile 11 mußte es nicht heißen 204 A. 4, sondern 204, 6
erste Hälfte, und Zeile 14: 232 ⟨, 2 zweite Hälfte u.⟩ A. 2). Wenn
auch der Umfang der Syntax um zwölf Seiten gewachsen ist, so
sind doch ₍alle Änderungen so behutsam gemacht, daß die neue

Auflage unbedenklich neben der zweiten und dritten gebraucht werden kann. Hoffentlich leuchten nunmehr wieder freundlichere Sterne, wie dem Betriebe des Lateins auf dem Gymnasium überhaupt, so diesem Buche im besonderen, das in jeder Beziehung die wärmste Empfehlung verdient,

Groß-Lichterfelde.   Wilhelm Nitsche.

M. A. Thibaut, Wörterbuch der französischen und deutschen Sprache. Neu bearbeitet von Otto Kabisch. 150. Auflage. Braunschweig 1907, G. Westermann. 2 Bände. 874 u. 737 S. 8, geb. je 7 ℳ.

Vor 105 Jahren erschien in Leipzig bei August Schumann ein „Nouveau Dictionnaire manuel françois-allemand et allemand-françois destiné à l'usage des écoles des deux nations, oder: Neues und vollständiges französisch-deutsches und deutsch-französisches Handwörterbuch nach den besten usw. bearbeitet von Johann Gottfried Haas (Ladenpreis beider Teile 1 Tlr. 12 Gr.)". Dieses Buch ist der erste „Thibaut" gewesen: er ist in die Hände mehrerer Verleger übergegangen, hat den Verfassernamen M. A. Thibaut angenommen (Pseudonym) und ist zuletzt in den Verlag von George Westermann in Braunschweig gekommen. An dem Buche ist in den 105 Jahren dauernd gearbeitet worden: es ist von 513 und 407 Seiten kleinsten Lexikon-Oktavs auf 874 und 737 Seiten größten Formats gewachsen, hat seine Ausstattung von der einfachsten zur vollkommensten aufgebessert und hat 149 Auflagen erlebt. Die 150. liegt jetzt in einer Neubearbeitung von Otto Kabisch in Berlin vor. Der erste Blick auf und in das Buch zeigt, daß der Verleger, obgleich sich der Thibaut stets durch klaren, übersichtlichen Druck und durch das Fehlen aller Abkürzungen vor ähnlichen Werken auszeichnete, doch auch bei der Herstellung dieser Neubearbeitung alle Fortschritte buchdruckerischer Technik ausgenutzt hat, um ein Schul- und Hauswörterbuch ersten Ranges herzustellen. Ganz besonders wohltuend beim Lesen wirkt der gelbliche Ton des Papiers. Das sind Dinge, die besser als alle theoretischen Abhandlungen Schonung und Entlastung des Schülers praktisch herbeiführen. Die Möglichkeit, das Werk in 2 Bänden getrennt oder in einem etwas starken Bande vereinigt (dadurch noch eine Mark billiger) zu haben, setzt jeden in die Lage, diejenigen Ausgaben zu wählen, die er für handlicher hält.

Nun zum Inhalt! Ich habe von der 140. Auflage eine ausführliche Besprechung in Herrigs Archiv, Band 101, S. 442—453 gegeben und bin erfreut, daß alle dort ausgesprochenen Wünsche in reichlichstem Maß erfüllt worden sind. Der Thibaut hat dank der fleißigen Arbeit, die alle Bearbeiter eines Jahrhunderts an ihn wandten, an Wortreichtum und Phrasenschatz stets auf der Höhe seiner jeweiligen Zeit gestanden, und das Versprechen, das Kabisch

in seinem Vorworte gibt, „der Thibaut wird niemand, der ihn
benutzt, im Stiche lassen", hat auch für die Verhältnisse der
früheren Bearbeitungen sehr wohl im großen und ganzen seine
Richtigkeit. Aber in diesen Verhältnissen ist eben in Schule und
Haus ein Wandel eingetreten, der, wie er dem Studium des Französischen andere Bahnen und andere Ziele gewiesen hat, so auch
in natürlicher Folge andere Ansprüche an ein Wörterbuch zu
stellen zwingt. Der Thibaut genügte auch „dem Hause", d. h. für
das Verständnis der im deutschen Hause gelesenen französischen
Belletristik, zur Not auch der Zeitungen und Zeitschriften; er
genügte auch den ersten Erfordernissen praktischer Berufsarten.
Aber auf beiden Gebieten, der Schule und des Hauses, sind
seit einem Menschenalter Veränderungen eingetreten, an den
Schulen ist so gründlich reformiert worden, daß die Stellung des
Französischen und seine Behandlung eine ganz andere geworden
sind. Ist auf den humanistischen Gymnasien neben die rein philologische Seite des Französischen die praktische getreten, so sind
neben den Gymnasien die realistischen Lehranstalten, mit und
ohne Latein, in einem Aufschwunge begriffen, der die Gymnasien
entvölkert. Und auf diesen, namentlich den lateinlosen, nimmt
das Französische die erste Stelle als geistschulender Sprachgegen-
stand ein. So war es erforderlich, daß die Schüler aller Lehranstalten an dem Wörterbuch, mit dem sie ihre Lektüre treiben,
eine Stütze finden, wie sie die guten Wörterbücher der beiden
klassischen Sprachen dem Gymnasiasten immer geboten haben,
d. h. eine Anordnung der Bedeutungen, die deren logisch-historische
Entwickelung aus der Grundbedeutung klar zutage treten läßt.
Diese Anordnung der Bedeutungen hat Kabisch in seiner Neubearbeitung streng durchgeführt: die Resultate der neusprachlichen Philologie, vor allem die der französischen Philologen, eines
Hatzfeld, der beiden Darmesteter, eines Michel Bréal, Émile
Deschanel, Thomas u. a., sind voll verwertet und für den deutschen
Schüler nutzbar gemacht worden. Die französische Anschauung
über strittige Punkte ist dabei stets die maßgebende gewesen.
Den Verfasser leitet dabei die Erwägung, daß erstens im allgemeinen die Empfindung hochgelehrter Franzosen, wie die oben genannten, über eine Wortbedeutung und ihre Entstehung ein mindestens ebenso schwer wiegendes Moment sei wie die theoretischen
Erwägungen nicht nationaler Philologen; daß zweitens aber, selbst
wenn die Ansicht des französischen Philologen sich später einmal
als ein Irrtum herausstellen sollte, ein Bildungsmoment darin liege,
wenn der Schüler (und der Lehrer) aus seinem Wörterbuch national-
französische Empfindungen über Wortbedeutungen kennen lernt.
Klassische Beispiele dafür bieten sens dessus dessous unter sens 5,
und einige völlig unerklärliche Wendungen mit avaler: avaler
sa gaffe und avaler ses baguettes seinen Bootshaken, bezw. seine
Trommelstöcke „verschlucken", d. h. sterben. Da alle fran-

zösischen Philologen und Laien bei dieser absolut unerklärlichen
Deutung bleiben, hat Kabisch sie beibehalten, obgleich es nach
der Grundbedeutung des Wortes, die sich auch im Neufran-
zösischen findet (z. B. avaler sa botte sich das Halsband abstreifen),
so einfach und klar wäre zu deuten „den Bootshaken, bezw. die
Trommelstöcke nieder- d. h. beiseite legen, d. h. sterben. Ebendahin gehört das Wort bouteroue, bei dem etymologisch als
Grundbedeutung „Prellstein" voranstehen sollte. Übrigens hat
unter avaler die Wendung avaler des couleuvres nun auch ihre
richtige Erklärung gefunden. Solche Fälle, die zahlreich sind,
bieten ein außerordentlich gutes Mittel, durch das Wörterbuch in
den Geist der französischen Sprache einzuführen. Andererseits
können Artikel wie accouer zeigen, wie die etymologische Behandlung der Elemente einer Redensart auf den Weg zu sachlicher Richtigstellung von Wortbedeutungen führt. Letzteres allerdings nur, wenn der Bearbeiter auf dem Gebiete, aus dem die
Wendung genommen ist, selbst bewandert ist oder sich durch
das Studium von Fachschriften Belehrung verschafft. Und in
diesem höchst wichtigen Punkte, den sogenannten Realien, liegt
wieder ein wesentlicher Fortschritt der vorliegenden Arbeit. Kabisch
hat es sich angelegen sein lassen, überall die Fachliteraturen auszunutzen, um die immer noch unsichere und schwer zugängliche
Kenntnis der Realien, soweit es in dem Rahmen eines Wörter-
buches anging, seinem Leser zu übermitteln. Hier mußte viel
geschehen. Die ganze Belletristik von der zweiten Hälfte des
vorigen Jahrhunderts an liebt es ja, ihre Erzählungen auf einem
oder mehreren Sondergebieten des sozialen Lebens spielen zu
lassen. Die Schriftsteller halten sich Monate lang in den Gegenden
und unter der Bevölkerung auf, in deren Mitte sie ihre Erzählung
verlegen. Da legen sie dann ihren Personen Worte und Wendungen in den Mund, die selbst in Frankreich nicht allgemein
bekannt sind. Und doch verlangt jeder, der eine solche Erzählung liest, sie in seinem Wörterbuch zu finden. Im Thibaut
wird er nicht vergeblich suchen. Auch andere Neuerungen trifft
der Verfasser. So ist von der mechanischen Anordnung I. tr.,
II. intr. abgegangen worden, so daß der Leser notwendig zuerst
die Grundbedeutung sehen muß. Daß diese grammatischen Bezeichnungen (tr. und intr.) an die Stelle der in Deutschland un-
verständlichen verbe actif und verbe neutre getreten sind, ist,
zumal da sie auch in Frankreich heute allgemein im Gebrauch sind,
als ein weiterer Fortschritt zu bezeichnen. Ganz besonders anerkennenswert ist aber die gänzliche Streichung einer dritten Abteilung der Bedeutungen bei jedem Verb, die der verbes pro-
nominaux, da diese Abteilung lexikalisch gar keine Existenzberechtigung hat, viel Raum in Anspruch nahm und ewige
Wiederholungen bewirkte, während jetzt die Einreihung der mit
dem Reflexivpronomen gebildeten Wendungen eines Verbs in seinem

einfachen Bedeutungswandel zugleich die Entstehung der reflexiven Zusammensetzung und ihrer Bedeutung zeigt.

Hierdurch ist viel Raum für notwendige Zusätze gewonnen worden. Derselbe wird noch durch die Streichung einer erheblichen Zahl von Wörtern erreicht, die nur in ganz entlegener Fachliteratur, oft genug wohl nur einmal zu einer Art Ergänzung analoger Ausdrücke einer Reihe (z. B. bei Taine: inamusable), bisweilen in Frankreich überhaupt nicht gebildet worden waren, sondern ihre Entstehung der Rubrizierungssucht deutscher Grammatiker verdankten. Hierher gehören Wörter wie roséi-colle, -caude, -flore, -gastre, -pède, -rostre; rufi-mane, -ventre; ténui-corne, -folié, -pède; sylvicole; satirographe; scabie: soleiller; strider; supérioriser; surène; tillare; torpédo (statt torpilleur) u. a. Und dieser freigewordene Raum, zusammen mit der erheblichen Vermehrung der Bogenzahl, konnte zur Aufnahme wichtiger neuer Sachen benutzt werden. So wird auch der Philologe jetzt willkommene Auskunft über veraltetes, altertümliches und modernes Französisch finden. Soviel ich sehe, hat Kabisch überall diese Zusätze gemacht, um durch „veraltet" klassisches Französisch zu bezeichnen, das heute außer Gebrauch gekommen ist, durch „altertümlich" solches, das heute noch, oft sogar absichtlich, gebraucht wird, um eine altertümliche, archaisierende Wirkung hervorzubringen. Ein weiterer Vorzug der Neubearbeitung, eine Änderung, die ich auch bei meiner vorher erwähnten Besprechung verlangt hatte, die besonders dem praktischen Gebrauch der Sprache zugute kommt, ist es, daß nicht nur die Scheidung zwischen gutem und familiärem („fam.") Französisch streng durchgeführt worden ist, sondern daß mit fam. wirklich nur dasjenige Französisch bezeichnet worden ist, das man in guter Gesellschaft brauchen kann, während das tiefer stehende, von der Sprache der guten Gesellschaft ausgeschlossene durch den Zusatz „pop." überall kenntlich gemacht worden ist. Daß nicht noch eine Absonderung von Wörtern, die noch etwas tiefer als pop. stehen, etwa durch bas oder trivial (im französischen Sinne) vorgenommen worden ist, kann nur anerkannt werden, da der Deutsche beim praktischen Gebrauch des Französischen die „populären" Ausdrücke ebenso vermeiden wird, wie die „niedrigen" und „gemeinen". Daß letztere wohl vollständig getilgt worden sind, ist ein Vorzug für das Buch, das Schüler benutzen sollen.

Sehr willkommen wird es dem Suchenden sein, wenn er Ausdrücke aus der Sondersprache einzelner Kreise (der Soldaten, Matrosen, Jäger, Schüler, Studenten, Verbrecher u. ä.) nicht mit dem zweifelhaften „Argot" bezeichnet findet, sondern bei ihnen zugleich durch Zusätze wie „Soldatensprache", „Schülersprache", „Jägersprache" den Kreis kennen lernt, in dem das Wort entstanden ist oder gebraucht wird. Zum großen

Teil hierdurch war es möglich, der ungeheuren Vermehrung
des Wortschatzes aller lebenden Sprachen durch die Verwendung
von technischen, namentlich sportlichen Ausdrücken in der
Belletristik und Journalistik gerecht zu werden. Denn nicht nur
enthält jeder Roman unserer modernen Literaturen, besonders
aber der französischen, eine auf irgend einem Sportgebiet be-
wanderte Figur, eine oder mehrere einem besonderen Sport gewidmete Kapitel mit allen dahingehörenden sporttechnischen Ausdrücken und Wendungen, nein, mitten in ganz allgemeinstilistischer
Darstellung finden sich solche Sportausdrücke: Die Augen des
aufgeregten Vinicius in *Quo vadis* leuchten wie die „Lichter" des
Wolfs. Offenbar aus eigener Bekanntschaft mit diesen Dingen,
und persönlich interessiert, bringt Kabisch diese Wörter, wo es
nötig ist, mit knappen erklärenden Zusätzen. Wenn dabei
etymologisch überaus interessante Dinge durch den Zusatz einer
knappen Zeile gegeben werden, dann wird dem Bearbeiter der Dank
der Philologen nicht fehlen: so wenn bei gagner durch die bloße
Anordnung an erster Stelle zu ersehen ist, daß der „heute nur
noch als Jagdausdruck" gebrauchte Begriff „äsen" die Grundbedeutung von gagner (von ahd. weidanjan) gibt, die dann durch
den Bedeutungswandel „Beute machen, Erfolge erreichen" sich zu
„gewinnen" entwickelt hat. So erklärt sich die sonst völlig unverständliche Bezeichnung der dritten Sprosse am Hirschgeweih
„Eissprosse" durch „andouiller de fer" als durch orthographisches
oder klangliches Mißverständnis entstanden. So mögen die
Franzosen, denen durch die völlige Verwüstung ihres Wild-
bestandes der Unterschied zwischen dem Auerhahn und dem
Birkhahn verloren gegangen ist, aus dem Thibaut lernen, daß der
coq de bruyère der Birkhahn ist, während der Auerhahn gros coq
(des bois) heißt. Wenn Jagdhunde bellen oder eben „Hals geben",
ils n'aboient pas, ils crient; die Meute geht à grands cris = mit
„hellem Geläut" oder mit „lautem Halse" vor. Die „Lauscher"
des Rehes heißen auf französisch nicht oreilles, sondern écouteurs.
Vielleicht bringt die Fülle solcher Ausdrücke einen Kundigen,
vielleicht Kabisch selbst dazu, einmal festzustellen, wie sich in
bezug auf diese Seite die beiden Sprachen zueinander verhalten,
welche der beiden die Ausdrücke geschaffen hat. Der Stoff
fließt schon in Tristan et Iseult überreich. Aus solchen
Sondersprachen gibt Kabisch dann auch gelegentlich, jedenfalls aus der Lektüre französischer Journale gewonnen, Ausdrücke, die speziell pariserisch sind, für deren Übermittelung
derjenige, der sie in französischem Texte, in Anekdoten, Witz-
worten u. dgl. findet, jedenfalls dankbar sein wird, da ihm das
ganze Verständnis des Witzes ohne diese Kenntnis verschlossen
bleiben muß. So lernen wir, daß der „Anhänger" (Anhänge-
wagen der Straßenbahn) la balladeuse genannt wird (der Motor-
wagen, der vordere, heißt la motrice, nicht le moteur); daß der

letzte Omnibus einer Strecke le balai heißt (das ähnliche „Lumpen-
sammler" bei uns wird nur von Eisenbahnzügen gebraucht); ja,
daß sogar durch eine Fortsetzung desselben Scherzes der „vorletzte
Wagen" le manche (der Stiel des Besens) genannt wird; daß das
Leihhaus la tante heißt; daß der „Affe" (Tornister) des Soldaten
azor heißt; der „Majorszügel" la cinquième bride; daß suivez la
piste nicht heißt „reiten Sie auf seiner Spur", sondern „bleiben
Sie auf dem Hufschlag" (in der Reitbahn). Man mag dem so
viel Wert beilegen, wie man will, der Fleiß des Verfassers ist
anzuerkennen.

Zu dem Kapitel von den neuentstandenen Ausdrücken gehört
dann alles, was die neusten Arten des Sports angeht; also „Auto,
auteln, Autler, le volant = das Steuerungsrad am Auto, la chambre
à air der Luftschlauch und la bande der Mantel der Pneumatiks,
die selber in les pneus abgekürzt werden (le canot-auto „das
Motorboot" fehlt noch); le canotage = der Wassersport (sport
nautique würde kein Mensch in Frankreich verstehen) und viele
andere.

Einen wichtigen Fortschritt in der Methodik der Lexikographie
macht die Neubearbeitung des zweiten Teils mit dem von Kabisch
schon in Vorträgen in der Herrigschen Gesellschaft behandelten
(in Herrigs Archiv abgedruckten) Prinzip: alle Namen von Gegenständen dürfen nicht durch Übersetzung aus den Bestandteilen
der meist zusammengesetzten deutschen Wörter gewonnen werden,
sondern allein dadurch, daß man feststellt, wie die Franzosen den
betreffenden Gegenstand nennen. So darf die „Feldbahn" nicht
mit chemin de fer de campagne, der „Badeofen" nicht mit poêle
de bain, der „Wandteller" nicht mit assiette murale, das „Drei-
klassen-Wahlsystem" nicht mit système d'élection à trois classes,
die „Indianergeschichte" nicht mit conte (oder gar histoire) indien
(bezw. indienne) usw. übersetzt werden, sondern mit chemin de
fer portatif, poêle d'eau, assiette décorative, élections à trois degrés,
conte (de) Peau-Rouge usw. Ein Sitzplatz heißt place assise, un-
bekümmert um die zweifelhafte Worterklärung, einfach weil an
allen öffentlichen Fahrgelegenheiten zu lesen ist (20) places assisses,
(8) places debouts. Für unsern „Soldatenkönig" haben die Franzosen nun einmal den Roi sergent geprägt; in den Postbüchern
heißen „Post- und Stempel-Wertzeichen" jetzt figurines; der
„Automat" heißt le distributeur; für unser „freihändig" und
„angestrichen (schießen)" sagen die Franzosen eben (tirer) à bras
francs und avec appui; „Fortsetzung folgt" heißt à suivre.
Alles das bietet der neue Thibaut. Daß dabei auch einige wissenschaftliche Neologismen Aufnahme gefunden haben, ist dankenswert; so boustrophédonisme (Furchenlesen; z. B. Leon statt Noel);
cacographie Lesestück mit fehlerhaft geschriebenen Wörtern (die
der Schüler zu seiner Übung heraussuchen muß); sémantique
Wortbedeutungslehre (von Michel Bréal gebildet) und (in der

Vorrede des so betitelten Werks) les Açvins (indische Dioskuren) die Lichtträger (einer Wissenschaft); caravanes scolaires Schülerfahrten u. ä.

Von der Angabe der Etymologie ist mit Recht abgesehen worden. Ein meist hinzugesetztes „anderer Stamm" schützt davor, bei gleichlautenden Wortgebilden ganz verschiedener Ableitung gewaltsamen Bedeutungswandel zu versuchen.

Auf dasselbe Prinzip wie bei den Gegenstandsbezeichnungen geht eine sehr erhebliche Zahl von Verbesserungen zurück, die sich auf ganze Wendungen, Sentenzen, Sprichwörter u. dgl. beziehen. Hier befolgt Kabisch den Grundsatz, daß jede Wendung, die sich in beiden Sprachen in wörtlicher Übereinstimmung in gleichmäßig häufigem Gebrauch findet, zuerst in dieser Form zu geben ist; gibt es daneben eine einem anderen Gebiet entnommene, mit demselben Sinn und auch in den täglichen Gebrauch des französischen Volks und mit allgemeinem Verständnis aufgenommene, so führt er sie an zweiter Stelle auf: das Wort der Bibel „Niemand kann zween Herren dienen" ist in seiner biblischen Fassung nul ne peut servir deux maîtres dem Franzosen gerade so geläufig wie uns. „Wer gut schmert (mundartlich für „schmiert"), der gut fährt" existiert in Frankreich ebenso wie in Deutschland (nicht gerade übermäßig häufig) in der Form qui graisse bien, marche loin, wo schon der Reim und der Rhythmus das Volkstümliche des Sprichworts zeigen. Wenn man in scherzhafter Übertragung von „schmieren" für „bestechen" dasselbe Wort anwendet, so kann man das im Französischen gewiß mit demselben Bilde tun, während quand l'argent roule, tout va bien heißt „mit Geld ist alles zu machen".

Sprachliche Ungeheuerlichkeiten, die sich in die deutsche Lexikographie eingeschlichen hatten, wie „ankeuchen", „anlaufen", „anrennen", auf die die saloppen Wendungen „er kommt angekeucht, angelaufen, angerannt" fälschlich zurückgeführt wurden, ebenso die Wörter zusammen-gehen, -laufen, -leben-, -reiten u. a., die fälschlich als Komposita aufgenommen worden waren, sind beseitigt.

Daß man unter „Haff" „das Frische ∼, le Frisches Haff; das Kurische ∼, le Curischeshaff oder Kurischeshaff" findet (vgl. „Nehrung"), wird hoffentlich dazu beitragen, daß man in Deutschland endlich aufhört, die Friedrichstraße und den Alexanderplatz in Berlin anders als la Friedrichstraße und l'(a) Alexanderplatz zu übersetzen.

Daß Farbenbezeichnungen durch Substantiva wie garance, paille, cerise, auch le rouge foncé nicht diese Substantiva zu undeklinierbaren Adjektiven machen, wie alle Lexika bisher behaupteten, zeigen Beispiele wie un nez garance foncée, une soie d'un paille clair, des étoffes rouge foncé.

Daß die Aussprachebezeichnung nicht zu jedem Worte gegeben ist, auch wo niemand, der auch nur die elementarsten

18*

Kenntnisse von der Art hat, wie die französische Orthographie die Laute bezeichnet, zweifelt, ist ein weiteres Mittel, das Auge, namentlich das des präparierenden Schülers, zu schonen; es wird nicht mehr durch überflüssiges Lesen kleingedruckter, wohl gar abgekürzter Bezeichnungen ermüdet und von dem Wichtigsten, der Erfassung der Grundbedeutung, abgelenkt. Wo Kabisch, in zweifelhaften Fällen, die Aussprache gibt, ist sie die heutzutage in gebildeter Gesellschaft gebräuchliche, „selbst wo sie jemand überraschen sollte". Dieser Zusatz im Vorwort bezieht sich auf Fälle wie die Aussprache von Achille (aschil u. akil), Camille (-mil, als römischer Beiname, -mij, als christlicher Vorname), Sieyes oder Sieyès (beides Biäjäß); bei Montaigne wäre es vielleicht gut gewesen, besonders zu betonen, daß heute jeder Franzose, der nicht gerade Literaturprofessor ist, den Mann „montänj" ausspricht. Bei Wörtern, die offensichtlich aus fremden Sprachen entlehnt sind, ist die Aussprache meist nicht angegeben, so bei tennis, smoking (das übrigens nun auch die sonderbar verkehrte Bedeutung „Morgenanzug" verloren hat) u. a. Wo sie angegeben ist oder wo „in englischer Aussprache" dabei steht, geschieht es, weil Zweifel möglich wären. Daß man Eigennamen fremder Völker jetzt immer in der Aussprache des fremden Volks geben kann, steht im Vorwort.

Es wäre nun nicht schwer, aus irgend einem Sondergebiet, auf dem zu suchen man sich kaprizieren wollte, das eine oder das andere Wort zu finden, das man im Thibaut vermißt, so z. B. „Blättchenpulver", „Blatt (des Wildes)", „Spitze (einer Truppe)", „Netzhemd", „Kragenschoner" u. a. Ich glaube, für niemand wäre das leichter als für Kabisch selbst; fertig wird das Wörterbuch einer lebenden Sprache nie. Mehr auch, so scheint es mir, hätte der französisch-deutsche Teil für den deutsch-französischen (letzterer scheint zuerst gedruckt worden zu sein) ausgenutzt werden können. Aber solche Wünsche wird man am besten befriedigen, wenn man sie beim Gebrauch feststellt und dem Verfasser übermittelt, der die fleißige Arbeit hoffentlich für die Neuauflage fortführen wird.

Ich kann mein Urteil dahin zusammenfassen: Die vorliegende Neubearbeitung bezeichnet einen wichtigen Fortschritt nach der wissenschaftlichen wie praktischen Seite hin; das hervorragend brauchbare Buch ist dem deutschen Hause, besonders aber der deutschen Schule dringend zu empfehlen.

Steglitz. ——————— Th. Engwer.

Julius Asbach, Ludwig Freiherr Roth von Schreckenstein. Köln 1907, Dumont-Schauberg. Drei Bildnisse und mehrere Beilagen. 129 S. 6 ℳ.

Das letzte Werk des vor kurzem verstorbenen Verfassers, der sich besonders als Forscher über römische Kaisergeschichte verdient gemacht hat, ist die vornehm ausgestattete Biographie eines preußischen Generals, der aus einer Ulmer Patrizierfamilie stammte, geb. 1789. Er machte in sächsischem Dienst die Feldzüge von 1812 und 1813 mit, trat 1815 im Gefolge des Generals v. Thielmann in preußischen Dienst über, starb 1858 als kommandierender General des 7. Armeekorps in Münster. Die Quellen fließen nicht eben reichlich, da ein großer Teil des Briefwechsels verloren ist; dennoch bietet dieser Lebenslauf viel Interessantes. In dem schrecklichen Kriege von 1812 hat der junge Offizier unter Napoleons Fahnen seine ersten Kriegserfahrungen gemacht; er hat sie später verwertet in einem Buche, dem er den Titel gab „Die Kavallerie in der Schlacht an der Moskwa", woraus hier anziehende Mitteilungen gegeben werden. Den Reiterdienst in der preußischen Armee zu pflegen machte er sich zur besonderen Aufgabe; als Kommandeur der 13. Kavalleriebrigade in Münster verfaßte er 1845 die Schrift „Gedanken über die Organisation und den Gebrauch der Kavallerie im Felde". Am 5. März 1848 zum Divisionskommandeur in Frankfurt a. O. ernannt, führte er die beiden Infanterieregimenter seiner Division, das 8. und 12., nach Berlin. Die Regimenter nahmen an dem Kampf in den Straßen von Berlin in der Nacht vom 18. zum 19. März teil; über Schreckensteins persönlichen Anteil daran hat sich leider nichts feststellen lassen. Der König ernannte ihn am 13. April zum Kommandeur der 15. Division in Köln; von dort aus griff er kräftig und zugleich besonnen in Trier ein, wo die Anhänger der radikalen Partei am 3. Mai Barrikaden bauten; es gelang ihm, den Aufstand ohne Blutvergießen zu dämpfen. Am 16. Juni wurde er als Kriegsminister nach Berlin berufen; er zeigte sich als konstitutioneller Minister entgegenkommend bei der Beratung der künftigen preußischen Verfassung, wies aber den Antrag des Abg. Stein, es möge ein allgemeiner Erlaß gegen reaktionäre Bestrebungen an die Offiziere gerichtet werden, als zuweit gehend zurück. Im September trat das von Hansemann geleitete Ministerium zurück; Schreckenstein behielt das Vertrauen des Königs, wurde im April 1849 stellvertretender Befehlshaber des Gardekorps, im September 1849 Befehlshaber der in Baden stehenden preußischen Truppen, die bis Ende 1850 noch dort blieben. Aus dieser Zeit stammt seine nähere Beziehung zu dem Prinzen von Preußen, der den Aufstand in Baden niedergeworfen hatte; er gewann das Vertrauen des Prinzen in so hohem Grade, daß er in den Jahren 1852—58 ständiger Reisebegleiter des Kronprinzen Friedrich Wilhelm nach Rußland, Italien, Paris, England war; neben ihm war seit 1855 der Oberst v. Moltke dazu ausersehen. Aus dieser Zeit liegen interessante Briefe des Kronprinzen und seines Vaters vor, die im Anhang des Buches mitgeteilt sind. Von Schreckensteins militärischer Tüchtigkeit und Erfahrung zeugen Briefe von ihm an seinen Neffen Walter v. Loë, den späteren Feldmarschall, dessen Lebenserinnerungen 1906 erschienen sind.

Es ist das Lebensbild eines Mannes, der nicht in erster Linie
gestanden hat, aber an manchen wichtigen Ereignissen beteiligt
war; es gibt eine Vorstellung von den tüchtigen Kräften, die in
der preußischen Armee jener Zeit vorhanden waren, und regt
zum Nachdenken an über den Wandel der Zeiten seit Napoleons
Tagen bis zum Beginn der neuen Ära in Preußen. Auch die anschauliche Darstellung macht es für Schülerbibliotheken empfehlenswert.

Lübeck. ——————— **Max Hoffmann.**

1) **J. Boock, Zeichenschule für den Unterricht in der Erdkunde.
   Ausgabe A. Für höhere Lehranstalten. Teil I, A (Unterstufe).
   Das Deutsche Reich. Heft 1: Die deutschen Mittelgebirgslandschaften,
   9 Karten, 9 Skizzen. Heft 2: Die deutschen Flachlandschaften, 7 Karten,
   7 Skizzen. Heft 3: Wiederholungsskizzen, 7 Karten, 7 Skizzen.
   Teil I, B (Oberstufe). Das Deutsche Reich. Heft 1: Die deutschen
   Mittelgebirgslandschaften, 9 Karten, 9 Skizzen. Heft 2: Die deutschen
   Tieflandschaften, 9 Karten, 9 Skizzen. Heft 3: Wiederholungsskizzen,
   7 Karten, 7 Skizzen. Berlin 1907, Friedrich Stahn 4. 2,60 ℳ.**

In den amtlichen Lehrplänen für Preußen vom Jahre 1901
sind im erdkundlichen Unterricht Kartenskizzen für die Klassen
Quinta bis Untersekunda vorgeschrieben. Darauf gründet sich das
Recht des Verf., mit einiger Aussicht auf Erfolg seines Unternehmens eine Zeichenschule für den Unterricht in der Erdkunde
herauszugeben. In den Lehrplänen wird vor der Überspannung
der Anforderungen gewarnt und darauf hingewiesen, daß die
Schüler sich nach dem vorbildlichen Zeichnen des Lehrers auf
freihändige Anfertigung einfacher Skizzen während der Unterrichtsstunden zu beschränken haben, daß häusliche Zeichnungen
dagegen im allgemeinen von ihnen nicht zu verlangen sind. Da
Verf. aber Hausarbeit im Skizzenbuch als regelmäßige Arbeitsleistung der Schüler verlangt, setzt er sich zu den maßvollen Bestimmungen der Lehrpläne, die man nur billigen kann, in einen
gewissen Widerspruch. Sie überlassen es dem Lehrer, nach
welcher Methode er bei dem Entwerfen der Skizzen zu verfahren
gewillt ist: ob er seiner Zeichnung ein Gradnetz zugrunde legen
will, was Debes in seinem Zeichenatlas und Pascal in seinen Vor-
lageheften für die Netze zum Kartenzeichnen tut; ob er mit Hilfslinien und Konstruktionsfiguren ein ungefähr richtiges Kartenbild
entwerfen will, welche Methode auch ihre Vertreter in der geographischen Literatur gefunden hat; ob er sich mit Freihand-
oder sogenannten Faustskizzen, die allein auf der Sicherheit der
Anschauung und der nötigen Handfertigkeit beruhen, begnügt; ob
er endlich mit Hilfe eines Normalmaßes und des Punktsystems
unter Zugrundelegung der Karte Abbilder derselben aus freier
Hand zeichnen und zeichnen lassen will.

Das Gradnetz- und das Figurensystem verlängern die Arbeit,
wenn sich die Schüler nicht geradezu gedruckter Vorlageblätter

bedienen sollen, erschweren auch in diesem Falle die Übersichtlichkeit des Kartenbildes und gewährleisten beim eigenhändigen
Entwerfen dieser Hilfslinien durchaus nicht die Sicherheit des Erfolgs. Verf. hat sich für das Normalmaß- und Punktsystem entschieden, das nicht gerade etwas Neues ist, aber in seiner praktischen Anwendung vom Verf. selbständig ausgearbeitet und verwertet
worden ist. In einem den Skizzenheften beigegebenen Lehrerheft
entwickelt er die Grundsätze seines Verfahrens, nennt Skizzenzeichnen
die Grundlage für die Aneignung des Anschauungsstoffs der Karte
und gibt eine Anleitung zur Benutzung der Skizzenhefte. „Das
Normalmaß", heißt es S. 9, „ist der bestimmte Teil eines Stromlaufs,
dessen Vielfache oder Teile die übrigen Stromrichtungen sind".
Natürlich ist für jeden Strom ein besonderes Normalmaß zugrunde
gelegt. Wie dieses Maß herauszufinden ist, gibt Verf. nicht an,
ist auch für denjenigen, der im Unterricht diese Skizzenhefte benutzt, nicht nötig, aber vielleicht von Interesse für die
Lehrer, die nach dieser Methode auch Länderumrisse zeichnen
wollen, was Verf. nicht tut. Das Normalmaß ist, was Ref. auf
Grund seiner Lehrtätigkeit verraten will, durch Versuchen und
Prüfen mit Lineal und Zirkel an zuverlässigen Karten herauszufinden, eine mühsame und zeitraubende Arbeit, die aber nötig
ist und viel Geduld verlangt. Mit Hilfe des aufgefundenen Normalmaßes und unter Benutzung der gedruckten Karte werden dann
die für die Zeichnung wichtigen Stellen des Stromlaufes auf dem
Skizzenblatt durch Punkte bezeichnet, und zuletzt wird dieser
selbst in möglichst geraden Linien entworfen, womit sich Verf.
„die Darstellungsform der Flußläufe auf guten, großen Wandkarten
zu eigen gemacht" hat. Während das Gradnetzsystem, möchte
Ref. noch bemerken, etwas Starres an sich hat, d. h. den gewählten Maßstab unabänderlich festlegt, hat das Normalmaßsystem
den großen Vorzug der Unstarrheit und Beweglichkeit, indem je
nach den vorhandenen Raumverhältnissen oder nach der wünschenswerten Größe der Skizze dem Normalmaße mit Leichtigkeit eine
größere oder geringere Länge gegeben werden kann, nach der
sich dann die Vielfachen oder Teile richten müssen, d. h. also
Änderungen im Maßstabe beim Beginn der Zeichnung leicht vorgenommen werden können.

Jedes der drei Hefte der Unterstufe enthält auf jedem linken
Blatte einen deutschen Strom mit seinen Nebenflüssen und einigen
durch mehrfache Zeichen voneinander unterschiedenen Städten,
oder auch nur wichtige Abschnitte des Stromlaufes nebst den ihn
begleitenden Gebirgen, die durch dick gezogene braune Striche
wiedergegeben sind, und auf jedem rechten Blatte bloß die für
die Skizze nötigen Punkte. In derselben Weise geordnet und
behandelt, aber umfassender und reicher ausgestattet, enthalten
die drei Hefte der Oberstufe die deutschen Mittelgebirgslandschaften,
die deutschen Tieflandschaften und Wiederholungsskizzen. Aus

dieser. Übersicht ergibt sich sofort, daß Verf., der von Länder-
umrissen absieht, nur Flußbilder und nach geographischen Gesichtspunkten geordnete Landschaftsbilder in seinen Skizzen zur
Darstellung bringen will, was viel für sich hat und jedenfalls
wichtiger ist, als die Zeichnung der sich im Laufe der Geschichte
verschiebenden Länderumrisse; kann doch jeder Lehrer, der es
für wünschenswert hält, auch politische Grenzen nach derselben
Methode entwerfen. Außerdem enthält jedes Heft auf der ersten
Innenseite des Umschlags Erklärungen und Zeichen, die unter
No. 1 mit dem Hinweis beginnen, daß jedes Kartenblatt eine
geographische Einheit der Erdoberfläche bildet.

.   Das Normalmaß- und Punktsystem erscheint Ref. mit Verf.
als das am wenigsten zeitraubende, übersichtlichste und verhältnismäßig sichere Verfahren zur Entwerfung einfacher Skizzen und
als die beste Vorbereitung zum völligen Freihandzeichnen. Wenn
es freilich allgemeine Verbreitung finden soll, so darf das Auge
nicht durch eine Überfülle von Punkten, die sich auf verschiedenen
Skizzenblättern beobachten läßt, verwirrt und der Zeichnende von
vornherein entmutigt werden. Es wäre in dieser Beziehung schon
viel gewonnen, wenn die sparsame Punktierung auf die Ströme
und ihre Hauptnebenflüsse beschränkt würde, während die übrigen
Nebenflüsse dem völligen Freihandzeichnen überlassen blieben. Zu
den Erklärungen und Zeichen auf der Innenseite der Umschläge
sei bemerkt, daß es nicht genügt, dieselben mit Worten zu kennzeichnen, sondern daß die betreffenden Zeichen, die die Schüler
auf den Kartenskizzen deuten sollen, auch danebengesetzt werden
müssen. Das hat Verf. bloß getan auf dem Blatte der Wieder-
holungsskizze 6—7 des dritten Heftes der Unterstufe, zugleich
freilich mit zwei Abweichungen in der Kennzeichnung der Städte,
was irreführend wirken muß. Ob überhaupt Verf. in dem
Streben nach Unterscheidung der Bedeutung der einzelnen
Städte nicht zu weit gegangen ist? Hat er doch selbst die
Stadtzeichen nicht immer richtig oder nur unvollständig
angewendet. Zum Beweise dessen verweist Ref. auf
Passau, Linz, Mainz, Darmstadt, Münden, Straßburg und Frei-
burg i. Br. im ersten Heft der Unterstufe; auf Leipzig,
Chemnitz, Berlin und Spandau im zweiten Heft; auf Freiburg i. d.
Schweiz, Chur, Ingolstadt, Basel, Metz, Stuttgart, Aschaffenburg
und Erfurt im ersten Heft der Oberstufe; auf Braunschweig,
Schleswig, Danzig und Posen im zweiten Heft. In dieser Auf-
zählung sind zwar Wiederholungen vermieden, aber nicht in den
Heften. Auf die Bevölkerungszahl der Städte hat Verf. in seinen
Bezeichnungen keine Rücksicht genommen, so daß Landeck a. Inn
und Linz a. d. Donau, das etwa 60 mal soviel Einwohner hat als
Landeck, sich dem Grundsatze des Verf. gemäß auf derselben
Karte weder in der Schrift noch im Zeichen unterscheiden, ebenso-
wenig Frankfurt a. M. und Hanau, ja daß Merseburg a. d. S. im

Zeichen und in der Schrift viel größer erscheint als seine Nachbar-
stadt Halle. Daß einige Städte fälschlich an das linke statt an
das rechte Ufer ihres Flusses gesetzt sind und umgekehrt, oder
auf andern Skizzen auch zurückversetzt sind, möchte Ref. aus
Rücksicht auf den ihm zur Verfügung stehenden Raum dieser
Zeitschrift nicht im einzelnen nachweisen. Die besprochenen
Hefte bilden den ersten Teil des ganzen Werkes, im zweiten wird
das außerdeutsche Europa, und im dritten werden die außer-
europäischen Erdteile in gleicher Weise behandelt werden. Der
Zeichenschule des Verf. liegt jedenfalls ein in der Praxis wohl
durchführbarer Gedanke zugrunde, zumal wenn der Lehrer nicht
glaubt alles zeichnen zu müssen, was möglich ist, sondern sich
darauf beschränkt, die Schüler nach dieser Methode zum Skizzen-
zeichen durch so viele Beispiele anzuleiten, als sich dabei die
übrigen Aufgaben des geographischen Unterrichts in den wenigen
Stunden, die dieser hat, erfüllen lassen.

2) J. Boeck, Anschauungs- und Gedächtnishilfen zur Kriegsgeschichte. Ausgabe A. Für höhere Lehranstalten. Heft 1: Die
Einigungskriege, 10 Karten nebst Beilage. Heft 2: Die Befreiungskriege, 10 Karten nebst Beilage. Heft 3: Die Eroberungskriege des
I. Kaiserreichs, 8 Karten nebst Beilage. Heft 4: Die Eroberungskriege der I. Republik, 8 Karten nebst Beilage. Berlin 1907, Friedrich
Stahn. gr. 8. 2 M.

Verf. folgt mit seinen Skizzen zur Kriegsgeschichte im allgemeinen den Spuren Rotherts in dessen die ganze Weltgeschichte
umfassendem Kartenwerk, das unter dem Titel „Karten und
Skizzen aus der Geschichte" in fünf Atlantenbänden erschienen
ist. Während aber Rothert neben der Kriegsgeschichte als der
Hauptsache auch die Wanderungen der Völker, die Handelsstraßen,
die Kolonialpolitik, die Rechtsentwickelung, Besitzveränderungen,
zuweilen auch politische Grenzen mit oder ohne farbigen Flächen-
druck unter Anlehnung an das Gebirgs- und Flußsystem der Erdoberfläche veranschaulicht, beschränkt sich Verf. in den vorliegenden
vier Heften allein auf die Kriegsgeschichte. Er sieht von allem
andern, auch von der politischen Umgrenzung der Länder ab.
Die Gebirge sind — vielleicht mit Unrecht — bloß in einem
einzigen Falle angedeutet, und das Flußsystem ist nur insoweit
dargestellt, als es zum Verständnis der Ortslage durchaus notwendig ist. Alle erklärenden Bemerkungen, die jede Rothertsche
Karte enthält, sind auf den vorliegenden Skizzenblättern vermieden
und vielmehr durch Beilagen, die diese Bemerkungen enthalten,
zu den einzelnen Heften ersetzt worden. Eine unerlaubte Benutzung des Rothertschen Atlasses, der nur zur Vergleichung
herangezogen worden ist, soll damit aber nicht angedeutet werden.
Es kommt Verf. allein darauf an, die Truppenbewegungen und
die Kriegsschauplätze klar und deutlich ohne jedes störende Beiwerk zu veranschaulichen. Und das ist ihm im hohen Grade

gelungen. Wie übersichtlich und anschaulich stellen sich z. B.
die Märsche und Kämpfe um Metz in den Tagen des 14. bis
18. August 1870 auf den Blättern 4—6 des ersten Heftes dar,
ebenso die Anmarschlinien, Sammelplätze, Stellungen und Schlachten
der Heere bei Leipzig in den Oktobertagen des Jahres 1813 auf
den Blättern des zweiten Heftes. Infolge seiner Methode und
der Übertragung der an den einzelnen Tagen stattfindenden
Truppenbewegungen und Kämpfe auf mehrere Oktavblätter liefert
Verf. reinere geographisch-geschichtliche Anschauungsbilder als
Rothert. Er will eben durch Vorführung „geographischer Seh-
bilder" die Phantasie mit klaren Anschauungen füllen und so das
Gedächtnis unterstützen. Die losen Skizzenblätter bieten außerdem
den Vorteil, daß man sie zum besseren Verständnis jedes geschichtlichen Textes daneben legen kann. In seinen Angaben ist
Verf., soweit sie Ref. geprüft hat, von wenigen Ausnahmen abgesehen, zuverlässig. Jedes Heft bildet eine pragmatische Einheit,
und die Skizzenblätter stellen in zeitlicher Reihenfolge immer
eine Einzelphase dieser Einheit dar. Farben, Striche und Punkte,
große und kleine Schrift, römische und arabische Ziffern und
wenige einfache Zeichen dienen der Veranschaulichung der
Stellungen und Bewegungen, wobei jede Überfülle der Skizzen-
bilder vermieden ist. Alles in allem genommen, kann man die
Hefte als Förderungsmittel des geschichtlichen Unterrichts nur
empfehlen.

Stargard i. Pomm.   R. Brendel.

---

1) Mach, Grundriß der Physik für die höheren Schulen des Deutschen
Reiches, bearbeitet von F. Harbordt und M. Fischer. Teil II:
Ausführlicher Lehrgang. Mit 537 Abbildungen. Zweite, verbesserte
und durch Übungsaufgaben erweiterte Auflage. Leipzig, G. Freytag
und Wien, F. Tempsky, 1908. 376 S. 8. geb. 4 ℳ.

Als vor mehr als 13 Jahren der Grundriß der Physik von
Mach erschien, hatte man es mit einer wichtigen Erscheinung auf
dem Gebiete der physikalischen Schulliteratur zu tun. Das neue
Werk zeigt, wie die modernen Begriffe, welche die Physik immer
mehr zur Anwendung brachte, auch in den Schulunterricht eingeführt werden konnten, und wurde in dieser Hinsicht für viele
neueren Lehrbücher der Physik vorbildlich. Jetzt liegt nun die
zweite Auflage des für die Oberstufe der höheren Schulen bestimmten Teiles vor. Die Änderungen sind nicht von einschneidender Bedeutung, am wichtigsten ist die Einfügung zahlreicher, gut gewählter Übungs- und Denkaufgaben, und die Verarbeitung des Lehrstoffes der Unterstufe mit dem der Oberstufe
zu einem wohlgeordneten Ganzen muß durchaus als zweckmäßig
bezeichnet werden, war doch der häufige Hinweis auf die entsprechenden Paragraphen des ersten Bandes unbequem und zeitraubend.

Die in der ersten Auflage stark schematisierten Figuren sind jetzt etwas mehr ausgeführt und dadurch anschaulicher geworden, auch ist eine nicht unbeträchtliche Zahl neuer Figuren hinzugekommen.

2) K. Smalian, Anatomie und Physiologie der Pflanzen und des Menschen nebst vergleichenden Ausblicken auf die Wirbeltiere. Für die Oberklassen höherer Lehranstalten dargestellt. Mit 107 Textabbildungen. Leipzig, G. Freytag und Wien, F. Tempsky, 1908. 86 S. 8. geb. 1,40 ℳ.

Das Büchlein zerfällt nahezu in zwei gleiche Teile, von denen der erste dem innern Bau der Pflanzen und den daran gebundenen Lebensvorgängen gewidmet ist, während im zweiten Teile die Anatomie und Physiologie des menschlichen Körpers mit vergleichenden Ausblicken auf die Wirbeltiere gründlich behandelt wird. Der nach systematischen Grundsätzen geordnete Inhalt enthält namentlich im Abschnitte über die Pflanzen eine überreiche Stofffülle und Anhäufung von Tatsachen, die auf engem Raume zusammengedrängt sind. Die zur Darstellung gewisser Lebensvorgänge anzustellenden Versuche sind oft nur andeutungsweise erwähnt, ihre Beschreibung hätte gerade aus diesem Grunde zuweilen korrekter und klarer gestaltet werden müssen. Als Beleg führe ich zwei auf S. 39 zur Erläuterung der Schwerkraft als Wachstumsreiz unter No. 4 und No. 7 beschriebene Versuche an. In No. 4 liest man: „Durch Auflegen von Gewichten auf der andern Seite kann man die Größe des Wurzelwachstums messen". Ist damit nicht vielmehr gemeint, daß auf diesem Wege die Größe des Wurzeldruckes anschaulich gemacht werden kann? In No. 7 muß es wohl statt „nahe der Scheibe" heißen „nahe der Drehungsachse". Ferner ist die Erdschwere bei diesem Versuche, meines Erachtens, auch nicht teilweise ausgeschlossen, sondern stets wird die Resultierende der Schwerkraft und der Schleuderkraft maßgebend sein. Ebensowenig kann die auf S. 39 unten gegebene Erklärung für die schlängelnde Wachstumsbewegung als klar und ausreichend angesehen werden. Die Beschreibung des menschlichen Körpers und seiner Funktionen ist angemessen und eingehend durchgeführt, auch ist auf hygienische Fragen in wünschenswerter Weise Rücksicht genommen.

Der Text ist mit zahlreichen, teilweise schematischen, meist recht anschaulichen und gut gewählten Figuren versehen, auch im übrigen entspricht die Ausstattung des Buches allen Anforderungen, die man an ein Schulbuch stellen muß.

3) O. Frey, Physikalischer Arbeitsunterricht. Ein Vorschlag zur Umgestaltung des Unterrichts auf der Unterstufe. Mit 30 Figuren im Text. Leipzig 1907, E. Wunderlich. VIII u. 192 S. 8. geb. 2,50 ℳ.

Die Bestrebungen der neuesten Zeit, den physikalischen Unterricht fruchtbarer als bisher zu gestalten, kommen im wesent-

lichen darauf hinaus, die Schüler mehr zur selbständigen Er-
arbeitung der elementaren physikalischen Begriffe und Gesetze in
Übungsstunden heranzuziehen. Es liegen in dieser Beziehung
zahlreiche, meist erfreuliche, praktische Erfahrungen vor, auch
mangelt es nicht an Veröffentlichungen von Unterrichtsergebnissen
und Vorschlägen zu zweckmäßiger Umgestaltung des bisherigen
Demonstrationsunterrichtes. Am wenigsten freilich ist in dieser
Hinsicht für den vorbereitenden Lehrgang geschehen, und gerade
hier soll der „Physikalische Arbeitsunterricht" von O. Frey eine
vorhandene Lücke ausfüllen helfen. Frey betont die Notwendigkeit, die große Zahl von Erfahrungen physikalischer Natur, die
jeder Knabe bewußt oder unbewußt mitbringt, und die mit
„motorischen Elementen des Empfindungslebens" verknüpft sind,
sofort zu verwerten, eine „schöpferische" Tätigkeit an den Anfang und in den Mittelpunkt des Anfangsunterrichts zu stellen.

Das Buch zerfällt in einen kürzeren, theoretischen und einen
längeren, praktischen Teil. Der erste enthält den Versuch einer
didaktisch-psychologischen Begründung einer neuen Bestimmung
der Aufgabe, welche der vorbereitende Lehrgang an den Schülern
zu lösen hat, ferner einige allgemeine Erörterungen über die
Technik des Unterrichts und über den Unterrichtsraum mit seiner
Ausstattung. Im praktischen Teile wird gezeigt, wie bei einer
zweckmäßigen und genügenden Ausstattung des Arbeitsraumes
nunmehr alle Apparate, die das physikalische Können des Schülers
fördern sollen, von ihnen selbst mit geringen Kosten hergestellt
werden. Zu dem Zwecke werden Fahrradteile, die aus der Fabrik
von Klarner & Eckhardt in Leipzig für einen sehr billigen Preis
in brauchbarem Zustande bezogen werden können, auf Grund
mehrjähriger Erfahrungen empfohlen. An den Apparaten, die zunächst die einfachen Maschinen darstellen, wird sogleich und
hauptsächlich der Arbeitsbegriff geübt, überall wird auf die technische Seite besonderer Wert gelegt. Im Kapitel „Die Arbeits-
formen der Flüssigkeiten" werden zunächst das Fließen und die
Grundeigenschaften der Flüssigkeiten rein empirisch zu möglichst
klarer Anschauung erhoben, sodann wird die Stromarbeit, daran
anschließend werden merkwürdige Arbeitsumformungen beobachtet,
die Arbeiten der Wärme und des elektrischen Stromes bilden den
Schluß dieses Abschnittes. Zuletzt werden Arbeiten über Schwingungen und Wellenbewegungen beschrieben und im Anschluß an
sie einige akustische und optische Versuche.

Wie alle hier aufgeführten Arbeiten von Schülern der Vorstufe mit bestem Erfolge ausgeführt werden sollen, hat der Verfasser in skizzenhafter Darstellung beschrieben; aber er sucht
auch durch Einblick in den Verlauf einiger Arbeitsstunden, die der
Leser in Form eines Dialogs zwischen Schüler und Lehrer kennen
lernen soll, die Art ihrer Durchführung zu lebendiger Anschauung
zu bringen.

Weder die philosophischen Begründungen des ersten Teiles noch die Dialoge des zweiten sind meiner Ansicht nach von starker überzeugender Kraft, so sehr die Darstellung oft die Begeisterung des Verfassers für seine neuen Ideen widerspiegelt. Indessen wird man gern anerkennen, daß das Buch von brauchbaren und dankenswerten Anregungen voll ist und in der Hand eines geeigneten Lehrers, falls geeignete Unterrichtsräume und eine entsprechende Ausstattung zur Verfügung stehen, wertvolle Dienste leisten kann.

Berlin.   R. Schiel.

A. Tesch, Friedrich Ludwig Jahn, der deutsche Turnvater. Band 214 der deutschen Jugend- und Volksbibliothek. Stuttgart 1907, J. F. Steinkopf. Mit Titelbild. 140 S. 8. geb. 1 ℳ.

Das vorliegende Lebensbild des Turnvaters Jahn ist flott und mit warmer Teilnahme geschrieben. Der Verf. verschleiert die Fehler und Sonderbarkeiten des freiheitsdurstigen Mannes nicht, aber um so heller läßt er seine edlen Charaktereigenschaften, namentlich seine unermüdliche Vaterlandsliebe hervortreten. Jahns Verdienste um die deutsche Turnkunst, um die deutsche Sprache, um die deutsche Freiheit werden in einfacher, klarer Weise geschildert und dabei manches interessante Streiflicht auf einzelne Teile der Befreiungskämpfe geworfen. Eine Menge von kleinen, anekdotenhaften Geschichten beleben die Schilderung, und vor allem kommt Jahn selbst häufig zu Worte, so daß die reckenhafte Gestalt des Mannes, der bei Lebzeiten eine so seltene Volkstümlichkeit besaß, dem Leser lieb und vertraut wird. Das kleine Buch gehört in jede Schülerbibliothek und, wo dergleichen besteht, in jede Turnbibliothek. Denn der Mann ist es wert, daß die Nachwelt von ihm mehr weiß als bloß den Namen des „alten Turnvaters“, und daß er in der Jahnshöhle gewohnt und in der Hasenheide den ersten Turnplatz eingerichtet hat. Jahn ist vor allem jung gewesen und bis in sein Alter jung geblieben; darum denke ich, sein Lebensbild wird von der Jugend gern gelesen werden und seine begeisterte Vaterlandsliebe nicht ohne Eindruck auf sie bleiben. Der Verlag liefert das Buch auch, statt in Leinenband, in solidem, halbledernen Bibliotheksband zu dem ermäßigten Preise von 0,90 ℳ.

Halle a. S.   G. Riehm.

EINGESANDTE BÜCHER

(Besprechung einzelner Werke bleibt vorbehalten).

———

1. R. Strecker, Religion und Politik bei Goethe. 6 Vorlesungen, hauptsächlich im Anschluß an Goethes Gespräche mit Eckermann. Gießen 1908, Emil Roth. IV u. 158 S. 1,60 ℳ, eleg. geb. 2 ℳ.

2. Th. Dreher, Leitfaden der katholischen Religionslehre. Freiburg i. Br. 1907, Herdersche Verlagsbuchhandlung. Heft 4: Das Kirchenjahr, 10. und 11. Auflage. 38 S. 0,35 ℳ. — Heft 5: Kirchengeschichte, 12. und 13. Auflage. 59 S. 0,50 ℳ.

3. H. Wedewer, Lehrbuch für den katholischen Religionsunterricht für die oberen Klassen. III: Grundriß der Glaubenslehre. Zweite Auflage. Freiburg i. Br. 1907, Herdersche Verlagsbuchhandlung. XIII u. 145 S. 2 ℳ.

4. E. Dürr, Die Lehre von der Aufmerksamkeit. Leipzig 1907, Quelle & Meyer. XI u. 192 S. 3,80 ℳ.

5. F. Muszyński, Die Temperamente. Ihre psychologisch begründete Erkenntnis und pädagogische Behandlung. Paderborn 1907, F. Schöningh. XII u. 274 S. 4,60 ℳ.

6. E. Meumann, Einführung in die Ästhetik der Gegenwart. Leipzig 1908, Quelle & Meyer. 151 S. 1 ℳ, geb. 1,25 ℳ.

7. G. Misch, Geschichte der Autobiographie. Erster Band: Das Altertum. Leipzig 1907, B. G. Teubner. VIII u. 472 S. 8 ℳ.

8. U. Buurmann, Kurzes Repetitorium für das Einjährig-Freiwilligen-Examen. Bändchen 6: Geschichtstabelle in zusammenhängender Form. Zweite Auflage. 88 S. 1,50 ℳ. Bändchen 7: Das Wichtigste aus der mathematischen, physischen und politischen Geographie. Leipzig 1907, Rengersche Buchhandlung (Gebhardt & Wilisch). 78 u. 4 S. 1,50 ℳ.

9. L. Cholevius, Dispositionen zu deutschen Aufsätzen. Zwölfte Auflage von O. Weise. Bändchen I: Aufgaben aus der Geschichte, Kulturgeschichte, Erdkunde und Naturgeschichte. Leipzig 1907, B. G. Teubner. 164 S. kart. 1,40 ℳ.

10. W. Reuter, Perlen aus dem Schatze deutscher Dichtung. Proben zur Literaturkunde. Dritte Auflage von L. Lütteken. Freiburg i. Br. 1907, Herdersche Verlangsbuchhandlung. XV u. 268 S. geb. 2 ℳ.

11. Aus Natur und Geisteswelt. Sammlung wissenschaftlich-gemeinverständlicher Darstellungen. Leipzig 1907, B. G. Teubner. Jeder Band geb. 1,25 ℳ.

Band 158. P. Schubring, Rembrandt. Mit 1 Titelbild und 49 Textabbildungen. 82 S.

Band 163. K. Hassert, Die Städte geographisch betrachtet. Mit 21 Abbildungen. 137 S.

Band 170. W. Ahrens, Mathematische Spiele. Mit 1 Titelbild und 69 Figuren. 118 S.

Band 176. J. Cohn, Führende Denker. Geschichtliche Einleitung in die Philosophie. Mit 6 Bildnissen. 118 S.

Band 177. O. Kirn, Sittliche Lebensauffassungen der Gegenwart. 122 S.

Band 180. P. Hensel, Rousseau. Mit 1 Bildnis Rousseaus. 129 S.

Band 200. M. Verworn, Die Mechanik des Geisteslebens. Mit 11 Figuren. 104 S.

12. **Wissenschaft und Bildung.** Leipzig 1907/08, Quelle & Meyer. geb. 1,25 *M.*

L. **Geiger, Rousseau.** Jean Jacques Rousseau, sein Leben und seine Werke. 131 S.

A. **Weber, Die Großstadt und ihre sozialen Probleme.** 138 S.

F. **Machaček, Die Algen.** Mit 23 Bildern. 146 S.

H. **Winckler, Die babylonische Geisteskultur** in ihren Beziehungen zur Kulturentwicklung der Menschheit. 152 S.

13. **Victor Graf Ségur-Cabanac, Discours sur la littérature française joints à la lecture** (Glanes littéraires). Brünn 1908, Karafiat & Sohn. 123 S. geb. 2,50 *K.*

14. A. **Chatelain, Ausgewählte Erzählungen.** Für den Schulgebrauch erklärt von K. Sachs. Berlin und Glogau 1908, C. Flemming. VIII u. 74 S. geb.

15. **Sammlung Göschen.** Leipzig, G. J. Göschen'sche Verlagshandlung. Jeder Band geb. 0,80 *M.*

1. H. **Brauswig, Die Explosivstoffe.** Einführung in die Chemie der explosiven Vorgänge. Mit 6 Abbildungen und 12 Abbildungen. 158 S.

2. A. **Helimeyer, Die Plastik seit Beginn des 19. Jahrhunderts.** Mit 41 Abbildungen. 108 S.

3. R. **Burckhardt, Geschichte der Zoologie.** 156 S.

4. M. **Rauther, Das Tierreich, IV: Fische.** Mit 37 Abbildungen. 154 S.

5. F. W. **Neger, Die Nadelhölzer (Koniferen) und übrigen Gymnospermen.** Mit 85 Abbildungen, 5 Tabellen und 4 Karten. 185 S.

6. S. **Valentiner, Vektoranalysis.** Mit 11 Figuren. 163 S.

16. H. **Robolsky, Französische und englische Handelskorrespondenz,** gesammelte Originale. Herausgegeben von F. Meißner. Teil II: Englische Handelskorrespondenz. Fünfte Auflage. Leipzig 1907, Rengersche Buchhandlung (Gebhardt & Wilisch). 131 u. 77 S. geb. 3 *M.*

17. **Molière. L'Avare.** Mit Einleitung und Anmerkungen von E. Wasserzieher und J. Gontard. Berlin und Glogau 1907, C. Flemming. XVI u. 87 S. geb. 1,50 *M.*

18. **Shakespeare, Julius Caesar.** With introduction and explanatory actes edited by K. Grosch. Ebendaselbst. XXIV u. 109 S. 1,60 *M.*

19. **Chambers, History of England, 55 B. C. to the present time.** Für den Schulunterricht hergerichtet von J. Klapperich. Mit 14 Abbildungen, 5 Nebenkarten und 1 Hauptkarte. Glogau o. J., Carl Flemming. VIII u. 128 S.

20. J. **Colomb. Deux mères.** Für den Schulgebrauch herausgegeben von A. Sätterlin. Leipzig 1906, G. Freytag. 132 S. 1,50 *M.* Wörterbuch 54 S. 0,60 *M.*

21. G. **Bruno, Les enfants de Marcel.** Für den Schulgebrauch herausgegeben von Fr. Wüllenweber. Zweite Auflage. Leipzig 1907, G. Freytag. 124 S. 1,50 *M.* Wörterbuch 75 S. 0,70 *M.*

22. **Victor Hugo, Selected poems.** Edited with Introduction and Notes by H. W. Eve. Cambridge 1907, University Preß. XXII u. 180 S. geb.

23. **Deutsch-Südwestafrika, Kriegs- und Friedensbilder.** Leipzig 1907, Wilhelm Weicher. Mit 7 Bildern und 1 Porträt. VIII u. 79 S.

24. F. v. **Hemmelmayr** und K. **Brunner, Lehrbuch der Chemie und Mineralogie** für die vierte Klasse der Realschulen. Der mineralogische Teil bearbeitet von H. Leitenberger. Mit 76 Abbildungen und 2 Farbendrucktafeln. Dritte Auflage. Wien 1906, F. Tempsky. IV u. 180 S. 2 *K* 10 *h,* geb. 2 *K* 60 *h.*

25. C. **Hille, Die deutsche Komödie unter der Einwirkung des Aristophanes.** Ein Beitrag zur vergleichenden Literaturgeschichte. Leipzig 1907, Quelle & Meyer. (Breslauer Beiträge zur Literaturgeschichte, herausgegeben von M. Koch und G. Sarrazin, Heft 12.) IV u. 180 S. 5,75 *M* (Subskriptionspreis 4,60 *M*).

26 Richters Lehrbuch der Geographie. Neu bearbeitet von J. Müllner. Der Gesamtausgabe achte Auflage. Teil I: für die 1. Klasse. Mit 31 Abbildungen. 1907. 112 S. 1 K 15 h, geb. 1 K . 65 h. Teil II: für die 2. Klasse. Mit 54 Abbildungen. 164 S. 1908. 2 K, geb. 2 K 50 h. Wien, F. Tempsky.

27. A. Bargmann, Himmelkunde und Klimakunde. Mit einem Skizzenanhange Leipzig 1908, Quelle & Meyer. VIII u. 215 S. 2,40 M, geb. 3 M.

28. F. Dannemann, Der naturwissenschaftliche Unterricht auf praktisch-heuristischer Grundlage. Hannover 1907, Hahnsche Buchhandlung. XII u. 366 S. gr 8. 6 M.

29. Ch. M. Tidy, Das Feuerzeug. Drei Vorträge vor jugendlichen Zuhörern nach dem englischen Original bearbeitet von P. Pfannenschmidt. Mit 40 Figuren. Leipzig 1907, B. G. Teubner. VIII u. 92 S. geb. 2 M.

30. F. Hočevar, Lehr- und Übungsbuch der Geometrie für Untergymnasien. Mit 184 Figuren. Achte Auflage. Wien 1907, F. Tempsky. 123 S. 1 K 30 h, geb. 1 K 90 h.

31. Močniks Lehrbuch der Arithmetik für Untergymnasien. Bearbeitet von A. Neumann. Erste Abteilung: für die 1. und 2. Klasse. Neununddreißigste Auflage. Wien 1907, F. Tempsky. 148 S. 1 K 80 h, geb. 2 K 30 h.

32. Močniks Lehrbuch der Arithmetik und Algebra nebst einer Aufgabensammlung für die oberen Klassen der Gymnasien, bearbeitet von A. Neumann. Dreißigste Auflage. Wien 1908, F. Tempsky. V u. 310 S. 3 K 30 h, geb. 3 K 70 h.

33. W. Burckhardt und C. L. Blank, Mathematische Unterrichtsbriefe. Vierte Auflage. Thüringer Verlagsanstalt W. Jena. Kursus 1, Brief 1 (32 S.). 0,60 M.

34. O. Bürcklen, Lehrbuch der ebenen Trigonometrie mit Beispielen und 280 Übungsaufgaben. Mit 40 Figuren. Neue Ausgabe. Stuttgart 1907, W. Kohlhammer. X u. 122 S. geb. 1,50 M.

35. R. Heger, Analytische Geometrie auf der Kugel. Mit 4 Figuren. Leipzig 1908, G. J. Göschen'sche Verlagshandlung. VII u. 152 S. geb. 4,40 M.

36. H. Schubert, Niedere Analysis. Teil I: Kombinatorik, Wahrscheinlichkeitsrechnung, Kettenbrüche und diophantische Gleichungen. Zweite Auflage. Leipzig 1908, G. J. Göschen'sche Verlagshandlung. IV u. 181 S. geb. 3,60 M.

37. H. Baumhauer, Leitfaden der Chemie, insbesondere zum Gebrauch an landwirtschaftlichen Lehranstalten. Teil I: Anorganische Chemie. Fünfte Auflage. Mit 34 Abbildungen. Freiburg i. Br. 1907, Herdersche Verlagshandlung. VIII u. 172 S. geb.

38. J. Lorscheids Kurzer Grundriß der organischen Chemie. Zweite Auflage von P. Kunkel. Mit 28 Figuren. Freiburg i. Br. 1908, Herdersche Verlagshandlung. VIII u. 124 S. geb.

39. E. Kotte, Lehrbuch der Chemie für höhere Lehranstalten und zum Selbstunterricht. Teil I: Einführung in die Chemie. Mit 117 Figuren. Dresden-Blasewitz 1908, Bleyl & Kaemmerer. VIII u. 205 S. 3 M.

40. W. Bermbach, Einführung in die Elektrochemie. Leipzig 1907, Quelle & Meyer. IV u. 140 S. 1 M, geb. 1,25 M.

41. Täglich körperliche Übungen für Schule und Haus. 3 Tafeln mit Abbildungen. Verlag der Amelangschen Lehrmittel-Handlung in Berlin.

ERSTE ABTEILUNG.

Das griechische Skriptum in Untersekunda.

Eine der Fragen, denen Haus und Schule die gleiche, freilich von recht verschiedenen Gesichtspunkten ausgehende Aufmerksamkeit widmen, bildet auch heute noch das sogenannte Extemporale oder, wie man genauer sagen müßte, die in der Klasse vom Schüler angefertigte schriftliche Arbeit, die von dem Lehrer zu Hause einer mit der Bezeichnung des Falschen verbundenen Durchsicht und Wertung unterzogen wird. Die mannigfaltigen mit dieser Übung zusammenhängenden Mißstände, vor allem ihre übermäßige Schätzung bei der Feststellung der Zeugnisse und bei der Versetzung, haben die Zahl derer, die diese Arbeiten gern ganz verschwinden sehen möchten, stetig gemehrt[1]). Das Anwachsen der Gegner aber hat unleugbar den Erfolg gehabt, daß in der letzten Zeit eine deutlich erkennbare Änderung in der Anschauung der maßgebenden Kreise über Betrieb und Wert der schriftlichen Klassenarbeiten sich vollzogen hat. Ein großes Verdienst darf in dieser Hinsicht Gerhard Budde für sich in Anspruch nehmen, außer durch seine historischen Studien auf diesem Gebiete, deren Früchte in verschiedenen Aufsätzen in der „Zeitschrift für Gymnasialwesen", in den „Lehrproben und Lehrgängen" und in seinem Buche „Die Theorie des fremdsprachlichen Unterrichts in der Herbartschen Schule" niedergelegt sind, vor allem durch seine Schrift „Zur Reform der fremdsprachlichen schriftlichen Arbeiten an den höheren Knabenschulen", Halle a. S. 1906, Waisenhaus, 1 ℳ. Auch die Anzeige des Buches von O. Josupeit-Tilsit in der „Zeitschr. f. Gymnasialwesen" 1907 S. 63—65 ist beachtenswert. Ohne auf die Berechtigung von Buddes Forderung der Abschaffung aller Extemporalia und Skripta auf der Oberstufe — und damit auch des

---

[1]) Übersichtlich und eindringlich zusammengefaßt sind alle die Anklagen gegen das Extemporale, die wir hier nicht wiederholen wollen, in „M. Eichner, Der griechische Unterricht". Progr. Fraustadt G. 1906.

lateinischen Examenskriptums — an dieser Stelle einzugehen,
halte ich seine Wünsche für die Vorbereitung und Inszenierung,
mehr aber noch die viel wichtigeren für die Beurteilung und Anrechnung der schriftlichen Arbeiten, wie er sie in den Leitsätzen
auf S. 55/56 seines Werkchens zusammengefaßt hat, fast durchweg für richtig und beachtenswert. Auch das Königl. Provinzial-
Schulkollegium der Rheinprovinz hat die in den letzten Jahren
unablässig besprochene Frage für so wichtig gehalten, daß es sie
auf der 9. Direktoren-Versammlung der Rheinprovinz im Jahre
1907 zu erneuter mündlicher Verhandlung stellte und zwar in
der Fassung: „Die schriftlichen Klassenarbeiten und ihre Wertung
für die Beurteilung der Schüler". In der dritten Sitzung[1]) vom
5. Juni 1907 wurde sie mit besonders eingehender Würdigung
der fremdsprachlichen Klassenarbeiten beraten. Als besonders
erfreuliches Ergebnis darf man es wohl bezeichnen, daß das
Provinzial-Schulkollegium selbst durch den Mund von Geheimrat
Buschmann seinen Standpunkt mit aller wünschenswerten Deutlichkeit klargelegt hat. Es hat dadurch viel dazu beigetragen,
daß mancher, der bisher ein entschiedener Gegner jeder Art von
schriftlichen Klassenarbeiten gewesen ist, seinen Standpunkt ihnen
gegenüber gern noch einmal revidieren wird. Es ist nämlich nach
diesen Erklärungen fortan zwischen Übungsarbeit und Prüfungsarbeit genau zu scheiden, in der Weise, daß jene die Regel,
„die weitaus größere Mehrzahl", bilden. „Sie sollen unter Leitung des Lehrers so zustande kommen, daß Lehrer und Schüler
zugleich arbeiten, die Schüler aber auf die Dauer zur Genüge
gefördert werden, um schließlich auch eine Prüfungsarbeit
schreiben zu können". Mit Entschiedenheit und noch weit über
Buddes Schlußsatz a. a. O. S. 56 hinausgehend: „Die so reformierten schriftlichen Arbeiten treten als gleichwertiger Faktor zu
den mündlichen Leistungen; aus beiden ergibt sich die Zensur"
— wird hier gefordert: „Wertung für das Zeugnis haben die
Übungsarbeiten überhaupt nicht zu finden; auch braucht nicht
jede einzelne Leistung gebucht zu werden". Sehr erfreulich ist
es nebenbei bemerkt auch, daß die von einer Seite erwähnte Gewohnheit, „in allen Fächern, in Erdkunde, Geschichte, Religion
usw. Klassenarbeiten schreiben zu lassen, auf Grund deren die
Lehrer ihre Zeugnisse geben", als „Unfug, dem man nachdrücklich entgegentreten müsse" gebrandmarkt wurde. Denn auch
diese Gepflogenheit, die mit der großen Schülerzahl, der geringen
Anzahl der Stunden u. dgl. begründet wird, hat viel zu der Unzufriedenheit mit unseren höheren Schulen beigetragen; wenn
z. B. an einem Tage in derselben Stunde der Lehrer zugleich der

---

[1]) Verhandl. d. Direktor.-Versamml. in d. Prov. d. Königr. Preußen
seit d. J. 1879. 71. Bd. 9. Direktor.-Vers. in der Rheinprovinz. Berlin,
Weidmann 1907. S. 217 ff.

Geschichte und Geographie je eine halbe Stunde schreiben läßt und in der Geschichte die griechische und römische bis zur Auswanderung auf den heiligen Berg, in der Geographie England, Frankreich, Schweiz, Deutschland und Österreich als Stoff der Arbeit vorher ankündet, so dürfte hier die Überbürdungsklage nicht mit Unrecht erhoben werden. Aus den Thesen, die den Niederschlag der Verhandlungen bilden, ist folgendes hervorzuheben: „1. Die schriftlichen Klassenarbeiten sollen die Schüler befähigen, den ihnen vermittelten und fest eingeprägten Lehrstoff gewandt und sicher zu verwerten und ihr Wissen in Können umzusetzen, zugleich auch ihnen die etwa noch vorhandenen Lücken in ihren Kenntnissen zum Bewußtsein bringen und sie zu deren Ausfüllung anspornen. Dem Lehrer bieten sie ein Mittel zur Erprobung der Richtigkeit und Zweckmäßigkeit seiner Methode und eine Ergänzung seines aus dem übrigen Unterrichte gewonnenen Urteils über den einzelnen Schüler". — „3. Die Aufgaben zu den schriftlichen Klassenarbeiten sind so zu gestalten, daß sie dem Standpunkte der Klasse entsprechen, organisch aus dem Gange des Unterrichts hervorwachsen und durch diesen gründlich vorbereitet sind". — „6. Bei der Ausstellung der Zeugnisse und der Entscheidung über die Versetzung der Schüler kommen die schriftlichen Klassenarbeiten nur als Ergänzung des aus den übrigen Leistungen und aus der ganzen Persönlichkeit gewonnenen Urteils in Betracht und haben keineswegs eine ausschlaggebende Bedeutung zu beanspruchen. Die entgegengesetzte, bei Eltern, Lehrern und Schülern weitverbreitete Anschauung ist seitens der Schule mit aller Entschiedenheit zu bekämpfen". — Bei strenger Befolgung dieser Grundsätze, „die freilich eigentlich weiter nichts tun als die Forderungen der „Lehrpläne" (S. 74) erfüllen und mit aller Entschiedenheit einer einseitigen Wertschätzung des sog. Extemporales entgegentreten" wird man, wie ich schon S. 584 Anm. 1 dieser Zeitschrift (1907) bemerkte, unbeschadet wöchentlich eine kurze[1]) Klassenarbeit schreiben lassen können, ohne daß bei Eltern und Schülern jenes Schreckgespenst, genannt Extemporale, von neuem Angst und Not erregte.

Um zu zeigen, wie in dieser Hinsicht der Betrieb der schriftlichen Klassenarbeiten sich gestalten könnte, und wie er in der Tat auch früher schon nach den gleichen Grundsätzen vielfach gehandhabt worden ist, will ich die schriftlichen griechischen Klassenarbeiten, die eine normal begabte Untersekunda von etwa 25 Schülern, fast jedesmal ohne einen ins Gewicht fallenden Prozentsatz von Mißerfolgen, schon vor fünf Jahren, während

---

[1]) Überhaupt verliert ja das Extemporale durch angemessene Kürze einen großen Teil seiner Schrecken; vgl. M. Baltzer, Monatschrift f. höhere Schulen 1902 S. 336.

etwa zweier Tertiale geschrieben hat, in ihrer wechselnden Reihenfolge von Skriptum, Übersetzung und sog. „kurzen Ausarbeitungen" im folgenden wiedergeben. Zunächst setze ich dabei voraus, daß, wenigstens in der Untersekunda schon, die Arbeiten nicht nur an die behandelten Abschnitte der Grammatik und die Sätze des Übungsbuches, sondern auch an die Lektüre angeschlossen werden, ohne daß der Schriftsteller dadurch nur als Substrat für Einübung von Grammatikregeln und als Fundstätte für die Komposition behandelt wird; davor warnen die württembergischen Lehrpläne mit vollem Recht. Es läßt sich nach langer Erfahrung, trotz mancher gegenteiligen Stimme[1]), doch nicht leugnen, daß der Zusammenhang des Stoffes auf die Erregung des Interesses beim Schüler ganz anders wirkt als die Einzelsätze oft gar zu bunten, wenn nicht gar kindlichen Inhalts. Andere zusammenhängende Stücke aber, die ihren Stoff nicht aus der Lektüre nehmen, werden leicht zu schwierig ausfallen. Die Lehrpläne (1901) fordern S. 32 geradezu schon für U III solche inhaltlich zusammenhängenden Übungsarbeiten, wenn sie einerseits „alle 8 Tage kurze schriftliche Übersetzungen in das Griechische tunlichst im Anschluß an den Lesestoff" wünschen, andererseits gleich darauf einschärfen: „die Lektüre hat sofort zu beginnen und bald zu zusammenhängenden Lesestücken überzugehen". — Da ich ferner auch für das Griechische die Mahnung der Lehrpl. S. 31: „Im allgemeinen ist es nicht ratsam, auf der mittleren Stufe des Gymnasiums Prosaiker und Dichter nebeneinander zu lesen" als völlig berechtigt ansehe, habe ich durchaus kein Bedenken getragen, in den Wochen, da Homers Odyssee die einzige Lektüre der Untersekundaner bildete, den Text der Übungsarbeiten aus dem Dichter zu entlehnen. Mag jene überfeine ästhetisierende Richtung unserer Pädagogik, die auf Kunsterziehungstagen und ähnlichen Veranstaltungen das große Wort führt, darin eine Versündigung an dem Geiste der Dichtung erblicken und schelten, daß so den Schülern auch der herrlichste aller Dichter verleidet werden müsse, ich kümmere mich nicht um diese Pädagogik der großen, Beifall heischenden Worte und habe eben meine langjährige Erfahrung für mich, daß gerade solche Arbeiten mit besonderer Freude von den Schülern gefertigt werden und daß ihnen die Beschäftigung mit dem Dichter dadurch noch nie verleidet worden ist. „Durch eine solche innige Verbindung der einzelnen Teile des Unterrichts und die daraus sich ergebende geistige Zucht wird das Verständnis der Schriftsteller gefördert" (Lehrpl. S. 29). Wenn eben die Übungsarbeit die Schüler befähigen soll, „den ihnen vermittelten und fest ein-

---

[1]) Am härtesten urteilt, soviel ich sehe, Weißenfels im „Handbuch für Lehrer höherer Schulen" 1906 S. 255/6: „damit soll aber nicht gesagt sein, daß in dem Extemporale das eben Gelesene reproduziert werden müsse. Ein solches Wiederkäuen ist sogar als unappetitlich zu widerraten".

geprägten Lehrstoff gewandt und sicher zu verwerten", so gehört mit zu diesem Lehrstoff doch auch die Lektüre, und wenn die Aufgabe „organisch aus dem Gange des Unterrichts hervorwachsen und durch diesen gründlich vorbereitet sein soll", so kann dieser Forderung durch nichts zweckmäßiger entsprochen werden, als wenn man diese Arbeiten an den Inhalt der Lektüre anschließt. Auch das ist dabei nicht gering anzuschlagen, daß der Schüler, dem ein zusammenhängendes Stück gut gelungen ist, von viel größerer Freude an seinem Können erfüllt wird, als wenn er an zusammenhanglosen Einzelsätzen üben muß. Ob man aber den Schülern außer dem grammatischen Stoffe der Übungsarbeit auch den Abschnitt der Lektüre, aus dem der deutsche Text sich gestalten wird, vorher bezeichnen soll oder nicht, scheint mir ein ziemlich müßiger Streit. Man glaubt nun freilich, einen Teil des Schreckens den schriftlichen Arbeiten dadurch benehmen zu können, daß man den Termin (vgl. Budde a. a. O. S. 47) und damit natürlich auch das betreffende Stück des Autors vorher nicht bekannt gibt, damit die Schüler nicht schon vorher in Angst und Aufregung geraten. Mir scheint das alles wenig zweckmäßige Verweichlichungspolitik. Ein bene praeparatum pectus schaut der Entscheidung immer zuversichtlicher entgegen; die Mehrzahl der jüngeren Knaben aber, um die es sich hier hauptsächlich handelt, wird einer plötzlich verlangten Leistung sogar mit viel größerer Aufregung und Sorge gegenübertreten als einer vorher angekündigten. Regelmäßigkeit ist die Hauptbedingung jedes gedeihlichen Betriebes; aber wie soll dieser sich wohl gestalten, wenn man jene Forderung in die Wirklichkeit umsetzt und nicht jedesmal an demselben Wochentage in dem betreffenden Fache eine Übungsarbeit leisten läßt, sondern unentwegt wechselt? Ein fortwährendes Zusammenstoßen und ein ewiges Paktieren zwischen den Vertretern der verschiedenen Fächer wäre unvermeidbar, und in jedem einzelnen Fache hinwiederum wären die Abschnitte, die einer solchen Übungsarbeit zugrunde gelegt werden, doch auch ungleich genug. Auch die Überbürdung hat man hier wieder ins Feld gerufen und behauptet, bei vorheriger Angabe der betr. Abschnitte werde die Zeitdauer der häuslichen Beschäftigung mit ihnen übermäßig groß. Wird aber daran festgehalten, daß nur solche Abschnitte, die in der Schule übersetzt und erklärt, zu Hause wiederholt und in der Schule nochmals übersetzt sind, den Extemporalien zugrunde gelegt werden, so dürfte diese Besorgnis überflüssig genug erscheinen. Notwendig ist es, den Schülern den ganzen Text erst zu diktieren, damit sie von vornherein das Ganze übersehen können.

Nach diesen allgemeinen Bemerkungen gehe ich zu den Arbeiten selbst über; ich habe es für zweckmäßiger gehalten, sie griechisch zu geben, da die Art, in der die Lektüre und die Grammatik dabei verwendet sind, schneller und schärfer zur Anschauung kommt; daß ihnen das Untersekundapensum nicht von seinem Anfange an zugrunde liegt, ist dadurch veranlaßt, daß ich in den Unterricht eines erkrankten Amtsgenossen mitten im Jahre hineinspringen mußte.

Es war gelesen worden Xenoph. Anab. V 4; in der Grammatik (Ad. Kaegi, Kurzgefaßte griechische Schulgrammatik) waren die §§ 129—134 vom Akkusativ durchgenommen; darnach lautete die an §§ 18—21 angeschlossene Arbeit

I.

᾿Επεὶ οἱ στρατιῶται οὐκ ἔλαθον Ξενοφῶντα ἀχθεσθέντες ὅτι οἱ Ἕλληνες οἱ σὺν τοῖς βαρβάροις ἐξελθόντες ἐπεφεύγεσαν, οὗτος ἐκκλησίαν συγκαλέσας εἶπε τάδε· Ἄνδρες στρατιῶται, μὴ φοβεῖσθε τοὺς πολεμίους ὅτι ταύτην τὴν μάχην ἐνίκησαν· νικήσαντες γὰρ ὤνησαν καὶ ἡμᾶς· ἴσμεν γὰρ νῦν τοὺς μὲν μέλλοντας ἡμῖν ἡγήσεσθαι τοῖς αὐτοῖς πολεμίους ὄντας, οἷς δεῖ καὶ ἡμᾶς μάχεσθαι. τῶν δὲ Ἑλλήνων οἱ ἀμελήσαντες τῆς σὺν ἡμῖν τάξεως, ἐπεὶ οὕτω δίκην δεδώκασιν, αἰσχυνοῦνται ἡμᾶς καὶ ἀνδρειότερον μαχόμενοι τιμωρήσονται τοὺς πολεμίους. τὴν δὲ πρόσθεν ἀνδρείαν οὐκέτι ἀναμνήσω ὑμᾶς, ἀλλ' αὐτοὶ τοῖς πολεμίοις δηλώσετε, ὅτι οὐχ ὁμοίοις ἀνδράσι μαχοῦνται νῦν τε καὶ ὅτε τοῖς ἀτάκτοις ἐμάχοντο.

Die Schwierigkeiten sind nicht gehäuft; die Regeln vom Akkusativ finden siebenmal Anwendung; die Anlehnung an den Schriftsteller ist dem Sinne nach eng, der Form nach so vielfach abweichend, „daß die Übertragung als selbständige Leistung gelten kann" (Lehrpl. S. 30). Auch die Länge ist mit etwa 100 Worten nicht übermäßig.

II.

Der im Abstande von acht Tagen geschriebenen zweiten Arbeit liegt zugrunde Xenoph. Anab. V 4, §§ 30—32, der Genitiv mit den §§ 139—141, 3 und einige Wiederholungen aus dem Akkusativ.

῾Η τῶν μυρίων στρατιὰ τὸ χωρίον ἁλὸν παραδοῦσα τοῖς συμμαχήσασι τῶν Μοσσυνοίκων, εἰς τὸ πρόσω ἐπορεύθη, τῆς οἴκαδε ὁδοῦ ἐπιθυμοῦσα. οἱ δὲ πολέμιοι τῆς τῶν Ἑλλήνων ἀνδρείας ἔμπειροι οὐκέτι ἠμύναντο αὐτούς, ἀλλὰ τῆς ἑαυτῶν σωτηρίας ἐμέμνηντο, ὥστε οἱ μὲν ἔφυγον τὸ στράτευμα προσιόν, οἱ δὲ ἑκόντες προσεχώρουν. οὕτω κύριοι ἐγένοντο οἱ μύριοι πασῶν τῶν πόλεων· ἀπεῖχον δὲ αἱ τῶν Μοσσυνοίκων πόλεις ἀλλήλων στάδια ὀγδοήκοντα, αἱ δὲ πλέον, αἱ δὲ μεῖον. ἀναβοῶντες δὲ οἱ τὴν ἑτέραν πόλιν ἐνοικοῦντες οὐκ ἔλαθον τοὺς τῆς ἑτέρας πόλεως πολίτας· οὕτως ὑψηλὴ καὶ κοίλη ἡ χώρα ἦν. ἐπεὶ δὲ οἱ Ἕλληνες ἐν τῇ τῶν φίλων χώρᾳ ἦσαν, οἱ Μοσσύνοικοι τῆς χάριτος οὐκ ἐπιλαθόμενοι μετέδοσαν αὐτοῖς, ὧν εἶχον ἀγαθῶν (§ 126, 2 Wdhlg.). ἦσαν

δὲ αἱ αὐτῶν οἰκίαι πλήρεις ἐπιτηδείων καὶ ἐμέλησεν τοῖς
Μοσσυνοίκοις, ὅπως ὡς ἀσφαλέστατα οἱ Ἕλληνες πορεύσονται.

Als Abschlußarbeit für die Xenophonlektüre ist dieses Skriptum
ein wenig länger gestellt als das erste.

III.

Nach Homers Odyssee [X 216—271; Regeln über den Genitiv
§§ 139—150; angewandt in etwa 15 Fällen.

Ἐπεὶ οἱ Ὀδυσσέως ἑταῖροι εἰς τὸ Κύκλωπος ἄντρον
ἀφίκοντο, πρῶτον μὲν πάντα ἐθαύμαζον, ἔπειτα δὲ ἐδεήθησαν Ὀδυσσέως τὸν Κύκλωπα οἰῶν μὲν καὶ αἰγῶν, ἃν
αὐτοὶ ἠπόρουν, ἀποστερεῖν καὶ εἴκειν τοῦ ἄντρου καὶ
ἀποπλεῦσαι. ὁ δὲ Ὀδυσσεὺς πειρᾶσθαι βουλόμενος τοῦ
Κύκλωπος, εἰ ξένιόν τι δοίη, καὶ τοὺς ἑταίρους μεῖναι κε-
λεύσας αὐτοῖς αἴτιος ἐγένετο πολλῶν κακῶν. οἱ δὲ ψευ-
σθέντες τῆς ἐλπίδος οὐκέτι ἀπείχοντο τῶν ὑπαρχόντων
ἐπιτηδείων, ἀλλὰ πῦρ ἀνακαύσαντες καὶ τοῖς θεοῖς θύσαντες
ἔφαγον τῶν τυρῶν καὶ ἔπιον τοῦ γάλακτος. ἐπεὶ δὲ τοῦ
Κύκλωπος προσιόντος ᾔσθοντο, ἐπαύσαντο τοῦ δείπνου
καὶ τῶν τοῦ Κύκλωπος γονάτων ἁπτόμενοι ἐδεήθησαν
αὐτοῦ φείδεσθαι ἑαυτῶν.

IV.

Nach Homers Odyssee IX 491—521; Wiederholung über den
Akkusativ und Genitiv, angewandt in 13 Fällen.

Ὀδυσσέως βουλομένου τὸ δεύτερον προσαγορεύειν τὸν
Κύκλωπα οἱ ἑταῖροι ἐδεήθησαν παύεσθαι τῆς ὕβρεως καὶ
ἀπέχεσθαι λοιδορημάτων· μάλα γὰρ ἐξεπλάγησαν τὸν
Κύκλωπα πέτρῳ βαλόντα καὶ ἐφοβήθησαν μὴ αὐτούς τε
καὶ τὴν ναῦν συρρήξειεν· ὁ δὲ Ὀδυσσεὺς οὐκ ἐπείσθη, ἀλλ'
ὀργισθεὶς τῷ Κύκλωπι τοῦ τῶν ἑταίρων φόνου περὶ
παντὸς ἐποιεῖτο ὡς μάλιστα τιμωρεῖσθαι αὐτόν. διὰ
ταῦτα ἐκέλευσεν αὐτόν, ἐάν τις ἐρωτήσῃ, τίς αὐτὸν ἀπεστέ-
ρησε τοῦ ὀφθαλμοῦ, εἰπεῖν, ὅτι Ὀδυσσεὺς ἐποίησεν αὐτὸν
κακῶς, ὅτι οὐκ ᾐσχύνθη τοὺς ξένους ἐσθίων, οἳ ἤλπιζον
ἐν τῷ ἐκείνου ἄντρῳ ὑποδοχῆς τεύξεσθαι. τότε δὴ ὁ
Κύκλωψ ἔγνω ἀποβεβηκέναι ὅσα ποτὲ Τήλεμος ὁ μάντις
ἐμαντεύσατο, αὐτὸν ὑπ' Ὀδυσσέως ἀποστερηθήσεσθαι τῆς
ὄψεως.

V.

Nach Homers Odyssee IX Schluß; Regeln über den Genetiv
und über den Dativ §§ 151—156; angewandt in 12 Fällen.

Ὁ Κύκλωψ ψευσθεὶς τῆς ἐλπίδος τοῦ Ὀδυσσέως αὐτοῖς ἑταίροις κρατήσειν, ηὔξατο Ποσειδῶνι τῷ πατρὶ
καὶ ἐδεήθη αὐτοῦ ἐπιμελεῖσθαι, ὅπως μὴ Ὀδυσσεὺς οἴκαδε κάτεισι (ἀφίξεται od. κατίοι, ἀφίκοιτο)· ἐὰν δὲ εἱμαρμέ-
νον ᾖ αὐτὸν (od. αὐτῷ) εἰς τὴν πατρίδα ἐπανιέναι, ὀψὲ

κακῶς ἔλθοι, πάντας τοὺς ἑταίρους ἀπολέσας, ἐπ' ἀλλοτρίας
νεὼς καὶ ἐν αὐτῇ τῇ οἰκίᾳ κακὰ εὕροι. μετὰ δὲ ταῦτα μεί-
ζω πέτρον ἄρας τὸ δεύτερον ἔβαλε καὶ μικροῦ ἐδέησε τυχεῖν
τῆς νεώς. οἱ δὲ ἑταῖροι παντὶ σθένει ἐρέσσοντες τὴν ναῦν
διέσωσαν εἰς τὴν νῆσον, ἐν ᾗ οἱ καταλειφθέντες ἔμειναν αὐτούς. αὐτοὶ δὲ ἐκβάντες καὶ ἐξελόντες τὰς οἷς καὶ αἶγας
διένειμαν τὴν λείαν καὶ τοῦ ἴσου μέρους μετέδοσαν πᾶσι
τοῖς ἑταίροις, τῷ δὲ Ὀδυσσεῖ ἡδομένῳ τὸν ἀρνειὸν ἔδοσαν,
ὃς κράτιστος ἦν πάσης τῆς ἀγέλης.

Nach den Herbstferien wurde die Xenophonlektüre wieder
aufgenommen und der nächsten Arbeit Xen. Anab. V 6 §§ 3—9
zugrunde gelegt; zugleich bildet die Arbeit eine Wiederholung der
Regeln der Kasuslehre, die in etwa 12 Fällen angewendet sind.

VI.

Ἑκατώνυμος ὁ Σινωπεὺς εἰδὼς τοὺς Ἕλληνας ἀχθε-
σθέντας ἑαυτῷ, ὅτι ἠπείλησεν αὐτοῖς τοὺς Σινωπέας σπει-
σαμένους τῷ Κορύλᾳ πολεμήσειν τοῖς Ἕλλησιν, ἀπελο-
γήσατο περὶ οὗ εἶπε καὶ ὑπέσχετο τὰ ἄριστα συμβουλεύσειν.
ἔμπειρος οὖν τῆς τῶν Παφλαγόνων χώρας τε καὶ δυνάμεως,
ἀποτρέπειν αὐτοὺς ἐβούλετο τοῦ κατὰ γῆν στέλλεσθαι· ἦν
γὰρ ἐν ταύτῃ τῇ χώρᾳ ὄρη ὑψηλότατα, ἃ κατεχόμενα ὑπὸ τῶν
πολεμίων πάσῃ τέχνῃ καὶ μηχανῇ οὐχ οἷόν τε ἦν ὑπερ-
βαίνειν· ἦν δὲ καὶ πεδία κάλλιστα καὶ ἱππεῖς πολλῷ
κρείττονες πάσης τῆς βασιλέως ἱππείας. εἰ δὲ καὶ οἱ
Ἕλληνες ἔφθασαν τοὺς πολεμίους προκαταλαβόντες τὰ ὄρη,
οὔτε ἐν τῷ πεδίῳ ἐκράτησαν ἂν τοὺς ἱππέας καὶ πεζῶν
μυριάδας πλέον ἢ δώδεκα, οὔτε διέβησαν ἂν οὐδενὶ τρόπῳ
τοὺς μεγάλους ποταμούς, ἄλλως τε καὶ πολεμίων ἔμπροσθεν
ὄντων, πολεμίων δ' ὄπισθεν αὐτοῖς ἐπιτιθεμένων.

Während der darauf erfolgenden Durchnahme der Lehre von
den Präpositionen (§§ 159, 160), der Genera (§§ 161—163) und
Tempora (§§ 164—167) des Verbs ließen sich zweckmäßig die
zwar in U II noch nicht geforderte, aber für die Übungen in O II
als Vorbereitung nicht ganz zu vernachlässigende Übersetzung aus
dem Griechischen, eine kurze Ausarbeitung und einige Hausarbeiten einschieben. Ich bekenne zwar, daß ich auf diese durchaus kein Gewicht lege, da der Nutzen, den sie als Übung in
sauberer Reinschrift haben, in keinem Verhältnis steht zu dem
Schaden, den sie als Anreiz zu Unredlichkeit jeder Art stiften,
aber nach den Bestimmungen der Lehrpläne S. 33: „Kurze schriftliche Übersetzungen in das Griechische alle acht Tage, vorwiegend Klassenarbeiten" dürfen sie leider nicht ganz ausfallen. So
waren denn VII. Übersetzung aus Xenoph. Anab. V 6, §§ 35—37;
VIII. Hausarbeit aus Kaegi, Griechisches Übungsbuch, Teil II,
S. 65, St. 68, Z. 1—18; IX. Kurze Ausarbeitung: Welche Beweise
für die Zuchtlosigkeit des Heeres führt Xenophon in seiner Rede

zu Kotyora an? X. Hausarbeit aus Kaegi, ebenda St. 67. Den
hohen Wert des Kaegischen Übungsbuches und besonders seiner
zusammenhängenden Stücke möchte auch ich bei dieser Gelegenheit besonders hervorheben.

XI.

Nach Homers Odyssee XI 90—137. Als letzte Arbeit vor
Weihnachten enthielt dieses Prüfungsskriptum außer einigen
Fällen aus der Tempuslehre besonders Regeln aus der wieder-
holten Kasuslehre.

Ὀδυσσεὺς Κίρκης κελευούσης Τειρεσίᾳ τῷ Θηβαίῳ, ᾧ καὶ
τεθνεῶτι νοῦν ἔδωκεν Περσεφόνη, ἐν Ἅιδου συνεβουλεύ-
σατο περὶ τῆς οἴκαδε ὁδοῦ. ὁ δὲ πιὼν τοῦ αἵματος τῶν
οἰῶν, ἃς Ὀδυσσεὺς εἰς τὸν βόθρον ἐσφαγίασεν, ἐμαντεύσατο αὐτῷ τὴν οἴκαδε ὁδὸν ἐπίπονον ἔσεσθαι· οὐ γάρ, ἔφη,
ὦ Ὀδυσσεῦ, τὸν Ποσειδῶ λήσεις ἐπανιὼν οὐδὲ παύσεται
ἐκεῖνος τῆς ὀργῆς, μνήμων τοῦ Πολυφήμου, ὃν ἀπεστέρησας
τοῦ ὀφθαλμοῦ. ἀλλ᾽ ὅμως, καίπερ πολλὰ κακὰ παθόντες
οἴκαδε ἀφίξεσθε, ἐὰν τῶν τοῦ Ἡλίου βοῶν φείσησθε. τούτων δὲ μὴ ἀπεχόμενοι πάντες οἱ ἑταῖροι ἀπολοῦνται καὶ
μόνος σωθήσῃ· οἴκοι δὲ πολλοῖς ἀνδράσιν ἐντεύξῃ, οἳ νομί-
ζοντές σε οὐκέτι ἐπανιέναι καὶ ἐπιθυμοῦντες τῆς τε σῆς
οὐσίας καὶ γυναικὸς ἑκάστης τῆς ἡμέρας ἐν τῇ οἰκίᾳ σου
συλλεγέντες εὐωχοῦνται· τούτοις δὲ μάχεσθαί σε δεήσει.

XII.

Nach Homers Odyssee XI 483—494; dazu Regeln über die
Modi des Verbs nach Kaegi §§ 168—172 und fortwährende
Übung der Kasuslehre.

Ὀδυσσεὺς ἐν Ἅιδου διαλεχθεὶς τῷ Ἀχιλλεῖ ἐμακά-
ρισεν αὐτὸν ἧς ἔλαχε τύχης· τοῖς γὰρ Τρωσὶ μαχεσάμε-
νοι οἱ Ἀργεῖοι περὶ πλείστου ἐποιοῦντο αὐτὸν καὶ τοῖς
θεοῖς ἐξίσουν. ἀποθανόντι δὲ αὐτῷ οἱ ἐν Ἅιδου δικασταὶ
μετέδοσαν ἧς εἶχον τιμῆς, ὥστε ἐκράτει πάντων τῶν
τεθνεώτων. ὁ δὲ Ἀχιλλεὺς ἀχθεσθεὶς ὧδε ἀπεκρίνατο· μὴ
ἐπαινέσῃς, ὦ Ὀδυσσεῦ ἀποθανόντος μου τὴν τύχην. ἐγὼ
μὲν γὰρ προελοίμην ἂν τὸ παρ᾽ ἀνδρὶ ἀκλήρῳ θητεύειν τοῦ
πασῶν τῶν ἐν Ἅιδου ψυχῶν κρατεῖν. ἀλλὰ παυώμεθα
τούτων τῶν λόγων· ἴσως δὲ εἴποις ἄν μοί τι περὶ Νεοπτο-
λέμου τοῦ υἱοῦ, πότερον τῷ πατρὶ ὁμονοῶν ἐν Τροίᾳ εὐ-
ρείᾳ ἀεὶ ἠρίστευε καὶ ὑπερεῖχε τῶν ἄλλων ἤ, ὡς οὐκ
ἐχρῆν, τὴν τοῦ πατρὸς δόξαν ἠτίμασεν.

XIII.

Nach Homers Odyssee XII 142—200; dazu Regeln über die
Modi und die Kasuslehre.

Ὀδυσσεὺς πλησιάζων τῇ τῶν Σειρήνων νήσῳ οὐκ ἐπε-
λάθετο τῶν τῆς Κίρκης παραινέσεων· ὅμως δὲ ἐπιθυμῶν

ἀκούειν τὴν καλὴν αὐτῶν φωνὴν πάντων μὲν τῶν ἑταίρων
τοῖς ὠσὶ κηρὸν ἐπήλειψεν, ἑαυτὸν δὲ δῆσαι αὐτοὺς ἐκέλευσε
μεγίστοις δεσμοῖς, ἵνα καίπερ χαρεὶς τῇ τῶν παρθένων
ᾠδῇ καὶ ἐφιέμενος πλείω ἀκούειν, ὅμως μὴ εἰς τὴν νῆσον
διελθεῖν δύναιτο. αἱ δὲ Σειρῆνες ἰδοῦσαι τὴν ναῦν
παραπλέουσαν εὐθὺς ἤρξαντο τῆς ᾠδῆς καὶ ἐδεήθησαν
τοῦ Ὀδυσσέως τὴν μὲν ναῦν καταστῆσαι καὶ ἐγγύτατα πλη-
σιάζειν αὐταῖς· ἀεὶ γὰρ, ἔφασαν, τερφθεὶς καὶ πλέονα εἰδὼς
ἄπεισιν, ὅςτις τὴν ἡμετέραν ᾠδὴν ἀκούσῃ ἄν ἴσμεν γὰρ
ἄττα οἵ τε Ἕλληνες καὶ οἱ Τρῶες θεῶν βουλῇ κακῶς ἔπαθον
καὶ εἴποιμεν ἄν σοι πάντα, ὅσα γίγνεται ἐπὶ τῇ γῇ.

XIV.
Übersetzung aus dem Griechischen: Xenoph. Anab. VII 1
§§ 21 ff.

XV.

Zu dieser Arbeit sei mir gestattet, eine kurze Erläuterung
vorauszuschicken. In einer lebhaften Debatte über den Bildungswert und Nutzen der alten Sprachen glaubte ein Neusprachler
mich mit der Bemerkung schlagen zu können, daß es völlig unmöglich sei, moderne Verhältnisse in verständlicher Weise in den
alten Sprachen darzustellen. Ganz abgesehen von der Frage, ob
das den Zweck des Erlernens und Übens der alten Sprachen auf
unseren Schulen auch nur berührt, hätte ich auf vielerlei verweisen können, was diese Behauptung gründlichst Lügen straft:
auf die bekannte griechische Übersetzung von Goethes „Hermann
und Dorothea“, die freilich nicht nach meinem Geschmack ist,
auf die Unzahl der ins Lateinische und Griechische übersetzten
deutschen Volkslieder und Gedichte, auf den lateinischen Struwwel-
peter: „Ecce Petrus hic hirsutus“, auf die Beschreibung eines so
modernen Fortbewegungsmittels, wie es das Zweirad ist, in den
elegantesten Hexametern und auf anderes dergleichen. Doch fiel
mir in jenem Augenblicke — die Szene spielte in Westpreußen
— die hübsche Anekdote von dem damaligen kommandierenden
General des 17. Armeekorps v. Lentze ein, die ich kurz vorher
gehört hatte. Von Danzig nach Berlin zum Vortrag berufen,
trifft er im Vorzimmer Sr. Majestät den ihm unterstellten Oberst
des Leibhusarenregiments in Langfuhr, der sich des besonderen
Vertrauens Sr. Majestät erfreut. Zu seiner lebhaften Verwunderung wird dieser, trotzdem er später als der General erschienen
ist, zuerst zur Audienz befohlen. Stracks verläßt er darauf das
kaiserliche Palais, reist nach Danzig zurück und soll die rasche
Tat, einer freilich durchaus unverbürgten Legende nach, mit einem
Tage Stubenarrest zu büßen gehabt haben. Ich versprach, diese
Anekdote meinen Untersekundanern einmal als besonderes Gericht
zur Übersetzung ins Griechische vorzusetzen, begegnete aber einem
lebhaften Zweifel an der Möglichkeit. Es sind natürlich den

Schülern für die Übersetzung moderner Ausdrücke wie: Korpskommandant. Oberst der Kavallerie, Stubenarrest u. dgl. die nötigen Handhaben gegeben. Das grenzenlose Erstaunen auf den Gesichtern der Knaben wich aber bald großer Freude, als sie sich der Arbeit gewachsen fühlten, und die Resultate dieses Skriptums zählen keineswegs zu meinen schlechtesten. Der Kundige wird die Anlehnung an die köstliche Stelle in Xenophons Hellenika wohl merken, deren Wertschätzung noch durch die gleich anzuführende kurze Ausarbeitung vertieft wurde.

Στρατηγός τις, ὃς προεστήκει τῶν ἐν τῇ ἡμετέρᾳ ἐπαρχίᾳ στρατιωτῶν, βουλόμενος τῷ βασιλεῖ κοινωνεῖν τι πολλοῦ ἄξιον τῇ στρατιᾷ, ἐλθὼν εἰς τὴν μητρόπολιν (od. εἰς τὰ βασίλεια) καὶ φοιτήσας ἐπὶ τὰς θύρας ἐκέλευσε τὸν λοχαγόν, ὃς ταύτῃ τῇ ἡμέρᾳ ἐτύγχανεν ὑπηρετῶν, ἀγγεῖλαι τῷ ἄρχοντι, ὅτι βούλοιτο διαλέγεσθαι αὐτῷ καὶ δεηθείη τοῦ βασιλέως ἀκούειν αὐτοῦ προσιόντος· τῷ δὲ αὐτῷ χρόνῳ ἵππαρχός τις βασιλικὸς εἰσιών, ὃς οὐκ ἰσότιμος ἐν τῇ στρατιᾷ, ἀλλ᾽ ὕστερος ἦν ἐκείνου τοῦ στρατηγοῦ, καὶ αὐτὸς προσαγωγῆς ἐδεήθη. καὶ ὁ μὲν βασιλεὺς τὸν μὲν ἵππαρχον βασιλικὸν προσαχθῆναι, τὸν δὲ στρατηγὸν πολλῷ κρείττω ὄντα ἐκείνου ἐπισχεῖν ἐκέλευσεν· ὁ δὲ ἀχθεσθεὶς τῇ ἀναβολῇ οὐκ ἔφη ἐπὶ τὰς θύρας φοιτήσειν καὶ ἀπολιπὼν τὰ βασίλεια οἴκαδε ἐπορεύθη. ὁ δὲ βασιλεὺς πυθόμενος ταῦτα δίκην ἔλαβε παρ᾽ αὐτοῦ κελεύων φυλάττεσθαι αὐτὸν μίαν ἡμέραν ἐν τῇ διαίτῃ.

XVI.

Kurze Ausarbeitung: Der Admiral Kallikratidas, ein echter Spartaner.

Die drei noch folgenden Skripta schließen sich an Xenophons Hellenika an und sind als die letzten des ganzen Jahres in ihrem Charakter als Prüfungsarbeiten durchweg etwas umfangreicher gestaltet. Neben der steten Wiederholung der Regeln der Kasuslehre nehmen sie besonders Bezug auf die Lehre von den Modi im abhängigen Satze, die nach Kaegi §§ 173—191 das Pensum der letzten Wochen in der U II bildete.

XVII.

Nach Xenoph. Hellenika I 6, 17—21.

Κόνων ναυμαχίᾳ ἡττηθεὶς τοῦ Καλλικρατίδου καὶ ναῦς τριάκοντα ἀπολέσας ἠναγκάσθη εἰς τὸν τῶν Μυτιληναίων λιμένα φυγεῖν. ὁ δὲ Καλλικρατίδας ἐπεμελεῖτο, ὅπως (ὡς) πολιορκηθείη (πολιορκηθήσεται) καὶ κατὰ γῆν καὶ κατὰ θάλατταν, ὥστε τοὺς Ἀθηναίους μὴ πυνθάνεσθαι τῆς πολιορκίας μηδὲ βοηθεῖν αὐτῷ. Ἐνθυμηθεὶς οὖν ὁ Κόνων, πότερον λῷον εἴη αὐτῷ διδόναι τοῖς πολεμίοις ἑαυτόν τε καὶ τὴν πόλιν καὶ τὰς ναῦς ἢ πειρᾶσθαι ἀνακοινοῦσθαι τοῖς Ἀθηναίοις τὴν πολιορκίαν καὶ μένειν, ἕως βοηθοῖεν ἑαυτῷ,

τὸ μένειν τοῦ προδιδόναι τὴν πόλιν προείλετο. διὰ ταῦτα
τῶν νεῶν τὰς ἄριστα πλεούσας δύο καθελκύσας ἐπλήρωσεν
αὐτὰς καὶ τῶν ἐφορμούντων ὀλιγώρως ἐχόντων καὶ ἀναπαυ-
σαμένων ἐξέπεμψεν ἔξω τοῦ λιμένος. Καὶ ἡ μὲν ναῦς ἡ εἰς
τὸ πέλαγος ἀφορμήσασα διωχθεῖσα ἅμα τῷ ἡλίῳ δύνοντι
κατελήφθη καὶ εἰς τὸ στρατόπεδον ἀπήχθη αὐτοῖς ἀνδράσιν,
ἡ δὲ ἐπὶ τοῦ Ἑλλησπόντου φυγοῦσα ναῦς διέφυγε καὶ ἐξήγ-
γειλε τοῖς Ἀθηναίοις τὴν πολιορκίαν.

XVIII.
Nach Xenoph. Hellenika I 7 init.

Οἱ Ἀθηναῖοι πυθόμενοι, ὅτι οἱ ναύαρχοι μετὰ τὴν ἐν
ταῖς Ἀργινούσαις ναυμαχίαν οὐκ ἀνῃρέθησαν, οὕτως ὠρ-
γίσθησαν τοῖς στρατηγοῖς, ὥστε ἔπαυσαν αὐτοὺς τῆς ἀρχῆς.
Πρωτόμαχος μὲν καὶ Ἀριστογένης εἰδότες, ὅτι οἱ Ἀθηναῖοι
οὔποτε ᾐσχύνθησαν τιμωρούμενοι ἐκείνους, οὓς τὸν δῆμον
ἀδικῆσαι ἐνόμισαν, ἔφθησαν φυγόντες τὴν τοῦ δήμου ὀργήν,
οἱ δὲ λοιποὶ Ἀθήναζε κατέπλευσαν ἐλπίζοντες μηδὲν πείσε-
σθαι ὑπὸ τοῦ δήμου· ἐψεύσθησαν δὲ τῆς ἐλπίδος· Ἀρχέδημος
γάρ, ὁ τοῦ δήμου τότε προεστηκώς, πρῶτον μὲν Ἐρασινίδου
κατηγόρει αἰτιασάμενος αὐτὸν τῆς κλοπῆς καὶ φάσκων ἠμελη-
κέναι αὐτὸν τῆς τῶν νεκρῶν ἀναιρέσεως· εἰ δὲ μὴ τοῦτο
κατηγόρησεν Ἐρασινίδου, οἱ δικασταὶ οὐκ ἂν ἔδησαν αὐτόν·
τότε δὲ ἔδοξε τοῖς δικασταῖς δῆσαι αὐτόν· φανεροὶ γὰρ ἦσαν
ἀχθόμενοι τοῖς γεγενημένοις καὶ νομίζοντες, ὅτι οἱ στρατηγοὶ
ἠδίκησαν οὐκ ἀνελόμενοι τοὺς ναυαγούς. μετὰ δὲ ταῦτα οἱ
ἄλλοι στρατηγοὶ ἐν τῇ βουλῇ διηγοῦντο τὰ πεπραγμένα καὶ
ἔφασαν οὐδενὸς ἄλλου δεῖν καθάπτεσθαι, ἀλλὰ τὸ μέγεθος
τοῦ χειμῶνος εἶναι τὸ κωλῦσαν τὴν ἀναίρεσιν· ἡ δὲ βουλὴ
ἔδησε καὶ τούτους.

XIX.
Nach Xenoph. Hellenika II 2, 3 ff.

Τῆς Παράλου ἀφικομένης καὶ ἀπαγγειλάσης τὰ ἐν Αἰγὸς
ποταμοῖς γεγονότα οἱ Ἀθηναῖοι ἔγνωσαν τὰ αὑτῶν πράγ-
ματα διεφθαρμένα, ὥστε οἰμωγὴ ἐν ἄστει ἐγένετο καὶ ἐκείνης
τῆς νυκτὸς οὐδεὶς ἐκοιμήθη. οὐ γὰρ μόνον τῶν ἀπολωλότων
ἐμέμνηντο, ἀλλὰ πολὺ μᾶλλον ἑαυτῶν ἐπεμελήθησαν, φοβη-
θέντες μὴ πάθοιεν, οἷα πολλοὺς τῶν Ἑλλήνων ἐποίησαν. εἰ
δὲ τότε προσέπλευσε Λύσανδρος, πρὶν ἀναθαρρῆσαι τοὺς
Ἀθηναίους, παρέδοσαν ἂν τὴν πόλιν, οὐ πειρώμενοι ἀμύ-
νεσθαι τοὺς πολεμίους. τῇ δ' ὑστεραίᾳ αἰδεσθέντες τοὺς ἄλλους
Ἕλληνας, μὴ καταγελάσειαν τῶν Ἀθηναίων ὡς τὸ μὲν πρῶτον
μέγα φρονούντων καὶ δεινὰ ὑβριζόντων, νῦν δὲ τὰ πάντα
ἀθυμούντων, ἐκκλησίαν ἐποίησαν καὶ ἐψηφίσαντο τὴν πόλιν
ὡς πολιορκησομένην παρασκευάζειν καὶ καρτερεῖν, καίπερ
πάσης τῆς ἄλλης Ἑλλάδος ἀφεστηκυίας ἑαυτῶν εὐθὺς μετὰ
τὴν ναυμαχίαν. Λύσανδρος δὲ οὐ πολὺ ὕστερον προσπλεύσας

σὺν διακοσίαις ναυσὶ καὶ Σαλαμῖνα δηώσας ὡρμίσατο πρὸς τὸν Πειραιᾶ καὶ τὰ πλοῖα εἶργε τοῦ εἴςπλου. τῷ δ' αὐτῷ χρόνῳ Παυσανίας σὺν μεγάλῃ Λακεδαιμονίων καὶ τῶν ἄλλων Πελοποννησίων στρατιᾷ ἐστρατοπέδευσεν ἐν τῇ Ἀκαδημείᾳ, ὥςτε οἱ Ἀθηναῖοι ἐπολιορκοῦντο καὶ κατὰ γῆν καὶ κατὰ θάλατταν.

Saarbrücken.   Hans Koenigsbeck.

Von griechischen und deutschen Singversen.

„Seien wir doch ehrlich!" also sprach Hermann Friedrich Müller, wo nicht der streitbarste, so doch der lesbarste unter den Apologeten des Gymnasiums, und wenn nun noch ehrlich dazu, so verdient er gewiß unser Gehör. Also: „Seien wir doch ehrlich! Die Art, wie wir die griechischen Rhythmen lesen, ist nur ein Schattenspiel und gibt trotz allen Wohlklangs der griechischen Sprache nur eine schwache Vorstellung von der Wirkung, die ihr Vortrag im athenischen Theater hatte. Gerade das musikalische Ohr vermißt so vieles, was es hören möchte. Saitenspiel, Gesang und Tanz sind unwiederbringlich dahin" u. s. f. Sollen wir einmal auch den Tanz zu den Dingen rechnen, die gerade das musikalische Ohr vermißt, so seien gleich noch hinzugefügt: die festlich gestimmte, mit einer Intelligenz ohnegleichen lauschende Zuhörerschaft, und über dem Ganzen: der attische Himmel mit seinem unbeschreiblichen Licht. Und dagegen nun die norddeutsche Schulstube, wo die Schüler schon bei den Anapästen stolpern, wenn etwa einmal eine Hebung aufgelöst ist, und wo dann des Lehrers würdiges Grauhaupt, in regelmäßigen Abständen nickend, mühsam nachhelfen muß. Wahrlich, ein Schattenspiel!

Aber wer wird denn in der Schule, und vollends in der Wissenschaft so geradhin genießen wollen? Was man an Arbeit den Schülern zuzumuten habe, steht auf einem besondern Brett; aber des Philologen Ehrlichkeit, erschöpft sich die im Verzicht? Haben die Schwierigkeiten des Suchens und Findens, und hat die Ergänzung der Schulstubenwirklichkeit durch eine historisch bereicherte und geadelte Phantasie nicht auch ihren Reiz? Wie schwierig uns der Zugang zu der halb oder ganz verschollenen Welt griechischer Rhythmen ist, das lehrt allerdings die Geschichte der griechischen Metrik des verflossenen Jahrhunderts: im Augenblick soll es, ganz im verborgenen, an jeder deutschen Universität eine andre Metrik geben. Aber was ist denn in der Wiederbelebung griechischen Lebens nicht schwer? ist etwa die griechische Kunstgeschichte leicht? oder die Geschichte der Laute? oder auch nur der Schrift? χαλεπὰ τὰ καλά, gilt von der Deutung nicht minder, als von der Ausübung. Doch überall wird Aberglaube und vorschnelles Absprechen die Schwierigkeiten anstatt zu heben oder zu mindern leicht ins Grenzenlose steigern. Seitdem eine geistreiche, aber bodenlose Vergleichungssucht die griechischen Versformen mit den verschlungensten Figuren des „wohltemperierten Klaviers" in eine die Verswissenschaft nur allzuleicht irreleitende Verbindung gebracht hat, wirkt die bloße Erwähnung der Musik in der griechischen Metrik auf manche Gemüter, wie der Klang von Apollons goldner Leier auf den hunderthäuptigen, unterm Ätna wutkochenden Typhon.

Musik, in dem engeren Sinne der Unterscheidung von Tonintervallen, kommt, wie die Dinge liegen, auch bei den Singversen der Griechen einstweilen kaum in Frage. Wer also, in der gewöhnlichen Verwendung des Wortes, unmusikalisch ist, braucht uns deshalb noch nicht unsre Arbeit zu verleiden und seine Mitarbeit zu versagen. Aber freilich: ein wenig Musik haben in ihm selber, ist hier, wie überall, nicht zu verachten; wobei es unendlich viel Stufen gibt von der Freude an dem Geschwindschritt italienischer Scharfschützen oder an einem trittfesten preußischen Marsch bis zu den feinsten Schwingungen der Zeitphantasie. Die Fähigkeit ist, glaube ich, gar nicht selten, wenn die Schläge einer Uhr schon eine Weile verklungen sind, die man während des Schlagens nicht gezählt hatte, nachträglich, ohne weitere Kombinationen, rein aus den Gruppierungen, die unbewußt die Erinnerung mit den einzelnen Schlägen vornimmt, festzustellen, ob es zehn oder elf Schläge waren. In Deutschland vollends, dem Lande des langsamen Walzers, dem Lande, wo es kein Fest, keine gemeinsame Fußwanderung gibt ohne Lieder, sollte, trotz der auch hier rapiden Zunahme von Sohlengänger und Hartohr, die Zahl der von der musikalischen Seite für das Verständnis griechischer Verskunst Befähigten doch wohl groß genug sein.

Ich glaube versprechen zu dürfen und, wie ich das meine, noch heute anschaulich machen zu können: wir werden einmal dahin kommen, und bei redlichem Bemühen ist die Zeit nicht mehr ferne, daß uns die kühnsten griechischen Verskompositionen ungefähr so durchsichtig sind, als unser ‚Ich weiß nicht, was soll es bedeuten?" Und vielleicht wird dann jeder halbwegs geübte Leser eines Äschyleischen Dramas oder eines Chorliedes des Sophokles bekennen: nimmt man diesen Dichtungen ihre metrische Form, so nimmt man ihnen, künstlerisch genommen, das Beste. Aber seien wir doch ehrlich! sprechen auch wir, mit dem verehrten Herrn H. F. Müller: im Augenblick sind wir noch nicht so weit, doch daß es dahin komme, dazu schreib ich hier diesen Aufsatz. Es gilt, da die Universitätslehrer — warum soll ich nicht auch einmal generalisieren? — sich der Aufgabe grundsätzlich zu versagen scheinen, unter den Gymnasiallehrern Arbeitswillige mobil zu machen. Wollen wir uns nicht länger an dem Schattenspiel genügen lassen, so bedarf es allerdings Arbeit, lang anhaltender Arbeit.

Der Mai ist gekommen, die Bäume schlagen aus,
Da bleibe, wer Lust hat, mit Sorgen zu Haus!

Wieviel Hebungen hat allemal die Halbzeile? Nach der 1., 3. und 4. zu schließen: zwei, nach der 2. wohl besser: drei. Nehmen wir die Schlußstrophe:

O Wandern, o Wandern, du freie Burschenlust!
Da wehet Gottes Odem so frisch in die Brust;
Da singet und jauchzet das Herz zum Himmelszelt,
,Wie bist du doch so schön, o du weite, weite Welt!'

Zweihebige Verse wie: du freie Burschenlust — da wehet Gottes Odem — das Herz zum Himmelszelt — du weite, weite Welt, sind unmöglich. Also Dreihebigkeit! Das ergibt dann zweisilbige Wörter mit zwei Hebungen: da blei-be, mit Sor-gen, wie die Wol-ken, und in der letzten Strophe: O Wan-dern. Wenn nun dies ,O Wandern' gleich zweimal nacheinander erklingt, so werden wir es im Auslaut des Kurzverses wohl nicht anders behandeln dürfen als im Inlaut. Also: Vierhebigkeit! Und so hat es denn auch der Komponist Justus Lyra (1842) das ganze Lied hindurch gehalten. Aber wie kam Geibel (1835) zu dieser Versform? dieser Sprachbehandlung?

Was blasen die Trompeten? Husaren heraus!

Der selbe Vers, die selben Fragen![1] Aber hier wissen wir die Lösung. Lange Zeit hat man ein geheimnisvolles Wiederaufleben uraltdeutschen Versrechtes geglaubt, es ist vielmehr ein, trotz aller Pseudometrik XVII. und XVIII. Jahrhunderts, in dem unschulmäßigen Volksgesang lebendig gebliebenes. Wir wissen, daß Ernst Moritz Arndt sein Blücherlied nach der Melodie eines Tiroler Volksliedes von 1809 gedichtet hat; dessen Melodie wiederum älteren Datums ist[2]), dessen Strophe aber über das mittelhochdeutsche Epos hinweg in arische Urzeiten hinaufreicht. Die Tiroler haben nun aus dem Nibelungenvers einen Marsch gemacht im Viervierteltakt,

---

[1]) Zuerst aufgeworfen von Philipp Wackernagel, seines Zeichens Geologen, im Hauptberuf aber Historiker des deutschen Kirchenliedes, in der Vorrede zur 3. Auflage seiner Auswahl Deutscher Gedichte für höhere Schulen (Berlin 1838). Ich kann es mir nicht versagen, aus der Widmung an Karl von Raumer, ebenfalls Geologen, einige Sätze auszuheben, aus denen sich das schillernde Wort von der Metrik als der Kristallographie der Sprache entwickelt, haben mag: ,Mir ist diese ganze Zeit Sprache wie Natur gewesen. Ich könnte dir durch einen Scherz verraten, wie beide sich mir verweben, wenn ich dir bekennte, mit welcher Andacht ich in jedem Verse eine rhythmische Zone meiner verwaisten Kristalle betrachte und in jedem Kristalle das Absingen der Zonen als Verse vernehme, die ein Engel im Klange des Stoffes auf den gespannten Saiten der Dimensionen begleitet'.
[2]) Hoffmann und Prahl, Unsere Volkst. Lieder. Leipzig 1900. S. 246.

während Geibels Wanderlied in dem Ohr des Komponisten zu einem Walzer ward:

Die Art, wie der Tiroler Marsch die Hebungssilben gleich den Senkungen als Kürzen rechnet, ist in antiker Verskunst unerhört, nicht minder das Umgekehrte:

Ein feste Burg: ○ ○ ○ ○

unsrer Choräle; ebenso beides in Deutschland noch im XIV. Jahrhundert, ehe Meisterlied und mehrstimmiger Gesang das natürliche Verhältnis zwischen Text und Tönen zu lockern begann[1]). Im deutschen Minnesang ward, wie bei den Griechen, beides zusammen mit der Melodie konzipiert, untrennbar wie die Glieder des menschlichen Leibes und ihre Haut.

Wer also bei den Griechen das Versmaß hat, der hat auch den Rhythmus, der der musikalischen Komposition zugrunde liegt. Doch will das Versmaß behutsam angefaßt sein. Dazu gehört Einsicht in die Vorgeschichte und Kenntnis der späteren Stilisierungen, was uns wieder das Mailied illustrieren mag: der selbe Vers, der als Nibelungenzeile, in antiker Bezeichnung, enoplisch-iambischer Tetrameter heißen dürfte,

stellt sich hier in der Melodie als ein Ioniker dar,

nicht viel anders als wenn wir im Griechischen aus einem enoplischen Vierheber, allmählich ein ionisches Dimetron werden sehen, wie es die ‚Daktylepitriten‘ fordern:

μοῦνος ἀν ἐσχατιήν

ϑνατὰ ϑνατοῖσι(ν) πρέπει
Ἡρακλεῖ πρότερον
ἐλπίδων ἔκνιξ ὄπιν[2])

ϑνατᾶς δ' ἀπὸ ματρὸς ἔφυ

τὸν δ' ὡς ἴδεν Ἀλκμήνιος

Ich habe da eben, bei Geibel, in dem Anfang auch des zweiten Kurzverses Doppelsenkung angesetzt; ganz sicher bin ich der Sache nicht. In den ersten Hälften bietet die Melodie der ersten und zweiten Langzeile zwei verschiedene Töne, obgleich hier im Text

---

[1]) Wilh. Brambach, Über die Betonungsweise in der deutschen Lyrik. Der Naturforschenden Gesellschaft zu Freiburg i. Br. dargebracht von ihrem Mitgliede. Leipzig 1871. S. 2 ff.

[2]) Pind. Isthm. V 16 ≅ 37 ≅ 58.

nirgends Zweisilbigkeit vorliegt; erst in der dritten, wo die Melodie gerade nur über einen Ton verfügt, heißt es einmal ‚wie die Wolken‘. Die Schlußzeile der ersten Strophe lautet bei Geibel:

> Es gibt so manchen Wein, den ich nimmer noch probiert.

So wird aber niemals gesungen, sondern entweder: Wein (mit zwei Hebungen), dann: den nimmer ich probiert, oder dreist interpolierend: Es gibt so manches Mädel u. s. f. Ob für diese Interpolation mehr der Wunsch maßgebend war, noch etwas Erotisches anzubringen, weil ‚von meinem Schatz das Liedel‘ nicht genügte, oder Abneigung gegen die Zweihebigkeit von Wein, bleibe dahingestellt. Einmal hat Geibel in diesem Liede sicher Zweihebigkeit verlangt: Frisch auf drum, frisch auf! (Str. 3), recht wirksam, dünkt mich. Hier aber deutet die etwas gesuchte Wortstellung, in dem Relativsatze, auf eine andre Trennung der Versglieder:

> Es gibt so manchen Wein, den   ich nimmer noch probiert,

hart genug dies Enjambement! und vielleicht auch mitschuldig an jenen Änderungen, während man in der letzten Zeile des Liedes sich noch gefallen ließ:

> Wie bist du doch so schön, o   du weite, weite Welt!

Unbedenklicher als in der Regel bei uns, geht wenigstens in der ältern mehr stimmungs- als verstandesmäßigen Lyrik der Griechen Diärese und Fermate (mit Hiat und Kurzhebung, wie etwa Reim bei uns) mitten durch die engsten grammatischen Konstruktionen hindurch: wo einmal in einer Strophe Fermate zugelassen war, da war sofort durchgehends grammatische Synaphie (mit Übergreifen eines Wortes oder Synalöphe, Enklisis, Proklisis zuzusammenhängenden Wortgefüges) verpönt, nicht so die logische.

Doch heißt es hier, wie übrigens auch bei uns, jedes einzelnen Dichters Gewohnheiten feststellen, ehe man urteilt.

*

Wenn man heut einen Philologen fragt, was ist Katalexe? so werden neunundneunzig von hundert etwa antworten: Unvollständigkeit im Versende. Sie werden damit auch eine ganze Weile bestehen können, da doch für die Adjektiva katalektisch und akatalektisch geradezu unvollständig und vollständig eintreten dürfen. Aber Sinn und Verstand ist nicht in der Antwort. Die Alten[1]) sagen Katalexis für Klausel, Schlußkolon, Schlußsilbe, wonach denn das Adjektiv ursprünglich nur bedeuten konnte: klauselartig, was häufig genug auf eine Verminderung der Silbenzahl hinausläuft, ebenso häufig aber auch nicht. Die Katalexe der alkaischen Strophe prägt sich in verändertem Tonfall aus,

---

[1]) Vorarbeiten zur griechischen Versgeschichte. Leipzig 1908. S. 63.

fallend statt steigend; oft wechselt auch das Rhythmengeschlecht:
Enoplier, also altertümliche Hebungsverse, bilden den ‚Schluß‘ stili-
sierter Äoliker oder Ioniker. Und wenn in der Silbenzahl verkürzte Klauseln (das Pherekrateion im priapeischen Langvers) das
gewöhnliche sind, es fehlt doch selbst nach verkürzten Binnen-
gliedern nicht an voll entfalteten Schlußgliedern, wie doch der
eben erwähnte Zehner, und zwar nach einem katalektischen Fünf-
heber, vollsilbig ausgeht, also: eine ‚akatalektische‘ Katalexe! wie
ja auch die Nibelungenstrophe nach drei stark verkürzten Lang-
zeilen die Katalexe mit einer unverkürzten bildet:

> daz si daz muoste sehen,
> ir enkunde in dirre werlde   nimmer leider sin geschehen.

Was bedeutet denn die ‚Verkürzung‘ im Deutschen und im Griechischen? Ist mit der Latenz der letzten Hebung, oder gar, bei
weiblichem Ausgang, der letzten Senkung, *ir enkunde in dirre
werlde*, aus dem Vierheber sofort ein Dreiheber geworden? In
der deutschen Versgeschichte hat es dazu vieler Jahrhunderte bedurft, in der griechischen hat sich dieser Vorgang bisher erst
ein einziges Mal nachweisen lassen, im Distichon des Epigramms[1]):
Schwund einer kostbaren Hebung, scheint es, ist in griechischen
Singversen niemals eingetreten.

Brauchen wir also die bequemen Adjektiva immer in dem
üblichen Sinne weiter; daneben aber das gute Wort Katalexis,
ohne Rücksicht auf Silben- oder Hebungszahl, einfach für jedes
irgendwie abgehobene Schlußglied.

*

> Keinen Tropfen im Becher mehr,

klingt das nicht wie ein leibhaftiger Glykoneus? dazu

> Lindenwirtin, du junge!

ein richtiger Pherekrateus? Also etwa:

> Ὦναξ, ὦ δαμάλης Ἔρως

und

> πορφυρέη τ᾽ Ἀφροδίτη.

Als man noch Hebungsverse wahllos mit silbenzählenden Äolikern
zusammenwarf, beides unter dem schönen, aber bis jetzt von niemand gedeuteten Namen ‚Logaöden‘, hätte man der klassischen
Benennung der deutschen Bummelverse kaum widersprechen dürfen.
Ja eine der Strophen, die vierte, schlösse sogar mit einer ele-
ganten Variation des Pherekrateers, der choriambo-bakcheischen:

> Liebliche Augenweide!

und das ganze Lied ausgeprägt enoplisch:

> Unter der blühenden Linde.

Heute weiß man die beiden Maße strenger zu sondern. Wohl
fehlt es nicht an Versuchen, sie voneinander abzuleiten, aber die

---

[1]) Vorarbeiten 78.

vorliegenden Versbildungen hält man jetzt doch meist auseinander. Nichts könnte in der Tat verkehrter sein, als etwa *Γουνοῦμαί σ᾽, ἐλαφηβόλε* nach der Melodie von Franz Abt zu singen oder ähnlich gesungen zu denken. Dem Äoliker sind Füße zweisilbiger Senkung von Haus aus fremd. Als er sich der ersten silbenzählenden Rohheit begeben hatte und eine feinere rhythmische Gliederung anstrebte, suchte er sich durch Umsetzung von Hebung und Senkung zu variieren, zuerst am Schluß, ‒ ‒ ‒ ‒ ‿ ‿‒, dann am Anfang, ‿‿ ‿‒‒‒‒, dann in der Mitte, ‒ ‿ ‿ ‿‒‿‒, während der deutsche Vers, nach Enoplierart, unbedenklich mit dreisilbigen Füßen operiert,

Aber die hübsche Lindenwirtin kann uns doch vielleicht ein Licht aufstecken über griechische und über deutsche Liedformen, wobei über eine Abhängigkeit der deutschen von den griechischen noch nichts ausgesagt werden soll.

> Keinen Tropfen im Becher mehr,
> Und der Beutel schlaff und leer,
> Lechzend Herz und Zunge,

das ist, im kleinen, die heilige Dreiheit von Stollen, Gegenstollen und Abgesang.

> Angetan hat's mir dein Wein,
> Deiner Äuglein heller Schein,
> Lindenwirtin, du junge!

das selbe, durch den Reim im Abgesange mit der ersten Gruppe verbunden; darnach das Ganze eine Stollendyas aus zwei Triaden. Genau so Anakreon:

> Ὦναξ, ᾧ δαμάλης Ἔρως
> καὶ Νύμφαι κυανώπιδες
> πορφυρέη τ᾽ Ἀφροδίτη,

in Responsion damit, 6 bis 8:

> γουνοῦμαί σε· σὺ δ᾽ εὐμενής
> ἔλθ᾽ ἡμῖν, κεχαρισμένης δ᾽
> εὐχωλῆς ἐπακούειν,

dazwischen aber, in zweiteiligem Abgesang die Stollen trennend,

> συμπαίζουσιν ἐπιστρέφεαι δ᾽
> ὑψηλὰς ὀρέων κορυφάς.

Dies alles kann ein Kind verstehen, dabei schafft es selbst dem verwöhntesten Ohr volle Befriedigung.

Ich wiederhole mein Versprechen: ganz so durchsichtig sollen uns einmal die verwegensten Dithyramben werden! Aber ich wiederhole auch meine Bitte, mit Hand anzulegen: es gibt Verse, die minder eindeutig sind als Anakreons Glykoneen. Es gibt auch Entsprechungen, die minder handgreiflich sind als die eben

aufgezeigten, was denn am Ende auch nur erwünscht ist: Gleich-
klang ist kein Reim! der Reiz liegt in der feinen Mischung von
Gleich und Ungleich[1]). Aber wie man doch bei der Analyse eines
grammatischen Satzes nicht ruht, bis man unter den scheinbar
gleich zulässigen Möglichkeiten der Konstruktion die einzig richtige
herausgefunden hat, durch breiteste Observation des Sprachge-
brauchs und scharfe Interpretation des Gedankenzusammenhanges,
so gilt es hier allemal, den Sinn des rhythmischen Satzes zu
finden und — man wird mich nicht mehr mißverstehen — musikalisch die Pointe zu treffen. Es gilt, was den Hörern seiner
Zeit selbstverständlich war, durch mühevolle Vorarbeiten hindurch, in hingebendster Einfühlung wiederzufinden und unermüdet
auch den widerstrebendsten Gemütern einleuchtend zu machen.

Berlin.   Otto Schroeder.

---

[1]) Überaus ansprechend erörtert von Rud. Hildebrandt in seinen Beiträgen zum Deutschen Unterricht. Leipzig 1897.

ZWEITE ABTEILUNG.

LITERARISCHE BERICHTE.

1) **Fr. W. Foerster, Schule und Charakter.** Beiträge zur Pädagogik des Gehorsams und zur Reform der Schuldisziplin. Zürich 1907, Schulthefs & Co. 213 S. 8. 3 ℳ.

Aus welchem Sinn und Geist heraus der Verfasser sein Buch geschrieben hat, darauf weist das ihm vorausgeschickte Motto hin: „Der Lehrer, der uns Kenntnisse vermittelt, ist ein Handwerker — der Lehrer, der den Charakter bildet, ist ein Künstler", ein Wort von Colonel Parker. Zwar wird in den pädagogischen Hand- und Lehrbüchern auch die Charakterbildung der Jugend behandelt, aber meist wird sie nicht genauer gewürdigt. Man muß dem Verf. recht geben, wenn er sie als eine pädagogische Angelegenheit ersten Ranges behandelt wissen will. Und die Grundlage, auf der er steht, ist der untrennbare Zusammenhang der Pädagogik mit der Philosophie und der Theologie.

In der Einleitung erweist Verf. die Richtigkeit des Satzes: Charakterbildung muß im Mittelpunkt der Schule stehen. Er führt dafür kulturelle Gründe an, weist auf die Gefahren der bloßen Verstandesbildung hin, erörtert sodann die ethischen Bedingungen der intellektuellen Kultur und der Charakterbildung für den Beruf, zeigt die Einseitigkeit der ästhetischen Erziehung, und daß die physische Erziehung des Gegengewichts einer starken ethischen Beeinflussung dringend bedürfe. So zieht er in diesem ersten Abschnitte seines Buches die Grundlinien für seine Ausführungen.

Der nun folgende Abschnitt „Vorbeugung" handelt von der ethischen Seelsorge und Schuldisziplin. Verf. erörtert unter interessanter Bezugnahme auf die Verhältnisse in den Schulen anderer Völker, namentlich in den amerikanischen, welche ganz besonderes Gewicht auf die Charakterbildung legen, wie man so manchen unliebsamen Erscheinungen vorbeugen müsse. Wir weisen hier ganz besonders auf den über die Schullügen handelnden Abschnitt hin. Wenn diese in unseren Schulen nicht nur nicht verhindert, sondern (im Gegensatz zur angelsächsischen Pädagogik) recht

zur Blüte gebracht ist, so sieht er den Grund dafür in dem
gänzlichen Mangel unserer Schuldisziplin an ethischer und psychologischer Vertiefung. Nach dem Vorgange von Stanley Hall unterscheidet er übrigens phantastische, pathologische, heroische und
egoistische Lügen. In die letzte Gruppe gehört wohl die größte
Zahl der Schullügen hinein. Ganz richtig ist es, daß lange nicht
alles das, was wohl von dem Lehrer als Lüge bezeichnet wird,
wirklich Lüge ist. — Hier wie in vielen anderen Fällen, in denen
Fehler und Mängel an den Schülern hervortreten, handelt es sich
immer um eine möglichste Vorbeugung, die nur auf psychologischer
Grundlage zu erreichen ist. Verf. weist hier auf die Präventiv-
disziplin des katholischen Pädagogen Don Bosko (Turin) hin, von
der sein Urheber selbst sagt, daß der Erzieher dadurch derart
das Herz des Kindes gewinne, daß er mit der Sprache des
Herzens nicht nur zur Zeit der Erziehung, sondern auch
später noch zu ihm reden kann. Das diesem entgegengesetzte
Repressiv-System könne vielleicht Störungen und Unordnungen
vermeiden, aber schwerlich vermöge es, die Schuldigen zu bessern.
Zu dem Präventiv-System gehört nach Don Bosko auch eine Art
der Beratung und Besprechung mit der Jugend, eine Art des
Eingehens auf ihre Anliegen, Konflikte und Schwächen, durch die
man sie in die Unmöglichkeit versetzt, Fehler zu begehen. Ein
Versuch auf diesem Gebiete sei das in Toledo (Ohio) angewendete
sog. Brownlee-System, welches mancherlei willkommene Anregungen gebe. Einen höchst interessanten Beitrag zu dieser
Frage entnimmt Verf. auch dem bekannten Buche von R. Lehmann
„Erziehung und Erzieher", nämlich einen Teil einer mit Schülern
über das Problem der Moral gehaltenen Unterredung. — Und
welches ist das Ziel, das durch eine solche Vorbeugung erreicht
werden soll? Verf. bezeichnet es als die Erziehung zur Selbstzucht.
        Der dritte Abschnitt behandelt nun das Problem der Disziplin.
Ausgegangen wird von der Heeresdisziplin. Gänzlich verkehrt sei
es, wenn man Zucht und Freiheit, Disziplin und Menschenwürde
für unvereinbare Widersprüche halte. Diese Begriffe vertragen
sich sehr wohl miteinander. Die innere Einheit des Gehorchenden
mit der Disziplin sei das eigentliche Fundament aller wirklich
produktiven Arbeit und Zusammenarbeit. Unsere pädagogische
Bildung sei leider lebensfremd. Was die Stellung der Schule zur
Gesellschaft anlangt, so erörtert der Verfasser diese durch Anführung von einschlägigen Stellen aus den Schriften einiger
amerikanischer Pädagogen, bei denen doch die Charakterbildung
in erster Linie steht.
        Der vierte Hauptabschnitt „Zur Pädagogik des Gehorsams"
gliedert sich in die Teile: „Die Bedeutung des Gehorsams für die
Freiheit" und „Die Bedeutung der Freiheit für den Gehorsam".
Diese Einteilung ist uns auf dem Grunde der oben skizzierten
Ausführungen sehr wohl verständlich. — In „Die Reform der

Schuldisziplin" zeigt uns das Buch zuerst amerikanische Methoden und Experimente, wie sie Verf. ja auch schon vorher mehrfach als nachahmenswert bezeichnet hatte, weist dann auf die Notwendigkeit der Pflege der Selbstachtung hin und gibt sodann Winke für Anfänger. Wie eine solche Charakterpflege, welche Verf. für durchaus notwendig hält, organisiert werden soll, wird im Schlußwort gezeigt. Es kann das nur geschehen durch eine ethische Seelsorge, aus ihrer eigensten Psychologie heraus nach religiöser Begründung. Das müsse die Wurzel aller rechten Pädagogik sein, die uns zur Erziehung zu Charakteren führe. — Wie eingehend der Verf. die verschiedensten pädagogischen Schriften studiert hat, bezeugt uns sein Werk an einer sehr großen Zahl von Stellen. Die in demselben gegebenen Winke sind, wenn man vielleicht auch manchem nicht zustimmen wird (mancher wird vielleicht auch die amerikanischen Verhältnisse anders beurteilen), sehr beachtenswert. Das frisch und anregend geschriebene Buch sei den Fachgenossen angelegentlich empfohlen. Ganz besonders wird es auch den jüngeren Pädagogen recht gute Dienste leisten.

2) Ernst Weber, Ästhetik als pädagogische Grundwissenschaft. Leipzig 1907, Verlag von Ernst Wunderlich. X und 367 S. 8 geb. 4,60 ℳ.

Mag man nun das Ziel aller Erziehung in der „Humanität" sehen, in der Ausbildung des Menschlichen im Menschen oder in der „Divinität", der Gottähnlichkeit, das Wesentliche der Erziehung, die wichtigste Forderung wird immer in der Erziehung zur Selbsttätigkeit erkannt werden. In ihr sehen die Vertreter der Humanität das Menschliche, die der Divinität das Göttliche. In diesem Sinne sagt Kehr in „Die Praxis der Volksschule": „Nur derjenige ist Schul-Meister unter den Schul-Lehrern, der es am besten versteht, seine Schüler angemessen und geistbildend zu beschäftigen, so daß ihnen das Selbsttun nicht eine Last, sondern eine Lust ist". Vermöge der Wissenschaft kann man nun aber das Erleben des eigenen und eines fremden Ichs nicht erfassen; dies kann man nur durch die Kunst; demnach wird, wie der Verf. des vorliegenden Buches sagt, die Kunst in den Dienst der Menschenerziehung treten müssen, wo die Wissenschaft nichts mehr vermag. — Auf diesem Gedankengange kommt Verf. zu dem Satze, den er zum Mittelpunkt der Betrachtung machen will, der der Grundgedanke seines Buches sein soll. — Während bisher Ethik und Psychologie als Grundwissenschaften der Pädagogik galten, so gibt es auch eine Ästhetik der Pädagogik. Diese soll die pädagogische Praxis ausmachen, während Ethik und Psychologie die Wissenschaften der pädagogischen Theorie sind. Er betrachtet nun im folgenden die pädagogischen Grundnormen, die pädagogischen Probleme, die künstlerische Aufgabe der Schule, die

pädagogische Aufgabe der Kunst, erörtert sodann die wissenschaftliche Seite der Pädagogik und sodann ihre künstlerische. Für
das Kind sei nun einmal ein starkes Gefühlsleben und Triebleben
charakteristisch; es sei einmal noch stark Sinnenmensch. Erst
später komme eine Zeit, in welcher ein intellektuelles Streben in
den Vordergrund trete. Nach einer Analyse des Ästhetischen in
der Pädagogik betrachtet Verf. die ästhetischen Normen in ihrer
Anwendung auf die Didaktik, und zwar auf den Unterrichtsstoff
und in subjektiver Beziehnung, endlich die ästhetischen Normen
und die kindliche Psyche. Er kommt zu dem Ergebnis, „daß
das pädagogische Verhalten des unterrichtenden Lehrers, insofern
es sich auf die Seele des zu unterrichtenden Kindes bezieht, zwar
eine der ästhetischen Scheinhaftigkeit entbehrende, im übrigen aber
zu keinem anderen Geistesgebiete mehr Beziehungen aufweisende
Tätigkeit ist als zur künstlerischen" (S. 199).

Des weiteren betrachtet der Verf. das Verhältnis der Ästhetik
zu den Problemen, welche aus den pädagogischen Grundprinzipien
entspringen, nämlich: der Freiheit und des Zwanges, der Einzel-
und Massenerziehung, Schule und Leben, Körper und Geist. Auch
in bezug auf die Weckung der Selbsttätigkeit, welche, wie wir
oben sahen, das oberste Ziel jeder Erfahrung ist, gibt die Ästhetik
wichtige Fingerzeige. So bildet sie „eine Grundwissenschaft jeder
wahren Pädagogik". Aber auch das Verhältnis der Ästhetik zur
Lehrerpersönlichkeit kommt zur Erörterung. Dabei handelt es
sich zuerst um die Vorbildung des Pädagogen, seine wissenschaftliche und künstlerische. Der Lehrer müsse zu künstlerischem
Können gelangen. Er solle imstande sein, sprachlich und mimisch
zu gestalten, er müsse ein guter Redner sein, vor allem gut erzählen können. Man sehe heutzutage viel zu wenig auf die Pflege
der Erzählkunst. Auch die Fähigkeit zeichnerischer und plastischer
Gestaltung müsse der Lehrer besitzen. Besonders zu pflegen sei
die Kunst des Tafelzeichnens, desgleichen die musikalische Ausbildung, auf die allerdings in den Lehrerbildungsanstalten ziemlich viel Gewicht gelegt werde. Zu einer solchen Ausbildung gehören Fachschulen, deren Leiter erprobte pädagogische Künstler sein
müßten. Eine Reihe von praktischen Ratschlägen über die
wissenschaftliche Allgemeinbildung, die philosophische Sonder-
bildung, die künstlerisch-technische Bildung und die pädagogisch-
praktische Bildung bilden den Abschluß des auf die Lehrerbildung
bezüglichen Abschnittes.

Wenn es sich um die Frage handelt, ob der Mann oder das
Weib zur Erziehungsarbeit geeigneter erscheine, so erklärt Verf.,
er betrachte es als eine bedeutende Bereicherung der erzieherischen
Mächte, die Eigenart des Weibes auch in diesem Zweig des kulturellen Lebens wirken zu lassen; nur halte er es für nötig, dem
pädagogischen Wirkungskreis die Grenzen zu stecken, die jene
Eigenart im Interesse des Gesamtwohls verlange. Die Erziehung

des Knaben vom 10. Jahre ab sei ausschließlich Männern zu
übertragen, das Weib sei aber für die Erziehung seines Geschlechts
auch in reiferem Alter schlechterdings unentbehrlich.

Eine überwiegend große Zahl weiblicher Lehrkräfte sei eine
Gefahr in pädagogischer wie nationaler Hinsicht.

Nachdem Verf. weiterhin noch erörtert hat, wie sich die Fortbildung des Pädagogen zu gestalten habe, und zwar des Hoch-
schullehrers, des Mittelschullehrers und des Volksschullehrers,
schließt er in dem Abschnitt „Der Künstler und sein Werk" seine
Betrachtungen ab. Er zeigt darin die Entstehung des pädagogischen
Kunstwerks und das Wesen des pädagogischen Künstlers. Er
gipfelt in der Forderung: „Gebt uns volle Menschen; gebt uns
Künstler mit starkem, ethischem Gehalt und lebendiger Gestaltungskraft, gebt uns Lehrer mit einem warmen begeisterten Herzen
für die Jugend — und alles andere kommt von selbst!"

Gewiß müssen die mit Wärme geschriebenen und aus innerster
Überzeugung kommenden Ausführungen des Verfassers ein großes
Interesse in der Fachwelt und außerhalb dieser, in den Kreisen
der Gebildeten, erregen. Eine Frage ist es nur, ob die von ihm
aufgestellten Forderungen, so die hinsichtlich der Eigenschaften
des Lehrers, durchführbar sind. Auch von anderen Seiten sind
ja mitunter Forderungen ähnlicher Art hinsichtlich der ganzen
Handhabung des Unterrichts (es sei an die Kindererziehungstage
erinnert) aufgestellt worden, es haben sich aber auch Stimmen
vernehmen lassen, welche mit Recht vor einem Zuviel warnen.

Wir empfehlen das mit gründlicher Sachkenntnis verfaßte
und auf die mannigfaltigsten Anschauungen älterer und neuerer
pädagogischen Schriftsteller Bezug nehmende Buch den Fachgenossen
und weiteren Kreisen Gebildeter angelegentlichst.

3) A. Vogel, Die pädagogischen Sünden unserer Zeit. Ein kritischer
  Überblick über die Bestrebungen der modernen Pädagogik auf dem
  Gebiete des höheren und niederen Schulwesens. Lissa i. P. 1907,
  Friedrich Ebbeckes Verlag (Eulitz & Winckler). 118 S. 8. 2,50 ℳ.

Daß gerade in unserer neueren Zeit, in der man die verschiedenartigsten Versuche auf dem Gebiete des Schulwesens
unternommen hat, eben infolge jener Versuche auch mannigfache
Mängel zutage getreten sind, liegt, so kann man sagen, fast in
der Natur der Sache. Vielfach rühren solche Mängel daher, weil
man der Schule mancherlei Aufgaben aufbürden will, die unmittelbar mit ihr nichts zu tun haben, deren Lösung jedoch diesem
oder jenem sehr wünschenswert erscheinen; vielfach sind sie aber
auch durch allerlei Übertreibungen in pädagogischer und didaktischer
Hinsicht sowie durch zu weit gehende Reformversuche veranlaßt.
Da tut es not, daß dieser neueren Zeit einmal ein Spiegel vorgehalten wird, in dem sie diese Schäden und Mängel erkennt.
Und dies ist vielleicht noch weniger für die pädagogische Welt
notwendig, denn diese sieht ja jene Mängel und wird, soweit nur

es ihr möglich ist, auf ihre Beseitigung hinwirken, sondern es ist
vielmehr für alle diejenigen gebildeten Kreise notwendig, die ein
lebendiges Interesse für die Schule und die Erziehung unserer
Jugend haben und die nur zu leicht geneigt sind, in allerlei
Reformen, in jeder Neuerung das Heil zu erblicken, das Alt-
hergebrachte, eben weil es althergebracht ist, mag es sonst auch
gut sein, zu verwerfen. — Einen solchen Spiegel hält uns nun
das Buch von Vogel vor, welches der Feder eines bekannten und
geschätzten Schulmannes entstammt. Nach einer Einleitung, in
welcher Verf. den Zweck seiner Ausführungen auseinandersetzt,
folgen 16 Aufsätze, deren Überschriften wir angeben müssen, damit der Leser weiß, womit er es zu tun hat. Sie lauten: 1. Schulreformen und kein Ende. 2. Das „Recht“ des Kindes. 3. Die
allgemeine Schule als Erziehungs- und als Gesundheitsanstalt.
4. Sport und Spiel in der Schule. 5. Die Schule als Aschen-
brödel. 6. Der Handfertigkeitsunterricht. 7. Patriotismus und
Militarismus. 8. Die obligatorischen allgemeinen Volksschulen.
9. Die Bewertung der allgemeinen und der formalen Bildung.
10. Das Märchen. 11. Der doppelte Religionsunterricht. 12. Contra
Grammatik. 13. Die Unmethode der deutschen Stilübungen. 14.
Die Übersetzungsnot. 15. Die Zweiteilung der „Pädagogik“.
16. Die Ästhetik in den technischen Fächern.

In allen diesen Ausführungen, auf die wir einzeln natürlich
nicht eingehen können, warnt der Verf. vor so manchen Gefahren, die der Erziehungsarbeit in der heutigen Zeit von so
mancher Seite drohen. Eins möchten wir besonders hervorheben:
zu warnen ist jedenfalls vor der übertriebenen Sport- und Spiel-
sucht. Wo soll denn die Zeit und die Kraft dafür herkommen?
— Hingewiesen sei auch auf den Abschnitt über die Unmethode
der deutschen Stilübungen, in dem der Verf. vor den Mißgriffen
warnt, die namentlich bei der Stellung von Aufgaben zum deutschen
Aufsatz gemacht werden.

Das Büchlein sei besonders auch den Eltern unserer Schüler
angelegentlich empfohlen. Es ist sehr wohl imstande, sie über
mancherlei Verhältnisse aufzuklären, welche man kennen muß,
um die Schule richtig zu beurteilen.

4) Cölestin Schöler, Praktische Denklehre auf neuer Grundlagen
gemeinverständlich dargestellt. Amstetten (Niederösterreich)
1906, im Selbstverlage des Verfassers. 131 S. 8.

In dem Titel des Buches ist der Hauptnachdruck auf das
Wort „praktisch“ zu legen. An Darstellungen der Denklehre fehlt
es nicht, aber nach Ansicht des Verf. wohl an einer solchen,
welche dem Denken und damit dem Leben dient. So will er
eine solche Lehre auf neuer Grundlage bieten. Und welches ist
diese neue Grundlage? wird man fragen. Wenn wir seine Absicht richtig erfaßt haben, so besteht sie darin, daß er sein

ganzes Lehrgebäude auf der Erfahrung des Lebens aufbaut, die
ein jeder Mensch macht. Auf dieser Grundlage wird er jedem
Menschen verständlich; jeder erkennt in dem Buche, wie er selbst
denkt, welche Gesetze in seinem Denken gelten und maßgebend
sind. Das bedingte eine nicht zu kurze Darstellung; wollte doch
der Verf. seine Grundsätze auf eine möglichst große Zahl von
Fällen zur Anwendung bringen. So stellt denn sein Buch eine
Art Denklehre aus der Praxis dar.

In dem ersten Abschnitt ,,Das Denken im allgemeinen" geht
Verf. darauf ein, wie in dem Kinde das Denken in seinen drei
Tätigkeiten: Begriff, Urteil und Schluß, in Anlehnung an das
Tatsächliche seiner Erfahrung entsteht. Sodann handelt er eingehender von den Arten des Denkens, und zwar von den Begriffen, Urteilen und Schlüssen, ihrem Entstehen, ihrer Anwendung,
ihren Arten. Durchweg nimmt er Bezug auf die von dem Menschen
selbst gemachten Erfahrungen, wie sie das Leben mit sich bringt.
Er zeigt, wie die Begriffe, Urteile und Schlüsse zustande kommen,
und zwar zeigt er das in einer leicht verständlichen Weise. So
wird der Leser an der Hand der Erfahrung in die Werkstatt
des Denkens eingeführt und lernt das beurteilen und verstehen,
was er selbst stets innerlich durchmacht. Nicht bloß die Gesetze
des Denkens werden hierbei aufgezeigt, sondern auch die Bedeutung
und der Wert seines Inhalts. — Aus dem Abschnitt C. ,,Wesen
des Denkens" ersehen wir, daß es sich beim Denken wesentlich
immer um ein Vergleichen handelt. D. ,,Die Ursache des Denkens"
erkennt Verf. in einem im Menschen liegenden Triebe; ähnlich
einem jeden andern Triebe, den der Mensch betätigt und den er
von Natur hat. — E. ,,Die Grenzen des Denkens" zeigt, daß die
menschliche Wahrnehmung über die äußere und innere Wahrnehmung nicht hinausreicht. Unsere Wahrnehmung kann also
das Unendliche und Ewige nicht erfassen. So muß denn der
Mensch nur bei dem Wirklichen, bei seiner Erfahrung bleiben.
Der Schlußabschnitt F. schildert kurz das Denkverfahren. Er
unterscheidet hier das aufsteigende, welches vom einzelnen zum
Allgemeinen fortschreitet, das absteigende, welches vom Allgemeinen
zum einzelnen übergeht, und endlich das widerlegende,' in dem
es sich um Erweiterungen und Berichtigungen handelt (so in den
Wissenschaften).

Der Leitfaden Schölers wurzelt allein in der Praxis, in der
Erfahrung, welche der Mensch macht. Er wird das Interesse für
die Gesetze und Erfahrungen, die man beim Denken macht, erwecken und in diesem Sinne anregend zu wirken imstande sein.

5) F. J. Schmidt, Zur Wiedergeburt des Idealismus. Philosophische
Studien. Leipzig 1908, Verlag der Dürrschen Buchhandlung. 325 S.
8. 6 ℳ.

Die 15 in diesem Bande gesammelten philosophischen Aufsätze des Verf. sind alle bis auf den ersten, welcher hier zum

ersten Male gedruckt ist, früher in den Preußischen Jahrbüchern
erschienen, Alle sind hervorgegangen aus dem Kampfe für den
Idealismus. In dem ersten, welcher die Überschrift trägt: „Zur
Wiedergeburt des Idealismus" geht Verf. von folgendem Gedanken
aus: Wenn auch die Schöpfung des deutschen Idealismus die
Haupttat unseres Volkes ist, so verkennt der Deutsche es doch
durchaus nicht, daß er „bei seinem Eintritt in die abendländische
Geistesentwicklung bereits eine hochentwickelte Kultur wie ein
Gnadengeschenk des Weltgeistes empfangen hat". Und zwar verdanken wir das der Berührung mit den romanischen Nationen.
Zuerst haben die Hellenen „die Wahrheit des Idealismus, daß der
Geist die Welt gemacht hat und alles was darinnen ist, daß wir
in ihm leben, weben und sind", erkannt. Allgemein durchgeführt
ist das allerdings erst in der Sphäre der religiösen Lebensanschauung. So hat denn die christliche Kirche zuerst auf dieser
Bahn einen Schritt vorwärts getan. Verf. verfolgt nun in seinen
weiteren Ausführungen die Fäden dieser Entwickelung, die sich
durch die ganze geistige Geschichte unseres Volkes hindurch-
ziehen. Mögen sich auch manche Hemmungen und Behin-
derungen bemerkbar machen, im ganzen ist doch ein Fortschritt
zu verzeichnen. Der Kapitalismus mit seiner materialistischen
Theorie konnte dem keinen Abbruch tun. Der Idealismus erwachte wieder und leuchtete auf. Der Idealismus stellt die Wahrheit dar, „weil er allein die universellen Gegensätze zu erfassen
und zu umfassen vermag, so daß nichts außerhalb seiner Sphäre
liegen kann".

    · Wir haben den Versuch gemacht, einige von den wichtigeren
Ideen, die der Verf. in dem einleitenden Aufsatze dargestellt hat,
zu skizzieren. Es ist nur wenig, was wir hier bieten, aber man
wird doch vielleicht daraus den Boden erkennen, auf dem der
Verf. steht. Den ganzen sich über die verschiedenartigsten Verhältnisse, geschichtliche wie die der Geisteskultur erstreckenden
Ideengehalt konnten wir nicht wiedergeben, weil das über den
Rahmen unserer Anzeige hinausgegangen wäre. Es folgen nun
jene 14 schon früher in den Preußischen Jahrbüchern veröffentlichten Aufsätze, deren Titel wir hier aufführen müssen, damit
unsere Leser wissen, was ihnen das Buch bietet: 2. Kapitalismus
und Protestantismus. 3. Der mittelalterliche Charakter des
kirchlichen Protestantismus. 4. Offenbarung. 5. Worte Christi.
6. Der theologische Positivismus. 7. Adolf Harnack und die
Wiederbelebung der spekulativen Forschung. 8. Kunst, Religion
und Philosophie. 9. Das Erlebnis und die Dichtung. 10. Goethe
und das Altertum. 11. Kant-Orthodoxie. 12. Kant und die
spekulative Mathematik. 13. Die Philosophie auf den höheren
Schulen. 14. Die Frauenbildung und das klassische Altertum.
15. Das Prinzip für die Reorganisation der Frauenbildung.
    Sehr verschiedenartig und mannigfaltig ist der Inhalt der Ab-

handlungen, aber der Grundzug und die Grundidee ist in ihnen dieselbe: Verf. kämpft, wie schon am Eingange bemerkt wurde, für den Idealismus. In dem zweiten Aufsatz wird in überzeugender Weise nachgewiesen, daß in dem Protestantismus, mag auch in ihm eine bedrückte Lebensstimmung bemerkbar sein, doch schon Keime eines neuen Lebens mit Macht sich Bahn brechen, daß er „von der subjektiven Erfassung im Glauben zur objektiven Verwirklichung ihrer sittlichen Ausgestaltung überzugehen drängt". Abschnitt 3 ist eine interessante philosophische und kirchengeschichtliche Studie, die zu dem Ergebnis kommt, daß der kirchliche Protestantismus eine mittelalterliche Erscheinung ist. Erst durch die Abgrenzung der mittelalterlichen Epoche wurde es möglich, die universelle Bedeutung des Protestantismus klar zu erkennen. Im 4. Abschnitt erörtert Verf. den Begriff der Offenbarungen, deren wichtigste die religiöse ist. „Der geschichtlich hervortretende Offenbarungsglaube muß zu einem Vernunftglauben entfaltet werden, wenn er die ganze Menschheit befreien will". Im nächsten Abschnitt zeigt Verf., daß es unmöglich ist, aus den gegebenen Urkunden den „historischen Christus zu rekonstruieren oder auch nur seinen Ton und seine Stimme durch eine subjektive Auswahl von Sprüchen vernehmbar zu machen", weil diese Dokumente nicht auf den irdischen Meister gehen. Abhandlung 6 zeigt unter Bezugnahme namentlich auf die Schrift von Gunkel „Zum religionsgeschichtlichen Verständnis des Neuen Testamentes", daß ein Teil der christologischen Stücke, welche von der Kirche dem Glauben noch immer als Inhalt aufgezwängt werden, gar nicht aus dem Urchristentum stammen, sondern heidnisch-orientalischen Ursprungs sind. — Der folgende, siebente, würdigt die Verdienste A. Harnacks um die Wiederbelebung der spekulativen Forschung. Er sei es, der ein einträchtiges Wirken zwischen den beiden Geistesmächten der Philosophie und der Theologie herbeizuführen bestrebt ist. — Abhandlung 8 zeigt den Aufschwung, welchen die Kunst, die Religion und die Philosophie in der neueren Zeit genommen haben, und weist nach, daß die entscheidende Wendung „allein von der schöpferischen Kraft des denkenden Geistes" ausgehen kann. — Die beiden folgenden Abhandlungen gehören in das literarische Gebiet hinein, der 9. nimmt Bezug auf eine Schrift von M. Dilthey, den Begründer einer philosophischen Poetik, welche betitelt ist „Das Erlebnis und die Dichtung", die 10. erörtert Goethes Verhältnis zum Altertum. Die beiden nächsten beschäftigen sich mit der Kantischen Philosophie. Es folgt die Erörterung einer heutzutage viel besprochenen Frage „Die Philosophie auf den höheren Schulen". Als Aufgabe für den Philosophie-Unterricht auf der Schule erscheint ihm „Einführung in die kritische Philosophie Kants", und zwar an der Hand eines zu diesem Zwecke zusammenzustellenden Buches. Die beiden letzten Aufsätze: 14. „Die Frauenbildung und das klassische Alter-

tum" und 15. Das Prinzip für die „Reorganisation der Frauenbildung" handeln endlich von einer zur Zeit im Mittelpunkt des
Interesses stehenden Frage. Daß man auch den Frauen die Schätze
des hellenischen Geistes zugänglich machen könne, wie man
heutzutage bestrebt ist, erscheine durchaus richtig und möglich.
Der letzte Aufsatz zeigt sodann, in welcher Weise sich die Reorganisation der Frauenbildung zu vollziehen habe, die ja neuerdings überall, so auch in Preußen, angestrebt werde. Die weibliche Welt müsse nicht nur an der materiellen, sondern direkt
auch an der geistigen Entwicklung der Menschheit mitarbeiten.
Daraus folge, daß den Frauen vor allem auch der Zutritt zu den
akademischen Berufsfächern nach Maßgabe ihrer Fähigkeiten und
Kräfte gestattet sein müsse. Falsch sei es, für die für Mädchen
bestimmten höheren Lehranstalten die höheren Knabenschulen
ohne weiteres zu kopieren. Die wesentliche Zielbestimmung der
einen oder anderen Art dieser Bildungsanstalten werde in angemessener Umgestaltung des methodischen Verfahrens für die
weibliche Jugend in Anspruch zu nehmen sein. Die Ausführungen
des Verf. über diesen Punkt gipfeln in dem Satze: „Das gesamte
Mädchenschulwesen muß der Träger der humanistischen Bildung
sein".

Der Verfasser hat, wie man aus diesen unvollkommenen
Skizzen vielleicht erkennen wird, seine Grundideen auf den verschiedensten Gebieten unserer geistigen Kultur durchgeführt. Das
Buch bietet eine Fülle von Gedanken, die in einer für den gebildeten Leser angemessenen Form zur Darstellung kommen. Mag
auch, wie Verf. es nicht allein an einer Stelle beklagt, unser Zeitalter hinsichtlich der philosophischen Betrachtung einen Rückgang
gegen früher aufweisen, ein gewisses Interesse an der Erörterung
philosophischer Fragen wird man ihm doch nicht absprechen
können. Solchem Bedürfnis dürfte denn unser gedankenreiches
Buch sehr wohl entgegenkommen.

Köslin.   R. Jonas.

_____

A. Walsemann, Das Interesse. Sein Wesen und seine Bedeutung.
    Eine Zillerstudie. Zweite Auflage, neu bearbeitet von Hermann
    Walsemann. Hannover-List und Berlin 1907, Carl Meyer (Gustav
    Prior). 124 S. 8. 1,80 ℳ.

Von diesem Buch, das, von dem Rektor A. Walsemann verfaßt, 1884 erschien, ist die zweite Auflage von dem Bruder des
früh verstorbenen Verfassers neu bearbeitet worden. Wie der
letztere in der Vorrede bemerkt, hat er die Bearbeitung erst nach
längerer Überlegung übernommen, einesteils, weil es ihm bedenklich erschien, das Interesse als das Grundprinzip des Unterrichts
hinzustellen, andernteils hauptsächlich deshalb, weil das „Bewußt-
seinsleben durchaus in der Weise der Herbartschen Psychologie
dargestellt war" und die Seelenkunde inzwischen doch solche Fort-

schritte gemacht habe, daß „der Herbartsche Vorstellungsmechanismus als überwunden gelten muß". In dem letzten Punkt hat der
Bearbeiter sicher recht. Er hat sich erst entschlossen, nachdem
er erkannt hatte, daß „die psychologischen Anschauungen dem
gegenwärtigen Standpunkte näher kommen, als es zuerst den Anschein hatte". Der Verfasser, der sein Buch eine Zillerstudie
nennt, weicht schon darin von seinem Vorbilde mit Recht ab, daß
er die Wurzel des Interesses in dem Gefühl erkennt, während
Ziller es als ein Erzeugnis der Vorstellungen ansieht. Es wäre
nur wünschenswert gewesen, wenn beide Bearbeiter konsequenter
die neuere Psychologie zu Rate gezogen und mit der Herbartschen
Anschauung völlig gebrochen hätten.

Zur Klarstellung des Interessebegriffs wird mit der Aufstellung der Aufmerksamkeit begonnen. An einzelnen Beispielen
wird entwickelt, daß die Aufmerksamkeit eine psychische Tätigkeit ist und mit dem Willen zusammenhängt; sie wird auch als
eine „Funktion des Willens" bezeichnet, ja „in Wahrheit Schöpferin
und Trägerin des Bewußtseins" genannt. Nahe genug daran waren
die Verfasser, um zu erkennen, daß auch die Vorstellungsbildung
eine psychische Tätigkeit ist, die vom Willen abhängt. Beginnt
doch schon die Aufmerksamkeit mit der Anpassung der Nerven-
endigungen an die eindringende Reize, die zuerst zwar reflek-
torisch geschieht, deren sich dann aber der Wille durch die begleitenden Gefühle mit dem sich entwickelnden Bewußtsein immer
mehr bemächtigt. So ist auch die Apperzeption eine Tätigkeit,
die vom Willen abhängt. Wenn dies erkannt worden wäre, so
würden die Verfasser die Herbartsche Ansicht nicht festgehalten
haben, daß aus den Vorstellungen der Wille hervorgeht.

Noch ein Gesetz, das für alle geistige Entwickelung von
größter Bedeutung ist, wird von den Verfassern nicht berücksichtigt, das physiologische und psychophysische Gesetz der Übung.
Wie die komplizierteste Bewegung, so unbehilflich sie auch erscheinen mag, wenn sie zum ersten Male gemacht wird, durch
die Übung so mechanisiert wird, daß sie sich schließlich fast
unbewußt abspielt, sobald nur der Wille den ersten Anstoß gibt,
so ist es auch ähnlich mit der Aufmerksamkeit, und hieraus ergibt sich ein klarer Unterschied zwischen willkürlicher und un-
willkürlicher Aufmerksamkeit.

Von der Aufmerksamkeit als der seelischen Tätigkeit wird
das Interesse, wie das auch durch den Sprachgebrauch begründet wird, als die Gemüts- und Willenslage unterschieden, die
die Aufmerksamkeitstätigkeit mehr oder weniger begünstigt. Der
Gemütszustand hängt aber ab von den Gefühlen, die die Seele
beherrschen, und darum wird mit Recht die Bedeutung betont,
die die Gefühle für das Interesse haben. Aber seltsamerweise
wird nicht erkannt, daß im Anfang für die Spannung der Aufmerksamkeit Triebe wirksam werden, die dem Kinde angeboren

sind.[1]) Es wird zwar von den Verfassern nicht die Wichtigkeit
der angeborenen Veranlagung verkannt, und auch von Trieben
ist gelegentlich die Rede; aber die Triebe gelten ihnen als niedere
Begierden und haben ihren Grund in dunkeln Vorstellungen.

Mit der Definition des Interesses, das als „diejenige Willenslage, welche durch das Innewerden des Wertes oder Unwertes
eines vorgestellten Objektes herbeigeführt und als innerer Drang
nach Erlangung oder Steigerung des Wertes bezw. Beseitigung
des Unwertes bemerkbar wird", hingestellt wird, kann ich mich
einverstanden erklären, wenn das Interesse als das Ziel des erziehenden Unterrichts aufgefaßt wird, weil doch gerade durch
diesen erst richtige Werturteile gewonnen werden, wenn ferner
unter Objekten nicht bloß Gegenstände verstanden werden, und
wenn schließlich der Begriff des Wertes nicht zu eng begrenzt
wird. Wenn aber der Bearbeiter in einer am Schluß des Buches
hinzugefügten Bemerkung als „Wert" nur das nimmt, „was
sich im Gefühl als Förderung" und als „Unwert, was sich als
Hemmung des leiblichen und geistigen Lebens ankündigt", so
werden gerade dadurch die schönsten und wertvollsten Gefühle
ausgeschlossen. Wir haben doch von früh an Wohlgefallen an
Farben- und Klangharmonien, an Linienformen u. a. m., aus denen
sich der Kunstgeschmack entwickelt. Und wenn der Bearbeiter
meint, daß „ästhetische Darbietungen gefallen, ergreifen, erschüttern,
aber nicht interessieren", so ist der Begriff des Interesses zu
sehr beschränkt. Die Erziehung geht gerade darauf aus, die
ethischen und ästhetischen, ebenso wie die intellektuellen Gefühle,
die vielleicht zunächst als die schwächsten erscheinen, zu den
wirksamsten zu erheben.

Daß eine so beschaffene Willenslage oder ein solcher Gemütszustand, wie die Definition des Interesse verlangt, durch den
Unterricht entwickelt werden kann und wohl geeignet ist, als das
Ziel des erziehenden Unterrichts zu gelten, ist nicht zu bezweifeln;
nur darf man nicht fordern, daß sie stets vorhanden sei. Denn
Gemütsstimmungen sind eben wechselnd. Aber wenn auch nur
erreicht wird, daß diese Willenslage vorherrschend ist, so ist damit schon viel gewonnen. Denn aus solcher Gemütslage geht
das bewußte, ruhige und überlegte Handeln durch eine geringe
Gefühlssteigerung hervor. Den Verfassern aber bieten sich große
Schwierigkeiten, weil sie, in Herbartschen Anschauungen befangen,
aus Vorstellungen den Willen ableiten wollen; sie nehmen
ihre Zuflucht zu gefühlsstarken Vorstellungen. Doch kann ich bei
dem beschränkten Raum hierauf nicht weiter eingehen. Daß das
Interesse um so wirksamer wird, je tiefer und vielseitiger es ist,
wird im Buch ausführlich behandelt. Ob es aber auch gleich-

---

[1]) Vergl. Programm des Gymnasiums in Dramburg 1895: L. Jahn,
Über die psychologischen Grundlagen des pädagogischen Interesses.

schwebend sein soll? Ich meine, dieser Ausdruck hätte doch nur einen Sinn, wenn der Herbartsche Vorstellungsmechanismus sich beibehalten ließe.

Die Arten oder Richtungen des Interesses werden ganz nach Herbart aufgezählt und entwickelt und so sklavisch folgen sie ihrem Meister, daß in dem Buch das für unsere Jugend besonders in der Gegenwart so bedeutsame und wichtige Interesse, die Vaterlandsliebe, nicht einmal eine Erwähnung findet. Daß bei der Behandlung des vielseitigen Interesses in den verschiedenen Unterrichtsfächern, bei der Zurückweisung verfehlter Unterrichtszwecke, unter den Ausführungen über die Verhütung der Zersplitterung und unter den didaktisch-methodischen Forderungen sich viele beherzigenswerte Fingerzeige und Anregungen finden, versteht sich bei so praktischen Schulmännern wie die Verfasser es sind, von selbst. Um so mehr fällt aber die allgemeine methodische Forderung auf, daß „der Begriff allemal an den Anfang der Behandlung und nicht ans Ende gehört", während man doch sonst darüber einig ist, daß es sich empfiehlt, mit der Anschauung zu beginnen und zum Begriffe aufzusteigen.

Dramburg.   Ludwig Jahn.

Gustav Pfannmüller, Jesus im Urteil der Jahrhunderte. Leipzig und Berlin 1908, B. G. Teubner. VI u. 577 S. gr. 8. 5 ℳ.

Es war eine glückliche Aufgabe, die sich der Verf. gestellt hat, in einer Zeit, in der die Frage nach dem Jesus der Geschichte immer lebhafter behandelt wird, die bedeutendsten Auffassungen, die seit dem Beginn der christlichen Gemeinschaft von der Person des Heilands ausgesprochen und vertreten worden sind in Theologie, Philosophie, Literatur und Kunst, zusammenzustellen und in möglichst charakteristischen und zusammenhängenden Äußerungen der Autoren den Lesern lebhaft vor die Seele zu führen. Es galt, den gewaltigen Stoff, der sich in den Jahrhunderten aufgehäuft hat, übersichtlich zu verarbeiten, aus ihm die rechte Auswahl zu treffen und zugleich durch das Geschick der Darstellung den Leser zu immer mehr wachsender Lust anzuregen und zu spannen, so daß er am Ende befähigt wird, sich aus den Quellen selbst ein Urteil über die bedeutendsten Auffassungen Jesu zu bilden und den Werdegang der verschiedenen Christusanschauungen zu verfolgen. In erster Linie sind natürlich die Äußerungen der großen Theologen berücksichtigt, daneben ist aber auch von Anfang an die geistliche und die weltliche Literatur herangezogen worden. Weiter erfahren wir, wie sich die Persönlichkeit Jesu bei den großen Philosophen des Mittelalters und der Neuzeit, sowie in der sozialen Bewegung des 19. Jahrhunderts gestaltet hat. Daran schließt sich noch ein Anhang, der unter Beigabe von 15 Abbildungen die Christusbilder von den ältesten Zeiten bis zu den

Darstellungen Gebhardts, Uhdes und Klingers behandelt. Zur Erleichterung des Verständnisses der Texte, die, wenn fremdsprachlich, in vorzüglicher Übersetzung gegeben werden, hat Verf. den größeren Abschnitten historische Einleitungen vorausgeschickt, die zugleich so verfaßt sind, daß sie auch für sich allein gelesen werden können und so eine kurze Geschichte des Jesusbildes von der ältesten Zeit bis zum Anfang des 20. Jahrhundert darstellen. Aus allem, was der gelehrte Verf. bietet, tritt uns eine gründliche wissenschaftliche Bildung entgegen; der Freimut des echten Geschichtsforschers, der kein höheres Gesetz kennt als die Wahrheit, gefällt ausnehmend; mit Recht darf er sich darum an selbstdenkende Christen aller Konfessionen und Richtungen wenden.

Er hat das Buch in vier Teile geschieden unter den Überschriften: Die alte Kirche, Das Mittelalter, Von der Reformation bis zum 19. Jahrhundert, Das 19. Jahrhundert und der Anfang des 20.; der dritte und vierte Teil selbstverständlich viel reichhaltiger als die beiden ersten.

Der erste Teil beginnt mit einem kurzen Lebens- und Charakterbild des geschichtlichen Jesus nach dem kritisch gesichteten Text der Synoptiker mit Ausschluß alles dessen, was spätere Dichtung und Reflexion dem historischen Kern zugefügt hat. Dann entwirft Verf. unter wörtlicher Angabe der Texte das Christusbild nach Petrus, Paulus, nach der Apokalypse und dem vierten Evangelium; es folgen die Apologeten, Auszüge aus Celsus; aus der gnostischen Literatur das Valentinianische System nach Irenäus, ein Hymnus aus der „Pistis Sophia" und der Anfang des ersten Buches des Jeû; weiter die antignostischen Väter, vor allem Tertullian. Ihm schließen sich Clemens und Origines an in sehr reicher Darstellung, Arius, Athanasius und Augustinus. Übersetzungen einer Reihe von Christusliedern bilden den Abschluß.

Der zweite Teil beschäftigt sich zuerst mit Christus bei den Germanen; Stellen aus dem Heliand und Krist dienen zur Erläuterung. Es folgt die Scholastik, die Christusbilder des Anselm, Abälard, Bernhards v. Clairvaux, und dann das Ideal des armen Lebens Jesu bei den Waldensern und Bettelmönchen, Dichtungen der Franziskaner und Dominikaner, weiter der Christus der Mystik bei Meister Eckart, Tauler, Suso, denen sich eine größere Zahl Übersetzungen lateinischer Lieder nebst einer großen Auswahl deutscher Christuslieder anschließt. Der dritte, reichhaltigere Teil bringt zunächst den Christus der Reformatoren; hier sprechen zu uns Luther, Melanchthon, Zwingli und Calvin, nach ihnen die Wiedertäufer und Mystiker. Als Führer der Gegenreformation erhält Ignatius von Loyola das Wort, wider ihn Blaise Pascal. Die evangelische Orthodoxie kommt zum Ausdruck in einem Zitat aus der Konkordienformel, der Piestismus mit seiner Mystik in Worten Johann Arndts und Zinzendorfs. Es folgt das Zeitalter der Aufklärung in England, Frankreich und Deutschland und ihrer

Gegner. Nach einer trefflichen historischen Übersicht führt uns der Verf. zunächst die Deisten vor, Locke, Tindal, Chubb, Voltaire, Rousseau, weiter die Philosophen Spinoza, Leibniz, Jerusalem, Reimarus, Lessing, ihnen gegenüber Klopstock, Hamann, Herder, Goethe und Schiller; den Schluß des Abschnittes bilden wieder Christuslieder von Luther, Gerhardt usw.

Mit dem vierten Teil treten wir zunächst in die Leben-Jesu-Forschung. Die Einleitung macht uns mit dieser reichhaltigen Literatur von Schleiermacher bis auf unsere Tage bekannt. Dann folgen die Beläge aus Schleiermacher, Strauß, Renan, Keim, Wellhausen, Weiß, Harnack, Jülicher, Schell, Kalthoff. Ihnen schließt sich der Bericht über Jesus in der Philosophie des 19. Jahrhunderts an mit Zitaten aus Kant, Fichte, Hegel, Schopenhauer, Richard Wagner, Chamberlain, v. Hartmann, Häckel, Nietzsche, Stuart Mill, Lotze, Fechner, Wundt, Paulsen, Eucken. Das Jesusbild in der Literatur macht den Abschluß des ganzen Werkes, ein überaus interessanter Teil; Novalis, Arndt, Rückert, Heine, Gutzkow, Sallet, Hebbel, Storm, Ibsen, Wilbrandt, Kretzer, Kahlenberg, Rosegger, Frenssen, Widmann, Tolstoi, Carlyle, Spitta, Gerok und noch manche andere. Ich hielt es für notwendig soviele Namen anzuführen, um den Lesern von dem reichen Inhalt unseres Buches eine entsprechende Vorstellung zu verschaffen. — Dem Ganzen hat Verf. ein mit großem Fleiße angefertigtes Literaturverzeichnis der Werke hinzugefügt, auf denen seine Darstellung hauptsächlich beruht und die zu weiterem Eindringen in die behandelten Fragen besonders geeignet sind.

So sei denn dies eigenartige, vortreffliche Buch, das sich in jeder Hinsicht als eine wesentliche Bereicherung der theologischen Literatur kundgibt, allen Lesern bestens empfohlen.

Ausstattung, Druck, Papier wie die mitgegebenen Kunstbeilagen gefallen sehr.

Stettin. Anton Jonas.

———

K. Knopf, Deutsches Land und Volk in Liedern deutscher Dichter. Braunschweig o. J., E. Appelhans. 440 S. 8. geh. 3,50 ℳ, geb. 4 ℳ.

Schon wiederholt wurde der Wunsch laut, zur Belebung und Vertiefung des Unterrichts in der vaterländischen Erdkunde diejenigen Gedichte deutscher Dichter zu sammeln, die unser deutsches Land und Volk schildern. In der vorliegenden Gedichtsammlung ist dieser Gedanke verwirklicht. Gedichte von ungefähr 130 deutschen Dichtern sind hier nach natürlichen Landschaften geordnet. Die einen bieten treffende Schilderungen von Landschaften oder geben Stimmungen wieder, andere führen uns den Kampf der Bewohner mit Sturm und Flut ergreifend vor Augen, andere tragen als Dialektdichtungen durch die Mundart, in der sie gedichtet sind, zur Charakteristik der Landschaft und ihrer Bewohner bei. Zahlreiche Klischees der großen farbigen Landschaften, Städte, Baudenkmäler u. a. darstellenden Wandbilder des Wachsmuthschen Kunstverlags in Leipzig zieren das Buch. Da sein Inhalt nicht nur zur Belebung und Vertiefung des Unterrichts, sondern auch zur Weckung des Heimatsinnes und der Vaterlandsliebe beiträgt, so verdient es nicht nur die Beachtung der Geographielehrer und der Vorstände von Schülerbibliotheken, sondern es eignet sich auch als Geschenk für die Jugend und zur Verwendung zu Deklamationen bei Schulfeiern.

Offenburg.   E. Zürn.

G. Heide und W. Drechsel, Die Technik des deutschen Aufsatzes. Kurz gefaßte Aufsatzlehre nebst Aufsatzmustern zur Vorbereitung für Prüfungen aller Art sowie zum Schulgebrauch. München 1907, M. Kellerer. 216 S. 8. 2,50 M.

Das vorliegende Buch unterscheidet sich von andern Aufsatzbüchern dadurch, daß es keine Dispositionen, sondern ausgeführte Arbeiten bietet, denen auf S. 1—19 noch eine Anleitung vorausgeschickt ist. Die behandelten 41 Aufgaben sind zum Teil für die mittlere Stufe (13), zum Teil für die obere (19), zum Teil für die oberste (9) bestimmt. Nach der Versicherung der Herausgeber stammen sie aus dem Unterrichte, nur fünf sind ganz, drei teilweise anderen Schriften entnommen: Wilh. Tell von W. Scherer, Lessings Minna von Barnhelm von H. Hettner, über einige Figuren der Wallensteindichtung von H. Bulthaupt, Das 19. Jahrhundert von A. Kußmaul, Der Mensch ist nicht geboren, frei zu sein von F. Bahnsch; Heines Loreley von H. Gude, über die Bedeutung der modernen Technik von W. Launhardt, über den Einfluß des Klimas auf den Menschen von F. Ratzel. An verschiedenen Aufgaben erkennt man gleich, daß die Verf. an Realanstalten tätig sind, z. B. über die Anwendung der Elektrizität, über die Bedeutung der modernen Verkehrsmittel, die Poesie des Dampfes u. a. An die Lektüre schließen sich nur einige Themen an, die übrigen sind meist kulturgeschichtlicher Art oder bestehen aus Sinnsprüchen und Sprichwörtern. Im ganzen kann man mit den gewählten Aufgaben zufrieden sein; nur sind sie mehrfach zu allgemein gehalten, z. B. über das Eisen (4), über das Glas (5), über Pflicht (26), das 19. Jahrhundert (29), über die Poesie (S. 8).

Die sprachliche Darstellung nimmt oft einen höheren Flug, ist daher wohl geeignet anzuregen; leider wird sie durch zahlreiche entbehrliche Fremdwörter und stilistische Mängel anderer Art entstellt. So finden sich in dem Aufsatze über die Loreley auf wenigen Zeilen die Ausdrücke kontrastieren, elektrisieren (= begeistern), populär, monoton und spontan, so in dem anderen „Die Natur eine Künstlerin" die Wörter grandios, majestätisch, gigantisch, pompös-heroisch, Kontemplation, Proportion, Harmonie, Symmetrie, Vegetation, Plastik, Isoliertheit, Farbenskala;

xiselieren u. a. Am auffälligsten ist dieser Mißbrauch in dem
Satze: „Besonders *markant* ausgeprägte *plastische* Erscheinungen
präsentiert uns die Natur gern in *Isoliertheit* und zeigt sie uns
dadurch als *Individuum*". Ebensowenig werden von guten Stilisten
Ausdrücke gebilligt werden wie S. 17 eine *unnatürliche Trennung
erfahren* (= getrennt werden), S. 49: eine *drastische Bestätigung
finden* (= bestätigt werden), S. 169 *Verwendung finden* (= verwendet werden), S. 48 *denselben* (= ihm), S. 50 eine größere Zahl
derselben (= davon oder von ihnen), S. 146 *letztere* (= diese),
S. 146 ff. öfter *welcher* (= der) usw. Gegen die Art der Gliederung
ist im ganzen nichts einzuwenden, doch befriedigt nicht S. 7: Not
weckt Kraft: a) physische, b) geistige, c) sittliche, d) wirtschaftliche, e) Kraft der Völker im Widerstande gegen politische Be-
drückung, religiöse Verfolgung oder Bedrohung von außen. Besser
wäre es, hier erst von dem einzelnen Menschen zu sprechen und
dann erst von ganzen Völkern und jede dieser beiden Gruppen
wieder mit a, b u. s. f. zu gliedern.

Eisenberg S.-A. O. Weise.

K. Zettel, Hellas und Rom im Spiegelbild deutscher Dichtung.
Eine Anthologie. 2 Bände. Erlangen 1907, Palm & Enke. I. Mythus
und Heroenzeit. Griechische Geschichte. XVI und 329 S. 8. II.
Römische Geschichte. Stimmungsbilder. XVI und 338 S. 8. je 4 M.

Wir haben es hier mit dem letzten Werke des auch als
Dichter bekannten, nunmehr verstorbenen Gymnasialprofessors
Zettel zu tun, das jetzt von Konrektor Aug. Brunner in München
herausgegeben und mit Namensverzeichnissen von Oberlehrer O.
Hartlich in Grimma versehen worden ist. Es war ohne Zweifel
ein hübscher und fruchtbringender Gedanke des Verewigten, eine
Sammlung auserlesener deutscher Dichtungen zu veranstalten, in
denen sich das Kulturleben der beiden klassischen Völker des
Altertums spiegelt. Besonders schwierig aber war unstreitig die
Sichtung des umfangreichen Materials. Man denke nur an die
fast zahllosen Gedichte unserer Klassiker des 18. und 19. Jahrhunderts über Themata aus dem römischen und griechischen
Altertum, von den Veröffentlichungen neuerer Dichter gar nicht
zu reden. Was dem einen als packend, echt poetisch und form-
gewandt erscheinen mag, findet aus irgendeinem Grunde vielleicht den Beifall eines anderen nicht. Hier macht Wahl wirklich
Qual. So müssen wir denn gestehen, daß auch wir gewünscht
hätten, das eine oder andere Gedicht — Namen möchten wir
nicht nennen — wäre nicht aufgenommen worden, und man hätte
die Auswahl auf allgemein anerkannte Muster — und wir besitzen deren glücklicherweise eine reiche Fülle — beschränkt,
wenn wir auch andere und selbst die allerneuesten Dichter nicht
etwa ausgeschlossen sehen möchten, wie z. B. v. Schack, K. F.

Meyer, Alb. Moeser, Vierordt, v. Meerheimb u. a. m., von denen
einige recht ansprechende Proben Aufnahme gefunden haben.
Auch einige allzu ausgedehnte Dichtungen halten wir für den
Unterricht nicht für zweckentsprechend, wenn wir es auch nicht
von der Hand weisen wollen, daß besonders eifrige und reife
Schüler die beiden Bände als Lesebücher benützen.

Über die oben bereits kurz erwähnten Namensverzeich-
nisse mit erklärendem Kommentar noch ein kurzes Wort. Nimmt
man an, daß die beiden verdienstvollen Bücher auch weiteren
Kreisen der Gebildeten dienen sollen, wie es ja die Absicht der
Herausgeber ist, so kann man den oft etwas ausführlichen Notizen
zustimmen. Ist es doch den Anhängern der humanistischen Bildung nur angenehm, wenn immer weitere Kreise sich den kostbaren Schätzen des klassischen Altertums mit Interesse und mit
Freude zuwenden.

Wir wünschen den beiden Anthologien die verdiente Verbreitung.

Homburg v. d. Höhe.   W. Bauder.

Ἑλληνικὴ Χρηστομάθεια, Τόμος Α.᾿ ὑπὸ Ε. Γ. Παντελάκι, Δ. Φ.
    Ἐν Ἀθήναις 1907. (S. 1—115). 1,50 Dr.

Zwei Schulbücher gibt es vielleicht in dem heutigen Griechenland, die in großer sich gegenseitig zerstörenden Überfülle vor-
rätig sind. Die Schulgrammatik für die griechische Sprache und
die sog. griechische Chrestomathie[1]). Wenigen von den Schriftstellern dieser sind tatsächlich gelehrte Philologen, die aus
höheren Gründen dazu getrieben sind, ein solches Werk zu übernehmen. Zu diesen muß man ohne Zweifel auch den Pantelakis,
einen Schüler von Kontos und Hatzidakis, rechnen. Er hat sein
Büchlein nach den Vorschriften des Königl. griechischen Unterrichts-
ministeriums verfaßt, und das macht eine pädagogische Besprechung mancher Einzelheiten nicht nötig. Sowohl der gewählte
Lehrstoff an und für sich als auch seine vernünftige Anordnung
und manche Erleichterung der schwierigeren Stellen der alten
Schriftsteller veranlassen jeden Richter, dem Schulbüchlein seinen
Beifall zu spenden. Das Buch wird in drei Abschnitte geteilt:
1. Die Äsopischen Fabeln (davon 24), S. 1—10. 2. Die griechische Mythologie (aus Apollodorus, οἱ θεοί, οἱ ἄνθρωποι, οἱ
ἥρωες und ἄθλοι ἡρώων), S. 11—59. 3. Verschiedenes, S. 60
—75. Am Schluß des Buches befinden sich grammatische und
erklärende Anmerkungen. Von diesen drei Teilen verdient einer
besonderer Erwähnung, der dritte Abschnitt, wo unter dem Titel
Verschiedenes (Ποικίλα) werden umfaßt: a) Erzählungen aus
alten Schriftstellern (Aelian, Nemesius, Plutarch, Athenaeus),

---

[1]) Dem Übelstande ist glücklicherweise in der jüngsten Zeit (Königliche Verordnung vom 4. April 1908) abgeholfen worden.

b) Beschreibungen von altgriechischen Städten (nach Dikäarchos) z. B. Athen, Theben usw., was eine beachtenswerte Neuerung in einer griechischen Chrestomathie ist, und c) Das Lob des Vaterlandes, Erziehung der alten Athener und das Leben von Demonax (nach Lucianus).

Die erklärenden Anmerkungen sind deutlich und faßlich und öfters bietet sich darin die Gelegenheit einer zwanglosen Erweiterung der grammatischen Kenntnisse der Schüler. Diese Gelegenheit kann vielleicht der Verfasser in einer neuen Auflage seines Werkes noch besser auszunutzen suchen. An die Anmerkungen schließt sich ein kurzes Verzeichnis der Eigennamen an. Was den Umfang des Lehrstoffes betrifft, so können wir sagen, er ist groß genug, um aus ihm eine Auswahl zu treffen für den Unterricht in der dazu bestimmten Klasse (die erste der sog. Hellenischen Schulen). Nur wenn das mit Fleiß verfaßte Büchlein einen weiteren Kreis von Lesern in Anspruch nehmen wollte, sollte es in einer neueren Auflage erweitert werden. Daß eine solche bald zu erwarten ist, hält Ref. für so gut wie sicher, er wünscht bloß, daß der Verfasser auch die anderen Bändchen dieses seines Planes bald folgen lasse, um den griechischen Lehrern ein gutes und vollendetes erzieherisches Werkzeug in die Hände zu geben.

Berlin.   Joh. Kalitsunakis.

Französisch-englische Klassiker-Bibliothek von Bauer und Link, Nr. 53.
  1) George Sand, La Mare au Diable zum Schulgebrauch herausgegeben von A. Mühlan. München 1907, Lindauersche Buchhandlung. 58 S. 8. kart. 1 ℳ.

Daß unsrer Jugend eine der Dorfgeschichten der George Sand in einer Schulausgabe zugänglich gemacht wird, ist sehr dankenswert. Die Erzählung mit ihrer schlichten Abwicklung der einfachen Vorgänge zwischen zwei füreinander geschaffenen jungen oder doch jugendlich fühlenden Menschen, der schmucklose und doch harmonische Stil, die warmen, anschaulichen Naturschilderungen geben diesem Roman seinen besonderen Wert, und nur die übertriebene, den moralisierenden französischen Schriftstellern eigentümliche Idealisierung der hervortretenden Gestalten stellt die Wirkung auf unsre deutschen Söhne und Töchter ein wenig in Frage, und Stellen wie die auf S. 24 und S. 25 können unsereinem fast den Geschmack an dem Ganzen verleiden. Es gilt da in der Tat, unsren Schülern möglichst schnell über derartiges hinwegzuhelfen, was ja, nach der Fülle der verschiedenartigen Ausgaben gerade dieser Erzählung, zu gelingen scheint. Immerhin würde ich ,La Mare au Diable' eher mit Mädchen zu lesen wagen als mit Knaben, und vermutlich ist es auf jene auch von dem Herausgeber hauptsächlich berechnet.

Die beigegebene Einleitung enthält das Wichtigste aus dem Leben und Dichten der Verfasserin. Das Wörterbuch in seiner

Ausführlichkeit dürfte selbst den Schülern unsrer Mittelklassen ausreichende Hilfe gewähren. Auf Abweichungen der Sprache George Sands von der heutigen scheint mir, wenn auch nicht in jedem einzelnen der vorkommenden Fälle, doch zur Genüge hingewiesen. Der Bemerkung zu 10, 20 gegenüber, wo er heißt: ‚je vas === je vais, das französische Volk steht, wie die deutschen Schüler, mit den unregelmäßigen Verben auf gespanntem Fuße‘ möchte ich das Bedenken äußern, daß der deutsche Schüler, nachdem er dies gelesen, fortan seine Fehler gern mit der Berufung auf das französische Volk zu entschuldigen suchen wird, zum mindesten vor sich selbst; vor seinem Lehrer wird ihm das ja hoffentlich nichts nützen. Auf S. 29, Zeile 17 ist auf dem *e* des Wortes *déjà* der Akzent abgesprungen.

Französisch-englische Klassiker–Bibliothek von Bauer und Link, Nr. 52.
  2) Farrar, St. Winifred's or The World of School für den Schulgebrauch herausgegeben von Ackermann. München 1907, Lindauersche Buchhandlung. 109 S. 8. kart. 1,20 *M.*

Mit St. Winifred's hat die Schulausgaben-Literatur eine willkommene Bereicherung erfahren, willkommen namentlich schon um deswillen, weil hier das englische Gebiet naturgemäß nicht in dem Maße bedacht ist wie das französische. Und es braucht das Büchlein, auch neben Tom Browns Schooldays gehalten, durchaus nicht entschuldigt zu werden, so anmutend und belehrend zugleich ist die Lektüre für unsre deutsche Jugend. Wie zwanglos wird da der Leser in das Schulwesen Englands mit allen seinen Besonderheiten eingeführt. Das Schulpersonal vom Direktor bis zum Pedell herab, die Gestaltung des Unterrichts, die Erziehungsweisen der verschiedenen an ein und derselben Anstalt wirkenden Lehrer, die Eingewöhnung des neuen Schülers — des Helden der Erzählung — in den Geist der Schule, die Erprobung seiner körperlichen Tüchtigkeit in dem nächtlichen Überfall durch die Kameraden, aber auch die Behandlung andrer Zöglinge und ihr andersartiges Benehmen, das Strafsystem der englischen Schule von den ‚Two hundred lines‘ durch ‚Caning‘ und ‚Detention‘ hindurch bis zur ‚Expulsion‘, die Teestunden in der Behausung eines Lehrers und so vieles, vieles andre zieht an uns in anschaulicher Schilderung und spannendem Bericht vorüber. Aber um das Interesse des Lesers ja nicht erlahmen zu lassen, setzt ungefähr am Schluß des ersten Drittels von Farrars Buch ein außerordentlich aufregender Vorgang ein, die Vernichtung des *Commentary on the Hebrew text of the Four Greater Prophets*, des nur im Manuskript vorhandenen gelehrten Werkes eines der Lehrer, das die Schüler für die Strafliste ansehen und ins Feuer werfen. Mit nicht geringem Geschick ist dann zum Schluß noch eine Wanderung durch das Bergland in der Nachbarschaft sowie eine höchst aufregende Fahrt auf der See er-

zählt, so daß wir unsre Kenntnisse von England auch nach dieser
Richtung hin zu erweitern in der Lage sind.

Erweitert wird unsre Einsicht in englische Sitten und Ge-
bräuche auch durch den beigegebenen Kommentar, der in allerer-
erster Linie die Realien berücksichtigt, aber auch sonst trotz
seines geringen Umfangs alle erforderliche Aufklärung gibt. Das
Wörterverzeichnis dürfte auch dem Anfänger im Studium der
englischen Sprache genügen, so daß das Werkchen mit gutem
Erfolge etwa in der Sekunda unsrer Realschulen und Realgymnasien gelesen werden kann. Ich schließe mich gern dem
Wunsche des Bearbeiters an, „daß dieses treffliche Büchlein, das
so vielen englischen Knaben zur Freude und Selbstzucht gedient
hat, auch unseren deutschen Jungen eine Quelle des Genusses,
der Anregung und der Belehrung werden möge".

Frankfurt a. M.   Max Banner.

M. J. Wolff, Shakespeare. Der Dichter und sein Werk. Zweiter
Band. München 1908, C. H. Beck. 470 S. 8. 6 M.

Das uneingeschränkte Lob, das dem ersten Bande gespendet
werden mußte, gebührt auch dem zweiten. Auch in diesem zeigt
sich der Verf. seiner Aufgabe vollständig gewachsen. Bevor er zu
den großen Tragödien übergeht, in denen Shakespeare seine
Meisterschaft zeigt, sucht er in einem besonderen Kapitel, das zum
Besten des ganzen Buches gehört, das Wesen und die Eigenart der Kunst Shakespeares klar zu machen. Shakespeare
ist ihm — und damit tritt er weit verbreiteten Anschauungen
entgegen — ein Künstler, der nicht in blindem Ungestüm und
genialer Willkür seine Dramen aufs Papier warf, sondern der
überall planmäßig und mit Überlegung verfuhr und in klarster
Erkenntnis des poetisch und szenisch Wirksamen alles aufs sorg-
samste berechnete. Vortrefflich ist, was hier der Verf. über die
Konzeption und die Ausführung eines Dramas durch den dramatischen Dichter insbesondere durch Shakespeare sagt: dieser
arbeitete leicht und hielt sich infolgedessen nicht frei von Flüchtigkeiten und Widersprüchen; das allmähliche Erreichen des vorschwebenden Ziels war nicht seine Art; seine Dichtungen waren
eben zur Aufführung auf der Bühne bestimmt. Wenn er, unterstützt durch eine erstaunliche Phantasiegewalt, in einem glücklichen Momente ein Gebilde in seiner idealmöglichen Erscheinungs-
form, in der das ganze Werk wie der Baum in dem der Erde
anvertrauten Kern enthalten war, geschaut hatte, so folgte auf
diese Konzeption die Ausführung, die, das im Moment Geschaute
festhaltend, diesem Form und Ausdruck lieh, mit erstaunlicher
Raschheit und Sicherheit, aber in klarer Erkenntnis und Überlegung. Ohne Rücksicht auf den Regelzwang des Aristoteles, ohne
lange Vorstudien sein Wissen aus dem Leben ziehend, dessen

vielseitige Erscheinungen ihm unterstützt durch eine fabelhafte
Beobachtungsgabe und ein übermenschliches Gedächtnis geläufig
waren, brachte der Dichter das Werk zu Papier. Und wie ihm
sein aus dem wirklichen Leben geschöpftes Wissen von den
Menschen, ihren Leidenschaften und ihrem Treiben für alle Zeiten
und Völker genügte, so verfolgte er auch keine außerhalb der
Dichtung liegenden Absichten, sondern jede Dichtung war ihm
Selbstzweck, frei von jeder philosophischen oder historischen
Tendenz. Die Gründe, warum er gerade diesen oder jenen Stoff
aufgriff, sind schwer zu sagen. Mochte auch da und dort ein er-
kennbares Geschehnis die Veranlassung sein, so fehlt uns die klare
Erkenntnis des inneren Erlebnisses, das das geistige Band zwischen
dem Geschehnis und dem vollendeten Kunstwerk bildet. Nur die
Grundstimmung, aus der die Werke der verschiedenen Perioden
herauswuchsen, ist erkennbar. Den Stoff nahm der Dichter aus
den verschiedensten Quellen; in den seltensten Fällen erfand er
ihn selbst. Meistens sind die Stoffe schon auf der Bühne aus-
probiert; er macht sie aber zu seinem Eigentum, indem er sie in
seinem Sinne umgestaltet, vor allem das Unwahrscheinlichste
durch psychologische Motivierung wahrscheinlich zu machen weiß.
Dadurch freilich, daß er den Stoff ohne eingehende Disposition
nur in großen Zügen einteilte und für die Aufführung zurecht-
schnitt, zersplitterte sich die Handlung häufig. Bei der Entwickelung der Handlung leitete ihn nur die Absicht, die Szene so
belebt als möglich zu machen, die Handlung möglichst rasch und
energisch in Fluß zu bringen und die Spannung bis zum Schluß
zu erhalten. Und in der Entwicklung der Handlung zeigt er den
Meister, besonders auch in der Sicherheit, mit der er eine Handlung durch eine komplementäre Nebenhandlung ergänzt, durch die
Einheit des Interesses die mannigfaltigen Vorgänge zusammenhält
und zu einem gemeinsamen Endergebnis vereinigt. Die dramatische Lebendigkeit wird noch erhöht durch die Wirkung des
Kontrastes, für den Shakespeare große Vorliebe zeigt. Viel trägt
zur Erreichung dieser Lebendigkeit auch bei, daß Shakespeare bei
seinem Schaffen immer die Aufführung im Auge hat und, während
er schreibt, zu gleicher Zeit jede Rolle spielt und auch als Zuschauer im Parkett sitzt. Auch in der Kunst der Stimmung ist
er ein unerreichtes Muster geworden. Diese Kunst beruht eben
vor allem auf der klug berechneten Wirkung des Kontrastes.
Der Dichter läßt einen Vorgang gerade in die gegenteilige Stimmung hineinschlagen (tragische Ironie); insbesondere wird der
Gegensatz zwischen der hoffnungsvollen Erwartung und dem ver-
nichtenden Verlauf der Handlung erhöht, wenn die günstige Aussicht nicht nur auf einem Irrtum oder auf subjektiver Stimmung
beruht, sondern tatsächlich den Pfad zu einem glücklichen Ausgang bietet. Den Höhepunkt aber erreicht Shakespeares Kunst in
der meisterhaften Darstellung lebenswahrer Menschen, in der bis

jetzt kein Dichter an ihn heranreichte. Er schafft wirkliche Menschen, die als Individuen sich nicht in eine Formel fassen lassen.

Während die Frauen in seinen Dramen zurücktreten, ist seine Welt in erster Linie die des Mannes. Sein Empfinden ist durchaus männlich. Die Kraft gilt ihm als höchste Eigenschaft. Kein Dichter zeigt eine solche Verwandlungsfähigkeit wie Shakespeare. Er lebt in jeder einzelnen Person, er verwandelt sich in demselben Werk in die verschiedensten Gestalten. Tausendseelig hat ihn deswegen ein englischer Kritiker genannt. Seine Menschen gehören ganz der Erde an, über deren Schranken ihr Denken und Begehren nicht hinausgeht. Sie folgen besinnungslos ihren Trieben, handeln nie nach Grundsätzen, sondern aus ihrem unmittelbaren Gefühl heraus. Ihre Stärke liegt in ihrer Leidenschaft. Und in dem Zwiespalt zwischen dem Wollen und dem Können des Individuums, in der Zerrissenheit der menschlichen Natur, dem Widerspruch zwischen Freiheit des Willens und Gebundenheit des Könnens besteht das Wesen der Shakespeareschen Tragik. Die Leidenschaft läßt die Menschen ihre Kräfte aufs höchste anspannen. Dies führt notwendig zur Vernichtung; denn ein solches, alle Hemmnisse überstürmendes Begehren kann nur mit dem Tod enden. Schicksal und Charakter fallen so in Shakespeares Tragödie zusammen. Dieser Entfesselung der innersten Natur des Menschen entspricht auch der Stil Shakespeares, eine größere Leidenschaftlichkeit und Mannigfaltigkeit des Ausdrucks. „Die herrlichsten Worte des Heldentums sind ihm geläufig, aber auch die niedrigsten Redensarten der Kneipe und des Luperkales.'' Prosa und Vers werden kühn durcheinander geworfen. Den Schwulst der älteren Tragödie und die Manieriertheit des euphuistisch angehauchten Modetones hat Shakespeare nie völlig überwunden. Nicht umsonst hat Taine diesen Stil den Stil des Wahnsinns genannt. Dazu kommt die Kühnheit und Anschaulichkeit der Bilder und der Vergleichungen.

Nach diesen gehaltreichen Betrachtungen über das Wesen der Shakespeareschen Kunst, von denen in dem Vorstehenden nur einiges mitgeteilt werden konnte, betritt der Verf. wieder den Pfad, den er am Ende des ersten Bandes verlassen hat, um des Dichters Schicksal, Entwicklungsgang und künstlerisches Schaffen weiter zu verfolgen. Er stellt fest, daß mit dem 36. Lebensjahr, das mit dem Ende des 16. Jahrhunderts zusammenfällt, in der Stimmung des Dichter ein Umschlag stattfand, indem die heitere Grundstimmung, die Freude am Dasein, aus der die Lustspiele, die Gestalten Falstaffs und seines prinzlichen Gönners entsprangen, einer düsteren Schwermut und bitterer Satire, einer pessimistischen Stimmung Platz machen. An dieser seelischen Verstimmung hatten unerfreuliche Ereignisse auf literarischem und politischem Gebiete einen großen Anteil, unter den ersteren die

Theaterstreitigkeiten, unter den letzteren die Verkommenheit des Hofes, die Unzufriedenheit mit Elisabeth, die Essexrevolution, der auch Shakespeare nicht fern stand und die seinem Freunde Southampton lebenslänglichen Kerker zuzog. In dieser Zeit der tiefsten seelischen Verstimmung wurde Shakespeare mit den moralischen Anschauungen Giordano Brunos bekannt, dessen Ansicht von der Relativität alles Irdischen zu der damaligen Stimmung des Dichters paßte, in noch viel größerem Maße mit den Anschauungen des geistreichen Essayisten Montaigne. Die Kenntnis beider wurde Shakespeare übermittelt durch den italienischen Sprachmeister Florio, der zu Giordano Bruno in persönlicher Beziehung gestanden war und die Essays Montaignes ins Englische übersetzte, und sehr ansprechend ist die Vermutung des Verf., daß Florio bei der Übersetzung Montaignes ins Englische vielfach den Rat des sprachgewandten Dichters eingeholt habe. Die Einwirkung beider, Brunos und Montaignes, auf die Dramen dieser Epoche wird von dem Verf. nachgewiesen. Aus diesem Pessimismus nun entsprang die letzte und höchste Form des Trauerspiels: der ringende Held wird durch das, was als Größtes und Bestes in seiner Brust lebt, in das Verderben verstrickt, während das Niedrige unbelästigt weiter leben darf. „Diese höchste Art der Tragödie stellt ein Weltganzes dar, in dem die Vernichtung als oberstes Prinzip herrscht, wie ein Sturmwind, der an dem elenden Dornbusch vorüberbraust, aber die ragende Eiche zerschmettert". Gerade dadurch, daß Shakespeare dem abschwächenden Optimismus nicht die geringsten Zugeständnisse macht, daß er den unerbittlichen Weg des Schicksals bis zu Ende geht, ist er der Schöpfer und zugleich der Meister der modernen Tragödie geworden. Die pessimistische Grundstimmung des Dichters spiegelt sich wieder in den Dramen dieser Epoche, die der Verf. die Hamletperiode nennt, und zwar macht sich im „Julius Cäsar" die politische Fäulnis, in „Maß für Maß" die moralische geltend, und im „Hamlet" vereinigen sich beide Seiten. „Julius Cäsar", der zugleich den Übergang von dem freieren Aufbau der „Historien" zu der geschlosseneren Form der Tragödie bildet, ist die Fanfare der Essexrevolution. In der Beschreibung Plutarchs fand der Dichter ein Abbild der unhaltbaren Zustände seiner Zeit, die dringend nach einem Mann und Retter verlangten. Zwischen dieser Tragödie und dem „Hamlet" besteht ein enger Zusammenhang, besonders herrscht zwischen den Helden der beiden Dramen unverkennbare Familienähnlichkeit. Die pessimistische Grundstimmung, die sich vom „Julius Cäsar" zum „Hamlet" steigerte, verschärft sich in „Maß für Maß" noch mehr, indem diese Komödie einen Einblick in ein vollkommen verrottetes Gemeinwesen eröffnet. Und auch in „Ende gut, alles gut", das nur dem Namen nach ein Lustspiel ist, macht sich die düstere Stimmung des Dichters geltend. Vortrefflich sind nun

auch die Analysen dieser wie der folgenden Dramen. Sie
legen ein glänzendes Zeugnis ab von des Verf. eingehendem
Studium, seinem feinen Kunstverständnis und sicherem Urteil.
Vielfach geht er in der Auslegung der Dichtungen eigene Wege,
zieht Dramen der klassischen, der Renaissance- und der neueren
Literatur zur Vergleichung bei, behandelt die Quellen der Dramen,
ihren Zusammenhang mit Zeitereignissen, die Entstehung der
Ausgaben. Leider verbietet uns Mangel an Raum auf den Inhalt
dieser Analysen näher einzugehen. Auf den „Hamlet" ließ
Shakespeare die größten Tragödien der Menschheit folgen, Othello,
Lear, Macbeth. Mit „Hamlet" hatte er die Form der Tragödie
erreicht, die den Menschen nur auf sich selber angewiesen im
Kampfe mit einem übermäßigen Schicksal zeigt, das aber nicht
ein äußerer Gegner ist, sondern sich mit Notwendigkeit aus dem
innersten Wesen des Helden, aus dem unversöhnlichen Widerspruch
zwischen dem Wollen und dem Sollen ergibt. Die äußere Zwangs-
lage verwandelt sich in eine innerliche, durch die Natur des
Menschen geschaffene. Die Menschen dieser Dramen genießen die
schrankenloseste Willensfreiheit, aber im Innern sind sie Sklaven
der eigenen Leidenschaft und ihren Trieben widerstandslos unterworfen. Mit „Macbeth" ist Shakespeare in das letzte Stadium
seines tragischen Schaffens eingetreten. Sein Stil wird immer
knapper und gedrungener, der Vers gestaltet sich immer freier.
Ein gewaltiger Zug geht auch durch die beiden jüngeren Römer-
dramen, Antonius und Kleopatra, Coriolan. Und doch
macht sich in beiden eine leichte Ermüdung bemerkbar. „Coriolan"
ist die letzte Tragödie Shakespeares. Die nächste Zeit brachte
uns den in der Anlage wie in der Ausführung mißratenen „Timon
von Athen" und die Wiederaufnahme der Satire „Troilus und
Cressida". In diesen beiden Stücken erreicht der Pessimismus
des Dichters seinen Höhepunkt. Die letzte, innerste Ursache dieses
plötzlichen Niederganges entzieht sich unserer Kenntnis. Wir
können nur feststellen, daß ihm mit der Freude am Leben die
Lust des Schaffens geschwunden ist, daß die wachsende Ver-
bitterung seine Gestaltungskraft beeinträchtigt hat. Sein Schaffen
wäre wohl jetzt schon zu Ende gewesen, wenn nicht ein neues
künstlerisches Prinzip in sein Leben getreten wäre. Das geschah
durch den „Perikles", als dessen Verfasser man mit ziemlicher
Sicherheit Wilkins nachgewiesen hat. Shakespeare zog der
märchenhafte Ton dieses Dramas an; es war ein Traum aus ferner,
längst verflossener Kinderzeit, da er noch auf dem Schoß der
Mutter saß und sein Gebet zum lieben Gott sprach, der über alle
wacht und den Menschen gerade dann, wenn die Not am größten,
mit seiner Liebe und Hilfe am nächsten ist. Das war Balsam für
sein verwundetes Dichterherz. In der Umarbeitung, die er mit
den Marinaszenen der drei letzten Akte vornahm, zeigt sich die
Kralle des Löwen wieder, besonders in der hinreißenden Gewalt

und Gestaltungskraft. Dem Einfluß des „Perikles" verdanken die drei letzten Dramen, die sogenannten Romanzen, Cymbeline, das Wintermärchen und der Sturm, ihre Entstehung. Shakespeare verzichtet hier auf die Darstellung wirklichen Lebens. „In einer Art von poetischer Resignation flüchtet er aus dem wirklichen Dasein, dessen Furchtbarkeit ihm in den großen Tragödien aufgegangen ist, in das Reich des Märchens, in das Reich der Dichtung". Mit dem „Sturm" schließt Shakespeares Tätigkeit ab. Menschenhaß und Menschenverachtung haben einer freundlicheren Lebensauffassung weichen müssen. Eine milde Heiterkeit, wie aus tiefstem Herzen quellende versöhnliche Stimmung herrschen in den genannten letzten Dramen. Diese Aufhellung in seinem Gemüt entsprang offenbar seinen veränderten Verhältnissen. Das Schwergewicht seines Daseins verschob sich immer mehr von der Großstadt nach der alten Heimat. „In Stratford, wohin er sich 48 Jahre alt, im besten Mannesalter zurückzog, auf eigenen Grund und Boden, als angesehener Haus- und Grundbesitzer, umgeben von Frau und Töchtern, dem geachteten Schwiegersohne und vor allem dem Enkelkinde, empfand der Dichter wieder die langentbehrte Freude am Leben". Nicht umsonst klangen die drei letzten Werke in ein Lob des Familienglückes aus. Einmal im Jahre scheint er nach London gereist zu sein, und hier entsprang dem Drängen seiner Kollegen, den Zauberstab nochmals zu ergreifen, seine Mitarbeitschaft an „Heinrich VIII". Mit einer Darstellung der letzten Lebenstage, des Ausgangs, des Begräbnisses des großen Dichters, des Schicksals seiner Familie, der ersten Gesamtausgabe seiner Werke, seines Nachruhmes, seiner Bildnisse, von denen das Handos-Porträt in einer Nachbildung dem vorliegenden zweiten Band vorangestellt ist, und einer gedrängten inhaltsreichen Charakteristik des Menschen und Dichters schließt diese Biographie, die nach Inhalt und Form gleich gelungen und, für den Leser eine Quelle ununterbrochenen Genusses bildend, als die Biographie Shakespeares in deutscher Sprache bezeichnet werden darf mit inhaltsreichen Anmerkungen und ihren Literaturnachweisen und Exkursen. Das Buch hat der Verleger dem Inhalte entsprechend tadellos ausgestattet.

Offenburg (Baden).   L. Zürn.

P. Hellwig, Lehrbuch der Geschichte für höhere Schulen. Zweite Abteilung: Mittelstufe. 1. Teil: Deutsche Geschichte bis zum Ausgange des Mittelalters. Mit 4 Karten und einzelnen Abbildungen. Leipzig 1908, A. Deichertsche Verlagsbuchhandlung Nachf. (Georg Böhme). VI u. 125 S. gr. 8. 1,60 ℳ. 2. Teil: Vom Ausgange des Mittelalters bis zur Gegenwart. Mit 5 Schlachtplänen und einzelnen Abbildungen. V u. 242 S. gr. 8. 2,80 ℳ.

In einer Zeit, wo an wirklich guten Lehrbüchern für den Geschichtsunterricht durchaus kein Mangel ist, wo man vielmehr

in Verlegenheit kommt, für welches man sich bei einer Neu-
einführung entscheiden soll, gehört gewiß großer Mut dazu, noch
ein neues zu schreiben, und es müssen Vorzüge nicht gewöhnlicher Art sein, die einem solchen Neulinge zur Seite stehen, um
ihm den Kampf mit den erprobten älteren Genossen zu ermöglichen und eine Stellung in der Schulbücherliteratur zu erringen.
Solche Vorzüge hat das vorliegende Buch, das in 2 Abteilungen
den Lehrstoff der drei mittleren Klassen (Untertertia bis Unter-
sekunda) einer höheren Lehranstalt umfaßt, in mancher Hinsicht
aufzuweisen, und zum Beweise dafür will der Berichterstatter
gleich im voraus das Geständnis ablegen, daß er sich infolge Zeit-
mangels diesmal mit einer mehr allgemeinen Prüfung begnügen
wollte, bei dem Interesse aber, das die Lektüre einzelner Teile
bei ihm erweckte, schließlich doch das Ganze eingehend durchgearbeitet hat.

Zu den Anforderungen, die in erster Linie an ein gutes
Schulbuch zu stellen sind, gehört eine gute Sprache, ein möglichst tadelloser Ausdruck; und die sind in der Tat vorhanden.
Nicht nur paßt sich die Sprache wunderbar dem Verständnis und
dem Gedankenkreise 12—15jähriger Schüler an, nicht nur ver-
meidet sie ungewöhnliche, fremdartige, phrasenhafte Ausdrücke
und Redewendungen und trägt so viel dazu bei, den Schüler sich
bald heimisch fühlen zu lassen, sondern sie kann mit ihrer un-
gekünstelt fortlaufenden, fließenden Darstellung und ihrem einfachen, edlen Satzbau, trotz ihrer Schlichtheit doch hier und da,
wo es besonders angebracht ist, eines gewissen Schmuckes nicht
entbehrend, im hohen Maße stilbildend auf den Schüler einwirken.
Nur an wenigen Stellen glaube ich Anstoß nehmen zu müssen,
wie I S. 6 Abs. 3 „eine Schlacht unternehmen", I S. 12 Abs. 4
„den Krieg ins Römerreich tragen", I S. 25 Abs. 2 „die Waffen
bis zum Aralsee tragen", I S. 57 Abs. 5 „die Waffen auf einem
dritten Zuge gegen die Araber tragen"; II S. 67 Abs. 2 hat in
dem Satze „bald aber sammelte sich ein polnisches Heer wieder,
das nun die Schweden bedrängte", „wieder" einen falschen Platz;
II S. 190 Abs. 1 steht 2mal ganz kurz hintereinander das Wort
„unbedingt", was nicht schön klingt; ein überreicher Gebrauch
gemacht ist von den Ausdrücken „ersterer" und „letzterer", die
ja bequem sein mögen, aber schön ganz gewiß nicht, besonders
nicht, wenn man sie fast auf jeder Seite findet, auf mancher
sogar wiederholt; ähnlich verhält es sich mit der Verbindung des
Relativums und des Artikels in „die die". Der Pflege der Sprache
dient auch das Bemühen, den Deklinationsendungen möglichst die
vollere Form zu erhalten; verheißungsvoll wirkt in dieser Beziehung schon die Aufschrift des Buches „bis zum Ausgange" und
„vom Ausgange"; konsequente Durchführung ist hier natürlich
schwer möglich, da auch viel auf die Gewöhnung und den Geschmack ankommt; so finden wir allerdings ziemlich hart neben-

einander I S. 4 Abs. 1 „im Frühlinge" und „im Herbst", ebenso
„Herrn" und „Herren" noch dazu in derselben Verbindung „sich
zu Herren machen" (I S. 15 Abs. 5 „Herrn" und I S. 17 Abs. 1
„Herren"). — Depeschenstil sollte in einem Schulbuche, besonders
für mittlere Klassen, weder mit noch ohne Klammern vorkommen,
wie es leider z. B. II S. 70 Abs. 2 und S. 85 Abs. 4 der Fall ist.
— Sehr wohltuend berührt das Vermeiden entbehrlicher Fremdwörter; wo sie trotzdem angewendet werden, finden sie ihre Erklärung meist im Texte; vielleicht könnte der Verf. hier noch
einen Schritt weiter gehen und auch Ausdrücke wie „Wergeld"
(I S. 2 Abs. 4), „Schultheiß" (I S. 33 unten), „Grundholden" (I S. 42
Abs. 5), „fronden" (I S. 48 Abs. 3), „Absolution" (I S. 68 Abs. 3),
„Domkapitel" (I S. 71 Abs. 5), „Kontribution" (II S. 46 Abs. 2),
„Krümper" (II S. 154 Abs. 1) u. a. m. auf ihren Ursprung zurückführen. — Wenn bei Ortsnamen die Lage näher bezeichnet wird,
so dient das entschieden zur Anschaulichkeit und zur Verdeut-
lichung des Textes; warum geschieht das aber nicht mit mehr
Konsequenz? Oder meint der Verf., daß eine Note bei Vossem
oder bei St. Germain notwendiger ist als z. B. bei Wehlau, Oliva,
Peiz, Schwiebus, Nystad, Zeven u. v. a.?

Wie die Sprache, so verdient auch die Einteilung des
Stoffes in größere Perioden, denen beherrschende Ideen zugrunde liegen, und innerhalb der Perioden wieder in eine Reihe
kleinerer Abschnitte, die sich aus einer großen Anzahl meist sehr
kurzer Absätze zusammensetzen, Lob; dabei ist besonders beachtenswert, daß der Zusammenhang trotz der vielen Einzelteile
wohl nirgends verloren geht, der folgende Abschnitt schließt sich
immer eng an den vorhergehenden an, und deutlich tritt das
Bestreben des Verfassers hervor, dem Schüler die Entwickelung
der Dinge nach Ursache und Wirkung klarzumachen. So werden
wir zwanglos von den ältesten Zeiten der Germanen und ihrem
ersten Auftreten in der Geschichte bis in die neueste Zeit mit
ihren wirtschaftlichen und sozialen Problemen geführt, in die ohne
Zweifel ein Untersekundaner, namentlich an einer Realschule, die
ja ihre Zöglinge meist von dieser Klasse in das Leben entläßt,
eingeführt werden muß; auch von der außerdeutschen Geschichte
erfahren wir, soweit es für den Zusammenhang und das Verständnis der deutschen Geschichte notwendig ist, das Wichtigste.
Bei der gedrängten Darstellung nun, wie sie bei einem Geschichts-
buche der mittleren Klassen nötig ist, und zwar nicht nur in den
ausländischen Partien, wird die Frage nach der Bedeutung und
Wichtigkeit der Ereignisse eine große Rolle spielen und danach
die Auswahl und der Umfang der Behandlung sich richten.
Mit Recht hat sich Verf. hierbei von der Rücksichtnahme auf die
Gegenwart leiten lassen, „in der Weise, als Fragen der jetzigen
Zeit, soweit sie auch in früheren Zeitläuften in die Erscheinung
traten, eine besonders eingehende Behandlung erfahren haben";

deshalb ist auch der kulturgeschichtlichen Entwickelung in allen ihren Beziehungen, ohne die doch nun einmal der Werdegang eines Volkes nicht verständlich ist, ein gebührender Raum eingeräumt worden. Im allgemeinen scheint mir der Verf. in der Bewertung und damit in der Behandlung der Ereignisse das Richtige getroffen zu haben: eine kürzere Darstellung wäre vielleicht angebracht z. B. bei den inneren Kämpfen unter Otto I., bei Heinrich II., dessen Bedeutung im übrigen nicht verkannt werden soll, bei der Schweizer Reformation durch Calvin und auch sonst hier und da. Zur Vereinfachung und zur Vermeidung von Wiederholungen konnte manchmal Zusammengehöriges zusammengefaßt werden, selbst auf Kosten der chronologischen Reihenfolge; dabei habe ich besonders die beiden Friedenszeiten unter Friedrich d. Gr. im Auge, die wirklich besser nur e i n e n Abschnitt bilden; anderseits habe ich ein näheres Eingehen vermißt z. B. auf die Erleichterungen, die Karl d. Gr. dem mittleren freien Bauernstande zuteil werden ließ, auf die Organisation der Zentralregierung Karls, auf die Persönlichkeit des Hohenstaufen Friedrich II.; ebenso durfte eine zusammenfassende Würdigung Luthers und seiner mannigfachen Verdienste um unser deutsches Volk nicht fehlen. Neben Sachsen, Pommern, Hessen u. a. (II S. 15) war auch Anhalt zu erwähnen als eins von den Ländern, wo die Reformation durch Wolfgang gleich im Anfange eingeführt wurde; die Bestimmungen des Wiener Kongresses werden zu unvollständig wiedergegeben; lückenhaft ist auch die Behandlung der schlesischen Frage, die mit der Rückgabe des Schwiebuser Kreises für Preußen wieder auf dem alten Standpunkte steht; gänzlich übergangen ist der Krimkrieg, der für die Stellung Napoleons III. und für die Entwickelung der orientalischen und schließlich auch der deutschen Frage von nicht zu unterschätzender Bedeutung ist; von der 48er Revolution in Österreich erfahren wir nur, daß Metternich weichen mußte (II S. 177 Abs. 2) und Schwarzenberg an seine Stelle trat (S. 180 Abs. 2), während Franz Joseph überhaupt nirgends genannt wird; als wirtschaftliches Kampfmittel kommt das bürgerliche Genossenschaftswesen, das namentlich in der Landwirtschaft zu hoher Blüte gelangt ist, in der Darstellung zu kurz (II S. 220); die Selbstverwaltung der Provinzen, die viel weniger bekannt, aber gewiß nicht minder wichtig ist als die der Städte, wird gar nicht erwähnt (II S. 228); die kulturgeschichtlichen Exkurse durften manchmal etwas weiter gehen und sich nicht bloß auf die Aufzählung von Namen beschränken (wie II S. 174 f.). — Um die Darstellung übersichtlicher zu machen und den Schüler bei der Wiederholung und Nacherzählung zu unterstützen, sind die einzelnen Absätze an der Spitze mit fettgedruckten Stichworten versehen; noch besser wäre es gewesen, sie auch auf den Rand zu setzen, was leider auch mit den einzuprägenden Zahlen unterlassen ist. Zuweilen geben Rückblicke eine gute Zusammenfassung der vorher-

gehenden Darstellung; diese hätten noch öfter angewendet sein
sollen.

Als ein Beweis für das nationale Empfinden, von dem das
ganze Buch durchzogen ist, kann auch der Abriß der Bürgerkunde aufgefaßt werden, der sich anhangsweise vorfindet. Es
ist vielleicht ein ganz guter Gedanke, solche Erörterungen am
Schlusse systematisch zusammenzustellen, um die Übersicht zu
fördern und ein Nachschlagen zu erleichtern, anstatt sie dem Text
an geeigneten Stellen einzufügen, wie das in der Regel bisher in
den Lehrbüchern geschah. Daß aber der Schüler, der in das
Leben hinaustritt, nicht nur das Allernötigste von den Einrichtungen des Reiches und seines Heimatstaates, besonders Preußens,
auf den verschiedensten Gebieten, wie der Verfassung, Verwaltung,
des Steuerwesens, Rechtswesens, Versicherungswesens u. a., von der
Schule mitzunehmen hat, wird heute kaum noch bestritten werden.
In dieser Beziehung darf dem Oberprimaner etwas mehr zugemutet werden als dem Untersekundaner, dem vielfach das Verständnis für solche Fragen noch fehlt, und es ist gewiß nicht die
Absicht des Verfassers, den ganzen Inhalt seiner Bürgerkunde dem
Abiturienten sechsklassiger Schulen, für die doch das Buch bestimmt ist, einzuprägen.

Am Ende des Buches sind einige wichtige Urkunden, teils
auszugsweise, aufgenommen, so aus der geheimen Instruktion für
Finckenstein, aus dem Testamente Friedrichs, die Proklamation
an mein Volk von 1813 u. a. m.; da das Geschichtsbuch nicht n ur
ein Lernbuch, sondern auch ein Lesebuch sein soll und der Stoff
gewiß an Anschaulichkeit gewinnt, wenn man die Vergangenheit
auch einmal unmittelbar zum Schüler reden läßt, so kann ich mich
damit wohl einverstanden erklären; auch eine Reihe wichtiger
Schlachtenskizzen, wie von Leuthen, Königgrätz, Sedan, mögen
ihre Stelle im Buche finden. Dagegen gehören nach meiner Auffassung weder Bildnisse hervorragender Männer noch geographische
Karten hinein: für jene stehen uns viel größere und schönere
Darstellungen zur Verfügung, als sie ein solches Lehrbuch liefern
kann, für diese haben wir den Atlas, dessen Stellung im Unterrichte, wo es nur geht, geschützt werden muß, da die Schüler so
wie so geneigt sind, ihn gering zu achten, ja für überflüssig zu
halten.

Am Schlusse jedes Bandes endlich befindet sich eine Merktafel mit den zu memorierenden Zahlen; gewiß soll das Gedächtnis der Schüler nicht überlastet werden mit unnötigem
Material, ebenso gewiß muß aber auch schon auf der Mittelstufe,
wo das Gedächtnis noch aufnahmefähiger ist, an Zahlen ungefähr
das verarbeitet werden, was überhaupt von dem Schüler einer
Vollanstalt verlangt wird. Danach scheint mir das Zahlenpensum
im vorliegenden Buche zu dürftig: so fehlt 325 Nicäa, 1183 Friede
zu Konstanz, 1532 Nürnberger Religionsfriede, 1618 Erwerbung

Preußens durch Brandenburg, 1324—1373 Herrschaft der Wittelsbacher, 1373—1411 Herrschaft der Luxemburger in der Mark, 1681 Verlust Straßburgs, die Raubkriege Ludwigs XIV., 1830 Julirevolution, während 1431 Jeanne d'Arc in Rouen verbrannt und 1467—1477 Karl der Kühne überflüssig sind; natürlich müssen auch die Zahlen der Merktafel mit denen im Texte übereinstimmen; das habe ich vermißt beim Konzil zu Konstanz, wo vorn „1414—17", hinten richtig „—1418" steht.

Druckfehler habe ich bemerkt II S. 13 Abs. 4 „Strafe" statt „Sache", II S. 19 Abs. 4 „Georg" statt „Moritz", II S. 60 Abs. 4 „Joachim I." statt „II.", II S. 62 Abs. 4 Maria Eleonore, die „Tochter" des Herzogs Johann Wilhelm statt „Schwester", II S. 67 unten „Kürfürst", II S. 68 Abs. 2 „Peiz", II S. 79 Abs. 2 „Peitz", II S. 116 Abs. 1 „blüten" statt „blühten", II S. 169 Abs. 4 „die deutschen Bundesakte" statt „deutsche", II S. 182 Abs. 3 „geforderten" statt „geforderten", II S. 186 Abs. 4 „aufangs" statt „anfangs", II S. 205 Abs. 1 „entre les mains votre Majesté" statt „de votre M."; in „Andachtsstätte" I S. 56 Abs. 3 und in „Geschichtsschreiber" II S. 3 Abs. 2 ist ein s überflüssig, ebenso das Komma II S. 5 Abs. 3 „als er den weltlichen, und mit dem Heiligsten Spott treibenden Sinn bemerkte" und II S. 164 Abs. 3 „der Marschall brachte Napoleon bei, la Rothière eine Niederlage bei", während es fehlt II S. 50 Abs. 3 „Albrecht der Bär starb und ihm folgte sein Sohn" und II S. 144 Abs. 3 „beide hatten sich als Friedr. Wilh. II. noch lebte, abgestoßen gefühlt" vor „als".

Es kann nicht ausbleiben, daß bei einer Geschichtsdarstellung in kondensierter Form, besonders wenn unter Weglassung des Nebensächlichen nur die Hauptereignisse hervorgehoben werden und trotzdem der Zusammenhang gewahrt werden soll, schiefe Urteile und offenbare Versehen mit unterlaufen; einige dieser Versehen sind schon unter den Druckfehlern berichtigt worden, von andern, die ich mir immerhin in ziemlich stattlicher Anzahl notiert habe, will ich nur folgende anführen. Ungenau ist die Beschreibung des Limes (I S. 9): er bestand nicht aus Erdwall mit Palisaden und davor laufendem Graben, sondern ursprünglich nur aus Palisadenzaun, der später in Germania superior durch Wall und Graben verstärkt (dahinter), in Rätien durch eine Mauer ersetzt wurde; ferner wurde er nicht von Zeit zu Zeit von Türmen und Kastellen unterbrochen, sondern die Wachttürme befanden sich bis 75 m dahinter, während die Kastelle noch weiter rückwärts lagen, die Saalburg z. B. etwa 300 Schritt (vgl. Luckenbach, Kunst und Geschichte [7] I S. 119 und Cohausen und Jacobi, Das Römerkastell Saalburg, S. 13 ff.). — Vespasian regiert von 69, nicht 70, an (I S. 10); so auch richtig in der Merktafel: die Flavier 69—96. — Wie bei den Langobarden die früheren Wohnsitze angegeben sind (I S. 18), so war dies auch bei den Vandalen und Burgundern nötig (I S. 15), die für uns heute viel wichtiger sind. — Mit solcher Bestimmt

heit, wie Verf. es ausdrückt, steht denn doch nicht fest, daß die
Hunnen 451 bei Chalons sur Marne und die Ungarn 933 bei
Rietheburg a. d. Unstrut besiegt wurden (I S. 16 u. S. 44); ein
beschränkender Zusatz war nötig. — Der Deutsche Ritterorden
wurde nicht während der Belagerung von Akkon gegründet,
sondern bei dieser Gelegenheit wurde nur ein Hospital von einigen
frommen Pilgern errichtet, das den Keim enthielt für eine größere
Gründung, die im Jahre 1198 erfolgte (I S. 93; richtiger I S. 109).
— Die Kyffhäusersage ist zunächst an dem Namen Kaiser Friedrichs II.
geknüpft, erst später wird Friedrich Barbarossa als der bekanntere
und für Deutschlands Geschichte bedeutendere der Held derselben
(I S. 91). — Die Osmanen fassen schon 1353 in Europa festen
Fuß, als Suleiman das feste Schloß Tzympe auf dem Thracischen
Chersones erstürmte (nicht 1356 I S. 115). — Die älteste Vereinigung, worauf die Hansa zurückgeht, ist wohl die auch zuerst
so genannte Verbindung kölnischer Kaufleute in London schon
kurz nach der Mitte des 12. Jahrh., nicht der 1241 zwischen
Hamburg und Lübeck geschlossene Vertrag (I S. 106). — Die
Auffindung der Südspitze Afrikas muß in das Jahr 1487 verlegt
werden (I S. 120). — Welchen weltlichen Grund der Kaiser
als Vorwand zum Kriege gegen die Schmalkaldener nahm, durfte,
da es einmal erwähnt wird (II S. 19), nicht verschwiegen werden;
es ist darunter hauptsächlich das schroffe Vergehen der Schmalkaldener gegen den Herzog Heinrich von Braunschweig zu verstehen; daß es dem Kaiser aber erst mit Hilfe dieses weltlichen
Grundes gelungen sein soll, den Herzog Moritz von Sachsen auf
seine Seite zu ziehen, ist nicht nötig anzunehmen; dessen bedurfte es nicht bei einem Moritz, der nur von der nüchternsten
und kühlsten Interessenpolitik geleitet wurde, der später auch
sicherlich nicht infolge von Gewissensbissen zu seinen Glaubens-
genossen zurückkehrte (II S. 20 Abs. 3). — Eine Änderung in
der Kriegführung der Schmalkaldener wird nicht erst durch die
Nachricht von dem Einfall Moritzens in Sachsen herbeigeführt
(II S. 19), sondern man hatte sich schon vorher nach Württemberg abdrängen lassen und den Sebastian Schärtlin längst von
seinem Siegeszuge in Tirol zurückgerufen. — Ob Wallenstein im
zweiten Generalat die alleinige Führung des Heeres hatte, ist
sehr zweifelhaft (II S. 42); solange er das Vertrauen des Kaisers
besaß, konnte er freilich nach Belieben schalten; als dies aber
nicht mehr der Fall war, da griff der Kaiser durch direkte Befehle auch an die Unterfeldherren ein, ohne daß ein Zweifel an
dem Rechte des Kaisers zu solchen Befehlen in der Korrespondenz
zwischen Wallenstein und dem Kaiser laut geworden wäre (vgl.
Hist. Zeitschr. Bd. 97 S. 241). — Daß mit Bernhard von Weimar
der letzte hervorragende Führer abtritt (II S. 44), ist zuviel gesagt; gewiß war Torstenson wenigstens noch ein genialer Heerführer
und bewundernswert durch seine großartig angelegten Pläne, um so

mehr, als er meist an die Sänfte gefesselt war. — Prinz Friedrich,
besser Friedrich Heinrich von Oranien, ist nicht Erbstatthalter, sondern
nur Statthalter von 5 Provinzen, da die erbliche Statthalterwürde
mit dem Tode Wilhelms I. abgeschafft war und erst später erneuert
wurde (II S. 64). — Das Durchstechen der Dämme im Juli 1672
war durchaus nicht wirkungslos (II S. 69), sondern die Provinz
Holland mit Amsterdam wurde dadurch vor der weiteren Über-
flutung durch die Franzosen gerettet. Die großen Ströme des
Landes hatten freilich die Annäherung des Feindes nicht hindern
können, die waren durch die lange Dürre zu flachen Wasser-
rinnen geworden; das verwechselt offenbar der Verf. — Daß der
Große Kurfürst in seinem Denken und Tun sich als einen wahrhaft deutsch fühlenden Mann erwiesen habe, trifft doch nur insofern zu, als Brandenburgs Interessen damals im allgemeinen mit
Deutschlands Interessen zusammenfielen, resp. Brandenburgs Feinde
— Schweden, Polen, Franzosen — auch die Feinde Deutschlands
waren; im Grunde genommen trieb der Kurfürst rein branden-
burgische Politik (II S. 75). — Karl XII. von Schweden ist 1700
erst 18, nicht 20 Jahre alt (II S. 87). — Das Haus Rurik stirbt
1598 aus, nicht 1610; denn der Schwager des letzten Zaren
Feodor I., Boris Godunow, kann ebensowenig wie die falschen
Demetrius diesem Hause zugerechnet werden (II S. 90). — Sein
reichsfürstliches Bewußtsein hatte den König Friedrich Wilhelm I.
von Preußen bereits 1726 durch den Vertrag von Königswuster-
hausen wieder an die Seite des Kaisers geführt, nicht erst das
Bündnis zu Berlin 1728, das nur eine Erweiterung jenes Vertrages
bedeutet (II S. 89). — Die Folge der Bündnisabschlüsse vor dem
7jährigen Kriege ist nicht ganz richtig dargestellt (II S. 108): erst
nach Westminster (Jan. 1756) kommt es zu einem Bündnis
zwischen Österreich und Frankreich, das sich naturgemäß durch
die Annäherung Friedrichs an England zu Österreich hingedrängt
sieht; auch war in Westminster mehr Preußen der Verlangende
als England; endlich sieht das Wort „Friedensbruch" so aus, als ob
der Verfasser sich zur Ansicht Lehmanns über den Ursprung des
7jährigen Krieges bekenne, die doch heute im allgemeinen überwunden ist. — Daß der König nach Roßbach auf lange Zeit
vom Westen her nichts zu befürchten gehabt hätte, stimmt nicht
(II S. 111); denn schon 1758 und 1759 kommt es hier zu neuen
Kämpfen bei Krefeld und Minden. — Die Zusammenkunft in
Pillnitz war am 25., nicht 27. August 1791 (II S. 130). — Nicht
nur die Rücksicht auf das Leben der königlichen Familie hindert
Leopold II., energisch mit Waffengewalt in die französischen Verhältnisse einzugreifen (II S. 130), sondern noch mehr die Entwickelung der Dinge im Osten. — So ganz ohne Erfolg waren
die Vorstellungen der Franzosen gegen das Treiben der Emigranten
in Deutschland doch nicht (II S. 135); in Pillnitz wurde ihnen
nur ein friedfertiger Aufenthalt gestattet, ohne Rüstungen. — Bei

Arcole wird nicht Karl, sondern Alvinczy geschlagen (II S. 137).
— Friedrich Wilhelm III. ist nicht nur vorsichtig (II S. 144),
sondern von mangelnder Entschlußfähigkeit verbunden mit klarer
Einsicht in die Beschränktheit seiner Fähigkeiten. — Bei Preußisch-
Eylau wurde auch schon am 7. Februar gekämpft, nicht erst am
8. (II S. 148). — Franz I. war 1813 durchaus nicht zum Kriege
gegen seinen Schwiegersohn entschlossen (II S. 159), wollte er
doch sogar auf Illyrien verzichten, um den Frieden zu erhalten;
nur die schroffe Ablehnung Napoleons, der gar kein Zugeständnis
machen wollte, trieb ihn den Verbündeten zu. — Begründet war
die Deutsche Burschenschaft schon am 12. Juni 1815 zu Jena; in
Eisenach fand nur die erste allgemeine Zusammenkunft am 18. Okt.
1817 statt (II S. 171). — Von den Rechten, die dem Vereinigten
Landtage 1847 zugestanden wurden, durfte das der Steuerbewilligung
nicht übergangen werden (II S. 176; vgl. Treitschke, Deutsche
Geschichte V S. 610 f.). — Das Entstehen des Straßenkampfes
am 18. März in Berlin ist nicht ganz richtig geschildert: gegen
das Bewilligte konnte man nichts einwenden; denn man hatte
alles bekommen, was man verlangte. Daher reizten die Agitatoren
und Führer, meist fremder Nationalität, die hinter der Masse
standen, das sich schon zerstreuende Volk durch den Hinweis auf
das am Portale und auf dem Schloßhofe sichtbare Militär auf;
nebenbei bemerkt war das eine losgehende Gewehr das eines
Unteroffiziers (II S. 177 „die Gewehre zweier Grenadiere"; vgl.
Busch, Die Berliner Märztage). — Bismarck wurde am 23. Sept. 1862,
nicht am 24. (II S. 183) als Staatsminister mit dem interimistischen
Vorsitze im preußischen Staatsministerium betraut. — Preußen
stellt noch viel mehr Forderungen an den Augustenburger als die
der Militärhoheit und Auslieferung einiger Plätze (II S. 187). — Wo
bleibt Anhalt 1866? Oder rechnet es Verf. zu den thüringischen
Staaten (II S. 189)? — Die Darstellung vom Kampfe der 7. Division
im Swiepwalde mußte gerade umgekehrt lauten: die Preußen sind
es, die sich hier eingenistet haben, und zu ihrer Vertreibung, die
aber nicht völlig gelingt, steigen immer mehr Österreicher von
den Höhen herab und entblößen die Stellung nach Nordosten,
so daß der Kronprinz hier keinen frischen Gegner vorfindet; die
Hartnäckigkeit der Magdeburger Regimenter bereitet somit zum
großen Teile die glückliche Entscheidung vor (II S. 191); demnach
ist auch die Bemerkung zu berichtigen (S. 192), als hätte Benedek
es unterlassen, dem Kronprinzen überhaupt etwas entgegenzustellen
— die beiden dazu bestimmten Korps waren eben im Swiepwalde
aufgerieben. — Bedingung für das aktive Wahlrecht zum preußischen
Abgeordnetenhause ist nicht das vollendete 24., sondern 25. Lebensjahr (II S. 227). — Nicht ausschließlich „der Offiziere" (II S. 226),
sondern „der Offiziere und Unteroffiziere" (ca. 80 000) beträgt
die Stärke des deutschen Reichsheeres in Friedenszeiten 505 839
Mann.

Nicht Nörgelsucht veranlaßte den Berichterstatter, einzelne Versehen und Irrtümer von im ganzen geringfügiger Art aufzudecken, sondern das Bestreben, dem Verfasser zu zeigen, wie er seine achtbare Leistung in einer neuen Auflage noch vervollkommnen kann; dann wird das Buch den Vergleich mit den besten Hilfsmitteln auf diesem Unterrichtsgebiete nicht zu scheuen haben und sich zunächst zur Einführung in 6klassigen höheren Lehranstalten empfehlen. Dagegen wird die Benutzung an Vollanstalten erst dann in Frage kommen, wenn der weitere Ausbau des Werkes, der in Aussicht gestellt ist, stattgefunden hat.

Zerbst.   G. Reinhardt.

Fr. Neubauer, Preußens Fall und Erhebung 1806—1815. Berlin 1908, E. S. Mittler & Sohn. XVI u. 585 S. 8. geb. 12 ℳ.

Es ist eine denkwürdige Zeit, die uns in diesem Buche vorgeführt wird, Preußen in seiner tiefsten Erniedrigung, aber auch in seiner so großartigen Erhebung.. Der Verfasser, Direktor des Lessinggymnasiums in Frankfurt a. M., der sich bereits durch seine preisgekrönte Schrift über Stein und sein vortreffliches Lehrbuch der Geschichte bekannt gemacht hat, will nicht bloß schildern, was geschehen ist, sondern er möchte auch an seinem Teil dazu beitragen, daß der Geist der großen Männer jener Zeit fortfahre wirksam zu sein. Beides ist ihm vortrefflich gelungen. Das Werk gliedert sich naturgemäß in drei Teile: die Katastrophe, die Zeit der Knechtschaft und der Reformen, die Zeit der Erhebung. Der Schilderung des Zusammenbruchs geht eine kurze, aber erschöpfende Darstellung der preußischen Politik in den voraufgehenden Jahren und der leitenden Persönlichkeiten, wie der Darstellung der Reformen ein ausreichendes Bild der überkommenen Verwaltungs- und Heeresverhältnisse voraus. Gleich im Anfang findet der Leser eine Beurteilung Friedrich Wilhelms III., die der Wahrheit mehr entspricht als die, die z. B. Treitschke in seiner Geschichte von diesem Monarchen gibt. Durchweg kommen die handelnden Personen selbst zu Worte. Dieses Betonen des Persönlichen verleiht der Darstellung einen besonderen Reiz, indem charakteristische Stellen aus Denkwürdigkeiten, Briefen, Tagebüchern geschickt in die Darstellung aufgenommen sind, ohne daß die Einheitlichkeit der Darstellung irgendwie darunter leidet. Überhaupt ist die vorhandene Literatur sehr ausgiebig und gewissenhaft benutzt. In welcher Ausdehnung dies geschehen ist, zeigt das sieben Seiten füllende Verzeichnis der „Quellen". Zahlreiche Illustrationen und Beilagen zeitgenössischer Schriftstücke und Drucke begleiten und unterstützen die Darstellung. Bei der Auswahl derselben sind solche bevorzugt worden, die während oder unmittelbar nach der geschilderten Zeit entstanden sind. Für die Karten, die die Kriegsschauplätze veranschaulichen, sind haupt-

sächlich die mustergültigen Veröffentlichungen des Großen Generalstabes maßgebend gewesen.

Das glänzend ausgestattete Werk eignet sich auch in ganz
besonderer Weise zu Geschenken für die heranwachsende Jugend
und für Schülerbibliotheken.

Offenburg (Baden).   **L. Zürn.**

Heinrich Swoboda, Griechische Geschichte. Sammlung Göschen
No. 49. Dritte, verbesserte Auflage. Leipzig 1907, G. J. Göschensche
Verlagshandlung. 194 S. 8. 0,80 ℳ.

Im vorliegenden Bändchen der Sammlung Göschen wird uns
von berufener Seite die griechische Geschichte in vier großen
Abschnitten mit vierzehn Kapiteln und siebenundvierzig Paragraphen
von den ältesten Zeiten bis zum Aufgehen Griechenlands im
römischen Reiche vorgeführt, während in einem Anhange noch
kurz die Schicksale des Landes in römischer Zeit geschildert
werden. Die Benutzung wird erleichtert durch eine Inhaltsangabe
zum Beginne und durch ein allerdings nur die wichtigsten Namen
umfassendes Register am Schlusse. Für den, der tiefer eindringen
oder sich über einzelne Fragen näher orientieren will, ist in
höchst dankenswerter Weise eine Literaturübersicht vorausgeschickt, worin die wichtigsten Werke über die griechische Geschichte verzeichnet sind; vielleicht hätte da noch Judeich, Topographie von Athen, und Kromayer, Antike Schlachtfelder in
Griechenland, angeführt werden können. Endlich finden sich an
der Spitze der einzelnen Kapitel fortlaufende Quellenangaben,
häufig verbunden mit einer kurzen Würdigung der Quellen, so
daß man fast das ganze Rüstzeug der griechischen Geschichte in
dem unscheinbaren Bändchen bequem zur Hand hat.

Verdient somit die Anlage des Werkes im allgemeinen alles
Lob, so ist auch im einzelnen nur wenig auszusetzen. Die
Sprache, die aus meist kurzen Hauptsätzen besteht, ist ungezwungen, durchaus verständlich, könnte höchstens hier und da
einen höheren Schwung nehmen; entbehrliche Fremdwörter, wozu
auch „schimärisch" (S. 173) gerechnet werden dürfte, sind im allgemeinen vermieden; einzelne Besonderheiten, wie „währenddem"
(S. 158; S. 115 außerdem mit Druckfehler „währendem"), „trotzdem
daß" (S. 158), „in Einvernehmen" (S. 166), „insoferne" sind wohl
der Heimat des Verfassers zuzuschreiben, während die Verbindung
„Böotien, welche Landschaft" (S. 57) statt „eine Landschaft, die" eine
Reminiszenz an das Lateinische ist. — Der Verfasser schöpft, wie
das bei einem Gelehrten von seiner Bedeutung selbstverständlich
ist, aus dem Vollen und beherrscht den Stoff in glänzender Weise;
trotzdem versteht er es meisterhaft, sich den gegebenen Verhältnissen entsprechend zu beschränken, ohne etwas Wesentliches
auszulassen. Nur zuweilen scheint es ihm schwer geworden zu

sein, den Stoff in enge Formen zu pressen, wie z. B. bei der
Schilderung des zweiten attischen Seebundes und vor allem in
der sizilischen Geschichte. Daß die Darstellung auf den Resultaten
der neuesten Forschungen, besonders auch der Wissenschaft des
Spatens beruht, bedarf kaum der Erwähnung. Wo diese Resultate
noch nicht ganz gesichert sind, wird dies meist durch einen beschränkenden Zusatz mit den Wörtchen „wohl, vielleicht, wahrscheinlich" u. ä. gekennzeichnet, was besonders wohltuend berührt;
nur muß ich mich darüber wundern, daß neben fremden Gelehrten, wie Evans, Halbherr, Pernier (S. 10), Männer wie Schlie-
mann und Dörpfeld nicht erwähnt werden, deren Verdienst doch
gewiß nicht geringer ist und die uns Deutschen außerdem näher
stehen. — Zu kurz gekommen ist die Kulturgeschichte: weder
findet man die Namen der 7 Weisen, noch des Thales, noch des
Äschylus, noch des Euripides; von den Vertretern der bildenden
Kunst wird nur Phidias mit den Werken auf der Akropolis genannt. Eine Ausnahme macht nur die Geschichtschreibung, die in
den fortlaufenden Quellenangaben eine fast erschöpfende Darstellung
findet; da müßte wohl bei einer Neuauflage Abhilfe geschaffen
werden, denn eine Geschichte Griechenlands soll uns doch Auskunft geben über die Entwickelung auf allen Gebieten des
Lebens. — Ob es nötig war, an Stelle der bisher gebräuchlichen
Bezeichnungen die Namen „Artaphrenes, Bagaos, Polyperchon,
Eknomon, die Chersones, die Peloponnes" treten zu lassen, wage
ich zu verneinen.

In der Darstellung von Einzelheiten hat man selten Gelegenheit vom Verf. abzuweichen. Einige Male scheint er sich zu
widersprechen; z. B. nennt er S. 8 die Pelasger ein Erzeugnis der
genealogisierenden Dichtung und Geschichtschreibung, um dann
fortzufahren, daß sie in Thessalien und Kreta, vielleicht auch in
Attika als historischer Stamm nachzuweisen seien; und wieder ein
paar Reihen weiter zählt er noch andere Völker auf, deren geschichtliches Dasein ebenfalls (wie das der Pelasger!) zweifelhaft sei: was hat er nun eigentlich von den Pelasgern für eine
Meinung? Einen Widerspruch erkennt man ferner S. 146, wenn
er sagt, daß Athen im Frieden des Demades, den der Verf. einen
hervorragenden Redner nennt, seine Selbständigkeit behielt, sich
aber bereit erklärte, an einem hellenischen Bunde teilzunehmen;
ja dann verliert es eben die Selbständigkeit, denn in diesem Bunde
hatte nur Philipp die volle Souveränität. Einen dritten Widerspruch endlich finde ich S. 157, wo es erst heißt, daß nach der
Schlacht am Granikus dem Alexander die ganze Westküste Klein-
asiens zufiel, während gleich darauf der hartnäckige Widerstand
geschildert wird, den der König vor Milet und Halikarnaß findet.
— Klarzulegen, warum von den dorischen Eroberern ein Teil der
Unterworfenen zu Hörigen (Heloten), ein anderer zu freien Untertanen (Perioken) gemacht wird, hält Verf. nicht für nötig (S. 25):

annehmbare Auskunft gibt darüber Neumann in der Histor. Zeitschr.
Bd. 96 S. 52; daß die Einwanderung der Dorer in den Peloponnes
von der Seeseite aus erfolgte, scheint Neumann ebenfalls mit
großer Wahrscheinlichkeit nachgewiesen zu haben (S. 22), —
durch einen entsprechenden Zusatz konnte dies Verf. S. 17 zum
Ausdruck bringen. — Höchstwahrscheinlich ist Lykurg keine geschichtliche Persönlichkeit (S. 25), völlig abgeschlossen sind aber
die Akten hierüber noch nicht. — Verf. nennt 75 oder 90
Kolonien von Milet (S. 31); nach anderen sollen es 80 gewesen
sein. — Bei Kleisthenes konnte angeführt werden, daß er die
Selbstverwaltung in den Gemeinden einführte (S. 47). — Themistokles
ist die einzige Persönlichkeit, bei deren Schilderung Verf. aus
seiner kühlen Reserve hervortritt und seiner Sprache wärmere
Töne verleiht; mit Recht, denn fast allgemein wird Themistokles
heute für den größten Staatsmann Griechenlands erklärt und selbst
über einen Perikles gestellt. — Bei Thermopylä fiel nicht Leonidas
mit den Seinen, als die kurz vorher (S. 56) 4000 Mann angegeben
werden, sondern er opferte sich nur mit einem kleinen Teile
seines Korps, um das Gros in Sicherheit zu bringen. — Der bedeutende Anteil des Alkibiades an der Verlegung des Kriegsschau-
platzes an die Küste von Kleinasien tritt nicht genügend hervor
(S. 99); er war es doch, der den Bund zwischen Sparta und
Tissaphernes zustande brachte.

Doch das alles sind Einzelheiten von ganz untergeordneter
Bedeutung, und fasse ich mein Urteil noch einmal kurz zusammen,
so halte ich das vorliegende Büchlein für durchaus geeignet, einen
— abgesehen von der Kulturgeschichte — vollkommenen, klaren,
auf den neuesten Forschungen beruhenden Überblick über die
Entwickelung der griechischen Geschichte zu geben; es dürfte sich
demnach nicht nur für Laien empfehlen, sondern z. B. auch
Studierenden zur schnellen Orientierung und Repetition gute Dienste
leisten.

Zerbst. G. Reinhardt.

H. Fenkner, Arithmetische Aufgaben. Unter besonderer Berücksichtigung von Anwendungen aus dem Gebiete der Geometrie, Physik
und Chemie. Für den Unterricht an höheren Lehranstalten bearbeitet.
Ausgabe A. Vornehmlich für den Gebrauch in Gymnasien, Realgymnasien und Ober-Realschulen. Teil II b: Pensum der Prima.
Zweite, umgearbeitete Auflage. Berlin 1907, Otto Salle. 218 S. 8.
2,60 M.

Nach denselben Grundsätzen, mit denen die bisher erschienenen und hier angezeigten Ausgaben der arithmetischen Aufgaben behandelt sind, ist auch dieser das Pensum der Prima
enthaltende Teil bearbeitet. Neben den für notwendig gehaltenen
und durchaus zweckentsprechenden Sätzen und Erklärungen gibt
der Verfasser auch eine Darstellung der von ihm benutzten Methode

durch die Auflösung einer oder mehrerer Aufgaben. Die zur Behandlung ausgewählten Teile der rechnenden Mathematik, die sich genau den Lehrplänen vom Jahre 1901 anschließen, werden freilich nur zu einem geringen Teile in der Prima des Gymnasiums Verwendung finden können; dennoch hielt ich es für notwendig, neben den schon erschienenen Teilen auch diesen Teil in dieser Zeitschrift anzuzeigen, weil ja zuweilen auch in der Prima des Gymnasiums die Möglichkeit besteht, einzelne Kapitel über das Pensum hinaus im Unterrichte zu behandeln, wenn eine besonders tüchtige Schülergeneration es möglich macht, die nötige Zeit und reges Interesse für den Gegenstand zu gewinnen. Hierzu möchte ich namentlich die Maxima und Minima, die Kombinationslehre, die Elemente der Wahrscheinlichkeitsrechnung, die komplexen Zahlen und die kubischen Gleichungen rechnen. Den einzelnen Abschnitten sind zahlreiche Aufgaben beigefügt, die durchaus nur Gebieten entnommen sind, die Primanern bekannt sein müssen. Um sie möglichst vielseitig zu gestalten, hat der Verf. eine größere Anzahl von Aufgaben hinzugefügt, die bei den Reifeprüfungen auf den preußischen höheren Lehranstalten in den letzten zehn Jahren gestellt worden sind. Wenn schon dieses Aufgabenmaterial den in Prima unterrichtenden Lehrern sehr angenehm sein dürfte, so wird daneben auch die klare Darstellung des Gegenstandes zur Bereicherung der Methodik wesentlich beitragen.

Berlin.   A. Kallius.

---

1) **Kleiber-Scheffler, Elementarphysik** mit Chemie für die Unterstufe. **Ausgabe für Gymnasien.** Unter besonderer Berücksichtigung der norddeutschen Lehrpläne bearbeitet von **Johann Kleiber** und **Hugo Scheffler.** Dritte Auflage. Mit mehr als 250 Figuren. München und Berlin 1907, R. Oldenbourg. 126 und 32 S. 8. geb. 2 *M.*

Die Kleiber-Schefflerschen Unterrichtswerke, die an dieser Stelle schon mehrfach besprochen sind, zeichnen sich besonders durch eine methodisch wohl durchdachte und geschickte Auswahl, Anordnung und Darstellung des Lehrstoffes aus. Auch in der Elementarphysik, die nunmehr in der zweiten Auflage erscheint, treten diese Vorzüge hervor und jetzt um so mehr, als die wenigen Umgestaltungen den Ansprüchen des praktischen Unterrichts noch mehr gerecht zu werden suchen. Es ist besonders darauf hinzuweisen, daß die Abschnitte über Optik und Akustik, entsprechend den preußischen Lehrplänen, ganz in Fortfall kommen, und ferner, daß die Elementarphysik durch ministerielle Genehmigung in Preußen zur Einführung gelangt ist.

Das Buch ist für den physikalischen Elementarunterricht an Gymnasien sehr zu empfehlen und wird auch einem weniger erfahrenen Lehrer vorzügliche Dienste leisten können.

2) A. Schülke, Differential- und Integralrechnung im Unterricht. Mit 7 Figuren im Text. Leipzig und Berlin 1907, B. G.
Teubner. 30 S. 8. 1 *M.*

Im Anschluß an die Reformbestrebungen F. Kleins[1]), der im
mathematischen Unterrichte unserer höheren Schulen eine stärkere
Betonung der Anschauung, der Anwendungen, des Funktions-
begriffs und die Einführung der Elemente der Differential- und
Integralrechnung fordert, hat der bekannte und um die methodische Ausgestaltung des mathematischen Unterrichts wohl-
verdiente Verfasser speziell die Frage zu beantworten gesucht,
wie die Differential- und Integralrechnung sich in den Lehrplan
einfügen lassen, ohne die Schüler zu belasten. Nach dem Vorgange von Behrendsen und Götting am Gymnasium zu Göttingen
ist er der Ansicht, daß die geplante Umgestaltung eine innere
sein müsse, daß sie schon in Tertia ihren Anfang nehmen und
in einheitlichem Sinne bis O I durchgeführt werden müsse. Der
Unterrichtsstoff soll auch künftig den jetzt geltenden Bestimmungen
entsprechen, nur soll er so ausgestaltet werden, daß die einzelnen
Abschnitte der Differential- und Integralrechnung da eingeschaltet
werden, wo sie sich an die vorliegenden Lehraufgaben in natürlicher
Weise anschließen lassen. Schon in O III ließe sich der Funktionsbegriff an den Gleichungen mit zwei Unbekannten entwickeln und
einüben. Weiter würden in O II, wo Anwendungen der Algebra auf die
Geometrie vorgeschrieben sind, die analytische Geometrie und die
Differentialrechnung in ihren ersten Anfängen zu behandeln sein
unter der Voraussetzung, daß man Konstruktionsaufgaben, die keinen
praktischen Anwendungen entsprechen, ausscheiden würde. Daraus
ließen sich für die Lehraufgaben der Arithmetik „Gleichungen,
besonders quadratische mit mehreren Unbekannten" eine Fülle
von Übungen entnehmen und zugleich auch gute und wichtige
Konstruktionsaufgaben, besonders auch solche mit algebraischer
Analysis. In U I würde die Integralrechnung im Anschluß an
die Reihen, aber auch als Umkehrung der Differentialrechnung zu
begründen und namentlich zur Berechnung der Flächen und
Rauminhalte zu benutzen sein. Die für I gestellte Aufgabe der Behandlung solcher Gleichungen, auch höheren Grades, die sich auf
quadratische zurückführen lassen, findet in der Berechnung der
Schnitte von Geraden, Tangenten, Wendetangenten, Kreisen und
Kurven eine unerschöpfliche Quelle der Anwendungen.

Das kleine Heftchen enthält einen kurzen methodischen
Lehrgang und eine Fülle von Aufgaben und Anwendungen, durch
welche den Schülern die neuen Begriffe nahegebracht werden
sollen. Es zerfällt in drei Hauptabschnitte: die Differential-, die
Integralrechnung und die Gleichungen. Im ersten wird das

---

[1]) F. Klein, Über eine zeitgemäße Umgestaltung des mathematischen
Unterrichts. Leipzig 1904, B. G. Teubner.

Wachstum einer Funktion betrachtet, sodann der Begriff des Grenzwertes und des Differentialquotienten entwickelt und angewendet. Hierauf werden Anwendungen auf Fehlerbestimmungen erörtert, Betrachtungen, deren Wichtigkeit auch für den Unterricht man sich nicht verschließen wird, ferner werden Maximumaufgaben besprochen, es wird der zweite Differentialquotient untersucht und eine Reihe von Anwendungen aus der Physik herangezogen, schließlich wird das Integral als Umkehrung des Differentials definiert und eingeübt. Der zweite Abschnitt beginnt mit den Potenzsummen, an welche sich Beispiele für Flächen- und Volumenbestimmungen anschließen. Dies führt zur Bestimmung des Integrals als Summe aller Differentiale innerhalb gegebener Grenzen. Als Anwendungen werden Rotationskörper, Drehungsmomente, Trägheitsmomente und Arbeitsgrößen gewählt. Im letzten Abschnitt wird die Vielseitigkeit der Aufgaben über Schnittpunkte von Kurven und Geraden nachgewiesen, auch wird die Berechnung des Krümmungsradius gezeigt. Newtons Verfahren zur angenäherten Lösung von Gleichungen, sowie das Interpolationsverfahren und endlich die Reihenentwickelungen von Funktionen bilden den Schluß des gehaltreichen Heftchens.

Der gewonnene Überblick läßt erkennen, in welchem Umfange und in welcher Weise der Verf. die Geistesarbeit der letzten Jahrhunderte in der Mathematik, die weit über die Leistungen des Altertums auf diesem Gebiete hinausgehen, für den Unterricht und die allgemeine Bildung nutzbar zu machen gedenkt. Da die Reformbestrebungen den besprochenen Zielen zustreben, so darf man diese Schrift als einen wichtigen Beitrag zur Vorbereitung einer weiteren Einführung der neuen Unterrichsaufgaben ansehen und der allgemeinen Beobachtung empfehlen.

Berlin. R. Schiel.

EINGESANDTE BÜCHER

(Besprechung einzelner Werke bleibt vorbehalten).

----

1. Le Traducteur. XVII 1.

2. The Translator. V 1.

3. Il Traduttore. I 1.

4. Conrad Rethwisch, Jahresberichte über das höhere Schulwesen. XXI. Jahrgang (1906). Berlin 1907, Weidmannsche Buchhandlung. 17 ℳ.

5. A. Scheindler, Pro gymnasio. Ein Beitrag zur Kenntnis des gegenwärtigen Zustandes des österreichischen Gymnasiums. Wien und Leipzig 1908, W. Braumüller. 69 S. (S.-A. aus der Festschrift zum 100jährigen Jubiläum des Schottengymnasiums in Wien.)

6. A. Höfler, Drei Vorträge zur Mittelschulreform. Wien und Leipzig 1908, W. Braumüller. 167 S. (I. Die Reformbewegungen des realistischen Unterrichts. — II. Der Organisationsentwurf von 1849 als Fundament für den Ausbau der österreichischen Mittelschulen. — III. Pädagogik und Philosophie.)

7. G. Budde, Philosophisches Lesebuch für den englischen Unterricht der Oberstufe. Mit biographischen Einleitungen usw. Hannover und Leipzig 1908, Hahn'sche Buchhandlung. 247 S. 2,25 ℳ.

8. H. Richert, Philosophie. Einführung in die Wissenschaft, ihr Wesen und ihre Probleme. Leipzig 1908, B. G. Teubner. 154 S. 1 ℳ, geb. 1,25 ℳ. (Aus Natur und Geisteswelt Nr. 186.)

9. Johannes Volkelt, Zwischen Dichtung und Philosophie, gesammelte Aufsätze. München 1908, C. H. Beck'sche Verlagsbuchhandlung (Oskar Beck). V u. 389 S. 8 ℳ.

10. L. Gurlitt, Der Verkehr mit meinen Kindern. Illustriert. Dritte Auflage. Berlin W. 30, Concordia, Deutsche Verlags-Anstalt, H. Ehbock. 195 S.

11. J. Koch, Der Stand des Konfirmanden-Unterrichts und sein Verhältnis zur Schule. Berlin 1908, Trowitzsch & Sohn. 22 S.

12. Religionsgeschichtliche Volksbücher. Tübingen 1907, J. C. B. Mohr (Paul Siebeck).

Reihe 1, Heft 15. J. Geffcken, Christliche Apokryphen. 56 S. 0,50 ℳ.

Reihe 3, Heft 9. H. Vollmer, Vom Lesen und Deuten heiliger Schriften. 64 S. 0,50 ℳ.

Reihe 5, Heft 5. O. Schmiedel, Richard Wagners religiöse Weltanschauung. 64 S. 0,50 ℳ.

13. H. Gerigk, Reue und Leid. Betrachtungen zur Vorbereitung auf einen würdigen Empfang des Bußsakraments. Berlin 1908, Verlag der Germania. 48 S. (S.-A. aus der Schrift „Beicht und Kommunion".)

14. H. Gerigk, Beicht und Kommunion. Zur Vorbereitung der Kinder auf den Empfang der hl. Sakramente der Buße und des Altars. Berlin 1908, Verlag der Germania. 168 S.

15. Robert F. Arnold, Das moderne Drama. Straßburg 1907, K. J. Trübner. X u. 388 S. 6 ℳ.

16. A. Biese, Zur Behandlung Mörikes in Prima. Progr. Neuwied 1908. 15 S. 4.

17. W. Münch, Leute von ehedem, und was ihnen passiert ist. Erlebtes und Erdachtes. Leipzig 1908, C. F. Amelangs Verlag. VI u. 182 S.

18. August Sperl, Die Söhne des Herrn Budiwoj. Eine Dichtung. Volksausgabe in einem Band. München 1908, C. H. Beck'sche Verlagsbuchhandlung (Oskar Beck). 586 S. geb. 6 $\mathcal{M}$. (Ausgabe in 2 Bänden mit größerem Druck. Fünfte Auflage. geb. 12 $\mathcal{M}$.) — Ein gutes Buch, wert, für Schülerbibliotheken angeschafft zu werden.

19. „Die da hungern und dürsten". Die Geschichte zweier Menschen, die die Liebe fanden. Leipzig 1908, Verlagsbuchhandlung Schulze & Co. 171 S. kl. 8. 2,40 $\mathcal{M}$, geb. 3 $\mathcal{M}$.

20. J. Wahner, Aufgaben aus Lessings und Herders kleinen Schriften zusammengestellt. Leipzig 1907, W. Engelmann. X u. 117 S. 1,20 $\mathcal{M}$. (Sechstes Bändchen der Aufgaben aus der deutschen Prosalektüre der Prima, zusammengestellt von P. Prohasel und J. Wahner.)

21. Chr. A. Ohly, Der Schwäbische Dichterkreis. Lyrische und epische Gedichte ausgewählt und erläutert. Ergänzungsband 8. Paderborn 1907, F. Schöningh. XII u. 183 S. geb. 1,50 $\mathcal{M}$.

22. Herder, Der Cid. Mit Einleitung und Anmerkungen von Karl Jauker. Leipzig 1908, B. G. Teubner. XI u. 64 S. 0,50 $\mathcal{M}$.

23. Schiller, Don Karlos. Mit Einleitung und Erläuterungen von M. Gorges. Paderborn 1907, F. Schöningh. 256 S. geb. 2 $\mathcal{M}$.

24. Shakespeare, Julius Cäsar. Herausgegeben von A. Hruschka. Leipzig 1908, G. Freytag. 100 S. geb. 0,70 $\mathcal{M}$.

25. Velhagen & Klasings Sammlung von Schulausgaben. Bielefeld, Leipzig, Berlin 1907/08. kl. 8. geb.

84. Lief. Hebbel, Die Nibelungen. Herausgegeben von W. Haynel. XII u. 255 S.

121. Lief. A. v. Droste-Hülshoff, Gedichte. Herausgegeben von Schmitz-Mancy. X u. 142 S.

173. Lief. V. Duruy, Le siècle de Louis XIV. Herausgegeben von V. Schliebitz. X u. 137 S. Wörterbuch 80 S. 1,50 $\mathcal{M}$.

174. Lief. Chateaubriand, Napoléon. Herausgegeben von P. Schlesinger. XI u. 142 S. Wörterbuch 128 S. 1,80 $\mathcal{M}$.

175. Lief. B. Boissonnas, Une famille pendant la guerre 1870/71. Herausgegeben von W. Schaefer. VII u. 140 S. Anmerkungen 35 S. 1,30 $\mathcal{M}$.

176. Lief. G. Monod, Allemands et Français. VI u. 67 S. Anmerkungen 24 S. 1,10 $\mathcal{M}$.

115. Lief. G. A. Henty, Both Sides the Border. Herausgegeben von H. Strohmeyer. VI u. 171 S. Anmerkungen 26 S. 1,40 $\mathcal{M}$.

116. Lief. Tip Cat by the author of „Lil" usw. Herausgegeben von K. Horst. VI u. 143 S. Anmerkungen 35 S. 1,30 $\mathcal{M}$.

117. Lief. F. H. Burnett, Sara Crewe. Herausgegeben von B. Klatt. V u. 67 S. Anmerkungen 17 S. 0,80 $\mathcal{M}$.

118. Lief. M. Gaskell, Cranford. Herausgegeben von G. Opitz. VI u. 130 S. Anmerkungen 23 S. 1 $\mathcal{M}$.

26. R. Knorr, Die vierzeiligen Terra-Sigillata-Gefäße von Rottweil. Mit 32 Tafeln. Herausgegeben vom Altertumsverein Rottweil. Stuttgart 1907, W. Kohlhammer. IX u. 70 S. 5 $\mathcal{M}$.

27. J. Weyde, Neues deutsches Rechtschreibwörterbuch. Vierte Auflage. Leipzig 1908, G. Freytag. 256 S. 2 $\mathcal{M}$.

28. Franz Stürmer, Wörterverzeichnis zu Ostermann-Müllers lateinischem Übungsbuch für Sexta. Ausgabe A. Nach etymologischen Grundsätzen bearbeitet. Weilburg an der Lahn 1908 (Beilage zum Programm des Gymnasiums). 48 S.

29. M. C. P. Schmidt, Stilistische Exerzitien. Zum Gebrauche an den lateinischen Universitäts-Seminarien. Heft II. Leipzig 1908, Dürr'sche Buchhandlung. 32 S. 0,65 M.

30. K. Rees, The Rule of Three Actors in the Greek Classical Drama. Diss. Chicago 1908. 86 S.

31. C. Hille, Die deutsche Komödie unter der Einwirkung des Aristophanes. Ein Beitrag zur vergleichenden Literaturgeschichte. Leipzig 1907, Quelle & Meyer. (Breslauer Beiträge zur Literaturgeschichte, herausgegeben von M. Koch und G. Sarrazin, Heft 12.) IV u. 180 S. 5,75 M. (Subskriptionspreis 4,60 M.)

32. Richters Lehrbuch der Geographie. Neu bearbeitet von J. Müllner. Der Gesamtausgabe achte Auflage. Wien 1908, F. Tempsky. Teil 1: für die 1. Klasse. Mit 31 Abbildungen. 112 S. 1907. 1 K 15 h, geb. 1 K 65 h. Teil II: für die 2. Klasse. Mit 54 Abbildungen. 164 S. 1908. 2 K, geb. 2 K 50 h.

33. A. Bargmann, Himmelskunde und Klimakunde. Mit einem Skizzenanhange. Leipzig 1908, Quelle & Meyer. VIII u. 215 S. 2,40 M, geb. 3 M.

34. F. Dannemann, Der naturwissenschaftliche Unterricht auf praktisch-heuristischer Grundlage. Hannover 1907, Hahnsche Buchhandlung. XII u. 366 S. gr. 8.

35. Ch. M. Tidy, Das Feuerzeug. Drei Vorträge vor jugendlichen Zuhörern nach dem englischen Original bearbeitet von O. Pfannenschmidt. Mit 40 Figuren. Leipzig 1907, B. G. Teubner. VIII u. 92 S. geb. 2 M.

36. F. Hočevar, Lehr- und Übungsbuch der Geometrie für Untergymnasien. Mit 184 Figuren. Achte Auflage. Wien 1907, F. Tempsky. 123 S. 1 K 30 h, geb. 1 K 80 h.

37. Močniks Lehrbuch der Arithmetik für Untergymnasien. Bearbeitet von A. Neumann. Erste Abteilung: für die 1. und 2. Klasse. Neununddreißigste Auflage. Wien 1907, F. Tempsky. 148 S. 1 K 80 h, geb. 2 K 30 h.

38. Močniks Lehrbuch der Arithmetik und Algebra nebst einer Aufgabensammlung für die oberen Klassen der Gymnasien, bearbeitet von A. Neumann. Dreißigste Auflage. Wien 1908, F. Tempsky. V u. 310 S. 3 K 20 h, geb. 3 K 70 h.

39. Wissenschaft und Bildung. Verlag von Quelle & Meyer in Leipzig, 1907/08. kl. 8. geb. 1,25 M.
F. Machaček, Die Algen. Mit 23 Bildern. 146 S.
H. Winckler, Die babylonische Geisteskultur in ihren Beziehungen zur Kulturentwickelung der Menschheit. 152 S.

40. Ernst Friedrich, Allgemeine und spezielle Wirtschaftsgeographie. Mit drei Karten. Zweite Auflage. Leipzig 1907, G. J. Göschensche Verlagshandlung. 468 S. 6,80 M, geb. 8,20 M.

41. Clemens Brandenburger, Polnische Geschichte. Ebenda. 206 S. geb. 0,80 M.

42. Maria Lischnewska, Die geschlechtliche Belehrung der Kinder. Zur Geschichte und Methodik des Gedankens. Vierte Auflage. Mit 2 Tafeln. Frankfurt a. M. 1907, J. D. Sauerländers Verlag. 45 S. 0,70 M.

43. K. Reisert, Freiburger Gaudeamus. Taschenliederbuch für die deutsche Jugend, enthaltend 212 Lieder meist mit Melodie. Freiburg i. Br. 1908, Herdersche Verlagshandlung. XV u. 222 S. geb.

44. Th. Altschul, Lehrbuch der Körper- und Gesundheitslehre (Somatologie und Hygiene). Für Mädchenschulen und ähnliche Anstalten. Mit 133 Abbildungen, 2 farbigen Tafeln und 1 Übersichtskarte. Leipzig 1908, G. Freytag. 174 S. gr. 8. 3 M.

ERSTE ABTEILUNG.

ABHANDLUNGEN.

Das Progymnasium der Dominikaner zu Venlo in Holland.

Es ist bekannt, welche großen Verdienste die alten Kloster-schulen sich im Mittelalter durch Jugenderziehung um die Kultur erworben haben, und auch heute noch hat eine Reihe von katholi-schen Orden sich die Jugenderziehung zur Aufgabe gemacht, so die Benediktiner, Jesuiten und Piaristen.

Der Dominikanerorden faßt die Leitung von Gymnasialstudien im allgemeinen nicht als seine Obliegenheit auf, so großen Wert man auch im Predigerorden auf Wissenschaften und wissenschaft-liches Arbeiten legt, sondern seine Tätigkeit erstreckt sich haupt-sächlich auf die Gebiete der Theologie und Philosophie.

Wenn sich nun aber auch bei diesem Orden Knabenschulen finden wie in Venlo, in Nymegen (das Collegium Albertinum der holländischen Dominikaner) und früher in Lyon die jetzt auf-gehobene „École apostolique" zur Heranbildung von Ordens-kandidaten, so hat man es mit einer Singularität zu tun, welche wohl eine Hervorhebung verdient.

Von noch größerem Interesse wird eine derartige Erscheinung, wenn es sich um deutsche Dominikaner handelt und um eine Lehranstalt im Auslande, die durchaus nach preußischem Muster eingerichtet ist.

Beides trifft für das von Dominikanern geleitete Progymnasium zu Venlo in Holland zu, über das nachstehend einige Mitteilungen gemacht werden sollen. Es mag hier gleich erwähnt werden, daß ich die Angaben der Zuvorkommenheit des dortigen Konvents „Trans Cedron" verdanke, so daß authentisches Material vorliegt.

Als die deutschen Dominikaner infolge des Kulturkampfes ihr Vaterland verlassen mußten, wandten sie sich zunächst nach Huissen, einem kleinen Dorf bei Nymegen in Holland, und grün-deten dort am 15. November 1878 mit 7 Schülern und 2 Patres als Lehrer das Kollegium Albertinum als Knabenerziehungsanstalt.

Am 1. Oktober 1879 wurde das Institut in den inzwischen errichteten Konvent zu Venlo, der zur deutschen Ordensprovinz der Dominikaner gehört, verlegt und das Kolleg mit 24 deutschen Internen und mit 22 holländischen Externen eröffnet.

Der Zweck der Anstalt war in den ersten Jahren, in welchen der Kulturkampf in Preußen die kirchlichen Anstalten geschlossen hatte, den Nachwuchs des katholischen Klerus zu befördern; nur nebenher dachte man an Ordenskandidaten. Was den jetzigen Zweck anbelangt, so sind die das Colleg leitenden Ordenspriester sich der Pflicht bewußt, den ihnen anvertrauten Knaben eine gediegene religiöse Erziehung zukommen zu lassen. Deshalb stehen die Zöglinge überall beim Gottesdienst, beim Studium, in der Erholung, bei den Mahlzeiten und auf den Schlafsälen unter Aufsicht der Patres. Bei der Erziehung wird auf jeden Knaben möglichst seiner Eigenart entsprechend eingewirkt. Der rege Verkehr der Erzieher mit den Zöglingen sucht diesen das Familienleben des Elternhauses nach Möglichkeit zu ersetzen.

Das Kolleg umfaßt eine Vorschulklasse und die Gymnasialklassen der Sexta bis Unter-Sekunda einschließlich. Für die oberen Klassen bestehen unter Leitung von Dominikanerpatres befindliche Konvikte am Großherzoglichen katholischen Gymnasium zu Vechta in Oldenburg und in Birkenfeld.

Bei Errichtung des mir aus eigener Anschauung bekannten Anstaltsgebäudes, das mit Niederdruck-Dampfheizung versehen ist, hat man auf Herstellung von hohen und luftigen Studien-, Spiel- und Schlafsälen, von geräumigen Krankenzimmern und einer größeren Badeeinrichtung Bedacht genommen. An das Gebäude, welches vom Kloster vollständig getrennt ist, grenzt ein Spielplatz für tägliche Benutzung. Ein außerhalb der Stadt mitten im Nadelwald liegendes Landgut mit großen Spielplätzen bietet den Zöglingen mehrmals im Monat eine längere Erholung.

Die Zahl der Zöglinge beträgt mit ganz geringen Schwankungen 175. Seit 1893 werden Extraneer nicht mehr zugelassen, während bis dahin stets mehrere deutsche Extraneer in der Schule waren. Als im Jahre 1882 ein katholisches bischöfliches Progymnasium in Venlo errichtet wurde, ließ man keine holländischen Extraneer mehr zu.

Augenblicklich sind 10 Patres als Lehrer an der Anstalt tätig, ferner 2 bayerische Oberlehrer und ein 1 preußischer Elementarlehrer. Die Patres allein haben aber die Aufsicht über die Zöglinge. Das Oberlehrerexamen haben die jetzt unterrichtenden Patres nicht gemacht, es wird jedoch für die Zukunft darauf hingearbeitet.

Die Stundenzahl in den einzelnen Fächern sowie der ganze Stundenplan entspricht genau den preußischen Lehrplänen für Gymnasien von 1902, nur ist von Unter-Tertia bis Unter-Sekunda der Lateinunterricht um eine Stunde verstärkt, in Unter-Tertia auch das Griechische. Gelegenheit zum Englischlernen ist nicht vorhanden.

Als Schulbücher werden in den einzelnen Klassen in den verschiedenen Stufen gebraucht: I. In der Religion Katechismus für das Erzbistum Köln; Schuster, Biblische Geschichte; Lehrbuch der katholischen Religion. II. Im Deutschen Lyon, Handbuch der deutschen Sprache; Schulz, Deutsches Lesebuch; Duden, Orthographisches Wörterbuch. III. Im Lateinischen Ostermann, Lateinisches Übungsbuch; Schultz-Wiemer, Lateinische Schulgrammatik; Caesar, de bello Gallico (Ed. Teubner) mit Präparationsheft I u. III; Ovid; Cicero, katilinarische Reden (Ed. Teubner) mit Präparationsheft I; Vergil, Aeneis mit Präparationsheft I; Heinichen, Lateinisch-deutsches und Deutsch-lateinisches Lexikon. IV. Im Griechischen Kaegi, Kurzgefaßte griechische Schulgrammatik; Kaegi, Griechisches Übungsbuch; Kaegi, Repetitionstabellen; Xenophon, Anabasis (Ed. Teubner) mit Präparationsheft I und III; Homer, Odyssee (Ed. Teubner) mit Präparationsheft I; Benseler-Kaegi, Griechisch-deutsches Lexikon. V. Im Französischen Ploetz-Kares, Elementarbuch der französischen Sprache; Ploetz-Kares, Französische Sprachlehre; Ploetz-Kares, Französisches Wörterverzeichnis. VI. In Geschichte Greve, Leitfaden der Geschichte; Mertens, Alte Geschichte; Kiepert-Wolff, Historischer Schulatlas; Mertens, Deutsche Geschichte; Stein, Geschichtstabellen. VII. In Geographie Daniel, Leitfaden der Geographie; ein Schulatlas (von Quarta an Sydow-Wagner, Schulatlas). VIII. Im Rechnen und in der Mathematik Müller-Pietzker, Rechenbuch; Müller, Lehrbuch der Mathematik; Müller-Kutnewsky, Aufgabensammlung. IX. In den Naturwissenschaften Schmeil, Leitfaden der Botanik; Püning. Grundzüge der Physik; Schmeil, Der Mensch. X. Im Singen Reisert, Liederschatz. — Außerdem ist noch für alle Klassen ein Gebetbüchlein des Kollegiums eingeführt.

Die Tagesordnung im Collegium Albertinum ist folgende: a. Für den Sommer: $5\,^{1}/_{2}$ Aufstehen; $5\,^{3}/_{4}$ Morgengebet und Messe in der Kapelle; $6\,^{1}/_{4}$—$7\,^{10}$ Studien im Studiensaal; $7\,^{10}$ Frühstück; $7\,^{1}/_{2}$—$8\,^{20}$ I., $8\,^{30}$—$9\,^{20}$ II., $9\,^{30}$—$10\,^{15}$ III. Stunde Unterricht; $10\,^{15}$—$10\,^{55}$ Pause (zweites Frühstück und Spielen auf dem Spielplatz); $10\,^{55}$—$11\,^{45}$, $11\,^{55}$—$12\,^{45}$ IV. und V. Stunde Unterricht: $12\,^{45}$—2 Mittagessen und Freizeit; 2—4 Studium; 4 Kaffee; $4\,^{1}/_{2}$—$7\,^{1}/_{2}$ Spaziergang (Spielen draußen auf der Heide); $7\,^{1}/_{2}$ Abendessen; $8\,^{3}/_{4}$ Abendgebet in der Kapelle; um 9 Uhr muß alles im Bett sein. b. Für den Winter: $5\,^{1}/_{2}$ Aufstehen für die Klassen von Unter-Tertia bis Unter-Sekunda; $5\,^{3}/_{4}$ Morgengebet und Studium für diese Klassen; $6\,^{1}/_{2}$ Aufstehen für die Klassen bis Quarta; $6\,^{3}/_{4}$ Messe für alle Klassen; $7\,^{10}$ Frühstück; $7\,^{30}$—$8\,^{20}$ Studium für die Klassen bis Quarta und I. Klassenstunde für Unter-Tertia bis Unter-Sekunda; $8\,^{30}$—$9\,^{50}$ Klasse für alle; $9\,^{50}$—$10\,^{15}$ Studium für Unter-Tertia bis Unter-Sekunda und II. Klassenstunde für Vorschulklasse bis Quarta; 10^{15}—10^{55} Pause wie im Sommer; 10^{55}—11^{45} Studium für die Klassen bis Quarta und III. Unterrichtsstunde für Unter-Tertia bis Unter-Sekunda; 11^{55}—12^{45} Klassenunterricht für alle; 12^{45}—1^{15} Mittagessen; 1^{30}—3^{30} Spaziergang; 3^{40}—4^{30} Klassenunterricht für. alle, ausgenommen am Dienstag und Donnerstag, wo der Spaziergang bis 4^{30} dauert; $4^{1}/_{2}$—$5^{1}/_{4}$ Kaffee und Freizeit; $5^{1}/_{4}$—6^{55} Unterricht für die Klassen bis Quarta und Studium für Unter-Tertia bis Unter-Sekunda; 6^{10}—7^{15} Studium für alle Klassen; 7^{15} Abendandacht für alle Klassen; $7^{1}/_{2}$ Abendessen; $8^{3}/_{4}$ Abendgebet in der Kapelle; um 9 Uhr muß alles im Bett sein.

Zweimal jährlich werden die Zöglinge nach Haus entlassen: im Herbst (ungefähr Mitte August) auf 6 bis 7 Wochen, um Ostern auf 3 bis 4 Wochen; außerhalb dieser Ferien wird eine Abwesenheit nur aus dringenden Gründen erlaubt.

Zeugnisse über das Betragen, die Leistungen und Fortschritte der Knaben werden den Eltern oder Vormündern im Herbst, zu Weihnachten und zu Ostern übersandt.

Für 'die zu Ostern beim Wechsel des Schuljahrs frei werdenden Plätze sind die Anmeldungen möglichst zeitig einzusenden. Ein von dem Pfarrer ausgestelltes verschlossenes Zeugnis über die bisherige Führung des angemeldeten Knaben sowie das letzte Schulzeugnis sind beizufügen. Knaben, welche wegen schlechter Führung anderswo entlassen wurden, sind von vornherein von der Aufnahme in das Kolleg ausgeschlossen. Bei der Aufnahme wird solchen Knaben der Vorzug gewährt, deren Anlagen und Neigungen zu der Hoffnung berechtigen, daß sie sich mit Erfolg auf die höheren Studien vorbereiten können und sich einst dem geistlichen Stande widmen werden. In beschränktem Maße kann auch im Herbst, falls Plätze frei geworden sind, Aufnahme gewährt werden.

Für Pension (Schulgeld, Gebrauch von Tisch- und Bettzeug sowie Reinigung der Wäsche) werden jährlich 600 Mark gezahlt, die bei Beginn des Schuljahrs, am 1. Oktober und 1. Januar mit je 200 Mark vorauszuzahlen sind. Zweimal im Jahre, am Schlusse des Sommer- und Winterhalbjahrs, wird den Eltern oder Vormündern Rechnung ausgestellt über die Ausgaben für Ausbesserung der Kleidung, Schulsachen und Lehrbücher sowie eintretendenfalls für Arzt und Apotheke. Für verschiedene, allen Zöglingen gemeinsame Ausgaben (Benutzung der Bibliothek, Baden und Eislauf) werden jährlich 6 Mark in Rechnung gestellt. Erhält ein Zögling auf Wunsch der Eltern Musikunterricht, so sind die Kosten hierfür besonders zu entrichten. Beim Eintritt muß jeder Zögling einen Taufschein und ein Impfzeugnis einliefern. Jeder Zögling hat mitzubringen: 6 Hemden, 18 Taschentücher, 12 Paar Strümpfe; wenigstens 3 vollständige Anzüge nach Wahl der Eltern, wobei erwünscht ist, daß sich darunter ein besserer Anzug von dunkler Farbe befindet; wenigstens 3 Paar Schuhe oder Stiefel. Diese Bekleidungsstücke müssen deutlich mit der Nummer bezeichnet sein, die bei der Benachrichtigung über die Aufnahme den Eltern angegeben wird; für nicht deutlich gezeichnete Gegenstände kann von der Anstalt nicht gehaftet werden. Schulbücher dürfen nur in der im Kolleg eingeführten Ausgabe gebraucht werden; alle nötigen Lehrbücher und Schulsachen sind in der Anstalt zu haben. Bücher zur Lektüre dürfen nicht mitgebracht und nicht zugeschickt werden: für das Lesebedürfnis der Knaben ist durch die reichhaltige und mit Sorgfalt zusammengestellte Anstaltsbibliothek gesorgt. Die Zusendung von Eßwaren kann sowohl aus Rücksicht auf die Gesundheit der Knaben als auch aus erziehlichen Gründen nicht gestattet werden, ausgenommen zu Weihnachten. Die Zöglinge dürfen von den Ihrigen Besuche empfangen, auch können sie bei solchen Gelegenheiten in Begleitung ihrer Eltern oder Vormünder sowie ihrer älteren Verwandten, jedoch nicht mit Geschwistern, Ausgänge in die Stadt machen. Gewöhnliche Briefe an die Zöglinge können unter der Adresse des betreffenden Knaben geschickt werden; eingeschriebene Briefe, Wertbriefe und Pakete sind mit Hinzufügung der Nummer des betreffenden Zöglings an die Adresse des Präfekten, des Leiters der Anstalt, zu richten.

Wollen Eltern oder Vormünder ihre Söhne oder Mündel nach den Osterferien oder ausnahmsweise nach den Herbstferien dem Kolleg nicht wieder übergeben, so haben sie sie vor Ablauf der ersten acht Ferientage bei dem Leiter der Anstalt abzumelden. Erfolgt die Abmeldung erst später, so kann von der Anstalt die Zahlung der Pension für den folgenden Termin beansprucht werden. Verläßt ein Zögling innerhalb des Semesters die Anstalt, so kann kein Anspruch auf Erlaß oder Rückzahlung der Pension für das betreffende Semester erhoben werden; ist jedoch Krankheit die Ursache des Abgangs oder wird der Knabe durch die Leitung der Anstalt aus dem Kolleg entfernt, so wird die Pension nur bis zum Tage des Austritts berechnet. Seitens der Anstalt wird ein Zögling auch im Laufe des Schuljahrs entlassen, wenn er durch sein Betragen in religiöser oder sittlicher Beziehung auf seine Mitschüler einen nachteiligen Einfluß ausübt, wenn er sich wiederholter Übertretung der Hausordnung in wichtigen Punkten, der Auflehnung gegen die Vorgesetzten oder der Aufreizung der Mitschüler schuldig macht oder wenn er sich fortgesetzt großer Trägheit hingibt.

Irgendeine Berechtigung hat das Collegium Albertinum nicht. Diejenigen Schüler, welche nur die Berechtigung zum einjährigfreiwilligen Dienst erwerben wollen, gehen von Ober-Tertia ab an ein staatliches Gymnasium, gewöhnlich in die schon vorher erwähnten Konvikte in Vechta und Birkenfeld, die anderen machen in Venlo auch die Unter-Sekunda noch durch.

Die holländische Regierung kümmert sich in keiner Weise um
das Dominikaner-Progymnasium, jedoch reicht der Präfekt jedes
Jahr einen Bericht über Schülerzahl, Gesundheitszustand und das
Verzeichnis der Lehrer bei dem holländischen Kultusministerium
im Haag ein. Hätten die deutschen Dominikaner auch holländische
Schüler, so würde die holländische Regierung revidieren.

Auch zur preußischen Regierung bestehen keine Beziehungen.

Was endlich die Erfolge der hier geschilderten Privatschule
anbelangt, so können die Zöglinge, weil die für die preußischen
Gymnasien festgesetzten Lehrpläne und Unterrichtsziele genau ein-
gehalten werden, den Übergang an ein Gymnasium auf deutschem
Boden von jeder Klasse aus ohne Nachteil bewerkstelligen und,
wie die Erfahrung gezeigt hat, dort ohne Schwierigkeit Aufnahme
finden, wenn sie den Anforderungen des Kollegs entsprochen haben.

Rostock.   ·   A. Vorberg.

Englisch als Pflichtfach am Gymnasium?

In dem letzten Jahrzehnt hat sich in Deutschland mehr und
mehr die Ansicht Bahn gebrochen, daß nicht nur für die Schüler
des Realgymnasiums und der lateinlosen Realanstalten das Englische ein wichtiges Bildungsmittel ist, sondern daß auch für die
Abiturienten des Gymnasiums die Kenntnis dieser Sprache kaum
noch zu entbehren ist. In neuerer Zeit macht sich auf Grund
dieser Erkenntnis eine starke Strömung zugunsten der Einführung
des verbindlichen Unterrichts im Englischen am Gymnasium bemerkbar, weniger aus Rücksicht auf die so wertvolle Literatur
des Inselvolks und ihre mannigfachen Einflüsse auf unsere
Klassiker als im Hinblick auf die beständig wachsende Bedeutung
der englischen Sprache in kommerzieller und politischer Hinsicht.
Diese Strömung ist jedenfalls nicht ohne Einfluß auf den Erlaß
des Ministers der geistlichen, Unterrichts- und Medizinal-Ange-
legenheiten (U II Nr. 1994) geblieben, den dann die Provinzial-
Schulkollegien den ihnen unterstellten Anstalten mitgeteilt haben.

Aus diesem Erlaß ergibt sich, daß die vorgesetzten Behörden
es nicht ungern sehen, wenn auf die Schüler der drei oberen
Klassen des Gymnasiums ein gewisser Druck ausgeübt wird, am
wahlfreien Unterricht im Englischen teilzunehmen. Es heißt
nämlich a. a. O: „Es ist wünschenswert, daß mit der englischen
Sprache auch die Schüler der Gymnasien bei dem Abschlusse der
Schulbildung wenigstens soweit vertraut sind, als für verständnis-
volles Lesen englischer Bücher und zu selbständiger Weiterbildung
im Gebrauche der Fremdsprache erforderlich ist. Es unterliegt
keinem Zweifel, daß es im eignen Interesse der Gymnasien und
der Erhaltung ihres Lehrplanes liegt, ihren Schülern die Berechtigung dieser Forderung zum Bewußtsein zu bringen und

die Erreichung des entsprechenden Zieles nach Möglichkeit zu sichern".

An diese Ausführungen wird dann die Forderung geknüpft: die Provinzial-Schulkollegien sollen darauf hinwirken, daß die Beteiligung an dem wahlfreien Unterricht im Englischen überall gleichmäßig ist. (Nebenbei bemerkt dürfte die Erfüllung dieser Forderung ihre Schwierigkeiten haben; denn offenbar ist in der Nähe der Küste, den Handelszentren und in den Industriegegenden das Interesse für Englisch viel größer als beispielsweise in der Provinz Posen.) Ja, man geht sogar noch weiter; man würde es gern sehen, wenn am Gymnasium das Englische verbindlicher Unterrichtsgegenstand würde, wenn es von O II ab an die Stelle des Französischen träte.

Das Provinzial-Schulkollegium seinerseits hält diese ganze Frage für derart wichtig, daß es einen besonderen Bericht über den Stand des englischen Unterrichts an den Gymnasien einfordert.

Meine Ansicht geht zunächst dahin, daß die Leistungen im Englischen am Gymnasium sich seit 1892 bedeutend gehoben haben. Damals, als man den wahlfreien Unterricht im Englischen an allen Gymnasien einführte, gab es leider an vielen Anstalten keinen Lehrer, der die Lehrbefähigung im Englischen erworben hatte. In dieser Notlage waren die Direktoren vielfach froh, wenn sich überhaupt jemand aus dem Kollegium bereit fand, englischen Unterricht zu erteilen. An gutem Willen fehlte es den einzelnen Lehrern sicherlich nicht, wohl aber fehlte bei vielen das Können, und es war kein Wunder, wenn unter solchen Umständen weder Lehrer noch Schüler zu rechter Befriedigung kamen. Ich selbst habe derartige Verhältnisse als Probekandidat noch aus eigner Anschauung kennen gelernt. Seitdem hat sich aber die Sachlage bedeutend geändert. Es gibt jetzt wohl kaum noch ein Gymnasium, an dem nicht mindestens ein Lehrer mit der Lehrbefähigung im Englischen vorhanden ist. Zudem ist man sich jetzt über Ziel und Methode des englischen Unterrichts am Gymnasium in der Hauptsache einig, während damals vielfach Unklarheit herrschte. Einig ist man sich vor allem darüber, daß das Englische auch am Gymnasium als lebende Sprache zu behandeln ist, d. h. daß es für den Schüler in erster Reihe auf Erwerbung einer guten Aussprache sowie auf die Anleitung zum mündlichen (weniger zum schriftlichen) Gebrauch der Sprache ankommt. Das letztere Ziel kann bei wöchentlich zwei Stunden natürlich nicht allzu hoch gesteckt werden. Weiterhin ist darauf hinzuarbeiten, daß der Schüler eine sichere Grundlage auch in der Grammatik erwirbt, damit er bei dem Lesen der Schriftsteller auf festem Boden steht, mit vollem Verständnis übersetzt und nicht· unsicher hin und her rät. Das alles verlangen mit Recht die Lehrpläne von 1902. Da aber zur Erfüllung dieser

Forderungen dem Englischen, wie schon gesagt, nur zwei Lehrstunden in der Woche zur Verfügung stehen, so ergibt sich, daß
im ersten Halbjahr nicht allzu viel gelesen werden kann, und auch
im zweiten Halbjahr des Anfangsunterrichts wird der Umfang der
Lektüre nicht groß sein. Freilich scheint es dem Fernstehenden,
als wenn die Formenlehre und Syntax des Englischen so einfach
seien, daß der Schüler sie in kürzester Zeit sich aneignen könnte.
Aber das ist ein Irrtum. Selbst wenn man sich auf das Aller-
notwendigste beschränkt, bleibt doch noch eine Menge Stoff zu
bewältigen. Ich erinnere hier nur an die ziemlich große Zahl
der starken und der unregelmäßigen schwachen Verben. Wie
viel Zeit hat man ferner in jeder Stunde auf Einübung einer
guten Aussprache zu verwenden! Selbst im dritten Jahre müssen
die Leseübungen auf das sorgfältigste betrieben und unter Umständen nicht nur einzelne Wörter, sondern ganze Perioden wiederholt werden. Die Aussprache des Englischen bietet eben so viele
Schwierigkeiten in bezug auf Akzent und Vokale und Diphthonge,
daß selbst der Lehrer vielfach bei Wörtern, die er zum ersten
Male sieht, nicht mit Sicherheit sagen kann, wie sie ausgesprochen
werden müssen. Weil dem so ist, wäre es der größte Fehler,
wenn man nicht jeden Abschnitt, der übersetzt wird, sorgfältig
lesen ließe. Dadurch wird natürlich, besonders im ersten Jahr,
wo der Lehrer selber jeden Abschnitt unter Umständen mehrere
Male vortragen muß, ehe er ihn von einer Anzahl von Schülern
lesen lassen kann, ein rasches Fortschreiten in der Lektüre des
Schriftstellers unmöglich gemacht, zumal ja nicht wenig Zeit mit
Erlernung der Grammatik und mit Sprechübungen verloren wird.
Diesem Zeitverlust, wenn man so sagen will, steht andrerseits
ein Zeitgewinn beim Übersetzen gegenüber. Den Obersekundanern, die durch das Lesen lateinischer, griechischer und französischer Schriftsteller eine große Übung im Übersetzen aus der
Fremdsprache erworben haben, macht es keine großen Schwierigkeiten, einen leichteren englischen Text zu übertragen, zumal
sich ja das Englische durch große Klarheit auszeichnet. Dazu
kommt, daß die Schüler bei einiger Anleitung eine Menge englischer Wörter rasch auf ihnen bekannte französische und lateinische sowie deutsche Stämme zurückführen und leicht ihre Bedeutung erschließen können.

Aus dem oben Gesagten ergibt sich, daß für Sprechübungen
im ersten Jahre nur sehr wenig Zeit zur Verfügung stehen kann.
Sie müssen im zweiten und dritten Jahre mehr gepflegt werden.
Es empfiehlt sich, auf dieser Stufe die Sprechübungen nicht allein
an die Lektüre anzuschließen, sondern Stoffe aus dem täglichen
Leben zu behandeln, damit den Schülern auch solche Vokabeln
geläufig werden, die sie unbedingt beim Aufenthalt in einem
Lande englischer Zunge brauchen. Solche Sprechübungen
schließen sich leicht an Kron, The little Londoner, und an Stier,

Little English Talks an. — Daneben darf aber in Prima die
Grammatik keineswegs vernachlässigt werden; namentlich die unregelmäßigen Verben müssen immer wieder abgefragt werden,
und von Zeit zu Zeit muß man Wiederholungen grammatischer
Kapitel vornehmen. Schriftliche Arbeiten werden alle vier Wochen
angefertigt, meistens Hausarbeiten, Übersetzungen aus dem
Deutschen, die sorgfältig vorbereitet werden. Daß der größte
Teil der Zeit dem Lesen der Schriftsteller gewidmet wird, ist für
das zweite und dritte Jahr selbstverständlich.

Soviel über den Unterricht.

Das Provinzial-Schulkollegium fragt dann an, ob der Wunsch
besteht, anstatt des verbindlichen Unterrichts im Französischen
auf der Oberstufe solchen im Englischen einzuführen.

Bei Erörterung dieser Frage darf man nicht außer acht
lassen, daß in Zukunft zwei Gymnasien, wenigstens für eine Zeit-
lang, nebeneinander bestehen werden, eins mit Englisch, das
andere mit Französisch als verbindlichem Fach in den Oberklassen,
und man muß bedenken, daß ein Übergang von einem Gymnasium der ersten Art auf eins der zweiten Art für Schüler bei
Versetzung ihrer Eltern fast so schwierig ist, wie der von einer
Oberrealschule auf ein Realgymnasium. Aber ganz abgesehen
hiervon ergeben sich andere Übelstände bei der Ausführung obigen
Planes, und daher beantworte ich für meine Person die Anfrage
mit „nein“.

Im folgenden will ich versuchen, meine ablehnende Haltung
zu begründen.

Es wird wohl kaum jemand bestreiten, daß die Forderung
vieler akademisch Gebildeten, vieler Kaufleute, Industriellen und
Offiziere, das Englische als verbindliches Unterrichtsfach am Gymnasium einzuführen, vollständig berechtigt ist. Seitdem Deutschland aus einem Ackerbaustaat ein Industriestaat geworden, ist die
Kenntnis des Englischen für viel weitere Kreise nötig geworden,
als es vor einem Menschenalter der Fall war. Die Zahl derer,
deren Muttersprache Englisch ist oder die ihre Landessprache
mit dem Englischen vertauschen, wie namentlich die nach den
Vereinigten Staaten gehenden Auswanderer, wächst von Jahr zu
Jahr bedeutend. Durch die ausgedehnten Handelsbeziehungen der
Briten und Amerikaner ist das Englische längst „Weltsprache“
geworden. In dem Maße, wie die Bedeutung des Englischen gestiegen ist, ist die der früheren Weltsprache, des Französischen,
gesunken. Es hat die Rolle, die es einst als internationales Ver-
ständigungsmittel spielte, auf einer Reihe von Gebieten längst an
das Englische abtreten müssen. Dadurch hat das Französische in
weiten Kreisen an Wertschätzung verloren, und diese Tatsache ist
auch auf das Schulwesen nicht ohne Einfluß geblieben. Denn in
einer Reihe von fremden Staaten hat man das Französische aus
dem Lehrplan der höheren Schulen entfernt und es durch Eng-

lisch oder Deutsch ersetzt. Es würde also sehr verständlich sein,
wenn die preußische Unterrichtsverwaltung dem Beispiel anderer
Länder folgte und anstatt des Französischen das Englische in den
Lehrplan des Gymnasiums einsetzte.

Für Einführung des englischen Unterrichts sprechen aber
nicht nur praktische Erwägungen. Gewiß ist die Kenntnis dieser
Sprache von großer Wichtigkeit für Kaufleute und Industrielle,
sowie für fast alle, die wissenschaftliche Studien treiben. Aber
es sprechen auch Gründe ideeller Natur mit, Gründe, die sich
stützen auf die hohe Bedeutung der englischen Literatur mit
ihrem Reichtum an sittlich wertvollen und zugleich vollendet
schönen Erzeugnissen. Vergleicht man die englische Literatur
mit der französischen auf ihren ideellen Wert hin, so fällt der
Vergleich unzweifelhaft zu gunsten der ersteren aus. Beide verhalten sich ihrem Bildungswert nach zueinander etwa wie die
griechische Literatur zur lateinischen. Es sind also Gründe
schwer wiegender Art, die für Einführung des englischen Unterrichts am Gymnasium sprechen, und mit Freuden würde ich es
begrüßen, wenn verfügt würde, daß von einem bestimmten Tage
an das Englische verbindliches Lehrfach am Gymnasium sein
solle, aber nur unter der Bedingung, daß es nicht erst (wie man
jetzt will) von O II an, sondern von IV oder U III an gelehrt
wird, und zwar an der Stelle des Französischen. Die Änderung,
wie sie jetzt geplant ist, ist nur eine halbe Maßnahme, die dem
Gymnasium mehr schaden als nützen muß, weil sie eine Mehr-
belastung seiner Schüler bedeutet. Soll doch dann jeder
Schüler der oberen Klassen des Gymnasiums vier Fremdsprachen
treiben, resp. getrieben haben. Meinem Empfinden nach ist es
ein Unding, wenn man dem Gymnasium alles das aufpacken will,
was von Laien heute unter dem Rufe non scholae, sed
vitae als Lernstoff der höheren Lehranstalten gefordert wird.
Bald sind es Naturwissenschaftler und Ärzte, die eine Vermehrung
der Stundenzahl für die naturwissenschaftlichen Fächer fordern,
bald Kaufleute, denen die neueren Sprachen eine zu nebensäch-
liche Rolle im Gymnasium zu spielen scheinen. Allen diesen
Forderungen legt man an maßgebender Stelle ein großes Gewicht
bei, obwohl doch die Lehrpläne der beiden andern höheren
Schularten diesen Wünschen genugsam Rechnung tragen. Dabei hört man schon jetzt aus berufenen Kreisen über die
Leistungen der Gymnasien öfters das Urteil fällen: „multa, non
multum". Dieser Ausspruch bezieht sich im wesentlichen wohl
darauf, daß das Gymnasium unter Herabsetzung der Stundenzahl
für Griechisch und Latein neben anderen Fächern auch den
Unterricht in den Elementen der Mineralogie und Chemie in den
Lehrplan hat aufnehmen müssen. Der Gymnasiast soll eben von
allen Schulwissenschaften „kosten"! Wie sehr man in den
Kreisen der Freunde des Gymnasiums diese „Vielseitigkeit" als

Übelstand empfindet, beweist u. a. die achte These des Vortrags
von Hirzel (Über Einseitigkeiten und Gefahren der Schulreform-
bewegung), den er in Basel in der pädagogischen Sektion der
49. Versammlung deutscher Philologen und Schulmänner im Jahre
1907 gehalten hat. Der erste Teil der erwähnten These lautet
nämlich: „Das Grundübel des Gymnasialunterrichts, wie er sich
im letzten Menschenalter gestaltet hat, ist die wachsende Überfüllung mit Lehrfächern und Wissensstoffen". — Es ist doch
klar, daß infolge dieser „Überfüllung mit Wissensstoffen"
schließlich auf keinem Gebiet etwas Gründliches mehr geleistet
werden kann. Und dieser Übelstand muß bei Einführung des
verbindlichen Unterrichts im Englischen auf der Oberstufe des
Gymnasiums für das Französische und das Englische eintreten,
falls nicht eine Änderung des Lehrplans im Französischen durch
Vermehrung der Stundenzahl in diesem Fach in U III und O III
erfolgt. Aber welches Fach soll die Kosten tragen?
      Wie schwach die Leistungen der Gymnasiasten im Französi-
schen bei der Versetzung nach O II sind, weiß jeder, der den
Unterricht in U II erteilt hat. Die Gründe hierfür liegen klar
zutage. So erfreulich der Unterricht im Französischen in IV ist,
so unerquicklich wird er in den beiden Tertien durch Herabsetzung der ihm zugewiesenen Wochenstundenzahl von vier auf
zwei. Das Griechische, das neu hinzutritt, schwächt als Hauptfach bei der Mehrzahl der Schüler das Interesse für Französisch,
und der neue Lernstoff in letzterem Fach, namentlich in O III
die schwierigen unregelmäßigen Verben, läßt sich bei zwei Stunden
nur mühsam bewältigen. An Sprechübungen ist kaum zu denken,
und von Lektüre im eigentlichen Sinn kann gar keine Rede sein.
In U II muß dann das grammatische Pensum in der Hauptsache
zu Ende gebracht werden; auch hier bleibt nur eine von den
drei Wochenstunden für das Lesen leichterer Schriftsteller übrig.
Sollen die Leistungen im Französischen besser werden (und das
wäre vor allem nötig, wenn der Unterricht in dieser Sprache
in U II abgeschlossen werden soll), dann müßte mindestens in
U III und O III die Stundenzahl für dieses Fach auf drei erhöht
werden.
      Nach dem jetzigen Lehrplan können die Schüler erst in O II
zu einer ihnen eine gewisse Befriedigung gewährenden Verwertung
ihrer Kenntnisse im Französischen kommen. Selbst bei verbindlichem Unterricht im Englischen wird ja den Schülern die Gelegenheit hierzu geboten durch Einführung des Französischen
von O II ab als wahlfreies Fach. Aber ich bezweifle stark, ob
sich immer einige Teilnehmer an diesem wahlfreien Unterricht
finden werden. Die große Masse der Obersekundaner und Primaner wird sich, falls nicht ein ziemlich starker Druck von oben
auf sie ausgeübt wird, kaum am französischen wahlfreien Unterricht beteiligen; denn sie können ja Französisch nach ihrer

Ansicht. Die Bedingungen, das Interesse der Schüler zu wecken, sind eben hier ganz andere wie bei dem wahlfreien Unterricht im Englischen, das als neues Fach in O II erscheint und schon deshalb eine Anzahl von Schülern anlockt.

Daß diese Voraussagen bezüglich des wahlfreien französischen Unterrichts nicht bloße Vermutungen von mir sind, läßt sich bereits jetzt aus der Praxis belegen. In Nr. 1 des „Korrespondenz-Blattes" des laufenden Jahres findet sich ein kleiner Artikel „Englisch auf dem Gymnasium", in dem über Erfahrungen auf dem Gebiet dieses Unterrichts in Anklam berichtet wird. Man hat dort von Ostern 1902 bis Ostern 1905 das Englische in O II als Pflichtfach gelehrt, also nach dem Plan unterrichtet, dessen Einführung uns hier beschäftigt. Dann schaffte man aber diesen Lehrplan wieder ab, weil sich „empfindliche Schwierigkeiten" für die Schüler herausstellten, die von andern Gymnasien eintraten oder von Anklam nach fremden Gymnasien übergingen. Deshalb wurde Ostern 1906 ein neuer Lehrplan eingeführt, nach dem Englisch oder Französisch von O II ab als Pflichtfach gelehrt wird. Die Schüler der U II müssen vor der Versetzung nach O II die bindende Erklärung abgeben, ob sie in den letzten drei Jahren Französisch oder Englisch mitnehmen wollen. — Es ist nun sehr interessant festzustellen, daß „bei weitem die Mehrzahl der Schüler sich bisher für das Englische entschieden hat"; doch (so heißt es weiter) beteiligten sich am französischen Unterricht auch immer einige Schüler, besonders natürlich solche, die von andern Gymnasien kommen oder bei denen es (z. B. wegen voraussichtlicher Versetzung der Eltern) zweifelhaft ist, ob sie bis zur Reifeprüfung an der Anstalt bleiben können. — Hier ist also überhaupt keine Rede mehr davon, den Schülern der oberen Klassen, die sich für Englisch als Pflichtfach entschieden haben, wahlfreien Unterricht im Französischen von O II ab zu erteilen, wahrscheinlich deshalb, weil kein Bedürfnis dazu vorhanden ist. Dabei wird in dem Bericht zugegeben, „es sei die Gefahr nicht zu verkennen, daß die Schüler, wenn sie sich schon von O II ab dem Englischen zuwenden, ihr Französisch zum Teil wieder verlernen". — Was bleibt da wohl von den ohnehin so schwachen französischen Kenntnissen des Untersekundaners noch übrig?

Man kann also ruhig behaupten, daß bei Einführung des Englischen als Pflichtfach in O II zu dem stümperhaften Wissen der Gymnasialabiturienten in einem Teil der Naturwissenschaften eben so minderwertige Kenntnisse im Französischen treten werden, falls man nicht die Stundenzahl für dieses Fach in den Tertien vermehrt.

Viel günstiger als für Französisch liegen bei Einführung der vorgeschlagenen Reform die Verhältnisse für das Englische. Ihm würden ja drei Stunden von O II bis O I zugewiesen, also dieselbe Stundenzahl, die dem englischen Unterricht am Realgym-

nasium von U III bis U II einschließlich zur Verfügung steht. Es
ist klar, daß bei dem vorgeschritteneren Verständnis der Schüler
der Oberstufe die englischen Kenntnisse des Gymnasialabiturienten
höher sein werden als die eines Realgymnasiasten bei der Versetzung nach O II sind. Trotzdem dürften die Schüler des Gymnasiums doch nicht zum wahren Genuß der großartigen Literatur-,
werke des Englischen, zu einer wirkliche Freude bereitenden
Lektüre Shakespeares oder Byrons im Original kommen, da hierfür viel gründlichere Kenntnisse im Englischen nötig sind,
namentlich der Besitz eines recht umfangreichen Wortschatzes
der sich in so kurzer Zeit nicht aneignen läßt. Also ebensowenig wie im Französischen würde auch im Englischen das
Wissen des Gymnasialabiturienten ausreichen, um die Werke der
großen Denker und Dichter der beiden modernen Kulturvölker in
der Ursprache lesen zu können. Man würde demnach in Zukunft für Französisch und Englisch am Gymnasium auf dieses
Ziel verzichten, das bisher als eins der wichtigsten im Unterricht
in diesen Sprachen an allen höheren Schulen mit neunjährigem
Kursus angesehen worden ist, und man würde die beiden Fächer
am Gymnasium nur aus reinen Nützlichkeitsgründen treiben. In
beiden Fächern würde ein befriedigender Abschluß fehlen.

Deshalb sage ich: entweder Französisch oder Englisch (am
liebsten Englisch) am Gymnasium, aber nicht beide Sprachen zugleich, resp. hintereinander. Sonst ist es besser, man behält den
bisherigen Zustand bei, d. h. Französisch als Pflichtfach, Englisch
als wahlfreies Fach. Dabei scheinen mir beide Sprachen besser
fortzukommen als bei dem vorliegenden Plan. Für das Französische ist das ja selbstverständlich; aber auch das Englische
kommt dabei, wie ich glaube, nicht zu kurz. Meinen Erfahrungen
nach, die sich auf drei Gymnasien erstrecken, sind die Ergebnisse
des wahlfreien Unterrichts trotz der geringen Stundenzahl recht
befriedigende, besonders wenn man in O II nach einem halben
Jahr die Elemente zurückgewiesen hat, die nur aus Neugier,
nicht aus wirklichem Interesse, in die englische Abteilung eingetreten sind, und die versagen, sobald sie für das Fach arbeiten
sollen. Dann hat man von Michaelis an nur solche Schüler, die
dem Englischen eine gewisse Vorliebe entgegenbringen. Ich
brauche nur darauf hinzuweisen, daß schon eine ziemlich große
Opferwilligkeit von seiten der Schüler dazu gehört, allwöchentlich
zwei Stunden ihrer freien Zeit in der Schule zuzubringen, und
noch dazu nachmittags, wo sie in der Regel schon fünf Stunden
Unterricht hinter sich haben. Außerdem darf man nicht vergessen, daß sie für Englisch auch noch zu Hause tätig sein
müssen, und das alles in den Schuljahren, wo sie von der Arbeit
für die verbindlichen Unterrichtsfächer stark in Anspruch genommen werden, wo sie in O I viele Stunden der Vorbereitung
für die Reifeprüfung widmen müssen. Demnach kann man wohl

behaupten, daß die Schüler fast sämtlich mit einer Lust und
Liebe für das Englische arbeiten, wie man sie nicht besser
wünschen kann, und da ihre Zahl meistens gering ist, kann sich der
Lehrer mit jedem einzelnen in ganz anderer Weise befassen, als wenn
er eine volle Klasse vor sich hat. Aus allem dem ergibt sich,
daß die Leistungen im wahlfreien Unterricht ganz befriedigende
Ergebnisse haben können, nicht wesentlich geringere, als man sie im
verbindlichen Unterricht bei erhöhter Stundenzahl erzielen dürfte.

Aschersleben.   Georg Mayn.

Pädagogische Sünden unserer Zeit.

Unter diesem Titel ist kürzlich in der illustrierten Zeitung
„Der Tag"[1]) ein Aufsatz von Prof. G. Budde erschienen, der
mancherlei mit Freimut und Bestimmtheit zum Ausdruck bringt,
dem man unbedingt zustimmen kann, auf der anderen Seite aber
Gedanken und Anschauungen offenbart, die keineswegs Anspruch
auf allgemeine Billigung haben und um so weniger unwider-
sprochen bleiben dürfen, als ihre Veröffentlichung in der genannten
Zeitung geeignet ist, in weiten Kreisen des Publikums und der
Eltern irrtümliche Auffassungen zu verbreiten und statt des er-
hofften Nutzens nur Schaden anzurichten.

Daß die einseitige und übermäßige Betonung der körperlichen Ausbildung, die Ausartung — wohlgemerkt nur diese! —
des Spieles und des Sportes gerügt und zurückgewiesen wird,
verdient um so größere Anerkennung, als B. damit der herrschenden und immer weiter um sich greifenden Ansicht entschieden
entgegentritt und Bestrebungen bekämpft, die „die Schule am
liebsten zu einer Palästra der alten Griechen machen möchten".
Es erfordert wirklich heutzutage einen gewissen Grad von Mut,
wenn man der Übertreibung der körperlichen Ausbildung und der
Sportpflege, die den wissenschaftlichen Unterricht in der Tat erheblich stört, widerspricht. Um nicht mißverstanden zu werden,
sei hier noch einmal ausdrücklich hervorgehoben: nicht gegen die
körperliche Ausbildung wendet sich B., nur gegen die übermäßige
Betonung derselben kämpft er an, Schulter an Schulter mit Vogel,
dessen kleines Schriftchen[2]) Buddes Aufsatz veranlaßt hat.

Ebenso dankbar kann man Prof. Budde sein, wenn er die
höhere Schule davor bewahren will, „ein Mädchen für alles" zu
sein. Über die Schule, ihre Aufgaben und Ziele, ihre Unterrichtsgegenstände und deren Behandlung redet bekanntlich heute jeder[3])

---

[1]) Nr. 584 von Sonnabend d. 16. Nov. v. J.
[2]) August Vogel, Die pädagogischen Sünden unserer Zeit. Lissa 1907.
[3]) Vgl. Monatschrift für höhere Schulen, VI. Jahrgang S. 1 ff., wo
Matthias einen Aufsatz von E. Engel bespricht, der den Lehrern in der
Behandlung der Schüler, besonders beim Erteilen von Zensuren, die schlimmsten Mißgriffe unterschiebt.

ebenso wie über Politik; denn durch die Schule ist jeder einmal gegangen, und folglich hat jeder auch in Schulfragen „Erfahrung"
und ein Recht mitzureden und „die Schulmeister, die in der
Schule nichts weniger als Meister sind", zu meistern. In unserer
Zeit des Mangels an Bescheidenheit, Zurückhaltung und Selbstbeschränkung hat man natürlich die alte Wahrheit längst vergessen: „In der Beschränkung zeigt sich erst der Meister". Wer
soll sich heute beschränken? Jeder verlangt es freundlicherweise
vom andern, fordert selbst aber unbeschränkt, was ihm in den
Sinn kommt, anstatt die Gestaltung des höheren Schulwesens den
Männern zu überlassen, die infolge reicher Erfahrungen mit der
Kenntnis des Einzelnen den Überblick über das Ganze verbinden
und imstande sind, aus dem vielen Einzelnen ein organisches
Ganzes zu schaffen. So fordert denn, wie schon O. Jäger treffend
bemerkt hat, fast täglich irgend ein bisher noch nicht berücksichtigter Gegenstand gebieterisch Berücksichtigung, und glücklich
der, der zu dem vielen noch ein Neues ausfindig macht! So vieles
ist es bereits, was alles betrieben werden „muß"! „Nationalökonomie, Gesetzeskunde, Gesundheitslehre, Technologie, Stenographie; es wird eine systematische Unterweisung gefordert in der
Landwirtschaft, Gärtnerei, Obstbau, Blumenzucht, Buchhaltung, es
soll möglichst handwerksmäßig betrieben werden die Laubsägerei,
die Tischlerei, die Buchbinderei, das Holzschnitzen, das Drechseln,
das Korbflechten, das Bürstenbinden, das Metalldrehen, das Glasschleifen"[1]). Wer das liest, ruft unwillkürlich: Gott soll mich
bewahren! Und doch ist die Liste noch nicht vollständig. Wie
konnte Vogel nur die Biologie vergessen! Ja, ja, wir werden es
auf diese Weise noch herrlich weit bringen! Und sicherlich wird
es möglich sein, alle die genannten Wünsche und einige mehr
— in unserm nervösen Zeitalter werden wir ja jeden Tag mit
einer „Idee" beglückt — zu erfüllen. Wir brauchen bloß — bloß
die wissenschaftlichen Fächer, soweit nötig, zu streichen, wenn
nötig, auch ganz. Dann haben wir das Produkt der modernen
Erziehungs- und Unterrichtskunst. Wenn B. sich gegen derartige
unglaubliche Anforderungen auflehnt, so reiche ich ihm in Dankbarkeit die Hand. Wenn er nun aber eine Liste pädagogischer
Sünden zusammenstellt, so bedaure ich, ihm nicht in jeder Beziehung folgen zu können, in einigen Punkten muß ich sogar
widersprechen. Eines muß ich vorausschicken. Herr Budde sagt
in der Tagnummer: „Ich kann hier natürlich nicht näher auf die
Punkte eingehen; ihre Erörterung würde den Umfang einer
Broschüre in Anspruch nehmen, und ich muß mich hier mit
einigen allgemeinen Andeutungen begnügen". Aber jedermann
weiß, wie gefährlich solche allgemeinen Andeutungen sein können,
und ich werde unten noch an einem besondern Beispiel zeigen,

---

[1]) Vogel a. a. O.

wie gefährlich sie hier besonders wirken können. Nun weiß ich
wohl, daß B. seine Ansichten in einer Schrift [1]) ausführlich entwickelt hat. Ich kenne die Schrift — das Publikum auch? Verlangt B., daß das Publikum sie liest? Und nun zur Sache! Als die
zweite Hauptsünde bezeichnet Budde „den herrschenden Extemporalebetrieb". Er will keineswegs die Extemporalien abschaffen, wie
mancher Leser der Tagnummer vielleicht erwartet haben dürfte,
nein — er eifert nur gegen die „Extemporalien alten Stiles", gegen
den „herrschenden Extemporalebetrieb", dem es nicht gelingt,
„die Extemporaleangst zu verbannen, sodaß halbe Klassen oder
noch mehr eine 4 oder 5 im Tornister mit nach Hause bringen
und weder die Kinder noch die Eltern des Lebens froh werden.
Hier zeigt sich klar das Gefährliche der „allgemeinen Andeutungen"
Buddes. Was er unter „rationeller Einrichtung des Extemporalebetriebes" versteht, verrät er hier nicht. Sollen es die Eltern in
seiner oben erwähnten Schrift nachlesen? Wie sollen sie beurteilen
können, ob „die Leistungsfähigkeit der Knaben hinreichend be-
rücksichtigt" und das Extemporale rationell betrieben wird? Der
einzige Maßstab, den die allgemeinen Andeutungen Buddes an die
Hand geben, ist die Extemporaleangst. Ja die können freilich die
Eltern beobachten. Soll das aber wirklich einen zuverlässigen
Maßstab für die Beurteilung des Extemporalebetriebes abgeben?
Werden nicht die Eltern durch B. geradezu zu dem vorschnellen
Schluß verleitet, sobald ihr Sohn eine 4 oder 5 nach Hause bringt:
„Nun, dann ist aber der Extemporalebetrieb auf der Anstalt kein
rationeller"? Ist das nicht höchst bedenklich? Wir wollen das
Vertrauen der Eltern zur Schule und zu den Lehrern stärken,
nicht schwächen. Geschieht letzteres, und durch Buddes Andeutungen ist zu befürchten, daß es geschieht, so erschweren wir
uns unsere Arbeit und bringen uns um den Lohn derselben. Und
weiter! Die Andeutungen Buddes müssen oder können in den
Lesern den Glauben erwecken, als sei es, wenn nicht die Regel,
so doch gar nichts Außergewöhnliches, daß halbe Klassen und
mehr eine 4 oder 5 nach Hause tragen. Schon daß diese Deutung
auch nur möglich ist, ist nach meiner Auffassung gefährlich.
Denn sie entspricht den Tatsachen ganz und gar nicht. Daß es
hin und wieder mal vorkommt, will ich nicht bestreiten. Es ist
aber die Ausnahme und wird, wo es vorkommt, regelmäßig dem
Lehrer zur Last gelegt. Die Weisheit, daß durch den schlechten
Ausfall der schriftlichen Klassenarbeiten die Freude der Schüler
herabgedrückt wird, die Freude der Schüler aber den pädagogischen
Erfolg sichert, gehört zu dem, was der Direktor und Leiter eines
pädagogischen Seminars den Kandidaten zuerst und immer wieder
einschärft. Früher mag das anders gewesen sein. Heute ist man

---

[1]) G. Budde, Zur Reform der fremdsprachlichen schriftlichen Arbeiten
an den höheren Knabenschulen. Halle 1906.

in der pädagogischen Welt darüber einig, daß nur pädagogisches Ungeschick solche Resultate fördert.

Wie denkt sich nun B. den rationellen Extemporalebetrieb? Dazu gehört erstens eine richtige Vorbereitung und Inszenierung. Da ein großer Teil der Fehler, die in den Klassenarbeiten der Unter- und Mittelstufe gemacht werden, nicht auf Unwissenheit, sondern auf Erregung zurückzuführen ist, so kommt es darauf an, bei der Anfertigung dieser Arbeiten möglichst alle störenden psychischen Faktoren auszuscheiden. Und wie geschieht das? B. faßt am Schlusse seiner Arbeit nach ausführlicher Begründung die Abhilfe schaffenden Mittel in folgenden Leitsätzen zusammen:

a) Es darf für die Extemporalien keine besondere Vorbereitung gefordert werden.

b) Die festen Termine sind abzuschaffen.

c) Es sind Stützen zu geben; auf die Schwierigkeiten ist besonders hinzuweisen.

d) Der deutsche Text wird gleich ganz diktiert und dann zu seiner Übersetzung hinreichend Zeit gelassen.

Ich muß gestehen, ich war etwas enttäuscht, als ich das las. Was gut daran ist, ist nicht neu, und das Neue ist nicht gut. Von dem Aufgeben eines bestimmten Abschnittes im Schriftsteller oder im Übungsbuch, auf dem sich das Extemporale aufbauen soll, können sich viele freilich noch immer nicht freimachen, und darum mag B. diese Forderung mit Recht noch einmal hervorheben. Richtig ist sie. Stützen wird man auch geben, wo es nötig ist, und auf Schwierigkeiten hinweisen. Aber B. selber gibt S. 44 zu, wie gefährlich sie sind. „Da gibt womöglich der eine Lehrer zu viele, der andere zu wenig, und dann haben schließlich die Schüler die Kosten zu tragen". Am richtigsten vorbereitet ist allemal die Arbeit, bei der keine Stützen und Hinweise auf Schwierigkeiten nötig sind, man merkt das am Ausfall, und ich freue mich jedesmal, wenn mir eine solche Arbeit geglückt ist, in der Erwartung eines guten Ergebnisses; meine Erwartung hat die Korrektur noch immer bestätigt. Wo sich aber während der Arbeit unerwartet Schwierigkeiten für die Schüler ergeben, wird selbstverständlich jeder Lehrer einen Wink oder eine Angabe machen, sie zu beseitigen. Jedoch das Extemporale diktieren? In Sexta, Quinta usw.? Das habe ich hier zum ersten Male vernommen. Ist nicht ein deutsches Diktat für den Sextaner, Quintaner und selbst noch den Quartaner eine selbständige Leistung, bei der ihm die Rechtschreibung oft mehr Mühe macht als das böse Latein? Das ist doch für ihn keine Erleichterung, sondern eine Erschwerung. Darüber kann doch kein Zweifel obwalten. Und dann die Gefährdung der Schrift! Haben wir noch nicht genug an all den vielen — durchaus berechtigten — Verordnungen die Schrift betreffend von oben herab? Wollen wir noch eine neue heraufbeschwören? Bei dieser Forderung wird wohl B. ziem-

lich allein dastehen. Wo soll nun das Diktieren des deutschen Textes
für das Extemporale beginnen? B. scheint das Diktat doch also
für alle Unter- und Mittelklassen zu verlangen[1]). Ich diktiere
den ganzen Text der Arbeit noch nicht einmal in Ober-Sekunda.
Umständliche Perioden verlange ich nicht. Wird eine kürzere
Periode einmal gewünscht, so werden die deutschen Sätze mehrmals zusammenhängend, dann langsam Glied für Glied gesprochen,
zum Schluß lese ich, wie jeder andere auch, die ganze Arbeit
noch einmal vor. Genügende Zeit wird auch hierbei stets gewährt, Satz für Satz auf die Schwächeren und Langsameren Rücksicht genommen, also die Leistungsfähigkeit der Schüler durchaus
in Rechnung gezogen. Daß alle Schüler sofort nach dem Wort
des Lehrers die Übersetzung lateinisch hinschreiben, hat doch auch
seine nicht verkennbare erziehliche Bedeutung, zumal auf den
untern Klassen. Natürlich kostet das Anleitung und Gewöhnung.

Nun verlangt B. endlich die Beseitigung eines festen Termins
für die Klassenarbeiten: „Die Schüler wollen gar nicht vorher
wissen, wann eine solche Arbeit geschrieben wird“. Wirklich?
Meine Erfahrungen — sie erstrecken sich auf eine nicht viel
kürzere Zeit als die Buddes — lauten wesentlich anders. Im
Gegenteil! Sie fragen oft recht angelegentlich, ob und wann geschrieben wird. Wichtig ist ein anderer Grund, den B. gegen
die festen Termine anführt. „Es ist vom pädagogischen Standpunkt aus zu verlangen, daß die Klassenarbeit dann geschrieben
wird, wenn ein bestimmter grammatischer Abschnitt, also eine
methodische Einheit, so eingeübt ist, daß er zum sichern Eigentum der Schüler geworden ist. Die einzelnen Abschnitte sind
aber verschieden lang und schwer, deshalb ist es nicht richtig,
daß man die Arbeiten immer in gleichen Zwischenräumen verlangt“. Die bezeichnete Klippe ist in der Tat vorhanden, doch
Sachkunde und pädagogisches Geschick läßt sie vermeiden. Aber
die Extemporaleangst der Schüler und die Rücksicht auf das
Elternhaus, meint B., spricht für seinen Vorschlag. Und nun
weiß B. eine Geschichte zu erzählen, wie die Angst vor dem fest-
gelegten Extemporale den Schüler und seine Eltern schon 2 Tage
vorher in die größte Aufregung versetzt, wie alles geschieht, um
den Sohn für die Arbeit einzupauken, wie dieser in der Nacht
schlechte Träume hat und am nächsten Tage allen Hoffnungen
zuwider aus purer Angst und weil er ein Wort nicht gleich weiß,
die ganze Arbeit verdirbt. Und solche Knaben soll es viele geben.
Die schlechtesten meiner Schüler, die ich gehabt, entsprechen nicht
dem von B. gezeichneten Jammerbilde. Und das waren Schüler,
um die sich zu Hause niemand kümmerte, oder solche, die nicht
etwa aus Angst schlechte Arbeiten lieferten, sondern weil sie eben
nichts wußten. Nein, von einem so miserablen Jungen wollen

---

[1]) Vergl. S. 55.

wir doch lieber nicht den Maßstab hernehmen für die Beurteilung
einer Einrichtung, die sich aus andern Gründen empfiehlt. Buddes
Angstschüler wird, wenn auch alle Vorschläge Buddes befolgt
werden und besonders der Termin der Arbeit nicht bekannt gegeben wird, doch nichts leisten[1]. Er wird und seine Eltern mit
ihm nun statt zweier Tage die ganze Woche eventuell nicht aus
der Angst herauskommen, denn immer schwebt das Damoklesschwert über seinem Haupte, und vernimmt er plötzlich das An-
kündigungskommando seines Lehrers: „Wir wollen ein Extemporale
schreiben", so fällt er — das steht fest — unweigerlich in Ohnmacht. Hat aber B. recht und gibt es viele solcher Schüler, so
.fällt der Lehrer vielleicht ob der vielen Opfer noch selber in Ohnmacht. Deutsche Jugend! Deutsche Knaben! Steht es wirklich so?
Im Ernst, ich glaube an diese Angst nicht und habe doch auch
manch kleinen Knirps vor mir gehabt. Und wie vielen von diesen
kleinen Kerlen habe ich die Freude aus den hellen Augen leuchten
sehen, wenn sie zeigen konnten, was sie gelernt! Freilich richtig
anfangen muß man es schon, die Kindesseele auch verstehen
können, ob das aber mit zunehmendem Alter leichter wird, ist
eine andere Frage. Jedenfalls bieten uns Buddes Vorschläge keine
Panazee für die Beseitigung der Extemporaleangst. Ein paar
Fragen! Gibt es dieselbe Angst nicht vor der mathematischen
Arbeit, nicht vor den neusprachlichen Arbeiten? Nur vor dem
lateinischen Extemporale? Wieder also das böse Gymnasium!
Nun weiß ich wohl, B. meint es gut mit dem Gymnasium. Aber
wird man das nicht wieder gegen das Gymnasium ausbeuten?
Was haben wir da nicht schon alles erlebt? Und weiter! Wenn
in Sexta, Quinta, Quarta usw. im Lateinischen wöchentlich, in
Quarta dazu im Französischen zweiwöchentlich, in Tertia im
Griechischen wöchentlich immer wieder an einem vorher bestimmten Tage eine Klassenarbeit geschrieben wird, tritt da wirklich nicht einmal, und zwar gar nicht so spät, eine Beruhigung
infolge der Gewöhnung ein, wird da nicht die Angst allmählich
überwunden? Ich meine, die Erfahrung bestätigt das, was jedem
von selbst einleuchtet. Endlich gibt es die Angst nicht bloß vor
den schriftlichen Arbeiten. Jedem Lehrer ist es schon vorgekommen, daß ein Schüler beim Hersagen eines Spruches, Gedichtes oder einer Regel stecken bleibt: „Gestern habe ich alles
gut zu Hause gekonnt!" Wie ist hier zu helfen? Etwa dadurch,
daß man nichts aufgibt? Doch wohl nur so, daß man den Schüler
nicht einschüchtert und einen ängstlichen Knaben freundlich er-
muntert. Andererseits aber muß doch der Schüler wissen oder
lernen, daß er zur bestimmten Stunde eine bestimmte Leistung

---

[1] Warum nicht? Wo steckt der Fehler, wenn Buddes Schwächling
wirklich einmal oder öfter in concreto existiert? Der Fehler ist gemacht bei
der Versetzung in die Sexta oder bei der Aufnahme.

seinem Vermögen entsprechend nachweisen muß. Darin liegt
doch ein gut Stück erziehlichen Unterrichts begriffen. Und auch
das Extemporale hat diesen Wert, daß zur bestimmten Zeit alle
Schüler mit gleichen Waffen eine Probe ihrer Leistungsfähigkeit
abgeben. So ist das Extemporale Übungs- und Prüfungsarbeit
zugleich, und die Schüler freuen sich der bestandenen Prüfung.
Sie ist ihnen ein Ansporn zu weiterer Anspannung ihrer Kräfte.
Wenn wirklich hier und da eine gewisse Angst vor dem Extemporale beobachtet wird, so wird sie nicht größer sein als die vor
gewissen mündlichen Leistungen, z. B. dem Aufsagen eines Gedichtes, einer Regel, einer Anzahl von Bibelsprüchen usw., sie
wird sich durch Gewöhnung bald verlieren, oder es handelt sich
um besonders nervöse Kinder, die einer besonders liebevollen Behandlung in Schule und Haus bedürfen und nicht nur vor der
Extemporalestunde erregt werden. Lehrreich war mir folgende
Notiz in dem „Ärztlichen Ratgeber", einer vielgelesenen Zeitschrift, auf die mein Blick kürzlich zufällig fiel. Es heißt dort:
„Als eine besondere Form der Schülernervosität ist wohl der
Zustand ihres achtjährigen Töchterchens aufzufassen, das seit
einigen Wochen einen unruhigen und unterbrochenen Morgen-
schlaf zeigt, stundenlang vor Beginn der Schule, obwohl es sein
Pensum gelernt hat, aufgeregt ist und nicht nur vorher, sondern
auch in der Schule Anfälle von Zittern, Schwindel und Weinen
bekommt, so daß es wiederholt nach Hause geschickt wird, wo
es sich nach einiger Zeit wieder beruhigt, vergnügt wird und
guten Appetit zeigt. Der Schulbesuch ist eben für viele nervös
veranlagte Kinder mit einer Reihe schädlicher Nervenerregungen
verbunden. Öfters ist daran das System schuld, besonders in
der Art, wie es von vielen Lehrern ohne genügende Berücksichtigung der Individualität des Kindes gehandhabt wird. Das ewige
Rauf- und Runtersetzen, Auszeichnen und Bestrafen, Lob- und
Tadelstriche, Lob- und Tadelausteilen, Prüfen und Zensieren bildet
für manche Kinder eine Quelle ständiger Beunruhigung. Dazu
kommen noch die vielfachen Ermahnungen im Hause: „Nimm
dich ja zusammen! Daß du auch deinen Platz behältst! Daß du
nur keine Fehler machst!" Schon die Abcschützen werden auf
diese Weise in solche Aufregung versetzt, daß sie vorzeitig auf-
wachen, das Frühstück kaum zu sich nehmen wollen und es
öfters wieder erbrechen. Allmählich tritt zwar — glücklicherweise kann man dies hinzufügen — bei sehr vielen Kindern eine
gewisse Gleichgültigkeit und Abstumpfung gegen dieses ständige
Treiben und Anspornen ein, indessen gerade fleißige und ehr-
geizige Kinder können zumal bei einer gewissen nervösen Veranlagung dadurch schließlich an ihrem Nervensystem ernsthaft
Schaden nehmen". Wie man sieht, ist von Töchterschulen die
Rede, und viele von den Vorwürfen wie Rauf- und Runtersetzen,
Lob- und Tadelstriche können den höheren Knabenschulen gar

nicht gemacht werden. Eine Reihe von Ursachen der Schülernervosität fallen für diese wenigstens glücklicherweise fort, und
die höheren Töchterschulen lassen wir hier aus. dem Spiele.
Wichtig aber für uns ist aus der Erklärung des Arztes:

1) daß an der nervösen Aufregung der Kinder nicht bloß das
   lateinische Extemporale schuld ist,
2) daß vielfach gerade die Eltern mit ihrem ewigen Treiben
   und Ansporen die Kinder in nervöse Unruhe versetzen,
3) daß bei sehr vielen Kindern glücklicherweise allmählich eine
   gewisse Gleichgültigkeit und Abstumpfung eintritt.

Genug, nach alledem glaube ich nicht, daß durch die Beseitigung des festen Termins für das Extemporale die Angst davor
beseitigt wird. Eine andere Frage hingegen ist, ob denn der
Vorschlag Buddes deswegen zu verwerfen ist. Ich halte ihn für
durchaus empfehlenswert und bekenne, daß ich schon vor Jahren
damit Versuche gemacht habe, um das übermäßige Arbeiten ge-
wissenhafter Schüler vor dem festgesetzten Termin zu verhindern
und um die Möglichkeit zu haben, unmittelbar nach dem Abschluß
eines grammatischen Abschnittes die Arbeit schreiben zu lassen,
endlich aber auch, um den Schülern von früh auf zum Bewußtsein zu bringen, daß das Extemporale nichts Besonderes auf sich
hat, sondern nur eine Leistung ist neben vielen andern. Das ist
erfahrungsmäßig die wichtigste Vorbereitung des Extemporales.
Ich sagte eben, ich würde mit B. für die Beseitigung des festen
Termins für das Extemporale sein. Ja läßt sich das aber überall
und in allen Klassen ohne Schwierigkeiten durchführen? In dem
Schulorganismus muß vor allen Dingen Ordnung herrschen. Die
Beseitigung der festen Termine würde aber eine gewisse Unordnung und damit Unruhe hervorrufen, die dem Ganzen nur
schaden könnte. Unterrichtet man, wie es meist sein soll, aber vielfach nicht ist, in den untern Klassen Deutsch und Latein, so wird
niemand etwas dagegen haben, wenn gelegentlich die für beide
Arbeiten bestimmten Termine vertauscht werden. Der Mathematiker, der meist nur dreiwöchentliche Arbeiten schreiben läßt,
braucht oder kann sogar den Abstand von 3 Wochen nicht immer
einhalten und hat somit auch bei festgesetztem Wochentag eine
gewisse Bewegungsfreiheit. Ähnlich der Neusprachler, auch der
Altphilologe in den Oberklassen, zumal wenn Latein und Griechisch
in einer Hand liegen. Gefährlich aber könnte der Vorschlag
Buddes in den Mittelklassen werden, wo im Lateinischen und
Griechischen wöchentliche Arbeiten geliefert werden, wenn hier
nicht beide Sprachen von demselben Lehrer erteilt werden. Da
dürften doch häufig Kollisionen von Arbeiten vorkommen, die
eben vermieden werden sollen, und bei mangelndem Entgegenkommen aller beteiligten Lehrer werden sich allerlei Unzuträglich-
keiten herausstellen. Wo sich dagegen der Vorschlag Buddes
durchführen läßt, mag man es tun, nötig ist es nicht, um den

Zweck zu erreichen, den B. im Auge hat. Dazu dienen andere
Mittel, und man verzeihe, wenn ich alte Weisheit hier noch einmal auskrame. Die Hauptsache ist und bleibt, daß man die
Klassenarbeit von aller Wichtigtuerei entkleidet, sie in erster Linie
als Übungsarbeit betrachtet, wie man gelegentlich ähnliche Sätze
ins Diarium diktiert, daß man weiter nichts Schwieriges verlangt,
sondern nur was gut verarbeitet und verdaut ist, daß man selber
ein fröhliches Gesicht macht, eingreift und mit Andeutungen und
Winken hilft, wo Schwierigkeiten sich ergeben, und vor allen
Dingen den Schülern von vornherein die Überzeugung beibringt,
daß das wöchentlich nur einmal geschriebene Extemporale nur
eine Leistung ist neben den mündlichen in den vielen anderen
Stunden und demgemäß die Zensur allein nicht bestimmen kann.
B. betont auch die Notwendigkeit der richtigen Beurteilung der
schriftlichen Arbeiten. Natürlich ist das zu verlangen, und dazu
sind ja die pädagogischen Lehrjahre da, daß man das lernt. Was
aber B. unter dem Titel: „Zur Reform der Beurteilung der schriftlichen Arbeiten“ auf der Unter- und Mittelstufe verlangt, hat mich
wieder arg enttäuscht. Er fordert:

α) Man unterscheide zwischen ganzen und halben Fehlern.

β) Bei 0 Fehlern ist die Zensur I zu erteilen.

γ) Bis zu fünf Fehlern nenne man die Arbeit 3.

δ) Für das Prädikat maßgebend ist vorzugsweise die Anzahl
der grammatischen Fehler. Stilistische Inkorrektheiten scheiden
für die Beurteilung aus.

Ist das wirklich eine Reform? Ich bin an einer Reihe von
Anstalten des Ostens tätig gewesen, andere kenne ich aus den
Schilderungen von Kollegen, ich kann B. versichern — er wird sich
darüber freuen —, seine Reform ist für den Osten wenigstens ganz
unnötig, sie ist schon durchgeführt, und zwar in noch humanerer
Weise als B. will. Gar mancher meiner Kollegen bezeichnet auch
eine Arbeit mit einem groben grammatischen Fehler noch mit
einer I, und alle geben wir durchweg auf 6 Fehler noch 3. Ex
oriente lux! So heißt es wohl, trotzdem man im Westen Deutschlands — man gestehe es ruhig ein! — sich den Osten in jeder
Beziehung etwas rückständig vorstellt. Es ist wahr, wir im Osten
haben jede Kultur aus dem Westen bekommen, aber dieses Licht
hat uns B. aus dem Westen nicht erst aufgesteckt, es brannte
schon vor ihm. Vor 30 Jahren mag vielleicht Buddes „Reform“
eine Reform gewesen sein, heute nicht. Nicht anders steht es
mit Buddes „Reform“ der Anrechnung der schriftlichen Arbeiten.
Er sagt: „Die so reformierten schriftlichen Arbeiten treten als
gleichwertiger Faktor zu den mündlichen Leistungen; aus beiden
ergibt sich die Zensur“. Heute muß, wie B. weiß, jeder Kandidat
sein Seminarjahr durchmachen, und währenddessen wird ihm vom
Leiter des Seminars jener Grundsatz immer und immer wieder
eingeprägt. Soweit meine Kenntnis und Erfahrung reicht, wird

von seiten der Direktoren wie der Kollegen mit der größten Gewissenhaftigkeit darauf gesehen, daß auch die mündlichen Leistungen
in dem Zeugnis zum Ausdruck kommen, wie die vielen gebrochenen,
d. h. zwischen schriftlichen und mündlichen Leistungen unterscheidenden Zensuren beweisen, und ich kann viele Kollegen, ja
ganze Anstalten nennen, die den Grundsatz befolgen, wenn schriftliche und mündliche Leistungen auseinandergehen, so geben stets
die mündlichen den Ausschlag. Angerechnet aber müssen die
schriftlichen Leistungen doch werden, das will ja auch B., sonst
soll man sie lieber gar nicht schreiben lassen. Wären denn die
Eltern mit dem Fortfall des Extemporales zufrieden? Ich glaube
nicht. Freilich die wöchentliche Angst vor dem Extemporale
wären sie los. Sorgsame Eltern aber — von sorglosen rede ich
nicht, denn die kennen auch keine Extemporaleangst — wären
bald in Unruhe über die Fortschritte ihres Kindes. Die Eltern
können einmal nicht in die Stunden hineinsehen, können nicht
täglich oder auch nur wöchentlich über die mündlichen Leistungen
ihrer Kinder den Lehrer befragen. Wie sollen nun die Eltern
sich ein klares Bild von dem Standpunkt ihrer Kinder verschaffen?
Sollen sie bis zum Zeugnis warten, vielleicht bis Ostern, bis das
Verhängnis eingetreten und der Junge sitzen geblieben ist? Nein,
für die Eltern ist das Extemporale sehr wichtig, es bietet ihnen
einen ziemlich zuverlässigen Maßstab für die Leistungen ihrer
Kinder. Wo aber das Mißverhältnis zwischen den mündlichen
und schriftlichen Leistungen eines Schülers auffällig groß ist, da
ist es Pflicht des Ordinarius, die Eltern beizeiten auf die Gefahr
aufmerksam zu machen und zu warnen. Die Berichte der Schüler
selber über ihre Klassenleistungen dürften doch für die Eltern
eine sehr unsichere Gewähr bieten. Einerseits ist doch für den
Schüler die Verleitung groß, eine optimistisch gefärbte Darstellung
zu geben, um einer Strafe zu entgehen. Das ist doch nur zu
menschlich. Andererseits aber lehrt die Erfahrung, daß die
Schüler über den Wert ihrer mündlichen Leistungen oft selber
im unklaren sind und die günstigste Meinung haben, ohne daß
eine böswillige Absicht vorliegt.

Also nicht bloß für den Lehrer und Schüler, auch für die
Eltern ist das Extemporale wichtig, wir dürfen aber in die Eltern-
kreise keine Unruhe hineintragen durch die Unterscheidung des
„rationellen Extemporalebetriebes" von dem „vielfach herrschenden,
der gar nicht genug bekämpft werden könne". Die Eltern können
das doch nicht beurteilen, weder, ob durch Buddes Vorschläge
der Betrieb rationeller wird, noch, ob denn die Vorschläge wirklich überall und in jedem Falle befolgt werden. Sie werden nur
bei schlechten Erfolgen ihrer Kinder zu vorschnellen und falschen
Urteilen über die Schule und ihre Einrichtungen, den Schulbetrieb
und die Lehrer sich verleiten lassen. Und damit ist der Schule
ein schlechter Dienst getan. Daß eine so notwendige Einrichtung

wie die Klassenarbeiten rationell betrieben wird, dafür muß in
erster Linie der Lehrer mit seiner Pflichttreue und dem Bewußtsein seiner schweren Verantwortung einstehen, darauf beruht seine
Autorität dem Elternhause gegenüber, und die darf nicht untergraben werden. Ferner gibt es Direktoren, Schulräte usw., deren
Aufgabe es ist, darüber zu wachen, daß alle Schuleinrichtungen,
also auch die Klassenarbeiten — und bei ihnen ist gerade die
Kontrolle am leichtesten und deshalb am schärfsten —, zweckmäßig
gehandhabt werden.

Bisher war nur von der Handhabung des Extemporales in
den unteren und mittleren Klassen die Rede, gehen wir nunmehr
über zu Buddes Ansichten über die Klassenarbeiten in den oberen
Klassen. Budde ist für Abschaffung der besonderen grammatischen
Übungen und der Extemporalien; die Extemporalien alten Stils
— gibt es für die oberen Klassen keine neuen Stils? — seien
ein „Lieblingskind des philologischen Formalismus". Die Bedeutung der formalen Bildung durch die Sprache kann B. nicht
anerkennen. Durch die Extemporalien, nach denen sich in erster
Linie die Zensur bestimme — und das ist, wie wir oben gesehen haben, nur bei dem rationell betriebenen Buddeschen Extemporale erlaubt —, seien wir zu einer bedauerlichen Vernachlässigung der Schriftstellerlektüre gekommen. Das Übersetzen sei
auch auf der Oberstufe meist ein stümperhaftes Wortübersetzen,
bei dem die Muttersprache oft in entsetzlicher Weise malträtiert
werde. Der vorwiegend grammatische Unterricht bilde ganz einseitig Gedächtnis und Verstand aus, Phantasie und Gemüt gingen
leer aus. Einen solchen Intellektualismus halte er für falsch.
Statt mit der formalen Bildung die Existenzberechtigung des altsprachlichen Unterrichts zu erweisen, solle man eine aus den
Quellen geschöpfte geschichtlich-literarisch-philosophische Bildung
übermitteln. Das sind in Kürze Buddes Ansichten. Über den
Wert der formalen Bildung will ich mit ihm nicht streiten, darüber ist Druckerschwärze genug verbraucht worden, mathematisch
läßt sich das nicht beweisen. Den Autoritätsbeweis, den er in
dem mehrfach erwähnten Schriftchen S. 19 ff. führt, hätte er freilich
unterdrücken sollen. Mit ebenso gewichtigen Autoritäten läßt
sich auch das Gegenteil beweisen. Wie mit Zahlen, so läßt sich
auch mit Namen tapfer streiten, mit Namen ein System bereiten.
Die Frage, ob grammatischer Unterricht in den oberen Klassen
und das Extemporale nötig sei, insbesondere ob das Extemporale
in dem Abiturientenexamen festgehalten werden müsse, ist in
letzter Zeit auf zwei Direktorenversammlungen eingehend behandelt worden, in Westfalen und in Ost- und Westpreußen.
Dort war weitaus die Mehrzahl der Direktoren für die Beibehaltung
des Extemporales, hier fiel die Abstimmung gegen die Beibehaltung
aus. Freilich war die Mehrheit gering, und es ist bezeichnend,
daß unter der Mehrheit — also für die Beseitigung des Extem-

porales stimmend — sämtliche 3 Schulräte und ein technischer
Hilfsarbeiter sich befanden. Auf welcher Seite die gewichtigeren
Gründe liegen, mag man selber entscheiden. Eigentümlich bleibt
aber, wenn ein Gymnasialdirektor meint, es komme nicht darauf
an, ob ein Primaner einige grammatische Regeln vergesse.
Ja, aber sie sind vielleicht zum Verständnis einer Textstelle
gerade notwendig. Sollen wir dem Raten der Schüler Vorschub
leisten? Nein, wir treiben eben Grammatik auf der Oberstufe als
Mittel zum Zweck, nämlich des leichteren Verständnisses der Lektüre. Es ist ein bedauerlicher Irrtum, wenn man meint, bei der
Lektüre käme es nur darauf an, eine Form zu erkennen. Wer
eine Form erkennen will, muß sie von anderen ähnlichen unterscheiden können, zu diesem Zwecke aber muß er diese ähnlichen
Formen bilden können oder ihr Bild muß ihm so deutlich vor
sein geistiges Auge treten, daß er die unterscheidenden Merkmale wahrnimmt. Wer das nicht kann, der kann die vorkommende
Form nicht erkennen, sondern nur raten. Dabei mögen ihn
immerhin andere Formen und Worte desselben Satzes unterstützen, ihn auf die richtige Fährte bringen. Der richtige Weg
zum Verständnis des Schriftstellers ist das keinesfalls. Es bleibt
dabei, gründliche grammatische Kenntnisse erleichtern die Lektüre,
ohne sie ist ein wirkliches Eindringen in den Schriftsteller undenkbar. Um aber die grammatischen Kenntnisse zu sichern,
bedürfen wir auch in den oberen Klassen der grammatischen
Übungen, bedürfen wir auch des Extemporales, das selbstverständlich rationell betrieben werden muß; denn von einem irrationellen
Betrieb will kein rechter Philologe etwas wissen, und wenn es
hier und da wirklich verkehrt gemacht werden sollte, so ist das
kein Grund, einer Einrichtung zur Last zu legen, was unnütze
und ungeschickte Diener gesündigt haben. Erleichtert aber und
fördert die Übung in der Grammatik die Lektüre, so ist es unrichtig, daß, wie B. behauptet, der Extemporalebetrieb zu einer
bedauerlichen Vernachlässigung der Lektüre geführt habe.

Ebenso unhaltbar ist die Behauptung, „das Übersetzen auf der
Oberstufe sei meist ein stümperhaftes Wortübersetzen, bei dem die
Muttersprache oft in entsetzlicher Weise malträtiert wird". Vor
20 Jahren mag der Vorwurf noch berechtigt gewesen sein, heute
ist er es nicht mehr, selbst dann nicht, wenn hier und da noch in
dieser Beziehung gesündigt wird. Es wird eben bei uns immer
Künstler und Handwerker geben. Nach meinen Beobachtungen
wird heute allgemein auf eine gute deutsche Übersetzung gehalten,
ebenso wie auch der deutsche Text, der dem Extemporale zugrunde gelegt wird, gutes Deutsch bietet[1]). Und nun immer wieder

---

[1]) In dieser Behauptung macht mich auch nicht irre die Erklärung des
Prof. Krüger im Abgeordnetenhause, wonach in den lateinischen Stunden
systematisch schlechtes Deutsch gesprochen werde. Leider ist dieser in

die alten Vorwürfe, noch dazu von einem Kollegen! Da ruft man
sich wirklich manchmal resigniert die Worte zu: „Weh dir, daß
du ein Enkel bist!" Weiter, wenn wir in 2 von 7 Stunden
Latein in den oberen Klassen grammatische Übungen veranstalten
und als solche alle 14 Tage eine Klassenarbeit liefern, berechtigt
das zu der Behauptung, es werde „vorwiegend" grammatischer
Unterricht betrieben und einseitig Gedächtnis und Verstand ausgebildet, Phantasie und Gemüt gingen leer aus? Nein! Denn einerseits wird das Verständnis der Schriftstellerlektüre, Einführung
in das Geistes- und Kulturleben des Altertums als Zielforderung
für den lateinischen Unterricht verlangt, darauf werden 5 Stunden
wöchentlich verwendet, für die Bildung des Gemüts und der
Phantasie also doch wohl genügend Sorge getragen. Andererseits
glaube man ja nicht, durch den grammatischen Unterricht werde
ganz einseitig Gedächtnis und Verstand geübt, ein übertriebener
„Intellektualismus" betrieben. Wäre es der Fall, so wäre das
meines Erachtens auch genug und ernstlich nichts dagegen einzuwenden, sobald als Ergänzung dazu der rationelle Betrieb der
Lektüre tritt. Aber was Budde als „Endresultat" des altsprachlichen Unterrichts verlangt: eine aus den Quellen geschöpfte geschichtlich-literarisch-philosophische Bildung, auch das leistet der
freilich nicht gedankenlos betriebene grammatische Unterricht.
Oder steckt nicht in jedem Worte Geschichte? Läßt nicht manches
Wort auf wichtige kulturgeschichtliche Zustände und Anschauungen
schließen? Lernt der Schüler nicht geschichtliche Bildung, wenn
er sich überlegen muß, ob er bei der Übersetzung das Wort
Diener mit mancipium, servus, famulus oder minister, mit
ἀνδράποδον, δοῦλος, οἰκέτης oder θεράπων wiederzugeben hat?
Darauf ist schon oft hingewiesen worden, ich muß es mir hier
versagen, ausführlicher darüber zu handeln.

Eine andere Bemerkung drängt sich mir hier auf. Die
Grammatikstunden stehen vielfach in dem Rufe, sie seien
trocken und langweilig. Matthias beehrt sie neuerdings mit
dem Titel Pauksaal. Wir werden uns dadurch nicht stören
lassen, die Regeln, wie es notwendig ist, zu üben, ohne stete
Übung geht es nun einmal nicht. Aber wir sollten uns bemühen, die schwere Kost etwas schmackhafter zumachen, und
zwar auf allen Stufen. Man wähle den Inhalt der Übungssätze
und der Klassenarbeit nicht immer aus dem klassischen Altertum! Das bedeutet wirklich kein Eindringen in die antike
Kulturwelt. Warum immer und ewig von Caesar und Alexander
reden? Dem Schüler ist es viel interessanter, wenn er von Friedrich

---

ihrer Allgemeinheit ganz ungeheuerlichen Erklärung von seiten der Kollegen
Krügers in Marienburg nicht entgegengetreten worden. Sollte Marienburg
wirklich so rückständig sein? Ich kann es nicht glauben. Vielleicht hielt
man die Behauptung einer Widerlegung nicht für wert, weil auch andere
Ausführungen Krügers sich als wenig stichhaltig erwiesen haben.

dem Großen, Napoleon und Wilhelm dem Ersten übersetzt. Das
Latein braucht darum nicht schlechter zu werden, wenn es auch
vor Matthias keine größere Gnade finden wird. Einzelsätze wie
zusammenhängende Texte lassen sich in anziehendster Weise zu-
sammenstellen. Ich verfahre so und, wie ich meine, mit gutem
Erfolge. Als ich das erste Extemporale modernen Inhalts schreiben
ließ, bemerkte ich sofort an dem Lächeln und Gesichtsausdruck
der Schüler ihr gesteigertes Interesse, von einer Extemporaleangst
war keine Rede. Bald hatte ich die Freude zu sehen, wie die
Schüler selber mit Eifer zu einer durchgesprochenen Regel Beispiele aus dem Alltagsleben und der neuen Geschichte bildeten.
Jetzt merke ich ihnen oft vor der Arbeit die Erwartung an:
„Worüber wird sie handeln? Von Blücher oder von Bismarck, von
einer Reise oder von einem Buch, das ich den Schülern empfehlen
will, von den Freiheitskriegen oder von der Kriegsgefahr, in der
wir vor 2 Jahren schwebten?" Der Zusammenhang mit dem
Altertum wird gewahrt durch passende Parallelen, wie sie sich oft
von selbst bieten, z. B. werden die Folgen von Cannae und Jena
sehr wirkungsvoll für den Schüler gegenübergestellt. Sodann nütze
man die Schätze aus, die uns die deutsche Poesie bietet! Was für
prächtige, leicht ins Lateinische übersetzbare Beispiele bietet sie!
Und welch Vergnügen macht das den Schülern! Ein paar Proben:
„Lang lebe der König! Es freue sich, wer da atmet im rosichten
Licht! — Tue recht und fürchte nichts! — O, wären wir weiter,
o, wär'n wir zu Haus! — Ehret die Frauen! (ins Griechische!)
— Wie könnt' ich dein vergessen! — Der Herr hat mein noch
nie vergessen; vergiß, mein Herz, auch seiner nicht!" usw.

Diese Quelle ist geradezu unerschöpflich. Dazu kommen die
Sprichwörter, die besonders wichtig sind für die Unterscheidung
der Relativsätze von indirekten Fragesätzen. „Wer nicht wagt,
der nicht gewinnt. — Wen Gott lieb hat, den züchtigt er. —
Wer zuviel beweist, beweist nichts. — Was du nicht willst, das
man dir tu', das füg' auch keinem andern zu" usw. Die Fülle
ist auch hier gar groß. Auch die Bibel ist reich an passenden
Beispielen jeder Art: „Fürchtet euch nicht! — Habt die Brüder
lieb, fürchtet Gott und ehret den König! (auch ins Griechische!).
— Wer da glaubet, der wird selig werden" usw.

Man versuche es einmal mit diesem Vorschlag, und man wird
bald wahrnehmen, wie vergnügt die Schüler in den sonst so langweiligen Grammatikstunden sind. Man wird es an ihren Gesichtern sehen und an dem Eifer, mit dem sie selbst bald die
bezeichneten Gebiete durchsuchen, um Beispiele zu finden. Und
dann vergesse man den Humor nicht! Den soll man suchen, ja
von allen Seiten in den Unterricht mit Gewalt hineinziehen, wo er
sich von selbst nicht einfindet. Das gibt die Stimmung, die wir benutzen müssen. Ich begann einmal in der Ober-Tertia ein griechisches Extemporale mit dem kurzen Sätzchen: „Mensch, ärgere dich

nicht!" Die sofortige Wirkung war: Lächeln auf aller Munde, die Schüler waren sofort in guter Stimmung, alle waren fröhlich, von Extemporaleangst war nichts zu bemerken, die Arbeit schritt munter fort, ich durfte auf einen guten Ausfall rechnen und habe mich nicht getäuscht.

In den oberen Klassen kann man sehr wohl Abschnitte aus deutschen Schriftstellern, besonders Historikern übersetzen lassen, dann aber besser zu Hause. Das ist früher schon geschehen und geschieht auch heute vielfach, besonders an Anstalten, auf denen die sog. Bewegungsfreiheit in der Prima durchgeführt ist, aber nicht bloß auf solchen. Die Schüler reizt es eben, ihre Kraft an solchen modernen Stoffen zu versuchen. Für solche Übersetzungen eignen sich besonders Abschnitte aus Archenholz: „Geschichte des siebenjährigen Krieges", Niebuhr: „Römische Geschichte", Schiller: „Geschichte des 30 jährigen Krieges".

Schwieriger ist Mommsens „Römische Geschichte" zu bewältigen, und zu Bismarcks oder Bülows Reden würde ich nur einem hervorragend begabten und gewandten Primaner raten. Dagegen bietet das Lesebuch oft recht brauchbare Unterlagen für die Übersetzung, z. B. Friedrichs des Großen Ansprache an die Offiziere vor der Schlacht bei Leuthen, die ich einmal in 2 Absätzen von einer Unter-Sekunda mit ganz geringen von mir vorgenommenen Änderungen übersetzen ließ. Wenn wir so die grammatischen Übungen und Klassenarbeiten handhaben, dann können wir sicher sein, daß die Schüler ihre Freude daran haben und daß sie nach ihrem Abgang von der Schule an diese Übungen mit Freude und nicht mit Unlust zurückdenken. Was einem Freude macht, pflegt einem auch besser zu gelingen. Aber es wird auch dann noch mißlungene Arbeiten geben. Soweit indes meine Erfahrungen und Beobachtungen reichen, fällt es keinem Lehrer ein, die Fähigkeiten und Leistungen eines Primaners nach den Extemporalien allein zu beurteilen. B. scheint andere Erfahrungen gemacht zu haben und erklärt sich aus der einseitigen Beurteilung der Schüler nach den Extemporalien die sog. Schulverdrossenheit, die er wie andere beobachtet haben will.

Die Schulverdrossenheit! Das ist nun auch wieder so ein häßliches Schlagwort, das man im Munde führt, wo man es brauchen zu können meint. Ich habe es öfter gelesen und mich immer darüber geärgert, weil es fast stets tendenziös angewandt wird, weil es fast immer gebraucht wird, eine Neuerung zu empfehlen, die gegen das vermeintliche Übel ein Heilmittel sein soll. Existiert sie denn? B. beruft sich im Schlußwort seiner Schrift S. 54 auf Paulsens Aufsatz in der „Monatschrift für höhere Schulen". Da heißt es: „Man braucht nicht jeden Ausbruch unkontrollierbarer Stimmung auf einem Abiturientenkommers allzu tragisch zu nehmen, aber man kann sich nicht verhehlen, daß der Abschied von der Schule mit sehr anderen Gefühlen gefeiert wird als der von der Universität; dankbare Anhänglichkeit an einzelne Lehrer ist nicht

selten, aber Anhänglichkeit an sein Gymnasium, wie sie der
Amerikaner seinem College lebenslang zu bewahren pflegt, gehört
beim Deutschen zu den seltensten Erscheinungen". B. fügt hinzu, die von Paulsen erwähnte Erscheinung sei leider unbestreitbar. Auf Grund meiner eigenen Empfindungen und Erfahrungen
mit den Abiturienten meines Gymnasiums sowie auf Grund der
Erfahrungen, die ich mit meinen Schülern gemacht habe, muß ich
das bestreiten. Ich muß davon Zeugnis ablegen, und ich glaube,
es werden mir viele zustimmen. Ich habe mehrere Universitäten
besucht; wo auch immer ich hinkam, den ersten Anhang fand
ich an Kommilitonen meines Gymnasiums. Sie gehörten verschiedenen Semestern an, verschiedenen Fakultäten, und doch
fanden wir uns zusammen, gern und oft, und das einigende Band
so verschiedenartiger Elemente bildete unser Gymnasium. Da
wurden Freundschaften geknüpft, die auf der Schule gar nicht
bestanden hatten, und sie hielten Stich im Leben, und in Briefen,
die wir austauschen, bildet noch immer den Mittelpunkt des Interesses unser Gymnasium. Das habe ich von Abiturienten anderer
Anstalten ähnlich erfahren. Auf der Universität haben sie vielfach
ihre besonderen Abende, an denen sich alle oder doch die meisten
zusammenfinden, so verschieden sonst ihre Interessen sein mögen;
selbst wenn sie Verbindungen mit entgegengesetzten Prinzipien
angehören, finden sie sich da zusammen in dankbarer Erinnerung
an ihr altes Gymnasium und die gemeinsam verlebte Schulzeit.
Soll das jetzt anders geworden sein?

Durch meine Hände ist eine stattliche Anzahl von Abiturienten gegangen. Viele habe ich aus dem Gesichtskreis verloren. Einige aber schreiben wohl hin und wieder eine Karte,
andere, die am Orte sind, besuchen mich und andere ihrer
früheren Lehrer. Wir sind auch gern mit ihnen einen Abend
zusammen und erfahren durch sie von andern, die uns weiter
entrückt sind. Das ist nicht bloß die oben erwähnte Anhänglichkeit an einzelne Lehrer, wie ich unauffällig durch vorsichtige Erkundigungen festgestellt zu haben glaube, es ist die
Anhänglichkeit an das Gymnasium, das die jungen Leute besucht
haben, ja noch mehr, es ist die Dankbarkeit gegenüber der gymnasialen Bildung, die sie genossen. Wohl ist hie und da einer,
der manches in seiner Bildung vermißt, was er nach seiner
Meinung auf der Schule gelernt haben müßte. Aber das sind
nur wenige, die meisten haben eingesehen, daß keine Schule eine
völlig abgeschlossene Bildung vermitteln kann und daß die Verschiedenartigkeit der Neigungen zu groß ist. Bei manchen meiner
früheren Abiturienten habe ich mit Freuden gesehen, wie sie gelegentlich in Debatten untereinander mit einer geradezu wohl-
tuenden Wärme für die gymnasiale Bildung eintraten, und es
waren nicht solche nur, die sich dem Studium der Philologie gewidmet hatten, sondern Juristen, Mediziner u. a. Und doch haben
sie alle den Abgang von der Schule mit ganz andern Gefühlen

gefeiert, als sie den von der Universität feiern werden oder schon
gefeiert haben! Wen wird das wundernehmen? Der Abiturient
verläßt den Zwang der Schule, um die goldene Freiheit zu ge-
genießen; das alte Haus, das sein Examen „gebaut hat", verläßt
der Freiheit geheiligtes Land, um mit gesenktem Blick in das
Philisterland zurückzuziehen, um sich von nun an dem Zwang
der Pflichten 'des Standes und des Dienstes zu unterwerfen. Erklärt das nicht genug? Ist das ferner nur bei Gymnasialabiturienten
der Fall? Paulsen spricht nur schlechthin von dem Gymnasium
und B. desgleichen. Freuen sich etwa die Abiturienten des Realgymnasiums und der Ober-Realschule weniger beim Abschied von
der Schule, mehr beim Abgang von der Universität? Ist hier auch
wieder bloß das böse Gymnasium schuld? Die Sache liegt doch
wohl anders. Selbst der 14jährige Schüler der Elementarschule,
der die Schule verläßt, ist froh den Zwang los zu sein, und zeigt
wohl gar seine Nichtachtung dem Lehrer, um später, in reiferen
Jahren, nicht selten zu der Erkenntnis zu kommen, wieviel er
der Schule verdankt. Mancher hat schon später seinem Lehrer
reuevoll seine Ungezogenheiten abgebeten. Wieviel mehr müssen
sich 18, 19, 20jährige junge Leute freuen, wenn sie die lästige
Fessel der Schule los werden! Und in dem Freiheitstaumel fällt
wohl einmal ein unbedachtes Wort, wird wohl einmal ein
unüberlegtes Urteil gesprochen, das nicht gleich auf die Goldwage
gelegt werden darf. Auch der Soldat, der 2, 3 Jahre dienen muß,
schilt über den strengen Dienst und zählt die Tage bis zur Entlassung, wenn aber die Zeit um ist, so ist jeder — das ist doch
eine allgemeine Erfahrung — stolz auf seine Dienstzeit, stolz auf
sein Regiment, dem er angehört hat, weil er das mehr oder
minder klare Gefühl hat, daß ihm diese Zeit eine unersetzliche
Schule gewesen ist.

   Genug, wir sehen, die eben erwähnte Erscheinung erklärt
sich ganz natürlich. B. freilich sucht nach einer andern Erklärung und findet sie darin, „daß die Abiturienten das wenn auch
unklare Gefühl haben, daß sie in ihrer geistigen Eigenart während
ihrer Schulzeit nicht richtig erkannt, daß ihre wirklichen Fähigkeiten und Kenntnisse nicht richtig beurteilt worden sind. Dies
Gefühl ist nicht zum geringsten Teil dadurch hervorgerufen, daß
man sie als Schüler zu sehr nach ihren Extemporalien beurteilt
hat[1]), die, wie man bei unbefangener Beurteilung zugeben muß,
bis jetzt als höchst zweifelhafte Gradmesser der Intelligenz des
Schülers anzusehen sind. Die Schüler haben die Empfindung, daß

---

[1]) Die „Extemporalenot" war doch früher unstreitig größer als heute,
und so müßte man eigentlich folgern, früher sei die Schulverdrossenheit
größer gewesen. Engel dagegen meint in seinem Aufsatz in der Rheinisch-
Westfälischen Zeitung vom 25. August v. J., „die heutige Jugend der höhern
Lehranstalten habe lange nicht mehr die Lust an der Schule als wir Alten
sie meist in unserer Jugend gehabt hätten". Die Schuld sucht er in dem
Bureaukratismus. Vgl. Matthias a. a. O.

sie in diesen Arbeiten, nach denen fast ausschließlich ihre Leistungen und Fähigkeiten eingeschätzt werden, ihre wirkliche geistige Kraft gar nicht zeigen können". Setzt sich B. hier nicht mit sich selber in einen unlösbaren Widerspruch? Wenn die Extemporalien wirklich ein so zweifelhafter Gradmesser für die Intelligenz der Schüler sind, sollte man sie ganz abschaffen, auch für die Mittelklassen. Denn Buddes Reform der Klassenarbeiten leistet nicht das, was sie leisten soll. Trotzdem behauptet er: „Wenn die Klassenarbeiten in der von mir vorgeschlagenen Weise angefertigt werden, dann darf man sie ganz sicher bei der Quartalszensur als gleichwertig mit den andern Leistungen in Anrechnung bringen, dann gewähren sie dem Gesamturteil eine nicht zu unterschätzende Unterlage"[1]). Auch die reformierten Klassenarbeiten „dürfen für das Zeugnis nicht allein ausschlaggebend sein, sondern nur als gleichwertiger Faktor zu den mündlichen Leistungen hinzutreten". Für seine reformierten Arbeiten nimmt also B. eine Bedeutung und Geltung in Anspruch, die er den Extemporalien „der gewöhnlichen Sorte" nicht zukommen lassen will. Mit welchem Rechte, wenn seine Reform, wie oben gezeigt, für die Mittelklassen so wenig bedeutet? Das Urteil ganz ausschließlich auf die Klassenarbeiten zu stützen[2]), ist allerdings ein Fehler, den heute niemand mehr entschuldigen wird, wenn er noch hie und da gemacht wird. „Brauch" ist er heute keineswegs mehr, und bei Buddes reformierten Arbeiten kann er ebenso gemacht werden. Besonders in den oberen Klassen wird heute niemand mehr den Schüler lediglich nach den Extemporalien beurteilen. Es werden neben den sog. Extemporalien schon längst auch Herübersetzungen angefertigt, vierteljährlich mindestens eine, es wird großer Wert auf das sog. Extemporieren gelegt, und im Abiturientenexamen wird — das wissen die Schüler alle — das Gesamturteil nicht bloß nach dem Skriptum, sondern auch, und zwar hauptsächlich, nach der Fähigkeit beurteilt, eine leichte Stelle aus einem Schriftsteller zu übersetzen. Wie kann man da behaupten, die Schüler hätten das Gefühl, sie würden zu sehr nach ihren Extemporalien beurteilt!

Nun sollen die Schüler aber auch „das wenn auch unklare Gefühl haben, daß sie in ihrer geistigen Eigenart auf der Schule nicht erkannt seien". Gut, daß zugegeben wird, das Gefühl sei unklar! Es wird ihnen mehr untergeschoben, als daß es wirklich vorhanden ist. Jedenfalls merkt man hier gleich die Absicht, nämlich für die sog. Bewegungsfreiheit einzutreten. Es liegt mir

---

[1]) Vgl. dazu Budde a. a. O. S. 54: „Doch wird ein Urteil, das aus solchen Arbeiten in Verbindung mit den mündlichen Leistungen gewonnen wird, einer objektiven Würdigung der wirklichen Kenntnisse der Schüler so nahe kommen, als es eben menschenmöglich ist, und ultra posse nemo obligatur".

[2]) Die Lehrpläne verbieten es ausdrücklich. In den „Allgemeinen Bemerkungen" unter Nr. 6 heißt es: „Mit aller Entschiedenheit ist einer einseitigen Wertschätzung des sog. Extemporales entgegenzutreten". Vgl. dazu: Monatschrift für höhere Schulen. VI. Jahrgang S. 645.

ganz fern, hier eine Frage zu erörtern, über die adhuc sub iudice
lis est und die voraussichtlich noch lange nicht spruchreif sein
wird. Es gehört sicherlich zu den Aufgaben des Lehrers und
Erziehers, seine Schüler in ihrer Eigenart zu erkennen und dementsprechend zu fördern, zumal in den oberen Klassen, es ist
sogar die schwerste Aufgabe, die uns gestellt ist; aber es fragt
sich sehr, ob die Lösung erleichtert wird durch die Scheidung
einer sprachlich-historischen und mathematisch-naturwissenschaftlichen Abteilung in Prima [1]), für die auch B. in der erwähnten
Tagnummer eintritt. Die individuellen Anlagen und Neigungen
der Schüler gehen doch viel weiter auseinander, sind eingestandener-
maßen viel mannigfaltiger, als daß jene einmalige Spaltung
genügte. Es müßte noch weiter geteilt werden. Das würde
aber eine Änderung der Schulorganisation von unberechenbarer
Tragweite im Gefolge haben, Schwierigkeiten aller Art wären zu
überwinden, ehe sie allgemein durchgeführt werden könnte. Dabei bleibt noch zu erwägen — darauf hat schon der Stadtschul-
rat von Berlin, Michaelis, in seiner bekannten Rede im Berliner
Gymnasiallehrerverein hingewiesen —, ob bei dieser Art der Bewegungsfreiheit ein Plus herauskommt oder nicht. Die Antwort
muß über die Berechtigung des Verfahrens entscheiden. Was bis
jetzt darüber bekannt geworden, berechtigt keineswegs zu der
Behauptung, der eingeschlagene Weg sei der allein richtige. Es
geht auch anders. Man kann der individuellen Beanlagung der
Schüler auch Rechnung tragen, ohne jene scharfe Scheidung in
die beiden getrennten Sektionen eintreten zu lassen [2]). Man braucht
noch kein Gegner der Reform zu sein, wenn man erst sehen
will, ehe man glaubt. B. freilich zieht gleich das schwerste Geschütz auf und droht denen, die vorsichtig abwarten wollen, zum
Schluß seines Aufsatzes in der Tagnummer: „Es will mir scheinen,
daß diejenige pädagogische Orthodoxie, die keinerlei Änderung der
Tradition in dem Unterrichtsbetrieb der höheren Knabenschulen
zulassen will, unbewußt der extremen Richtung in der modernen
Pädagogik, deren Vertreter am liebsten mit Feuer und Schwert
besonders das Gymnasium ausrotten möchten, Wasser auf die
Mühle liefert. Die starre, jeglicher Neuerung und jedem gesunden
Fortschritt abholde Reaktion hat, wie die Geschichte lehrt, auf
allen Gebieten des menschlichen Geisteslebens noch stets wider
ihren Willen revolutionären Bestrebungen Vorspanndienste geleistet". Ist das nicht stark übertrieben? Wenn man sich einer

---

[1]) Wie es in Straßburg in Westpreußen geschieht. Vgl. das Progr.
von Straßburg 1907 mit dem Bericht des Direktors Dr. Gaede über den
Betrieb während zweier Jahre.

[2]) So macht es Gronau in Elbing; vgl. Progr. Elbing Gymn. 1907. So
hat es schon seit Jahrzehnten Uhlig gemacht; vgl. Humanistisches Gymnasium
1907, Heft V. Eine nützliche und übersichtliche Zusammenstellung solcher
und ähnlicher Versuche gibt jetzt Nath in der Monatschrift für höhere
Schulen 1908 S. 34 ff.

vorgeschlagenen Neuerung gegenüber abwartend verhält, nicht einmal ablehnend, wenn man erst die Bewährung in einer längeren Praxis abwarten will, verdient man da gleich den Vorwurf, man sei ein jedem gesunden Fortschritt abholder Reaktionär? Und das in einer Tageszeitung vor breitester Öffentlichkeit! Wollen wir denn keinerlei Änderung der Tradition im Gymnasialunterricht zulassen? Wer die letzten 20 Jahre überschaut, muß doch zugeben, daß von starrem Festhalten am Alten, an der Tradition doch keine Rede sein kann. Wie vieles hat sich seitdem im Lehrplan und Lehrbetrieb des Gymnasiums geändert! Und weiter sind wir auch gekommen, das kann nicht geleugnet werden, nicht bloß im Betrieb des Französischen, der Mathematik, der Naturwissenschaften und der Geschichte, sondern auch in den alten Sprachen[1], z. B. in der Sichtung des grammatischen Stoffes, in der methodischen Behandlung, im Gebrauch der deutschen Sprache bei Hin- und Herübersetzungen. Das ist mir schon lange klar gewesen, ich brauche nur meine Schulzeit mit dem jetzigen Betrieb zu vergleichen. Das ist mir noch klarer geworden durch die Lektüre von Buddes Schrift. Ist doch die von ihm verlangte Reform im wesentlichen schon durchgeführt, mit Ausnahme der Forderung, in den oberen Klassen die Extemporalien ganz zu beseitigen. Vieles von dem, was er rügt, trifft heute gar nicht mehr zu. Das war vor 20 Jahren so. Und wenn einem die alten Sünden nun immer wieder zugerechnet werden, so ist das wahrlich keine Ermutigung. Experimentiert wird heutzutage genug, ja zu viel am Gymnasium, und, wer nicht alle Experimente mitmacht, dem kann man nicht vorwerfen, er helfe unbewußt das Gymnasium ausrotten. Vielleicht schadet das übermäßige Experimentieren mehr als vorsichtige Zurückhaltung. Sollte sich die Bewegungsfreiheit in der angegebenen Weise bewähren, so bin ich nicht der letzte, der für sie eintreten wird, und viele weiß ich mit mir eines Sinnes. Wir nehmen aber das Recht für uns in Anspruch, alles erst zu prüfen, ehe wir das Beste behalten. Damit glauben wir dem Gymnasium, um dessen Bestand wir kämpfen, einen ebenso großen Dienst zu tun wie die Reformer.

Charlottenburg[2]). Paul Tietz.

---

[1] Hierher gehört auch der Versuch, den griechischen Unterrichte nicht auf grammatischer Methode aufzubauen, sondern auf Grundlage der Lektüre, und zwar einer einer zusammenhängenden Lektüre. So geschieht es in Hannover auf Grund von Homers Odysee mit Benutzung von Hornemanns dazu verfaßter Grammatik. Die meisten andern Versuche stützen sich auf Xenophons Anabasis und benutzen jetzt die sog. Xenophon-Grammatik von Przygode-Engelmann. Über die Vorzüge dieser Methode vgl. Lehrproben u. Lehrgänge 1907, XCIII.

[2] Vorstehender Aufsatz ist um Weihnachten 1907 in Graudenz entstanden, vor meiner Übersiedelung nach Charlottenburg zu Ostern 1908 und vor dem Erscheinen von Buddes neuer Schrift: „Mehr Freude an der Schule", die also hier nicht Berücksichtigung finden konnte.

ZWEITE ABTEILUNG.

LITERARISCHE BERICHTE.

Julius Reinhard Dieterich und Karl Bader, Beiträge zur Geschichte der Universitäten Mainz und Gießen. Herausgegeben im Auftrage des Historischen Vereins für das Großherzogtum Hessen. Gießen 1907, in Kommission der Verlagsbuchhandlung von Emil Roth. (Zugleich V. Band der Neuen Folge des Archivs für hessische Geschichte und Altertumskunde.) VIII und 532 S. 8. 5 *M.*

Es ist eine reiche Gabe, die hier der Historische Verein für das Großherzogtum Hessen der Alma Mater Ludoviciana zu ihrer dritten Jahrhundertfeier darbringt. Nicht weniger als 13 verschiedene Arbeiten (an denen die Herausgeber mit je einem Beitrage beteiligt sind), fünf auf die Geschichte der einstigen Universität Mainz, acht auf die der Universität Gießen bezüglich, ungleich an Bedeutung und Umfang, aber alle mit Dank entgegenzunehmen, sind hier zu einem stattlichen, hübsch ausgestatteten Bande vereinigt.

1. **Gustav Bauch-Breslau, Aus der Geschichte des Mainzer Humanismus** (S. 3—86). Die Betrachtung erstreckt sich auf die Zeit des 16. Jahrhunderts, wo die noch junge Universität, von Dietrich II. von Isenburg 1477 gegründet, als eine Spezialhochschule für Juristen und Humanisten („Poeten") galt. Jurisprudenz war in jenen Zeiten für die höheren Geistlichen notwendig, weil sie, bei weltlichem Besitz, auch in Verwaltungsgeschäften bewandert sein mußten. Dietrich hatte daher für beide Zweige des Rechts von Anfang an gesorgt, ohne Theologie und Philosophie zu vernachlässigen. Der erste Mainzer Humanist war indessen nicht ein Jurist, sondern ein Mediziner: Dr. Dietrich Gresemund der Ältere, „der Ahnherr des Mainzer Humanismus"; eine fortlaufende Reihe beginnt dann sein gleichnamiger Sohn († Okt. 1512), dem vom Verfasser eine besonders eingehende Betrachtung gewidmet ist. Kurz nach ihm vollzieht sich die Vereinigung von Poetik und Jus (*studium humanitatis*), und die obrigkeitliche Fürsorge des Erzbischofs Berthold von Henneberg, angeregt durch Joh. Rhagius von Sommerfeld (daher Aesticampianus; später in Frankfurt a. O. und Leipzig), gewinnt der Universität Mainz in

der Sache des Humanismus einen Vorsprung vor allen Universitäten
Deutschlands. So treten uns in Mainz oder in Beziehung zur
Universität eine Reihe hervorragender Humanisten entgegen, wie
Johannes Trithemius, Konrad Celtis, Cuspinianus, Canter, be-
sonders Johann Reuchlin und Johann Huttichius. Verf. vermag auch
die oft übersehene erfreuliche Tatsache festzustellen, daß die
Humanisten am Rhein, in Mainz wie in Heidelberg und Straßburg,
keineswegs weltfern und ohne jede Fühlung mit der Masse des
Volks ihre Studien betrieben, sondern daß sie, von patriotischen,
pädagogischen und moralischen Gesichtspunkten geleitet, positive
Früchte aus dem Studium des Altertums auch andern, die der
lateinischen Sprache nicht mächtig waren, zugänglich machen
wollten; wie denn einer der bedeutendsten Mainzer, Bernhard
Schoefferlin aus Eßlingen, ausdrücklich erklärt, daß er sich vorgenommen habe, „dem gemeinen nutz zu gut, zu lob und eer
tütscher nation zu beschriben die rechten waren roemischen
hystorien", daß er auch „der tütschen manheit und tugend nit
vergessen sondern ordentlich beschriben wil"; „wan ich fynd so-
vil manheit und ritterlichs werben von inen beschriben, das sie
in dem für alle nation gelobt syen". In der der ersten Ausgabe
seiner römischen Geschichte (1505) vorgedruckten Widmung an
Kaiser Maximilian I. steht das bedeutsamste Zeugnis für die
Erfindung der Buchdruckerkunst durch Johannes Gutenberg in
Mainz, das Zeugnis, durch das er das unanfechtbare Denkmal für
die Verdienste der Deutschen um die Menschheit aufgerichtet hat
(zugleich mit seinem Zeitgenossen Wittich). — So gibt die Abhandlung aus der Feder eines in der Geschichte des Humanismus
rühmlich bekannten Forschers ein farbenreiches Bild von der Bewegung des Humanismus in einem seiner bedeutendsten Mittelpunkte um die Wende und in der ersten Hälfte des 16. Jahrhunderts und einen wertvollen Beitrag zur Geschichte der Universität
Mainz in ihren Anfängen.

2. Ein kürzerer Aufsatz (S. 87—93) von Franz Falk-
Klein Winternheim, Jakob Welder, der erste Rektor der
Mainzer Hochschule, bringt alles, was über diesen seiner Zeit
wohl bedeutenden Gelehrten und Redner, der, aus Siegen
stammend, 1478—80 das Rektorat führte und 1483 starb, aus-
fiadig zu machen ist, ohne daß freilich ein festes Bild gewonnen wird.

3. Fritz Herrmann-Darmstadt, Die Mainzer Bursen
„Zum Algesheimer" und „Zum Schenkenberg" und ihre
Statuten (S. 94—124). Die die zweite Hälfte des 15. Jahrhunderts beherrschenden Gegensätze des Nominalismus und Realismus machten sich auch in der Universität Mainz geltend, seitdem
um 1450 die von Paris ausgehende sogenannte via antiqua in die
seither rein nominalistischen Universitäten Südwestdeutschlands
eingedrungen waren und in den drei im 8. Jahrzehnt des Jahr-

25*

hunderts gegründeten Universitäten Ingolstadt, Tübingen und Mainz
bereits bei ihrer Gründung Aufnahme gefunden hatte. Um zu
verhüten, daß die der philosophischen oder Artistenfakultät an-
gehörenden Studenten den Streit des Geistes in die Wohnungen
und auf das persönliche Gebiet übertrugen, wurden die Studenten
je nach ihrer Richtung in verschiedenen Bursen untergebracht, in
den beiden Häusern „Zum Algesheimer" und „Zum Schenkenberg", jenes für die moderni, dieses für die antiqui bestimmt;
jedes beherbergte auch einen Teil der Magister der einzelnen
Richtung. Die Burse „Zum Algesheimer" wurde 1562 aufgehoben,
während die „Zum Schenkenberg" bis zur Aufhebung der Universität, wenn auch nicht in demselben Gebäude, bestand. Von
allgemeinem Interesse — und dadurch ist diese Abhandlung mit
ihren Beigaben, nämlich dem vollständigen Abdruck der Antiquissima
statuta bursalia domorum Schenkenbergicae et Algesheimensis als
besonders wertvoll zu betrachten — sind die Mitteilungen über
die Verfassung der Bursen. Denn die für die beiden Häuser erlassenen Statuta bursalia stehen in ihrer Ausführlichkeit wohl
einzig unter den Bursenstatuten von deutschen Hochschulen da
und sind als eine vorzügliche Quelle für die Kenntnis des studentischen Lebens im Anfange der Neuzeit zu betrachten.

4. Heinrich Schrohe-Mainz hat in einem Aufsatze: Die
Wiederbesetzung erledigter Professuren (S. 125—164)
die sämtlichen auf die Besetzung erledigter Professuren bezüglichen
Aktenstücke von 1559—1679 verwertet und veröffentlicht. In
der hier behandelten Zeit hat die Universität wie an andern Hochschulen bei Neubesetzungen Mitwirkung, aber oft beanspruchten
die Kurfürsten das Verfügungsrecht, oft begegnen Verwahrungen
der Universität gegen Eingriffe. Es ist bezeichnend, daß die
meisten Professoren ihre Bewerbungsgesuche an den Kurfürsten
richteten. Auch über die Persönlichkeiten geben die Urkunden Auskunft, und hier ist bemerkenswert, daß die Juristen meist aus
Stellungen der praktischen Tätigkeit kommen. Die Urkunden,
30 an der Zahl, bringen Bewerbungsgesuche, Entscheide der Kurfürsten, Schreiben der Universität, auch eine Bitte an einen kurfürstlichen Kammerdiener.

5. Wilhelm Stieda-Leipzig, Wie man im 18. Jahrhundert an der Universität Mainz für die Ausbildung
von Professoren der Kameralwissenschaft sorgte (S. 165
—216). Im Jahre 1781 wurde die in Verfall geratene Universität
von Kurfürst Karl Josef von Erthal mit den Gütern von drei aufgehobenen Klöstern begabt und bekam dadurch reiche Mittel in
die Hand. Damals war es, wo man zwei junge Gelehrte aussersah,
um als Nachfolger eines alten, hochbewährten Kameralisten ausgebildet zu werden: Franz Karl Spoor und Georg Adam Schleen-
stein, die nun, im Auftrage des Kurfürsten und der Universität,
in den verschiedenen Fächern, auch den Hilfswissenschaften,

theoretisch und praktisch sich vervollkommnen sollen, um nachher Lehrstühle einzunehmen. 1784 werden beide auf Reisen geschickt (April bis Oktober), um in verschiedenen Gegenden Deutschlands Beobachtungen über Ackerbau und Industrie anzustellen, auch auf anderen Hochschulen Erfahrungen zu sammeln. Über diese Reise wird von ihnen eingehend und oft recht interessant schriftlicher Bericht erstattet. Im folgenden Jahre wird ihnen, da sie sich als Privatdozenten bewährt hatten, eine zweite Reise aufgetragen. Die Anlagen enthalten Instruktionen für die beiden jungen Gelehrten, die Berichte von diesen, auch über kleinere wissenschaftliche Ausflüge, namentlich aber über die oben angegebene größere Reise von 1784. In diesen Mitteilungen ist viel kulturgeschichtliches Material niedergelegt über die Zustände gegen Ende des 18. Jahrhunderts, und hierdurch erhält auch diese Schrift Wert über den Rahmen der Sonderuntersuchung hinaus.

6. Gustav Freiherr Schenk zu Schweinsberg-Darmstadt, Alt-Gießen (S. 219—254). Der Verf. berichtet über die Anfänge von Gießen, dessen zum ersten Male in einer Urkunde vom Jahre 1248 Erwähnung getan wird. Aus den in dieser Urkunde berührten oder erkennbaren Umständen ergibt sich, daß in jenem Jahre die Gründung der Stadt bereits ihren Abschluß gefunden hatte. Älter ist die Burg Gießen, die, ursprünglich im Besitze der Grafen von Tübingen, 1264 oder 65 an Landgraf Heinrich, Herrn von Hessen, veräußert wurde. Die Forschung nach dem Alter der Burg führt den Verf. auch zur Feststellung von dem der Burg Gleiberg bei Gießen. In Gießen selbst geht er der Lage und den Resten der Grafenburg nach, der inneren Burg, dem Zwinger, der zweiten Burg, der ältesten Stadtmauer, wozu ein anschaulicher Plan beigegeben ist. Von besonderem Wert sind auch bei dieser Abhandlung die drei urkundlichen Beilagen und die Siegeltafel. Ein kurzer Anhang bringt eine in Kupfer gestochene Ansicht der Stadt aus dem Jahre 1612 mit Beschreibung.

7. Manche neue Einzelheiten bringt Wilhelm Diehl-Hirschhorn in seiner eingehenden Abhandlung (S. 255—326) „Neue Beiträge zur Geschichte von Joh. Balth. Schuppins in der zweiten Periode seiner Marburger Professorentätigkeit 1639—1646“. Er will zu den Arbeiten W. Nebels (Briefwechsel usw. 1890) und W. M. Beckers („Aus Joh. Balth. Schupps Marburger Tagen“ im I. Bde. der „Beiträge zur hessischen Schul- und Universitätsgeschichte“) Ergänzungen geben; seine Schrift bezieht sich daher auf die Zeit, die zwischen den von jenen beiden Forschern behandelten Perioden liegt. Sie hebt an mit dem Zeitpunkte, wo der von Becker herausgegebene Briefwechsel Schupps mit dem Ulmer Superintendenten Konrad Dieterich infolge seines im März 1639 erfolgten Todes abbricht, und erstreckt sich bis zu Schupps Braubacher Zeit, von der Nebels Studie ihren

Ausgang nimmt. Drei Ereignisse sind es, die in dieser Zeit in Schupps Tätigkeit bedeutsam eingreifen: der Auftrag des Landgrafen Georgs IV. im Jahre 1639, eine Geschichte Ludwigs V. und Georgs II. bis zur Gegenwart zu bearbeiten, ein Plan, zu dem der dann in Ungnade gefallene Kanzler Wolff von Totenwart den Landgrafen zu bestimmen gewußt hatte; sodann sein Prorektorat im Jahre 1643 und endlich — was ihm den Aufenthalt in Marburg verleidete — seine wachsende finanzielle Not und die 1645 wegen einiger unwesentlicher kirchlicher Neuerungen gegen ihn geführte Disziplinaruntersuchung. Letztere Umstände waren es, die das geplante Opus historicum nicht zur Ausführung kommen ließen und ihn auch veranlaßten, sich von Marburg fortzubemühen: in den letzten Tagen des Jahres 1645 übernahm er die Stelle eines Hofpredigers bei dem Landgrafen Johann von Hessen-Braubach. — Die letzte Periode von Schupps Marburger Zeit ist durch diese Untersuchung völlig erhellt. Die 27 Anlagen, Schreiben, Memoriale, auch Dichtungen Schupps (in deutscher Sprache, die er in Marburg mehr zu pflegen begann) ergänzen in willkommener Weise das historische und literarische Material über den bedeutenden Mann.

8. Wilhelm Martin Becker-Darmstadt, Zur Geschichte des Pennalismus in Marburg und Gießen (S. 327—355) bringt Beiträge zu der für die Kulturgeschichtschreibung so wichtigen Kenntnis des akademischen Lebens, wobei erhellt, daß bei aller Gleichheit im großen und ganzen die einzelnen Hochschulen für sich individuelle Züge tragen. Die hier behandelten Zustände betreffen die Zeit von etwa 1625—1665 und zeigen manche arge Auswüchse des studentischen Lebens, gegen die die akademischen Behörden so gut wie machtlos waren, die aber sogar eine Art Universitätskartell zwischen verschiedenen Hochschulen zustande brachten. Sehr lehrreich sind die beiden beigegebenen Urkunden, die Pennalgesetze, eine Art Fuchskomment, in scheinbar juristischer Form gehalten und bitter ernst gemeint, in denen die für die jüngeren Pennäler geltenden Regeln von den älteren festgestellt werden.

9. Ludwig Voltz-Darmstadt, Zwei Hessen-Homburgische Prinzen als Gießener Studenten (S. 356—374) bringt einen hübschen kleinen Beitrag zur Geschichte der Gießener Ludoviciana. Es sind die beiden Söhne des Landgrafen Friedrich III. von Hessen-Homburg, um die sich's handelt, die 1722—1723 (im ganzen neun Monate) die Hochschule besuchten, begleitet von dem Juristen Christ. Gottl. Passern, während die Oberaufsicht der Erziehung in den Händen eines landgräflichen Oberamtmannes lag. Wir erfahren die Lebensweise der Prinzen, ihre Teilnahme an den Kollegien, vielfache ihnen zuteil gewordene Ehren, die für sie gemachten Ausgaben, kurz, wir erhalten einen Einblick in die gesamte Lebensführung. Die Prinzen stiegen später in Rußland

zu hohen Ehren, doch raffte beide der Tod in frühen Jahren
hinweg.

10. Karl Bader-Darmstadt, Von tödlichem Ableben
und solenner Beerdigung Rectoris Magnifici (S. 375—389)
bringt einige für Landes- und Ortsgeschichte nicht uninteressante
Züge aus der Mitte des 18. Jahrhunderts, die ein mitunter ergötzliches Bild des kleinstädtischen Lebens zeigen, wo die klein-
lichsten Dinge, wie Rangstreitigkeiten über die Reihenfolge im
Leichenzuge u. dgl., mit vollem und bitterem Ernste behandelt
werden.

11. Erwin Preuschen-Darmstadt, Symbola. Aus
alten Gießener Stammbüchern (S. 390—405). Aus ihnen
empfängt die Geschichte der Entwicklung der studentischen Orden
und Landsmannschaften in erster Linie ihr Licht; aber da sie
auch von Professoren und anderen hochstehenden Persönlichkeiten
ihren Inhalt bekommen, so lassen sie überhaupt erkennen, welcher
Geist im Wechsel der Zeiten auf der Hochschule herrschend gewesen
ist, — der genius loci kommt darin zum Ausdruck. Und so erhalten auch unscheinbare Dokumente wie die hier zusammengestellten ihren Wert.

12. Das Leben des Mannes, der am 23. Juni 1820 die
hessische Verfassungsurkunde gegenzeichnete, wird von Karl
Esselborn-Darmstadt bis zu dem Zeitpunkte dargestellt, wo
er als verantwortlicher Minister die Geschicke seines Vaterlandes
zu leiten begann, in einem Aufsatze: Karl Ludwig Wilhelm
von Grolman in Gießen (S. 406—461). Ihn verbanden gemeinsame strafrechtliche Studien und enge Freundschaft mit Paul
Johann Anselm Feuerbach. Als Professor der Rechtswissenschaft
und als Oberappellationsgerichts-Präsident hat er namentlich in
der Zeit der Einführung des Code Napoléon eine weitgehende
und erfolgreiche Tätigkeit, auch schriftstellerisch, entfaltet, bis er
1819 Gießen verließ, um in Darmstadt das Ministerium zu übernehmen.

13. Ein anderer Gießener Professor als hessischer
Staatsmann wird von Julius Reinhard Dieterich-Darmstadt in dem letzten Aufsatze (S. 462—514) behandelt: Christian
Hartmann Samuel Gatzert, ein Sachse von Geburt. Dieser,
Professor der Rechte in Gießen, wurde am 22. Februar 1782
zum Wirklichen Geheimen Rat ernannt und als Kabinettsminister
nach Darmstadt berufen. In dieser Stellung hat er den Landgrafen Ludwig IX., einen leidenschaftlichen Herrn, in seinen
Prozessen beim Wiener Reichshofrat kraftvoll unterstützt, aber
auch in den lebhaften Kämpfen des Landgrafen mit seinen Ständen
seinem Fürsten wichtige Dienste geleistet und gleichzeitig zur Erleichterung des bedrückten Landes, zumal in der Franzosennot,
viel beigetragen. War er Ludwig IX. der vertrauteste Diener,
so wurde er dessen Nachfolger Ludwig X. (1790) der vertrauteste

Freund, in dessen Hand seit 1792 die Leitung der auswärtigen Angelegenheiten, Verhandlungen mit Preußen, Österreich, Frankreich allein lag. Auf dem Rastatter Kongreß, bei den Vorbereitungen zum Reichsdeputationshauptschluß war er der Vertreter der Interessen seines Landes und seines Fürsten, wie dieser, ein treuer, nur zu vertrauensseliger Anhänger des Kaisers, bis der Einfluß eines neuen Ministers den Landgrafen zu einer franzosenfreundlichen Politik trieb. Dies war für Gatzert die Veranlassung, seinen Abschied zu nehmen, der ihm am 14. Mai 1799 in Gnaden gewährt wurde. Am 2. Mai 1807 starb er in Gießen, woher er gekommen war und wohin er sich nach einer nicht ruhmlosen Laufbahn zurückgezogen hatte. Wenn auch sein politisches System keinen Bestand hatte, so verdiente es der durch Ehrenhaftigkeit, Charakterstärke und Fürstentreue ausgezeichnete Mann, daß sein Andenken in einer so eingehenden und liebevollen Behandlung, wie sie der Verfasser bietet, wieder erneuert wurde.

Dies in kurzer Skizzierung eine Übersicht des mannigfaltigen Inhaltes des Buches, das gar vielen etwas bietet und über die Grenzen des Landes Hessen hinaus seine Leser finden wird. Der Mehrzahl der Abhandlungen sind Abbildungen (Bildnisse u. a.) beigegeben. Ein sorgfältig ausgearbeitetes Register (von Frau Emi Dieterich-Darmstadt S. 515—530) schließt das gehaltvolle Buch ab.

Hanau. O. Wackermann.

Iwan von Müller, Jean Paul und Michael Sailer als Erzieher der deutschen Nation. Eine Jahrhunderterinnerung. München 1908, C. H. Becksche Verlagsbuchhandlung Oscar Beck. VI u. 112 S. gr. 8. steifgeh. 2 ℳ.

Vor gerade hundert Jahren erschienen zwei pädagogische Schriften, die auf die Zeitgenossen einen mächtigen Eindruck ausübten, aber auch jetzt noch in einer Zeit gärender Schulreformen nicht bloß aus historischem Interesse, sondern wegen ihres geistigen Gehaltes immer wieder gelesen zu werden verdienen: Jean Pauls „Levana oder Erziehungslehre" und Joh. Michael Sailers „Erziehung für Erzieher". Beide Autoren, die im Leben nie einander begegneten, reichen sich in ihren Schriften die Hand zum Bunde im Kampf für die wertvollsten Güter, die sich damals die deutsche Nation entreißen lassen zu wollen schien; es galt ihnen, auf neue Wege und Mittel hinzuweisen oder längst verlassene Bahnen wieder aufzusuchen, um eine Erhebung des gesunkenen Deutschtums zu ermöglichen und die Hoffnung der Nation, die Jugend, zum Vollbesitze dessen, was zum echt deutschen Wesen gehörte, ungehindert gelangen zu lassen; warnend, belehrend, die Gebrechen aufdeckend, neue Ausblicke eröffnend, sind ihre Verfasser Mitarbeiter gerade an der Lösung der Probleme, welche die Patrioten ihrer Zeit im Interesse des Deutschtums ins Auge gefaßt hatten. Beide Erziehungsschriften waren nicht ausschließlich für den Lehrstand bestimmt; beide wenden sich an die Eltern, ihre Schriften sollen Familienbücher sein.

Verf. gibt zuerst eine kurze Übersicht über das Leben und die geistige Wirksamkeit Sailers bis zum Jahre 1907, in dem er als Professor der Universität Landshut seine Erziehungslehre veröffentlichte. Dann folgt eingehender die Darstellung des äußeren und inneren Lebens Jean Pauls, seiner reichen dichterischen und pädagogischen Tätigkeit bis zum Erscheinen der Levana. Hieran schließt sich der liebevoll abgefaßte Bericht über die Levana, in dem er in wohltuender Weise den Dichter recht oft sprechen läßt und damit in dem Leser die Lust erregt, zur Quelle selbst herabzusteigen. In gleicher Weise berichtet er dann weiter über die Gedankenwelt der Erziehungslehre Sailers. Eine Vergleichung beider Bücher bildet den Schluß. Beide Schriftsteller stimmen darin überein, daß sie vom Menschheitsideal ausgehen, ganz im Sinne ihrer Zeit, die auf verschiedenen Wegen danach sucht. Jean Paul will, indem er das Ideal individuell anschaut, den idealen Preismenschen, der im einzelnen verhüllt liegt, durch die Erziehung freigemacht, Sailer die unentwickelte Menschennatur so geleitet wissen, daß die Leitung in Selbstführung übergeht, die dem Ideale der Menschheit entsprechen kann. Nach beiden bedarf es vor allem der sorgfältigsten Pflege des Kindes im elterlichen Hause. Jean Paul weiß, was Kinder sind und was ihnen not tut; auch Sailer ist von warmherzigster Liebe zur Kinderwelt erfüllt. Dagegen scheiden sich beide in der Frage nach der Pflege des religiösen Sinnes der Jugend, was bei der prinzipiellen Verschiedenheit des religiösen Standpunktes der Männer nicht wundernehmen kann. Der dritte Hauptfaktor der Erziehung zur individuellen Vollkommenheit ist nach Jean Paul die Entwickelung des geistigen Bildungstriebes, nach Sailer die intellektuelle Erziehung; damit hängt zusammen, daß Jean Paul der ästhetischen Erziehung einen größeren Raum gewährt wissen will, während sich Sailer rückhaltender ausspricht.

Der gelehrte Verf. hat das Buch seinen „lieben Schülern, den ehemaligen Hörern seiner pädagogischen Vorlesungen in Erlangen und München" zugeeignet; sie werden dem Meister wieder gern lauschen, aber auch die anderen, denen diese pietätvolle Jahrhunderterinnerung freundlichst empfohlen wird, werden an ihr ihre Freude haben.

Stettin. Anton Jonas.

H. Bahr, Erläuterungen zu den biblischen Geschichten des Alten und Neuen Testamentes. Zugleich als Ergänzung zum I. Teil des Hilfsbuches für den Religionsunterricht von Siebert und Bahr für die Lehrer aller Schulen herausgegeben. Leipzig und Berlin 1908, B. G. Teubner. VI u. 124 S. 8. geh. 2 ℳ.

Das Buch soll „vor allem den Lehrer in möglichst kurzer Zeit instand setzen, daß er den Text der Geschichten wissenschaftlich

richtig verstehen und erklären kann". Dem Alten Testament ist
eine recht geschickte, kurze und leicht verständliche Einleitung in
die historische Literatur, dem Neuen eine ebensolche in die
Evangelien-Literatur vorangeschickt. Nach folgenden Gesichtspunkten sind die Geschichten erläutert: I. Quellennachweis oder
Paralleltexte. II. Vorbereitung durch sachliche und sprachliche
Erörterungen. III. Gliederung in Haupt- und Unterteile. IV. Grundgedanken, die sich aus der Geschichte ergeben, oder Erläuterungen.
V. Hinweise auf Sprüche, Liederverse, geschichtliche Verhältnisse
u. a. m. oder Beispiele. Am wertvollsten erscheint mir Nr. II,
aber auch die Grundgedanken sind meist treffend hervorgehoben,
wie z. B. S. 63 u. 64, wo die Weihnachtsbotschaft in ihrer tiefen
Bedeutung für die Menschheit dargestellt wird. Auch die Vermutung, wie die falsche Auffassung des Zungenredens, die uns
im 2. Kapitel der Apostelgeschichte entgegentritt, entstanden sein
mag, hat viel Wahrscheinlichkeit für sich (S. 118). In unserer
historisch orientierten Zeit, die dem Religionslehrer eingehende
religionsgeschichtliche Studien zur Pflicht macht, ist es mit Freuden
zu begrüßen, daß die babylonischen Berichte von der Schöpfung
und Sintflut aufgenommen worden sind, wie auch S. 19 passend
auf Plaut. Amphit. hingewiesen wird.

Das Buch verdient empfohlen zu werden.

Görlitz.   A. Bienwald.

Die freiere Behandlung des Lehrplans auf der Oberstufe
höherer Lehranstalten. Eine Darstellung des Wesens und der
Formen freierer Unterrichtsgestaltung. Von Franz Cramer. Berlin
1907, Weidmannsche Buchhandlung. 80 S. gr. 8. 2 ℳ.

Die Schrift ist im wesentlichen identisch mit dem Bericht für
die rheinische Direktorenkonferenz 1907 über die freiere Behandlung
des Lehrplans, nur ein Schlußkapitel ist hinzugefügt, in dem über
das bis jetzt Erreichte und für die Zukunft zu Erhoffende Rechenschaft gegeben wird. Vorweg bemerke ich: der Leser wird über
alle Fragen, die zu dem im Titel angekündigten Thema gehören,
vorzüglich orientiert, die Urteile des Verf. sind durchweg besonnen und werden sicher vieler Bedenken zerstreuen, wie ja auch
die rheinischen Direktoren, die zum großen Teil mit starker Skepsis
in die Verhandlungen eintraten, sich unter dem Eindruck der
Verhandlungen von Stunde zu Stunde mehr für die freiere Behandlung des Unterrichts in den Oberklassen erwärmt haben. Da
es sich um eine von dem Referenten in Strasburg Wpr. erprobte
Sache handelt, so wird man es wohl gerechtfertigt finden, wenn
diese Anzeige etwas umfangreicher wird als sonst gebräuchlich ist.

Im ersten Abschnitt, dessen Einleitung das Motto trägt „Einheit ist nicht Einerleiheit", erfahren wir, daß in der ersten Hälfte
des vorigen Jahrhundert die Lehrpläne viel größere Freiheit ließen
und diese Freiheit erst allmählich mehr und mehr durch Reglements

eingedämmt wurde. Anerkannte Tatsache ist, daß die Selbsttätigkeit unsrer Primaner im großen und ganzen nicht stark genug entwickelt ist und daß es darauf ankommt, sie zu wecken und den Schülern der obersten Klasse eine Überleitung zu den Studien der Hochschule zu schaffen. Das Ergebnis des ersten Abschnitts ist: die Frage, ob für Prima eine freiere Behandlung des Unterrichts wünschenswert ist, wird unbedenklich bejaht, auch die Frage, ob unter Umständen sich Änderungen des Normallehrplans empfehlen, wird bejaht. Nur wird — und mit Recht — eine Reglementierung dieser Freiheit durch Befehle von oben und Einführung eines halbakademischen Betriebes abgelehnt.

Der zweite Abschnitt beschäftigt sich mit der freieren Behandlung des Unterrichts o h n e Ä n d e r u n g der Lehrpläne. Über den innerlich freien Unterricht werden ähnliche Gedanken entwickelt wie in Cauers „Die Prima, ein Abschluß und ein Anfang" und „Zur freieren Gestaltung des Unterrichts". Im deutschen Unterricht ist die nachgoethische Zeit mehr zu betonen. Ich füge hinzu: wir werden uns ernstlich überlegen müssen, ob es lohnt, Lessings Laokoon noch immer in der Schule zu behandeln oder ob es nicht an der Zeit ist, ihn durch andre Prosa zu ersetzen. Es ist doch bedenklich, wenn man den Schülern auf Schritt und Tritt nachweisen muß, daß der große Mann geirrt hat. Zudem fürchte ich, manche Lehrer verkünden Lessings Resultate noch immer als der Weisheit höchsten Schluß. Dieser Zopf muß jedenfalls abgeschnitten werden. Der deutsche Aufsatz in Prima bedarf ohne Frage einer freieren Behandlung. Sicher ist es gut, wenn bei häuslichen Aufsätzen mehrere Themata zur Auswahl gestellt werden, damit keiner genötigt wird, ein Thema, das ihm nicht liegt, zu bearbeiten. Die neuere Literatur muß in den Themen mehr als bisher berücksichtigt werden. Gelegentlich kann auch ein Thema gewählt werden, dessen kürzere oder eingehendere Behandlung den Schülern anheimgestellt wird, z. B. ‚Die Einwirkung der Antike auf Goethe', nachzuweisen an Iphigenie und Hermann und Dorothea oder nachzuweisen an einer ganzen Reihe von Goethes Schriften nach eigener Wahl, oder ‚Die sozialen Verhältnisse in Rom zur Zeit Catilinas' zu behandeln nur nach Sallust oder auch unter Heranziehung mehrerer Ciceronischer Reden. Damit habe ich in Strasburg gute Erfahrungen gemacht. Wer die eingehendere Behandlung wählte und gut durchführte, dem wurde der nächste Aufsatz erlassen. Im Griechischen, meint der Verf., brauchten die Extemporalien nicht durch die Lernpolizei unter Staatsaufsicht gestellt zu werden, sondern könnten im Tagebuch angefertigt und gleich in der Klasse besprochen werden. Wie wäre es, wenn gelegentlich im Anschluß an die Lektüre ein Thema zur Bearbeitung in griechischer Sprache gestellt würde? Man braucht es ja nicht gleich einen griechischen Aufsatz zu nennen. Ich habe manche erfreuliche Arbeit dieser Art be-

kommen. **Was der Verf.** sonst noch beibringt über die Heranziehung der Schüler zum Nachdenken über wissenschaftliche
Fragen, über Vorträge mit Lichtbildern, kunstgeschichtliche Belehrungen und Bekämpfung des öden Grammatizismus, der leider
noch an vielen Orten seine Orgien feiert und den Feinden des
Gymnasiums reichlich Wasser auf die Mühle liefert, u. a. möge
man bei ihm selber nachlesen.

    Mit dem Verf. bin ich durchaus der Ansicht, daß es sich
empfiehlt, reifere Schüler zu größeren selbständigen Arbeiten anzuregen und sie, wenn sie eine solche übernommen haben, anderweitig zu entlasten, sei es durch den Erlaß eines oder mehrerer
Aufsätze oder des täglichen Präparierens, gelegentlich auch durch
die Gewährung eines freien Tages. Dies ist jedenfalls besser als
Studientage für alle. Ich besinne mich, daß Geheimrat Kruse,
der damalige Direktor des Greifswalder Gymnasiums, sie zu meiner
Schülerzeit versuchsweise einführte. Es kam aber so gut wie
nichts dabei heraus. Sie passen für Internate, aber nicht für
andre Schulen. Bleiben die Schüler an diesen Tagen zu Hause,
so benutzen die meisten sie zum Ausschlafen und zu Ausflügen;
müssen sie in die Schule kommen und dort eine selbstgewählte
Arbeit machen, so stört leicht einer den andern; auch ist der
Raum dazu auf den Schulbänken zu beengt. Zu der Freiheit, die
bei der Einrichtung von regelmäßigen Studientagen für alle vorausgesetzt wird, muß das Gros unsrer Schüler eben erst erzogen
werden. Wenn man solche Tage hin und wieder einzelnen gewährt, die sich dieser Auszeichnung würdig erweisen, so ist das
ein guter Sporn für die anderen. Zu einer gemeinsamen Wanderung unter kundiger Führung durch ein Museum einmal einen
Tag freizugeben, lohnt sich entschieden; es ist, wie ich weiß,
z. B. in Elberfeld in den letzten Jahren regelmäßig geschehen.
Auch Schülervereinigungen zu mancherlei Zwecken sind für unser
Ziel wertvoll. Und man kontrolliere dabei nicht zu sehr, sondern
bringe den Jünglingen Vertrauen entgegen und gewöhne sie an
Selfgovernment! Das wirkt mehr erziehend als ein stetes Schulmeistern. Das persönliche Verhältnis der Lehrer zu den Primanern
bedarf entschieden an vielen unsrer Schulen einer Besserung.
Freudig stimme ich mit dem Verf. dem Worte Münchs zu „Eltern,
Lehrer und Schulen in der Gegenwart": „Das natürliche Gegenüber muß durch Ton, Gesinnung und Verkehr in ein Miteinander
verwandelt werden". Das macht sich aber nach meiner Erfahrung
ganz von selbst, wenn man den jungen Leuten mehr Armfreiheit
zur Bearbeitung von Aufgaben nach eigener Wahl schafft und sie
nicht durch ein Zuviel täglicher Pensenarbeit erdrückt.

    Im dritten Abschnitt behandelt der Verf. die freiere Unter-
richtsgestaltung **unter Abweichung** von den allgemeinen Lehrplänen. Dahin gehört zunächst eine zeitweilige Veränderung der
Pläne, wie sie z. B. in Düsseldorf mit gutem Erfolge versucht ist,

indem man für die Philosophie in jeder Woche sich in bestimmter Reihenfolge von den anderen Fächern eine Stunde lieh. Das Ineinandergreifen verwandter Fächer durch Verschiebung der Stundenzahl ("Schleifensystem") gehört eigentlich nicht hierher, da es uns von den Lehrplänen selbst schon an die Hand gegeben ist. Was das Lateinische und Griechische dabei angeht, so würde ich empfehlen, es in I semesterweise mit der Stundenzahl wechseln zu lassen. Ebenso könnte vielleicht bei der Mathematik und der Naturwissenschaften zeitweise eine Stundenverschiebung eintreten.

Die Gruppenbildung läßt sich zunächst so durchführen, daß für verschiedene Fächer Selekten eingerichtet werden, wie es Hornemann vorgeschlagen hat, und die Angehörigen dieser Selekten von dem einen oder andern Fache befreit werden. Ich stimme mit dem Verf. durchaus darin überein, daß dieser Versuch gutzuheißen, aber wohl nur an wenigen Orten durchzuführen ist, weil er zu viel Geld kostet. Auch würden bei dem noch immer bestehenden Mangel vielfach die nötigen Lehrkräfte fehlen.

Gegen eine Scheidung nach Fachgruppen unter Wegfall des gewöhnlichen Lehrgangs ist in der Tat einzuwenden, daß manche tüchtige Schüler den Wunsch haben werden, überall ihre Pflicht zu tun. Ich meine aber, denen kann auch außerhalb der Lehrstunden die Möglichkeit dazu geboten werden, und freue mich, auch hierin mit dem Verf. übereinzustimmen. Ebenfalls teile ich seine Ansicht, daß die Obersekunda als Übergangsklasse zu behandeln und genau nach den Lehrplänen zu unterrichten ist. Daß der Verf. sich zu dem von mir in Strasburg Wpr. durchgeführten Versuch einer Gabelung so günstig stellt, ist mir natürlich besonders lieb. Ich habe über diesen Versuch in dem Programm Strasburg Wpr. 1907 eingehend berichtet. Deshalb hier nur folgendes: Cramer hat mich nicht ganz richtig verstanden, wenn er meint, die 2 Stunden Mathematik der sprachlichen Gruppe würden zur selben Zeit wie die altsprachlichen Mehrstunden gegeben. Altsprachliche Mehrstunden werden überhaupt nicht gegeben. Der Antrag, den Versuch unternehmen zu dürfen, ging davon aus, daß die Primaner zu viele Schulstunden haben, und daß es erwünscht sei, ihnen wenigstens 2 zu ersparen. Darum hat die mathematische Gruppe 4 Stunden Mathematik gesondert und kann in ihnen über die Ziele des Gymnasiums hinaus gefördert werden, da nur solche Schüler in ihr sind, die sich für die Mathematik lebhaft interessieren und auch zu Privatarbeiten in ihr geneigt sind. Daß sie wirklich mehr leistet als andre Gymnasialabiturienten, ist mir von Herrn Provinzialschulrat Kahle auf der Königsberger Direktorenversammlung 1907 bestätigt worden. Die mathematische Gruppe ist von den lateinischen Grammatikstunden befreit. Die sprachliche Gruppe hat nur 2 Stunden Mathematik, die zur selben Zeit gegeben werden wie 2 Stunden der mathematischen Selekta. Die anderen beiden Stunden der mathe-

matischen Selekta fallen zeitlich mit den 2 lateinischen Grammatikstunden zusammen. Der Überzeugung, daß unsre Primaner zu
viele Schulstunden haben, bin ich noch heute und ersehe zu
meiner Freude aus einer Zusammenstellung Hoffschultes im Programm der Realschule Münster i. W. 1908, daß alle anderen
Länder weniger Schulstunden ansetzen. Wir werden darin nachfolgen müssen. Cramers Bedenken, ob sich in den fünf lateinischen
Lektürestunden nicht ein starkes Auseinandergehen der Interessen
und Horizontweiten bei den Altsprachlern und Mathematikern gezeigt habe, kann ich mit gutem Gewissen abweisen. Die Mathematiker waren ebenso bei der Sache wie die Altsprachler und
waren bei der Reifeprüfung imstande, eine nicht ganz leichte
Tacitusstelle so ins Deutsche zu übertragen, daß sie das Prädikat
‚genügend‘ vollauf verdienten. Die Übersetzung ins Lateinische
war ihnen mit ministerieller Genehmigung erlassen. Die zwei besonderen Stunden stilistischer Unterweisung wollte ich aber den
‚Altsprachlern‘ erhalten wissen. Denn ich bin durchaus nicht der
Ansicht, die deutsch-lateinische Übersetzung in I sei ein fossiler
Rest, und bedaure lebhaft, daß die Majorität der Königsberger
Direktorenkonferenz 1907 sich von Kretschmann und einigen
andren imponieren und zu dem Beschluß hinreißen ließ, die
deutsch-lateinische Übersetzung möge aus der Reifeprüfung abgeschafft werden. Ich fühle mich mit Cramer einig in dem
Wunsche, daß die lateinischen Grammatikstunden der I benutzt
werden „zu einer freien lebendigen Herausarbeitung der Unterschiede zwischen Latein und Deutsch“ und daß „auf eine Charakteristik der lateinischen Sprache hingearbeitet werden muß“.
Freilich, bequemer ist es ja, den Ostermann mit Verübersetzen
und Nachübersetzen herunterzuarbeiten. Wenn man Extemporalien
baut, in denen immer wieder Wendungen wie non dubium est quin
futurum fuerit .., tantum abest ut .. ut, haud scio an u. ä. para-
dieren, dann ist allerdings das lateinische Extemporale der I ein
fossiler Rest und verdient dem lateinischen Aufsatz in die Ver-
senkung nachzufolgen. Wir wollen aber lieber bei richtigem
Betriebe den lateinischen Aufsatz in bescheidener Form wieder
zum Leben erwecken. Es wäre doch hart, wenn das humanistische
Gymnasium ganz darauf verzichtete, in einer der fremden Sprachen
seine Schüler zu selbständigen Arbeiten zu befähigen, und damit
den anderen Anstalten gegenüber seine Inferiorität offen dokumen-
tierte. Manche denken ja schon daran, die lateinischen Grammatikstunden in I zugunsten der Biologie zu streichen. Ich meine, das
sollte man dem Gymnasium nicht ansinnen, dessen Eigenart damit
empfindlich berührt wäre. Wenn die Biologie Raum braucht, dann
muß am Gymnasium die Mathematik und Physik ihr den schaffen,
aber nicht das Lateinische. Vorläufig scheint es mir allerdings
fraglich, ob tüchtige Lehrer der Biologie in genügender Zahl vorhanden sind.

Übrigens haben die Angehörigen der sprachlichen Gruppe in Strasburg altsprachliche Privatlektüre getrieben und darüber meist in lateinisch geschriebenen Referaten Rechenschaft abgelegt. Wenn die Prima in Strasburg mehrere Cöten gehabt hätte, hätte ich den Übelstand, daß alle Schüler sich entscheiden mußten, ob sie in der Mathematik oder in den alten Sprachen ein Minus von Anforderungen haben wollten, das sie dann durch ein Plus auf der anderen Seite ausglichen, vielleicht vermieden. Bei den mir dort zur Verfügung stehenden Kräften und Mitteln konnte ich es nicht. Daß die sächsischen Rektoren die Strasburger Einrichtung einfach kopiert haben, wie ich höre, halte ich für verfehlt und bin durchaus nicht stolz darauf. Die Bedenken, die mit Rücksicht auf die Freizügigkeit erhoben werden, halte ich mit Cramer nicht für schlimm, da die Freizügigkeit gerade in I mit Recht etwas beschränkt ist. Daß den Söhnen versetzter Beamten der Übergang nach Möglichkeit erleichtert werde, ist ja durch eine besondre Ministerialverfügung geboten.

Gegen eine Verbindung des Klassensystems mit dem Fachsystem verhält sich Cramer wegen der damit verbundenen Schwierigkeiten mit Recht ablehnend; ebenso gegen eine Wahlfreiheit für bestimmte Fächer oder Fachgruppen, wie sie in Schweden besteht. Dabei würde die Klasseneinheit und die Möglichkeit der Bezugnahme eines Faches auf das andre fast ganz verloren gehen.

Für die Reifeprüfungsordnung ergeben sich natürlich aus den besprochenen Freiheiten einige Folgerungen. Daß die mathematische Gruppe in Strasburg statt einer deutsch-lateinischen Arbeit eine Übersetzung aus dem Lateinischen liefert, wurde schon erwähnt. Cramer verlangt eine Bewertung der größeren freien Arbeiten bei der Prüfung. Sie erfolgt in Strasburg bereits; die Arbeiten werden dem Kommissar mit eingeschickt, sie gelten allerdings nicht als Ersatz für eine Prüfungsarbeit. Eine etwas weitergehende Kompensationsfreiheit als sie jetzt durch das Reglement gestattet ist, scheint auch mir erwünscht. Nur müssen wir gegen eine zu große Milde der Anforderungen gesichert sein. Aber uns davor zu sichern, ist ja der Kommissar da; in seine Hand muß die Entscheidung gelegt werden, ob nicht durch besonders tüchtige Leistungen in einem Nebenfach auch einmal schlechte in einem Hauptfach kompensiert werden können. Erfreulich ist es, daß der Minister eine Abschaffung des Examens mit Entschiedenheit abgelehnt hat. Mitteilen darf ich vielleicht noch, daß in Strasburg Wpr. bei einem Angehörigen der sprachlichen Gruppe das dritte Prädikat in der Mathematik nicht als vollauf genügend angesehen wurde, wenn in allen anderen Fächern nur ‚Genügend‘ auf dem Zeugnis stand. Es wurde verlangt, daß wenigstens in einem Nebenfache ein ‚Gut‘ erreicht war.

Zum Schluß berichtet Cramer, daß die rheinischen Direktoren

mit der Bewegungsfreiheit in I in allen wesentlichen Punkten einverstanden waren und betont gegen Aly „Gymnasium militans" mit
Recht, von einer Störung der Ruhe könne doch keine Rede sein,
wenn die Anträge auf Freiheit von den einzelnen Lehrerkollegien
ausgingen und die Freiheit nicht etwa von oben anbefohlen werde.
Cramers Satz: „Es ist unzweifelhaft hart, daß an isolierten Anstalten, meist sind es Gymnasien, den Schülern nur der eine
Bildungsweg bis oben hinaus freisteht" ist mir aus der Seele gesprochen.   Allen, die sich mit den einschlägigen Fragen beschäftigen oder sich auch nur dafür interessieren, wird Cramers Buch
unentbehrlich sein.

. Münster i. W.   _____   Richard Gaede.

Rudolf Lehmann, Deutsche Poetik (III. Band, 2. Teil des Handbuches
    von Adolf Matthias). München 1908, Oskar Beck. 264 S. gr. 8.
    5 .M.
    Rudolf Lehmann hat viel gelesen und studiert, ist aber ein
selbständiger Forscher und Denker. Er sucht ein neues Gebäude
der Poetik aufzuführen, und dazu bedarf er einer historisch-
kritischen Grundlegung. So mustert er denn mit geradem und
billigem Urteil seine Vorgänger von Aristoteles-Lessing an über
Winckelmann, Goethe und Schiller, Herder und A. W. Schlegel,
Hegel und Vischer bis hin zu Wilhelm Wackernagel. Etwas
länger verweilt er bei der psychologischen Poetik der Gegenwart,
deren Hauptvertreter ihm Taine und Fechner, Scherer und Dilthey
sind. Daß eine Poetik als Psychologie der Dichtkunst allein nicht
genügt, weist eine tiefeindringende Analyse überzeugend nach.
Wie die Biologie das Geheimnis des Lebens nicht entschleiern
wird, so wird alles Forschen nach der Genesis, dem „Erlebnis",
den verborgenen Quellpunkt dichterischen Schaffens nicht auf-
decken. Was hinter der Erscheinung in den dunklen Tiefen des
Unbewußten als Lebenskeim wirkt und schafft, läßt sich nicht
denken noch sagen, kaum ahnen. Darum gilt es, der Erscheinung
und Schöpfung selbst, der bewußten Kunst und Arbeit die Aufmerksamkeit zuzuwenden und eine wissenschaftliche Poetik als
Kunst-Methoden- und Wertlehre zu gestalten. Was diese leisten
soll und mit welchen Mitteln sie es leisten kann, darüber spricht
der Verf. sich mit wünschenswerter Deutlichkeit und Ausführlichkeit aus. Auch für den Unterricht, besonders in den oberen .
Klassen, gibt er ein paar recht nützliche Winke. „Die Grundlage
für das Verständnis der gelesenen Dichtungen wird hier stets die
sachliche und künstlerische Interpretation bleiben müssen, und
die Grundzüge wissenschaftlicher Hermeneutik zeichnen — hierin
liegt ein nicht geringer Teil ihrer Bedeutung — stets auch den
Gang der didaktischen Überlieferung vor. Ist aber durch das
ästhetische Verständnis eine Grundlage gelegt, so wird nun hieraus eine genetische Einsicht gewonnen werden können, indem der

Unterricht, was bisher im einzelnen behandelt worden ist, nunmehr zusammenfaßt und in biographische und geschichtliche Zusammenhänge bringt, und damit wird der Schüler auch das einzelne in neuem klärenden Lichte sehen. So folgen hier naturgemäß die beiden Arten der Erklärung als zwei Unterrichtsziele, zwei Stufen des Verständnisses auf- und auseinander". Und die biographisch-genetische Methode führt auf eine dritte Aufgabe der ästhetischen Erziehung. Hinter dem Werke steht sein Schöpfer, nur ein großer Mensch kann ein großer Künstler sein. Die gewaltige Wirkung unserer klassischen Dichter ist von ihrer Persönlichkeit losgelöst nicht zu denken. Die beste und vollste Kraft dieser Persönlichkeit steckt und wirkt in ihren Werken. „Die Gestalten und Handlungen, die aus den Werken unserer Dichter sprechen, sollen den Schülern verständlich und vertraut, sollen ihnen zu eigenen Erlebnissen werden. Der Gehalt dieser Dichtungen soll sie bereichern und ihren Sinn erweitern, und die edle Begeisterung, der hohe Idealismus unserer schöpferischen Geister soll Widerhall in der jungen Brust finden".

Der zweite Teil behandelt die F o r m e n e l e m e n t e der Poesie. „Ausdruck und Medium der Poesie ist die Sprache; die Dichtkunst ist Wortkunst, wie die Musik Tonkunst und die Malerei Kunst der Farbe ist. Hierdurch wird ihre Eigenart bestimmt". Wie macht es nun der Dichter, wie zwingt er uns durch s e i n e Sprache, zu erleben, zu glauben und schließlich zu sehen, was er darstellt? Soweit auf diese Frage eine Antwort überhaupt möglich ist, gibt sie Lehmann, indem er nach einer kritischen Wanderung durch Lessings Laokoon und Herders erstes Wäldchen sich an Theodor A. Meyer (Das Stilgesetz der Poesie) anschließt. Lehrreich und willkommen sind die geschickt gewählten Beispiele. So wird man, um nur eins anzuführen, aus der ersten Strophe von Goethes Zueignung einerseits und von Matthias Claudius' Abendliede anderseits sehr gut abnehmen können, wie Gefühl und Anschauung sich gegenseitig fordern und hervorrufen. Die besonderen Ausdrucksmittel der Dichtersprache, Gleichnis, Metapher, Personifikation, Hyperbel, wollen richtig verstanden und gewürdigt werden. Wer sie buchstäblich in sinnfällige Bilder umsetzen wollte, würde sie mißverstehen und mißbrauchen. Weil Pedanten und platte Rationalisten diesen Fehler begingen, haben sie einstmals unter unsern Kirchenliedern eine solche Verwüstung angerichtet. Bildliche Ausdrücke dienen lediglich dazu, den Eindruck zu verstärken, die Stimmung zu erwecken und das Gefühl zu betonen. Doch gehe ich in ihrer Schätzung etwas weiter als mein Gewährsmann. Wenn ich z. B. von Kriemhild lese: nu gie diu minneclîche alsô der morgenrôt tuot ûz den trüeben wolken, oder: sam der liehte mâne vor den sternen stât, des schîn sô lûterlîche ab den wolken gât: so wird mir ihre Schönheit tatsächlich leuchtender und einleuchtender; die Phantasie wird zum Schauen be-

flügelt. Jedenfalls verdienen die Tropen, vorzüglich Metapher und
Personifikation, im Unterricht sorgfältige Beachtung [1]). — Der Abschnitt über Rhythmus und Klangfarbe enthält viel Schönes und
Brauchbares. Ob sich der Rhythmus aus Arbeit oder aus Tanz
oder aus beiden herausgebildet hat, mag dahingestellt bleiben.
Eine tanzende und singende Kinderschar, bewegen sie den Körper
nach dem Rhythmus des Liedes oder singen sie das Lied nach
dem Rhythmus der Körperbewegungen? — Es folgen die Prinzipien
der Komposition. Mit Recht wird auf den Kontrast und seine
Wirkungen Gewicht gelegt. Mit dem Prinzip der „Versöhnung"
(L. sagt vorsichtiger „Abschluß") dürfte es schon in der Lyrik
und vollends in der Tragödie hapern.

Der dritte Teil handelt von den Gattungen der Poesie.
Es freut mich, daß Lehmann der sog. Gedankenlyrik ihre Rechte
wahrt. Zu dem Kapitel Gefühlslyrik erlaube ich mir als Ergänzung
auf eine Studie hinzuweisen, die geeignet ist, auch dem Blinden
die Augen über das Wesen der Lyrik zu öffnen, ich meine
Hermann Corvinus, Herbstgefühl von Goethe (Programm des
Martino-Katharineums zu Braunschweig 1878, auf meine Bitte wieder
abgedruckt in dieser Zeitschrift Jahrg. 44, 1890 S. 309 ff.). —
Zu dem Abschnitt über epische Dichtung nur eine kurze Bemerkung. Lehmann ist ein durchaus moderner Mensch, und er zieht
neben der neuesten deutschen Poesie mit Vorliebe die englische,
russische und namentlich die französische Literatur in den Kreis
seiner Betrachtung. Auch darin folgt er der Mode, daß er gegen
die Einschätzung der griechischen Poesie durch den Klassizismus
polemisiert. Er bedauert, daß Goethe und Schiller, Wilhelm von
Humboldt und Friedrich Schlegel, Wilhelm Wackernagel und
Friedrich Vischer, ja selbst Friedrich Spielhagen in falschen Vorstellungen über die Homerischen Gedichte befangen gewesen seien.
Und doch verdankt er das meiste und beste, was er selber über
die epische Dichtung zu sagen weiß, diesen Männern! — Wohl-
geraten scheint mir die Erörterung des Wesens der dramatischen
Dichtung. Nur in der Frage nach dem Verhältnis von Mythos
und Drama bei den Alten möchte ich hier und da leise Zweifel
äußern. Fehlt dem Mythos wirklich „fast durchweg jeder tiefere
psychologische Gehalt" und liegt es in seiner Natur, „daß er einer
seelischen Vertiefung oder Verfeinerung im allgemeinen gar nicht
fähig ist"? Verf. drückt sich ja auch vorsichtig mit „fast" und
„im allgemeinen" aus. Ist es „Tatsache", daß die Dramatik der
Alten zu einer „individuellen Charakteristik" nicht gelangt ist, nie

---

[1]) Kein Krokylegmos, sondern eine bescheidene Anfrage! Ist es richtig,
zu schreiben: „wenn die Phantasie ihnen nachgehen würde"? Ich verbiete
es meinen Schülern. „Würde" ist der Modus der Bedingtheit, dem franz.
Conditionel und dem gr. ἄν entsprechend. „Wenn er schreiben würde" ist
genau so barbarisch wie *s'il écrirait* oder *εἰ ἂν γράφοι*. (Paul Cauer,
Von deutscher Spracherziehung. Berlin 1905.)

und nirgends? Goethes Wort, die Personen der griechischen Tragödie seien „eigentlich nur idealische Masken", muß doch wohl cum grano salis verstanden werden. Doch gehen wir weiter zu den Zwischenstufen zwischen Lyrik, Epos und Drama. Mit Recht erhält hier die Ballade den ersten Platz. Es ist gut, daß der Verf. mit dem vermeintlichen Unterschied zwischen Ballade und Romanze sich und uns nicht quält. Die wenigen Zeilen über die Fabel kann ein jeder sich aus Lessing und Jakob Grimm ergänzen.

Der vierte und letzte Teil: die Richtungen der Poesie, veranschaulicht uns ziemlich erschöpfend den Gegensatz von Naturalismus und Idealstil. Wir sind gar nicht überrascht, aber angenehm berührt, bei den Dichtern idealer Richtung dieselbe Methode der Charakteristik zu finden, die an den Griechen getadelt oder als Mangel bezeichnet wurde. Hier wie dort kein Herausarbeiten charakteristischer Einzelheiten, Eigentümlichkeiten des Temperaments, bestimmter persönlicher Gewohnheiten, sondern einfache Linien, große allgemeine Züge, die jede einzelne Person zugleich kennzeichnen und ins Typische, ja Symbolische erheben. Mit dem geschilderten Gegensatz hängt ein anderer zusammen, der Gegensatz zwischen objektiver und subjektiver oder, wie es Schiller genannt hat, naiver und sentimentalischer Dichtung. Ich empfehle die Analyse als einen bündigen Kommentar zu Schillers Abhandlung. Und auch dieser Gegensatz treibt einen neuen hervor, den des Komischen (mit den Unterteilen Satire und Humor) und des Tragischen. Um das schwierige Problem bemüht Lehmann sich mit Erfolg, nachdem er einen kurzen Überblick über die geschichtlich wichtigsten oder sachlich bedeutendsten Erklärungsversuche gegeben hat. Das über den Humor Gesagte läßt sich durch das Studium des deutschen Humoristen noch erweitern und vertiefen, etwa an der Hand von Wilhelm Brandes, Wilhelm Raabe. Sieben Kapitel zum Verständnis und zur Würdigung des Dichters. Wolfenbüttel 1907. Das Tragische endlich betrachtet Lehmann vornehmlich unter dem Gesichtspunkt der Frage nach dem „Grund des Vergnügens an tragischen Gegenständen". Er weiß wohl, daß das Gesamtgebiet dadurch nicht umspannt wird und daß die Kategorie der Versöhnung oder des erhebenden Abschlusses bei einer Reihe von Meisterwerken versagt. Es wird ihn auch nicht befremden, daß ich nach dem, was ich an verschiedenen Orten, zuletzt in diesen Blättern über Sophokles, geschrieben habe, in wesentlichen Punkten nicht mit ihm übereinstimme. Selbstverständlich tut das der tüchtigen Leistung des Verfassers keinen Abbruch, und ich kann mein Urteil dahin zusammenfassen:

Das vorliegende Buch verdient ein sorgfältiges Studium und ist den Lehrern des Deutschen als ein vorzügliches Hilfsmittel für ihren Unterricht aufs angelegentlichste zu empfehlen.

Blankenburg am Harz. H. F. Müller.

Gotthold Deile, Wiederholungsfragen aus der deutschen Literatur mit angefügten Antworten. Ein Hilfsmittel für Unterricht und
Studium. I. Teil: Die deutsche Literaturgeschichte bis zur Reformationszeit. 72 S. 1 *M.* — II. Teil: Die deutsche Literaturgeschichte
seit der Reformationszeit. 157 S. 2 *M.* — III. Teil: Poetik. 59 S.
0,80 *M.* Verlag der Hofbuchdruckerei C. Dünnhaupt in Dessau.

Das Werk, dessen Besprechung mir übertragen worden ist,
gibt sich als 2. Auflage; die erste ist mir unbekannt. Das Vorwort, welches das Datum 1904 trägt, sagt darüber nichts. Es
bezeichnet als Absicht des Werkes, allen denen ein Hilfsmittel zu
bieten, die sich einer Prüfung in der Literaturgeschichte
unterziehen wollen. Da die Literaturgeschichten in den meisten
Fällen zu viel bieten und die Gefahr nahe liege, daß das Neben-
sächliche die Hauptsachen bei Wiederholungen unterdrückt, so
sollen hier die Examinanden bei ihren Wiederholungen auf leitende
Gesichtspunkte hingewiesen und ihnen die Kontrolle über ihr
Wissen erleichtert werden. Das Buch scheint mir dazu wohl geeignet, immer vorausgesetzt, daß der Prüfling die besprochenen
Dichter und ihre Werke nicht bloß aus diesem Buch, sondern
durch eignes Studium kennen gelernt hat. Es ist recht wichtig,
das immer wieder zu betonen, da mir eine neunjährige Erfahrung
als Examinator gezeigt hat, wie wenig diese Urweisheit allen Kandidaten zu eigen geworden ist.

Die Form der Frage und Antwort, welche für das Buch gewählt ist, ist nicht neu. Es hat darin manche Vorgänger, und
sie mag für einen Prüfling auch praktisch sein, aber ein enger
Stiefel bleibt sie trotzdem. Das macht sich bisweilen recht fühl-
bar, obwohl der Verf. sie geschickter handhabt als viele. So,
wenn er in der Zeit der Karolinger die Frage stellt: „Welches
Sprachdenkmal dieser Zeit ist sprachlich und geschichtlich höchst
merkwürdig?" und den Prüfling dadurch auf die Straßburger
Eide bringen will. Oder wenn er unter der Frage: „Welcher
Sage entlehnte Hartmann den Stoff zu seiner poetischen Erzählung
Der arme Heinrich?" den ganzen Inhalt des Gedichts erzählt.
Man sieht, die Frage ist in vielen Fällen nicht mehr als eine
Überschrift, unter der allerlei zusammengefaßt wird.

Der Verf. ist offenbar ein sachkundiger Mann, der aus den
besten Quellen geschöpft und seine Erkenntnisse durch eignen
Augenschein gewonnen hat. Man kann das daraus schließen, daß
die sonst üblichen Irrtümer und schiefen Urteile fehlen, und daß
an vielen Stellen eine wissenschaftliche Grundlage hervorschaut.
Wenn ich trotzdem hier auf eine Anzahl Bedenken und abweichende Ansichten aufmerksam mache, so mag er daraus das
Interesse erkennen, das ich seiner Arbeit zugewandt habe.

Zunächst wäre es wünschenswert gewesen, daß der Verf.
sich in zweifelhaften Fällen nicht zu bestimmt ausgedrückt hätte.
Es ist immer wichtiger, daß ein junger Mann die offenen Fragen
und wissenschaftlichen Probleme kennen, als daß er sichere Ur-

teile nachsprechen lernt über Dinge, die doch unsicher sind. Ich
erwähne nur die Ansicht, daß dem Hildebrandsliede ein nieder-
sächsisches Original zugrunde liege (Braune u. a. urteilen bekanntlich anders), daß Muspilli von *mûd* Erde und *spilli* Rede abzuleiten, daß die Sprache des Muspilli jünger sei als Ludwig der
Deutsche u. dgl. mehr.

In dieser Richtung liegt auch das, was der Verf. über das
Nibelungenlied sagt. Zwar führt er unter der Frage: „Wer ist
der Verf. des Nibelungenliedes?" ganz hübsch in die Streitfrage
ein, indem er Lachmanns und seiner Gegner Ansichten anführt;
aber das Problem selbst wird nicht klar, ja es wird völlig ver-
schoben, wenn es zum Schluß heißt: „Wenn auch spätere Einschaltungen unverkennbar sind, so muß doch an einer einzigen
Dichterpersönlichkeit festgehalten werden". Es handelt sich ja
gar nicht um die „späteren" (?) Einschiebungen, sondern um die
ursprüngliche Gestalt. Welche klare Vorstellung soll aber der
Lernende oder Wiederholende gewinnen, wenn drei Fragen weiter
nur von einem „überarbeitenden Dichter" die Rede ist, und von
Sängern, welche „die einzelnen Lieder mündlich verbreiteten"?
Hier kommt es weniger darauf an, selbst etwas Bestimmtes zu
sagen, als dem Leser ein klares Bild der Schwierigkeit zu entwerfen. An andern Stellen dagegen möchte man gern einen
kritischeren Ausdruck als den: „Franz Pfeiffer erklärte sogar (?)
den Kürenberger, einen österreichischen Dichter, für den Schöpfer (!)
des Nibelungenliedes, weil von diesem einige Strophen im Nibe-
lungenversmaß bekannt sind". Dieser Kürnberger hat übrigens
nicht nur (Fr. 140) Nibelungenstrophen gedichtet.

Ebenso hätte ich mir Walthers Leben anders gedacht. So
wie hier, steht es etwa in jeder besseren Literaturgeschichte.
Warum „muß seine Geburt in die Jahre zwischen 1160—1170
fallen"? Für Primaner genügt diese Angabe, für Examinanden
aber nicht. Man sage doch: die Datierung seines Lebens beruht
zunächst auf einigen Gedichten seines Alters. Die *unsenften brieve*
im Schwanengesang führen auf 1227 (Kreuzzug 1228); vierzig
Jahre oder länger hat er von Minne gesungen (*Ir reinen wîp*);
das führt auf c. 1167 als Geburtsjahr. — Seine Ritterbürtigkeit
ist nicht zu beweisen; von „Erbe" zu reden hat keinen Sinn,
ebenso wenig von ritterlichem Geschlechte oder gar einem Ge-
schlechtsnamen. Der Verf. entwickelt sonst ganz richtige Anschauungen vom Ritterstand, aber in Frage 139 hat sich doch
wieder der adlige Unhold eingeschlichen.

Auch in der Darstellung der Entstehung der neuhochdeutschen
Schriftsprache hat der Verf. tiefer gegriffen als andre ähnliche
Bücher. Aber ganz einverstanden bin ich nicht mit ihm. Wie
kommt er auf die kaiserliche Kanzlei in Wien als den Ausgangspunkt, und wie kann er in der Überschrift der Frage II 2 sagen:
„die kaiserliche Kanzleisprache oder die Reichssprache ruht auf

mitteldeutscher Grundlage"? Ebenso undeutlich ist das,
was in der folgenden Frage über Luthers sprachschöpferische
Tätigkeit gesagt ist. Es muß doch endlich einmal auch in alle
abgeleiteten Werke für Studium und Schule Klarheit über diese
Sache dringen. Was Luther in der Kursächsischen Kanzlei vorfand, war eine Geschäftssprache mit beschränktem Wort- und
Phrasenschatz, deren Laute und Formen aus ober- und mitteldeutschen Elementen gemischt waren. Oberdeutsch war besonders
die Diphthongierung von *û* und *î*, mitteldeutsch die Monophthon-
gierung von *ie*, *uo*, die Dehnung der kurzen Stammvokale und
der größte Teil des Konsonantstandes. Diese Mischung entstammt
nicht der Wiener, sondern der Prager Kanzlei der Luxemburger,
wo Österreichisches und Mitteldeutsches zusammenstießen. Luthers
Verdienst ist es, dies Knochengerüst mit Fleisch und Blut aus
seiner heimischen Volkssprache bekleidet zu haben, ihm gerade
durch die Verdeutschung der Bibel einen ungeheuren Wort- und
Phrasenschatz geschaffen und eine riesige Verbreitung gegeben
zu haben.

Aus der klassischen Periode des 18. Jahrhunderts will ich
endlich hervorheben, daß ich starke Bedenken habe, ob mit einer
knappen Inhaltsangabe der Dramen viel gewonnen ist. Der Re-
petent wird sie vielleicht nicht ganz entbehren mögen, um seinem
Gedächtnis nachzuhelfen. Aber wenig genug ist damit getan, für
das Verständnis des Werks, seiner Idee, seines Aufbaus, der
Schwierigkeiten, die sich der Erklärung bieten, des Zieles, das
sich der Held oder das Gegenspiel stellt u. dgl. mehr. Das erscheint mir für den Kandidaten oder die Kandidatin unendlich
wichtiger als die Aufzählung aller fünf Trauerspiele des Gryphius
oder zwei Seiten Opitz oder die zahllosen Titel aus dem 19. Jahrhundert.

Ich füge dieser Besprechung der ersten beiden Hefte noch
folgende Einzelheiten an:

Frage 21. Der Ausdruck „Ritter" ist im alten Hildbrands-
liede unangebracht.

30. Wo enthält das Muspilli „Anklänge an den Glauben der
alten Germanen"?

31. „Weltlicher Berufssänger" für den Dichter des Heliand
genügt nicht. Das Richtige ist Nr. 34 nachgeholt.

34. Über Otfried ist zu wenig gesagt; dagegen können die
drei Zeilen über Hucbald (36) fehlen.

38. Das Ludwigslied ist doch deshalb noch kein Leich, weil
es fünf dreizeilige Strophen hat.

40. „Karl der Kahle schwur im damaligen Deutsch".
Der Verf. nennt sonst den Dialekt. Es ist rheinfränkisch, die
Benediktinerregel (41) alemannisch.

45. Scheffel gibt im „Ekkehard" keine Übersetzung des
Waltharius. Diese Behauptung kann den Laien irreführen.

46. Von der Ecbasis fehlt das Wichtigste, die Binnenfabel, die den Grundstock der Reinhart-Dichtungen bildet.

55. Gibt „Anno" die älteste Legendenpoesie. und das 11. Jahrh. die erste Aufzeichnung deutscher Predigt (58)?

62. Die Einteilung ist nicht haltbar.

79. „Rother" ist „Reimprosa ohne strophische Gliederung"?

109. „im reinen Reim", lies mit. Der Absatz ist auch sonst nicht recht verständlich. Ebenso 122.

111. Hartmanns zweites Büchlein gilt wohl allgemein als unecht.

124. Ist Wolfram wirklich in Wildenberg geboren?

141. Hat nicht der Kürnberger auch schon Frauendienst?

Zu Band II: Die Gemahlin des Gr. Kurfürsten wird noch als Dichterin des Liedes „Jesus, meine Zuversicht" bezeichnet; Rosegger heißt nicht Petri Kettenfeier. Anzengruber und Ganghofer haben nicht nur einen Dorfroman geschrieben. Die Anordnung in der letzten Periode ist nicht recht verständlich, z. B. die Reihe Liliencron, Bodenstedt, Geibel.

Daß Aristoteles nur die Einheit der Handlung als Gesetz aufstellt, ist doch nicht ganz richtig; wenigstens sagt er, „daß die Tragödie nach Möglichkeit beflissen ist ($\mu\acute{\alpha}\lambda\iota\sigma\tau\alpha$ $\pi\varepsilon\iota\varrho\tilde{\alpha}\tau\alpha\iota$), den Zeitraum eines Tages als Dauer der Handlung innezuhalten oder nur unbedeutend überschreitet".

Das 3. Heft gibt auf c. 50 Seiten eine Metrik und Poetik, und zwar in einer auffallenden Anordnung, insofern die Poetik zwischen Verslehre und Geschichte der Verskunst eingeschoben ist. Der Verf. zeigt sich auch auf diesem Gebiet mit den modernen Anschauungen vertraut, indem er von der Messung nach Hebungen und Takten spricht. Dennoch hat er nicht gewagt, mit den alten Anschauungen ganz zu brechen. Schon in Frage 3 schleicht sich der Versfuß wieder ein, und in Nr. 6 werden sie wieder nach römischer Weise aufgezählt; und damit ja kein Zweifel sei, wie es gemeint ist, steht in Nr. 5 die veraltete Ansicht: „Die Schönheit des Verses fordert, daß die einzelnen Wörter nicht regelmäßig mit den Versfüßen zusammenfallen, sondern nach Möglichkeit über sie hinausgreifen, sie durchbrechen". Natürlich stehen dann die verschiedenen iambischen Maße voran, und auch der neue Nibelungenvers erscheint (Nr. 22) „als Folge zweier iambischer Dreitakter". Dieser § 3 ist überschrieben „Die einfachen Versarten", und dann erst folgen in § 4 „Die freien deutschen Verse". Darunter sind aber die alten deutschen Verse mit ihrer freien Bewegung und echt deutschen rhythmischen, feinen Empfindung gemeint, welche seit Otfried herrschten, im 12. bis 16. Jahrhundert dominierten, dann nur durch das mangelhafte Verständis des Herrn Opitz, dem der Verf. noch immer zu viel Ehre antut, in Acht und Bann getan, aber durch Goethe wieder entdeckt und zu Ehren gebracht, und zwar nicht nur im Faust.

Diesen wichtigen Vers behandelt aber der Verf. in Nr. 37—39 gar stiefmütterlich. Vom Auftakt spricht er nicht, und vor allem nirgend von der Dipodie, dem wichtigsten Grundsatz seines Verständnisses. Auf die Frage: „Wer hat den freien, vierhebigen Vers, den sogenannten Akzentvers, verwendet?" antwortet er: „Schiller (Taucher, Graf, Bürgschaft), Goethe (Erlkönig, auch im Faust), Heine haben den Akzentvers in Strophen gruppiert und mit Reimen versehen". Das ist ein etwas verwirrtes Garn. War denn der Vers sonst reimlos? Und mit Schillers komplizierten Strophen anzufangen, und gerade mit diesen, wo drei und vierhebige Verse gemischt sind! Ebenso unklar ist Nr. 39. Die Meistersinger haben den Vers durch ihre Silbenzählerei entstellt, Hans Sachs dagegen hat ihn, nicht als Meistersinger, sondern, im Gegensatz zu dieser Afterkunst, als Schwankdichter zu Ehren gebracht, wo ihn nicht die Regeln der Tabulatur, sondern ein gesundes Dichtergefühl leitete.

Das nötigt mich noch einmal auf die Opitzische Reform einzugehen, die § 14 behandelt ist. Erfreulich ist der Ausspruch, Opitz habe die Verskunst in die Zwangsjacke des zweisilbigen Taktes eingeschnürt und damit geschädigt. Aber daß er damit auf das ältere Prinzip zurückgeht, ist doch nur zum Teil richtig; denn er hat eben kein Verständnis dafür, daß die Hebungen im Vers nicht gleichwertig sind. Das aber lag den guten Dichtern des 16. Jahrhunderts, wie Sachs und Fischart, noch im Gefühl. Sie waren sicher keine bloßen Silbenzähler (Nr. 172). Sie hatten die beiden Haupthebungen des Verses fest im Auge; mit den andern sprangen sie freilich sehr frei um. Sie sind also nur dann Silbenzähler zu nennen, wenn man den Maßstab von Opitz anlegt. Goethe tat das zum Glück nicht, sondern ließ sich von seinem gesunden rhythmischen Gefühl leiten. Wie hätte er sonst sagen können: „Wir benutzten den leichten Rhythmus (des Sachs), den sich willig anbietenden Reim bei manchen Gelegenheiten". Opitz würde also den Anfang des 'Faust' als Silbenzählerei verworfen haben. Denn er skandierte:

> Habé nun, ách, Philósophíe
> Juristerei und Médizín
> Und leíder aúch Theólogie etc.

Goethe aber sprach:

> Hàbe nun, ách, Phìlosophíe
> Jùristeréi und Mèdizín
> Und leíder aùch Thèologíe etc.

Bei lebhafter Deklamation merkt man, daß die Nebenhebungen gegen die Haupthebungen fast verschwinden; und so war es offenbar auch bei Hans Sachs.

Endlich habe ich noch die Aufgabe, hinzuweisen auf eine

kleine Schulliteraturgeschichte des Verfassers, wohl die kleinste,
die ich kenne, unter dem Titel:

> Kurzer Überblick über die Geschichte der deutschen Lite-
> ratur. Für den Schulgebrauch bearbeitet von Gotthold
> Deile. Verlag der Hofbuchdruckerei C. Dünnhaupt in Dessau.
> 36 S. 0,60 ℳ.

Die Zeit bis 1150 auf 1 Seite; ebenso die Blütezeit von
1150—1300 und der Verfall von 1300—1500. Dann das 16.
und das 17. Jahrhundert auf je 1½ Seiten. Eine gute Seite erhält Lessing, zwei Goethe, drei Schiller. Da kann nicht viel mehr
als Notizen geboten werden. Und dies „Mehr“ ist ungleich, bald
eine ganz kleine Inhaltsangabe des äußerlichen Vorgangs (Werther),
bald nur Formelles (Iphigenie), bald Angabe der Idee (Maria
Stuart). Daß dabei manches unverständlich bleibt (Prinz von
Homburg), manches schief wird (einzige Notiz zum „Käthchen von
Heilbronn“: „ein großes historisches (?) Ritterschauspiel), ist nicht
zu verwundern.

Berlin-Friedenau.   Karl Kinzel.

A. Waag, Bedeutungsentwickelung unseres Wortschatzes, ein
Blick in das Seelenleben der Wörter. Zweite, vermehrte Auflage.
Lahr i. B. 1908, M. Schauenburg. 183 S. geb. 3,50 ℳ.

Waags Schrift, von der hier die zweite Auflage vorliegt,
wendet sich an alle Gebildeten, die das Bedürfnis empfinden, über
die Muttersprache nachzudenken. Der Verf. beabsichtigt nicht,
etwas Neues zu bieten, sondern will nur den wissenschaftlich
schon verarbeiteten Stoff nach bestimmten Gesichtspunkten ordnen.
Dabei folgt er in der Auswahl und Gruppierung der Wörter dem
bewährten Vorgange seines Lehrers H. Paul, dessen Prinzipien
der Sprachgeschichte er für die Bedeutungskategorien zugrunde
gelegt und aus dessen Deutschem Wörterbuche er hauptsächlich
den behandelten Wortvorrat geschöpft hat. Die Schrift gliedert
sich, abgesehen von Einleitung und Schluß, in acht Abschnitte,
deren Überschriften lauten: 1. Verengerung des Bedeutungsumfangs. 2. Erweiterung des Bedeutungsumfangs. 3. Metapher.
4. Metonymie. 5. Hyperbel, Litotes, Euphemismus, Ironie. 6. Aufeinanderfolge verschiedener Arten des Bedeutungswandels. 7. Bedeutungswandel von Wortgruppen. 8. Anpassung an die Kulturverhältnisse. Sie umfaßt 668 Nummern und liest sich gut, da
der Stoff nicht in Tabellenform, sondern in zusammenhängender
Darstellung und in fließendem Deutsch geboten wird. Die Fortschritte der zweiten gegenüber der ersten Auflage bestehen einmal darin, daß eine große Zahl ähnlicher Bedeutungsübergänge
aus dem Lateinischen, Französischen und Englischen herangezogen
werden, und sodann darin, daß die Summe der gebrauchten ent-
behrlichen Fremdwörter geringer geworden ist. Doch finden sich

noch immer Ausdrücke wie *Situation, Interesse, Gebrauchssphäre,*
speziell u. a. nicht selten vor.

In vielen Fällen ist die Etymologie der Wörter angegeben,
z. B. bei *bange* S. 91 (be—ange), aber oft fehlt sie auch, wo man
sie dankbar begrüßen würde, z. B. bei *Schuster* S. 28 = schuoch-
sûtaere von lat. sutor und *Pumpernickel* S. 147 von pumpern,
poltern. Vielfach werden die Stellen in den Fußnoten erwähnt,
an denen Kluge, Heyne u. a das betreffende Wort erklärt haben,
in anderen Fällen, wo der Ursprung keineswegs sicher ist, vermissen wir diese Angabe, z. B. bei *scharwenzeln* S. 147, das entweder aus *Schar*, Fronarbeit, und dem Namen *Wenzel* oder aus
frz. *servant* abgeleitet wird, und bei *meiner Six* (von meine Seele,
meiner Sechs oder mein Saxnot) S. 116. Herleitungen, wie die
des Wortes *Dietrich*, Nachschlüssel, aus *Dieberich* S. 149 konnten
unberücksichtigt bleiben.

Selten sind Unrichtigkeiten, wie S. 146, wo gesagt wird,
daß die häufigen männlichen Eigennamen auf -rich wie *Heinrich, Friedrich* u. a. das Muster abgegeben hätten für Bildungen
wie *Gänserich, Enterich, Fähnrich, Wüterich.* Wahrscheinlich ist
diese Angabe für die zuletzt genannten Personenbezeichnungen,
für die Tiere aber nicht; auf keinen Fall für Enterich, das im
Ahd. an(t)trahho und an(t)trêhho lautet und vermutlich aus ant,
Ente, und trahho, Drache, hervorgegangen ist (vgl. engl. drake
und ndd. drake (Enterich). Danach ist anzunehmen, daß *Gänserich* und *Täuberich* in ihrer Endung von Enterich beeinflußt
worden sind, wie die Pflanzenbezeichnungen *Wegerich* und *Weide-
rich* vermutlich von *Hederich*, das aus lat. hederacea entlehnt ist.
Ebenso wenig kann ich mich zu der Ansicht bekennen, die S. 86
ausgesprochen wird, daß in Worten, wie *Leibchen, Ärmel, Däum-
ling, Fäustling, Beinling, Füßling,* die Verkleinerungsendung „offenbar das äußerlich Nachahmende, Stellvertretende ausdrücke". Denn
einmal kommt auch die nicht verkleinerte Form in derselben Bedeutung vor (z. B. *Leib, Schnürleib, corps*) und sodann findet sich
das Suffix -ling auch in zahlreichen anderen Wörtern, in denen
ein besonderer Nebensinn nicht nachweisbar ist (vgl. W. Wilmanns,
Deutsche Gramm. II, 369 ff.).

Wunderbar erscheint es, daß der Verf. in der neuen Auflage fremde Analogien verwertet, aber nabeliegende deutsche oft
unbeachtet läßt. Hunderte hätte er in den betreffenden Abschnitten meiner „Muttersprache" (über den Bedeutungswandel
6. Aufl. S. 225—244) und meiner „Ästhetik der deutschen Sprache"
(Gefühlswert der Wörter, 2. Aufl. S. 62 ff., Übertragung, Be-
seelung des Leblosen, volkstümliche Bildersprache, Geschmack
im bildlichen Ausdruck S. 102—136) finden können. Ich greife
nur einige heraus: Bei Nr. 278 konnte hingewiesen werden auf
verschlagen, gerieben, verschmitzt, gerippt, ausgebeint, abgefeimt,
callidus von callere, Schwielen haben. Bei Nr. 297 auf nd. *schrill*

schmecken vom Geschmack eines Apfels, oder *kritsaurer* Essig (von kriten, schreien), fränkisch krachsauer und *kirrsauer*, von kirren, schreien, alemannisch *glockenheller Himmel.* S. 89 konnte neben Bursche und Frauenzimmer der *Kamerad* erwähnt werden, S. 150 neben dem Heiduk der *Krabate* (= Kroate) und der *Tolpatsch* (eigentlich ungarischer Fußsoldat, dann in der Bedeutung beeinflußt durch Tölpel). Ferner vermißt man Ausdrücke wie *verknusen* eig. verdauen (vergl. lat. stomachari, sich ärgern von stomachus, Magen und jemand im Magen haben), *hegen* (= mit einem Hag umgeben, schützen), *beschützen* (= mit einem Erdaufwurf, schute, zum Schutze bedecken), *steifleinen, zugeknöpft, siebengescheit, neunhäutig,* ein *trockener* Mensch, *kaltblütig* und viele andere. Auch sind die Angaben, die bei den einzelnen Ausdrücken gemacht werden, nicht immer vollständig, so fehlt unter *Matz* die Bemerkung, daß es z. B. in Thüringen und Sachsen als Koseform für das Schwein gebraucht wird, bei *flämisch,* daß es auch noch seine urspr. edle Bedeutung gewahrt hat, z. B. in schweizerisch *flämische* Wolle, feine Wolle (vgl. DW. III 1711), bei *Gichter,* daß es die Mehrzahl von das Gicht, einer Nebenform von die Gicht, ist.

Eisenberg, S. A.   O. Weise.

Siegmar Schultze, Die Entwicklung des Naturgefühls in der deutschen Literatur des neunzehnten Jahrhunderts. Erster Teil: Das romantische Naturgefühl. Halle a. S. 1907, Ernst Trensinger. VII u. 170 S. 8. 2,50 ℳ.

Ein anderes ist, die Entwicklung durch Jahrhunderte und durch die Literaturen der Völker zu verfolgen, ein anderes, einen Zeitabschnitt, eine einzelne Literaturbewegung zum Gegenstande der Betrachtung machen. Mir kam es in meiner „Entwicklung des Naturgefühls" nur darauf an, Grundlinien zu zeichnen, die wichtigsten Gedanken und Anschauungen in den einzelnen Zeiten und bei den größten Denkern und Dichtern und Künstlern, die jene vertreten, zur Darstellung zu bringen. Seitdem ist die Einzelarbeit nach allen Richtungen hin, im In- und Auslande, außerordentlich tätig gewesen. Denn das Thema ist schön und lockend und fruchtbar. Doch auch wem es ans Herz gewachsen ist, kann des Büchleins von Schultze nicht so recht ehrlich froh werden; manches ist gewiß hübsch herausgepflückt aus dem reichen Garten, manches neuartig zusammengestellt, aber einen wirklich tiefen und allseitigen Kenner der Romantik verrät es nicht. Und wie umfassend und eindringend ist gerade jetzt die Arbeit, die ihr gewidmet wird! Hie und da hört man auch bei Schultze die Quellen seiner Darlegungen rauschen (er nennt sie nur selten), doch sie geschickt in ein Bett zu sammeln und doch die besondere Eigenart zu wahren, gelingt ihm nicht. Der Grundfehler ist die zu starke Verallgemeinerung, die er auf die Romantiker in Bausch und Bogen anwendet. Er urteilt oft in Schlagwörtern zusammenfassend, wo dem tiefer Forschenden eine Menge von Verschiedenheiten sich ergeben. So drängt sich in die Darstellung der Grundrichtungen der Romantiker, hinsichtlich ihrer Philosophie, ihrer Naturanschauung und Dichtweise und der — stiefmütterlich behandelten — bildenden Kunst, vieles Schiefe ein; die Aneinanderreihung der Kapitel (Novalis. Tieck. Kleist und Werner. Fouqué. Brentano. Bettina. Arnim. Hoffmann. Hölderlin (hier!). Eichendorff. Uhland. Kerner. Schwab. Kerner. Mörike. Rheinromantiker. Kinkel. Meer-Romantik. Orient-Romantik) ist recht äußerlich. Daß Sch. sein Thema erschöpfte, d. h. die Naturanschauung der einzelnen ausschöpfte, läßt sich nicht sagen; Wesentliches und Unwesentliches mischt er durcheinander; für vieles ist man dankbar, anderes muß man ablehnen. Das alles im einzelnen zu erweisen, ist hier nicht der Ort. Die Lehrer des Deutschen werden doch nur wenig aus dem Buche entnehmen können. Gerade mit der Darstellung von Uhland und Mörike ist nicht recht etwas anzufangen. — Der Stil ist z. T. erschreckend, das Papier dürftig.

Neuwied. ——————— Alfred Biese.

Schwänke aus aller Welt. Für Jung und Alt herausgegeben von Oskar Dähnhardt. Mit 52 Abbildungen nach Zeichnungen von Alois Kolb. Leipzig und Berlin 1908, B. G. Teubner. VI u. 156 S. geb. 3 ℳ.

Oskar Dähnhardt, der Unermüdliche, beschenkt uns mit einer neuen, reifen Frucht seines Sammelfleißes. In seinem Deutschen Märchenbuche führte er uns, die Grimmschen Märchen vielseitig ergänzend, durch den Volksmärchenschatz aus aller Herren Ländern; hier stellt er neben Till Eulenspiegel, die Schildbürger und Lalenburger eine Fülle köstlicher Schwankfiguren, wie sie der Volkshumor vom skandinavischen Norden bis ins dunkelste Afrika ersonnen hat. Das Büchlein ist eine herzerfreuende Lektüre, herzerquickend auch für die Alten, die sich den jugendfrischen Sinn für unverkünstelte Volkstümlichkeit bewahrt und an harmlosem Scherz ihre Freude haben; die flotten Bilder passen prächtig zu dem heiteren Inhalte. Besonders sei das Buch den Kollegen empfohlen, die etwa in einer Vertretungsstunde oder wo sonst die Gelegenheit günstig ist, ihren Jungen und sich selbst eine frohe Stunde bereiten und dem munteren Gesellen mit der Schellenkappe die dumpfe Schulstube öffnen wollen.

Pforta. ——————— Georg Siefert.

C. Rethwisch, Der bleibende Wert des Laokoon. Berlin 1907, Weidmannsche Buchhandlung. Zweite Auflage. 44 S. 8. brosch. 1 ℳ.

An die sorgsame, wenngleich kurz gehaltene „Prüfung des Gedankenganges im Laokoon", die sich auch auf den von Lessing geplanten, aber nur aus Entwürfen und Materialien bekannten zweiten und dritten Teil des Werkes erstreckt, schließt sich eine übersichtliche Zusammenstellung der Ergebnisse, in der die notwendig gewordenen Ergänzungen und Berichtigungen durch Schrägschrift von Lessings Ansichten unterschieden sind. Damit erhält der vortreffliche Kommentar eine Form, die ihn für den Gebrauch des Lehrers ganz besonders geeignet macht. — Im übrigen bekenne ich mich zu der Meinung, daß die Schule Lessings Laokoon heute unmöglich mehr soviel Zeit und Mühe widmen kann, wie bisher meist geschehen ist. Sachliche, literarhistorische und formale Gründe sind es, die für die Lektüre des Laokoon ins Feld geführt werden können. Ich gebe zu, daß wir auch heute noch verpflichtet sind, die Jugend mit einer Schrift bekannt zu machen, die einen Markstein in der Geschichte des Kunstverständnisses bedeutet, und ich gebe ebenso bereitwillig zu, daß die kritisch-eristische Darstellungsweise Lessings nach wie vor hohen Reiz besitzt. Aber man braucht diese auf Induktion und Analogie beruhende, zuerst von Sokrates versuchte dialektische Methode heutzutage nicht mehr bloß aus Lessings Schriften zu erlernen. Ich möchte behaupten, daß sich wissenschaftliche Untersuchungen aus der Feder neuerer Schriftsteller für das deutsche Lesebuch der Prima ausfindig machen ließen, in denen diese Stilart in noch reinerer Form, noch größerer Vollkommenheit gehandhabt wird. Ich vermisse im Laokoon und ebenso in der Dramaturgie die dialektische Ökonomie. Die Kunst der Dialektik verlangt wie die des Dramatikers Beschränkung auf das Notwendige, steten, deutlich erkennbaren Fortschritt in der Entwicklung, Verzicht auf Seitenwege, Wiederholungen, behagliches Sichgehenlassen. Lessing hat sich selbst in Hinsicht auf die Schreibweise des Laokoon als einen „Spaziergänger" bezeichnet. Mit vollem Rechte und durchaus nicht bloß aus übergroßer Bescheidenheit. Wenn also Rethwisch im letzten Satze seiner Schrift sagt: „Der Laokoon ist auch an Formvollendung das Muster einer Abhandlung", so kann ich ihm schlechterdings nicht beipflichten. Daß gewisse Grundanschauungen von Anfang bis zu Ende festgehalten werden, beweist noch nicht, daß das Ganze als das Muster einer Abhandlung anzusehen ist. — Und nun bleibt schließlich noch die Frage zu beantworten: Was kann die Jugend in sachlicher Beziehung aus dem Laokoon lernen, was sie anderswo nicht oder doch nicht so gut wie hier lernen könnte? Bei Rethwisch lesen wir: „Wo gäbe es eine frühere Schrift über diesen Gegenstand, nach welcher der Laokoon überflüssig gewesen wäre, wo eine spätere, die seinen Reingehalt entwertet hätte?" Nun, ich meine, man kann ein aufrichtiger Bewunderer und Verehrer Lessings sein — ich bin es auch — und doch zugestehen, daß seine kunsttheoretischen Thesen in nicht wenigen Punkten bestritten werden müssen. Auch Rethwisch hat sich dazu genötigt gesehen. Und was den heute noch gültigen „Reingehalt" des Laokoon betrifft, der ist längst zum Gemeingut der gebildeten Welt geworden, wenn auch

Schilderungssucht und Allegoristerei noch keineswegs ausgestorben
sind. Den Reingehalt, d. h. die Grundgedanken in Lessings
Laokoon, kann man Primanern bequem in einer Stunde darlegen,
und wenn man der Beschäftigung mit dieser Schrift gleichwohl
mehr Zeit, etwa vier Wochen, widmet, so ist dies nur durch
literarhistorische und formale Rücksichten zu rechtfertigen. Das
Verständnis für die Größe Lessings wird durch ein allzu gewissen-
haftes Eingehen auf gelehrte Quisquilien, auf kritische Plänkeleien
mit Leuten, die für die Gegenwart, mindestens für die Schule,
durchaus keine Bedeutung mehr haben, eher erschwert als gefördert. Der deutsche Unterricht auf der Oberstufe unserer
höheren Lehranstalten kann die ohnehin so karg bemessene Zeit
besser ausnutzen, wenn er ernstlich darauf bedacht ist, die Jugend
in die neuere und neueste Literatur und in die Vorhallen der
Philosophie einzuführen.

    Brieg.   Paul Geyer.

Lehmann, Deutsches Lesebuch. Anhang für Pommern und
  Mecklenburg von O. Altenburg.

    Was über den Wert des Anhanges für Schlesien gesagt worden
ist (Jahrg. LXI S. 483), gilt auch hier; die dort gemachte Einschränkung, daß pädagogische und didaktische Bedenken in Rücksicht auf besondere örtliche Verhältnisse zurücktreten mußten,
fällt wohl hier fort. Inwieweit die pommersche und mecklen-
burgische Eigenart (glücklicherweise sind wenigstens gleich zwei
Landschaften vereinigt) richtig getroffen und ob die Auswahl aus
dem Schatze der betr. Literaturen gut ist, müßte ein Kenner entscheiden. Jedenfalls findet sich auch hier neben guten bekannten
Sachen, die aber ebensogut in jedes allgemeine Lesebuch passen,
viel Minderwertiges, inhaltlich unbedeutend und langweilig, in der
Form unvollkommen, und das sollte man doch dem Schüler im
deutschen Unterricht ersparen.

    Cassel.   Carl Heinze.

Die deutschen Klassiker von E. Kuenen und M. Evers:
1) Goethes Hermann und Dorothea, erläutert und gewürdigt für
  höhere Lehranstalten sowie zum Selbststudium von Eduard Kuenen.
  Sechste, verbesserte Auflage, besorgt von M. Mertens. Leipzig 1907,
  Heinrich Bredt. 132 S. 8. 1 ℳ.

    Das treffliche, für die Schule sehr empfehlenswerte Buch
beginnt mit der Inhaltsangabe der einzelnen Gesänge unter beständiger Hervorhebung der Momente, aus denen die Handlung
hervorgeht und durch die sie gefördert wird. Treffliches bieten
die Anmerkungen. S. 50 „Nicht die Furcht, ein Nein zu er-
eilen ..." ist sprachlich wohl unmöglich. Weiter folgen die
Charaktere. Daß diese mit vollendeter Meisterschaft entworfen
sind, wird jeder zugestehen, doch hüte man sich belanglose

Kleinigkeiten wie S. 63 „wegen der Sommerschwüle führte er die Freunde in das kühlere Sälchen" behufs Charakterisierung heranzuziehen. Daß zum Wirt und seiner Ehegattin Goethes Eltern die Farben gegeben haben, wird bemerkt; dagegen vermißt man eine Angabe über die Persönlichkeit, die zu Dorothea Modell gestanden hat. Aus dem folgenden größeren Abschnitt „Hermann und Dorothea ein Epos" ist das Kapitel „Die Charaktere des Gedichtes haben Ähnlichkeit mit den Homerischen" als besonders lesenswert hervorzuheben. Das Schriftchen schließt mit einer kurzen Geschichte der Entstehung des Gedichtes. Die noch hinzugefügten Texterläuterungen sind in der Hauptsache Worterklärungen.

2) Schillers Jungfrau von Orleans, erläutert und gewürdigt für höhere Lehranstalten sowie zum Selbststudium von Eduard Kuenen. Sechste, verbesserte Auflage, besorgt von M. Mertens. Leipzig 1907, Heinrich Bredt. 95 S. 8. 1 *M.*

Auch diese Schrift beginnt mit Inhaltsangabe der einzelnen Akte unter Einfügung ästhetischer Betrachtungen und am Schlusse eines zusammenfassenden Rückblicks über jeden Aufzug.

Spinöse Theoreme, wie sie Unbescheid konstruiert, blieben lieber weg. Wenn es S. 35 heißt: „Der vierte Aufzug, der in allen kunstgerechten Dramen die Peripetie oder den Glücksumschwung enthält, d. h. nach Aristoteles . . .", so ist dagegen zu bemerken, daß Aristoteles das, was der Verfasser meint, als μετάβασις, nicht als περιπέτεια bezeichnet haben würde. S. 46—48 folgt ein Überblick unter Hinzufügung des bekannten Unbescheidschen Dreiecks. Weiter ist es ansprechend, daß Verf. bei Besprechung der Charaktere zusammenfassende Überschriften wählt: a) Der häusliche Kreis (Thibaut, Raimond, die Schwestern), b) Der französische Hof (Karl, Agnes Sorel, Dunois und La Hire, Herzog von Burgund), c) Das englische Lager (Talbot, Isabeau, Lionel), während dem Charakter der Jungfrau ein besonderes Kapitel gewidmet ist. Interessant ist das Kapitel über „die Idee" des Dramas, in welchem, wie im folgenden Abschnitt „das Vaterländische im Drama" ausgeführt wird, Schiller mit ahnungsvollem Geiste die künftige Erhebung Deutschlands vorgezeichnet hat. S. 75—79 geben Auskunft über die Schwierigkeiten bei Bearbeitung des Stoffes durch den Dichter, wie das Stück von Anfang an mit großer Begeisterung aufgenommen wurde, über Titel, Zeit und Ort, Vers und Sprache. Dann spricht der Verfasser über „die historische Jungfrau" und über „die Visionen (Gesichte)". Den Schluß des lehrreichen Schriftchens bilden kurze Texterläuterungen.

Die ausländischen Klassiker von Oberlehrer P. Hau und H. Wolf:

1) Shakespeares Coriolan erläutert und gewürdigt für höhere Lehranstalten sowie zum Selbststudium von Ernst Wasserzieher. Leipzig 1907, Heinrich Bredt. 119 S. 8. 1,25 *M.*

Wie von keinem Drama des Dichters, so ist auch die Entstehungszeit des „Coriolan" nicht genau zu bestimmen. Äußere

Gründe (Eintrag in den zeitgenössischen Buchhändlerregistern,
Erwähnung von Zeitereignissen, Entlehnung von Notizen,
Namen u. dgl.) fehlen: dagegen machen es innere Gründe (nur
wenige Reime, kurzer gedrungener Stil, immer kühnere, überraschende, neue Bilder) wahrscheinlich, daß Coriolan zu den
späteren Dramen gehört und etwa 1608—1610 entstanden ist.
Nach kurzen Bemerkungen über den geschichtlichen Coriolan und
über den Aufbau des Dramas wird ziemlich ausführlich S. 22—74
mit beständiger Einfügung von Stellen aus dem Drama selbst der
Gang der Handlung erörtert. Weiter werden die Charaktere behandelt vielfältig mit Anschluß an Bulthaupts „Dramaturgie der
Klassiker". Richtig bemerkt der Verfasser, daß Shakespeare meist
nur einen Charakter nach allen Seiten hin heraushebe; alle anderen,
mehr oder minder ausgeführt, dienten eigentlich dem Haupt-
charakter nur als Folie, als Hintergrund. Dann folgen eine Anzahl Stellen aus Plutarch mit Angabe der entsprechenden Szenen
des Stückes. Darnach hat, wie Verfasser richtig bemerkt, „ein
an sich in hohem Grade geeigneter Stoff in Shakespeare den
Dichter gefunden, der ihn mit höchster dichterischer Weisheit zu
bearbeiten wußte, so daß daraus ein Drama von hohem Ebenmaß
und vollendeter Schönheit geworden ist". Eine Sentenzensamm-
lung bildet den Schluß des trefflichen Buches, das auch deshalb
anspricht, weil in demselben einmal keine sogenannte Text-
erklärungen beigefügt sind, ein Beweis dafür, daß der Verfasser
eben mehr das Ganze als Einzelheiten im Auge gehabt hat.

2) **Shakespeares Julius Cäsar**, erläutert und gewürdigt für höhere
   Lehranstalten sowie zum Selbststudium von **Peter Hau**. Leipzig 1907,
   Heinrich Bredt. 104 S. 8. 1 *M.*

   Der Verfasser bemerkt im Vorwort: „Der Kenner wird sehen,
daß ich die einschlägige Literatur benutzt habe". Und doch vermißt man in der am Ende angeführten Literatur-Übersicht das
bekannte Buch von Bulthaupt „Dramaturgie der Klassiker". Hätte
Verf. dies gekannt, so würde er S. 98 vielleicht nicht geurteilt
haben: „Ganz anders erscheint Cäsar bei Shakespeare. Hier ist
er in der Tat der gewaltige Mann, wie ihn die Geschichte
kennt". Nach Bulthaupt — im Anschluß an Eduard Dowden —
ist es zwar der Geist Cäsars, der die ganze Tragödie beherrscht,
aber der Cäsar der Dichtung ist nichts weniger als der große
Mann. Es ist vielmehr der alternde, in Rodomontaden sich er-
gehende Cäsar, der „mit seiner Scheingröße prunken darf, weil
die Macht seiner einstigen wahren Größe noch in ihm und um
ihn nachwirkt". Daher könne man den Mißvergnügten ihren An-
schlag nicht allzu sehr verdenken. Für sie sei Cäsar ein schrullen-
hafter Tyrann, der seine Größe hinter sich habe. Im übrigen
unterscheidet sich Haus Buch insofern von andern derart, als
Verfasser sein Hauptaugenmerk auf den Vergleich des Dramas mit

der Quelle (Plutarch in Norths Übersetzung) gerichtet hat.
Shakespeare — so lautet das aus dem Vergleiche resultierende
Ergebnis — habe die Erzählung des Plutarch vollständig um-
gearbeitet, indem er aus dessen Brutus-Handlung eine Cäsar-
Handlung machte.

Aschendorffs Sammlung auserlesener Werke der Literatur.
Die Nibelungen. Ein deutsches Trauerspiel in drei Abteilungen von
    Friedrich Hebbel. Für Schule und Haus herausgegeben von
    Theodor Büsch. Münster i. W. 1906, Aschendorffsche Buchhand-
    lung. 271 S. 8. 1,40 ℳ.

Die Einleitung beginnt mit einigen zerstreuten, in keinem
rechten Zusammenhange stehenden Abschnitten aus dem Leben
des Dichters und wendet sich dann zu der Behauptung, daß Hebbel
weder von Schiller noch Goethe noch andern auf seinem speziellen
Gebiete, dem Drama, erreicht sei. Die erste Anregung zu den
Nibelungen hat Hebbel schon im Jahre 1835 empfangen, beendet
ist das Werk am 22. März 1860. Die Züge unsers großen
Nationalepos sind überall, auch im kleinsten getreu festgehalten.
Die reckenhaften Heldengestalten zeigen doch überall den Menschen.
„Deutsches Wesen, deutsches Heldentum aus den Zeiten un-
geschwächter Kraft und Jugendfrische macht uns die Dichtung
doppelt wertvoll und erhöht ihren Bildungswert für die deutsche
Jugend". Der Gegensatz zwischen Heidentum und Christentum,
der die ganze Trilogie durchzieht, endet mit dem Siege des
letzteren. Die Menschen reiben sich auf durch ihre Maßlosigkeit,
„an ihrer, man möchte sagen, jugendlichen Einseitigkeit und Unfertigkeit". Hierüber vergleiche man auch „Hebbel von Richard
Maria Werner".

In glücklicher Weise sind die „Erläuterungen" auf kaum
sechs Seiten beschränkt. Dann folgt „Gang der Handlung" und
ein Kapitel über „Das Christentum in Hebbels Nibelungen". Der
schöne, lichtvolle Druck erhöht die Annehmlichkeit der Lektüre
des Buches.

Chemnitz.   Bernhard Arnold.

Immermanns Werke. Herausgegeben von Harry Mayne. Kritisch
    durchgesehene und erläuterte Ausgabe. Leipzig-Wien, Bibliographi-
    sches Institut. 5 Bände in Leinen gebunden 10 ℳ.

Durch ein Versehen meinerseits ist die nachfolgende Besprechung der neuen Ausgabe Immermanns liegen geblieben. Sie
erscheint nun sehr post festum, aber sie soll doch wenigstens
dem Leserkreise der Zeitschrift bestätigen, was inzwischen der
Arbeit Harry Maynes anderwärts so reichlich an Lob gespendet ist.

Der Herausgeber, bereits vorteilhaft bekannt durch seine Biographie Mörikes, faßt in dieser Ausgabe die Frucht einer fünf-

jährigen eingehenden Beschäftigung mit Karl Lebrecht Immermann zusammen. Er hat den literarischen Nachlaß Immermanns, „der im Goethe- und Schiller-Archiv zu Weimar fünfzehn Kasten füllt", unbeschränkt für seinen Zweck ausbeuten dürfen, er ist auf die Handschriften zurückgegangen, wo immer es möglich war, hat auch die Teildrucke in Zeitschriften zur Vergleichung herangezogen und hat so einen Text gewonnen, der dem seiner Vorgänger Boxberger und Max Koch gegenüber als der erste wirklich kritisch hergestellte und zuverlässige gelten muß. Aber auch für die Erläuterungen, die bei Immermanns Werken und unter ihnen ganz besonders beim Münchhausen ebenso schwierig als unentbehrlich sind, stand dem Verf. in jenem Nachlaß reichstes Material zu Gebote, so reichlich, daß er in dieser Ausgabe nur das Wichtigste und Wesentlichste verarbeiten konnte. Er hat dies mit großer Umsicht und richtigem Blick getan und, der Anlage der Meyerschen Klassikerausgaben entsprechend, außer Fußnoten, die zur unmittelbaren Erklärung dienen, in Anmerkungen am Schluß der einzelnen Werke völlig ausreichende Erklärungen gegeben. Soll ich hier einen Wunsch aussprechen, so wäre es der, daß im Text durch irgend ein Zeichen auf die Anmerkungen verwiesen wird, damit man weiß, was man finden kann. Besonders dankenswert ist der vollständige Abdruck aller Paralipomena zu den Hauptwerken, die ihm zugänglich waren. Die Herausgabe eines größeren Münchhausen-Kommentars stellt der Herausgeber für später in Aussicht.

Selbstverständlich ist an die Spitze des ersten Bandes eine biographische Einleitung gestellt. Sie ist knapp gehalten, aber völlig zweckentsprechend, und erfreut ebenso durch ihre scharfe Charakterisierung wie durch die gesättigte, geistvolle Darstellung, in der sich der Schüler Erich Schmidts verrät. Auf gleicher Höhe stehen die Einleitungen zu den einzelnen Werken. Diese sind mit vollem Verständnis für das Publikum der Klassikerausgaben ausgewählt, das immerhin einen weiten Interessenkreis darstellt. Die Auswahl enthält „Münchhausen", „Epigonen", „Memorabilien", „Merlin", „Andreas Hofer", „Tulifäntchen" und Gedichte, so daß sie also nur für Spezialforscher nicht ausreicht. Immermanns Wesen und Bedeutung für die deutsche Literaturgeschichte kommt in ihnen restlos zum Ausdruck.

Zum Schluß eine ganz beiläufige Bemerkung. Wiederholt nimmt der Herausgeber, wie natürlich, auf Goethes Wilhelm Meister Bezug und nennt ihn jedesmal den größten Roman des deutschen Volkes überhaupt. Ich bin der ketzerischen Ansicht, daß dies ein überlebter Standpunkt ist, der von der weit überwiegenden Mehrzahl auch der literarisch Gebildeten nicht mehr geteilt wird.

Berlin.   Gotthold Bötticher.

1) W. Dilthey, Das Erlebnis und die Dichtung. Zweite, erweiterte Auflage. Leipzig 1907, B. G. Teubner. 455 S. 8. geb. 6 *M.*

Dieses Buch erregte sogleich bei seinem ersten Erscheinen berechtigtes Aufsehen wegen der Gründlichkeit, mit der eines der wichtigsten Probleme der Dichtkunst, das Verhältnis des Erlebnisses zur Dichtung, behandelt und dadurch ein tieferes Verständnis der Dichtung selbst bewirkt wurde. In vier Essays, die sich nacheinander mit Lessing, Goethe, Novalis und Hölderlin beschäftigen, wird die unendliche Bedingtheit alles dichterischen Schaffens durch Überlieferung, Umgebung, Zeitgeist, die untrennbare Verbindung von Leben, Denken und Dichten nachgewiesen und damit der Literaturgeschichtschreibung eine Aufgabe gestellt, die über bloßes Berichten über den Lebenslauf der Dichter, über die Quellen ihrer Dichtungen, über Dichterschulen usw. weit hinausgeht. Da zugleich die ganze geistige Atmosphäre der Zeitperiode, der die genannten vier Dichter angehören, eine ebenso eingehende Darstellung erfährt, so erweitern sich diese vier Dichterporträts zu einer zusammenhängenden Darstellung einer der wichtigsten Epochen der deutschen Geschichte und Literatur. Zu diesem echt philosophischen Geiste, der das ganze Werk erfüllt, gesellt sich ein tiefes Verständnis des innersten Wesens jeder der genannten Dichterpersönlichkeiten, das nur in eigenem dichtenden Nacherleben seinen Grund haben kann, und — last, not least — der Zauber einer überaus durchgebildeten, vollendeten, frischen, nirgends mit gelehrtem Ballast beschwerten Sprache, so daß die Lektüre des Buches zu einem wirklichen Genuß wird.

Der erste Aufsatz bespricht den Zusammenhang von Lessings ästhetischen Arbeiten mit den früheren und gleichzeitigen, das Herauswachsen seiner dramatischen Dichtungen, besonders des „Nathan", in dem wir des Dichters eigenstes, höchstes Erlebnis zu sehen haben, aus der moralischen Seelenverfassung der deutschen Aufklärung, Lessings philosophische Weltanschauung, die der Verfasser als Panentheismus bezeichnen möchte, insbesondere seinen Determinismus, sein Verhältnis zum Spinozismus und zur Seelenwanderungslehre. Gerade in Lessings Anschauung von der Palingenesie, die sich Lessing als eine unendliche, stetige, von jedem Individuum wie vom ganzen Menschengeschlecht zu durchlaufende, aber in der Einheit des Weltganzen doch zugleich das volle Recht der Individualität wahrende Entwicklung dachte, bringt der Verfasser mehr Klarheit durch Benutzung von vorhandenen Notizen Lessings und durch den Hinweis auf einen Gedanken Bonnets, der Lessings Anschauung einen wissenschaftlichen Halt zu geben versprach. — In dem Aufsatz über Goethe wird das Wesen und Wirken der dichtenden Phantasie mit besonders feinem Verständnis dargelegt und so die Bahn geebnet zum Verständnis unseres größten Dichters, in dem durch das Zusammenwirken der beiden Arten der dichtenden Phantasie in höchster

Stärke, der Sprachphantasie und der Einbildungskraft in der
Sphäre des ganzen sichtbaren Scheins der Dinge, eine Universalität
der poetischen Begabung entstand, die in der modernen Zeit ohnegleichen ist. Um das Wesen und die historische Stellung Goethes
zu ergründen, stellt der Verfasser die umfassende Welt- und
Menschenbetrachtung Shakespeares, dessen außerordentliche Energie
der Wahrnehmung und des Gedächtnisses und gänzliche Hingabe
an die Tatsachen zu der Grundrichtung Goethes in Vergleich,
dessen eigenste Gabe war, alles, was ihn von geistigen Kräften,
bedeutenden Menschen, großen Bewegungen umgab, anschauend,
verstehend, erlebend in sich aufzunehmen, alles Menschliche nach-
lebend zu verstehen und in seiner Person zu realisieren, die
eigene Persönlichkeit zum Kunstwerk zu machen, in sich Welt-
erkenntnis und Selbstbildung zu identifizieren. — Novalis, von
dem Goethe sagte, er hätte mit der Zeit ein Imperator werden
können, der die poetische Literatur beherrscht hätte, lehrt uns
der dritte Essay erst recht verstehen. Er beleuchtet des Dichters
Stellung zu den philosophischen und poetischen Bewegungen der
Zeit, insbesondere zu dem Kreise von Romantikern, die sich im
Sommer 1799 in Jena zusammenfanden, legt den Zusammenhang und den Gedankengehalt der „Fragmente" dar, weist nach,
daß sie mehr als willkürliche und zusammenhanglose Paradoxien
sind, zeigt ihr Verhältnis zu den Reden über die Religion, unter
deren Einfluß sie entstanden sind, geht auf des Dichters Gedanken über Religion und Christentum ein und tritt der Annahme
entgegen, als sei Novalis ein Vorläufer der Schellingschen Naturphilosophie gewesen, geht dann über zu den „Geistlichen Gedichten", denen Dilthey eine ebenso lange Ewigkeit weissagt als
dem Christentum, und schließt mit einer feinsinnigen Analyse des
Romans „Heinrich von Ofterdingen", dem Bedeutendsten, was die
erste Generation der Romantik hervorgebracht hat, in dem Novalis
seiner Weltansicht einen adäquaten Ausdruck zu geben suchte.
Er zeigt die Einwirkung des „Wilhelm Meister" auf die Dichtung
der Romantiker und auf den Roman unseres Dichters insbesondere
und findet in diesem, trotz seines fragmentarischen Zustandes,
einen viel klareren und planvolleren Zusammenhang, als die
Literarhistoriker, z. B. Haym, bis dahin gelten lassen wollten. —
Den Höhepunkt des ganzen Buches bildet unstreitig der Essay
über Hölderlin. Der schon früher erschienene Aufsatz wurde
für das Buch unter Benutzung der neuesten Literatur, besonders
der Schriften Litzmanns und der neuesten Hölderlin-Ausgabe von
Böhm, ganz umgearbeitet. Die verschiedenen Stufen in Hölderlins
Entwicklung werden streng geschieden und eingehend geschildert,
es wird gezeigt, wie die drei Kräfte, die um die Wende des
18. und 19. Jahrhunderts das deutsche Geistesleben so mächtig beeinflußten, auch auf Hölderlin von bestimmendem Einfluß waren,
nämlich das Wiederaufleben des Studiums des griechischen Alter-

tums, die das ganze innere Leben der Nation umgestaltende philo-
sophisch-dichterische Bewegung, besonders Schellings Pantheismus
und Hegels Ästhetik, und die französische Revolution, es wird der
geistige Gehalt und die künstlerische Form seines Lebenswerkes,
das den Roman „Hyperion", die Fragmente des Empedokles
und die lyrischen Gedichte umfaßt, aufgezeigt. Besonders sei auf
die feinsinnigen Ausführungen über Hölderlins Lyrik, die sich zu
einer Ästhetik der Lyrik überhaupt erweitern, über ihre Beziehung
zu seinem Erlebnis, über ihren Gehalt und ihre hohe künstlerische
Form verwiesen.

In der vorliegenden zweiten Auflage wurde manches schärfer
herausgestellt und ausführlicher behandelt. So erfuhr die Darstellung des Lebenswerkes Lessings mehrere Ergänzungen, unter
denen die wichtigste und umfangreichste die ausführliche Analyse
des „Nathan" bildet. Der zweite Aufsatz, der über Goethe, wurde
zu einer Charakteristik Goethes unter dem Gesichtspunkt der Weltliteratur umgearbeitet und erweitert, der Unterschied in der
dichterischen Verfahrungsweise, den Goethe und Shakespeare re-
präsentieren, vorsichtiger gefaßt und durch einige Zusätze näher
erläutert.

2) **Hans Lindau**, **Gustav Freytag**. Leipzig 1907, S. Hirzel. VIII u.
482 S. 8. 8 ℳ.

Das Hauptgewicht hat der Verfasser dieser Biographie auf
die schriftstellerische Tätigkeit Freytags gelegt, während er die
äußeren Lebensumstände viel kürzer, nach meinem Dafürhalten
zu kurz behandelt. Das deutsche Volk hat doch ein Recht darauf,
auch von den äußeren Lebensverhältnissen, den Schicksalen, dem
Familienleben eines Mannes, der als Dichter und Geschichtschreiber
um seine geistige Bildung sich so verdient gemacht hat, mehr
zu erfahren, als hier geboten wird. Um so rückhaltsloser sei dem
Verfasser für das viele Neue, das er über den Schriftsteller und
Dichter bringt, gedankt. Teils in dem fortlaufenden Text, teils
in dem sehr umfangreichen Anhang werden wir aus Freytags
Nachlaß in Form von Auszügen oder Besprechungen mit Schrift-
stücken und Werken bekannt gemacht, welche die gesammelten
Werke des Dichters vervollständigen, auch einen Einblick in die
Werkstätte des Dichters und Gelehrten gestatten, seine eigenen
Lebenserinnerungen ergänzen oder kulturhistorischen Wert haben.
Besonders gilt dies von einzelnen Jugendwerken, z. B, dem Drama
„Die Söhne der Falkensteiner", dem Fragment „Der Hussit", von
einigen Plänen und Vorlesungsskizzen des Breslauer Privatdozenten,
von den Lebensbeschreibungen seiner beiden Großväter. Die Entstehung seiner Werke, die zum Gemeingut des deutschen Volkes
geworden sind, wird ausführlich aufgezeigt, diese Werke selbst
eingehend besprochen und auf manche Eigentümlichkeit hingewiesen, z. B. auf die Kontrastwirkungen in „Soll und Haben", auf
den inneren Zusammenhang der „Ahnen". Sehr dankenswert

sind auch die Ausführungen über das so schöne Verhältnis zwischen
Freytag und dem Herzog Ernst und dessen Gattin, über seine
journalistische Tätigkeit, über seine eigentümlichen Anschauungen
über Bismarck und dessen Politik, über seine Freundschaft mit
Moriz Haupt, Julian Schmidt, Wolf Baudissin, Treitschke, Salomon
Hirzel. Der Anhang erweitert vielfach das im Text Behandelte,
z. B. erörtert er sprachliche Dinge, liefert er Zusammenstellungen
aus der Technik des Dramas, Exkurse über die Bilder aus der
deutschen Vergangenheit, über die Technik der Erzählung, über
Freytags Stellung zum Kronprinzen, über Freytag als Sammler,
Freytags Urteile über Bismarck und Napoleon III. Möge dem
verdienstvollen Buche recht bald eine neue Auflage beschieden
sein und dann der Verfasser auch das, was uns von dem
Menschen und seinem Geschicke besonders interessiert, eingehender behandeln.

3) **Das klassische Weimar.** Nach Aquarellen von **Peter Woltze**. Mit
erläuterndem Text von **Eduard Scheidemantel.** Weimar 1907, Hermann
Böhlau. 12 farbige Tafeln mit 19 Seiten Text. 10 *M.*

Zwölf künstlerisch vollendete Aquarelle bringen hier die
Wohnungen unserer großen Dichter und die anderen wichtigen
Stätten des klassischen Weimar zur Darstellung und versetzen
uns mit greifbarer Anschaulichkeit in jene große Epoche, in der
die unsterblichen Werke entstanden, die wir aus der Bildung des
deutschen Volkes uns nicht mehr hinwegdenken können. Die
Bilder schließen sich möglichst getreu an das aus alter Zeit Überlieferte an. Doch konnte begreiflicherweise der heutige Zustand
nicht ohne Einfluß auf die Gestaltung der Bilder bleiben, zumal
da eine zuverlässige Rekonstruktion bei dem Mangel an ausreichenden Abbildungen nicht immer möglich war und im Verlaufe der klassischen Zeit selbst mannigfache Änderungen vorgenommen worden sind. Das Gartenhäuschen und der Garten,
in dem Goethe Erholung fand von den Mühen der Amtsgeschäfte,
eröffnet den Reigen und sein Wohnhaus am Frauenplan, das ihm
sein fürstlicher Freund zum Geschenk machte, und der Garten
auf der Rückseite, in dessen ländlicher Abgeschiedenheit die be-
zaubernde Menschlichkeit Goethes seinen Freunden so manche
Stunde reinsten Genusses bereitete, bilden den Schluß. Dazwischen
liegen die Bilder von dem Wohnhaus der Frau von Stein, das
Römische Haus, die Bastille und das Schloß, der Marktplatz, das
Wittumspalais (2 Bilder), in dem Anna Amalie, die Begründerin
von Weimars großer Epoche, ihr Leben schloß, das alte Theater,
das durch das gemeinsame Wirken Goethes und Schillers zu einem
hehren Tempel edelster Kunst gemacht wurde, Schillers Wohnhaus an der Esplanade, Herders Wohnhaus. Zu jedem Bilde gibt
Eduard Scheidemantel uns Aufschluß über Entstehung, Einrichtung
und Schicksal des einzelnen Gebäudes.

Offenburg (Baden).   **L. Zürn.**

Adolf Kutzner, Praktische Anleitung zur Vermeidung von Fehlern bei der Abfassung deutscher Aufsätze für die Schüler höherer Lehranstalten, sowie zur Vorbereitung auf schriftliche Prüfungen im Deutschen. Vierte Auflage, neu bearbeitet von Otto Lyon. Leipzig und Berlin 1907, B. G. Teubner. 88 S. 8. geh. 1 ℳ.

Es war ein glücklicher Gedanke der Verlagsbuchhandlung, die neue Auflage des rühmlich bekannten Buches, das ja wohl jeder Deutschlehrer auf seinem Schreibtisch stehen hat, einem so bewährten Gelehrten und Schulmanne wie Prof. Lyon anzuvertrauen. So konnte man mit Sicherheit darauf rechnen, daß hier und da vorliegende Irrtümer in den früheren Auflagen berichtigt und wissenschaftlich Unhaltbares ausgeschieden werden würde. In der Tat sehen wir dies von dem Herausgaber verfolgte Ziel erreicht. Durch Hinzufügung neuer Abschnitte bei Festhaltung der Einteilung im ganzen (inventio, dispositio, elocutio — Grammatik, Logik, Ästhetik — Orthographie und Interpunktion) ist die Verwendbarkeit des Büchleins für die Praxis des Unterrichts noch erhöht worden. So begegnet uns jetzt S. 10 f. Genaueres über die Einteilung eines Ganzen nach Inhalt (Partition) und Umfang (Division). Das Kapitel über Verstöße gegen die Formenlehre (S. 15 ff.) hat einige Erweiterungen erfahren, ebenso der die Satzlehre betreffende Abschnitt (S. 20 f., S. 24, S. 26—28) und der, welcher der Sprachreinheit gewidmet ist, wo das über fehlerhaften Purismus Gesagte Gelegenheit bietet, für den fälschlich angefeindeten Philipp von Zesen eine Lanze einzulegen. Zur Einübung der Interpunktion ist dem Schlusse eine Szene aus dem Nibelungenliede beigegeben. Ich bemerke hierbei freilich, daß sich mein Vergleich auf die erste Auflage von 1882 bezieht.

Mit den Ausführungen im einzelnen bin ich nicht überall ganz einverstanden. S. 10 z. B. soll ungleichmäßige Behandlung der einzelnen Teile einer Darstellung in bezug auf Umfang und Zahl der Unterteile unklares Denken verraten. Vielleicht ist das Gegenteil richtig. Das Schema I II a b c III a b ist unter Umständen sehr wohl zulässig. Denn es wäre ebenso verkehrt, mit Gewalt Unterteile zu schaffen, die keine sind, wie sie zu übergeben, wo sie sich dem Nachdenkenden auf natürliche Weise ergeben. Ich kenne ganze, zum Teil ausgezeichnete Dispositionsbücher, über die nach der Kutzner-Lyonschen Verordnung der Stab zu brechen wäre. Daß freilich, wer a sagt, auch b sagen muß, weiß man. Unser Buch selbst führt S. 47 ff. bei den Tropen vier Arten der Metapher, aber fünf der Synekdoche, sechs der Metonymie und gar keine Unterarten der Antonomasie vor. S. 54 soll sich der Schüler sechs Regeln für den Apostroph merken nach dem Schema: 1 a b c (A. darf nicht stehen); 2 (A. muß stehen); 3 a b (A. kann stehen). Wie unartig von dem orthographischen Zeichen, keine ebenmäßigere Fassung der Regel zuzulassen! Daß der Gesichtspunkt kontradiktorischen Gegensatzes

zunächst zur dichotomischen Gliederung führt, ist richtig; aber
anderseits auch: aller guten Dinge sind drei — also (hier auch
von K.-L. gewährte) Freiheit, auf daß die künstliche Stoffordnung
nicht zu einer Fessel des Geistes werde! Übrigens ist es für
einen Schüler ganz unmöglich, daß die Stofffindung „erschöpfend"
ist; die Anweisung soll auch offenbar nur cum grano salis verstanden werden. Nebenbei gesagt dürfen (S. 55) Formen wie:
du wäscht, der störrischte (kriegerischte) Mensch meines Wissens
heute überhaupt nicht mehr geschrieben werden. In dem Satze
S. 71 Z. 5 v. o. interpungiere ich: „Varus, gib mir meine Legionen
wieder!" soll Kaiser Augustus ausgerufen haben; vgl.: „Was
schaffst du?" redet der Graf ihn an, oder: „Was machst du da?"
der König spricht (Michaelis, Nhd. Gramm. S. 167). Ein Druckfehler ist S. 14 zu tilgen, wo es Z. 6 v. o. § 7 (statt 6) heißen
muß. Sonst ist auch der Letternsatz gut und sorgfältig und
kommt somit dem günstigen Urteil zustatten, das das Buch er-
heischt. Man darf ihm nach wie vor weite Verbreitung wünschen.

    Pankow b. Berlin.   **Paul Wetzel.**

Stürmer, Griechische Lautlehre auf etymologischer Grundlage.
Halle a. S. 1907, Buchhandlung des Waisenhauses. 30 S. 8. 1 ℳ.

Der Verfasser will sein Teil zur Förderung des altklassischen
Unterrichts beitragen. Er sieht mit Recht in der Aneignung
eines umfangreichen Wortschatzes eine notwendige Voraussetzung
für die erfolgreiche und Genuß bringende Lektüre der klassischen
Schriftsteller. Ein Mittel dazu ist ihm die Anknüpfung an bereits
bekannte Wörter derselben Wortfamilie, besonders an verwandte
deutsche und lateinische Wörter. Ohne Zweifel wird eine solche
Anlehnung das Erlernen neuer Wörter sehr erleichtern; aber viel
wichtiger erscheint es mir, die neu zu lernenden Wörter mit
schon gelernten derselben Sprache zu verknüpfen, ihre Ableitung
aufzuzeigen und den Bedeutungswandel festzustellen, wie ihn vorn
oder hinten an den Namen gesetzte Silben erzeugt haben. Allerdings kommt man dabei ohne Kenntnis der Lautgesetze nicht aus,
wie man sie ja auch bei der Bildung der Formen höchst nötig
hat. Doch diese selbstverständliche Forderung wird erfüllt, und
die Grammatiker haben die wichtigsten Lautgesetze in ihre
Bücher aufgenommen. Aber eine so ausführliche Darlegung der
Lautregeln über Veränderung oder Wegfall von Konsonanten
und Vokalen, wie sie in dem vorliegenden Büchlein enthalten
ist, halte ich nicht für nötig, ja für die Schule sogar für
gefährlich, weil damit dem Gedächtnis des Schülers eine unnötige
Last aufgebürdet und sein Interesse von wichtigen Dingen
abgezogen wird. Was soll z. B. der Schüler mit folgender Angabe
anfangen? § 69, S. 21 heißt es: „In vielen Fällen läßt es sich
nur durch Vergleichung eines Wortes mit den verwandten Sprachen

zeigen, daß eine Tenuis aus einer ursprünglichen Aspirate entstanden ist". Wird wirklich der Schüler πείθω besser behalten, wenn er die Reihe liest: „πείθω vgl. fido, bitten", die mit anderen als Beispiele den oben erwähnten Satz deutlich machen sollen?

Übrigens enthalten die Grammatiken, soweit sie nicht bloßen Gedächtniskram mit sich führen, sondern dem Schüler das Verständnis für die Sprache eröffnen wollen, die meisten Lautgesetze, die der Verfasser anführt.

Der Lehrer wird für seinen Unterricht manche Anregung diesem Heftchen entnehmen.

Charlottenburg.   Gotthold Sachse.

Gustav Schneider, Lesebuch aus Platon. Für den Schulgebrauch herausgegeben. Leipzig 1908, G. Freytag. 136 S. 8. 1,50 ℳ.

G. Schneider hat sich auf dem Gebiete der griechischen Philosophie schon lange und mit gutem Erfolge betätigt. 1865 veröffentlichte er eine Abhandlung De causa finali Aristotelea; seit Anfang der achtziger Jahre hat er sich fast ausschließlich dem Platon zugewandt. „Die Weltanschauung Platons", „Platons Philosophie" und drei Kommentare zu Platonischen Schriften sind die Frucht dieses Studiums. Die neueste Leistung ist ein Lesebuch aus Platon, und auf dieses möchte ich die Herren Fachgenossen hinweisen.

In der Einleitung (S. 7—31) gibt der Verf. einen knappen, aber klaren und zusammenhängenden Überblick über die Entwicklung der griechischen Philosophie von Thales bis Sokrates und Platon. Besonders gründlich und mit warmer Teilnahme sind Sokrates und Platon gezeichnet, aber sehr gelungen ist auch die Charakteristik der Sophisten. — Es folgt der Abdruck der Apologie und des Kriton. Diese beiden Schriften sollen nach Ansicht des Verfassers — und welcher Lehrer stimmte ihm nicht zu — von allen Schülern ganz gelesen werden. Daran schließen sich „Ausgewählte Abschnitte aus Platons Schriften", und zwar zunächst fünf Stücke zur Kennzeichnung der Sophistik und dann der Hauptteil „Die platonische Philosophie" mit den Unterabteilungen: I. Die Erkenntnis der Wahrheit, II. Gott, III. Die Tugend, IV. Die Grundzüge des wahren Staates, V. Die Unsterblichkeit. Die Stücke sind den verschiedensten Dialogen entnommen, nicht nur denen, die gewöhnlich gelesen werden, sondern auch dem Theaitetos, dem Phaidros und dem Timaios. Daß auch ein Stück aus Xenophons Memorabilien Aufnahme gefunden hat, kann man nur gutheißen; es dient zur Darstellung eines Begriffes.

Schon aus den Überschriften der einzelnen Abschnitte ersieht man, daß es dem Verf. ernstlich darum zu tun ist, ein möglichst abgerundetes und anschauliches Bild von Platon und seiner Philosophie zu entwerfen. Der Schüler, der angehalten

wird, diese Kernstellen aus Platons Schriften genau zu lesen,
kann es zu einem wirklichen Verständnis eines der weisesten
und edelsten Männer aller Zeiten, eines echten Lehrers der
Menschheit bringen. Schon mehr als einer hat erkannt und betont, daß Platon die besten Waffen bietet, um Nietzsche zu
überwinden.

Aber soll man eine Chrestomathie brauchen und nicht lieber
ganze Dialoge lesen? Das eine tun und das andere nicht lassen.
Gewiß soll man mit dem Gorgias oder dem Symposion oder dem
Phaidon oder dem Protagoras den Schülern einen hohen Kunst-
genuß bieten, und Schneider selber hat zum Phaidon einen
Kommentar geschrieben und die beiden Stücke Apologie und
Kriton unverkürzt aufgenommen; aber eine Zusammenstellung
von Abschnitten, die ein Kenner auswählt, ist doch trefflich geeignet, die Kenntnis der Platonischen Ideenlehre zu erweitern
und zu vertiefen.

Gegen die selbständigen Änderungen des Textes, die auf
S. 124 aufgezählt werden, habe ich nichts einzuwenden; auf alle
Fälle haben sie den Vorzug, den Text lesbar zu machen. Das
Verzeichnis der Eigennamen am Schluß gibt über alle Personen,
die im Buche vorkommen, erwünschte Auskunft.

Das Buch ist mit Lust und Liebe, mit Eifer und Fleiß gearbeitet, das merkt man immer deutlicher, je weiter man sich
hineinliest; und auch wer dies und jenes im einzelnen anders
gestaltet wünschte, wird das Ganze als eine schöne Leistung pä-
dagogisch-didaktischer Kunst anerkennen und dem Verfasser für
seine Gabe aufrichtig dankbar sein.

Pforta.   Christian Muff.

Walter Dittberner, Issos, ein Beitrag zur Geschichte Alexanders des Großen. Berlin 1908, G. Nauck. 181 S. 8. 3,60 ℳ.

Die Schlacht bei Issos ist in den letzten Jahren vielfach
Gegenstand der Untersuchung gewesen. Während Delbrück in
dem Pinaros, längs dessen Dareios sein Heer aufstellte, den
heutigen Pajas-Tschai sah, setzte Janke ihn mit dem heutigen
Deli-Tschai gleich, erfuhr aber heftigen Widerspruch durch Gruhn,
der sich ebenfalls für den Pajas aussprach und den Anmarsch des
Perserkönigs nicht durch die Enge von Toprak Kalassi, sondern
über den Beilanpaß erfolgen ließ. Gruhns Ausführungen haben
wenig Beifall gefunden, wie dies bei einer „im Galopp anstürmen-
der Reiter" geschriebenen Arbeit natürlich war. Mit eindringen-
derem Ernst vertritt den Standpunkt Delbrücks der Verfasser der
vorliegenden Dissertation, zu der er von diesem die Anregung
erhalten hat. Sie behandelt ihren Gegenstand in folgenden vier
Kapiteln: 1. Die Berichte der Alten über die Schlacht bei Issos,
2. die numerische Stärke der beiden Gegner, 3. die Genesis der

Schlacht, 4. das Schlachtfeld und die Schlacht am Pinaros. Für
die Schlachtbeschreibung kommt in erster Linie der Bericht
Arrians in Betracht. Bei seiner Wiedergabe geht Dittberner von
der Annahme aus, daß Arrian die Aufstellung vom Standpunkte
eines gebe, der die Front von einem Flügel zum anderen
abschreite, und übersetzt daher in II 9, 2 und 3 $\pi\varrho o\tau\acute{a}\tau\tau\epsilon\iota\nu$ mit
„nach einer Seite hin anreihen, auf den Flügel stellen“. Eine
solche Annahme ist für einen militärisch geschulten Geschichtschreiber, wie Arrian, höchst bedenklich, für ihre Richtigkeit
spricht dazu nicht der Umstand, daß auch Curtius III 9, 9 seine
Vorlage „augenscheinlich mißverstanden hat“ (ante hanc aciem
und ante agmen ibant). Anstoß wird II 8, 6 an $\check{\epsilon}\nu\vartheta\epsilon\nu$ $\varkappa\alpha\grave{\iota}$ $\check{\epsilon}\nu$-
$\vartheta\epsilon\nu$ genommen und die Beseitigung dieser Angabe gefordert. In
der Ansprache Alexanders an die Kommandeure (II 7, 3 ff.) erkennt Dittberner eine durch Kallisthenische Geschichtsrhetorik und
Tendenzmacherei gekennzeichnete Einlage Arrians, doch ist die
Vergleichung mit Sallust Jug. 49, 2—5 wenig überzeugend. Auf
Aristobul wird das Gespräch zwischen Dareios und Amyntas
(II 6, 3) und die Lamentation über das $\delta\alpha\iota\mu\acute{o}\nu\iota o\nu$ $\tau\upsilon\chi\acute{o}\nu$ (II 6, 6 f.)
zurückgeführt, sonst aber die Arriansche Schlachtbeschreibung für
Ptolemaios in Anspruch genommen. Mit der Abfertigung der
„seltsamen Annahme Fränkels“, daß dieser Bericht aus Aristobul
stamme und nur ein paar Verlustangaben Ptolemaios entnommen seien, macht D. es sich zu leicht; bei Arrian kehren
verschiedene Angaben des Kallisthenes wieder, ein Umstand, der
mit gutem Grunde für Entlehnung aus Aristobul geltend gemacht
werden kann. Arrian folgt Ptolemaios in seinen Angaben über
die Stärke des Heeres, mit welchem Alexander zum Hellespont
zog. Die Vermutung Belochs, daß Ptolemaios ein detailliertes
Verzeichnis der Streitkräfte geboten habe, läßt D. nicht gelten,
trägt aber selbst zur Erklärung der Unbestimmtheit von Arrians
Angabe eine höchst eigentümliche und unwahrscheinliche Ansicht
vor. Nach Plut. Eum. 2 hat Alexander das Zelt des Eumenes
in Brand stecken lassen; bei dieser Gelegenheit verbrannten
unter den Akten der Kanzlei vermutlich auch die Ephemeriden,
und Abschriften von ihnen, zu deren Einsendung die Satrapen
aufgefordert wurden, waren erst von der Zeit nach der Schlacht
am Granikos an erhältlich, weil erst nach dieser von Alexander
die erste Satrapie vergeben wurde. Mit solchen Phantasiegebilden
wird nichts erklärt, zumal wenn sie wie hier Erzählungen zur
Grundlage nehmen, die einzig und allein böswilligem Klatsche ihr
Dasein verdanken. Für die Beantwortung der topographischen
Fragen sind die Fragmente des Kallisthenes bei Polyb. (XII 17, 2
—20, 4) von Wichtigkeit, doch werden die Zahlen, die er nach
XII 19, 1 über die Stärke von Alexanders Heer beim Übergang
nach Asien gemacht hat, von D. sehr willkürlich behandelt.
Diodor hat — so wird angenommen — in seiner Vorlage über den

Kampf von Theben keine Stärkeangabe gefunden, sondern seine
XVII 9, 3 gemachte Mitteilung von 30000 F. und 3000 R. aus den
Anfangskapiteln des Kallisthenes eingeschoben. Zu diesen Truppen,
die Alexander von seinem Vater überkommen hatte, zählte
Kallisthenes die nach Asien vorausgesandten 10000 Mann, sowie
die Kontingente der hellenischen Bundesgenossen und anderer
Hilfsvölker mit 600 und 900 Mann und kam so zu dem Resultate:
30000 + 10000 und 3000 + 600 + 900 = 40000 Fußgänger
und 4500 Reiter. Mit diesem Ergebnis rechnet D. dann weiter
und findet so auch für Polyb.: „Der zweifelhafte Wert der Poly-
bianischen Rechenoperationen steht wohl außer Frage", doch
dürfte das gleiche Urteil mit mehr Recht für Dittberners Rechenoperationen außer Frage stehen. Die Kallisthenische Version vertritt XVII 30—32, 4 auch Diodor, um dann an diese Partie einen
nach der Schablone gearbeiteten Schlachtbericht anzuknüpfen.
Über diesen urteilt D., daß er die Diodorsche Normalschlacht in
schönster Blüte, sozusagen in Reinkultur zeige, indessen trotz der
stereotypen Form, die Diodors Schlachtbeschreibungen aufweisen
und die man für die früheren Bücher mehr seinem Gewährsmann
Ephoros zur Last legt, können darum doch die mitgeteilten Einzelheiten von Wert sein. Als eine unorganische von Widersprüchen
nicht freie Kontamination Arrianschen und Diodorschen Gutes
und Curtianischer Rhetorik erscheint der Bericht des Curtius, bei
dem der Schilderung der Truppenbesichtigung (III 2, 2 f.) Herodots
(VII 59 ff.) Erzählung über Xerxes' Völkerrevue bei Doriskos als
Muster vorgelegen hat. Dazu kommen noch die Erzählungen
Justins und Plutarchs, der seine Vorlage korrigiert, wenn er den
Sieg von Issos mehr der ἀρετή, als der τύχη des Königs zu-
schreibt. Die Besprechung der Vulgata gibt D. auch Anlaß über
das bekannte pompejanische Mosaikbild sich zu äußern, doch sind
seine Äußerungen über dies etwas rückständig. Die Überlieferung
über die numerische Stärke der Gegner findet bei dem Schüler
Delbrücks selbstverständlich keinen Glauben, das makedonische
Heer wird auf 32000 Mann berechnet, die Zahl der Perser dagegen unbestimmt gelassen. Ob freilich der Ursprung der überlieferten Zahlenangaben richtig erkannt ist, wenn sie „auf die
Renommisterei des gefangenen Griechen" zurückgeführt werden,
„der nach der Schlacht den Makedonen einen Bären aufband
über die Elitetruppen und Riesenmassen, die gegen sie kämpften",
mag dahin gestellt sein. Die Gruhnsche Behauptung, Dareios sei
über den Beilanpaß herangerückt, findet durch Dittberner die
verdiente Zurückweisung, die sie auch schon durch Lammert,
Janke und mich gefunden hat, seine Hypothese über die Lage
von Issos steht mit unserer gesamten Überlieferung in Widerspruch und scheitert an dem Zeugnis Xenophons (Anab. I 4, 1ff.).
Leider wird diesem Zeugnisse auch D. nicht ganz gerecht und
verdächtigt die Distanzangaben Xenophons, um Issos am rechten

Ufer des Deli-Tschai, nahe der Mündung ansetzen zu können.
Weshalb der Athener, der mit Kyros' Heer die vermessenen
Straßen des Perserreichs zog, nicht in der Lage war, genauere
Distanzen zu geben, vermag ich nicht einzusehen; die Vermutung,
Ἰσσοί sei der Name der Stadt, Ἰσσός der Name des Flusses
(d. i. Deli-Tschai) gewesen, an dem sie gelegen habe, hat gar
nichts für sich. Issos lag in intimo recessu des Issischen Meer-
busens (Mela I 3), d. h. am nördlichsten Punkte (vgl. Ztschr. f.
Gym.-Wes. 1906 S. 524). In der Streitfrage, ob unter dem Pinaros
der Pajas oder Deli-Tschai verstanden sei, entscheidet sich D. für
ersteren: „In der Strandebene der Bai von Alexandrette ist der
Pajas-Tschai der einzige Fluß, der topographisch und militärisch
in allen Stücken dem Pinaros der Alten entspricht". Mit der
Sicherheit, mit welcher dies von D. geschieht, läßt sich der Punkt,
von welchem aus die Distanz von 100 Stadien (Polyb. XII. 19, 4)
zu rechnen ist, nicht feststellen, mit den Angaben aber der
30 Stadien bei Curtius (III 8, 24) und der 40 Stadien bei Polyb.
(XII 20, 1) in der Weise Dittberners zu operieren, halte ich für
unstatthaft. Ich stimme mit ihm darin überein, daß Alexander
am Morgen der Schlacht von den Höhen von Eski Ras Pajas aufgebrochen ist (Ztschr. f. Gymn.-W. 1906 S. 522), aber dann darf
man nicht das inde bei Curtius auf diese beziehen, will man sich
nicht mit Polybs περὶ τετταράκοντα σταδίους in Widerspruch
setzen. Wenn ʽKallisthenes mit seinem μετωπηδὸν ἄγειν nur
einen militärischen Terminus technicus falsch angewandt hätte und
weiter nichts damit hätte ausdrücken wollen, als: „Alexander ließ
den Troß zurück und zog jetzt mit seinem Heere in die Schlacht",
dann würde ihn Polybius anders bekämpft und ihm nicht einen
sachlichen Irrtum vorgehalten haben. So weltentrückt werden
wir uns ferner Kallisthenes, der schon im zweiten Jahre beim
Heere weilt, nicht vorstellen dürfen, daß ihm die Bedeutung eines
so geläufigen militärischen Ausdrucks unbekannt geblieben sei.
Er soll mit dem Troß in der Mitte der Strandebene und von hier
aus seine 40 Stadien bis zum Schlachtfelde gerechnet haben,
Polybius macht aber seine Angaben mit Bezug auf Alexander und
nicht auf Kallisthenes. Auch mit anderen Argumenten kann man
sich nicht einverstanden erklären. Von den Ufern des Pinaros
braucht Arrian (II 10, 4) die Worte πολλαχῇ κρημνώδεσι ταῖς
ὄχθαις, die nach Gruhns Auffassung mit der Beschaffenheit der
Ufer des Deli-Tschai sich nicht in Einklang bringen lassen. Demgegenüber hat man darauf hingewiesen, daß Arrian auch die Ufer
des Granikos als ὄχθαι ὑπερυψηλαὶ καὶ κρημνώδεις bezeichne
(I 13, 4) und daß der Bigha-Tschai, d. i. der Granikos, dieselbe
Uferbeschaffenheit habe, wie der Deli-Tschai. Daß Parmenion
diesen Charakter der Ufer des Granikos geltend macht, um von
dem Übergang über den Fluß abzuraten, ist doch kein Grund,
die Richtigkeit seiner Worte zu bezweifeln und sie als Über-

treibung zu kennzeichnen. Der bei Arrian II 8, 7 geschilderten Bergformation entspricht in hohem Maße das Gelände am oberen Deli-Tschai und es ist nicht einzusehen, wie die den Bergrücken auf der Südseite begleitende Schlucht die Wirkung des von Dareios dorthin gesandten Korps aufgehoben haben soll; dieses sollte den rechten makedonischen Flügel in der Flanke und bei dem weiteren Vorgehen im Rücken angreifen. Dementsprechend stellte auch Alexander einen Teil seiner Leichtbewaffneten und Reiter auf den rechten Flügel ἐς ἐπικαμπὴν πρὸς τὸ ὄρος τὸ κατὰ νώτου (II 9, 2) auf. Verworfen wird auch die Angabe des Kallisthenes, Alexanders Phalanx habe bei Issos nur acht Mann tief gestanden, und doch dürfte sie durch Arrian Bestätigung finden, wenn es II 9, 3 heißt: ἐπεὶ οὔτε πυκνὴ αὐτῷ ἡ φάλαγξ κατὰ τὸ δεξιὸν τὸ ἑαυτοῦ ἐφαίνετο.

So muß auch nach Dittberners Untersuchungen, die mehrfach zu viel beweisen wollen, die Frage, ob Pajas oder Deli-Tschai, eine offene bleiben. Der Sieg von Issos hob Alexander über die Stellung eines makedonischen Heerkönigs und hellenischen Bundesfeldherrn empor und machte ihn zum Weltherrscher. Darin trifft Dittberners Auffassung mit der E. Meyers (Verhdl. der 48. Philologen-Vers. S. 54) zusammen.

Köln.   F. Reuß.

_____

1) Fricke, Französisch für Anfänger. Zweiter Teil. (Für Quinta.) Mit 1 Münztafel und 39 Abbildungen. Leipzig und Wien 1907, F. Tempsky und G. Freytag. 168 S. 8. geb. 2,50 ℳ.

Man sieht, Schmidt-Roßmann hat Schule gemacht, und Fricke zeigt sich als ein sehr gelehriger Schüler, ja er zeigt sich als ein Schüler, der den Meister zu übertreffen verstanden hat. Wo hat man bisher soviel Bilder und soviel Tabellen, soviel verschiedene Druckarten und soviel geheimnisvolle Zeichen verwendet gesehen? Und außer acht lassen darf man die Zeichen beileibe nicht; denn gerade durch die Benutzung all der auf das sorgfältigste erwogenen Hinweise und Winke gewinnt das Buch seinen besonderen Wert. Also beginnen wir mit dem Anfang auf Seite 9! Da zwingt uns die Aufschrift ‚Ier trimestre‘ sogleich zu erkunden, bis zu welchem Stück wir in dem ersten Vierteljahre gelangen sollen. Es folgt die Überschrift von Stück 1 ‚Le printemps‘, dann das bekannte Hölzelsche Bild und darunter „Wört. 5 (VIa 7, 8, 18, 20)“. Wir müssen also das Wörterbuch aufschlagen, das S. 110 beginnt, aber gar nicht „Wörterbuch“ heißt, sondern „Vocabulaire“. Zwei Seiten weiter finden wir dann: 5 Animaux, darunter aber wieder in Klammern (Nr. 1, 3, 4, 8, 9, 27, 90a, 93) und gleich dahinter ebenfalls in Klammern (Vgl. VIa Voc. 7).

Bin ich nun so weit gediehen, daß ich das erste Stück mit Benutzung all der gegebenen Anweisungen durchgenommen habe,

so hält mich, bevor ich zu Stück 1a übergehe, ein neues, zuvor
noch nicht gesehenes Zeichen zurück, nach dessen Erklärung ich
in dem Buche vergebens suche. Doch zum Glück habe ich den
ersten für Sexta bestimmten Teil bei der Hand, und da finde ich
denn nach längerem Suchen in einer Anm. auf S. VII, daß das
Zeichen „solchen Stücken beigefügt ist, die ganz ausgelassen
werden können, wenn die Umstände es erfordern oder gestatten".
Allerdings findet sich ein Hinweis auf die im Buche verwendeten
Zeichen auch schon in der Vorrede (S. IV), doch in dieser selben
Vorrede heißt es am Anfang: „Um an dieser Stelle ein längeres
Vorwort zu vermeiden, sind alle notwendigen oder wünschenswerten allgemeinen Erläuterungen über die Entstehung, die besondere Art, die empfohlene Unterrichtsweise und die Ausnutzung
des neuen Lehrbuches in einem ausführlichen Begleitwort zusammengefaßt worden, ohne dessen genaues Studium ein klares
Bild von dem Aufbau des neuen Lehrmittels nicht leicht erworben
werden kann".

Und wie bei den Stücken selbst, so begegnen wir dann in
dem angefügten alphabetischen Vokabular (S. 137 bis S. 155)
allerlei wunderlichen Zeichen, über deren Bedeutung wir an verschiedenen Stellen der ersten Seite dieses „Nachschlageverzeich-
nisses" aufgeklärt werden, so u. a. daß ein K r e i s „die im Sexta-
teile schon vorkommenden Wörter und zwar solche aus den
Lerngruppen (I und II)", ein liegendes K r e u z aber „solche aus
dem Restverzeichnis (III)" bedeutet. Die Zweckmäßigkeit des in
diesem Vokabular beobachteten Brauches, die Präpositionen sämtlich fett zu drucken, leuchtet mir nicht recht ein. Und so stößt
man auch in den zumeist sehr überlegt und methodisch geschickt
abgefaßten grammatischen Bemerkungen auf einiges Überflüssige,
wie beispielsweise die S. 11 gegebene Bemerkung: „Feminin-
formen ohne die Endung *e* sind *ma, ta, sa* . . ." oder die S. 18
gespendete Regel: „Adverbiale Bestimmungen stehen am Ende,
am Anfang und in der Mitte des Satzes". Abgeschmackt erscheint
mir das unter der Aufschrift „Das hinweisende Fürwort" gegebene
Stück *La ville de Paris renversée*, wo das Wort *renversée* den
Verfasser auf die Idee hat verfallen lassen, den links — wie
üblich — von oben nach unten gedruckten Text rechts nochmals
von unten nach oben mit umgekehrten Buchstaben drucken zu
lassen. Und daß danach die am Ende des Buches gegebenen
Satzbilder sehr eigenartig geraten sind, wird niemanden wundernehmen. Dieser Teil schließt mit den Worten:

> *Adieu donc, mes chers amis!*
> *Au revoir en quatrième!*
> *Fin.*

Nichtsdestoweniger aber folgt noch ein Anhang mit zwölf
Übersetzungsstücken und einer sehr nützlichen, schön ausgestatteten Tabelle französischer Münzen. Nützlich sind auch

die verschiedenen in dem Werke den bezüglichen Stücken beigefügten Kärtchen und einiges andre Bildwerk. Vieles aber, wie
die Darstellung eines Storches S. 10, eines Hasen, S. 16,
einer Nuß S. 40, verweist den Schüler denn doch auf eine gar
zu niedere Stufe, nicht ohne Absicht des Autors, der auf S. 4
des Vorwortes es ausspricht, daß „Mehr ein kindliches Lesebuch
als ein gelehrtes Hilfsmittel sollte geschaffen werden. Es ist
daher nur eine bewußte Absicht erreicht, wenn es gelungen sein
sollte, eine Art Vorschulton zu wahren". Und das gilt in der
Tat auch von den meisten Lesestücken, was an und für sich
noch nicht zu verurteilen wäre, wenn sich nicht als Folge-
erscheinung ergäbe, daß sie fast durchweg des anregenden
Momentes entbehren. Ich müßte mich sehr täuschen, oder diese
ununterbrochene Reihe von Stücken, denen der belehrende Zweck
an die Stirn geschrieben ist, ermüden den Lernenden und erfüllen ihn mehr und mehr mit Widerwillen gegen die neue
Sprache, anstatt seine Lust nach neuer Nahrung stetig zu steigern.
An diesem Fehler krankt meines Erachtens Schmidt-Roßmann
und an dem gleichen Fehler das vorliegende Lehrbuch. Über
das Hemmnis der mannigfaltigen Zeichen wird dem Lehrer eine
sorgsame Vorbereitung hinweghelfen, die er ja auch vor Benutzung
eines ihm neuen Kursbuches anzuwenden gewöhnt ist; zur
richtigen Ausnutzung des grammatischen Materials werden ihm
die zahlreichen Beigaben dienlich sein können, gegen die Ermüdung aber wird er vergebens ankämpfen, wo ihm das Lehrbuch so sehr im Wege steht wie hier. Der wahrhaft erstaunlichen
Sorgfalt, mit der Frickes Grammatik alles an Hilfen herbeibringt,
was den unerfahrenen Lehrer zu einem erfolgreichen Unterrichte
führen kann, steht leider an so vielen Stellen die psychologisch
unberechtigte Auswahl der Texte beeinträchtigend gegenüber.

Rühmend hervorgehoben zu werden verdient die Ausstattung,
und ein besonderes Lob gebührt dem Drucker, der den großen
Anforderungen, die das Buch an seine Leistungsfähigkeit stellte,
so vortrefflich zu genügen verstanden hat. Angesichts dessen
kommen die geringfügigen Versehen kaum in Betracht; dennoch
will ich in Rücksicht auf eine erforderlich werdende Neuauflage
als wesentlich erwähnen, daß S. 31 vor *Table de multiplication*
die Zahl 20 abgesprungen ist und daß S. 11, Zeile 11 in beaucoup
das u der zweiten Silbe fehlt. Bei dieser Gelegenheit sei dem
Verf. zum Zwecke besserer Übersicht die Durchnumerierung der
Seiten von 5 zu 5 Zeilen empfohlen.

2) **Fricke, Französisch für Anfänger. Dritter Teil. Für Quarta
(und Tertia). Leipzig und Wien 1907, G. Freytag und F. Tempsky.
192 S. 8. geb. 2,40 ℳ.**

Über die Lesestücke 1 bis 25 des 3. Kursus von Frickes
Lehrbuch kann ich nur wiederholen, was ich über die des

2. Kursus gesagt habe. Lehrhafte Beschreibungen ohne Ende. Man überlese nur einmal die Nummern 1 bis 14 Le firmament, Le matin, La terre et le soleil, L'air, Le baromètre et le thermomètre u. s. f., abgesehen von den einen ganz geringen Raum einnehmenden Gedichtchen 3, 8 und 9; und auch diese entsprechen, als der lyrischen Gattung zugehörig, der Art der gewählten Prosa. Erst No. 15 Le loup et les biquets, Conte normand bringt eine kleine Abwechsluug. Aber sogleich mit No. 16 kehrt das *genre ennuyeux* der Beschreibungen und Schilderungen wieder, und auch in der Schule gilt doch wohl cum grano salis das Wort von der Unzulässigkeit dieses Genres. Endlich mit Stück 26 Le tour de la France ändert sich das Lesebuch in seinem Charakter, indem es nunmehr bis zum letzten Stück durchweg höchst anziehende Stoffe bietet, ohne doch darin neben dem *dulce* das *utile* jemals zu vernachlässigen. Da folgen denn auf zwei Gedichte eine größere Anzahl von Proverbes und Maximes, dann eine fast ununterbrochene Reihe von Fabeln und Märchen, hierauf ein höchst ergötzliches Dramolet en 3 actes, ferner La vie et les aventures de Robinson Crusoé und schließlich nach den Gedichten Le petit Pierre (den man sich allerdings bei weitem weniger elegant vorstellen möchte, als ihn das beigefügte Bild zeigt) und Le laboureur et ses enfants noch einige Episoden aus der französischen Geschichte.

Über die zweckmäßige Nutzung verschiedenartiger Typen, die übergroße Heranziehung des Bildwerks zur Veranschaulichung der Lesestoffe und der Zeichen zur Darstellung der Satzgefüge, die reichlich gespendeten Hilfen zur grammatischen Verwertung der Texte u. dgl. m. ist im großen und ganzen dasselbe zu sagen wie bei Besprechung des Quintakursus. Als besonders wertvoll sehe ich auf dieser Stufe, wo die Schüler bereits einen größeren Wortschatz sich zu eigen gemacht haben, die Anfügung der ‚100 Wortfamilien' von S. 182 bis zum Schluß des Buches an, die sicherlich überall zur Vornahme von mancherlei bildenden und anregenden Übungen den Anreiz geben werden.

Daß dieser dritte Teil des neu herausgekommenen Lehrwerkes von Fricke mit den zwei vorangegangenen zusammen eine sichere Grundlage für einen in den Mittel- und Oberklassen folgenden Sprachbetrieb aus dem Vollen heraus bieten wird, möchten wir mit dem Verfasser gern annehmen. Aus seinen in der Vorrede geäußerten Worten geht hervor, daß er von nun an der selbstschaffenden Kraft des Lehrers freieren Spielraum geben will; und wir können nicht umhin, diese Absicht zu billigen und ihm im allgemeinen darin beizupflichten, „daß eine weitere lehrbuchartige Führung für die folgenden Stufen nicht notwendig erscheint, ja sogar Schaden anstiften kann, weil sie zu leicht der rein sprachlich-grammatischen Seite sich zuwenden und dadurch

den von jetzt ab erst recht erwünschten lebhaften Lesebetrieb
hemmen könnte".

3) Französisch-englische Klassiker-Bibliothek von Bauer und Link Nr. 54.
La Fontaine, Fables, herausgegeben von Ludwig Appel. München
1907, J. Lindauersche Buchhandlung. 58 S. 8. kart. 1 ℳ.

Warum sich der Bearbeiter auf die drei ersten Bücher von
Lafontaines Fabeln beschränkt hat, ist mir unerfindlich. Sollten
die Herausgeber dieser französisch-englischen Klassiker-Bibliothek
es etwa beabsichtigen, nun noch die 9 übrigen Bücher des Dichters
in 3 neuen Bändchen folgen zu lassen? Das ist doch wohl nicht
anzunehmen. Warum dann aber die Ausschaltung der Bücher
4 bis 12 von Lafontaines Fabeln, gleich als ob diese kein einziges
brauchbares Produkt mehr enthielten? Und so ist es denn überhaupt die Auswahl, die ich in vorderster Linie beanstanden
möchte. Es mag uns noch sehr widerstreben, den ausgetretenen
Spuren der Vorgänger zu folgen, nicht ohne Grund finden sich
beinahe die gleichen Fabeln bei allen Veranstaltern von Schulausgaben wieder. Es sind das eben doch die besten, lesenswertesten, für unsere Schüler geeignetsten Schöpfungen des
Dichters. Und wenn es in der Vorrede so schön von unserem
Dichter heißt: ,Il était doux, sincère, crédule, complaisant, timide
et simple comme les héros de ses fables', so sollten eben Anmut,
Zutraulichkeit, Aufrichtigkeit, Kindlichkeit und Einfalt auch überall
in den vorgeführten Schöpfungen zutage treten. In der Gesamtausgabe der ca. 300 Fabeln des Dichters dürfen gut und gern
auch einige mit unterlaufen, die diesen Charakter verleugnen, sie
vermögen da nicht das Urteil über das Ganze zu beeinträchtigen.
Hier in dieser Auswahl aber sollten nur die charakteristischen
geboten werden, und es gehört beispielsweise aus dem ersten
Buche weder Fabel XIV noch Fabel XVII hinein. Nr. XIV *Simonide
préservé par les Dieux* ist so verwickelt, daß man erst aus der
angeknüpften Lehre erkennt, worauf der Dichter hinaus will, und
Nr. XVII *L'Homme entre deux âges et ses deux Maîtresses,* von denen

L'une encore verte, et l'autre un peu bien mûre,
        Mais qui réparait par son art
        Ce qu'avait détruit la nature,

erscheint mir für die Jugend ganz ungeeignet. Die erste Fabel
des zweiten Buches *Contre ceux qui ont le goût difficile* mit dem
Appell des Dichters an seine Kritiker in der Einleitung und dem
antikisierenden Ausbau des Ganzen dünkt mir für unsre Schulen
so unangebracht wie möglich, Fabel VIII *L'Aigle et l'Escarbot* er-
mangelt der Durchsichtigkeit, Fabel XIII *L'Astrologue qui se laisse
tomber dans un puits* wimmelt von Abstraktionen; Fabel XVIII *La
Chatte métamorphosée en femme* hat einen gar zu gekünstelten
Vorgang zum Gegenstand, und Fabel XX *Testament expliqué par
Ésope* verbietet sich schon durch ihre Länge. Ebenso wäre in
Buch 3 noch die eine und andere der Fabeln auszusondern.

Die französischen Anmerkungen sind präzis und knapp und
dabei doch ausreichend, ebenso das Wörterbuch.

Frankfurt a. M. **Max Banner.**

Gustav Lücking, Französische Grammatik für den Schulgebrauch. Dritte, verbesserte Auflage. Berlin 1907, Weidmannsche
Buchhandlung. X u. 362 S. 8. 4 ℳ.

„Eine der besten Grammatiken, die wir haben," urteilte
Löschhorn, als er das vorliegende Buch bei dessen zweitem Erscheinen 1889 erwähnte. Auch ich muß dasselbe Urteil abgeben,
um so mehr, als die dritte Auflage an recht vielen Stellen Beweise
davon liefert, daß der Verf. auf gediegener wissenschaftlicher
Grundlage den Sprachgebrauch in seiner weiteren Entwickelung
mit Verständnis beobachtet und auch dessen neueste Erscheinungen
und Wendungen in den Bereich seiner Darstellung gezogen hat.
Hierbei kann es nur angenehm auffallen, daß sich der Verf. in
den Transkriptionen von dem ursprünglichen, allzu radikalen
Standpunkt Passys losgesagt hat; daß er Toblers Forschungen und
Leygues' Toleranzedikt nicht unbeachtet lassen würde, durfte vorweg angenommen werden.

Im übrigen ist die Auswahl, Anordnung und Darbietung des
Stoffes dieselbe geblieben: ungefähr die Mitte zwischen einem
streng wissenschaftlichen und einem für das praktische Bedürfnis
bestimmten Werke. Die Reichhaltigkeit, Zuverlässigkeit und Fassung
des Gebotenen ist derart, daß für den Hausgebrauch ein Nachschlagewerk überflüssig wird. Wenn nur der Verf. noch mehr,
besonders in der Syntax, auf das Lateinische zurückgegriffen oder
es ganz übergangen hätte! Auch sonst wäre einiges zu bemängeln,
z. B. daß man alles Nötige über die konsonantische, nichts
aber über die vokalische Bindung vorfindet. Doch über Kleinigkeiten möchte ich mit dem Verf. nicht rechten, nur wünschte ich
von ihm das Zugeständnis, daß der Titel „Französische Grammatik
für den Schulgebrauch" einer Einschränkung bedürftig ist.
Leider ist ja noch immer in unserm Unterrichtsbetriebe, besonders
in dem Zuschnitt der meisten Schulbücher, das Zuviel gar sehr
an der Tagesordnung. Nun sehe man sich aber die vorliegende
Grammatik an. Zunächst verwendet sie 46 Seiten in 47 §§ für
die Lautlehre, dann 64 Seiten in 73 §§ für die Formenlehre und
hierauf 225 Seiten in mehr als 300 §§ für die Syntax: kein
Wunder, wenn der (am Ende befindliche) Index allein fast 30
Seiten beansprucht. Da könnten doch nur solche Anstalten das
Buch einführen, denen für das Französische mindestens sechs
Wochenstunden, und zwar mehrere Jahre hindurch, zur Verfügung
ständen.

Neustadt, Wpr. **A. Rohr.**

Anton Burger, Die gleich- und ähnlich-lautenden Wörter der französischen Sprache. Ein Beitrag zum methodischen Studium des französischen Wortschatzes, seiner Orthoepie und Orthographie. St. Pölten 1907, Sydy's Buchhandlung. 32 S. 8. 0,85 ℳ.

Gegenüberstellungen ähnlicher Wörter, sagt der Verf., sind ein nicht zu unterschätzendes pädagogisches Mittel, das Unterscheidungsvermögen der Schüler zu schärfen und dem Gedächtnis wirksame Hilfe zu bieten; sie erleichtern die Aneignung des Wortschatzes und dienen auch zur Erwerbung einer genauen Aussprache und richtigen Schreibung der Wörter.

Die Wörter werden nicht in alphabetischer Ordnung gebracht, sondern in Gruppen, deren Einteilungsgrund der gleich- oder ähnlichlautende Vokal und Konsonant ist; jede Gruppe wird wieder in Wörter mit langem oder kurzem Vokal in der betonten Endsilbe geteilt.

Als gleichlautende Wörter gleicher Schreibung sind z. B. boucher, causer, été, louer, neuf, suis, carrière, mineur, outre, page, tendre, livre, als gleichlautende Wörter verschiedener Schreibung z. B. a und as, date und datte, la und là und las, par und part und pars und pare, hôtel und autel, mai und mets, Grèce und graisse, cire und Sire, mot und maux, devin und devins angeführt.

Von ähnlich-lautenden Worten führe ich an beau und peau, direz und tirez, odeur und hauteur und auteur, baiser und baisser, chêne und chaine, fin und faim, ver und verre und vers, tâche und tache, désert und dessert.

Tilsit.   O. Josupeit.

---

1) Sperling, Eine Weltreise unter deutscher Flagge. Leipzig 1907, W. Weicher. VIII u. 194 S. mit 31 Taf. 4,50 ℳ.

Der Verfasser des 1906 erschienenen Buches: „Aus dem Loggbuche eines Kriegsseemannes" schildert in seinem neuen Werke seine Erlebnisse auf einer mehr als zweijährigen Seereise an Bord des deutschen Kreuzers „Bismarck" in den Jahren 1886—1888. Zum Schutze deutscher Reichsangehöriger und deutscher Rechte ging das Geschwader, zu dem die Bismarck gehörte, von Hongkong nach dem nördlichen China, über Singapore und Ceylon nach Sansibar und Kapstadt, nach Sidney, Samoa, Neuguinea, über Hongkong nach Japan, um endlich in Hongkong den Heimatwimpel zu hissen und die Heimreise anzutreten. In frischer, anregender Weise werden Land und Leute an den von den deutschen Schiffen besuchten Orten geschildert und dabei ein lebensvolles Bild von dem täglichen Leben an Bord entworfen. Es stellt die Erziehung des Schiffsjungen, seine Freuden und Leiden an Bord in immer von neuem fesselnder, humorvoller Weise dar und erweckt überall den Eindruck, daß die Erzählungen genau der Wirklichkeit entsprechen. Dasselbe gilt von den Darstellungen der Länder und Völker, die der Leser mit dem Verfasser kennen lernt, besonders auch von den Schilderungen der damals eben erst von Deutschland in Besitz genommenen Kolonien. Die zahlreich eingeschalteten Bilder sind gut ausgeführt und erhöhen den Wert des Buches.

Das Buch wird, wo es in die Schülerbüchereien eingereiht wird, was hoffentlich an recht vielen Anstalten geschieht, sehr begehrt und viel und gern gelesen werden und gewiß auch an seinem Teile dazu beitragen, die Lust zum Seemannsberufe in unserer Jugend zu erwecken.

2) **Julius Lohmeyer, Auf weiter Fahrt.** Fünfter Band der Deutschen Marine- und Kolonialbibliothek, herausgegeben von Georg Wislicenus. Leipzig 1907, W. Weicher. XXIII u. 298 S. mit 28 Abbildungen. 4,50 ℳ.

Das von Lohmeyer begründete, von Georg Wislicenus im selben Sinne fortgesetzte Unternehmen einer deutschen Marine- und Kolonialbibliothek hat seine Aufgabe bisher in so hervorragender Weise erfüllt, daß es nicht nötig ist, zur Empfehlung des fünften Bandes noch viel Worte zu machen.

Eine lange Reihe sehr interessanter Aufsätze enthält dieser neueste Band, so daß jeder Leser auf seine Rechnung kommt. Im Vordergrunde des Interesses aller Kolonialfreunde steht noch immer mit Recht Deutsch-Südwestafrika. Dementsprechend berichten drei Aufsätze über jenes einst vielgeschmähte Land. Oberleutnant Stuhlmann berichtet von seinen Erlebnissen in dem kaum beendeten Kriege, in dem er mit seiner Halbbatterie wiederholt an entscheidender Stelle eingegriffen hat. Frau von Eckenbrecher und Frau von Falkenhausen dagegen erzählen von dem eigenartigen Leben in „Südwest", auf der Pad und auf der Farm, und lassen uns erkennen, wie auch die deutsche Frau sich wohl fühlen und Gutes wirken kann in der Kolonie, die nach dem Kriege bald einen großen Aufschwung nehmen wird. Von den übrigen Aufsätzen seien einige noch kurz erwähnt. Kapitän z. S. Schlinger berichtet über die Teilnahme der deutschen Seesoldaten an der Seymour-Expedition 1900, während Vizeadmiral Kühne höchst interessante Erlebnisse von der ersten preußischen Expedition nach Ostasien mitteilt. Sehr anschaulich schildert Kapitän Prager den furchtbar großartigen Ausbruch eines unterseeischen Vulkans in der Südsee, dessen Augenzeuge er 1885 gewesen, und Kapitän z. S. Meuß erzählt von der Errichtung eines von Kaiser Wilhelm I 1876 gestifteten Denkmals auf einer der Liu-Kiu-Inseln. An erster Stelle aber nach dem sehr beachtenswerten Geleitworte des Herausgebers steht ein Aufsatz von dem ehemaligen Direktor der Deutschen Seewarte Wirkl. Geb. Rat Dr. von Neumayer, in dem er erzählt, wie er als junger Gelehrter 1852 Seemann wurde und dann sich beteiligt hat an der Ausbeute der damals entdeckten Goldfelder Australiens. Dieser Beitrag allein macht das Buch höchst empfehlenswert für unsre Jugend: hier kann sie lernen, wie auch die großen Männer der Wissenschaft ihre wirklich großen Ziele nur erreicht haben, indem sie mit einem Ernst, der vor keiner Arbeit, vor keiner Mühe und Gefahr zurückschreckte, darangingen, sie zu erringen.

Das vom Verleger trefflich ausgestattete Buch kann aufs wärmste empfohlen werden für Schülerbüchereien und zu Geschenken.

Treptow a. R. ――――――― Karl Schlemmer.

Wilhelm Schmidt, Zur Veranschaulichung der Zeitfolge im Geschichtsunterrichte. Wien 1907, Rudolf Brzezowsky & Söhne. 32 S. gr. 8.

Unzweifelhaft ist die Klage über das schnelle Entschwinden geschichtlicher Tatsachen und geschichtlicher Entwickelung aus dem Gedächtnis der Schüler, wenn es an der nötigen Übung fehlt, besonders also nach dem Verlassen der Schule, berechtigt; kann man doch als Lehrer immer wieder die Erfahrung machen, daß geschichtliche Vorgänge, die man ganz genau durchgesprochen und aufs klarste in ihren Ursachen und Wirkungen dargelegt hat und von denen man glaubte, daß sie nie vergessen werden könnten, manchmal nach verhältnismäßig kurzer Zeit schon wieder entschwunden sind. Ja wenn man erst längere Zeit in der Praxis steht, dann wundert man sich auch darüber nicht mehr, immer wieder von früheren Schülern zu hören, dies und jenes wichtige Ereignis hätten sie im Geschichtsunterricht nicht gehabt, während man doch ganz genau weiß, daß man eingehend darüber gesprochen hat. Es ist eben ihrem Gedächtnis entfallen, worin es aufzunehmen sie sich zur Zeit vielleicht auch gar keine ernste Mühe gegeben haben. Wenn es nun auch keinen Wert hat, etwa alles, was man an Zahlen oder Tatsachen jemals auf der Schule gelernt hat, für das ganze Leben festzuhalten, so ist es doch immerhin manchmal betrübend wenig, was nach soviel aufgewandter Zeit und Arbeit als Resultat übrigbleibt, betrübend besonders deshalb, weil diese Unkenntnis der Geschichte namentlich im politischen Leben manche üble Folge haben kann. Deshalb ist natürlich schon längst auf Mittel und Wege gesonnen, wie diesem Mangel abgeholfen werden kann, und nicht ohne Erfolg scheint das Übel von der Seite angegriffen zu sein, daß man durch immer wieder angestellte Repetitionen den Geschehnissen eine feste Stütze im Gedächnis zu bereiten sucht. Freilich dürfen diese Repetitionen nicht rein äußerlich stattfinden, indem Seite für Seite nach der Tabelle wiederholt wird — das sicherste Mittel, um das für den Geschichtsunterricht vorhandene Interesse auszutreiben —, vielmehr muß man immer wieder neue Gesichtspunkte ausfindig machen, um den Stoff bald in diesem, bald in jenem Zusammenhange von neuem vorzuführen und dem Schüler zu eigen

zu machen. Und nicht bloß die Geschichtstunden müssen dazu
ausgenutzt werden, sondern auch in anderen Unterrichtsgegen-
ständen ist, sobald sich Gelegenheit bietet, auf die Entwickelung
der Ereignisse hinzuweisen. So muß doch wohl wenigstens ein
guter Teil des Stoffes in den dauernden Besitz des Schülers übergehen und damit den Klagen über unzureichende geschichtliche
Kenntnisse der Boden entzogen werden.

Daneben gibt es natürlich auch noch andere Wege, die zum
Ziele führen helfen, und keiner der schlechtesten scheint der in
der vorliegenden Schrift angegebene zu sein: durch Zuhilfenahme
der Veranschaulichung, die auch sonst im Unterricht mit Recht
eine große Rolle spielt, soll dem Schüler ein Bild von der Entwickelung der Ereignisse gegeben werden, indem diese Entwickelung graphisch durch die einzelnen Jahrhunderte hindurch zur
Darstellung gelangt. Demgemäß soll vom fünften vorchristlichen Jahrhundert an am Ende jedes Jahrhunderts in der Behandlung innegehalten werden, um es zu überblicken und sein Bild, in Persönlichkeiten und Ereignissen, zu gewinnen. Darauf wird dieses
Bild in der Weise graphisch an die Tafel geworfen, daß über die
ganze Fläche derselben eine wagerechte Linie gezogen wird, die
das Jahrhundert bezeichnet und nach Jahrzehnten eingeteilt ist.
Unter der Linie werden dann bei den einzelnen Jahrzehnten die
hervorragendsten Einzelereignisse durch Punkte angedeutet, die
Kriege durch Linien, die bedeutendsten Namen durch ihre Anfangsbuchstaben. So wenigstens in der Zeit, wo das Bild des
Jahrhunderts durch die Entwickelung der Zustände unter Kämpfen
sich formt. Etwas anders in der Zeit des deutschen Kaisertums,
wo der Regentenwechsel auf das Bild des Jahrhunderts den größten
Einfluß hat: seiner Darstellung dient unter der Zeitlinie eine ihr
parallel laufende, welche von einer flachen Wellenlinie in deren
Auf- und Ablaufen gekreuzt wird; jeder Kreuzung entspricht ein
Thronwechsel, Ordnungszahlen unter ihren einzelnen Bögen geben
jeder Regierung die Stellung in der Reihe. — Manchmal werden
auch in e i n e r Linie mehrere Jahrhunderte, die eine Gruppe bilden
— wie in der griechischen Geschichte das 6.—4. —, zusammengefaßt, diese dann nach Jahrhunderten und innerhalb derselben
nach Jahrzehnten abgeteilt; für die älteste Zeit kommen noch größere
Zeiträume auf e i n e Linie. So wird die altägyptische Geschichte
in e i n e r Zeitlinie vergegenwärtigt, von 500 zu 500 Jahren abgeteilt; vorn steht als ungefährer Anfang der geschichtlichen Zeit
das Jahr 3500, ein M darunter bedeutet die Gründung von Memphis,
die Form einer Pyramide, unter der Linie, zwischen 3000—2500,
die Zeit des Baues der großen Pyramiden, eine leicht geschlängelte
Linie die Zeit der Hyksos usw. — Zur Veranschaulichung der
gleichzeitigen Entwickelung eines anderen Volkes wird z. B. über
der Linie des 5. griechischen Jahrhunderts das entsprechende
römische in einer zweiten Linie eingetragen, wobei dann klar

wird, daß dasselbe Jahrhundert, das bei den Griechen das glänzendste ist, bei den Römern einen bescheidenen Anfang bedeutet.

Wie kommt nun dieses graphische Zeitbild der einzelnen Jahrhunderte zustande? Natürlich unter stärkster Mitwirkung der Schüler, die einzeln oder zu mehreren an die Tafel gerufen, miteinander wetteifern, auf Grund des eben Durchgenommenen, also vorläufig noch im Gedächtnis Haftenden, das Bild zu entwerfen resp. immer mehr zu vervollständigen. So wird allmählich eine graphische Darstellung der Entwickelung der ganzen Weltgeschichte gewonnen, und was an der Wandtafel für die einzelnen Jahrhunderte entworfen war, das wird auch auf Papier vervielfältigt und festgehalten, und die einzelnen Jahrhundertbänder werden mit der Schmalseite aneinander gefügt, so daß ein fortlaufendes Band entsteht, das man auseinanderfalten und zusammenlegen kann, wobei jedes einzelne Blatt oben links die Jahreszahl erhält, womit es anfängt, während bei den Blättern vor Chr. Geb. oben rechts das Schlußjahr steht.

Dieses Geschichtsband soll nun also, wenn auch der pragmatische Zusammenhang samt den Jahreszahlen zum größten Teile vergessen sein wird, mit der Kraft der vor Augen liegenden Räumlichkeit die Entwickelung der Jahrhunderte und damit den ganzen Strom der Geschichte lebendig erhalten. Das ist ja etwas viel, was von dem Geschichtsbande verlangt wird, immerhin scheint es mir sehr wahrscheinlich, daß diese graphische Methode wohl dazu beitragen könnte, das Gedächtnis anzuregen und zu einer besseren geschichtlichen Ausbildung beizutragen, und ich glaube dem Verfasser, einem erfahrenen österreichischen Schulmanne, gern, wenn er behauptet, mit seinen jahrzehntelangen Versuchen gute Resultate erzielt zu haben. Jedenfalls dürfte ein Versuch mit dieser eigenartigen Methode den Fachgenossen wohl zu empfehlen sein, und ich bedaure nur das eine, daß der Verf. eine Probe seines Geschichtsbandes durch den Druck in der Arbeit vorzuführen unterlassen hat.

Zerbst.   G. Reinhardt.

_____

1) O. Felber, Unser Heerwesen. Mit 36 Illustrationen. Stuttgart 1907, E. H. Moritz. 136 S. 8. 1 ℳ.
Die Herausgeber der im Verlag von E. H. Moritz in Stuttgart erscheinenden Rechts- und Staatskunde haben sich die dankenswerte Aufgabe gestellt, unsere Generation zu tüchtigen Staatsbürgern zu erziehen, indem sie ihr in einer Reihe von Einzeldarstellungen Einblick geben wollen in die Funktionen der einzelnen Staatseinrichtungen und in unser neues Recht.

Vorliegendes Bändchen will dem Laien wie dem künftigen Soldaten ein anschauliches Bild von den Einrichtungen unseres Heeres, von der Tätigkeit seiner Angehörigen und dem Soldatenleben überhaupt bieten. Dieses Ziel sucht Verf. dadurch zu erreichen, daß er im Anschluß an die Entwicklungsgeschichte des

Heeres die Ergänzung desselben, die militärischen Vorgesetzten, die Waffengattungen, die Einteilung des Heeres, Kriegsministerium und Generalstab, die militärischen Bildungsanstalten, Gebührnisse und Versorgung, das Militärgerichtswesen und endlich das mobile Heer in gemeinverständlicher Darstellung bespricht. Wie Verf. selbst seinem schönen Berufe Liebe und Begeisterung entgegenbringt, so versteht er es auch, den jugendlichen Leser für das deutsche Heerwesen zu erwärmen, indem er durch praktische Beispiele — wie z. B. das Leben und Treiben im Innern der Kompagnie, die Ausbildung des Infanteristen, das Tagewerk des Rekrutenunteroffiziers u. ä. — Verständnis und Teilnahme weckt und seine Aufmerksamkeit bis zuletzt zu fesseln weiß. Besonders sei noch hervorgehoben, daß Verf. auch die wirtschaftlichen und gesellschaftlichen Verhältnisse des Offizier- und Unteroffizierstandes in vorurteilsfreier Weise würdigt und manchem schiefen Urteil maßvoll entgegentritt.

Der Gesamteindruck, den die Lektüre des mit Lust und Liebe verfaßten Büchleins, welches mit 36 recht gelungenen Illustrationen geschmückt ist, hinterläßt, ist ein durchaus günstiger. Ist es auch in erster Linie für junge Leute geschrieben, welche die Offizierslaufbahn als Lebensberuf ergreifen wollen, so wird es doch auch dem Laien, namentlich dem alten Soldaten einige angenehme Stunden bereiten. Niemand wird es bereuen, sich mit ihm bekannt gemacht zu haben.

2) C. Lengning, Unser Kriegsmarinewesen. Mit 70 Illustrationen und einer kolorierten Tafel. Stuttgart 1908, E. H. Moritz. 175 S. 8. 1 ℳ.

Vorliegendes Bändchen, das Gegenstück zu Felbers Heerwesen, will den Interessen derer Rechnung tragen, die sich, soweit es für einen gewissenhaften Staatsbürger nötig ist, über unser Kriegsseewesen zu unterrichten und auf dem laufenden zu erhalten wünschen.

Obgleich flottenfreundlich gesinnt, befleißigt sich Verf. doch in allen Teilen einer rein sachlichen Darstellung. Er gibt im ersten Abschnitt einen Überblick über die geschichtliche Entwicklung des Kriegsseewesens im allgemeinen; mit der kaiserlich deutschen Kriegsmarine, ihren Schiffen, ihrer Organisation, den Dienstverhältnissen und Laufbahnen ihrer Angehörigen beschäftigt er sich im zweiten; im dritten werden Bau und Ausrüstung der Kriegsschiffe beschrieben; der vierte ist den Kriegsmarinen der bedeutenderen Seemächte gewidmet.

Um auch dem Laien das Verständnis seiner Ausführungen zu ermöglichen, versäumt es Verf. nicht, die sehr zahlreichen Ausdrücke der Technik sachgemäß zu erklären und womöglich durch beigefügte bildliche Darstellungen (Figuren, Aufrisse, Querschnitte u. ä.) zu veranschaulichen. So läßt er z. B. S. 91 ff. den viel-

gestaltigen Organismus eines Kriegsschiffes gleichsam vor unseren
Augen entstehen und zeigt uns auf induktivem Wege, welche Bedingungen im einzelnen erfüllt werden müssen, bis das Schiff
endlich seeklar wird. Neben der theoretischen Belehrung kommt
zu rechter Zeit · auch die Praxis des Lebens zu Worte. Unter
anderm weißt Verf. uns in einer Reihe anmutiger und lebenswahrer Bilder — im Anschluß an Schilderungen aus berufener
Feder — das Leben an Bord im Dienst und in der Freizeit vorzuführen. Die beiden Berichte: Wie wird ein Schiff in Dienst
gestellt? und: Ein Montagmorgen in der Ausbildungszeit dürfen
als mustergültige Proben frischer und ungekünstelter Darstellungsweise bezeichnet werden.

Wir wünschen dem Büchlein des sachkundigen Verfassers,
der sich mit anerkennenswertem Geschick seiner echt patriotischen
Aufgabe entledigt hat, einen zahlreichen Leserkreis auch in den
Reihen der Schüler höherer Lehranstalten. Möglich, daß es dem
einen oder anderen die so schwierige Frage der Berufswahl entscheiden hilft, indem es ihn auf die Laufbahn des Seeoffiziers
hinweist, in der die Aussichten zur Zeit sehr gut sein sollen.

Zum Schluß sei noch bemerkt, daß der Preis des Buches
so billig angesetzt ist, daß auch wenig bemittelte Schüler es sich
anschaffen können.

3) O. Büsser, Unser Handelsm'arinewesen. Mit 40 Illustrationen,
einer kolorierten Tafel und zwei Karten. Stuttgart 1908, E. H.
Moritz. 184 S. 8. 1,50 ℳ.

Von der Wahrheit des Spruches: navigare necesse est durchdrungen, macht Verf. vorliegenden Büchleins den Versuch, uns
ein Bild zu entrollen, welches die gewaltige Ausdehnung und
kunstvolle Einrichtung des Schiffahrtswesens erkennen läßt.

In Durchführung dieses Gedankens entwirft er in knappen
Umrissen eine Geschichte der Schiffahrt von den Uranfängen bis
auf unsere Tage, um sich dann seiner eigentlichen Aufgabe zuzuwenden, die er in den folgenden acht Abschnitten zu lösen
sucht. Er handelt zunächst von den Schiffahrtswegen, von der
Schiffbarkeit der Gewässer, von der Bedeutung der Weltverkehrs-
straßen und Kanäle, die durch je eine Karte des Norddeutschen
Lloyd und der Binnenwasserstraßen Deutschlands erläutert werden.
In dem Abschnitt: Wasserbau sind es wesentlich technische Fragen,
wie Bagger, Stauwehr, Schleusen, Talsperren u. ä., die zur Besprechung kommen. Das Verständnis dieser Fragen wird, abgesehen von der klaren, streng sachlichen Darstellung, vor allem
gefördert durch zahlreiche dem Texte beigegebene hübsche Illustrationen. Dasselbe gilt von dem lehrreichen Abschnitt, der dem
Schiffe in seinen verschiedenen Typen und seiner vielgestaltigen,
kunstvollen Ausrüstung gewidmet ist. Von mannigfachem Interesse
sind wegen des statistischen Materials die Mitteilungen über die

Organisation der Schiffahrt, die Leistungen der großen Reedereien, ihre Rangstellung im Weltverkehre, die internationale Binnenschiffahrt usw. Des weiteren eröffnet uns Verf. in dem Abschnitt: Schiffahrtsbetrieb einen Einblick in die wichtigsten Bestimmungen der Schiffahrtspolizei, des Seerechts und des Signalwesens in seinen mannigfachen Verzweigungen. Über die Verkehrsleistungen auf Grund statistischer Ermittelungen sowie über den Seeverkehr in deutschen Häfen, über den Schiffahrtsverkehr in den verschiedenen Stromgebieten geben die Zusammenstellungen im siebenten Abschnitte Aufschluß. Von besonderem Interesse, namentlich für junge Leute, die vor der Frage der Berufswahl stehen, ist der Abschnitt über die wirtschaftliche Lage, über Schulbildung, über die Laufbahn der Seemaschinisten, Schiffsführer, Steuerleute usw. Den Schluß des Ganzen bildet der Abschnitt über Kanalprojekte, in dem nicht nur die deutschen Verhältnisse, sondern auch die des Auslands in den Kreis der Betrachtung gezogen und die wirtschaftlichen Folgen eines systematischen Ausbaus des Wasserstraßennetzes sachgemäß erwogen werden.

Der reiche Inhalt unseres Buches wird durchweg in gemeinverständlicher Fassung dargeboten und durch gute Illustrationen erläutert. Angesichts der hohen Bedeutung, die unserer Marine mit Recht zukommt, verdient es, von allen, die an den Tagesfragen auf dem Gebiete des Wirtschafts- und Verkehrslebens teilnehmen, gelesen zu werden. Besonders schätzenswerte Dienste dürfte es auch dem erdkundlichen Unterrichte in den Realanstalten leisten, denen eine vergleichende Übersicht der wichtigsten Verkehrs- und Handelswege als Lehraufgabe zugewiesen ist. Darum sei es allen, die sich für unsere Marine interessieren, angelegentlich empfohlen.

4) **K. Holdermann und R. Setzepfandt, Bilder und Erzählungen aus der allgemeinen und deutschen Geschichte. Dritter Teil: Erzählungen aus der Neuzeit. Vierte Auflage, bearbeitet von R. Setzepfandt und A. Böttcher. Mit 98 Abbildungen und 5 Karten in Farbendruck. Leipzig-Wien 1908, G. Freytag u. F. Tempsky. 201 S. 8. geb. 3 ℳ.**

Die Verfasser des vorliegenden Lehrbuchs haben sich die Aufgabe gestellt, den geschichtlichen Lehrstoff der Neuzeit ihren Schülerinnen in Bildern, die zumeist um die führenden Persönlichkeiten gruppiert sind, darzubieten.

Die Erzählungen umfassen: 1. Bilder aus dem Zeitalter der Entdeckungen und der Reformation, 2. aus der Periode des dreißigjährigen Kriegs, 3. aus der brandenburg-preußischen Geschichte, 4. aus der französischen Revolution und der Erniedrigung Deutschlands und 5. aus dem Zeitalter der Freiheitskriege und des Wiederaufbaus des Deutschen Reiches. Eine willkommene Beigabe bilden die Wahlsprüche der zollerschen Fürsten und eine Zeittafel.

In klarer, ansprechender Form werden die wichtigsten Tatsachen der Geschichte, mit starker Betonung der brandenburg-preußischen, vorgeführt. Soweit es sich um die leitenden Geister handelt, spielt das biographische Moment eine gewisse Rolle, dem sich geschickt eine knappe, treffende Charakteristik anschließt. Dem Zwecke des Buches entsprechend sind auch eine Reihe edler Frauengestalten, die ihrer Zeit den Stempel ihres Geistes aufgedrückt haben, eingehend gewürdigt. Neben der Weltgeschichte im engeren Sinne kommt die Kulturgeschichte, die Geschichte der Kunst, der Literatur und Wissenschaften in ihren mannigfachen Äußerungen, soweit es im Rahmen eines derartigen Lehrbuches erforderlich ist, zu ihrem Rechte. Auch wirtschaftliche Fragen, deren Verständnis für die Beurteilung wichtiger Tagesfragen nötig ist, finden sachgemäße Berücksichtigung.

Die Arbeit läßt in allen ihren Teilen gemütvolle Hingabe an die Sache erkennen und wird sich gewiß auch in der vorliegenden Gestalt viele Freunde und Freundinnen erwerben. Sollte, was wir durchaus wünschen, eine neue Auflage sich nötig machen, so dürfte es sich empfehlen, einige Versehen und Ungenauigkeiten richtig zu stellen. Diese hier einzeln aufzuzählen, erübrigt sich wohl. Ref. hat, was ihm aufgefallen ist, dem einen der Verfasser brieflich mitgeteilt und ihm seine Bemerkungen zur Verfügung gestellt.

Erwähnt sei noch, daß auch die äußere Ausstattung des Buches, welches mit netten Illustrationen geschmückt ist, Lob und Anerkennung verdient.

5) **Langls Bilder zur Geschichte.** No. 72 die Thermen des Caracalla in Rom, No. 73 der Tempel von Karnak, No. 74 der Palazzo Bargello in Florenz, No. 75 die K. K. Hofbibliothek in Wien. Wien, Ed. Hölzel. Preis unaufgespannt je 2,40 *K*, auf starken Deckel gespannt je 3,60 *K*.

Von dem überall mit Beifall aufgenommenen und mit Erfolg verwendeten Lehrmittel: Langls Bilder zur Geschichte sind jüngst vier neue Blätter erschienen:

No. 72 die Thermen des Caracalla in Rom. Die gewaltigen Überreste dieses großartigen Bauwerks, eine Fundgrube für das Studium der römischen Baukunst, treten uns in einem geistvoll entworfenen Rekonstruktionsversuch entgegen, der uns das Typische der Anlage: die Gewölbekonstruktion, den Zentralsaal, den Kuppelsaal, die Nebensäle und Exedren, die Natatio erkennen läßt und durch die künstlerische Ausgestaltung der Räume: Glykons Heraklesstatue, monolithe Säulen korinthischer Ordnung u. a. die Erinnerung an die einstige Pracht und Herrlichkeit aufs lebhafteste erweckt.

No. 73 das Reichsheiligtum von Theben (der Tempel von Karnak). Die Trümmer der großen Bauten: das von mächtigen Pylonen flankierte Hauptportal, die kolossalen Palmenkapitäle, die

riesigen Statuen, die in die Luft ragende Spitzsäule machen
einen überwältigenden Eindruck, der die Phantasie fesselt und
mächtig anregt, sich die Zeiten in ihrer Wirklichkeit vorzustellen,
von denen die Säulen und Steinwände mit ihren bemalten Reliefs
und Hieroglyphen, diese steinerne Riesenchronik der Pharaonen,
Zeugnis ablegen.

No. 74 Palazzo Bargello in Florenz. Den Glanzpunkt dieses
altehrwürdigen Palastes bildet der malerische Hof. Die in gerader
Flucht frei aufsteigende Treppe, die abschließende Triumphpforte
mit Wappenschildern und anderem plastischen Schmuck, der
Brunnen inmitten des Hofes, Michelangelos Marmorfigur „Der
Sieg" in der Halle des Hintergrundes, alles dies übt, zu einem
architektonisch wirksamen Ensemble vereinigt, einen bezaubernden
Reiz aus; wir gedenken der kriegerischen Vorzeit der Stadt, welche
die Anmut, das Häuslichwohnliche nach der Innenseite der schönen
Hallenhöfe verlegte.

No. 75 die K. K. Hofbibliothek in Wien. Ein lehrreiches
Beispiel für die reiche Bauperiode des Barockstils wird uns in
diesem dekorativen Prachtstück dargeboten. Der ovale Kuppel-
raum mit den anschließenden Flügelsälen, die schlanken weißen
Marmorsäulen korinthischer Ordnung, die üppige Stuckatur und
die kunstvoll geschnitzten und vergoldeten Bücherschränke, die
zahlreichen Statuen, Büsten und Porträts machen einen großartigen
Eindruck; aber es ist fast zu viel des Prunkes.

Die besprochenen Bilder, ausgeführt in Ölfarbendruck und
Sepiamanier, reihen sich würdig ihren Vorgängern an. Wohlgelungen in der Farbengebung und Stimmung, namentlich in der
Behandlung von Licht und Schatten, spiegeln sie das dargestellte
Objekt getreu wider. Sie regen die Phantasie an und erziehen
zur planmäßigen Anschauung. Die beigefügten Texte bieten in
klarer, knapper Darstellung alles, was geschichtlich oder geographisch zum Verständnis der Bilder erforderlich ist.

6) J. Dietze, Griechische Sagen. Erster Band. Mit drei Abbildungen.
Berlin 1908, H. Paetel. VII u. 213 S. 8. 1,20 ℳ.

Die vorliegende Arbeit bietet eine auf den Quellen beruhende
und dem augenblicklichen Stande der Forschung Rechnung tragende Übersicht über die griechischen Götter- und Heldensagen.
Indem Verf. die einzelnen Geschichten zu größeren Zusammenhängen vereinigt, ergeben sich ihm folgende Abschnitte: die Welt-
entstehung und die Götterkämpfe, die Götter, die Anfänge der
Menschen, das Geschlecht des Äolus (Argonautensage), die arka-
dischen, die ätolischen Sagen, das Geschlecht des Inachos und
Belos und die thebanischen Sagen.

Die Darstellung ist fließend und anregend, da der Ton lang-
weiliger Aufzählung glücklich vermieden ist. Altbekannte Sagen
erscheinen in z. T. neuer Beleuchtung, indem sie entweder zu

den Sagen der germanisch-heidnischen Vorzeit in Verbindung gebracht oder durch die Ergebnisse der archäologischen Wissenschaft erläutert werden. Auch interessante etymologische Bemerkungen werden eingestreut, die, wenn sie auch nicht der
Weisheit letzten Schluß bedeuten, doch zum Prüfen und Nachdenken anregen. Vor allem aber ist es das Zurückgehen auf die
— zumeist dichterischen — Quellen der Geschichte und Überlieferung, welches unsere Schrift von ähnlichen Arbeiten vorteilhaft unterscheidet. Dieses Vorzuges wird schon der reifere
Schüler sich bewußt werden, wenn er z. B. die Geschichte der
Niobe oder die des Ödipus aufmerksam liest und sich vergangener
Ovid- oder Sophoklesstunden erinnert. Und gerade für die
Schüler höherer Lehranstalten eignet sich unsere Schrift vorzüglich zum Nachlesen und Nachschlagen. Vergeht doch kaum
eine Homer- oder Horazstunde, in der nicht an die antike Sage
angeknüpft werden müßte. Aber auch denjenigen, die sich ohne
Kenntnis der mythologischen Forschung auf eigene Hand einen
Überblick verschaffen und den Zauber antiker Sage und Dichtung
auf sich wirken lassen wollen, kann das vorliegende Werkchen
als Hilfsmittel zur Einführung treffliche Dienste leisten.

Das vornehm ausgestattete Buch, welches sich auch durch
schönen, sorgfältigen Druck und drei gelungene Abbildungen auszeichnet, verdient allen Freunden des klassischen Altertums aufs
wärmste empfohlen zu werden.

Wernigerode a. H.   M. Hodermann.

_____

1) Karl Lamprecht, Deutsche Geschichte. Der ganzen Reihe zehnter
Band. Berlin 1907, Weidmannsche Buchhandlung. XII u. 539 S. 8.
geh. 6 *M.*

Der in dieser Zeitschrift 1907 S. 126 am Schlusse der Besprechung des neunten Bandes geäußerte Wunsch, daß Lamprecht
seine Deutsche Geschichte bald zu Ende führe, scheint sich erfreulich rasch zu verwirklichen. Nur ein kurzer Zwischenraum
nämlich liegt zwischen dem Erscheinen jenes Bandes und dem
des zehnten. Dieser enthält das vierundzwanzigste 'Buch' des Ge-
samtwerkes und umfaßt fünf Kapitel mit je vier Unterabschnitten.
Das erste Kapitel (bis S. 116), betitelt Frühromantik, hebt
mit einem Rückblick auf den Verlauf der Entwicklung seit der
Mitte des achtzehnten Jahrhunderts an, wobei der Verfasser betont: für die Darstellung einer nationalen Entwicklung namentlich
hoher Kulturstufen, in einer Gegenwart, die der allgemeinen
kulturgeschichtlichen Hilfsmittel noch so bar ist wie die heutige,
muß man sich wenigstens den Grundsatz immer wieder ins Gedächtnis rufen, daß alle geschichtlichen Veränderungen von tieferer
Bedeutung kontinuierlichen Charakters sind und daher eine Un-
summe eng miteinander verbundener Einzelvorgänge aufweisen.
Der Unterschied der ersten Periode des Subjektivismus in der

zweiten Hälfte des 18. Jahrhunderts gegenüber der zweiten um
etwas mehr als ein Jahrhundert später liegenden Periode wird
festgestellt, und dadurch werden Grenzwerte gewonnen, die in das
allgemeinste Verständnis der dazwischenliegenden Zeiten, vor allem
und zunächst der Romantik, einzuführen geeignet sind.

Nachdem Lamprecht den Charakter der Romantik im allgemeinen dargelegt hat, schildert er zuvörderst den inneren Verlauf und das Wesen der Frühromantik, sodann die Entwicklung der Philosophie des 16. bis 18. Jahrhunderts mit besonderer Rücksicht auf die mystische Denkrichtung, die auch der
Philosophie der Frühromantik eigen war, weiterhin die Dichtung
in allen ihren Erscheinungen, von denen wohl die wichtigsten der
Roman und das Drama waren. Beide „machen den Eindruck
von Blumen, die, aus fruchtbarstem Keime entsprossen, im Wachstum stecken blieben, um vor der Blüte bereits elend zugrunde
zu gehen". Zwei Strömungen laufen in der frühromantischen
Dichtung nebeneinander: die eine wesentlich national und insofern
zeitlich auf die deutsche Vergangenheit begrenzt und räumlich geneigt, „sich in dem Charakteristischen der einzelnen deutschen
Landschaften auszuwirken", die andere wesentlich universal; beide
Strömungen sind Reflexe der fortschreitenden Bildung der Persönlichkeit innerhalb des Subjektivismus. Den Beschluß des ersten
Kapitels macht die Darstellung der bildenden Kunst und des
Gegensatzes sowie der Übereinstimmung von Romantik und
Klassizismus, wobei Goethes und Beethovens Vermächtnis an
die Nation schön hervorgehoben wird.

Das zweite Kapitel (bis S. 258) befaßt sich mit der Spät-
romantik und geht von der Musik der romantischen Zeit aus.
Schumann hat die entwicklungsgeschichtliche Höhe seiner Kunst
schon in den Klavierwerken der dreißiger Jahre und in einigen
anschließenden Stücken erreicht, — dieser Ansicht von Barge
schließt sich Lamprecht an, und sie dürfte das Richtige treffen,
soweit man bei Schumann überhaupt von Entwicklungsgeschichte
sprechen kann. Sodann zieht der Verf. die bildende Kunst,
die Dichtung und die Wissenschaft im Zeitalter der Romantik
in den Bereich eingehender Erörterung und legt dar, wie das Bedürfnis geistesökonomischer Zusammenfassung längerer Reihen
von singulären Tatsachen langsam, aber immer deutlicher zur Begründung der Ideenlehre führte. Die Ideen in ihrem geschichtlichen Verlaufe erschienen als Emanationen des Absoluten, des
Göttlichen, als die Gedanken Gottes in der Geschichte, und als
solche einzelnen großen Individuen, Personen oder Völkern, besonders anvertraut.

Das dritte Kapitel (bis S. 349) führt die Überschrift „Be-
ginnender Realismus" und behandelt im ersten Abschnitte
die bildende Kunst, deren Stellung im Bereiche des ästhetischen
Schaffens sich durch die wachsende Anteilnahme des Bürgertums

ändert. Die Anfänge des Realismus treten besonders in der
Malerei hervor, die schon um 1840 die Führung in der Entwicklung
der bildenden Künste erlangt (Bildnerei und Baukunst wird Lamprecht erst gelegentlich der Schilderung des ausgebildeten Realismus
auf allen Gebieten im folgenden Bande behandeln). Hauptsächlich
auf dem Boden der Düsseldorfer Schule vermählte sich der Realismus zuerst mit den akademischen Überlieferungen im Sitten- und
Historienbild sowie in der Landschaft. Auf das Verhältnis von
Ästhetik und Kunstgeschichte zur ausübenden Kunst kommt Verf.
geradeso zu sprechen wie auf das Verhältnis von Phantasietätigkeit
und Entwicklung der Wissenschaft. Auch die bildende Kunst
stand unter dem Einflusse der Tatsache, daß nicht mehr die
schöpferische Anschauung, sondern der schöpferische Intellekt die
Entwicklung zu beherrschen begann: Wissenschaft, nicht mehr
Kunst oder Dichtung, hieß die Hauptlosung schon der dreißiger
Jahre. — Der zweite und dritte Abschnitt sind den systematisch-
und den historisch-anorganischen Naturwissenschaften
gewidmet. Nachdem auf die Differenzierung der Naturwissenschaften im Beginn des 19. Jahrhunderts hingewiesen worden ist,
werden zunächst die physikalischen Wissenschaften, dann die
Chemie erörtert. Auf die Anschauungen vom Zusammenhange
der Naturkräfte geht Lamprecht kurz ein, um ausführlicher die
Entwicklung des Gesetzes von der Erhaltung der Kraft und seiner
Bedeutung darzulegen. Weiterhin werden Astronomie, die geo-
physikalischen Disziplinen, sowie Mineralogie und Geologie behandelt und die Leistungen Alexanders von Humboldt, namentlich
sein abschließendes wissenschaftliches Werk, der Kosmos, gewürdigt.
Humboldt war kein Philosoph mehr, noch viel weniger einer der
platten Materialisten; der Gedanke an die hohen klassizistischen
Ideale seines Bruders „hatte ihm eine gewisse Fühlung mit den
enthusiastischen Zeiten des frühen Subjektivismus gewahrt". Doch
mehr als durch die Erscheinung des einen Humboldt wurde die
Entfaltung der historischen Naturwissenschaften in der Zeit des
Realismus auf die Dauer gekennzeichnet durch die Entwicklung
der wissenschaftlichen Geographie. Die Bedeutung ihres Be-
gründers legt Verf. kurz, aber treffend dar, um sodann als Einleitung zum vierten Abschnitte den Gesamtverlauf der Naturwissenschaften und ihr Verhältnis zu den Geisteswissenschaften
zu schildern. Unter diesen wird zunächst die Psychologie berücksichtigt, vornehmlich die Wirkung Benekes und Herbarts auf
pädagogischem und völkerpsychologischem Gebiete. Dann kommt
die Einwirkung metaphysischer Anschauungen und Methoden der
Romantik zur Erörterung, insbesondere die aus der merkwürdigen
Kombination spezialwissenschaftlicher Entwicklung und romanti-
scher Weltanschauung „nicht ohne Dreingabe christlicher Motive"
hervorgegangene Geschichtsforschung und Geschichtsschreibung,
deren glänzendster Vertreter Leopold Ranke war; er gelangte

schließlich „zu unerhörten Tiefen universaler Fernsicht, die ihn dem Ewigen zu vermählen schienen".

Lamprecht betont, daß die Verquickung der Ideenlehre als Teil der historischen Methodologie mit den spekulativen Anschauungen der Romantik doch auch zu starken Einseitigkeiten führte, die dem zunehmenden Realismus Anlaß zu einer gewissen Abwendung gaben. Hegels Erkenntnisschlüssel, das Triadensystem, enthielt „mit dem ihm eingeschriebenen Gedanken der Polarität der Gegensätze und ihrem Werden auseinander und zueinander ganz sicherlich eine starke psychologische und damit historische Wahrheit" oder deutete sie wenigstens an. Von ihm aus entwickelte sich nun in der Tat eine überaus rege Geschichtsforschung mehrere Jahrzehnte hindurch, vor allem nach der intellektualistischen Seite hin und in bezug auf die höheren Zweige der Kultur, an erster Stelle die Geschichte der Philosophie und die Religion. Die kulturhistorischen Disziplinen konnten nicht zurückbleiben, und schließlich wurde das System auf die sogenannte materielle Kultur durch Marx übertragen. Wie man sich „im höheren Betriebe" der Geisteswissenschaften schon früh gegen Hegel verwahrte, wie die Forschung auf dem Gebiete des Rechts sowie der deutschen Sprache und Kultur vor allem durch die Gebrüder Grimm einen romantischen Schimmer behielt, wie die stärkste Gegnerschaft gegen diese Richtung schließlich von der politischen Geschichte ausging, wie jedoch in den Vordergrund trat die klassische Philologie, richtiger die Geschichtswissenschaft des klassischen Altertums, deren schönste Zeiten durch die Namen F. A. Wolf, Böckh, K. O. Müller, Welcker und Jahn „am besten umschrieben" sind — alles dies wird im dritten Kapitel näher dargelegt. Es schließt mit einem Hinweis darauf, daß „der Realismus der Geisteswissenschaften, soweit er nicht mehr mit romantischen Ingredienzien verquickt war, in sichtlicher Schnelligkeit in jenes politische Handeln hinein verlief, das die Zeit immer einseitiger zu charakterisieren begann".

· Das vierte Kapitel (bis S. 437), betitelt Politische Restauration; wirtschaftliche Fortschritte, hebt mit folgendem Satze an: „Nichts ist für die politische Geschichte des deutschen Volkes in dem ersten Vierteljahrhundert nach den Befreiungskriegen bezeichnender, als daß sie eigentlich nur dann verstanden werden kann, wenn man sich vorher die Geschichte Europas, ja auch noch der atlantischen Welt Amerikas in diesem Zeitraume vorführt". Zuerst schildert Lamprecht die auswärtige Lage und die europäische Politik von 1815 bis 1840, wobei naturgemäß während der dreißiger Jahre Frankreich und England in den Vordergrund treten. Mit der Stellung der europäischen Großmächte um 1840 schließt der Abschnitt. Der Gegenstand des zweiten ist die Entwicklung der innerpolitischen Lage in Deutschland von 1815—1840, zunächst der Ausbau und

Mißbrauch der deutschen Bundesverfassung, sodann das Verfassungsleben in den Einzelstaaten. Erfreulicheren Inhalt weisen die beiden folgenden Abschnitte auf: selbständige Entwicklung freierer Formen der Unternehmerwirtschaft und die Anfänge des Zollvereins; eingehend stellt Verf. die erste Entfaltung moderner Wirtschaftsformen des Subjektivismus auf dem platten Lande wie in den Städten dar.

Im fünften Kapitel (bis S. 517), das die Überschrift Fortschritte des politischen Denkens führt, behandelt der erste Abschnitt die Anfänge des konservativen, klerikalen und protestantisch orthodoxen Denkens bis etwa zum Jahre 1840. Von dem Gedanken des Organismus in der Romantik und seiner enthusiastischen und philosophischen Grundlegung geht Lamprecht aus, legt das Verhältnis zu Christentum und Kosmopolitismus dar und stellt scharf einander gegenüber den katholischen und den protestantischen Zweig; jener ist großdeutsch, klerikal und österreichisch, dieser kleindeutsch, im Sinne des 19. Jahrhunderts pietistisch und nordostdeutsch-preußisch. Die Beziehungen der beiden Zweige zueinander bilden den Schluß des Abschnittes. Der zweite befaßt sich mit dem primitiven Liberalismus, dessen Verhältnis zu den einzelnen Phasen des Frühsubjektivismus auseinandergesetzt wird, und mit dem Jungen Deutschland bis etwa 1835. Verf. führt einige recht bezeichnende Stellen aus den 1834 erschienenen Modernen Lebenswirren von Mundt an und weist darauf hin, daß die Anfänge der deutschen Frauenemanzipation mit der Emanzipation der Juden aufs innigste verquickt sind. Der dritte Abschnitt führt die Entwicklung eines kirchlich und religiös extremen Liberalismus vor, wobei die historische und philosophische Theologie, also auch das Leben Jesu von Strauß, eine eingehendere Würdigung erfährt. Dann werden die kirchlichen und religiösen Schicksale der romantischen Philosophie dargestellt, Feuerbach und seine Wirkung wird geschildert und schließlich die Sektenbildung innerhalb der protestantischen und der katholischen Kirche erörtert.

Der Schlußabschnitt befaßt sich mit dem politischen Radikalismus und der politischen Lyrik vor 1848. Er geht aus von dem Verhältnis zwischen Liberalismus und Rationalismus und stellt zunächst die Entwicklung der Vaterlandsliebe und des Einheitstraumes bis 1840 dar, sodann den Aufschwung in den vierziger Jahren, wie er sich an die Namen Hoffmann von Fallersleben, Dingelstedt, Prutz, Herwegh, Freiligrath, Heine und Geibel knüpft; in dem zuletzt genannten „Manne von Herz, von Glauben, von Treue" verkörperte sich der Fortschritt einer Dichtung des Affekts zu einer Dichtung der Tat. Mit einem Verse aus seinem Türmerliede schließt der Band.

Nur einige Hauptpunkte und recht bezeichnende oder wichtige Einzelheiten konnten im vorstehenden hervorgehoben werden.

Doch beweist das Angeführte wohl zur Genüge, daß wie aus den
früheren Bänden, so aus diesem nicht nur die Historiker vom
Fach im engeren Sinne, sondern auch die Naturwissenschaftler,
sowie die gebildeten Literatur- und Kunstfreunde mannigfache
Anregung schöpfen können[1]). An manchen Stellen werden sich
die Leser auch zum Widerspruche herausgefordert fühlen, ich
meine die sachverständigen, philosophisch und namentlich psychologisch durchgebildeten Leser, und daß an solche Lamprecht in
erster Linie denkt, geht aus der Veröffentlichung mehrerer Abschnitte auch dieses Bandes in der Wissenschaftlichen Beilage zur
Allgemeinen Zeitung hervor. Die Grundanschauungen des Leipziger
Historikers, die für den Gesamtbau seiner Deutschen Geschichte
charakteristischen Leitgedanken, namentlich das Betonen sozial-
psychischer Erscheinungen als der entscheidenden und typischen
in der Entwicklung, — solche Grundauffassung ist den Lesern
dieser Zeitschrift bekannt. Auf eine sachliche Beurteilung der
Einzelheiten (z. B. Bewertung des Ausbleibens einer konstitutio-
nellen Verfassung in Preußen, das „egoistische Verhalten" dieses
Staates in vielen gemeindeutschen Fragen) und auf Begründung
abweichender Meinung kann hier natürlich nicht näher eingegangen
werden — sie gehört in Fachzeitschriften —, wohl aber ist das
Sprachliche gerade bei Lamprecht, dem Erfinder der „Reiz-
samkeit", hervorzuheben. Auch im zehnten Bande kommen ganz
ungewöhnliche Wortbildungen vor; mir wenigstens sind z. B.
„Blütenschwadenduft", „Tatenspannung" und „das würzig Weibliche" bisher nicht begegnet. Wiederum finden wir viele unnötige — nur um solche handelt es sich, wie ich betone —
Fremdwörter; ich führe an: Ambitionen, Autoritarismus, Endos-
mose, Ingerenz, Ingredienz, Parabat, raffinieren, Retizenzen,
voluntaristisch. Solche und ähnliche gehören nicht in eine doch
nicht ausschließlich für die Zunft der Gelehrten bestimmte Deutsche
Geschichte. Ihr Verfasser wird sicherlich das Urteil seines
Schweizer Fachgenossen Guilland, eines genauen Kenners der
neuen deutschen Geschichtschreibung, beachten: ihm stellt sich
nach Lektüre eines Lamprechtschen Bandes das Bedürfnis ein,
„den Geist in der klaren und sauberen Sprache eines Voltaire
oder Mérimée zu baden". Sehr wenig sauber ist die vorletzte
Seite, 516, nicht bloß wegen zweier Druckfehler (sonst kommen
solche nur selten vor), sondern auch wegen eines nach meiner
Ansicht häßlichen Zeugmas: „Fanale" ist beim ersten Verb Subjekt, beim zweiten Objekt. Gehört Derartiges nicht auch zu der
Verwilderung unseres Stils, über die jetzt oft geklagt wird?

---

[1]) Ich mußte beim Lesen oft an den Ausspruch eines modernen
Historikers denken: „Heutzutage studiert man am besten Geschichte, wenn
man nicht Geschichte studiert, sondern etwa Philosophie, Staatswissenschaften,
Literatur-, Kunst- und Religionsgeschichte". Daß L. ziemlich viel voraus-
setzt, beweisen auch seine häufigen rhetorischen Fragen.

2) Hans F. Helmolt, Weltgeschichte. Unter Mitarbeit von 37 Fach-
gelehrten herausgegeben. Mit 55 Karten und 178 Tafeln in Holzschnitt, Ätzung und Farbendruck. 9 Bände in Halbleder gebunden zu
je 10 .ℳ. oder 18 broschierte Halbbände zu je 4 .ℳ. Neunter (Er-
gänzungs-) Band. Von Alexander Tille, Richard Mayr, Viktor Hantzsch,
Thomas Achelis und Hans F. Helmolt. Mit 2 Karten und 2 Tafeln
in Holzschnitt. Leipzig und Wien 1907, Bibliographisches Institut.
VIII u. 677 S. gr. 8.

In der vorigen, siebenten Besprechung der Helmoltschen
Weltgeschichte in dieser Zeitschrift 1907 S. 683 ist bereits darauf
hingewiesen worden, daß der neunte und letzte Band Nachträge,
Rückblicke und das nötige Gesamtregister enthalten würde. Der
erste, von A. Tille herrührende Nachtrag (bis S. 50) ist betitelt
Großbritannien und Irland seit dem Tode Georgs III.
und schildert zunächst Großbritannien als Agrar- und Industriestaat, sodann die Entwicklung zum Industriestaate, die Bedeutung
des Landes für die Weltwirtschaft und endlich 'Weltbritannien
als Wirtschaftsgebiet und Staatenbund'. Der Abschnitt schließt
folgendermaßen: „Das kolonialbritische Nationalgefühl der Zusammengehörigkeit mit dem Europabritentum, die wirtschaftlichen
Sonderinteressen der Kolonialstaaten und der schroffe Gegensatz
des Kolonialbritentums zu denjenigen Menschenrassen, die es in
der Besiedlung von Erdteilen abzulösen gedenkt, sind die drei
Geschichte schaffenden Mächte im Staatenbunde Weltbritanniens.
Diejenigen zwei von ihnen, denen es gelingt, sich dauernd zu
verbinden, müssen der Zukunft Weltbritanniens ihren Stempel
aufprägen".

Der zweite Nachtrag (bis S. 210) ergänzt die im fünften
Hauptabschnitte des ersten Bandes gegebene Darstellung von
Westeuropas Wissenschaft, Kunst und Bildungswesen
vom 16. Jahrhundert bis zur Gegenwart; er entstammt der
Feder R. Mayrs und gliedert sich in folgende drei Kapitel: die
bildenden Künste, die Naturwissenschaften und die Geisteswissenschaften. In diesen drei Kapiteln hat der Verf. einen gewaltigen
Stoff verarbeitet. Die allgemeinsten Grundzüge der Entwicklung
klar, wenn auch knapp, darzulegen, das ist ihm im großen und
ganzen gelungen; aber ob nicht manche der vielen angeführten
Namen hätten fehlen können und ob wirklich alle die tonan-
gebenden und führenden Persönlichkeiten genannt worden sind,
darüber läßt sich doch wohl streiten. Bis auf Fr. Nietzsche geht
die Darstellung hinab und schließt recht bezeichnend mit dem
Satze: „Die Welt wird auch in Zukunft ihre Stimmungsphilosophen
finden, die ihr innerstes Leben mitempfinden, und ihre Philosophie-
professoren, die ihr den Gehirnmechanismus erklären oder ihr
auch die Ideale vor Augen halten, die wohl nicht mehr neu, dafür aber um so bewährter sind".

Diesen beiden Nachträgen folgen zwei Ergänzungen. Die
erste (bis S. 282) bezieht sich auf die deutsche Auswanderung

und enthält eine sehr lehrreiche, mit der Urzeit anhebende Schilderung von V. Hantzsch, der unter Auswanderung lediglich das Verlassen des geschlossenen deutschen Sprachgebiets zum Zwecke der Ansiedlung auf fremdem Boden versteht. In acht Unterabschnitten führt er den wichtigen Stoff bis zur Gegenwart herab. Erst für das 19. Jahrhundert, und zwar namentlich für die zweite Hälfte, ist es möglich, eine einigermaßen vollständige Übersicht zu geben; denn eine reiche Fülle amtlichen, wenn auch nicht immer einwandfreien, Materials liegt vor. In den achtziger Jahren erfuhr die Auswanderung eine noch nicht dagewesene Steigerung; und zwar besonders aus wirtschaftlichen Gründen. „Für Hunderttausende von kleinen Bauern gab die zunehmende Not der Landwirtschaft", wie Hantzsch schreibt, „den Anlaß. Die steigende Verschuldung des ländlichen Grundbesitzes, die geringe Rentabilität des Körnerbaues, die Unfähigkeit, den Wettbewerb mit dem unter günstigeren Verhältnissen produzierenden Ausland auszuhalten, trieb sie über das Meer. So entvölkerten sich namentlich die rauhesten und unfruchtbarsten Gegenden Deutschlands, der Westerwald, der Hunsrück, die Eifel, die Rauhe Alb, der Hegau und der Odenwald, immer mehr. Aus den Gegenden östlich von der Elbe, aus Ostpreußen, Pommern und Mecklenburg wanderten vor allem die ländlichen Arbeiter aus, da sie unter der Herrschaft der Großgrundbesitzer nicht zu wirtschaftlicher Selbständigkeit gelangen konnten. In ähnlicher Notlage befanden sich vielfach die kleinen Handwerker und Geschäftsleute, die seit Einführung der Gewerbefreiheit der übermächtigen Konkurrenz der Großindustrie und des Großkapitals nicht zu begegnen wußten und häufig in der Auswanderung ihre letzte Rettung erblickten; namentlich das einst so blühende Gewerbe der Handweber erlag allmählich fast völlig dem Wettbewerb der Maschinenarbeit". Ausdrücklich sei bemerkt, daß auch die Ostmarkenpolitik nach Gebühr gewürdigt wird. — Mit vollem Recht kann man in bezug auf unsere Zeit von der Allgegenwart des Deutschtums sprechen. Aufgabe der Zukunft ist es, die Volksgenossen „in der Zerstreuung so mit nationalem Selbstbewußtsein zu erfüllen, daß sie sich auch im fremden Lande zwar nicht als Glieder des Reiches, wohl aber als Angehörige des gemeinsamen Vaterlandes fühlen und vor allem ihre Muttersprache bewahren. Freilich wird dies hohe Ziel niemals ohne die Anwendung geeigneter Mittel erreicht werden; zu diesen gehört vor allem eine von großen Gesichtspunkten geleitete, entschieden freiheitliche und durch Stetigkeit Vertrauen erweckende, innere und äußere Politik, Entfaltung und Verstärkung aller diplomatischen und kriegerischen Machtmittel des Reiches zum Schutz der Deutschen im Auslande, Anbahnung und Pflege enger und dauerhafter geistiger und wirtschaftlicher Beziehungen zu diesen Ausgewanderten und ausgiebige Unterstützung der deutschen Schulen jenseits der Sprachgrenze durch Lehrkräfte und Zu-

schüsse. Wenn sich das Reich in dieser Weise der Pflichten
gegen seine Glieder dauernd erinnert, dann wird sich allmählich
jenes jetzt noch fehlende Solidaritätsgefühl aller Deutschen auf
der ganzen Erde entwickeln, und zum Heile der Menschheit wird
allmählich jenes an staatliche Grenzen nicht gebundene größere
Deutschland ins Leben treten, das im Verein mit dem stammverwandten Angelsachsentum die Welt politisch und geistig zu
beherrschen berufen ist".

Eine Anleitung zur Benutzung seiner Weltgeschichte, die der
Herausgeber in Aussicht gestellt hatte, ist leider 'wegen Raum-
mangels' fortgeblieben. Als Ersatz dafür finden wir eine zweite
Ergänzung (bis S. 324), nämlich einen methodologischen
Rückblick auf die Ergebnisse der 'Weltgeschichte', verfaßt von Th. Achelis, aus dessen Darlegungen folgendes wörtlich mitgeteilt sei. „Halten wir uns zunächst an die räumliche
Verbreitung des Menschengeschlechts, so ist die Beziehung des
Menschen zum Boden, wie Ratzel lichtvoll auseinandergesetzt hat,
ausschlaggebend. Alle Überwindung räumlicher Schranken, alle
wachsende Dichtigkeit der Bevölkerung und damit die sich
steigernde Fülle der verschiedenartigsten sozialen Beziehungen
der einzelnen Gemeinschaften oder gar der Völker untereinander
veranschaulichen diese aufwärtsstrebende Entwicklung. Fassen wir
in diesem Sinne die Menschheit als Lebenserscheinung der Erde,
so versteht sich damit die bekannte Anwendung des biologischen
Gesetzes vom Kampf ums Dasein auf das Leben der Völker von
selbst; stets siegen, wenn auch nicht immer sofort, die physisch
stärkeren Stämme über die schwächeren und vollends die geistig
höher stehenden über die weniger entwickelten, rückständigen,
häufig auch sittlich verkommenen. Überblicken wir den bisherigen
Verlauf der Weltgeschichte, so haben wir das wechselvolle Bild
eines unausgesetzten Kampfes der einzelnen, aufeinanderprallenden
Völker um die Herrschaft. Die wachsende Kultur, die zugleich
eine fortschreitende Rassenvermischung (freilich nur bis zu einem
gewissen Grade) ermöglicht, hat dadurch auch eine geistige Annäherung der einzelnen Völker herbeigeführt, an die frühere
Epochen nicht denken konnten, — auch das ist ein Beweis für
die fortschreitende Humanität".

Den Abschluß des ganzen Werkes bildet eine in Verbindung
mit 21 Gelehrten von dem Herausgeber verfaßte Quellenkunde
(bis S. 472), über deren Eigenart eine Vorbemerkung aufklärt.
S. 433 wird mit Recht hervorgehoben, daß die in 7. Auflage durch
Brandenburg besorgte Quellenkunde der deutschen Geschichte von
Dahlmann-Waitz genügende Auskunft über Sonderliteratur gibt.

Schließlich finden wir ein Generalregister, dessen müh-
same Zusammenstellung auf Grund der Register zu den einzelnen
Bänden vom Pastor Fr. Richter in Leipzig mit opferwilligem
Fleiß besorgt worden ist, wie es in dem Vorworte heißt. In

diesem wird für eine zweite Auflage außer der oben erwähnten
Anleitung noch in Aussicht gestellt ein Abschnitt „Die geographischen Grundlagen der wichtigsten Großreiche" von Georg Schneider
sowie „synchronistische Tabellen der in der 'Weltgeschichte' verarbeiteten Jahreszahlen" von Friedrich Freiherrn Kromer
v. Reichenbach.

Als dankenswerte Beigaben enthält der Band farbige Karten
zur Geschichte von Großbritannien und Irland, sowie zur deutschen Auswanderung, ferner zwei Porträttafeln von Philosophen, Naturforschern und Technikern.

Suchen wir nunmehr, ohne uns in nicht hierhergehörige fachwissenschaftliche Erörterungen einzulassen, ein abschließendes
Urteil über das gesamte Werk zu gewinnen. Es erhebt den Anspruch, nicht bloß die Geschichte der als sittliches Ganzes gedachten Menschheit, sondern eine Universalgeschichte im eigentlichen Sinne zu bieten, und zwar auf der Grundlage einer organischen Verbindung von Geschichte und Völkerkunde
nach dem Vorgange Ratzels, an dessen geographische Völkerkreise,
wie sie die Erdteile an die Hand geben, diese Weltgeschichte sich
anschließt. Damit sie zu gutem Abschluß geführt würde, mußten
mehr als 35 Köpfe für die Arbeit eines Jahrzehntes unter einen
Hut gebracht werden. Die sehr begreifliche Folge davon ist ein
ziemlich beträchtlicher Wertunterschied der einzelnen Teile;
in ihnen kommen die verschiedenen Erscheinungen des geschichtlichen Lebens nicht gleichmäßig zu ihrem Rechte, insbesondere
haben manche Mitarbeiter die gerade bei der Helmoltschen Weltgeschichte wichtige Aufgabe, den Zusammenhang zwischen Erdoberfläche und Volksgeschichte klarzulegen, überhaupt nicht recht
angegriffen. In dieser Hinsicht befriedigen am meisten die Abschnitte über die Bedeutung der Weltmeere, namentlich über den
Atlantischen Ozean, sowie das Kapitel über den Zusammenhang
der Mittelmeervölker. Hier bringt die Helmoltsche Weltgeschichte
nur Neues und Gutes, hier erweist sich die Verbindung von Geschichte und Erdkunde in der Tat außerordentlich fruchtbar.

In den früheren Besprechungen ist wiederholt darauf hingewiesen worden, daß die Gruppierung des Stoffes ihre Bedenken hat; in dieser Hinsicht ist schon ein flüchtiger Blick in
das Generalregister lehrreich. Mit Amerika wird aus praktischen
Gründen begonnen, dann geht es weiter gen Westen, und West-
europa macht den Beschluß. Doch gerade bei Europa mit seiner
so überaus reichen und vielseitigen Entwicklung zeigt es sich,
daß es recht schwierig ist, den leitenden Gedanken dieser neuen
Weltgeschichte gleichmäßig und folgerichtig durchzuführen. Wir
finden in ihr die westeuropäische Geschichte teilweise fast ganz
genau so behandelt, wie in den übrigen Weltgeschichten; andere
Abschnitte wieder, z. B. in Teil VII, stehen nicht in organischem
Zusammenhange mit dem Ganzen, bilden gewissermaßen nur gute

Einzeldarstellungen, die auch an einem anderen Platze in demselben oder in einem anderen Bande sich finden könnten.

Doch *in magnis voluisse sat est*. Die den Höhepunkt der historiographischen Kunst bezeichnende Aufgabe, eine allen Ansprüchen genügende Weltgeschichte im eigentlichen Sinne zu schreiben, ist einem einzelnen unlösbar, einer Vereinigung von Gelehrten nur sehr schwer lösbar, obschon jetzt die Neigung Einzelforschungen zusammenzufassen, mehr und mehr wächst. Es kann sich einstweilen nur um Versuche handeln. Der Helmoltsche ist, alles in allem, so ausgefallen, daß er zwar noch keine neue Ära der Universalgeschichte begründet hat, daß aber darauf Spätere getrost weiterbauen dürfen. Bewährten Forschern hat dieser Versuch Gelegenheit zu ganz neuen Aufschlüssen auf Einzelgebieten geboten. Die Ausstattung des ganzen Werkes kann als vorzüglich gerühmt werden.

Görlitz.   E. Stutzer.

1) Hermann Müller-Bohn, Die deutschen Befreiungskriege, Deutschlands Geschichte 1806 bis 1815. Mit Original-Bildern und Zeichnungen von Karl Röchling, Richard Knötel, Woldemar Friedrich und anderen. Berlin, Paul Kittel. Erste Lieferung. IV und 32 S. gr. 8. 1 *M.*

Das Lieferungsprachtwerk, um den Ausdruck des Herausgebers Paul Kittel zu gebrauchen, soll bis Neujahr 1909 in 30 Lieferungen à 1 M., die in Zwischenräumen von vierzehn Tagen zur Ausgabe gelangen, fertig vorliegen. Als „Zweck der Herausgabe dieses monumentalen Prachtwerks" wird in der Vorrede angegeben, die „hehre Zeit des Vaterlandes, da dem deutschen Volke ein neuer Völkerfrühling erblühte, . . . wahrheitsgetreu zu schildern in Wort und Bild". Der Stoff soll in fünf Bücher: Unter französischem Joche, Deutschlands Wiedergeburt. Die Erhebung, Der Freiheitskampf des deutschen Volkes, Von Elba bis St. Helena eingeteilt werden. Den Text werden mehr denn 500 Originalbilder und 60 mehrfarbige und schwarze Kunstbeilagen beleben. Die erste Lieferung, mit der wir uns hier kurz zu beschäftigen haben, beginnt mit der Kaiserkrönung Napoleons und führt den Leser mit erläuternden Rückblicken durch die Geschichte der kriegerischen Ereignisse von 1804—1806, wobei auch die diplomatischen Verhandlungen gestreift werden, um dann mit der Erschießung des Buchhändlers Palm im Jahre 1806 zu schließen. Bei eindrucksvollen Ereignissen, wie der Kaiserkrönung Napoleons, der drei Textseiten, und der Erschießung Palms, der vier Seiten gewidmet werden, verweilt Verf., dem Zwecke des Werkes entsprechend, das auf die große Menge des gebildeten Publikums berechnet ist, in billigenswerter Weise mit besonderer Vorliebe. Der Text des volkstümlich gehaltenen Buches ist, von einigen geringfügigen Verfehlungen, besonders Druckfehlern abgesehen, nicht nur einwandsfrei, sondern auch klar und fließend geschrieben und infolge der stilistischen Gewandtheit des Verf. wohlgeeignet, geschichtliches Verständnis für die bedeutungsvolle Zeit zu vermitteln und vaterländisches Denken und Empfinden zu wecken und zu befriedigen. Sorgfältig hergestellte große und kleine Bilder und einige Kunstbeilagen, die zweckmäßig ausgewählt sind, veranschaulichen die wichtigsten Ereignisse und erfreuen das Auge. Der schöne Druck, das kostbare Papier und die Klarheit der Schrift erfüllen weitgehende Ansprüche, so daß man das Werk auch für die Schülerbibliotheken höherer Lehranstalten mit gutem Gewissen empfehlen kann.

Die nach der Niederschrift dieser Zeilen erschienenen Lieferungen 2—4, die je 32 S. Text enthalten, führen die Geschichte des Krieges 1806/7 bis zum Gefecht bei Heilsberg, das am 10. Juni 1807 stattfand, weiter. Darstellung, Inhalt und Ausstattung entsprechen den bereits besprochenen Vorzügen der ersten Lieferung. So ist z. B. die Schlacht bei Jena mit einer Anschaulichkeit und Lebendigkeit geschildert, daß sie der Leser mit zu erleben glaubt. Verf. versteht aber auch herzbewegende Töne anzuschlagen, wenn er erzählt, unter welchen traurigen Umständen die preußische Königsfamilie im Jahre 1807 das Weihnachtsfest in dem ostpreußischen Königsberg beging. Kleine Kartenskizzen auf den Textseiten, die der ersten Lieferung fehlen, erleichtern das Verständnis, zahlreiche saubere Holzschnitte beleben den Text, und von den beigegebenen farbigen, doppelseitigen Kunstbeilagen seien besonders genannt: Die Schlacht bei Kulm; Johanna Stegen, das Heldenmädchen von Lüneburg; In der Dorfkirche von Rogau; General Blücher vor der Schlacht an der Katzbach; Die Kolbenschlacht bei Hagelberg. Daß diese Kunstbeilagen nicht immer an der passenden Stelle erscheinen, wird nur dadurch erträglich, daß sie leicht lösbar sind und sich beim Einbinden nach Belieben dem Texte einfügen lassen. Besondere Erwähnung verdient auch eine Beilage, die in Originalgröße die Nachbildung eines Briefes der Königin Luise an ihren Vater enthält. Druckfehler finden sich weniger als in der ersten Lieferung. Ein solcher ist es natürlich, wenn der Erlaß der Kontinentalsperre, der am 21. Nov. 1806 von Berlin ausging, auf den 12. Nov. verlegt wird.

2) Bilder aus den deutschen Kolonien. Lesestücke, gesammelt und bearbeitet im Auftrage der deutschen Kolonialgesellschaft. Essen 1908, G. D. Baedeker. VI u. 187 S. 8.

Die Bilder aus den deutschen Kolonien enthalten eine Erweiterung und Vermehrung der „Sammlung von Lesestücken, die die deutsche Kolonialgesellschaft den Verfassern und Verlegern von Volksschul-Lesebüchern im vorigen Jahre zur Verfügung stellte", und sind gedacht als „ein Lesebüchlein für Schülerbibliotheken", dessen Inhalt „dem Geschmacke und Verständnisse vierzehn- bis fünfzehnjähriger Kinder angepaßt" ist. Der Inhalt gliedert sich in folgender Weise. In den einleitenden Artikeln, die mehr für Erwachsene als für die Jugend bestimmt sind, beschäftigen sich verschiedene Verf. mit der Bedeutung der Kolonien für die deutsche Volkswirtschaft, mit dem wirtschaftlichen Leben in ihnen und mit den wichtigsten Kulturpflanzen, wobei z. B. behauptet wird, daß „der Tabakbau zur Zeit überall in unseren Kolonien wieder aufgegeben" ist. Dann werden, nach Schutzgebieten geordnet, unsere Kolonien in kleinen Aufsätzen, die durchschnittlich ein bis drei Seiten lang sind, behandelt. Die Bearbeiter haben dazu durchgängig Darstellungen aus den letzten Jahren benutzt, was gerade bei Kolonien, die in verhältnismäßig schneller Entwickelung sind, nötig und gut ist. Unter den Verf., deren Berichte zugrunde gelegt sind, begegnen Namen wie: H. Seidel, G. Frenssen, Passarge, H. Paasche, Graf Pfeil, Hagen; aber auch in- und ausländische Zeitungen und Zeitschriften sind herangezogen worden. Reisebeschreibungen, Kriegszüge, Jagdgeschichten, Besprechungen über die Behandlung, den Wert und die Verwendung der Nutzpflanzen durch die Eingeborenen und die deutschen Ansiedler, über die Tierwelt, das Leben und Treiben der Neger und Papuas, über die Versuche, um reichere Erträge für das deutsche Vaterland zu erzielen, ziehen in rascher Folge und im bunten Wechsel an dem Auge des Lesers vorüber. Wiederholungen, die besser vermieden würden, z. B. über die Pflege und Benutzung der Ölpalme, der Erdnuß usw. sind dabei nicht selten. Die Bearbeiter haben sich bemüht, die ausgewählten Stücke „dem Bedürfnisse unter tunlichster Schonung ihrer Eigenart anzupassen". Freilich hat es sich dabei nicht ganz vermeiden lassen, daß der Ton der Darstellung, ganz abgesehen von der stilistischen Eigenart der Lesestücke, kein einheitlicher ist. Manche Artikel sind so gehalten, wie der Lehrer etwa zu zwölfjährigen Knaben spricht, die Mehrzahl der Aufsätze erhebt sich aber zu einer Gedankenentwickelung, die auch die reifere Jugend anspricht. Auch in diesen drängt sich die Absicht der Belehrung nicht unangenehm auf, so daß die Lesestücke zur Unterhaltungslektüre geeignet sind. Dem Artikel „Eine Mondscheinnacht in Deutsch-Südwestafrika", der eine anschauliche und farbenreiche Naturschilderung enthält, möchte Ref. die Bemerkung entnehmen, daß Verf. mitten in der Nacht auch bei Mondschein zu lesen vermochte, ohne den direkten Schein auf das Blatt fallen zu lassen. Diese Helligkeit der afrikanischen Mondscheinnacht in der Gegend des südlichen Wendekreises erinnert an die hellen Polarnächte im Lande der Mitternachtsonne, so daß sich auch hier die Gegensätze berühren. Den jugendlichen Lesern der Aufsätze über das Schutzgebiet Kiautschou wird der Hinweis auffallen, daß die Stadt Kiautschou zwar den Namen für Deutsch-China hergegeben hat, aber im chinesischen

Gebiet liegt und daß der einzige europäische Wohnort in Deutsch-China die Stadt Tsingtau ist.

Das Buch wird gern gelesen werden und ist wohl geeignet, aufklärend zu wirken und für unsere Kolonien Interesse zu erwecken. Die bestimmte Erwartung ihrer gedeiblichen Entwickelung, die aus manchen Lesestücken herausklingt, wird die Jugend mit Hoffnungsfreudigkeit erfüllen. Auch die Probe auf das Exempel hat Ref. gemacht, indem er das Buch einem vierzehnjährigen Obertertianer des hiesigen Gymnasiums zu lesen gab. Und da dieser es mit Vergnügen und Ausdauer durchgearbeitet hat, so glaubt Ref. es auch für die Schüler der Mittelklassen höherer Lehranstalten als Lesebuch empfehlen zu können. Wenn es immer Gegenwartswert behalten soll, müssen natürlich die älteren Artikel von Zeit zu Zeit ausgeschieden und durch neue ersetzt werden.

Stargard i. Pomm.   R. Brendel.

---

1) **Ludwig Stacke, Neueste Geschichte** (1815—1900). Übersichten und Ausführungen. Siebente Auflage, neu bearbeitet und von 1881 bis 1900 fortgesetzt von **Heinrich Stein**. Mit Personenliste und Zeittafel. Oldenburg i. Gr. 1908, Gerhard Stalling. VIII u. 756 S. Lexikon 8. 7,40 ℳ.

Wie alle Schriften Stackes hat auch dieses Buch einen großen Leserkreis gefunden; ist es doch seit 1870 jetzt zum siebenten Male aufgelegt. Aber es ist in dieser neuesten Auflage ein wesentlich anderes geworden als früher. Nicht mehr aus der Geschichte von 1815 an wird erzählt, sondern die Geschichte selbst in solcher Vollständigkeit, „daß alle geschichtlich wichtigen und wirkungsvollen Geschehnisse, ihre inneren Zusammenhänge und Ergebnisse, kurz die fortschreitende Entwicklung und Wandelung der politischen Zustände in Europa und in den führenden Staaten zu einem anschaulichen Gesamtbilde vereinigt werden". Eine allmähliche Erweiterung dieses Gesichtskreises auf außereuropäische Länder hat sich im Fortgang der Darstellung ganz von selbst ergeben. Natürlich sind die geschichtlichen Vorgänge am eingehendsten behandelt, aus denen die heutige politische Weltlage als Resultat hervorgegangen ist, d. h. die vier letzten Jahrzehnte des vorigen Jahrhunderts, während die früheren Zeiten, besonders die bis 1848, mehr als eine Vorgeschichte gewürdigt sind. Daß in einem für deutsche Leser bestimmten Buche die deutsche Geschichte im Vordergrunde der Erzählung steht, bedarf um so weniger einer Rechtfertigung, als ja in der Tat ein solches Verfahren dem wirklichen Gange der politischen Umgestaltung Europas entspricht.

Die Darstellung verläuft in sieben Abschnitten, denen eine Einleitung vorhergeht, welche die Zustände Europas nach dem

Sturze Napoleons dem Leser in großen Zügen vor Augen führt.
Der erste Abschnitt entspricht dem Zeitraum von 1815—1830,
also bis zum Beginn der französischen Julirevolution. Während
Deutschland hier noch etwas zurücktritt, stehen naturgemäß die
Vorgänge in Frankreich und der griechische Befreiungskrieg im
Vordergrunde. Im zweiten Abschnitte wird der Zeitraum von
1830—1848, also bis zum Ausbruch der Februarrevolution in
Paris, geschildert. Auch hier liegt der Nachdruck noch auf den
französischen Verhältnissen, ohne daß doch die der übrigen europäischen Staaten zu kurz kämen. Sehr viel eingehender werden
die Vorgänge in Deutschland und Österreich im nächsten Abschnitt
dargestellt, der die Zeit bis zum Ausbruch des Dänischen Krieges
1863 umfaßt. Die Erzählung gewinnt dadurch an Übersichtlichkeit, daß die deutsche und österreichische Revolutionszeit von
1848—1850 gesondert von der späteren Zeit bis 1863 zur Darstellung gelangt. Dasselbe Verfahren wird hinsichtlich der französischen Geschichte in diesem Zeitraum angewendet; der Verfasser
zerlegt sie in die beiden Unterabteilungen: Frankreich als Republik
und Kaiser Napoleon III., während er die beiden großen Kriege,
die den französischen Herrscher auf den Gipfel seiner Macht erhoben, den Krimkrieg und den österreichisch-italienisch-fran-
zösischen, ihrer Bedeutung angemessen in besonderen Abteilungen
behandelt. Den Höhepunkt des ganzen Werkes bildet der vierte
Abschnitt, welcher, von 1864—1871 reichend, die drei großen
Kriege zur Darstellung bringt, durch welche das Werk der deutschen
Einigung geschaffen worden ist. Hier steht also Deutschland völlig
im Mittelpunkte, ja der ganze umfangreiche Abschnitt ist seiner
Entwicklung allein gewidmet. Daraus ergibt sich, daß die Vorgänge, welche in diesem Zeitabschnitt sonst noch bedeutungsvoll
gewesen sind, dem nächsten fünften Teile des Buches, der die
Zeit von 1871—1881 darstellt, haben zugewiesen werden müssen.
Hier tritt daher Deutschland gegen andere Staaten etwas zurück,
namentlich begegnet uns hier zuerst eine umfangreichere Berücksichtigung der Geschichte außereuropäischer Gebiete, namentlich
Asiens und Amerikas, indem dort die Kämpfe der Engländer gegen
die Sipoys in Vorderindien und das Vordringen der Russen in
Zentral- und Ostasien, hier aber der große amerikanische Bürger-
krieg und das mexikanische Abenteuer Napoleons III. und seines
Schützlings Maximilian von Österreich erzählt werden. Der sechste
Abschnitt (1881—1890) führt uns zunächst die letzten Regierungs-
jahre Wilhelms I., die hundert Tage Kaiser Friedrichs III. und die
erste Zeit unseres jetzigen Kaisers bis zu Bismarcks Entlassung
vor und schildert dann die wichtigen Vorgänge aus der gleichzeitigen Geschichte Österreichs, Rußlands und der Balkanländer,
Frankreichs und Englands, besonders das Eingreifen dieses Staates
in die Verhältnisse Ägyptens und des Sudans. In dem letzten
Abschnitte, der bis zum Ende des Jahrhunderts reicht, nimmt

wieder wie im fünften die Darstellung außereuropäischer Ereignisse, so besonders des Krieges zwischen China und Japan mit seinen wichtigen Folgen und des Konfliktes zwischen den Engländern und Buren, einen breiten Raum ein.

Diese Übersicht zeigt, daß der Inhalt des Buches ein sehr reicher ist, so daß er den Leser über keine irgendwie wichtigere geschichtliche Frage unbelehrt läßt. Nimmt man dazu, daß das Werk gut disponiert und übersichtlich gestaltet ist, daß es für den gebildeten Nichtfachmann durch die Klarheit der Diktion ebenso verständlich wie für den Fachmann durch die Zuverlässigkeit seiner wissenschaftlichen Fundamentierung erfreulich ist, daß mit großem Geschick überall die leitenden Gedanken herausgearbeitet, das Wichtige und Bedeutungsvolle entschieden in den Vordergrund gerückt ist, ohne daß das belebende Detail dabei stiefmütterlich behandelt worden wäre, so kann man über diese neueste Geschichte nur seine aufrichtige Freude aussprechen. Es verdient noch besonders hervorgehoben zu werden, daß der politische Standpunkt, welchen der Verfasser einnimmt, ein entschieden nationaler ist, doch liegt es ihm ganz fern, in Chauvinismus zu verfallen und mit seinem Patriotismus aufdringlich zu werden.

Wenn ich trotz dieses günstigen Urteils, das ich über das Werk Steins als Ganzes fällen muß, doch einige Ausstellungen mache, so geschieht das nicht, um zu nörgeln, sondern um dem Herrn Verfasser für eine hoffentlich bald nötig werdende achte Auflage einige Fingerzeige für Verbesserungen zu geben. Im einzelnen läßt das Buch nicht selten die nötige Sorgfalt vermissen und macht hier und da den Eindruck, als ob der Verfasser zu schnellerem Arbeiten gedrängt worden wäre, als ihm selbst lieb war. Dafür legen die ziemlich zahlreichen Druckfehler Zeugnis ab, die ich hier, soweit sie mir aufgefallen sind, anführe. S. 28 Z. 14 solchsr statt solcher, S. 32 Z. 3 einem statt einer, S. 86 Z. 6 Mächte statt Mächten, S. 184 Z. 11 v. u. konnte statt konnten, S. 195 Z. 6 Januar statt Juni, S. 198 Z. 8 zu statt zum, S. 358 Z. 2 mußte statt mußten, S. 387 Z. 9 den statt dem, S. 388 Z. 6 v. u. befähigste statt befähigtste, S. 396 Z. 2 muß St. vor dem zweiten Namen fehlen, S. 414 Z. 13 v. u. 1581 statt 1681, S. 447 Z. 11 opfermütigen statt opfermutigen, S. 474 Z. 18 einer statt eines, S. 492 Z. 1 Defaures statt Dufaures, S. 509 Z. 18 v. u. Beamte statt Beamten, S. 547 Z. 14 Flage statt Flagge, S. 570 Z. 13 v. u. Biafre statt Biafra, S. 571 Z. 14 v. u. Palao statt Palau, S. 615 Mitte müssen die beiden Worte dazwischen und treten in ein Wort zusammengezogen werden, S. 616 Z. 16 auf statt und.

Auch sonst möchte ich noch auf einige Einzelheiten hinweisen. Die Schreibung des Namens „Östreich" ist jedenfalls nicht die sonst übliche, wird aber in diesem Buche stets angewendet. Die dritte Klasse der Deputierten zum Ausschuß der preußischen Provinziallandtage 1842 kann man nicht die bäuerische, sondern

nur die bäuerliche nennen (S. 132). Bei der Besprechung der
Anleihefrage zum Zweck des Bahnbaues in den preußischen Ost-
provinzen hätte gesagt werden müssen, weswegen Staatsanleihen
nur mit Zustimmung preußischer Reichsstände statthaft waren; es
hätte also das Gesetz vom 17. Januar 1820 erwähnt werden müssen.
Hier und da begegnen dem Leser ungewöhnliche Ausdrücke. So
S. 147 Mitte das Wort oberlich für obrigkeitlich, S. 269 unten
Anteil haben auf statt Einfluß haben, S. 272 oben zurücklehnen
statt zurückweisen, S. 323 oben einheitlose Führung statt eines
Relativsatzes, der den in dem Eigenschaftswort liegenden Gedanken
zum Ausdruck bringen mußte, S. 579 der aufsehende Arzt statt
Aufsicht führende, S. 666 oben ostseeische Häfen, S. 712 oben
sässig statt ansässig. Die den Bewohnern der Elbherzogtümer
1460 gemachte Zusage lautet: Up ewig ungedelt, nicht „zu"
(S. 175). Die Dienstzeit in der Reserve des preußischen Heeres
währte von 1814 bis zur Armeereorganisation 2, aber nicht 7
Jahre (S. 267). S. 270 Z. 5 steht zweimal das Wort „fest",
während das erste etwa durch „bestimmt" ersetzt werden müßte.
Auf S. 297 Mitte ist mir der mit den Worten „In Wirklichkeit"
beginnende Satz unverständlich geblieben, und dasselbe gilt von
dem Anfangssatze des letzten Absatzes auf S. 310, wo vielleicht
durch Versetzung des Kommas hinter den Namen Chlum zu helfen
wäre. Auf S. 305 wird gesagt, daß sich 1866 das Heer des
Prinzen Friedrich Karl im Norden Böhmens bei Görlitz gesammelt
habe. Das ist mißverständlich, und es wäre besser gewesen zu
sagen: nördlich von der böhmischen Grenze. Ebenda ist zweimal
der bekannte böhmische Nebenfluß der Elbe Isar statt Iser genannt. S. 306 Z. 12 v. u. fehlt das Wort „auf" hinter Flucht;
S. 331 Z. 11 steht Februar statt März. Luxemburg hat dem
Deutschen Reiche im Mittelalter nicht drei sondern vier, und wenn
man, wie es eigentlich in der Ordnung wäre, auch Jobst von
Mähren mitzählt, sogar fünf Könige gegeben (S. 339). Warum wird
Froschwiller oder Fröschwiller statt des bei uns allgemein üblichen
Fröschweiler geschrieben (S. 381)? Auf S. 429 Z. 16 fehlt vor
dem Worte behaupten „hatte". Auf S. 615 enthält der Schluß
des mit den Worten „Die allgemeine Abneigung" beginnenden Satzes
einen Stilfehler, und auf S. 716 Z. 4 muß das Wort „ihres" durch
„seines" ersetzt werden.

Den Schluß des Buches bilden ein Personenverzeichnis und
eine Zeittafel, in welcher übrigens der Tod der englischen Königin
Viktoria irrtümlich auf den 21. Januar 1900 angesetzt ist, während
er, wie im Texte S. 724 richtig steht, erst ein Jahr später erfolgt
ist. Der Druck ist deutlich und gut lesbar, die Ausstattung des
ungebundenen Exemplars einfach, wie das bei dem billigen Preise
nicht anders sein kann. Ich kann das Buch zur Anschaffung für
Lehrerbibliotheken, auch für die Büchersammlung einer Prima nur
lebhaft empfehlen.

2) H. Fischer, A. Geistbeck, M. Geistbeck, Erdkunde für höhere
   Schulen. Buchausgabe mit 230 schwarzen Abbildungen und 12 Farbentafeln. München und Berlin 1907, R. Oldenbourg. XI u. 351 S. gr. 8.
   geb. 3 ℳ.

Die Verfasser dieses Buches weisen im Vorworte auf die
reformatorische Bedeutung Alfred Kirchhoffs für den Betrieb der
Schulgeographie hin und erklären, in seinem Geiste ihre Arbeit
getan zu haben. Es liegt ihnen daran zu zeigen, wie durch das
Zusammenwirken aller geographischen Faktoren (Boden, Klima,
Bewässerung, Pflanzen-, Tier- und Menschenwelt) die besondere
Eigenart eines Erdraumes verursacht wird. Der natürliche Zusammenhang der geographischen Dinge offenbart sich aber nach
der Ansicht der Verfasser am schönsten im Bereiche sogenannter
Naturgebiete oder Landschaften. Die Zerlegung eines Landes in
erdkundliche Einheiten und deren Formung zu einem organischen
Ganzen bei innigster Durchdringung der natur- und kultur-
geographischen Elemente: das ist daher der Weg, den sie zu
gehen sich bemüht haben. Dabei sind sie der Überzeugung, daß
es bei dem fortwährend an Umfang wachsenden Lehrstoff im
geographischen Unterricht nicht auf immer massenhaftere Aneignung von Einzeltatsachen, sondern vielmehr auf deren Zusammenfassung unter weite Gesichtspunkte, auf entschiedene Hervorhebung
des Hauptsächlichen und Allgemeinen ankomme, kurz, daß man
die Schüler nicht in erster Linie wissen, sondern denken lehre.
Die Verfasser sind der Überzeugung, daß ein so erteilter erdkund-
licher Unterricht auch wohltätig auf den mündlichen Ausdruck der
Schüler einwirken werde, weil es sich von selbst verstände, daß
diese, wenn sie genötigt würden mit zusammenhängenden Begriffen
und Gedanken zu arbeiten, auch besser lernen würden zusammenhängend zu reden. So haben denn die Verfasser den ganzen
geographischen Lehrstoff der Schule allgemeinen geographischen
Leitsätzen untergeordnet und damit auf dem Gebiete der Länderkunde wie der physischen Erdkunde das induktive Verfahren grundsätzlich durchgeführt. Das einende Element in der länderkund-
lichen Betrachtung bildet der Mensch mit seinem Walten in der
Natur wie in der Geschichte, oder für die Verfasser gilt der Satz
Karl Ritters, daß die Erde das Erziehungshaus der Menschheit ist.
Daher ist ihnen die Ausstattung der Länderräume mit Naturgaben
und deren Verwertung durch die Arbeit der Völker der Lebens-
inhalt der schulmäßigen Länderkunde, und sie hoffen, durch eine
derartige Behandlung auch ein lebendiges Verständnis der wirtschaftlichen und politischen Verhältnisse der Gegenwart, wie sie
zum nicht geringen Teil auf der natürlichen Gegebenheit der
Länder beruhen, hervorbringen zu können. Dabei sind sich die
Verfasser durchaus der nationalen Pflicht der Schule bewußt, gerade dem Wirken und Walten des deutschen Menschen auf der
gesamten Erde besondere Aufmerksamkeit zu widmen und den

Blick für die Bedeutung unserer Nation in dem mächtigen Ringen
der Völker um den Erdball zu schärfen. Indem die Verfasser nach
diesen Gesichtspunkten ihr Buch gestalteten, haben sie es sich angelegen sein lassen, nach der Forderung Hermann Wagners aus ihm
nicht ein systematisches Kompendium, sondern einen Kommentar
zur Karte zu machen, und zu diesem Zwecke der Verdeutlichung des Kartenbildes dienen auch die zahlreichen Landschaftsbilder, Profile, Diagramme und Kärtchen, die in das Buch
eingestreut sind.

Daß die im vorstehenden angegebenen Gesichtspunkte der
Verfasser für die Abfassung eines modernen geographischen Lehrbuches die richtigen sind, darüber ist unter den Fachmännern kein
Streit; es wird nur darauf ankommen, ob die Ausführung dem
Plane auch entspricht. Ich stehe nicht an zu sagen, daß das
hier durchaus der Fall ist. Das Buch ist ein treffliches Hilfsmittel
für den geographischen Unterricht; wie ich glaube, das beste unter
den in den letzten Jahren mir bekannt gewordenen. Der Inhalt
ist außerordentlich reich, so daß man bei dem ersten Durch-
blättern des Buches leicht den Eindruck hat, es sei hier zu viel
geboten. Aber die geschickte Verknüpfung aller Einzelheiten zu
abgerundeten Gesamtbildern der einzelnen Erdräume, die immer
auch durch den Druck kenntlich gemachte Hervorhebung der
leitenden Gedanken, denen das Detail untergeordnet ist und zur
Verdeutlichung dient, lassen bei genauerem Studium jenen Eindruck bald verschwinden.

Der ganze Lehrstoff ist in 13 Abschnitte gegliedert, von
denen 7 auf die eigentliche Länderkunde, 6 auf allgemeine geographische Erörterungen entfallen. Im ersten Abschnitte wird in
ganz elementarer Weise das für die Unterstufe Notwendige über
die Erde als Himmelskörper gesagt. Hier ist von den Himmels-
gegenden, der Gestalt der Erde, ihrer scheinbaren und wirklichen
Bewegung, der Einteilung der Erdoberfläche, der Erdachse und
den Polen, dem Äquator, den Parallelkreisen, Meridianen, von
geographischer Breite und Länge, von der Erde als Weltkörper
und vom Monde die Rede. Zur Erleichterung des Verständnisses
sind dem Texte mehrere sehr instruktive Abbildungen beigefügt.
Im zweiten Abschnitt werden die kartographischen Elemente behandelt, um dem Schüler das Kartenlesen, und was dazu nötig ist,
zu erschließen. Besonders wertvoll ist hier die bildliche Darstellung der Zeichen, durch welche auf den Karten die verschiedenen
Bodenarten und Pflanzenformen, die menschlichen Siedelungen und
die Verkehrslinien versinnbildlicht werden. Der dritte Abschnitt
bringt dann wieder in ganz elementarer Weise einen Überblick
über die Erdoberfläche und ihre Bewohner. Hier werden die Verteilung von Wasser und Land, das Meer, das Festland, das fließende
Wasser, die stehenden Gewässer des Binnenlandes, die Luft, die
Naturerzeugnisse im Gebiet der Mineralien, Pflanzen und Tiere

und endlich die Menschenwelt behandelt. Mit welcher Knappheit
und Kürze die Verfasser diese für den erdkundlichen Unterricht
grundlegenden Dinge besprochen haben, wird am besten dadurch
klar, daß die drei ersten Abschnitte des Buches trotz der zahlreich eingestreuten Abbildungen im ganzen 18 Seiten umfassen.
Und dabei herrscht nirgends infolge der Kürze Mangel an Ver-
ständlichkeit, sondern alles ist klar und auch dem Geiste der
Kleinen einleuchtend.

Die Länderkunde verläuft in 7 Abschnitten und stellt nacheinander Europa, Asien, Afrika, Amerika, Australien, die deutschen
Kolonien und das Deutsche Reich dar. Hier erfolgt stets die oben
angegebene Zerlegung der großen Gebiete in erdkundliche Einheiten, die dann nach der natur- wie kulturgeschichtlichen Seite
im einzelnen geschildert werden, und am Schlusse eines jeden
Abschnittes wird ein zusammenfassender Überblick über das Ganze
gegeben, in dem wieder die Einzelzüge unter große leitende Gesichtspunkte untergeordnet werden. Zur Veranschaulichung des
beobachteten Verfahrens will ich die einzelnen Unterabteilungen
des 10. Abschnittes, der vom Deutschen Reiche handelt, hier angeben. Nach einer einleitenden Überschau, die das germanische
Mitteleuropa als geographischen Begriff bespricht, wird von dem
Deutschen Reiche als Großmacht gehandelt. Darauf folgt eine Übersicht der deutschen Landschaften und eine solche der deutschen
Staaten. Dann werden die deutschen Landschaften im einzelnen
vorgeführt: 1) die bayrischen Alpen und die schwäbisch-bayrische
Hochfläche oder das Alpenvorland; 2) die deutschen Mittelgebirge,
die wieder zerlegt werden in die deutschen Stufenländer (Stufenland der Naab oder Oberpfalz, die oberrheinische Tiefebene und
ihre Randgebirge, Stufenland des Neckars und seine Umrandung,
Stufenland des Maines, Stufenland der Mosel) und in die mittel-
deutsche Gebirgsschwelle (das niederrheinische Schiefergebirge, das
hessische Bergland, das Weserbergland, der Harz, Thüringen, das
sächsische Bergland, die Sudeten, das Tarnowitzer Plateau); 3) das
norddeutsche Tiefland, welches eingeteilt wird in das westdeutsche
Tiefland (das Fruchtland am Fuße der mitteldeutschen Gebirgsschwelle, die kölnische, die westfälische Tieflandsbucht, das
hannoversche Fruchtland und die sächsisch-thüringische Tieflandsbucht sowie die Nordseeküste umfassend) und in das ostdeutsche
Tiefland mit der schlesischen Tieflandsbucht, dem südlichen
Landrücken, der Tieflandsmulde nördlich davon, dem nördlichen
Landrücken und seinem seewärts gelagerten Vorlande sowie der
Ostseeküste. Dann folgt ein Abschnitt über die natürliche, wirtschaftliche und geschichtliche Grundlage der deutschen Seemacht,
ein solcher über die staatlichen Verhältnisse des Deutschen Reiches
im allgemeinen und ein dritter über die einzelnen Staaten des
Deutschen Reiches, der das enthält, was man früher „politische
Geographie" zu nennen pflegte, aber nichts Neues bringt, sondern

nur in früheren Abschnitten schon Mitgeteiltes unter einem neuen
Gesichtspunkte übersichtlich zusammenfaßt. Den Schluß macht
dann endlich ein Abschnitt, der den Zweck hat, Deutschland als
eine geographische Einheit darzustellen.

Die drei letzten Abschnitte des Buches tragen wieder allgemeineren Charakter, indem der elfte die wichtigsten Handels-
und Verkehrswege der Gegenwart, der zwölfte die Elemente der
mathematischen Erdkunde und der dreizehnte die allgemeine
physische Erdkunde vorführt. Auch hier ist die Klarheit, mit
der die Verfasser verhältnismäßig schwierige Gegenstände verständlich zu machen wissen, in hohem Grade zu loben, nicht
weniger aber die Kunst, mit der sie den umfangreichen Stoff auf
einen verhältnismäßig engen Raum zusammendrängen.

Der Druck ist von erfreulicher Korrektheit. Die wenigen
Druckfehler, die mir aufgefallen sind, merke ich hier an. S. 70
Z. 6 steht Lieblingsgetränke statt Lieblingsgetränk, S. 167 Z. 1 v. u.
mélos statt mélas, S. 265 ist die Seitenzahl in 625 verdruckt,
§. 273 Z. 18 v. u. Oder statt Oker, S. 287 Mitte spricht statt verspricht, S. 294 Z. 16 Hoffoung statt Hoffnung. Daran schließe ich,
was mir sonst von Unebenheiten und Unrichtigkeiten im einzelnen
entgegengetreten ist, damit die Verfasser bei einer neuen Auflage
ihres Buches an den betreffenden Stellen Änderungen vornehmen
können. S. 48 Z. 10 stände statt „erklärt“ besser „ausgerufen“,
S. 55 Z. 17 statt „in weitaus überwiegender Mehrzahl“ besser „in
ihrer überwiegenden Mehrheit“ oder „weit überwiegend“. Man
kann doch nicht gut sagen, daß Spaniens wirtschaftliche Bedeutung gering, aber entwicklungsfähig sei, sondern vielleicht, daß seine wirtschaftlichen Kräfte noch gering aber entwicklungsfähig seien (S. 76 unten). Auf S. 77 Z. 12 muß statt
„ihnen“ das Wort „ihm“ gesetzt werden. S. 86 Z. 5 fehlen hinter
„Kontinent“ die Worte „von hier“; S. 95 Z. 4 u. 5 wird gesagt,
daß die Romanen den Südwesten Europas innehaben, und daß zu
ihnen die Rumänen gehören, die doch im Südosten des Erdteils
wohnen. Die Anmerkung auf S. 101 konnte durch Verweisung
auf S. 17 gespart werden. Verwirrend wirkt es, daß die Verfasser
bald von einer „kaukasischen“, bald von einer „mittelländischen“
Rasse sprechen. Warum gebrauchen sie nicht immer diesen
Namen, der doch heut der allgemein übliche ist? (S. 18, S. 102
Anm., S. 349 u. a. a. O.). Die Armenier gehören in ihrer Mehrzahl nicht zur griechisch-katholischen Kirche, sondern haben ihre
besondere kirchliche Gemeinschaft (S. 104). Benares wird S. 111
als die heiligste Stadt der Hindu bezeichnet. Ja kann denn
etwas noch heiliger sein als heilig? Man sollte doch lieber sagen:
der besuchteste Wallfahrtsort der Hindu. S. 115 Z. 15 steht „obliegt“ statt „liegt ob“. Die Deutung des Namens „Kordilleren“
scheint mir nicht überflüssig. Warum sind die gewaltigen Vulkane
auf Hawai ganz unerwähnt geblieben (S. 169)? S. 188 am Ende

des ersten Abschnittes legt die Fassung den Gedanken nahe, daß
die Blütezeit der deutschen Hansa dem Aufschwunge der italienischen Handelsstädte in der Kreuzzugsperiode voranginge, während
die Dinge doch umgekehrt liegen. S. 202 Z. 22 paßt das Verb
„führt in die Fremde" nicht zu dem Subjekt, S. 211 Z. 15 wird das
Datum der Schlacht von Spichern fälschlich auf den 4. August
verlegt, S. 220 Mitte ist das dichterische Zitat falsch, S. 225 werden
fälschlich Oberharz, Brocken und Blocksberg als Genitive behandelt,
und dasselbe geschieht hinsichtlich des Harzes S. 226 Z. 1 noch
einmal. S. 227 Mitte wird gesagt, daß Thüringen nach Osten
abdacht, es fehlt also das Wort „sich". S. 237 Mitte ist die Rede
von einem abgeglichenen Wasserstande der deutschen Flüsse und
S. 277 von der Abgeglichenheit der Jahreszeiten im nordwestlichen Europa. Sollte da die Präposition „aus" für die Zusammensetzung nicht angebrachter sein? S. 243 Z. 7 v. u. fehlt hinter Sitz
das Wort „von", S. 245 unten ist das ungewöhnliche Wort „jed-
welcher" für „jeder" gesetzt. Der Freiherr vom Stein war kein
Niedersachse, wie S. 247 Mitte zu lesen ist, sondern ein Nassauer.
Der Vertrag von Wehlau fällt nicht in das Jahr 1656, sondern
1657, es mußten also in der Klammer beide Zahlen stehen (S. 260
Z. 1). S. 265 Anm. 1 fehlt hinter den Worten „drei Millionen"
ein Wort wie etwa „dort". S. 314 Mitte muß es statt „die
Streichung der Gebirgszüge" heißen „das Streichen", und endlich
ist das Wort „Ansaum" (S. 319 Mitte) ungebräuchlich. Im Zusammenhang mit dieser letzten Bemerkung will ich hervorheben,
daß sich die Verfasser dieses geographischen Lehrbuches von der
manchmal ans Lächerliche grenzenden Sucht anderer — ich nenne
vor allem Kirchhoff —, neue Worte zu bilden oder möglichst ungewöhnliche Ausdrücke zu verwenden, in erfreulicher Weise fern-
halten. Aufgefallen ist mir nach dieser Richtung hin außer den
oben genannten Worten (abdachen, abgeglichen, Ansaum) nur das
häufig vorkommende „sohin" für „also" oder „daher" und der
auch bei Ule sehr beliebte, aber völlig überflüssige Gebrauch des
Demonstrativpronomens „jener" für der oder derjenige vor folgendem Relativsatze.

Alle diese Ausstellungen sind aber Kleinigkeiten gegenüber
der Trefflichkeit der Gesamtleistung, die in diesem Buche vorliegt.
Es wäre sehr zu wünschen, daß dieser Leitfaden an recht vielen
Schulen eingeführt würde; der geographische Unterricht, der ja
vielfach noch als ein Stiefkind behandelt wird, könnte dadurch
nur gewinnen. Aber auch denjenigen Fachlehrern, die das Buch
im Unterrichte nicht benutzen, ist seine Anschaffung dringend zu
empfehlen, denn sie werden aus ihm viele Anregung und Belehrung schöpfen können. Jedenfalls haben die Vertreter des erdkundlichen Unterrichtes allen Grund, den Verfassern für ihre schöne
Gabe herzlich dankbar zu sein.

Die Ausstattung des Buches ist ausgezeichnet und macht der

Verlagshandlung alle Ehre. Der Preis ist im Vergleich mit dem
Gebotenen außerordentlich gering.

Halle a. S.   ·   ——————   O. Genest.

1) **H. Fenkner, Lehrbuch der Geometrie** für den Unterricht an höheren
Lehranstalten. In drei Teilen. Dritter Teil: Ebene Trigonometrie.
Nebst einer Aufgabensammlung. Berlin 1908, Otto Salle. 102 S.
8. 1,60 *M.*

Das günstige Urteil, das von mir in dieser Zeitschrift über die
arithmetischen Aufgaben des Verfassers ausgesprochen worden ist,
habe ich auch von der Darstellung der ebenen Trigonometrie gewonnen.
Der Verf. bietet uns eine überaus sorgfältige Zusammenstellung
des für den Unterricht in der Trigonometrie notwendigen Materiales,
ohne die Grenzen, die man sich hierbei ziehen muß, in irgend
einem Punkte zu überschreiten. Ich bin überzeugt, daß der nach
diesem Lehrbuche unterrichtende Lehrer in ihm alles das, was
er zu einem sorgfältigen Aufbau des Lehrgebäudes braucht, in
streng methodischer Entwicklung dargestellt findet. Der Verf. beschränkt sich nicht darauf, die Formeln und Lehrsätze aufzustellen,
er entwickelt und beweist sie auch vollständig, so daß der Schüler
auch das Buch sehr bequem für die Wiederholung benutzen kann.
Ausgehend von der Erklärung der goniometrischen Funktionen
eines spitzen Winkels im rechtwinkligen Dreieck untersucht der
Verf. zunächst die Funktionen der stumpfen Winkel, die kleiner
als 180° sind, um alsbald zur Lösung von Dreiecksaufgaben übergehen zu können; erst später betrachtet er die Funktionen beliebig großer Winkel. Nachdem er sodann das Additionstheorem
und die sich daraus ergebenden Formeln entwickelt hat, stellt er
die Lehrsätze und Formeln, die zur Lösung der Dreiecksaufgaben
nötig sind, auf. Bei dem Additionstheorem, das er für spitze
Winkel als richtig beweist, vermisse ich ein tieferes Eingehen
auf die allgemeine Gültigkeit, das mir als durchaus notwendig erscheint. Der Verf. begnügt sich mit dem Hinweis darauf, daß
sich diese Herleitung durch Abänderung der Figuren auch durchführen läßt, wenn ein Winkel oder beide Winkel stumpf sind.
Bei der Berechnung der im Dreieck außer den Seiten auftretenden
Strecken geht er insbesondere auf den Zusammenhang der Seiten
und der Funktionen der Winkel mit dem Radius des eingeschriebenen Kreises und den Radien des angeschriebenen ein und verwendet diese Strecken auch dazu, um dem Inhalte des Dreiecks
verschiedene Formen zu geben. Hier vermisse ich die schöne
Formel: $\Delta = \sqrt{\varrho \varrho_a \varrho_b \varrho_c}$. Hier könnte der Verf. auch etwas mehr
die Einführung von $2r$, dem Durchmesser des umgeschriebenen
Kreises, hervorgehoben haben. Die Lösung von Dreiecksaufgaben
durch den Sinussatz gestaltet sich ja eleganter und vor allen
Dingen übersichtlicher durch die sofortige Einführung dieser Größe.
Selbstverständlich gibt der Verf. eine große Menge von Aufgaben,

die er teils selbst gebildet, teils aus den bei den Reifeprüfungen
gestellten Aufgaben sorgfältig ausgewählt hat. Hier hat er alle
Aufgaben ausgeschlossen, deren Lösung besondere Kunstgriffe oder
allzu umfangreiche Umformungen erfordern. Bei vielen Aufgaben
aus der Praxis gibt der Verf. die Auflösung, um an den der Feld-
meßkunst zugrunde liegenden Aufgaben die nötigen Grundbegriffe
zu erklären, dann folgt noch eine große Anzahl ungelöster Aufgaben aus der Praxis, die durchaus imstande sind, das Interesse
der Schüler zu erwecken. Ich hoffe, daß der Inhalt des vorliegenden Buches wesentlich die Methodik der Trigonometrie bereichern wird.

2) **Chr. Schmehl, Lehrbuch der Arithmetik und Algebra nebst
einer Aufgabensammlung. I. Teil.** Für die sechsklassigen höheren
Lehranstalten und die Klassen Untertertia bis Untersekunda der Vollanstalten. Gießen 1908, Emil Roth. V u. 391 S. 8. 3,20 *M.*
Der Verf. dieser Aufgabensammlung hält es für vorteilhaft,
wenn die Schüler der Untertertia bis Obersekunda nicht neben
den Aufgaben noch ein Lehrbuch anzuschaffen haben, und hat infolgedessen eine vollständige Theorie mit den Übungsaufgaben verbunden und dabei dem theoretischen Teile etwas mehr Rechnung
getragen, als es in Büchern ähnlicher Art der Fall ist. Sehr
häufig behilft man sich ja bei dem arithmetischen und dem algebraischen Unterricht nur mit einer Aufgabensammlung und diktiert
dann in Ermangelung eines Lehrbuches die wichtigsten Sätze und
Formeln mit ihren Beweisen und Ableitungen. Um freiere Hand
im Unterricht zu haben, werden gewiß viele Lehrer das letztere
Verfahren vorziehen. Die von dem Verf. gegebene Einführung in
die Arithmetik und Algebra zeichnet sich in jeder Beziehung durch
richtige Methodik und klare Darstellung aus, die Lehrsätze vermeiden jede überflüssige Länge, und die Regeln sind mit wenigen
Ausnahmen so gefaßt, daß sie die notwendigen Rechnungen vollständig angeben. Von einer Regel wie: „Ein Bruch wird mit
einem Bruch multipliziert, indem man Zähler mit Zähler und
Nenner mit Nenner multipliziert", kann man dies freilich nicht
sagen; denn es fehlt die noch folgende Division. Bei der Zahlentheorie gibt der Verf. auch eine kurze Darstellung von allgemeinen
Zahlensystemen: ich halte eine solche Darstellung schon deshalb
für sehr wertvoll, weil die Schüler nur dadurch davon überzeugt
werden können, daß der Vorzug unseres Zahlensystems nicht in
der Grundzahl 10 beruht. Die den einzelnen Abschnitten beigegebenen Aufgaben sind überaus zahlreich und mannigfaltig.
Daß der Verf. in den Gleichungen Aufgaben aus der Physik und der
Chemie nur in geringem Maße herangezogen hat, kann ich nur
billigen; er ist gleich mir der Meinung, daß dadurch die mathematische Lehrstunde leicht zu einer physikalischen werden könnte.
Unter den eingekleideten Gleichungen mit einer Unbekannten
stehen leider eine ganze Menge mit 2 Unbekannten: ich begreife

nicht, daß die Verf. von Aufgabensammlungen das nicht vermeiden, es wird dadurch die Lösung ganz unnötig erschwert.
Daß der Verf. die Division der beiden Seiten einer Gleichung
durch denselben Faktor „heben" nennt, erscheint mir nicht
empfehlenswert, da dieses Wort schon seine Verwendung in einem
andern Sinne bei der Bruchrechnung gefunden hat. Auch möchte
ich einen Satz wie: Lassen sich alle Glieder einer Gleichung
durch x heben, so ist Null eine Wurzel der Gleichung, anders
gefaßt wissen; meiner Ansicht nach ist in diesem Falle eine Umformung der Gleichung in $ax = 0$ und die sich daraus ergebende
Folge, daß ein Faktor des Produktes notwendig Null sein muß,
besser, zumal da darin auch die Lösung einer Gleichung wie
$x(x-b) = 0$ liegt. Bei der Rechnung mit Logarithmen vermisse
ich die Umformung eines Logarithmus wie $0,30103 - 2$ in
$8,30103 - 10$, so daß also die negative Kennziffer stets auf -10
gebracht wird; es werden so nach meiner Erfahrung die Rechnungen viel einfacher gestaltet, und, was noch wichtiger ist, es
werden sehr viele Fehler vermieden. Vielleicht entschließt sich
der Verf. bei einer zweiten Auflage dieses Buches, den angeregten
Punkten seine Aufmerksamkeit zuzuwenden.

Berlin.   A. Kallius.

Friedrich Klee, Die Geschichte der Physik an der Universität
    Altdorf bis zum Jahre 1650. Mit 21 Abbildungen. Erlangen
    1908, Max Mencke, Universitätsbuchhandlung. VIII und 180 S. 8.
    8,88 ℳ.

Altdorf, ein von Wald umgebenes Städtchen südöstlich von
Nürnberg, war einst dazu ausersehen, das Nürnberger Ägidien-
Gymnasium, welches in eine ländliche Umgebung verlegt werden
sollte, in seine Mauern aufzunehmen (1575). Aus diesem Gymnasium, das allerdings keineswegs unsern heutigen Lehranstalten
glich, entwickelte sich sehr bald eine Universität, als deren Vorschule das ursprüngliche Gymnasium bis 1633 seine guten Dienste
leistete. Im genannten Jahre wurde die Schule in das Ägidien-
-kloster nach Nürnberg zurückverlegt und besteht auch jetzt noch
unter dem Namen „Altes Gymnasium".

In der vorliegenden Schrift wird uns eine Monographie der
Geschichte der Physik an der Altdorfer Universität geboten, die
nicht nur die Leistungen und Irrtümer ihrer bedeutenderen Professoren darstellt und beurteilt, sondern auch interessante Beziehungen zu den Arbeiten der gleichzeitigen großen Männer der
physikalischen Wissenschaft aufdeckt. Unter Physik oder philo-
sophia naturalis, welche als ein Hauptfach der artistischen Fakultäten des Mittelalters gepflegt wurde, hat man sich zunächst eine
im wesentlichen auf Aristoteles gestützte, philosophische Betrachtung der Natur zu denken, die allerdings nach den Lehren der
Heiligen Schrift oft genug modifiziert wurde. Die aristotelische

Physik wurde in Altdorf bis 1650 von Medizinern vorgetragen, während die Mathematiker in ihren Vorlesungen außer der reinen Mathematik Astronomie, Geographie, Optik und Mechanik behandelten. Die Naturphilosophen der übrigen Universitäten hielten fast ausschließlich an der alten, scholastischen Physik fest und nahmen gegenüber der neuen, an die Namen Kopernikus, Bacon, Descartes u. a. anknüpfenden Richtung der philosophischen Naturbetrachtung eine feindliche Stellung ein. Anders die Physici zu Altdorf. Sie sind zwar Ptolemaiker, aber keine fanatischen Feinde neuer Ideen, eine nennenswerte Förderung der physikalischen Erkenntnis ist von ihnen nicht ausgegangen. Die Mathematiker, die sich zwar auch von der ptolemäischen Weltanschauung noch nicht ganz lossagen konnten, haben viel mehr Anspruch darauf, als Naturforscher zu gelten. Wenn auch sie keine bedeutenden physikalischen Entdeckungen und Erfindungen gemacht haben, so haben sie doch das Verdienst, daß sie sich dem Experimente gewidmet und die interessanteren Ergebnisse auf physikalischem Gebiete überliefert haben. Die Altdorfer Professoren standen mit den hervorragenden Männern der Naturwissenschaften in Deutschland, wie Tycho de Brahe, Scheiner, Marius, Kepler u. a. in Verbindung und arbeiteten an der Verbreitung der wissenschaftlichen Errungenschaften jener Männer durch ihre Vorlesungen nach Kräften mit. Die außerdeutschen Gelehrten wurden weniger beachtet, so sind die Lehren Galileis in Altdorf nicht zum Gegenstande der Studien gemacht worden. Abgesehen hiervon bietet die Betrachtung der Entwickelung der Physik an der Altdorfer Universität ein durchaus erfreuliches Bild; insbesondere ist auf die Arbeiten von Saxonius über Sonnenphysik, sowie auf die Leistungen von Praetorius und von Schwenter in der praktischen Mechanik hinzuweisen.

Das mit großem Fleiße verfaßte Büchlein ist anregend geschrieben und enthält eine Fülle historischer Notizen, die sich auf altbekannte physikalische Instrumente und Versuchsanordnungen beziehen, so daß seine Lektüre dem Leser Genuß und reiche Belehrung verschaffen wird.

Berlin. R. Schiel.

Paul Säurich, Im Gewässer. Bilder aus der Pflanzenwelt. Unter Berücksichtigung des Lebens, der Verwendung und der Geschichte der Pflanzen bearbeitet. Leipzig 1907, E. Wunderlich. (Das Leben der Pflanzen. IV. Band.) IV u. 173 S. 8. 2 ℳ, geb. 2,50 ℳ.

Das Buch ist ein Teil eines größeren Werkes über das Leben der Pflanzen. Im vorliegenden Bande will der Verfasser zeigen, wie die Pflanzen dem Leben im Wasser angepaßt sind. Außerdem ist die Weide hier besprochen, um den Stoff für den ersten Band „Im Walde" zu beschneiden. Bei der Beschreibung geht das Buch jedesmal von einer auffälligen Erfahrung aus, stellt

daran anschließend Interessefragen und beantwortet diese an der
Hand leicht durchführbarer Versuche und Beobachtungen. Vergleiche teils von verschiedenen Pflanzen, teils von Pflanzen und
Tieren unterstützen das Verständnis, das außerdem durch gute
Abbildungen gefördert wird. Die gewonnenen Ergebnisse werden
an mehreren Stellen übersichtlich zusammengestellt und geordnet.
So ist ein Buch entstanden, das zur Vorbereitung für den Unterricht und zum Selbststudium sehr zu empfehlen ist. Doch sind
einige stilistische Ausstellungen nicht zu unterdrücken. Der Verfasser verbindet dank als Präposition stets mit dem Genitiv.
Obwohl nun diese Konstruktion so oft gebraucht wird, daß sie
auch von Duden und Vogel als möglich anerkannt wird, ist sie
doch keineswegs gut und besser zu vermeiden. Durch Auslassung des Objekts unverständlich ist der Satz S. 78: Wasser-
linse, Knöterich, Seerose, Frosch- und Laichkraut haben an der
Oberseite der Blätter Spaltöffnungen und führen von dort
aus den untergetauchten Teilen der Atmosphäre in
großen Lufträumen zu.

Die Ausstattung des Buches ist gut.

Seehausen i. Altmark.   M. Paeprer.

Schulhygienisches Taschenbuch herausgegeben von Moritz Fürst
und Ernst Pfeiffer. Mit 9 Abbildungen im Text und 1 Tafel.
Hamburg und Leipzig 1907, Verlag von Leopold Voß. VIII u. 384 S.
kl 8. geb. 4 *M.*

Auf dem Gebiete der Schulhygiene sind in den letzten Jahrzehnten erhebliche Fortschritte gemacht worden; die Klage, die
der „Vater der Schulgesundheitslehre", der hochfürstlich Speye-
rische Geheimrat und Leibarzt Johann Peter Frank, dem zweiten
Abschnitt der dritten Abteilung seines Werkes „System einer
vollständigen medizinischen Polizei" 1780 voransetzte:

„Ihr lehrt Religion, ihr lehrt sie Bürgerpflicht,
Auf ihres Leibes Wohl und Bildung seht ihr nicht"

ist heute trotz der Behauptung des Gegenteils auf S. 2 des zu
besprechenden Buches und trotz des elegischen Ausrufes auf S. 3
„Wie wenig haben wir doch bisher auf diesem Gebiete erreicht!"
ziemlich unberechtigt und kann nur dazu führen, die an sich
schon nicht geringe Zahl von Schulmännern noch erheblich zu
verstärken, denen die Rücksicht auf des „Leibes Wohl und Bildung" bereits etwas zu weit getrieben erscheint. Den Fortschritten und der Bedeutung der Schulhygiene entsprechend ist
denn auch an guten Werken größeren und kleineren Umfangs
kein Mangel; von den kleineren sei besonders Erich Werhickes
Artikel „Schulhygiene" im „Handbuch für Lehrer höherer Schulen"
1906 S. 628—658 hervorgehoben (vgl. dazu D. L. Z. v. 26. Okt.
1907, Nr. 43, Sp. 2710). Auf S. 12 des hier genannten Buches

findet der Leser zugleich mit den bedeutendsten Zeitschriften auch die hervorragendsten Werke über Schulhygiene zusammengestellt. Das Taschenbuch soll aber auch nicht etwa die Zahl der Lehrbücher vermehren oder einen Ersatz für sie bieten, sondern hauptsächlich dem wiederholt geäußerten Bedürfnisse derer entgegenkommen, die sich täglich mit der gesundheitlichen Förderung unserer Schuljugend zu beschäftigen haben und über irgend eine Frage möglichst knapp und zuverlässig sich Rats erholen möchten. Daher ist von den Herausgebern für jedes der zahlreichen (44) Kapitel ein besonderer Kenner der Verhältnisse gewonnen worden. Männer wie Lassart, Erismann, F. A. Schmidt, Stadelmann, Pabst, Nußbaum, Samosch, um nur einige Namen zu nennen, haben den reichen Schatz ihrer Erfahrung bereitwillig zur Verfügung gestellt. Der Inhalt des Werkes ist dementsprechend erstaunlich reichhaltig und erschöpfend; es wird, soweit Ref. sehen kann, bei kaum einer Frage versagen, wenngleich freilich nicht jede mit der gleichen Tiefe behandelt und bei der Verschiedenheit der Ansichten über manche noch nicht geklärten Punkte unbedingte Zustimmung im einzelnen nicht überall möglich ist. Für Leser, die sich über irgend eine Frage eingehendere Kenntnis verschaffen wollen, bietet außerdem die am Ende der meisten Arbeiten sorgfältig zusammengestellte Literatur treffliche Hinweise. Für Gymnasien besonders wertvoll sind Aufsätze wie der von Chr. Nußbaum-Hannover über die Hygiene des Schulgebäudes S. 38 ff., von A. Pötter über die Reinigung der Schulgebäude S. 89 ff., von H. Gutzmann über die Hygiene der Sprache und des Gesangunterrichts S. 201 ff. — er berührt eine Frage, der noch viel zu wenig Aufmerksamkeit geschenkt wird —, von F. A. Schmidt „Turnen und Spielen; Schwimmunterricht" S. 229 ff., von A. Pabst „Der Handfertigkeitsunterricht" S. 240 ff., von W. Lackemann „Schul-Ausflüge, -Wanderungen" S. 266 ff. Sehr lesenswert und in zahlreichen Fällen wohl verwendbar sind auch die Ausführungen von George Meyer über erste Hilfe bei Unfällen und plötzlichen Erkrankungen in den Schulen S. 271 ff. und Samoschs viele beherzigenswerte Winke gebende Anleitung zur Beobachtung der Schüler durch die Lehrer S. 302 ff., recht aktuell die Aufsätze von J. Moses über sexuelle Aufklärung S. 297 ff. und von R. Abel über Elternabende S. 356 ff. Ein Verzeichnis der Schulärzte in Deutschland und ein umfassendes Sachregister, das die Brauchbarkeit des Werkes bedeutend erhöht, wie einige freie Blätter zu Notizen bilden den Abschluß des Buches.

Der recht sorgfältige Druck ist bei aller durch das Format und die Forderung größter Handlichkeit bedingten Kleinheit doch scharf und ohne Anstrengung lesbar und den Anforderungen der Hygiene entsprechend, die Austattung würdig. Ref. kann das Werk als wertvolles Mittel zu schneller und gründlicher Orientierung über Fragen der Schulhygiene nur empfehlen und hält

dessen Anschaffung für die Lehrerbibliothek aller Schulen für
recht zweckmäßig und notwendig.

Saarbrücken.   Hans Koenigsbeck.

Johannes Croner, Bürgerkunde. Berlin 1907, Ernst Siegfried Mittler
& Sohn. IV u. 121. 8. geb. 1,60 .ℳ.

Nach einer Notiz in den Tageszeitungen hat die Hamburger
Bürgerschaft am Anfange dieses Jahres fast einstimmig den Beschluß gefaßt in sämtlichen Staatsschulen, sowohl für Knaben als
Mädchen, in Zukunft einen besonderen staatsbürgerlichen Unterricht einzuführen. In den Volksschulen ist die „Bürgerkunde" als
besonderer Unterrichtszweig gedacht, während er in den höheren
Schulen im Anschluß an die Geschichtsstunden erteilt werden soll.

Dieser Beschluß, dem der Senat zweifellos zustimmen wird,
verdient die ernsteste Beachtung und wird wohl bald in anderen
Bundesstaaten Nachahmung finden. Die Stimmen mehren sich,
die einen derartigen Unterricht auch in den höheren Schulen für
wünschenswert halten; man vergl. die Ausführungen Harnacks in
der pädagogischen Sektion der 49. Versammlung deutscher Philologen und Schulmänner zu Basel (Herbst 1907). Ist doch die
Unkenntnis selbst vieler Gebildeter in den elementarsten Fragen
der Verfassung und Verwaltung eines Gemeinwesens ungeheuer groß.

Die ausgezeichnete „Deutsche Bürgerkunde" von G. Hoffmann
und E. Grothe (5. Auflage, Leipzig 1908, F. W. Grunow) ist, obwohl sie von den Verfassern ein „kleines Handbuch des politisch
Wissenswerten für jedermann" genannt wird, doch noch zu ausführlich gehalten, um im Unterricht Verwendung finden zu können.
Das Bedürfnis der Schule befriedigt mehr das Cronersche Büchlein
in der Sammlung neuer Lehrmittel für Fach- und Fortbildungsschulen (herausgegeben von Otto Knörk). Der Verf. ist volkswirt-
schaftlicher Sekretär der Ältesten der Kaufmannschaft von Berlin
und Lehrer an den kaufmännischen Schulen. Das Büchlein zerfällt nach einer kurzen Einleitung, worin die Hauptformen der
Staatsverfassung ganz kurz geschildert werden, in zwei Hauptteile:
der erste ist betitelt „Verfassung und Verwaltung", der zweite
„Die hauptsächlichsten Zweige der Verwaltung". Teil I zerfällt
wieder in drei Unterabschnitte (Die Gemeinde; Der Staat Preußen;
Das Deutsche Reich).

Bei der Schilderung der städtischen Verwaltung berücksichtigt der Verf. mit besonderer Vorliebe die Verhältnisse der Reichs-
hauptstadt, aber die hier gegebenen Zahlen sind auch für den
Provinzialen interessant. In dem folgenden Abschnitt wird die
Verfassung und Verwaltung Preußens, des größten deutschen
Bundesstaates, behandelt. Wertvoll ist der Anhang, der in knapper
und übersichtlicher Form eine Übersicht über die Volksvertretungen
der übrigen Staaten des Deutschen Reiches enthält. Verfassung

und Verwaltung, Haushalt, Finanzen, Steuern und Zölle des Reiches bilden den Inhalt des dritten Abschnitts. Auch hier ist die Darstellung klar, sachgemäß und präzise. Dasselbe gilt von dem zweiten Hauptteil, der in zehn Abschnitten einen Einblick in die hauptsächlichsten Zweige des Erwerbslebens und der Verwaltungsorganisation gibt. Die Landwirtschaft, Handel und Gewerbe, Geld- und Kreditwesen, Maße und Gewichte, Patent-, Muster- und Markenschutz, die öffentlichen Verkehrsanstalten, die soziale Gesetzgebung, Kirche und Schule, das Gerichtswesen, Heer und Marine und die Kolonien werden hier besprochen. Schon diese kurze Übersicht zeigt, wie reichhaltig der Inhalt des Buches ist, was auch das zum Schluß angefügte, sorgfältig gearbeitete Sachverzeichnis beweist. Die Darstellung ist, worauf ganz besonders hingewiesen werden muß, durchaus tendenzfrei. Für den Druck und die äußere Ausstattung bürgt der Name der Verlagsbuchhandlung, Druckfehler oder größere Versehen habe ich nicht entdecken können. S. 103 fehlt unter den Städten mit technischer Hochschule Danzig, S. 83 muß nachgetragen werden, daß seit kurzem das Reich auch Reichskassenscheine auf 10 ℳ lautend ausgibt, und S. 116 dahin berichtigt werden, daß wir seit dem vorigen Jahre ein selbständiges Kolonialamt mit einem eigenen Staatssekretär an der Spitze haben.

Lyck.   Richard Berndt.

EINGESANDTE BÜCHER

(Besprechung einzelner Werke bleibt vorbehalten).

----

1. **Meyers Großes Konversations-Lexikon.** Ein Nachschlagewerk des allgemeinen Wissens. **Sechste, gänzlich neubearbeitete und vermehrte Auflage.** Mit mehr als 11000 Abbildungen im Text und auf über 1400 Bildertafeln, Karten und Plänen sowie 130 Textbeilagen. **Neunzehnter Band: Sternberg bis Vector.** Leipzig und Wien 1908, Bibliographisches Institut. 1024 S. Lex.-8. 10 ℳ.

Das Werk hält, was es versprochen hat. Es orientiert auf allen Gebieten auf das trefflichste und führt seine Belehrung bis zu der Zeit seines Erscheinens hinab. Seine Angaben sind durchaus zuverlässig, und die Darstellung ist wohlgelungen. Geschmückt ist auch dieser Band mit zahlreichen vortrefflichen Illustrationen, namentlich in kartographischer Beziehung.

2. **Mikrokosmus. Zeitschrift zur Förderung wissenschaftlicher Bildung,** herausgegeben durch **R. H. Francé.** Bd. I (1907). Heft 7/8. Jährlich 8 Hefte. Für Mitglieder bei Jahresbeitrag von 4 ℳ kostenlos, für Nichtmitglieder 6 ℳ. Stuttgart, Franckh'sche Verlagshandlung.

3. **Kosmos, Handweiser für Naturfreunde.** V. Jahrgang, Heft 2—4 je 0,30 ℳ. (Jahrgang 12 Hefte 2,80 ℳ; für Kosmosmitglieder kostenlos.) „Kosmos", Gesellschaft der Naturfreunde (Geschäftsstelle: Franckh'sche Verlagshandlung), Stuttgart.

4. **M. Wilh. Meyer, Der neue Stern.** Eine Novelle in Gesprächen. („Naturwissenschaftliche Novellen" Bd. II.) 84 S. 8. In farbigem Umschlag mit Illustrationen. 1 ℳ, fein gebunden 2 ℳ. Verlag des „Kosmos", Gesellschaft der Naturfreunde (Geschäftsstelle: Franckh'sche Verlagshandlung), Stuttgart.

5. **Moderna språk.** Svensk Månadsrevy för undervisningen i de tre huvudspråken utgiven av **Emil Rohde.** Göteborg, Ringnér & Enewald. Nr. 2 und 3.

6. **Werther, Hütet Euch!** Ärztliche Mahnworte an unsere Söhne beim Eintritt ins Leben. Rede an Gymnasial-Abiturienten. Dresden 1908, Alexander Köhler. 48 S. 0,90 ℳ.

7. **A. Kankeleit, Ein Mahnwort.** Über Heilung und Verhütung von Rückgratsverkrümmungen bei unsern Kindern. Mit einem Geleitwort von A. Hoffa. Gumbinnen 1908, C. Sterzel (Gebr. Reimer). 29 S. 0,25 ℳ.

8. **Mitteilungen des Vereins der Freunde des humanistischen Gymnasiums.** Herausgegeben vom Vereinsvorstande, redigiert von S. Frankfurter. Heft 5. Wien 1908, C. Fromme. 44 S.

9. **K. Huemer, Auf die Probe kommt's an.** Referat über die Frage der Mittelschulen. Wien 1908, Alfred Hölder. 16 S.

10. **H. Eichhoff, Das Petit Lycée.** Zur Vergleichung der Grundklassen der französischen Lyceen mit unsern Vorschulklassen. Berlin 1908, Trowitzsch & Sohn. 54 S.

11. St. Witasek, Grundlinien der Psychologie. Mit 15 Figuren. Leipzig 1908, Dürr'sche Buchhandlung. VIII u. 392 S. 3 ℳ.

12. Anna Tumarkin, Spinoza. Acht Vorlesungen gehalten an der Universität Bern. Leipzig 1908, Quelle & Meyer. IV u. 89 S.

13. K. Sell, Katholicismus und Protestantismus in Geschichte, Religion, Politik, Kultur. Leipzig 1908, Quelle & Meyer. VII u. 327 S. 4,40 ℳ, geb. 4,80 ℳ.

14. O. Zurhellen, Lebensziele. Eine Einführung in die Grundfragen des religiös-sittlichen Lebens für die Jugend und ihre Freunde. Unter Mitarbeit von Gottlieb Traub und Else Zurhellen-Pfleiderer herausgegeben. Leipzig o. J., Quelle & Meyer. VI u. 276 S. gr. 8. 4,80 ℳ.

15. O. Holtzmann, Ein Büchlein vom staatlichen Religionsunterricht insbesondere in Hessen. Gießen 1908, Alfred Töpelmann. 16 S.

16. Christlieb-Fauths Handbuch der evangelischen Religionslehre. Umgearbeitet von R. Peters. Zweites Heft, erste Hälfte: Das Reich Gottes im alten Testament. Mit 14 Abbildungen und 1 Karte. Fünfte Auflage. Leipzig 1908, G. Freytag. 87 S. geb. 1,60 ℳ. — Drittes Heft: Die Kirchengeschichte. Fünfte Auflage. 130 S. geb. 1,60 ℳ.

17. W. Nowack, Amos und Hosea. 48 S. — W. Bousset, Gottesglaube. 64 S. Tübingen 1908, J. C. B. Mohr (Paul Siebeck). Religionsgeschichtliche Volksbücher II 9 und V 6.

18. H. Meinhold, Die Weisheit Israels in Spruch, Sage und Dichtung. Leipzig 1908, Quelle & Meyer. VIII u. 343 S. 4,40 ℳ, geb. 4,80 ℳ.

19. Ed. Engel, Geschichte der deutschen Literatur des 19. Jahrhunderts und der Gegenwart. Sonderabdruck aus dem Gesamtwerk Engels „Geschichte der deutschen Literatur". Mit 76 Bildnissen und 20 Handschriften. Leipzig 1908, G. Freytag. 528 S. gr. 8. geb. 10 ℳ.

20. Gerhard Adrian, Beiträge zur Würdigung der Nibelungendichtung. Progr. Gymn. Dortmund 1908. 41 S. 8.

21. August Gebhardt, Grammatik der Nürnberger Mundart. Unter Mitwirkung von O. Bremer. Leipzig 1907, Breitkopf & Härtel. XVI u. 392 S. 12 ℳ.

22. W. v. Buttlar-Elberberg, Schillerdenkwürdigkeiten. Für Deutschlands Jugend gesammelt. Dresden 1908, F. Emil Boden. 58 S.

23. L. Cholevius, Dispositionen zu deutschen Aufsätzen. Zwölfte Auflage von O. Weise. Leipzig 1907, B. G. Teubner. Band II: Aufgaben aus dem ästhetischen, sittlichen und geistigen Gebiete. XII u. 93 S. 1 ℳ. — Band III: Aufgaben aus der Literatur. XV u. 208 S. 1,60 ℳ. — Band IV: Sentenzen und Sprichwörter. XV u. 104 S. 1 ℳ.

24. Xenien. Eine Monatsschrift, herausgegeben von Hermann Greef. Jahrg. 1908, Heft 3.

25. O. Schroeder, Vorarbeiten zur griechischen Verslehre. Leipzig 1908, B. G. Teubner. VII u. 166 S. 5 ℳ.

26. Heinrich v. Schoeler, Kaiser Tiberius auf Capri. Historischer Roman. Leipzig 1908, Schulze & Co. 274 S.

27. C. Cury und O. Boerner, Histoire de la littérature française à l'usage des étudiants. Leipzig 1908, B. G. Teubner. XII u. 387 S. geb. 5 ℳ.

28. Corneille, Le Cid. Annotée par E. Montaubric. Leipzig 1908, G. Freytag. 141 S.

29. Zola, Le cercle de fer, épisode de „La Débâcle". Herausgegeben von E. Pariselle. Mit 2 Karten. Leipzig 1908, G. Freytag. 139 S. geb. 1,50 ℳ. Hierzu Wörterbuch 36 S. steif brosch. 0,40 ℳ.

30. Conteurs de nos jours. Zweite Reise. Für den Privat- und Schulgebrauch herausgegeben von A. Mühlan. Berlin und Glogau 1908, C. Flemming. XII u. 88 S. geb.

31. V. Cherbuliez, Un cheval de Phidias. Causeries Athéniennes. Erklärt von H. Fritsche. Zweite Auflage von J. Hengesbach. Mit 2 Abbildungen. Berlin 1908, Weidmannsche Buchhandlung. LVI u. 148 S. Wörterbuch 68 S. geb. 2,60 ℳ.

32. Der Wald, bearbeitet von H. Wallenfels. Leipzig 1908, Rengersche Buchhandlung (Gebhardt & Wilisch). Französisches Vokabularium 33 S. Englisches Vokabularium 34 S.

33. E. Penner, History of English Literature. Second Edition. Leipzig 1908, Rengersche Buchhandlung (Gebhardt & Wilisch). XII u. 151 S.

34. G. Steinmüller, Englische Gedichte in Auswahl. Für den Schulgebrauch herausgegbgn nebst einem Wörterbuch. München und Berlin 1908, R. Oldenbourg. VI u. 112 S. steif kart.

35. W. Ricken, Perlen englischer Poesie von Shakespeare bis Tennyson. Für den Unterricht an höheren Knaben- und Mädchenschulen etwa von Untersekunda an. Nebst einem Anhang aus Longfellow (auch einigen seiner Übersetzungen deutscher Gedichte), einer kurzen Verslehre und einem Überblick über die Geschichte der englischen Literatur. Progr. Oberrealschule zu Hagen i. W. 1906. 63 S.

36. Paul Dombey from 'Dombey and Son' by Ch. Dickens. Ausgewählt und erklärt von J. Klapperich. Glogau 1908, C. Flemming. XII u. 109 S. geb.

37. Shakespeare, Macbeth. Edited by Fr. W. Moorman with the assistance of H. P. Junker. Leipzig 1908, B. G. Teubner. Text IV u. 87 S., Notes 70 S. Zusammen 1 ℳ, geb. 1,20 ℳ.

38. J. Berjot, Le Japonais Parlé avec des exercices de conversation. Paris 1907, E. Leroux. 32 S.

39. Sammlung Göschen. Leipzig 1908, G. J. Göschen'sche Verlagshandlung. Jedes Bändchen geb. 0,80 ℳ.

a) Fr. Hommel, Geschichte des alten Morgenlandes. Mit 9 Bildern und 1 Karze. Dritte Auflage. 193 S.

b) H. Schubert, Vierstellige Tafeln und Gegentafeln für logarithmisches und trigonometrisches Rechnen in zwei Farben zusammengestellt. Dritte Auflage. 128 S.

c) C. Weitbrecht, Deutsche Literaturgeschichte des 19. Jahrhunderts. Zweite Auflage. Von R. Weitbrecht. I: 128 S., II: 160 S.

d) G. Jäger, Theoretische Physik. IV: Elektromagnetische Lichttheorie und Elektronik. Mit 21 Figuren. 174 S.

e) L. Gerber, Englische Geschichte. 162 S.

f) H. Danneel, Elektrochemie. II: Experimentelle Elektrochemie, Meßmethoden, Leitfähigkeit, Lösungen. 158 S. Mit 26 Figuren.

g) J. Meisenheimer, Entwicklungsgeschichte der Tiere. I: Furchung, Primitivanlagen, Larven, Formbildung, Embryonalhüllen. 136 S. Mit 48 Figuren.

h) J. Meisenheimer, Entwicklungsgeschichte der Tiere. II: Organbildung. 134 S. Mit 46 Figuren.

i) Kurt Hassert, Landeskunde und Wirtschaftsgeographie des Festlandes Australien. Mit 8 Abbildungen und 6 graphischen Tabellen und 1 Karte. 184 S.

k) E. von Halle, Die Seemacht in der deutschen Geschichte. 154 S.

l) Amsel, Kurzschrift. Lehrbuch der Vereinfachten Deutschen Stenographie (Einigungssystem Stolze-Schrey) nebst Schlüssel, Lesestücken und einem Anhang. Zweite Auflage. 136 S.

m) Fr. von Krones, Österreichische Geschichte II. Vom Tode König Albrechts II. bis zum Westfälischen Frieden (1439—1648). Zweite Auflage von Karl Uhlirz. Mit 3 Stammtafeln. 181 S.

40. K. Doehlemann, Geometrische Transformationen. Teil II: Die quadratischen und höheren, birationalen Punkttransformationen. Mit 84 Figuren. Leipzig 1908, G. J. Göschen'sche Verlagshandlung. VIII u. 328 S. geb.

41. J. Schick, Barytomik. München 1907, Jos. Roth. 79 S.

42. Fr. Perle, Die Neysche Erpressung in Halberstadt. Ein Beitrag zur Geschichte der Franzosenzeit und nachfolgender vaterländischer Beschwerden. Nach archivalischen Quellen. Progr. Oberrealschule Halberstadt 1908. 38 S.

43. W. Lorey, Archimedes und unsere Zeit. Rede. 8 S. gr. 8. (S.-A. aus Zeitschrift für lateinlose Schulen 1908).

44. A. Schaefer, Pegasusritte. Bilder aus der Länder- und Völkerkunde in Gedichten der deutschen und ausländischen Literatur. Heft 1: Spanien und Portugal. Hannover 1907, Carl Meyer (G. Prior). II u. 88 S. 16. 0,60 ℳ.

45. A. Kirchhoff, Erdkunde für Schulen. I. Unterstufe. Vierzehnte Auflage von F. Lampe. Mit 12 Figuren. Halle a. S. 1908, Waisenhaus. IV u. 68 S. kart. 0,80 ℳ.

46. A. Kirchhoff, Erdkunde für Schulen. Teil II: Mittel- und Oberstufe. Vierzehnte Auflage von F. Lampe. Mit 36 Figuren und 1 Anhangstafel. Halle a. S. 1908, Waisenhaus. VIII u. 408 S. geb. 3,40 ℳ.

47. A. Kirchhoff, Schulgeographie. Zwanzigste Auflage von F. Lampe. Mit 40 Figuren und 1 Anhangstafel. Halle a. S. 1908, Waisenhaus. VIII u. 376 S. geb. 3 ℳ.

48. E. Enzensperger, Die Entwickelung und Stellung des erdkundlichen Unterrichts am bayerischen humanistischen Gymnasium. München 1908, Theodor Riedel. 84 S. gr. 8.

49. J. Ruska, Geologische Streifzüge in Heidelbergs Umgebung. Eine Einführung in die Hauptfragen der Geologie auf Grund der Bildungsgeschichte des oberrheinischen Gebirgssystems. Mit zahlreichen Originalbildern, Karten und Profilen. Leipzig 1908, Erwin Nägele. XI u. 208 S. 3,80 ℳ, geb. 4,40 ℳ.

50. Die Lehrmittel für den Unterricht in der Naturgeschichte von A. Pichlers Witwe & Sohn in Wien. Wien 1908. 248 S. Naturalien und Modelle, bildliche Darstellungen.

51. Wahrheit. Experimentelle Untersuchungen über die Abstammung des Menschen. Von H. M. Bernelot Moens. Leipzig 1908, A. Owen & Co. (C. v. Taborsky). 30 S. 1 ℳ.

52. K. Guenther, Vom Urtier zum Menschen. Ein Bilderatlas zur Abstammungs- und Entwicklungsgeschichte des Menschen. Deutsche Verlagsanstalt in Stuttgart. Lieferung 1. Vollständig in 20 Lieferungen zu 1 ℳ.

53. K. Kraepelin, Leitfaden für den botanischen Unterricht. Siebente Auflage. Leipzig 1908, B. G. Teubner. VIII u. 308 S. mit 407 Abbildungen. geb. 3,20 ℳ.

54. A. Garcke, Illustrierte Flora von Deutschland. Zwanzigste Auflage von Fr. Niedenzu. Berlin 1908, Paul Parey. 837 S. Mit 4000 Einzelbildern.

55. M. Kraß und H. Landois, Lehrbuch für den Unterricht in der Mineralogie. Mit 134 Abbildungen, 1 geologischen Karte in Farbendruck und 3 Tafeln Kristallformennetze. Dritte Auflage. Freiburg i. Br. 1908, Herdersche Verlagshandlung. XI u. 156 S.

56. H. Starke, Physikalische Musiklehre. Eine Einführung in das Wesen und die Bildung der Töne in der Instrumentalmusik und im Gesang. Leipzig 1908, Quelle & Meyer. VIII u. 232 S. 3,80 ℳ, geb. 4,20 ℳ.

57. C. Kaßner, Das Wetter und seine Bedeutung für das praktische Leben. Leipzig 1908, Quelle & Meyer. VI u. 148 S. 1 ℳ, geb. 1,25 ℳ.

58. A. Kalähne, Die neueren Forschungen auf dem Gebiet der Elektrizität und ihre Anwendungen, gemeinverständlich dargestellt. Leipzig 1908, Quelle & Meyer. VIII u. 284 S.

59. Alfred Möller, Die bedeutendsten Kunstwerke mit besonderer Rücksicht auf A. Zeehes Lehrbuch der Geschichte zusammengestellt und bildweise erläutert. Teil II: Mittelalter und Neuzeit. Laibach 1907, Ig. v. Kleinmayr & Fed. Bamberg. 144 S. 4. geb.

60. R. Lackner, De casuum, temporum, modorum usu in ephemeride Dictyis-Septimii. Insbruck 1908, in aedibus Wagnerianis. 55 S. (Commentationes Aenipontanae ed. E. Kalinka et A. Zingerle.)

61. J. Wagner, Die metrische Hypothesis zu Aristophanes. Progr. des Askanischen Gymnasiums zu Berlin 1908. 16 S. 4.

62. H. Gamerus, Die Fronden der Kolonen. 72 S. (S.-A. aus Öfversigt af Finska Vetenskaps-Societetens Förhandlinger 1906/07. Nr. 3.)

63. M. Manilius, Astronomica. Herausgegeben von Theodor Breiter. II. Kommentar. Mit 2 Tafeln Zeichnungen. Leipzig 1908, Dieterichsche Verlagshandlung (Theodor Weicher). XVII u. 196 S. 4,20 ℳ.

64. M. Le Tournau et L. Lagarde, Abrégé d'histoire de la Littérature française à l'usage des écoles et de l'enseignement privé. Deuxième édition. Berlin 1908, Weidmannsche Buchhandlung. X u. 183 S. geb. 2 ℳ.

65. S. Saenger, Commercial Reading Book. Berlin 1908, Weidmannsche Buchhandlung. V u. 101 S. geb. 1,40 ℳ.

66. M. Skladanowsky, Plastische Weltbilder. Serie 1, Heft 4: Potsdam, Charlottenburg und die Mark. Verlag: Deutscher Verlag in Berlin.

67. J. Kyrion, Die Geschichte Gelderns im Rahmen der allgemeinen deutschen Geschichte. Ein Beitrag zur Behandlung der Lokalgeschichte im Geschichtsunterricht. Progr. Geldern 1908. 60 S.

68. L. Kambly, Mathematisches Unterrichtswerk. Umgearbeitet von A. Thaer. Ausgabe A: für Gymnasien. 39. Auflage der Kamblyschen Arithmetik und Algebra. Breslau 1908, Ferdinand Hirt. 172 S. Mit 15 Figuren. 2 ℳ. Ausgabe B: für Oberrealschulen, Realgymnasien und Gymnasien mit mathematischem Reformunterricht. 39. Auflage. 248 S. Mit 52 Figuren. 2,50 ℳ.

69. Chr. Harms und A. Kallius, Rechenbuch für Gymnasien usw. Vierundzwanzigste Auflage. Oldenburg 1908, Gerhard Stalling. VIII u. 260 (264) S. geb.

70. R. v. Wettstein, Der naturwissenschaftliche Unterricht an den österreichischen Mittelschulen. Wien 1908, F. Tempsky. 103 S. gr. 8. 3 ℳ.

71. E. Wickenhagen, Leitfaden für den Unterricht in der Kunstgeschichte der Baukunst, Bildnerei, Malerei und Musik. Zwölfte Auflage. Eßlingen a. N. 1908, Paul [Neff Verlag (Max Schreiber). VIII u. 336 S. gr. 8. Mit 325 Abbildungen.

72. Die Trompete von Vionville. Dichtung von Ferdinand Freiligrath, für vierstimmigen gemischten Chor mit Klavierbegleitung komponiert von Rud. Simon. Partitur 1,40 ℳ, jede Gesangstimme 0,15 ℳ. Düsseldorf, L. Schwann.

73. Sammlung gemeinnütziger Vorträge, herausgegeben vom Deutschen Verein zur Verbreitung gemeinnütziger Kenntnisse in Prag. Nr. 354. 355. J. Rambousek, Raumluft und Raumlüftung. Vortrag. Mit 6 Abbildungen. 12 S. Chr. Ruepprecht, Präsenz- und Ausleihbibliothek. 12 S.

74. B. E. Grueber, Einführung in die Rechtswissenschaft. Eine juristische Enzyklopädie und Methodologie. Zweite Auflage. Berlin 1908, O. Häring. VIII u. 174 S.

ERSTE ABTEILUNG.

ABHANDLUNGEN.

Bewegungsfreiheit in den mittleren Klassen.

Je freudiger man sich zu dem Grundgedanken des Allerhöchsten Erlasses vom 26. November 1900 bekennt, daß die drei Arten höherer Lehranstalten in ihrem Bildungswert als gleichberechtigt gelten sollen, desto lebhafter wird man es bedauern, daß die Wohltat den meisten Städten versagt bleibt. Die volle Wirkung ist ja nur da möglich, wo an demselben Orte alle drei Vollanstalten nebeneinander bestehen, also in den Großstädten; kleinere Schulorte dürfen sich nicht einmal den Luxus von zweien gestatten. Also haben die meisten Eltern von vornherein keine Wahlfreiheit; denn sie können nicht selbst bestimmen, welche Schulart sie nach ihrem persönlichen Werturteil oder aus Rücksicht auf den künftigen Beruf ihrer Söhne vorziehen wollen. Immerhin werden sie darüber leicht hinwegkommen, wenn nur die Schüler auf der einmal vorhandenen Anstalt regelmäßig fortschreiten und bis zur Reifeprüfung ungestört in denselben Bahnen verharren können; aber mißlicher wird die Frage, sooft ein Beamter versetzt wird oder ein Kaufmann, ein Gewerbetreibender aus geschäftlichen Gründen anderswohin übersiedelt, wo er gerade die Schulart seines bisherigen Wohnsitzes nicht wiederfindet.

Die Direktoren in kleineren Städten werden wohl alle öfters erfahren haben, daß die Väter, vor diese Notwendigkeit gestellt, zu allererst besorgt anfragen, ob ihre Söhne in dem neuen Wohnorte den bisherigen Bildungsgang fortsetzen können, und daß manchmal geradezu die Freizügigkeit durch das Schulwesen beengt wird, wenn die Schüler schon eine Klassenstufe erreicht haben, auf der ein Übergang zu einer anderen Schulart selbst mit Zeit- oder Geldopfern nicht mehr ausführbar ist oder wenigstens nicht mehr ratsam erscheint. Wie tief solche Umschulungen in weiten Kreisen empfunden werden, ersehen wir aus dem Ministerialerlaß vom 13. Dezember 1907. U. II. No. 8271.

Allein alle Mahnungen zur Milde gegen Schüler, die von anderen Lehranstalten herkommen, helfen nichts, solange der bereits vorhandene Ausweg nicht regelrecht ausgebaut und erweitert wird. Überall, wo es nur ein Gymnasium gibt, führe man die Nebenkurse im Sinne der nächstverwandten Schulart so weit und so ähnlich durch, daß ein Schüler dieser Realabteilungen jederzeit ohne erhebliche Schwierigkeiten und ohne Zeitverlust ein Realgymnasium besuchen kann. Berechtigt ist dazu bekanntlich schon seit 1901, wer von U III an vom Griechischen befreit ist und die Lehrstoffe der Realabteilung sich vorschriftsmäßig angeeignet hat; das Recht, sogar ohne Aufnahmeprüfung in die O II eines Realgymnasiums einzutreten, ist ihm neuerdings ausdrücklich wieder verbrieft durch den Ministerialerlaß vom 11. Januar 1908. U. II. No. 15010.

Für das Englische vollkommen zutreffend, da hier die Realabteilung, von den Gymnasiasten völlig losgelöst, auf allen Stufen dieselbe Stundenzahl genießt, wie die Realgymnasien; auch im Französischen lassen sich die in der Anmerkung auf Seite 35 der Lehrpläne vorgesehenen Anforderungen erfüllen, wenn die Realisten außer den Unterrichtsstunden, die sie mit ihren griechischen Klassengenossen zusammen haben, noch zwei wöchentliche Stunden gesondert erhalten. Dagegen ist mit dem, was auf Seite 53 der Lehrpläne ihnen vorgeschrieben wird, nämlich je eine Stunde in U III und O III auf kaufmännisches Rechnen, elementare Körperberechnung und das Notwendigste über Wurzelgrößen, in U II auf die Anfänge der Trigonometrie zu verwenden, es ihnen schier unmöglich, mit den Obersekundanern des Realgymnasiums gleichen Schritt zu halten. Denn sie bringen zwar einiges mit, woran der Realgymnasiallehrplan stillschweigend vorübergegangen ist, aber in der Mathematik haben die Realgymnasiasten inzwischen als Obertertianer denselben Stoff bewältigt, den die Realisten des Gymnasiums, in drei Mathematikstunden der O III und in vier der U II mit den Gymnasiasten gemeinsam unterrichtet, dem Lehrplan des Gymnasiums gemäß erst in U II in Angriff nehmen. Sie sind demnach um einen Jahrgang hinter dem Realgymnasium zurückgeblieben.

Soll diese Kluft überbrückt werden, so ist der gesonderte Mathematikunterricht der Realabteilungen von O III an zu verstärken, damit das Pensum des Realgymnasiums auch von ihnen rechtzeitig erledigt wird. Einigermaßen annehmbar wird es sich, wofern man - an der Einrichtung, daß die Realisten an den Stunden der Gymnasiasten teilnehmen, festhalten will, folgendermaßen gestalten (Übersicht A). Von O III ab haben die Realisten in den gesonderten Stunden bei schnellerer Gangart das systematische Lehrgebäude der O III des Realgymnasiums so weit aufzuführen, daß sie mit den Realgymnasiasten der folgenden Klasse fortschreiten können; ebenso in der II B dem Lehrplan des Realgymnasiums entsprechend. Das hastig Gelernte zu befestigen, ausgiebiger zu üben und anzuwenden, finden sie dann während des folgenden Schuljahres in den gemeinsamen Stunden mit den Gymnasiasten Gelegenheit oder in der U II eines Realgymnasiums bei den dort ausdrücklich vorgeschriebenen Wiederholungen aus den Lehrgebieten der vorhergehenden Klassen.

Freilich ist das Vorwegnehmen des folgenden Jahrespensums durch eine Schülergruppe, die im übrigen mit den Gymnasiasten zusammen unterrichtet wird, unnatürlich und stellt den Mathematiklehrern eine außerordentlich schwere Aufgabe. Daher ist ein zweiter Plan (Übersicht B) vorzuziehen, nach welchem die Nichtgriechen von O III an im mathematischen Unterricht ganz auf eigene Füße gestellt werden und genau nach dem Lehrplan des Realgymnasiums bei derselben Stundenzahl aufwachsen sollen. So werden sie im Vergleich mit dem Plan A entlastet, und doch verlangt der vollkommnere Plan B im ganzen nur 11 Stunden mehr, die O II sogleich mit eingerechnet.

Bis zur Primareife müssen nämlich die Realabteilungen fortgeführt werden, sollen sie lebensfähig sein und den erwünschten Segen stiften. Scheint doch die Zeit nicht mehr fern zu sein, wo nahezu alle Laufbahnen, die sich sonst mit der Einjährig-Freiwilligenstufe begnügten, die Primareife beanspruchen. Das hiesige Königliche Oberbergamt z. B. knüpft schon seit 1903 seine Sekretariatslaufbahn an diese Vorbedingung und hat unsere Realabteilungen dadurch entvölkert, die eigentlich so recht für die Bedürfnisse der hiesigen Bevölkerung geschaffen sind. Alljährlich weisen viele Familien ihre aus IV versetzten Söhne, mögen sie nach der bisherigen Entwickelung, nach den sozialen und wirtschaftlichen Verhältnissen und im Vorblick auf die Berufswahl für den realgymnasialen Bildungsweg sozusagen prädestiniert sein, dennoch der Gymnasial-U III zu, aus Verlegenheit, was sie mit ihren Kindern anfangen sollen, wenn der Realkursus hier mit U II abschließt, und aus Scheu davor, sie dann nach einer fremden Stadt schicken und in Pension geben zu müssen, damit sie dort die Primareife eines Realgymnasiums erwerben. Lediglich um sie bis zu diesem Ziel zu Hause behalten zu können, lassen sie ihre Söhne sich vier Jahre lang mit dem Griechischen abquälen, obwohl statt dessen das Englische und die anderen Realfächer den Anlagen besser entsprechen und ihrem künftigen Beruf weit dienlicher sein würden. Was aber alle gutgemeinten sachverständigen Ratschläge unter den gegenwärtigen Umständen nicht bewirken, das wird ganz von selbst kommen, sobald an Ort und Stelle die Realprimareife zu erlangen ist.

Wodurch soll denn nun die Zeit für den erweiterten Unterricht der Realabteilungen ohne höhere Gesamtstundenzahl gewonnen werden? Natürlich dadurch, daß der Lehrgang noch ein gut Stück realer wird als bisher. Zu den sechs wöchentlichen

Übersicht A.

Hervorgegangen aus einer Konferenz, an der die beiden Mathematiklehrer und Neusprachler der Realabteilungen, sowie die
Vertreter des Lateinischen in O III und U II teilnahmen.

Klasse.	Fach.	Mit den Gymnasiasten zusammen Stund.	Besondere Stunden.	Gesamtzahl d. besonderen Stunden.	Ersparte Stunden im Vergleich mit den Gymnasiasten.
Real- abteilung der U III.	Französisch Englisch Mathematik	2 — 3	2 3 1 Kaufmännisches Rechnen, Glei- chungen 1.Grades.	6	6 Griechisch.
Real- abteilung der O III.	Französisch Englisch Mathematik	2 — 3	2 3 3 Ergänzung u.Fort- setzung bis ein- schließlich des Lehrgebäudes der G U II.	8	6 Griechisch. 2 Latein.
Real- abteilung der U II.	Französisch Englisch Mathematik Physik	3 — 4 2	1 3 3 Ergänzung nach der Lehraufgabe der R U II. 1 Akustik u. Optik.	8	6 Griechisch. 2 Latein.
Real- abteilung der O II.	Französisch Englisch Mathematik Physik Chemie	3 — 4 2 —	1 3 3 Ergänzung nach Maßgabe der R O II. 1 Allgemeine physi- sche Erd- und Völkerkunde, im Zusammenhang mit dem Meer Verkehrswege d. Gegenwart. 2	10	6 Griechisch. 2 Latein. 2 Englisch.
	Im ganzen	28	32	32	32

Stunden, die den Nichtgriechen zu Gebote stehen, liefert das
Lateinische von O III an je zwei weitere, indem die beiden
Dichterstunden den Realisten erlassen werden. Diese Einbuße an
altklassischer Dichterlektüre, nach dem Maßstabe des Realgymna-

Übersicht B.

Klasse.	Fach.	Mit den Gymnasiasten zusammen Stund.	Besondere Stunden.	Gesamtzahl d. besonderen Stunden.	Ersparte Stunden im Vergleich mit den Gymnasiasten.
Real-abteilung der U III.	Französisch Englisch Mathematik	2 — 3	2 3 1	6	6 Griechisch.
Real-abteilung der O III.	Französisch Englisch Mathematik	2 — —	2 3 6. (Verhältnis zum Realgymnasium + 1 als Ausgleich für — 1 in U III).	11	6 Griechisch. 2 Latein. 3 Mathematik.
Real-abteilung der U II.	Französisch Englisch Mathematik Physik	3 — — 2	2 3 5 2	12	6 Griechisch. 2 Latein. 4 Mathematik.
Real-abteilung der O II.	Französisch Englisch Mathematik Physik (Erd- und Völker-kunde) Chemie	3 — — 2 —	2 3 5 2 2	14	6 Griechisch. 2 Latein. 2 Englisch. 4 Mathematik.
Im ganzen		17	43	43	43

siallehrplans beurteilt, läßt sich verschmerzen und überdies (nach Übersicht B) durch moderne Poesie ausgleichen, da wir in der Lage sind, in beiden Realsekunden zu den drei französischen Stunden, die sie mit den Griechen teilen, sogar noch zwei besondere hinzuzulegen, also das Realgymnasium zu überbieten.

Welcher von beiden Plänen auch durchgeführt werden mag, jedenfalls werden wir fortan unseren Nichtgriechen, die mit Erfolg die U II (und gegebenenfalls die neue O II) durchgemacht haben, die Reife für die folgende Klasse des Realgymnasiums mit gutem Gewissen zuerkennen können, was unter den gegenwärtigen Voraussetzungen, genau genommen, nicht möglich ist, und kein Schüler, der irgendwo von der Realabteilung des Gymnasiums auf ein Realgymnasium übergeht, wird mehr in Ungelegenheiten kommen. Zugleich schwindet damit ein wesentlicher Grund, den kleineren Städten ihre anererbten Gymnasien zu mißgönnen; denn sie selber wollen die gymnasialen Kreise enger ziehen und den berechtigten schlichtbürgerlichen Bildungszwecken Licht und Luft schaffen.

Clausthal i. H.   A. Wittneben.

Die jetzige Reifeprüfung auf dem österreichischen Gymnasium.

... εἴ τις ἐμὴ συμβουλή ...

Das Interesse an Erziehungs- und Unterrichtsfragen ist heutzutage allgemeiner und tiefgehender denn je; Reformvorschläge, die auf diesem Gebiete in einem Staate laut werden, finden auch in den andern aufmerksame Ohren. Handelsverträge vermögen glücklicherweise den Austausch geistiger Güter nicht zu beschränken, der sich einfach nach dem *πάντα δοκιμάζετε, τὸ καλὸν κατέχετε* regeln darf. So haben denn auch die als eine Frucht der letzten Wiener Schulenquete unter dem 29. Februar d. J. vom österreichischen Kultusminister erlassenen „Vorschriften für die Abhaltung der Reifeprüfungen an Gymnasien (und Realschulen)" bei uns schon mannigfache Kritik über sich ergeben lassen müssen, die zwischen rückhaltloser Zustimmung und fast bedingungsloser Ablehnung schwankt. Da es scheint, als ob diese Beurteiler nicht immer auf zuverlässige Quellen zurückgegangen sind, so ist es vielleicht nicht unangebracht, auf Grund amtlichen Materials die Hauptpunkte des neuen Reglements herauszuheben und dann einige Betrachtungen und Bedenken daran zu knüpfen.

Die Diskussion über das der genannten Schulkonferenz unterbreitete Thema IV „Erscheint die jetzige Maturitäts-Prüfungsordnung und ihre Durchführung einer Änderung bedürftig?" füllte den größten Teil des letzten Verhandlungstages aus. Das Resümee der lebhaften Debatte, an der sich mehr als zwanzig Redner, Fachleute und Laien, beteiligten, gab der Unterrichtsminister in drei zur Abstimmung gestellten Fragen. Die erste: „Soll die Maturitätsprüfung in ihrer gegenwärtigen Gestalt beibehalten werden?" Hierfür stimmten bloß sechs Mitglieder. Die zweite: „Soll diese Prüfung überhaupt abgeschafft werden?" Hierfür stimmten nur sechzehn Mitglieder. Die dritte: „Soll die Prüfung durch wesentliche Erleichterungen einschneidend geändert werden?" wurde einstimmig (von etwa 70 Teilnehmern) bejaht. Das nach der Abstimmung vom Minister gegebene Wort „die Unterrichtsverwaltung werde sich der Aufgabe Erleichterungen zu schaffen gern und mit Energie unterziehen und noch für die heurige Prüfung entsprechende Vorkehrungen treffen" hat jener durch die Februarverfügung prompt eingelöst.

Sie besagt in ihren Grundzügen folgendes:

Als ordentlicher Hörer kann auf einer Universität nur immatrikuliert werden, wer auf einem vollständigen Staatsgymnasium oder auf einem öffentlichen Gymnasium, dem das Recht zur Abhaltung von Reifeprüfungen vom Minister verliehen ist, die unter Leitung des Landesschulinspektors oder seines Stellvertreters abzuhaltende Reifeprüfung bestanden hat. Diese zerfällt in einen schriftlichen und einen mündlichen Teil.

Die schriftliche Prüfung besteht aus folgenden Klausurarbeiten: a) einem Aufsatz aus der Unterrichtssprache mit freier Wahl aus drei verschiedenartigen Themen; b) einer Übersetzung aus dem Lateinischen, c) einer solchen aus dem Griechischen in die Unterrichtssprache — für jenen sind fünf, für jede Übersetzung drei Stunden Arbeitszeit anzusetzen; der an die Tafel zu schreibende fremdsprachliche Text soll 30—40 Druckzeilen oder Verse betragen, auch ist dabei der Gebrauch eines Schulwörterbuches zu gestatten.

Das ungünstige Ergebnis der schriftlichen Prüfungen bildet kein Hindernis für die Fortsetzung der Reifeprüfung.

Der mündlichen Prüfung dürfen auf ihren besonderen Wunsch auch die Eltern oder Vormünder und die Abiturienten der Anstalt beiwohnen. Sie erstreckt sich auf die Unterrichtssprache, Latein oder Griechisch, Geschichte und Geographie, Mathematik. Ist die Unterrichtssprache das Deutsche, so hat sich der Examinand über seine durch eigene Lektüre gewonnene Bekanntschaft mit den hervorragendsten Erscheinungen der deutschen Literatur seit Klopstock auszuweisen. Auf die zeitliche Abfolge der einzelnen Werke und auf das Zahlenmaterial überhaupt ist kein besonderes Gewicht zu legen; das Substrat der Prüfung bildet für gewöhnlich ein Abschnitt einer Dichtung oder eines Prosawerkes. Der Examinand hat davon einen Teil sinngetreu zu lesen, den Gedankengang anzugeben und in einer Art Kolloquium sonstige das Verständnis von Form und Inhalt erschließende Fragen zu beantworten.

Von den klassischen Sprachen wird nur in der die mündliche Prüfung abgelegt, in der der Abiturient die bessere schriftliche Arbeit geliefert hat; waren beide Übersetzungen genügend, steht dem Prüfling die Wahl zwischen beiden Sprachen frei; waren beide nicht genügend, findet ein mündliches Examen in beiden statt. Es wird ein in der Schule nicht gelesener, weder besondere sprachliche noch sachliche Schwierigkeiten bietender Abschnitt der im Gymnasium gelesenen Schriftsteller vorgelegt, der nach vorangegangener Vorbereitung sinngemäß bzw. metrisch richtig zu lesen, ohne erhebliche Beihilfe zu übersetzen und zu erklären ist. Hat die vorgelegte Stelle dem Examinanden bei der Übersetzung große Schwierigkeiten bereitet, so kann ihm noch eine zweite Stelle vorgelegt werden.

Die Prüfung in Geschichte und Geographie wird auf die österreichische Vaterlandskunde beschränkt, soweit diese den Lehrstoff des letzten Schuljahres umfaßt, und zwar jene unter Betonung der kulturgeschichtlichen und wirtschaftlichen Momente, während diese die Haupttatsachen der Geologie, der Oro- und Hydrographie, der Klimatologie, der politischen und Wirtschaftsgeographie umfaßt. Detailfragen, die rein gedächtnismäßiges Wissen voraussetzen, sind zu vermeiden.

In der Mathematik hat der Abiturient einen Überblick über den auf der Oberstufe behandelten Lehrstoff durch die Vertrautheit mit den Methoden der einzelnen Gebiete bei der Lösung von Aufgaben, und zwar abstrakten wie angewandten aus anderen Wissenschaften (auch der Physik) und dem praktischen Leben, zu erweisen. Auszuschließen sind Aufgaben, die eine nur durch ungewöhnliche Übung erlangte Gewandtheit in algebraischen Umformungen und in geometrischen Konstruktionen oder die Kenntnis vieler, bloß gedächtnismäßig festzuhaltender, namentlich praktisch belangloser Einzelheiten und Formeln verlangen.

Aus den allgemeinen Bestimmungen hebe ich noch diese heraus. Bei der Prüfung ist das Hauptgewicht nicht auf die einzelnen Kenntnisse der Schüler, sondern einzig und allein auf die erreichte allgemeine Bildung, auf den gewonnenen geistigen Gesichtskreis und auf jene formale Schulung des Geistes zu legen, die zu wissenschaftlichen Studien, wie sie auf der Hochschule betrieben werden, die notwendige Voraussetzung ist. Unwesentliche Lücken in dem positiven Detail eines Gegenstandes sind daher bei der Entscheidung nicht zu betonen; schon bei der Fragestellung ist alles zu vermeiden, was das Bestehen der Prüfung als Sache des Zufalls erscheinen lassen könnte; vielmehr soll diese in jenen Gegenständen, die am ehesten zu gedächtnismäßiger Vorbereitung Anlaß bieten, mehr die Form eines freien Kolloquiums annehmen, sich aber immer nur auf Wesentliches erstrecken.

Es ist statthaft, daß bei der mündlichen Prüfung dem Kandidaten die Fragen schriftlich vorgelegt und daß ihm für ihre Überlegung eine kurze Vorbereitungsfrist eingeräumt werde. Als Regel ist festzuhalten, daß für einen Examinanden im Durchschnitt höchstens eine Stunde verwendet werde. Steht nach dem Ergebnis der Beratung seine Reife im allgemeinen fest, so kann er für reif erklärt werden, auch wenn er in einem Gegenstande nicht völlig entsprochen hat. Der Beschluß über die Zuerkennung der Reife wird entweder mit Stimmeneinhelligkeit oder mit Stimmenmehrheit gefaßt; bei Stimmengleichheit gilt das für den Kandidaten günstigere Urteil. Zu den Reifefaktoren gehören die Klassenleistungen des letzten Schuljahres.

Die Prüfung kann nur zweimal wiederholt werden.

Das sind die Grundzüge des neuen Reglements. Seine Tendenz ist unverkennbar: sie geht auf Vereinfachung und Erleichterung. Sie zeigt sich in der Beschränkung der Zahl der schriftlichen Arbeiten und der Gegenstände des mündlichen Examens und in der minderen Bewertung rein gedächtnismäßigen Wissens.

· Prüfen wir nun das einzelne, indem wir zunächst den Standpunkt der Behörde, die Zweckmäßigkeit der Beibehaltung des Abgangsexamens, zu dem unsern machen. Da erhebt sich dann zunächst die Frage, ob die dem Prüfling überlassene Wahl zwischen drei deutschen Aufsatzthemen unter allen Umständen ein Entgegenkommen und mit Rücksicht auf die vergleichende Bewertung aller Abiturientenarbeiten, die doch auch ihre Vorzüge hat, zu empfehlen ist. Ein gleiches Verfahren wird ja auch von uns bei häuslichen Arbeiten hier und da beobachtet; aber wir geben doch den Schülern einige Tage Bedenkzeit, können ihnen auch wohl bei der Wahl mit unserm Rate an die Hand gehen; beim Examen kann eine verkehrte verhängnisvoll werden und durch längeres Schwanken kostbare Zeit verloren gehen. Freilich gestattet das österreichische Reglement ausdrücklich, bei den Aufsätzen in der Unterrichtssprache einige erklärende und die Behandlung erleichternde Bemerkungen beizufügen — und diese humane Bestimmung scheint durchaus zu billigen —; aber das Wesentliche ist doch, daß das Thema von vornherein so gewählt sei, daß der Prüfling nicht von materiellen Kenntnissen allzu sehr abhängt und vor allem seine Ausdrucks- und Urteilsfähigkeit beweisen kann. Der Lehrer, der in den beiden letzten Schuljahren etwa fünfzehn deutsche Aufsätze, darunter mehrere Klassenarbeiten, jedes Primaners gelesen hat, muß einen einigermaßen zuverlässigen Maßstab für die Leistungsfähigkeit der Generation gewonnen haben. Es ist ja für den Außenstehenden mißlich, über die Schwierigkeit und Angemessenheit eines Aufsatzthemas zu urteilen; aber daß dabei noch viel zu oft zu hoch gegriffen und über den normalen Gesichtskreis der Schüler hinausgegangen wird, lehren die Programme. Sogenannte freie Themen tragen besonders diese Gefahr in sich und sollten zumal mit Rücksicht auf schwerfällige Ingenia, die einer gewissen Inkubationszeit bedürfen, mit größter Vorsicht und bei sicherem Vorhandensein einer genügenden materiellen Unterlage gewählt werden.

Ernstere Bedenken wird bei vielen der Ersatz des lateinischen Skriptums durch eine Übersetzung aus dem Lateinischen verursachen. Diese Erleichterung, die ja auch bei uns nicht wenige Fürsprecher hat, scheint ein Danaergeschenk an die Gymnasien zu sein. Ganz abgesehen davon, daß wir so zwei gleichartige Arbeiten im Abschlußexamen bekommen, auch davon, daß eine wirklich gute, dem Geiste unserer Sprache gerecht werdende Wiedergabe des fremden Textes über die Fähigkeit des Schülers in der Regel hinausgeht und jedenfalls der eigentümlichste Charakter des fremden Schriftstellers in Stil und Darstellung dabei ganz unter den Tisch fällt — so führt die Abschaffung des lateinischen Skriptums als Zielleistung sicher zu einer geringeren Einschätzung der lateinischen Grammatik bei Lehrern und Schülern und zu Unsicherheit und Oberflächlichkeit in der Lektüre beider alten Sprachen; denn vorläufig kommt

der griechischen Grammatik noch der intensivere Betrieb der
lateinischen zugute, und ohne ihn wäre der jetzt gegen früher
um zwei Jahre spätere Anfang des Griechischen gar nicht möglich.
Und zwar ist die Grammatik mit dem Skriptum zuerst die treue
Dienerin der Lektüre. Es ist ein Trugbild, zu glauben, durch
den Wegfall grammatischer Übungen in den oberen Klassen werde
Zeit für die Lektüre gewonnen, die nicht ausgedehnter zu sein
braucht — ich denke jetzt freilich vorwiegend an unsere Verhältnisse —, als sie jetzt ist, die aber vor allem gründlich sein soll.
Um Plato und seine Weltanschauung kennen zu lernen, genügen
einige wohl ausgewählte Dialoge; einige wohl ausgewählte Satiren
zeigen genügend Horazens Witz und Menschenkenntnis. Machen
wir es doch im Grunde mit unsern deutschen Klassikern nicht
anders: an einigen Proben führen wir die Schüler in die Gedankenwelt des Dichters ein, auf die Gefahr hin, daß nicht immer
fleißige Privatlektüre die gegebenen Richtlinien und Hilfen für
das Studium nutzt und benutzt, — sonst wäre es Zeitverschwendung, auf die Lektüre z. B. eines Schillerschen Dramas ein
paar Monate zu verwenden. Aber die Grammatik hat ja auch an
sich bildenden Wert; ihre Schmälerung und Zurückdrängung
würde das gerade auch von Nichtphilologen anerkannte und auch
von der österreichischen Behörde hervorgehobene formal bildende
Element aus dem altsprachlichen Unterrichte ausscheiden. Es ist
bezeichnend, daß auf der letzten Direktorenversammlung der Provinzen Ost- und Westpreußen, auf deren Tagesordnung die Frage
der Abschaffung des lateinischen Skriptums stand, als Zeuge für
diese Seite des lateinischen Unterrichts ein Mathematiker und
Realschuldirektor auftrat. Und nicht weniger entschieden sind
jüngst in Österreich eine Reihe von Nichtfachleuten — ich nenne
den Rektor der Wiener Universität v. Ebner — und ebensolche
in Amerika mit ähnlichen Erklärungen hervorgetreten (man sehe
Heft 2 und 4 der Mitt. des Vereins der Freunde des hum. Gymn.
Wien 1907). Es ist schade, daß philologische Akribie, die zu
geistiger Klarheit, Treue im Kleinen und Wahrhaftigkeit führt,
von Laienunverstand und falschen Jugendfreunden zu einem Spott-
namen degradiert wird. In Summa: Solange wir noch Bildungsanstalten haben, denen als vornehmste Aufgabe die Einführung in
die Kulturwelt des klassischen Altertums obliegt, nehme man ihnen
nicht kurzsichtig oder illoyal — d. h. mit dem Gymnasium übel-
wollenden Hintergedanken — die unentbehrlichsten Mittel ihr Ziel
zu erreichen[1]).

Gegen den Wegfall der mathematischen Prüfungsarbeit
sprach auf der Wiener Konferenz mit Entschiedenheit ein Philologe; er hob hervor, daß dazu ja keine besondere Vorbereitung

---

[1]) Man vgl. hierzu auch Uhlig im Humanistischen Gymnasium 1908,
II, S. 87 f..

nötig sei. Ihre Beibehaltung ist wohl auch mit Rücksicht auf
solche Naturen zu empfehlen, die ängstlich und leicht verwirrt
sind, sich selbst überlassen mit mehr Ruhe und Sammlung arbeiten und sich schriftlich gewandter und klarer geben; dazu
kommt, daß die Reihenfolge, in der sie die gestellten Aufgaben
lösen wollen, ihnen überlassen bleibt. Bei uns würde man am
wenigsten da auf diese Arbeit verzichten, wo die Gabelung im
Unterrichte der oberen Klassen eingeführt ist.

Eine französische Prüfungsarbeit mußte.bei dem in Österreich vorläufig noch fakultativen Charakter dieses Unterrichts-
faches ausfallen. Ihr aber auf der humanistischen Anstalt ein
erheblich in die Wagschale fallendes Gewicht beizulegen, dürfte
auch bei uns nicht angängig sein; nichtsdestoweniger könnte der
Gegenstand in Hinsicht auf die jetzt ausgedehnteren Kompen-
sationsmöglichkeiten bei der mündlichen Prüfung und dem Schluß-
urteil in Frage kommen.

Den Text der Übersetzungen an die Tafel zu schreiben sollte
höchstens für den griechischen in Frage kommen; es ist überhaupt zweckmäßig, hin und wieder in der Klasse die schriftlich
zu übersetzende fremdsprachliche Vorlage zu diktieren, und im
Lateinischen wenigstens sollten die Ohren der Schüler durch
gelegentliche Sprechübungen — siehe die Praxis des Goethe-
gymnasiums in Frankfurt und Matthias auf der Junikonferenz
von 1900 — im Anschluß an die Lektüre, Inhaltsangaben u. a. an
den Klang der Sprache gewöhnt sein. Man vergleiche noch, was
wir weiter unten über das sinngemäße Lesen sagen. Übrigens
wäre das Anschreiben des Textes an die Tafel nur möglich, wenn
unterdessen ein zweiter Kollege die Abiturienten im Auge be-
hielte. Auch die Zulassung des Schulwörterbuches scheint bedenklich und von nachteiliger Rückwirkung auf das Präparieren
der Schriftsteller. Wenn wir in den Oberklassen auch nicht
mehr geradezu Vokabeln zum Auswendiglernen aufgeben werden,
so müssen wir doch im Interesse einer flotter fortschreitenden
Lektüre darauf halten, daß sich die Schüler einen möglichst
großen Wortschatz erwerben; ich erlaube nicht, daß ein Schüler
bei geöffnetem Präparationsheft übersetze. Hier scheint mir eine
Hauptquelle für die Unlust zu liegen, mit der so manche Schüler
der Oberstufe die klassische Lektüre treiben, eine Unlust, die
zu unerlaubten Hilfsmitteln führt und mit jeder weiteren Beschränkung des Betriebes der alten Sprachen wachsen muß.

Wenn man gemeint hat, daß die österreichische Reduktion
der schriftlichen Arbeiten auf drei das Gewicht jeder einzelnen,
besonders des deutschen Aufsatzes, d. h. das Gewicht von Angst-
produkten, unerträglich erhöhe, so übersieht man die ausdrück-
liche in dem diesmal wahrlich nicht ominösen § 13 ausgesprochene
Bestimmung, daß ihr ungünstiger Ausfall von der mündlichen
Prüfung nicht ausschließe. Mehr — oder weniger — kann man

nicht verlangen. Gewiß arbeitet ein großer Teil der Abiturienten
unter einer starken geistigen Depression, die ja auch manchem
unter uns Alten verantwortungsvollen und folgenschweren Aufgaben gegenüber nicht fremd ist, und gerade darum scheint mir
bei der Wahl des deutschen Themas so große Vorsicht, bei der
Beurteilung der Arbeit große Nachsicht geboten; aber anderseits sind doch die Schüler durch eine so lange Reihe von
Klassenarbeiten für die Klausur geschult, daß sie — immer angemessene Forderungen vorausgesetzt — nicht bei allen Prüfungsarbeiten versagen dürften. Ich möchte hiermit unsere
richtige Stellung zu den Extemporalien und schriftlichen Hausaufgaben überhaupt vergleichen: die eine oder andere im Laufe
des Jahres in einem Fache gelieferte nicht genügende Arbeit wird
uns nicht ohne weiteres an dem Schüler irre werden lassen; sind
aber alle ungenügend gewesen, so werden wir ihm die Ver-
setzungsreife für den Gegenstand schwerlich zubilligen wollen.
Also dieses österreichische Zugeständnis wird manchem allzu
liberal erscheinen.

Wir kommen zur mündlichen Prüfung. Daß ihr Eltern
der Abiturienten beiwohnen, halte ich in dieser und der Lehrer
Interesse nicht für empfehlenswert: auf die Prüflinge wirkt oft
schon die Anwesenheit des fremden Vorsitzenden verschüchternd,
und es ist doch wohl ein großer Vorzug unseres Systems, das
sich die Prüfung sozusagen en pays de connaissance abspielen
läßt, vor dem französischen, wo der Kandidat in den examinieren-
den Universitätsprofessoren lauter fremde Gesichter und Menschen
vor sich hat. Unter ähnlicher Befangenheit wie die Schüler leiden
aber nicht selten auch exponierte Lehrer, und es ist eine von
einsichtigen Vorgesetzten längst gewürdigte Tatsache, daß Männer,
die. allein mit ihren Jungen, durchaus ihrer Aufgabe gewachsen
sind, durch die Anwesenheit eines Dritten an Sicherheit und
Natürlichkeit einbüßen. Und solche etwa noch der Kritik sach-
unkundiger Laien auszusetzen, ist schwerlich wohlgetan.

Eine Dispensation von der mündlichen Prüfung, sei es
eine vollständige oder eine partielle, kennt Österreich nicht, was
mit seinem Streben nach Vereinfachung der Prüfung in Widerspruch steht. Aber wozu an der Reife eines Schülers zweifeln,
der nur gute oder überwiegend gute und keine ungenügende
Arbeit geschrieben hat und nach dem einstimmigen Urteil seiner
Lehrer — also auch des Mathematikers — das Schulziel erreicht
hat? Legt doch auch das österreichische Reglement auf das
Urteil der Lehrer in anerkennenswerter Weise das entscheidende
Gewicht. Glanzleistungen guter Schüler in der mündlichen
Prüfung geben dieser leicht den Charakter der Schaustellung und
werfen auf die Schwächeren, die immerhin solide Arbeiter und
Köpfe sein können, einen Schatten. Wir wollen mit unserem
Verfahren zufrieden sein und es lieber noch dahin erweitern,

daß wir auf Grund einer genügenden Arbeit regelmäßig dispen-
sieren, wenn nicht ein mündliches Examen zur Kompensation
dienen soll.

Unter diesem Vorbehalt gehen wir zu den einzelnen Prüfungs-
fächern über. Eine mündliche Prüfung im Deutschen ist bei
einem ungenügenden Aufsatze keine unbillige Forderung; auch
der im österreichischen Reglement empfohlene Modus, Warnung
vor Überschätzung des Zahlenmaterials, Ausschluß des Mittelhoch-
deutschen u. a. mehr wird Beifall finden. Als ergänzende Forderung
möchte ich einen kurzen zusammenhängenden Vortrag, etwa die
Inhaltsangabe eines Literaturwerkes, vorschlagen: sie würde der
Pflege dieses immer noch sehr vernachlässigten Zweiges der
Aktivität bei den zurückhaltenden oder maulfaulen Primanern
Vorschub leisten.

Daß der Abiturient bei genügenden Arbeiten zwischen einer Prüfung im Lateinischen und einer im Griechischen freie Wahl hat,
kommt wenigstens teilweise unserm Dispensationsprinzip entgegen;
daß er bei zwei ungenügenden Arbeiten in beiden Fächern geprüft wird, entspricht ihm; daß er bei einer genügenden Arbeit
in demselben Fache geprüft wird, widerspricht ihm. Erlaubt
doch das Reglement ausdrücklich, daß dem Prüfling, der sich in
dem vorgelegten Text nicht zurechtgefunden hat, eine zweite
Stelle vorgelegt werde. Also warum nicht diesen Ausgleich auf
die schriftliche und mündliche Prüfung verteilen? Mit Recht
wird dagegen hier wie schon für das Deutsche sinngemäßes Lesen
betont. Damit hat man in Prima seine schwere Not; die Schüler
genieren sich geradezu Wort und Satz zu beseelen und meinen
allenfalls genug zu tun, wenn sie keine Quantitätsfehler machen.
Man weiß, welches Gewicht in Frankreich auf gutes Lesen gelegt
wird: La lecture à haute voix, heißt es in einer Verfügung des
französischen Unterrichtsministers aus den siebziger Jahren, est
oubliée ou négligée dans la plupart des lycées et des collèges;
elle doit être cependant un des éléments importants de l'instruc-
tion publique... Il faut qu'en France on apprenne à lire; car
apprendre à lire, c'est la meilleure manière d'apprendre à parler
... C'est un art qui a besoin d'être enseigné comme les autres
... Cette étude, non-seulement ne fera pas perdre de temps aux
élèves, elle leur en fera gagner. Und ähnlich heißt es bei dem
großen Vortragskünstler Legouvé: Apprendre à lire un morceau,
c'est apprendre à le juger et apprendre à lire c'est apprendre
à penser.

Auf allgemeine Zustimmung werden die Anweisungen der
Prüfungsordnung für Geschichte und Geographie rechnen
können. Auf diesem Gebiete — wie auf dem der Religion, wo
man eine Prüfung auch höchstens nur als Kompensationsobjekt
gelten lassen sollte — wütet ja noch das fürchterliche Büffeln
vor dem Examen, das vornehmlich zu dessen Beanstandung vom

gesundheitlichen Standpunkte aus Anlaß gibt. Eine weise Beschränkung des Prüfungsstoffes, etwa auf die Landeskunde, und ein Zurücktreten des Zahlen- und Datenmaterials, ja, der rein politischen Geschichte überhaupt, scheint eine dringende Forderung der Schulhygiene. In diesem Sinne hat sich auch der verstorbene Weißenfels wiederholt ausgesprochen (zur Hand ist mir gerade seine Gymnasialpädagogik, Rein S. 788); man lese ferner die besonnenen Ausführungen Aulers in Teubners Handbuch. Cauer hat verschiedentlich, erst wieder in seinem Wiener Vortrage (s. Human. Gymnasium 1908, IV, S. 126), darauf hingewiesen, daß es beim Geschichtsunterricht weniger auf Aneignung historischer Kenntnisse als auf die Übung im historischen Denken ankomme. In dieser Bekämpfung des Abfragens rein gedächtnismäßigen Wissens überhaupt kann das österreichische Reglement vorbildlich wirken. Die Schule soll gar nicht den Schülern nur abfragbares Wissen mitgeben: sie soll sich oft mit inkommensurabeln Wirkungen begnügen und hat oft ihre Pflicht mit formaler Geistes- oder allgemeiner Charakterbildung vollkommen erfüllt. Damit ist dann freilich noch nicht gesagt, daß unsere Schüler von der Schule nicht ein bestimmtes Quantum Wissen mitnehmen müßten, ohne das ein Gebildeter und Strebender nicht denkbar ist und dessen Besitz wir nicht mit Unrecht als einen nationalen Vorzug ansprechen dürfen. Welche Bedeutung dieser Wissensstoff und seine Übermittlung durch die Schule hat, könnte ich nicht überzeugender ausführen, als dies Münch an mehreren Stellen seiner Zukunftspädagogik (2. Aufl. z. B. S. 191 f., 358) tut. Aber ein anderes ist es doch, die Jugend von jeder Unbequemlichkeit und jedem Druck des Lernens befreien zu wollen, ein anderes, ihr psychologischen und hygienischen Grundsätzen widersprechende, unerträgliche Lasten aufzubürden. Es kommt noch eins hinzu. Das Gedächtnis kann geübt werden, aber seine Tragkraft ist bei den verschiedenen Individuen verschieden; wird es zu stark in Anspruch genommen, so sind Gedächtnisschwache, denen Einzelheiten entschwinden, während ihnen der Überblick über das Ganze und die Intelligenz keineswegs zu fehlen brauchen, im Nachteil. Es ist nicht selten, daß ein gutes Gedächtnis über den Mangel an wirklicher Reife täuscht, und erst kürzlich las ich die Klage eines Kollegen, daß das Gedächtnis leider oft nachhelfe, wenn das Verständnis für die schwierigeren mathematischen Dinge fehle, daß Schüler oft beim Examen bestünden, weil sie sich Formeln usw. gut eingeprägt hätten. — Ein Eingehen auf die die mathematische Prüfung angehenden Bestimmungen des österreichischen Reglements muß ich mir übrigens versagen.

Entsprechend dem Vorschlage eines Mitgliedes der Schulenquete kommen auf den österreichischen Reifezeugnissen fortan die Prädikate für die einzelnen Fächer in Wegfall: abgestimmt wird nur über „reif" oder „nicht reif"; ist der Kandidat einhellig für reif erklärt worden, so kann bei hervorragenden Leistungen über den Zusatz „mit Auszeichnung" abgestimmt werden. Vielleicht liegt darin ein Vorzug vor unserer Spezialisierung, da sich ein oder mehrere „nicht genügend" auf dem Zeugnis nicht gut ausnehmen und einem Bewerber, der ein solches präsentiert, verhängnisvoll werden können; anderseits aber könnte für eine Behörde, die Absolventen eines Gymnasiums annimmt, behufs gerechterer Auswahl ein detailliertes Zeugnis erwünscht sein.

Hiermit schließe ich meine Kritik dieses neuesten Versuches, der im weiten Publikum in den letzten Jahren stark unpopulär gewordenen Institution der Reifeprüfung wenigstens einen Teil ihres Odiums zu nehmen. Ich habe bei meinen Ausführungen, wie oben bemerkt, den Standpunkt der Mehrheit der Wiener Konferenz festgehalten, die auf das Examen nicht glaubte verzichten zu müssen. Unter den Fachleuten hat es bei uns Gegner etwa in demselben Verhältnis wie in Österreich; das bewies unter anderm eine von einem Berliner Blatte vor zwei Jahren veranstaltete Umfrage, über die ich im Päd. Archiv 48. Jg. H. 7/8 berichtet habe. Ebenda habe ich mich den Gegnern des Examens zugesellt. Eine kurze Beleuchtung der Frage liefert eine unserm Thema wohl nicht unangemessene Ergänzung.

Die für Beibehaltung der Reifeprüfung ins Feld geführten Gründe sind etwa folgende: 1. es gehöre zu unsern Verwaltungsgrundsätzen, den Abschluß eines bestimmten Studienganges durch ein Examen zu markieren; 2. dieses Examen diene zugleich zur Kontrolle der Leistungsfähigkeit der Anstalt und biete 3. eine Bürgschaft für die annähernde Gleichmäßigkeit der Leistungen und Anforderungen der verschiedenen Anstalten und damit für die Erhaltung der Universitäten, die mit minderwertigem Material überflutet werden könnten, auf dem richtigen Niveau; 4. ohne jenes Damoklesschwert über ihrem Haupte würden bei den Schülern Sorglosigkeit, Bequemlichkeit und Trägheit Platz greifen, während das Examen 5. eine Vorübung und Abhärtung für spätere Prüfungen sei und 6. den Abiturienten selbst über sein Kennen und Können orientiere und zur energischen Sammlung seiner Kräfte zwinge; 7. die Abschaffung des Examens bürde den Lehrern eine zu große Verantwortung auf, sei 8. so lange unmöglich, wie die Nachbarstaaten sie noch beibehielten, und endlich 9. mit Rücksicht auf die „Wilden" untunlich.

Es ist nicht schwer, nachzuweisen, daß keiner dieser Gründe durchaus stichhaltig ist. Wir Lehrer — so ungefähr habe ich mich a. a. O. ausgelassen — sind, pace Paulseni dixerim, auch Beamte und als solche rechenschaftspflichtig, müssen uns also eine Kontrolle gefallen lassen. Für den tüchtigen, pflichttreuen Lehrer liegt darin, wenn sie nicht zur Schererei und Schnüffelei

wird, wenn sie wohlwollend, sachlich, taktvoll vor sich geht,
wenn sie nicht bloß zur Konstatierung gegensätzlicher Anschauungen, sondern zu freier, männlicher Aussprache führt, — nichts
Kränkendes und nichts Demütigendes. Zu solcher Kontrolle der
Art und Arbeit des Lehrers, des Unterrichtsganges und Klassen-
niveaus sind Schulräte und Direktoren berufen und haben bei
Revisionen, in Konferenzen, bei Klassenprüfungen, Heftedurch-
sichten, in persönlichen Rücksprachen reichlich Gelegenheit dazu.
Eine solche Kontrolle erst beim Examen zu üben, scheint mir
post festum zu kommen, dagegen durch ständige aufmerksame
Betrachtung der Leistung von Schülern und Lehrern bis in die
Prima hinein die Erreichung des Schulziels oder die Ausführung
der Lehrpläne auch ohne ·besondere Reifeprüfung gesichert. Die
Verantwortung der Lehrer ist bei der Ausstellung des Reifezeug-
nisses nicht größer als bei jeder Versetzung; internationale Vereinbarungen könnten auf der Basis einander mehr angeähnelter
Lehrpläne gegenseitige Anerkennung der von gleichartigen Anstalten ausgestellten Reifezeugnisse erreichen — die Übernahme
eines Ausländers in den Staatsdienst würde ja immer vom
„Staatsexamen" abhängig bleiben —; bloß der „Wilden" wegen
könnten wir freilich die sonst als entbehrlich erkannte Einrichtung
nicht beibehalten.

Was die Schüler betrifft, so fehlt es uns ja nicht an dis-
ziplinaren Mitteln sie zur Pflicht anzuhalten, und Mangel an sittlicher Reife — dazu gehört bei einem Primaner auch hartnäckige
Pflichtversäumnis — schließt ja jetzt schon einen Bewerber vom
Examen aus. Der Wert des Examens aber als einer „Charakter-
und Nervenprobe" darf angesichts der anhaltenden Klagen der
Universitätslehrer über die zunehmende Neurasthenie der Staats-
kandidaten (s. z. B. R. Lehmann in der Deutschen Literatur-
zeitung, XXIX, 20; Bornhak in den Berliner Akademischen
Nachrichten II, 16 und 18 hat nur Drückeberger vom Referendar-
examen im Auge) nicht besonders hoch angeschlagen werden.
Erfüllen wir bei Wegfall der Prüfung noch außerdem die unum-
gängliche Korrelatforderung, daß die Versetzungen möglichst
streng gehandhabt werden, daß wir den Anforderungen der
höheren Schule nicht Gewachsene und unverbesserliche Faulpelze
ohne Rücksicht auf pekuniäre Lage und soziale Stellung der
Eltern bei Zeiten eliminieren, daß nicht so oft das Mitleid mit
uns Lehrern durchgehe, wie das besonders auf Anstalten mit nur
Osterzöten leicht vorkommt, daß wir durch scharfe Beobachtung
der Schüler mit unlautern Mitteln errungenen Erfolgen vorbauen
und einen unnachsichtigen Kampf gegen die „Schülermoral"
führen, — so scheinen alle Kautelen gegeben, ein zuverlässiges
und gerechtes Urteil über die Reife auch ohne Prüfung zu gewinnen.

Die Gründe der Gegner des Examens, daß es bei ängstlichen

Naturen kein zuverlässiges Bild des Wissensstandes und der Urteilsfähigkeit abgebe, daß bei ihm der Zufall eine große Rolle
spiele, daß es zu Täuschungen verleite, daß es zum Teil eine
starke Überlastung des Gedächtnisses und körperliche Überan-
strengung mit sich bringe und doch nur zur Präsentation eines
eilig zusammengerafften und deshalb nicht haftenden Wissens
führe, daß es an vielen Anstalten eine enorme Belastung der
Lehrer bedeute und das letzte Schuljahr durch Examendrill um
seine schönste Frucht[1]), die sozusagen philosophische Zusammenfassung und Durchdringung des gesamten Unterrichtsstoffes
und damit der Weihe für die Universität, betrüge — diese
Gründe wird jeder mit den Verhältnissen Vertraute respektieren
müssen[2]).

Aber, wird man einwenden, solchen Gründen hat sich ebensowenig wie das neue österreichische Reglement unsere Regierung
entzogen: Dispensationen und Kompensationen, von denen er-
fahrungsgemäß bei uns wenigstens in liberalster Weise Gebrauch
gemacht wird, beweisen das. Ob solche Vereinfachungen und
Erleichterungen nicht gerade für die Abschaffung der Prüfung
sprechen? Jedenfalls je leichter sie wird, desto überflüssiger
wird sie. Diese unsere Stellungnahme schließt natürlich nicht

---

[1]) Weißenfels a. a. O. S. 784: „Die Dosis Philosophie, die bei der
schulmäßigen Behandlung aller Lehrfächer jetzt noch (auf dem Gymnasium)
vorhanden ist, ist doch verschwindend klein geworden. Dies ist augenblicklich die schwache Seite unserer Gymnasien, und auf die Frage: Was tut
unsern höheren Bildungsschulen jetzt vor allem not? ist zu antworten:
Philosophie, Philosophie, Philosophie!" Man lese den ganzen § 16, auch
Ziertmann, im Programm der Oberrealschule zu Steglitz 1906.

[2]) Die Königliche Gewerbeakademie in Chemnitz ist vielleicht die
einzige höhere Schule in Deutschland, an der keine Abgangsprüfungen abgehalten werden. Sie umfaßt vier Abteilungen: A. für zukünftige Maschinen-
ingenieure, B. für zukünftige Ingenieure auf dem Gebiete der chemischen
Technik, C für zukünftige Architekten, D für zukünftige Elektroingenieure.
Die Studienergebnisse werden nun in folgender Weise attestiert: Schüler
der Abteilungen A und B, die das siebente Semester vollständig besucht, in
allen Fächern des letzten Semesters mindestens die Zensur „genügend" erhalten haben und deren Durchschnittszensur der letzten drei Semester mindestens „ziemlich gut" ergibt, sowie Schüler der Abteilung C, die das
siebente Semester, und Schüler von D, die das achte Semester vollständig
besucht, in allen Fächern des vorletzten und letzten Semesters mindestens
die Zensur „genügend" erhalten haben und deren Durchschnittszensur der
letzten vier Semester mindestens „ziemlich gut" ergibt, erhalten bei ihrem
Abgange ein Reifezeugnis; erfüllen sie nur die erste und zweite, nicht
aber auch die dritte Bedingung, so erhalten sie nur ein Abgangszeugnis,
das eine Zusammenstellung der in den einzelnen Semestern erteilten Zensuren enthält; erfüllen sie aber nur die erste und nur die erste und die
dritte Bedingung, so erhalten sie nur einen Abgangsschein. — Die Abiturienten der Akademie werden von den Kgl. preußischen Technischen
Hochschulen bis auf weiteres als Studierende zugelassen, auch die übrigen
deutschen technischen Hochschulen in Braunschweig, Darmstadt, Karlsruhe,
München und Stuttgart zählen das Reifezeugnis der Chemnitzer Anstalt zu
den vollgültigen Aufnahmeausweisen der ordentlichen Studierenden.

aus, daß wir jede Reform der bestehenden Einrichtung, von welcher Seite sie auch komme, vorurteilslos prüfen und sie, wenn sie sich als Fortschritt erweist, uns zu eigen machen; daß die jüngsten österreichischen „Vorschriften" nach mancher Richtung hin Beachtung verdienen und wesentliche Verbesserungen bedeuten, hoffen wir gezeigt zu haben [1]).

---

[1]) Beachtenswerte neueste — mir zu Gesicht gekommene — Äußerungen über die Frage findet man bei Paulsen, Internationale Wochenschrift vom 11. April d. J. und bei R. Lehmann a. a. O., in dessen Besprechung von Rethwischs Vorschlägen, Jahresberichte XXI. Alle drei fordern eine Ausgestaltung des Examens entsprechend den Fortschritten, den der Gedanke der Bewegungsfreiheit auf der Oberstufe mache.

In der Intern. Wochenschrift vom 13. Juni d. J. kommt Paulsen nochmals ausführlicher auf die Umgestaltung des Abiturientenexamens zurück; er befürwortet sie auf Grund „der größeren Bewegungsfreiheit", die jetzt der Oberstufe der höheren Schulen eingeräumt ist: ihr müsse eine gewisse „Wahlfreiheit" unter den Fächern des Unterrichts auch in der Prüfung entsprechen. Die Stellung des Schulrats werde dadurch insofern betroffen, als in letzter Instanz nicht mehr bei ihm, sondern beim Lehrerkollegium die Entscheidung über die Reife liege; er habe fortan höchstens ein Veto gegen die Art der Prüfung, wenn sie nicht gründlich, ernst, ehrlich sei. Dadurch werde der Schulrat entlastet und könne mehr Fühlung mit Anstalten und Lehrern gewinnen. Eine Notwendigkeit der Beibehaltung des Examens beweist Paulsens Artikel nicht, — eher das Gegenteil.

Berlin.   E. Grünwald

ZWEITE ABTEILUNG.

LITERARISCHE BERICHTE.

Wilhelm Münch, Zukunftspädagogik. Berichte und Kritiken, Betrachtungen und Vorschläge. Zweite, umgearbeitete und auf den doppelten Umfang erweiterte Auflage. Berlin 1908, Georg Reimer. VI u. 373 S. gr. 8. 7 M, geb. 8 M.

Die im Jahre 1904 erschienene erste Auflage dieses trefflichen Buches ist in dieser Zeitschrift LVIII, 7, S. 633 ff. eingehend besprochen und nachdrücklich empfohlen worden. Indem ich auf jene Anzeige verweise, darf ich mich im folgenden kürzer fassen. Da in den letzten Jahren eine Reihe neuer Angriffe auf die bestehenden Erziehungseinrichtungen zu den früher besprochenen hinzugekommen ist, wohl noch schärfer als die vorhergegangenen, so hat Verf. in dem ersten Teile den literarischen Überblick über die Schriften der Zukunftspädagogen um mehrere Berichte und Kritiken in der ihm eigenen gründlichen und anziehenden Weise vermehrt. Im zweiten umfassenderen Teile „Betrachtungen und Vorschläge" sucht er aus dem Reichtum der Vorschläge einen Weg zu finden, der die rechte Grenze innehält zwischen dem Möglichen und dem ewig fern Schwebenden. Es ist die Gedankenwelt, die sein Buch „Der Geist des Lehramts" erfüllt, aber die Darstellung ist, wie es Kampf und Streit mit sich bringen, lebhafter und zündender; der Gesichtskreis ist weiter und greift in alle Lebenssphären über. Da läßt sich Verf. aus über das Recht der Selbstentfaltung, die Wandlung unseres Bildungsideals, die Zukunft des Humanismus, die Stellung der Kunst im künftigen Erziehungsplan, Forderungen für den Religionsunterricht, weibliche Bildung usw. Statt des Vielen, von dem ich berichten möchte, eins, ex ungue leonem; S. 272 heißt es: „Durch falsche Schulmeisterei unsere edelsten Dichtungen der Jugend auf Lebenszeit verleidet zu haben, ist eine der schlimmsten Verfehlungen, die den Fluch aller Volksfreunde verdient. Übrigens zeigt, wenn man nicht auf unmittelbare Weise Einsicht in diesen Betrieb nehmen kann, die gegenwärtig blühende Literatur der Kommentare zu unsern nationalen Dichtern, zu welchem Grade der Plattheit, Geschwätzigkeit, Nüchternheit, Aufdringlichkeit, Analysiersucht diese

Behandlung herabsinken kann. Wenn doch aus der Region der obersten Schulregenten eine grimmige Poseidongestalt sich emporheben und mit wuchtigem Dreizack diese unfugtreibenden Kleingeister scheuchen wollte! Statt all dieser blechernen Weisheit die Kunst eines guten Vortrags mit Liebe zu pflegen, bei Lehrern selbst und Schülern, das wäre das Lebenswerk, dessen bedarf die Schule, das kann Freudigkeit pflanzen für schöne Kunst überhaupt und übrigens auch eine echtere Erhöhung des Verständnisses bedeuten als das Disponieren, Formulieren, Kommentieren ohne Ende". Sehr richtig und beherzigenswert; wie aber, wenn in der Region der obersten Schulregenten selbst solche Literatur gezüchtet wird?

Zum Schluß hat Verf. die aus allem Vorstehenden sich ergebenden Gesichtspunkte und das innerhalb des höheren Schulwesens zunächst Wünschenswerte in 38 Paragraphen zusammengefaßt. Ich führe den letzten an, der sich über die Bestrebungen ausläßt, die Vorschulen aufzuheben und damit alle Kinder in den ersten Jahren der Volksschule zuzuweisen: „Der eigentliche organische Aufbau des ganzen Schulwesens unter sozial-philanthropischem Gesichtspunkt in der Art, daß alle Kinder der Nation dieselben ersten Stadien zu durchlaufen haben und ein Aufsteigen zu höheren Unterrichtsgelegenheiten nur nach Maßgabe der intellektuellen und sittlichen Tüchtigkeit erfolgen kann, bedeutet ein Ideal, dessen Verwirklichung doch nicht bloß egoistische Standesgefühle und die Macht des Herkommens entgegenstehen, sondern auch praktische, politische und psychologische Gesichtspunkte. Jedenfalls ist so tiefgreifenden Neuerungen gegenüber besonnene Zurückhaltung nicht verwerflich".

Mit unserm Buche, so sagt der Verf. in der Vorrede, will er seine schriftstellerische Betätigung auf dem ganzen in Betracht kommenden Gebiete abschließen. So ist es das letzte Vermächtnis des verehrten Mannes; das Lesen eines Testaments stimmt ernst und schwermütig, aber es ruft mehr als alle anderen Schriftstücke vor unsere Seele die ganze Persönlichkeit des Testators, sein uneigennütziges Wirken, seine hohen Ziele; wer sollte da nicht dankbar sein!

Ausstattung, Druck, Papier gefallen sehr.

Stettin. Anton Jonas.

_____

1) A. Huck, Deutsche Evangelien-Synopse mit Zugrundelegung der Übersetzung Carl Weizsäckers. Ununterbrochener Text mit den Parallelen im vollen Wortlaute. Tübingen 1908, J. C. B. Mohr (Paul Siebeck). XVI u. 150 S. 4. 3 ℳ, geb. 4 ℳ.

Der Verfasser, durch seine „Synopse der drei ersten Evangelien" bereits rühmlichst bekannt, wendet sich mit seiner deutschen Synopse an einen weiteren Leserkreis, an die große Zahl derjenigen, die in unserer historisch orientierten Zeit genauere

Kenntnis von der Person Jesu und den Quellen des Christentums gewinnen wollen. Die ersten Abschnitte der Einleitung enthalten die Grundsätze, nach denen die Synopse bearbeitet ist. Neben Johannesparallelen sind auch ausgewählte Stellen aus apokryphischen Evangelien und sogenannte Agrapha berücksichtigt, und man kann aus den dargebotenen Proben deutlich erkennen, daß diese keinerlei Quellenwert besitzen. Das gilt von dem Hebräerevangelium ebenso wie von dem neusten, bei Behnesa gefundenen Fragment, „das ein langes Gespräch Jesu über Rein und Unrein enthält". Das ganze Werk, besonders aber die kurze und klare Übersicht über die Geschichte des Textes und über die Textzeugen, sowie die der Synopse beigefügten textkritischen Anmerkungen, läßt auch den nicht theologisch gebildeten Leser ahnen, welche eminente Arbeitsleistung die Evangelienforschung der letzten 150 Jahre bedeutet. — Die Übersetzung ist in der Hauptsache die von Weizsäcker. Aber auch neuere Übersetzungen sind benutzt. Der gleiche Ausdruck der Parallelen ist durch den gleichen deutschen Ausdruck wiedergegeben, so daß eine wirklich synoptische Übersetzung geboten wird. — Das Buch wird auch dem Religionslehrer höherer Schulen bei der Betrachtung des Lebens Jesu treffliche Dienste leisten.

2) G. Hölscher, Landes- und Volkskunde Palästinas. Mit 8 Vollbildern und einer Karte. Leipzig 1907, G. J. Göschen'sche Verlagshandlung. 168 S. 8. geb. 0,80 ℳ.

Zweck und Ziel der „Sammlung Göschen" ist von dem Verfasser durchaus erreicht. „In engem Rahmen, auf streng wissenschaftlicher Grundlage und unter Berücksichtigung des neuesten Standes der Forschung bearbeitet", gewährt das Bändchen ein klares und anschauliches Bild von Land und Leuten der Gegend, auf die unser Blick schon in den frühesten Kinderjahren gelenkt wurde. Nach einer Übersicht über die Literatur, die im zweiten Jahrtausend v. Chr. mit den ältesten ägyptischen Inschriften und den berühmten Keilschriftfunden von Tell el-amarna beginnt, wird die allgemeine Lage, das Geologische, Klima, Oberflächengestaltung, Pflanzen- und Tierwelt von Palästina vor Augen geführt. Am meisten interessieren uns natürlich die Bewohner, die aus den verschiedensten Rassentypen bestehen. Höchst anschaulich werden Leben und Sitten des Volkes geschildert, und wenn es heißt, daß alle Eltern den leidenschaftlichen Wunsch hegen, eine große Nachkommenschaft, besonders Söhne, zu haben, so werden wir lebhaft an die Zeiten der Erzväter erinnert. Eigentümlich berührt es uns, wenn als gutes Heiratsalter für Mädchen das 13.—15. Jahr erscheint und ein Mädchen mit 20 Jahren als „altes Weib" gilt, „das nur noch auf einen Witwer Anspruch machen kann. Kein Fellachenmädchen, wenn es nicht ein Gebrechen hat, bleibt sitzen; auch das Junggesellentum ist fast unbekannt und jedenfalls verspottet". Unter den folgenden Abschnitten ist besonders der über die geistige Kultur hervorzuheben, der sich mit den Schulen der verschiedenen Religionsgemeinschaften, der Wissenschaft, den Kunstdenkmälern von der prähistorischen bis in die moderne Zeit und den Ausgrabungen beschäftigt. Ein Namen- und Sachregister erleichtert die Orientierung, wie überhaupt die übersichtliche Anordnung des reichen Stoffes sehr zu loben ist.

Görlitz.   A. Bienwald.

Jahresberichte für neuere deutsche Literaturgeschichte. Mit besonderer Unterstützung von Erich Schmidt herausgegeben von J. Elias, M. Osborn, W. Fabian, K. Jahn, L. Krache, F. Deibel, M. Morris. 15. Bd. (J. 1904.) Berlin 1908, B. Behr's Verlag. Lex.-8. 20 ℳ.

Ich hätte schon öfter bei neuen Auflagen von Büchern auf dem Titelblatt lieber „verkürzte" als „vermehrte" Auflage gelesen; aber ich habe den gewünschten empfehlenden Vermerk selten gefunden. Und obenein soll man häufig die vermehrte Auflage bei erhöhtem Zeitaufwande auch noch teurer bezahlen, als wenn das Erweiterte immer das Bessere wäre. Nein, ich halte es bei Büchern im allgemeinen mit dem Worte: je kürzer, je lieber!

Nun glaube ich zwar nicht, daß die Jahresberichte für neuere deutsche Literaturgeschichte auch nur in einem Jahrgange eine zweite Auflage erfordert haben, aber jeder neue Jahrgang nahm zu an Umfang und Preis, bis jetzt endlich der 15. Jahrgang infolge einer gründlichen Entfettungskur in seinen zwei Teilen, der Bibliographie und dem Text mit Register, wiederum in jugendlicher Schlankheit erschienen ist, und der Preis für beide Teile, der in dem letzten Jahrgang auf über 50 ℳ gestiegen war, auf 20 ℳ hat herabgesetzt werden können.

Die Hauptaufgabe der Jahresberichte, eine Übersicht und Würdigung der Veröffentlichungen auf dem Gebiete der neueren deutschen Literaturgeschichte darzubieten, ist auch in dem neuen Jahrgange durchaus gelöst worden, nur sind die Grenzen schärfer abgesteckt, der Text knapper gefaßt und eben nur das Bedeutende besonders hervorgehoben und auf unnütze Polemik gegen Wertloses verzichtet worden. Jeder, der literarhistorisch arbeitet, kann auch jetzt auf seinem Arbeitsgebiete eine kurze, klare und sichere Übersicht über die Vorarbeiten des letzten Berichtsjahres gewinnen, und der verminderte Preis wird manchem einzelnen Forscher und den meisten Schulbibliotheken die Anschaffung der Jahresberichte erleichtern oder erst wieder ermöglichen. Und so möge sich die Hoffnung der fleißigen, kundigen und von Erich Schmidt wohlberatenen Bearbeiter erfüllen, daß durch die einschneidenden Veränderungen, die der 15. Jahrgang erfahren hat, das beinahe festgelaufene Schifflein wieder flott werde.

Soll aber das fast unentbehrliche Nachschlagewerk, das schon unzähligen Forschern ihre Arbeit erleichtert hat, fortbestehen und Nutzen schaffen, so muß es eben diesen bequem zur Hand sein und, wenn nicht in der eigenen Bücherei, so doch in den Universitäts- und Schulbibliotheken zu jederzeitiger Benutzung bereitstehen, zumal in kleineren Städten, wo es den Gymnasiallehrern ohne ein solches Nachschlagewerk fast unmöglich ist, auf der Höhe der Forschung zu bleiben. Darum: wer Geld hat zu kaufen, der kaufe!

Berlin. F. Jonas.

R. Biese, Deutsches Lesebuch für die Prima. Ausgabe für Gymnasien. Dritte Auflage. Essen 1908, G. D. Bädeker. VIII u. 432 S. 8. geb. 4 ℳ.

Bücher zu besprechen ist nicht immer eine erquickliche Aufgabe; das vorliegende aber, das es wohl verdient, in neuer Auflage und in fast unveränderter Gestalt zu erscheinen, erleichtert dem Rezensenten seine Arbeit in erfreulichster Weise. Es ist eines der gediegensten Schulbücher, die wir haben, und ich darf das um so sicherer aussprechen, als ich es während meiner Tätigkeit am Weilburger Gymnasium jahrelang mit großer Freude und zu Nutz und Frommen der Jugend im Unterricht gebraucht habe. Vor allem gibt es über die kulturellen Bestrebungen der Griechen und Römer, über alle Erscheinungen der antiken Geisteswelt, eine so anschauliche Belehrung und eine so klare Übersicht, daß es eine überaus wichtige Ergänzung der altsprachlichen Lektüre und des Geschichtsunterrichts bildet. Wenn unsere Abiturienten etwas wirklich Bleibendes aus ihrer Beschäftigung mit den antiken Schriftstellern von der Schule mit ins Leben nehmen sollen, so bedürfen sie eines solchen Überblicks, wie ihn der erste Abschnitt „Zur Charakteristik der antiken Kulturwelt" bietet. 22 vortreffliche Abhandlungen, unter denen ich „Hellenische Welt- und Lebensanschauung" von G. Schneider, „Die sittlich-religiösen Ideen griechischer Dichter und Denker" von dem Verfasser des Buches, R. Biese, „Sokrates" von Windelband, „Die Götter Griechenlands" von Langhans, „Die Kulturmission der Griechen und Römer" von Curtius ganz besonders hervorheben möchte, erschließen uns in feinsinniger Weise die Gedankenwelt der Hellenen und lassen uns einen Einblick in das Innerste der griechischen Volksseele tun, werden aber auch dem Geiste und den Verdiensten der Römer gerecht. Ohne solche zusammenhängenden Belehrungen, wie sie speziell über Kunst und Literatur geboten werden, wird ein Schüler, mag er seinen Plato und Cicero noch so aufmerksam gelesen haben, nie zur Klarheit über die Antike gelangen.

Weiterhin aber enthält das Buch vortreffliche Lesestücke zur deutschen Literatur- und Kulturgeschichte, die würdige Seitenstücke zu jenen bilden; ich nenne „Die Renaissance und

der Humanismus", nach Buchner, O. Jahn, Hettner und Burckhardt von Biese zusammengestellt, „Goethes Naturphantasie" von
V. Hehn. In ihnen allen steckt ein so gesunder und reicher
Bildungsstoff für den jugendlichen Geist, daß er sich recht an
ihm erquicken, durch ihn erstarken und zur Selbständigkeit heran-
reifen kann. Im poetischen Teile finden sich Proben der
deutschen Literatur aus früherer Zeit bis in die Gegenwart; über
eine solche Auswahl kann man·im einzelnen rechten; daß sie mit
feinem Geschmacke getroffen ist, wird niemand bestreiten.

Im Sinne unseres Gymnasialunterrichts sei mir noch eine
Bemerkung gestattet. Wenn man beweisen wollte, wie belehrend
das Studium des Altertums gerade für die Kenntnis der Gegenwart ist, so würde Bieses Buch dazu vortreffliches Material bieten.
Liest man z. B. die Schilderung, die Windelband in dem Lesestück „Sokrates" S. 40 ff. über die erste uns genauer bekannte
Aufklärungsperiode im ˙5˙ Jahrhundert v. Chr. entwirft, so glaubt
man in mehr als einer Hinsicht das Zeitbild der Gegenwart
vor sich zu sehen; ist der Bildungshunger, „das Bildungsfieber",
der „Bildungsschwindel" des Perikleischen Zeitalters nicht auch
ein Charakteristikum unserer Tage? Und lernt der Schüler, was
ihm für sein ganzes Leben ein kostbarer Besitz ist, nicht am
besten und deutlichsten an den Sophisten, was oberflächliche
Scheinweisheit und falsche Aufklärung, und an Sokrates, was
gewissenhafte Denkarbeit und echte Geistesbildung, was wahre
Aufklärung, wahre Logik und wahre Ethik ist? Sieht er da vor
allem nicht sehr deutlich, wie die modernen Probleme über Gott,
Welt und Mensch uns schon im Altertum auf Schritt und Tritt
begegnen, wie überaus schwierig und vielseitig sie sind und wie
man Welträtsel nicht mit Redensarten zu lösen vermag?

Aber zum Zwecke solcher philosophischen Propädeutik
müßte das Buch noch einen Aufsatz über das Wichtigste aus der
griechischen Naturphilosophie und weiterhin über die nachplatonische
Philosophie, über Stoiker und Epikureer bringen; ich würde dann
lieber auf die etwas trockenen Ausführungen in der „Logik"
S. 323 ff. verzichten. Auch müßte, ähnlich wie über den „Humanismus (S. 104 ff.), ein über die Aufklärungsliteratur des
18. Jahrhunderts, namentlich die französische, belehrender Aufsatz — das S. 151—156 Gebotene genügt nicht — eingeschaltet
werden. Der Schüler sieht dann deutlich, wie die modernen
atheistischen und materialistischen Theorien in ihrem inneren
Kerne nichts anderes als die Nachkommen der im Système de la
nature und in der Enzyklopädie vertretenen sind und im letzten
Grunde auch auf den Epikureismus zurückgehen. So kann ihm
ein gutes Stück philosophischer Schulung ins Leben mitgegeben
werden,· eine feste Grundlage logischen Denkens und sittlichen
Empfindens, sittlicher Bildung, die uns doch gerade jetzt so
überaus not tut.

Alles in allem: Dieses Lesebuch ist ein Werk, das uns in anschaulichen Bildern die wichtigsten früheren Kulturepochen, das uns insbesondere — und das möchte ich betonen — auch die Welt- und Lebensanschauung vergangener Tage in ansprechender Weise vorführt und gerade dadurch die augenblicklich in unserer Aufklärungszeit in manchen Kreisen vorherrschende rein naturalistische Weltauffassung begreiflich macht, aber keineswegs rechtfertigt; es ist ein Buch, das in der Hand eines verständigen Lehrers wahrhaft bildend und aufklärend im edelsten Sinne zu wirken und durch Hinweis auf die besten Geister der Vergangenheit das Herz der Schüler gegen die materialistische Richtung der Zeit zu festigen vermag. Es ist ein Buch, das vor allem auch der Charaktererziehung, einer Erziehung für die Gegenwart, dient; und da es auch in allen anderen Hinsichten den Forderungen, die man an ein solches Werk zu stellen berechtigt ist, entspricht, so wünsche ich ihm im Sinne einer gesunden Jugenderziehung auch für die Zukunft besten Erfolg und weiteste Verbreitung.

Kassel.   Karl Endemann.

Th. Matthias, Handbuch der deutschen Sprache für höhere Schulen. 1. Teil: Vorstufe. Methodischer Lehrgang für den Deutschunterricht der Unterklassen. Leipzig 1908, Quelle und Meyer. VII u. 114 S. gr. 8. geb. 1,20 ℳ.

Aus dem Titel des Buches ergibt sich nicht, ob es für Lehrer oder für Schüler oder für beide bestimmt ist. Die zahlreich eingestreuten „Aufgaben" lassen darauf schließen, daß es den Schülern in die Hand gegeben werden soll. Dem scheint freilich die große Menge klein gedruckter Bemerkungen zu widersprechen, die einen obendrein mit einer Fülle von Fragen überschütten, mit denen aus den jedesmal vorangeschickten Beispielen die grammatischen Kenntnisse heuristisch gewonnen werden sollen. Dies dürfte in die Lehrstunde, nicht aber in das Buch selbst gehören, das anderseits für Wiederholung des im Unterrichte Durchgenommenen besser auf die Frageform in solchem Umfange verzichtete, ein Standpunkt, den man einnehmen kann, ohne ein geschworener Feind „fanatischer Sokratiker" zu sein. Allerdings tragen die Fragen, wie gesagt, mehr den Stempel von Entwickelungs- als den von Prüfungsfragen ‹an sich. Den (zumal jungen) Lehrer aber wird, fürchte ich, die auffallend starke Betonung erotematischer Lehrform dazu verleiten, alles, was das Lehrbuch bietet, unterschiedslos im Unterrichte vorbringen zu wollen, was sich kaum bewerkstelligen läßt, wenngleich m. W. am sächsischen Realgymnasium dem deutschen Unterrichte in den Unterklassen eine etwas größere Stundenzahl zugebilligt ist als an mancher andern Stelle. Doch auch abgesehen davon habe ich von der ganzen Behandlung der Dinge den Eindruck, daß sie

über das, was man in den Klassen Sexta bis Quarta verlangen
kann, hinausgeht. So entsteht z. B. die Frage, für wen im § 10
der im einzelnen durchgeführte Hinweis bestimmt ist, daß die
Römer in ihrer grammatischen Terminologie sich an die Griechen
anschlossen. Soll man schon zehn- bis zwölfjährigen Jungen
„so gelehrt kommen", so weiß man wiederum nicht, warum bei
der Konjunktion der Gedanke an den σύνδεσμος übergangen ist,
einen Ausdruck, der freilich bei den älteren griechischen Gramm-
matikern (auch Aristoteles) wohl die Partikel überhaupt bezeichnete (falls nicht das ἐπίῤῥημα diese Aufgabe hatte), und vermißt anderseits eine Bemerkung darüber, daß selbst Aristarch in
der Interjektion keinen eigenen Redeteil sah, indem diese, wie es
scheint, zum ἐπίῤῥημα (= Adverbium) gezogen wurde. Übrigens
ist noch die Frage, ob die Adverbien davon ihren Namen erhielten, daß sie meist zum Verb gehören; es sind vielmehr
‚Nebenwörter'' (Madvig, Georges), eben ἐπιῤῥήματα, d. h. ἐπ'
ἄλλοις τισὶ ῥηθέντα. Doch wozu das Ganze auf der Vorstufe?
Denn nur diese hat das Buch im Auge, das nach der „Einführung"
den ersten Teil eines Handbuches der deutschen Sprache abgeben will. Dieses soll den dem Verfasser vorschwebenden vier
Aufgaben gleichmäßig gerecht werden: der Erziehung zu bewußter Sicherheit im Gebrauche der Muttersprache, der Gewöhnung an eine schöne, von landschaftlichen Bequemlichkeiten
freie Lautgebung, der Erschließung des jedem Gebildeten zu-
kommenden Maßes von Einsicht in das Werden der Muttersprache,
der Erkenntnis der Wort- und Satzformenwelt und damit der
der allgemeinen Sprachform, wodurch gerade auch der fremdsprachliche Unterricht Förderung empfangen werde. Alle diese
Aufgaben bezeichnet der Verfasser als noch nicht oder nicht genügend gelöst, eine Überzeugung, die ihn ja freilich allein schon
zur Abfassung dieses seines Handbuches berechtigte, das in dem
zugesagten zweiten Teile alle wesentlichen Erscheinungen unserer
Sprache zu „einem geschichtlich gegründeten übersichtlichen Lehrgebäude zusammenfassen" und dann auch die bisher zu kurz
gekommene Aufgabe lösen wird, „die Erscheinungen des heimischen Sprachlebens klärend zusammenfassen und geschichtlich
verstehen zu lehren". Vorderhand müssen wir uns damit begnügen, für die Vorstufe die zweite und die vierte der angedeuteten Aufgaben des Unterrichts in „entwickelnde Behandlung"
genommen zu sehen.

    Die gewählten Anknüpfungs- und Veranschaulichungsstoffe
erklärt der Verfasser für ausnahmslos gehaltvoll und zugleich
Sachwissen und Gemütsbildung zu fördern geeignet. Vielleicht
ist das doch etwas zu viel behauptet. Die oft aus dem Zusammenhange herausgerissenen Sätze und Stellen von Gedichten,
die der Schüler zum Teil noch gar nicht kennt, können unmöglich immer von tiefer Bedeutung für sein Innenleben sein,

übrigens wäre das in einem grammatischen Lehrbuche auch zu viel verlangt. Natürlich nimmt es für ein solches ein, wenn es „nach so und so vielen sich mit ihrer Vollständigkeit empfehlenden Vorgängern" nicht „eine neue Brücke in das öde Land gähnender Langeweile" werden will. Indessen kann man der Interessen auch zu viele nebeneinander wecken, statt lieber den Blick fest auf das gerichtet zu halten, worauf es in erster Linie ankommt. Dem bekannten französischen Sprichworte nachzuleben, wird allüberall weniger Sache des Lehrbuches als dessen sein, der dazu berufen ist, etwas aus ihm zu machen. Dazu gehört nun freilich nicht, daß man womöglich Dinge, die nach Obertertia gehören, schon auf früheren Stufen vorwegnimmt, und wenn ich auch nicht den Vorwurf erheben will, daß der Verfasser dies in größerem Umfange getan habe, so scheint mir doch der Ton seines Buches für die Klassen Sexta bis Quarta mehrfach etwas hoch gestimmt zu sein und nicht bloß ausnahmsweise einmal die „feinen Adern" aufgezeigt zu werden, „in denen das reiche Innenleben der Sprache pulst". So lesen wir z. B. folgendes: „Soviel Gedanken und Empfindungen, d. i. der seelische Gehalt der Sprache, feiner, bedeutsamer und bei dem eigenen Innenleben jedes Menschen eigenartiger sind als die Laute und Wörter, worin sie der Verständigung halber äußerlich gleichklingend ausgesprochen werden, so viel bedeutsamer ist für die Ausgestaltung des Gedankenreichtums der Sprache der innere (sachliche) Bedeutungswandel, dem aller begriffliche Inhalt der Wörter unausgesetzt unterliegt" (§ 14). Und gleich zu Anfang: „Die Sprache ist eine äußere und eine innere. Die äußere Sprache ist die Gesamtheit der immer neu erzeugten und verrauschenden Schälle, in deren nach Silben gegliederten (artikulierten) Gruppen Menschen ihre Gedanken und Stimmungen ausdrücken; die innere Sprache ist die Gesamtheit aller in solche Lautgebilde gefaßten Erinnerungsbilder von Lautschällen und damit verbundenem Vorstellungsinhalte, kurz aller Sprachvorstellungen". — „Zwischen der Umgangssprache des Hauses und vollends der eigentlichen Mundart einerseits, deren Kenntnis an sich ein bewahrenswertes Stück Reichtum ist, und der in der Schule zu übenden Schriftsprache andrerseits waltet — wie in Wortbildung und Satzbildung, so namentlich auch in der Lautbildung — ein großer Unterschied ob, ebenso hinsichtlich der Sorgfalt in der Bildung der Laute wie in der Färbung des Tones". Dann folgen (im großgedruckten Text, nicht etwa in einer Anmerkung) Mitteilungen über die Sprechwerkzeuge und weiterhin über jene Bildung der Laute selbst. Auch logische und psychologische Subtilitäten begegnen, z. B. bereits in § 12: „In der Logik nennt man solche gemeinsam zu ein und derselben Gattung gehörenden Reihen von Begriffen ihre Arten, ihre Namen also Artnamen. Wörter, die Eigenschaften, Zustände, Handlungen

nicht als Körpern anhaftend in Eigenschafts- oder Zeitwortform,
sondern wie in gegenständlicher, leibhaftiger Selbständigkeit bezeichnen, heißen Abstrakta (abgezogene Begriffe, Verdinglichungen)".
— „Welches zeitlich-sachliche Verhältnis besteht in Grundsätzen
im engeren Sinne zwischen den Aussagen des Haupt- und des
Nebensatzes? Welches Seelenvermögen erscheint sowohl bei
dem, der dieses kausale, ebenso auch das konzessive oder konditionale Verhältnis feststellt, als bei dem, für den die tatsächliche
Wirkung jener Vorstellung behauptet wird, dadurch lediglich in
Anspruch genommen? Von welchem Vermögen ist es abhängig
gemacht, ob die Absicht, die nach dem finalen Satzgefüge mit der
Handlung des Hauptsatzes verfolgt wird, auch Wirklichkeit werde?"
(§ 99.) Auch die Form der Fragen kann ich nicht immer besonders glücklich nennen. „Was ist der Durst für das Trinken?"
(S. 78.) „Mit welchem oder ohne welches Verhältniswort stehen
die (vorgeführten) Subjektsinfinitive?" (S. 104 — denkbar nur
als Wiederholungsfrage.) In § 35 wird die Apposition einem
„Bestimmungsworte" beigefügt. Dieses (mot déterminant, nicht
déterminé) ist sie vielmehr selber. S. 111 finden wir richtig den
auch hier passenden Ausdruck: Beziehungswort. — Die mit weder
—noch gebildete Satzverbindung (§ 82) sollte keine entgegen-
setzende heißen, da dies dem Gedankenverhältnis nicht entspricht,
in dem die aneinander gereihten Sätze unter sich stehen. Es
liegt vielmehr die remotio coniunctiva eines „ebensowenig wie"
vor (Lindner, Logik³ § 31). In § 86 stellen sich uns Prädikats-
sätze vor. Solche gibt es nicht; denn das Prädikat (die Aussage)
selbst kann nicht mit einem Nebensatze vertauscht werden (F.
Kern, Die deutsche Satzlehre. Eine Untersuchung ihrer Grundlagen. S. 66): es muß vielmehr Prädikativsatz heißen (nach
S. 38 Z. 7 v. u.). Die beinahe das ganze Alphabet in Anspruch
nehmenden in den „Bildern des zusammengesetzten Satzes" verwendeten Zeichen, die auf der letzten Seite noch einmal übersichtlich vorgeführt sind, werden sich nach der Erfahrung des
Verfassers gut bewährt haben; man kommt aber auch ohne sie
aus. Immerhin halten sie sich in annehmbaren Grenzen und fern
von jener Buntscheckigkeit, die man bisweilen an graphischen
Darstellungen der deutschen Satzlehre wahrnimmt. Einige Druckversehen bleiben für eine neue Auflage zu berichtigen; sonst spricht
das Buch äußerlich ebenso an, wie es inhaltlich jedenfalls vielfache Anregung bietet.

Pankow b. Berlin. _____   Paul Wetzel.

Wolffs Poetischer Hausschatz des deutschen Volkes. Unter Mit-
    wirkung von Willy Scheel völlig erneut durch Heinrich
    Fränkel. Mit Geleitwort von Wilhelm Münch. Dreißigste Auf-
    lage (251—254. Tausend). Ausgabe für Schul- und Unterrichtsgebrauch.
    Leipzig 1908, Otto Wigand. VII u. 804 S. Groß 8. Geb. 4,80 ℳ.
Die Anzeige dieses Buches gehört eigentlich nicht zur Kom-

petenz des Unterzeichneten, und es wird daher erklärlich sein,
daß er darüber nur einige orientierende Bemerkungen macht.
Der Poetische Hausschatz des deutschen Volkes ist zum ersten
Male 1839 im gleichen Verlage wie jetzt von dem Professor der
neueren Sprachen und Literaturen in Jena Oskar Ludwig Bernhard
Wolff herausgegeben. Wolff bezeichnete damals als Zweck des
Buches, es sollte das Schönste und Edelste enthalten, was unsere
Nation auf diesem Gebiete aufzuweisen habe, auch zugleich durch
Beispiele den Gang der Entwicklung veranschaulichen, den die
Poesie in allen ihren Gattungen seit den frühesten Zeiten ihres
Erscheinens bei uns genommen habe. Das Buch hat diese Auf-
gabe offenbar völlig erfüllt, wie der Umstand beweist, daß bis
zum Jahre 1893 29 Auflagen mit zusammen 250000 Exemplaren
erschienen sind und jetzt die 30. vorliegt, deren Vorrede aus dem
Herbste 1907 stammt. Nach Wolffs Tode wurde das Werk durch
Karl Oltrogge in Hannover neu bearbeitet und namentlich den
Bedürfnissen der höheren Schulen sowie der obersten Klassen
der Volksschulen angepaßt. Dr. Heinrich Fränkel, der neueste
Herausgeber des Buches, hat es dann für zweckmäßig gehalten,
während früher das Werk den Untertitel „ein Buch für Schule
und Haus" trug, eine Teilung des Stoffes vorzunehmen und eine
Ausgabe für den Schul- und Unterrichtsgebrauch und eine erweiterte Ausgabe zu veranstalten, die aus dieser und einem Er-
gänzungsbande besteht. Die Rücksicht auf die besonderen Anforderungen der Schule ließ ihm die Mitwirkung eines Schulmannes, der auf dem Gebiete der Lesebuch-Literatur praktische
Erfahrung besaß, notwendig erscheinen. Er gewann für die Mitarbeit den Gymnasialoberlehrer Dr. Willy Scheel in Steglitz, der
die ältere Zeit bis Goethe bearbeitete, während die Periode seit
Goethe Fränkel zufiel, doch so, daß die Prüfung der in die Schul-
aufgabe aufzunehmenden Gedichte dieser zweiten Epoche auf ihre
Brauchbarkeit durch beide Herausgeber gemeinsam erfolgte. Die
ältere deutsche Dichtung ist im allgemeinen in den anerkannt
besten Übersetzungen gegeben, während die Dichter der Reformationszeit, des Volksliedes und des 17. Jahrhunderts möglichst
in ihrer eigenen Sprache zu Wort gekommen sind. Die Auswahl
aus den Dichtungen der neueren Zeit reicht bis in die Gegenwart
hinein.

Bei der Auswahl sind ästhetische, ethische, literaturgeschichtliche und erzieherische Gesichtspunkte maßgebend gewesen. Ausgeschlossen blieb, was geeignet erschien, die Angehörigen des
einen oder andern Bekenntnisses, Volksstammes oder Berufskreises
zu verletzen, ferner solche Gedichte, deren Verständnis nicht ohne
eingehende Erklärung möglich war. Bei dem Druck ist im Interesse eines natürlichen und sinngemäßen Vortrages auf die Benutzung großer Anfangsbuchstaben am Zeilenbeginn verzichtet
worden. Zur Orientierung sind dem Namen jedes Dichters, von

welchem Werke in die Sammlung aufgenommen sind, kurze biographische Notizen beigefügt. Ein Verzeichnis der Dichter und
Gedichte, sowie ein solches der Gedichtanfänge erleichtert es
dem Leser sehr, sich in dem umfangreichen Stoffe zurechtzufinden.
Stichproben zeigen, daß die Herausgeber die von ihnen aufgestellten Grundsätze für die Auswahl der Dichtungen in sehr geschickter Weise befolgt haben. Das warmherzige Geleitwort von
Wilhelm Münch ist ein schöner Schmuck des Buches. Die Ausstattung ist einfach aber gediegen, der Preis mäßig.

Halle a. S. _____ O. Genest.

1) G. Frick, Egmont. Ein Trauerspiel in fünf Aufzügen von J. W.
   von Goethe. Zum Schulgebrauch und Selbstunterricht herausgegeben.
   Leipzig und Berlin 1907, B. G. Teubner. 112 S. kl. 8. 0,60 ℳ.
2) G. Frick, Kabale und Liebe. Ein bürgerliches Trauerspiel von
   Friedrich von Schiller. Zum Schulgebrauch und zum Selbstunterricht
   herausgegeben. Leipzig und Berlin 1907, B. G. Teubner. 125 S.
   kl. 8. 0,70 ℳ.

Die beiden Hefte, um deren Besprechung es sich handelt,
gehören zu den deutschen Schulausgaben von Gaudig und Frick,
in denen bisher eine Reihe Goethescher Werke, Schillerscher und
Lessingscher Dramen, Grillparzers „König Ottokars Glück und
Ende", des Sophokles „Antigone" und die Homerischen Gedichte
erschienen sind. Die gemeinsame Besprechung von Goethes
Egmont und Schillers Kabale und Liebe rechtfertigt sich durch
das fast gleichzeitige Erscheinen und die übereinstimmende Behandlung durch denselben Verfasser. Die Ausgaben entsprechen,
um mit Äußerlichkeiten zu beginnen, an Größe und Klarheit des
Druckes, breitem Rand, der den Text umgibt, und gutem Papier
allen Anforderungen, die man vom Standpunkt der Schule aus
stellen kann, und empfehlen sich durch ein geschmackvolles
Äußere. Die durchgeführte Zeilenzählung erleichtert die Benutzung.
Einleitende Bemerkungen sind ganz vermieden. Die Fußnoten,
nach Zeilen geordnet und auf das Notwendigste beschränkt, vermeiden ein sachliches Eingehen auf den Inhalt und ästhetische
Urteile, beschränken sich vielmehr auf geschichtliche und geographische Erläuterungen, die aber in „Kabale und Liebe" erklär-
licherweise fast ganz fehlen, und auf einige sprachliche Bemerkungen;
sie beschäftigen sich hauptsächlich mit guten deutschen Über-
tragungen von unbekannteren Fremdwörtern. Verf. hat es
mit Recht vermieden, die Aufmerksamkeit vom Text abzulenken, und hat es dem Lehrer überlassen, erläuternd oder
fragend hinzuzufügen, was er im gegebenen Falle außerdem für
nötig hält. Der Text ist mit einer Gründlichkeit gearbeitet und
durchgesehen, daß Ref. je einen Druckfehler, den er in den beiden
Heften entdeckt hat, gar nicht nennen möchte. Der Anhang
enthält eine Zeittafel zu dem Leben des Dichters — zu Goethes
Drama auch Selbstzeugnisse Goethes zur Geschichte der Abfassung

und eine Zeittafel zur Geschichte des Abfalls der Niederlande —
und einen Durchblick durch das Drama, in welchem Handlung und
Gegenhandlung in Tabellenform sich gegenübergestellt werden, und
dann ein kurzer Überblick über den Gang der Handlung, nach
Aufzügen geordnet, von epigrammatischer Kürze, feinem Ver-
ständnis und durchsichtiger Klarheit gegeben wird. Dabei wird
in dankenswerter Weise und in großen Zügen eine Reihe von
Aufsatzthemen über die Entwickelung der Handlung und die
Charaktere der auftretenden Personen angeschlagen. Ein kurzer
Rückblick auf den tragischen Inhalt beschließt den in seiner Art
vorzüglichen Anhang. Ref. steht nicht an, zu erklären, daß diese
Ausgaben, von dem billigen Preise ganz abgesehen, zu den besten
Hilfsmitteln gehören, die wir auf diesem Gebiete besitzen. Gleich-
wohl möchte sich Schillers Kabale und Liebe mehr für den
Selbstunterricht, Goethes Egmont aber zweifellos auch für den
Schulgebrauch eignen.

3) **Valentin Pollak, Anastasius Grün, a) Spaziergänge eines
Wiener Poeten, b) Auswahl aus „Schutt".** Leipzig 1907, B.
G. Teubner. XVIII u. 73 S. 8. 0,50 ℳ.

a) In der Einleitung gibt Herausgeber eine Übersicht über
das Leben und Wirken des Dichters, die verhältnismäßig lang
ausgefallen ist, aber sich gut liest und den Eindruck macht, daß
sie dem auch im außerösterreichischen Deutschland geschätzten
Dichter gerecht wird; ob sie in einer Schulausgabe in dieser Ausführlichkeit nötig war, ist eine andere Frage. Der Text enthält
die einzelnen Lieder, jedoch nicht alle. Nach welchen Gesichtspunkten die Auswahl getroffen ist, läßt sich zwar aus dem Buche
selbst nicht erkennen, man wird aber nicht fehlgehen, wenn man
annimmt, daß die Rücksicht auf die jugendlichen Leser dafür
maßgebend gewesen ist. Auch läßt sich nicht feststellen, ob die
siebente, letzte Auflage des Werkes vom Jahre 1876, was Wahrscheinlichkeit für sich hat, oder eine frühere zugrunde gelegt
worden ist. Jedenfalls lassen Papier, Schrift und Ausstattung
und auch die Sorgfalt, mit der der Text durchgesehen ist, nichts
zu wünschen übrig. Einige Anmerkungen im Anhang, auf die
im Text hingewiesen wird, helfen dem Verständnis nach.

b) Aus der Liedersammlung „Schutt", die, in fünf größere
Zyklen geordnet, im Jahre 1835 als des Dichters bedeutendstes
Werk erschienen ist, sind für die Graesersche Schulausgabe nur
zwei Liederkränze ausgewählt, nämlich „Cincinnatus" und „Fünf
Ostern", die in derselben Weise vom Herausgeber behandelt
worden sind wie die „Spaziergänge".

Vielleicht möchte manchem die Mitteilung erwünscht sein,
daß eine Ausgabe sämtlicher Werke Grüns in zehn Bänden, von
Schlossar herausgegeben, im Jahre 1907 bei Hesse in Leipzig
zum Preise von 4 ℳ erschienen ist.

4) **Franz Prosch, Johann Heinrich Voß' Luise.** Leipzig 1907, B.
  G. Teubner. IX u. 45 S. 8.   0,50 *M.*

Während der Herausgeber einiger Gesänge von Anastasius
Grün in seiner Einleitung sich über das Leben und die Betätigung
Grüns auf dem Gebiete der Dichtung überhaupt verbreitet, stellt
Herausgeber des obigen Buches in der Einleitung zur „Luise"
dieses Werk in den Mittelpunkt der Betrachtung und bemerkt
am Schlusse dieser, daß „die vorliegende Ausgabe die Text-
auswahl nach der ersten Buchausgabe der „Luise" v m (sic!)
Jahre 1795" bringt.   Der soeben angedeutete Ausfall des Buchstabens „o" wiederholt sich merkwürdigerweise in der Einleitung
nicht weniger als sechsmal neben zwei andern Auslassungen, d. h.
die Einleitung hat mehr Druckfehler als das ganze übrige Buch,
dessen Text gut lesbar ist und das die oben erwähnten Vorzüge
der Graeserschen Schulausgaben hat, zu denen es gehört.   Sinn-
störend ist es allerdings, wenn in Z. 494 der ersten Idylle
„f r e i l i c h" statt des richtigen „f e i e r l i c h" gedruckt ist.
Anderer Art sind dagegen die beabsichtigten Auslassungen ganzer
Zeilen des Textes, die allein in der ersten Idylle an sieben verschiedenen Stellen vorkommen.   Sollte Herausgeber in seiner
sittlichen Scheu vor der Wiedergabe etwas sinnlich angehauchter
Verse, die der Voßschen Muse zuweilen anhaften, nicht zu weit
gegangen sein?   Wenn er z. B. die Verse unterdrückt:
  „Und es erhob Luise den Saum des weißen Gewandes,
  Zeigend den Unterrock und schimmernde Strümpf' in der
                                                 Dämmrung",
so möchte Ref. dem entgegenhalten, daß nach seiner Überzeugung
nicht einmal eine Dame von feinem natürlichem Empfinden an
der leicht erklärlichen Handlungsweise Luisens Anstoß nehmen
würde, die bei der Überschreitung einer feuchten Wiese (zur
Zeit der Dämmerung), man möchte sagen, geboten war.   Und
die Jugend bei der Lektüre durch die Verschweigung solcher
Stellen, die sie durch vollständige, ihr leicht zugängliche Ausgaben doch kennen lernt, an Zimperlichkeit zu gewöhnen oder
ihren Spott herauszufordern, möchte sich bitter rächen.   Es
kommen freilich in der „Luise" noch andere Stellen vor, die
Herausgeber auch nicht mitgeteilt hat, wie am Schlusse der
dritten Idylle die vom Dichter mit großem Behagen ausgemalte
Bereitung des Brautbettes durch die Mutter und die Flucht der
Neuvermählten aus der Hochzeitsversammlung unter lautem Ge-
lächter und Händeklatschen und Jubeln der Zurückbleibenden,
was gar nicht mißzuversteben ist.   Will man mit Sekundanern
dergleichen nicht lesen, und Ref. möchte das auch nicht, so
bleibt immer noch die Auskunft möglich, im Anschluß an die
Klassenlektüre von „Hermann und Dorothea" Voßens „Luise" als
Privatlektüre aufzugeben und eine besondere Stunde zur vergleichenden Besprechung der beiden verwandten Epen anzusetzen.

Ihren Wert behält die Schulausgabe für die häusliche Vorbereitung der Schüler dabei doch.

5) **Hubert Roetteken, Heinrich von Kleist.** Mit einem Porträt nach einer Miniatur. Leipzig 1907, Quelle und Meyer. 148 S. kl. 8. 1 ℳ, geb. 1,25 ℳ.

Zu der Sammlung „Wissenschaft und Bildung", die Einzeldarstellungen aus allen Gebieten des Wissens bringt, gehört auch das Büchlein „Heinrich von Kleist". Seit mehr denn zwei Jahrzehnten hat sich Verf. eingehend mit Kleist und seinen Werken beschäftigt, und auch der Inhalt des Büchleins selbst legt beredtes Zeugnis dafür ab, daß hier ein berufener Vertreter des Fachs, der in klarer Weise seine Ansichten wohl zu begründen weiß, zu uns spricht. Literarisch Gebildete, die die Kleistschen Werke gelesen haben und nach einem tieferen Verständnis derselben trachten, sind es, die er als sein Lesepublikum ansieht. Und diese kommen bei der Lektüre reichlich auf ihre Rechnung. Denn Verf. versteht es nicht bloß, uns ein Bild zu geben von dem Leben und Streben des Dichters, von dem Zusammenhang zwischen Lebensschicksalen und Stimmungen, die das poetische Schaffen hemmend oder fördernd beeinflussen, uns zu zeigen, wie sich die eigene Persönlichkeit des Dichters in hervorragenden Gestalten seiner Muse wiederspiegelt, sondern auch den Wert der einzelnen Dramen und Novellen — von den wenigen lyrischen Gedichten und Epigrammen sieht Ref. hier ab — in untersuchender Weise mit feinem psychologischem Verständnis und ästhetischem Urteil ins rechte Licht zu rücken. Dabei ist Verf. weit entfernt davon, ein einseitiger Bewunderer Kleists zu sein, und kommt doch am Schlusse seiner Ausführungen zu dem Urteil: „Kein deutscher Dramatiker der Folgezeit, auch Hebbel nicht, hat unserem Volke für diesen Verlust", der durch Kleists vorzeitigen Tod herbeigeführt wurde, „Ersatz zu leisten vermocht". Auf Einzelheiten einzugehen, wozu hinreichend Gelegenheit wäre, versagt sich Ref. in der Hoffnung, manchen Leser der Besprechung zum eigenen Studium des Büchleins anzuregen, was der Zweck dieser Zeilen ist. Das Interesse an dem anziehenden Inhalt wird den Lesern des Buches hoffentlich auch über die auffallend zahlreichen Kommas, die man nicht sieht, und über eine Anzahl Druckfehler, die man sieht, hinweghelfen.

Stargard i. Pomm.   R. Brendel.

1) **Deutsche Literaturdenkmäler des 17. und 18. Jahrhunderts bis Klopstock. I. Lyrik.** Ausgewählt und erläutert von Paul Legband. Leipzig 1908, G. J. Göschen'sche Verlagshandlung. 171 S. kl. 8. geb. 0,80 ℳ.

Auf eine Einleitung, worin die Literaturbewegung des 17. und 18. Jahrhunderts bis auf Klopstock übersichtlich behandelt

wird, folgt eine Reihe von Proben. Und zwar sind es im ganzen
45 Dichter, die vertreten sind. Das ist nicht wenig und daher
leicht begreiflich, daß auf den einzelnen nicht viel kommt. Dafür
kommen aber auch manche Poeten zu Wort, deren man heute
kaum noch gedenkt, und neben dem bekannten Opitz, Fleming,
Dach, Günther, Haller usw. finden wir auch weniger bekannte
Namen, wie Kaspar Stieler, Greflinger, Abschatz, Johann Burchard
Menke u. a. m. Besonders erwähnt sei die Geburtstagsode, in
welcher die Gottschedin ihren Gemahl und Meister feiert, sie ist
ungemein charakteristisch und spricht ganze Bände. Das eigentliche Kirchenlied, die kräftigste Blüte auf dem Parnaß des 17. Jahrhunderts, fehlt, jedenfalls, weil es in einem früheren Bändchen
der Sammlung zusammen mit dem Volksliede vorgeführt ist. Aber
wie steht es mit den auf dem Titelblatt angekündigten Erläuterungen? Sind damit die den Texten jeweils vorangehenden kurzen
biographischen Notizen gemeint, oder sollen sie, was doch kaum
glaublich, in dem in Aussicht gestellten 2. Bändchen nachfolgen?
Alles in allem: Perlen und Edelsteine deutscher Dichtung sind es
nicht, die uns hier vorgelegt werden; aber es ist immerhin etwas,
eine bei aller Öde doch nicht uninteressante Periode unserer
Literatur in schnellem Überblick mustern und die deutsche Dichtung von ihrem Tiefstand bis zum allmählichen, langsamen Aufstieg begleiten zu können.

2) Hermann J. Rehm, Deutsche Volksfeste und Volkssitten. Leipzig
1908, B. G. Teubner. Aus Natur und Geisteswelt. 116 S. 1 𝓜.

Daß das vorliegende Büchlein aus dem schier unübersehbaren
Gebiet der deutschen Sittenkunde einen nur mäßigen Ausschnitt
gibt, ist natürlich, und der Verfasser weiß das am besten selbst.
Aber verhältnismäßig steht doch viel in dem Buche und mancherlei, was man nicht überall findet. Wir lesen von den Sitten und
Bräuchen, die bei Kirchen- und anderen Festen noch jetzt üblich
sind oder wenigstens üblich waren, wir erhalten Bilder aus dem
städtischen wie aus dem ländlichen Leben und begleiten die
Darstellungen des Verfassers auf dem Wege von der Wiege bis
zur Bahre, von der Taufe bis zum Begräbnis, wobei dann das
Homerische οἱ δ'ἐπ' ὀνείατ' ἑτοῖμα προκείμενα χεῖρας ἴαλλον
den Kehrreim bildet. Das Buch in einem Zuge durchzulesen ist
mißlich, weil eine solche Folge unvermittelter Wandelbilder, wie
sie uns hier vorgeführt wird, immer etwas ermüdend wirkt;
aber es abschnittweise zu lesen ist ganz belehrend und unterhaltend,
und auch zum gelegentlichen Nachschlagen ist es dienlich. Natürlich fehlt auch der heute unentbehrliche Buchschmuck nicht.
S. 91 wird das Wort Botenbrot als alte Übersetzung von
εὐαγγέλιον angeführt, aber die Grundbedeutung wird nicht erwähnt, so ist die Angabe für den Laien geradezu irreführend.
Ein störender Druckfehler ist Frayr statt Freyr (S. 38) und auch

in der S. 99 angegebenen Form bruiloffen steckt wohl ein Druckfehler.

Weimar. F. Kuntze.

Theodor Mommsen als Schriftsteller. Ein Verzeichnis seiner Schriften von Karl Zangemeister. Im Auftrage der Königlichen Bibliothek bearbeitet und fortgesetzt von Emil Jacobs. Berlin 1905, Weidmannsche Buchhandlung. XI u. 188. 8. 6 ℳ.

Am 30. November 1887 am 70. Geburtstage Theodor Mommsens widmete dem großen Meister römischer Geschichte sein Mitarbeiter und Freund Karl Zangemeister ein Verzeichnis seiner Schriften, das mit sorgsamer Pietät alle literarischen Erzeugnisse des großen Gelehrten zusammenstellte und mit einem Blicke den ungeheuren Reichtum seines geistigen Schaffens überschauen ließ. Die großartige Einheitlichkeit seiner Lebensarbeit, die in den monumentalen Werken der römischen Geschichte, der Geschichte des römischen Staatsrechts und vor allem der gewaltigen römischen Urkundensammlung vorliegt, zeigte sich auch in den Hunderten kleiner Studien und Bemerkungen, die hier nebeneinander gestellt waren. Der durch diese Bibliographie Gefeierte konnte es zwar nicht unterlassen, in seiner Art über die abschreckende Fülle seiner literarischen Sünden zu spotten, aber er war fortan ein freundlicher Helfer zur Vervollständigung der Liste, da ihm das Verzeichnis vieles halb Vergessenes und Verschollenes als fehlend aus früher Erinnerung zum Bewußtsein brachte. So wuchs der Katalog in den nächsten Jahren stark heran, und es gelang dem treuen Sammler in nachträglicher Ährenlese noch manche zuerst vergessene Garbe einzubringen, wenn er dabei auch den Alten bisweilen zu komischer Verzweiflung brachte. Aber zur Vollendung brachte er seine Liste der Mommseniana nicht; denn der Tod ereilte ihn 1902 vor seinen Lehrer. Als Mommsen am 1. November 1903 gestorben war, beschloß der Generaldirektor der Königlichen Bibliothek zu Berlin, in deren Lesesaal der weißlockige Forscher so oft als ein Gegenstand verehrungsvoller Aufmerksamkeit an seinem Stammplatz erschienen war, Zangemeisters Arbeit aufzunehmen und fortzuführen. Emil Jacobs erhielt den Auftrag dazu und hat sich seiner Aufgabe mit großer Hingabe gewidmet, so daß die Zahl der Nummern von 920 auf 1513 angewachsen, also fast um die Hälfte vermehrt worden ist.

Er ist den Spuren, auf die Mommsen selbst den ersten Herausgeber hingewiesen hatte, fleißig nachgegangen und hat all die „Fugitiva" die der große Gelehrte einst in Zarnckes Literarischem Zentralblatte und andern Zeitschriften veröffentlicht hatte, festgestellt und verzeichnet.

So ist das schriftstellerische Lebenswerk Mommsens mit einer Vollständigkeit nachgewiesen, zu der keine wesentliche Ergänzung mehr möglich sein wird. Man bewundert die riesen-

hafte Arbeitskraft des großen Mannes und seine Vielseitigkeit
immer von neuem, die man wohl nach Macaulays Wort mit dem
Rüssel des Elefanten verglichen hat, der gleich geschickt ist eine
Stecknadel vom Boden aufzulesen und einen Baum des Urwalds
zu entwurzeln. Neben den gewaltigen Urkundensammlungen und
kritischen Textausgaben, die ganze Quellengebiete erschließen,
finden wir kleine Emendationen verdorbener Stellen, Erörterungen
antiquarischer Einzelfragen. Auch die dichterischen und politischen Streifzüge fehlen nicht. Wir erfahren, wie der Jüngling
im Liederbuche dreier Freunde mit Theodor Storm um den
lyrischen Kranz gerungen, wie er Carduccis Verse ins Deutsche übertragen hat, und man ist erstaunt zu lesen, daß der Herold römischer Geschichte 1851 im Literarischen Zentralblatt Droysens York
und Pertz' Stein besprochen hat.

In bezug auf die Anordnung ist Jacobs der zeitlichen Folge, die
Zangemeister als die natürlichste gewählt hatte, treugeblieben und
hat durch Verweisungen im Katalog und zwei Inhaltsverzeichnisse
die Übelstände beseitigt, die mit jener Anordnung verbunden waren.

Jedenfalls ist diese bibliographische Zusammenstellung eine
ausgezeichnete Vorarbeit für die zukünftige große Biographie
Mommsens, die wohl noch so bald nicht erscheinen wird und für
die wir vorläufig Ludo M. Hartmanns Studie in Bettelheims Bio-
graphischem Jahrbuch (Bd. IX) als einen brauchbaren Ersatz ansehen dürfen.

Brandenburg.   _____   Otto Tschirch.

Krebs, Antibarbarus der lateinischen Sprache. Siebente, genau
durchgesehene und vielfach umgearbeitete Auflage von J. H. Schmalz.
Zwei Bände. Basel 1905 und 1907, Benno Schwabe. VIII u. 811 bezw.
776 S. 20 ℳ.

Mit der zehnten Lieferung liegt nunmehr die siebente Auflage des bekannten Werkes fertig vor. Da kann ich denn über
die neue Bearbeitung in ihrem ganzen Umfange nur dasselbe
günstige Urteil fällen, das ich bei der Besprechung der 1. Lieferung in dieser Zeitschrift (1905 S. 727 ff.) ausgesprochen habe.
Der Antibarbarus, schon lange ein hervorragendes Werk und ein
unentbehrliches Hilfsmittel in der Hand jedes Lateinlehrers, hat
in der neuen Bearbeitung wieder außerordentlich viel gewonnen.
Überall zeigt sich die verbessernde, berichtigende und ergänzende
Tätigkeit des kundigen Herausgebers; das tritt schon in dem äußeren
Umfange der beiden Bände hervor, die zusammen um rund neun
Bogen gewachsen sind. Die sorgfältige Benutzung der Literatur
ergibt sich aus den reichen Zitaten bei den einzelnen Artikeln
wie aus dem Verzeichnis im 1. Anhang; die Zuverlässigkeit der
Angaben aus dem Umstande, daß trotz der unendlichen Menge
von Einzelheiten, die hier zusammengetragen sind, doch die Ausstellungen, die man machen kann, verhältnismäßig wenig zahlreich und bedeutsam sind.

Daß solche gar nicht gemacht werden könnten, erwartet ja der Herausgeber selbst nicht, wenn er im Nachwort (S. 776) sagt, daß es einem solchen Werke nie an Aussetzungen fehlen werde. So trage ich denn auch kein Bedenken, hier auf eine Reihe von Punkten einzugehen, an denen m. E. eine Berichtigung oder Ergänzung am Platze wäre. Mögen meine Bemerkungen dem Herausgeber mein Interesse für sein Werk bezeugen.

Im ersten Bande ist S. 169 neben *utrum—anne, ne—anne* das einfache *anne* im zweiten Gliede der Doppelfrage (ohne Partikel im. ersten Gliede) nicht erwähnt, obwohl dieses klassisch vielleicht noch am häufigsten ist; vgl. Cic. Pis. 3. Man. 57. ac. 2, 48. 93. fin. 4, 23. inv. 1, 38. Att. 12, 14, 2. — S. 175 unter *antea* ist für ein paar Stellen aus Cic. der Wortlaut nicht genau; inv. 2, 154 steht *postea aliquanto*, Cluent. 130 *paucis postea mensibus* (vgl. übrigens auch rep. 2, 60 *annis postea viginti*, Verr. 5, 142 *perbrevi postea*). — S. 177 s. v. *anteire* Z. 5 ist rep. 2, 17 statt 2, 31 zitiert. — S. 181 konnte bei *nihil antiquius habeo quam* c. inf. auch auf Cic. fam. 13, 29, 3 *nihil si fuisset antiquius quam . . reverti* verwiesen werden (ebenso b. Alex. 36, 2). — S. 190 s. v. *aptus* ist die bekannte Stelle Cic. Tusc. 5, 62 *gladium e lacunari saeta equina aptum demitti iussit* kaum richtig konstruiert; *aptus* ist doch wohl mit *saeta equina*, dagegen *e lacunari* mit *demitti* zu verbinden. In eigentlicher Bedeutung scheint *aptus* bei Cic. überhaupt nicht mit *ex* vorzukommen, öfter in übertragenem Sinne (z. B. auch par. 17. ac. 2, 31. fin. 2, 47. Tusc. 5, 36); beachtenswert ist auch Tim. 45 (*astrum*) *quo cum aptus fuerit*. — S. 194 oben ist aus Cic. Mur. 34 *tanti existimata est* zitiert; Müller hat wohl richtig *aestimata*. — S. 199 f. wird ein acc. c. inf. in unmittelbarem Anschluß an ein Substantiv selten genannt; aber N. Jahrbb. 1890 S. 35 ff. habe ich schon etwa 40 Stellen der Art aus Cicero angeführt, die ich jetzt nicht unwesentlich vermehren könnte. Selten ist der Gebrauch also nicht; seltener nur dann, wenn in dem regierenden Substantiv an sich der Begriff der geistigen Tätigkeit nicht liegt. Vgl. auch Lebreton, Caesariana syntaxis etc. S. 14, der übrigens richtig die Stellen ausscheidet, wo der acc. c. inf. nicht von dem Substantiv allein, sondern von einer aus dem Substantiv und einem Verb gebildeten Phrase abhängt, die einem Verb. dic. oder sent. gleichgestellt werden kann. Will man alle Stellen dieser Art mitrechnen, so vermehrt sich die Zahl der Belege freilich bedeutend; aber das wäre nicht richtig, und so ist es auch verkehrt, wenn der Antib. Quintil. 11, 2, 9 *quod et ipse argumentum est* (= *qua ipsa re demonstratur*) *subesse artem aliquam* als gleichwertig anführt. — S. 209 muß es bei dem Zitat Z. 5 heißen *Romae esse hominem et . . . . 4, 8ᵃ* (nicht 8ᵇ), 3.

Wenn S. 217 die verschiedenen Konstruktionen von *auctorem esse* gegeben wurden, so durfte auch die Verbindung mit *ad* c.

gerund. nicht fehlen, so Att. 9, 11ª, 2 *ad te adiuvandum.* dom. 30.
Phil. 2, 26 *auctores ad liberandam patriam desiderarentur* (vgl.
auch div. 2, 83 *ducem habeo ad rem gerendam.* Sest. 12 *adiutor
ad excitandum Antonium fuisset.* dom. 30, sowie Antib. s. v.
princeps). Man wird eben leicht im Zweifel sein, wie weit bei den
einzelnen Phrasen die Konstruktion mit *ad* sich belegen läßt [1]). —
S. 220 Z. 4 ist Brut. 252 (st. 225) zu lesen. Ebenda konnte für
audio, video c. part. oder inf. in klassischer Sprache auch wohl
auf meine ausführliche Darlegung N. Jahrbb. 1890 S. 32 ff. verwiesen werden. — S. 228 steht noch immer: einer oder
mehrere heißt *unus pluresve,* nicht *unus aut plures*; aber daß
aut ebensogut ist und außerdem auch noch *vel* vereinzelt in
gleichem Sinne vorkommt, habe ich schon N. Jahrbb. 1894 S. 26 ff.
erwiesen. Das Richtige gibt Menge, Repetitorium ⁸ § 523. —

Für *bellum gerere contra* wird S. 235 Cic. fam. 12, 22, 1 angeführt; aber die Stelle heißt *cum Antonio* (die beiden Worte
fehlen im Antib.) *bellum gerimus, non pari condicione, contra arma
verbis.* Hier war offenbar *contra* nötig, und daher besagt das
Beispiel nichts. Aber *contra* findet sich auch sonst, so Lig. 22
contra hanc urbem. 25 c. *Caesarem.* Phil. 5, 27 *c. maiores nostros.*
13, 16 c. *deos penates.* 39 *c. te,* — also ist *contra aliquem bellum
gerere* nicht nur spätlateinisch, wie der Antib. meint. Übrigens
hat Merguet keine der gegebenen Stellen, weder unter *bellum*
noch *gero* noch *contra.* — S. 240 s. v. *biduum* heißt es: '*biduo
post* .. oder einfach *biduo*'; aber die beiden Wendungen sind
doch kaum ganz gleichbedeutend.

S. 247 wird *cadere* mit Adverb erwähnt, aber auch ein
prädikatives Adjektiv kann gebraucht werden; vgl. Richter-Eber-
hard zu Cic. Mil. 81 *si minus virtus* .. *civibus grata cecidisset.* —
S. 267 Anf. wird der übliche Bedeutungsunterschied zwischen *causa*
und *propter* gegeben, der ja für die meisten Fälle zutrifft. Aber
es mußte doch wohl bemerkt werden, daß selbst klassisch *causa*
nicht immer den Zweck, sondern an einer ganzen Reihe von
Stellen, wenn auch bei dem häufigen Vorkommen des Wortes
immerhin verhältnismäßig selten, den Grund angibt. Namentlich
findet sich das scheinbar formelhafte *virtutis causa* (vgl. für *virtutis ergo* in gleichem Sinne Antib. s. v.), so Cic. leg. 2, 58
quibus hoc virtutis causa tributum est und *qui hoc virtutis causa
soluti legibus consecuti sunt;* ähnlich Balb. 26. 37. 44. Verr. 2, 23.
Caes. b. g. 6, 40, 7. Liv. 2, 13, 5. Justin. 13, 4, 10. Aber auch

---

[1]) Keine der Stellen für *auctor ad* bietet Merguet, Handlexikon s. v.,
erfüllt also hier den im Vorwort ausgesprochenen Zweck nicht, über die
verschiedensten Fragen der Grammatik und Stilistik Auskunft zu geben. Daß
dieser Mangel öfter vorliegt, mögen die im folgenden gelegentlich eingefügten
Verweisungen auf dieses an sich wertvolle Werk (kurz mit Mg. bezeichnet)
zeigen; es ist eben nicht leicht, bei einer Auswahl keine der hinsichtlich
der Konstruktion und des Ausdrucks bedeutsamen Stellen zu übersehen.

in anderen Verbindungen: Cic. R. A. 145 *inimicitiarum causa*; ebenso inv. 1, 45. Cluent. 1 *consuetudinis causa.* inv. 1, 104 *recte factorum causa.* or. 3, 58 *tempestatis causa.* Caes. b. c. 1, 33, 1 *timoris causa.* b. g. 1, 39, 2 *amicitiae causa.* Caes. b. Att. 10, 8 B, 2 *periculi causa.* Liv. 28, 21, 1 *mortis causa,* ebenso 31, 50, 4. 41, 28, 11. 36, 17, 7 *amoris causa.* Beachtenswert ist auch Cic. Sest. 45 der Wechsel: *me vestrarum sedum templorumque causa, me propter salutem meorum civium . . caedem fugisse.* or. 92 *tralata . . aut suavitatis aut inopiae causa traferuntur* sollte man nach der gewöhnlichen Regel *propter inopiam* erwarten, aber hier hat die äußere Angleichung an das erste Glied gewirkt[1]). Dagegen scheint *propter* finale Bedeutung zu haben Cic. fin. 1, 23 *existimo neque eum Torquatum . . . torquem illum hosti detraxisse, ut aliquam ex eo perciperet corpore voluptatem, aut . . conflixisse apud Veserim propter voluptatem,* wie man aus der Parallelisierung der Präposition mit dem Finalsatze schließen darf; doch kenne ich sonst derartige Beispiele in klassischer Sprache nicht. Aber Senec. rhet. contr. 2, 5 (13), 3 steht *nupsit isti propter liberos* (= *liberorum quaerundorum causa*; vgl. Archiv IV, 163). — Nach S. 267 M. muß es scheinen, als ob *causa quamobrem* klassisch nur Cic. fin. 4, 44 sich fände, aber es steht auch fin. 3, 51 (zweimal). Verr. 1, 70. Cael. 56. inv. 2, 127. Brut. 231; ebenso natürlich auch *nihil (quid) est quamobrem* u. ähnl. — Wenn S. 269 die Konstruktionen von *cavere* gegeben werden sollten, so konnte das etwas genauer geschehen. Sehr häufig ist klassisch *cavere rem,* selten *a re* (fin. 5, 64. Rab. perd. 33. Caes. b. c. 1, 21, 4), ziemlich selten auch *cavere quem* oder *a quo,* dagegen häufig wieder das gar nicht erwähnte und von Kühner S. 248 als selten bezeichnete *cavere alicui (rei)*; auch *cavere de* findet sich (Balb. 37. l. a. 2, 58 u. ö.). — S. 273 wird *certo* für die bessere Prosa auf die Verbindung *certo scire* beschränkt; aber es steht auch Cic. Tusc. 5, 81 *quasi certo futurum.* Att. 10, 14, 3 *id ipsum certo fore.* — S. 274: *certiorem facere* c. gen. findet sich klassisch doch wohl nur in Ciceros Briefen. — S. 276 ist das Beispiel Q. fr. 3, 5, 1 unpassend, weil im Texte nur *non cessavi neque cesso* steht, die im Antib. aber noch davorstehenden Worte *illos libros scribere* nur eine Ergänzung aus dem Zusammenhange sind; dafür konnten Q. fr. 2, 2, 2. Att. 11, 11, 2. Pis. 59 (alle 3 Stellen übrigens mit negativem *cesso*) angeführt werden. — S. 292 wird

---

[1]) Stellen, die irgendwie eine finale Deutung zulassen, habe ich oben nicht aufgenommen, so z. B. Cic. fam. 9, 14, 1 *valetudinis causa,* obwohl hier die kausale Auffassung m. E. das Natürliche ist; deshalb habe ich auch die bei Lebreton, Caes. synt. S. 79 gegebenen Stellen b. G. 1, 18, 6. 4, 9, 3 weggelassen. Übrigens gibt L. schon einen Teil der obigen Belege; für Livius ist *causa* vom äußeren Grunde sehr häufig (vom innern nur 36, 17, 7) nach Schmidt, Progr. von St. Pölten 1906; ich kenne die Schrift nur aus Jahresber. 1907 S. 16.

cogo c. acc. c. inf. pass. klassisch selten genannt; aber außer den
beiden genannten Stellen findet es sich noch Cic. Verr. 188. 3, 84.
Rab. perd. 12. Ph. 5, 22 (Mg. bietet keine von den 6 Stellen).
— S. 295 E. wird *bene cognitus, bene novisse* als klassisch anerkannt, aber *bene (melius) cognoscere* = 'jmd. besser kennen lernen'
bezweifelt; ob es sich dabei nur um den Ausdruck mit persön-
lichem Objekt handeln soll, ist nicht recht klar, da in diesem
Falle auch zu *cognoscere* ein *aliquem* hätte hinzugefügt werden
müssen.   Jedenfalls steht nicht nur Verr. 2, 24 *Lucullus melius
haec cognovit.*   3, 122 *optime potuit cognoscere* (sc. den Sachverhalt).   Brut. 269 *bene leges atque instituta cognoverat,* sondern
auch Brut. 150 *ex tua oratione mihi videor bene Crassum et
Scaevolam cognovisse.* — S. 304 fände man gern Auskunft, ob
committere ut non oder *ne* richtiger ist; nach Menge, Repetit.[5]
§ 342 II[d] müßte man das letztere annehmen, aber ich finde
klassisch nur *ut non.* — S. 319 konnte neben *concurrere adversus*
auch Cic. Scaur. fr. 20 *contra imperatorem . . concurrere atque con-
fligere* notiert werden. — S. 322: *conectere* c. d. steht nicht bloß
nachklassisch, sondern auch Cic. or. 2, 325 *conexum . . orationi*
(nicht bei Mg.); vgl. div. 1, 125 *nexus* c. dat. — S. 332 mußte
neben *conqueri rem* auch das bei Cicero jedenfalls noch häufigere
de re erwähnt werden (bei *queri* sind richtig beide Konstruktionen
angeführt).   Weiterhin heißt es, *conqueri* ohne Dativ mit acc. c.
inf. finde sich erst bei Sueton und Späteren.   Aber der Thesaurus II, 351 zitiert dafür außer Stellen aus Senec. Colum. Tac.
Curt. u. a. auch Lucr. 3, 613. Ov. A. A. 1, 739.   Liv. 2, 3, 3;
ebenso steht es auch Cic. Verr. 40, freilich nur als nachträgliche
Epexegese zu *illam labem.*   Jedenfalls ist diese Konstruktion ebenso
gut wie *conqueri quod,* das sich bei Cic. anscheinend nur inv.
1, 109, bei Livius nach dem Thes. überhaupt nicht findet, zumal
wenn man bedenkt, daß bei dem einfachen queri der acc. c. inf.
weit überwiegt (ich habe dafür bei Cic. etwa 70 Stellen gegen
15 *quod*).   Zu beachten ist auch *queri quia* Cic. Att. 10, 3ª, 2. —
S. 336 *consentaneum est ut* steht bei Cic. nicht nur fin. 3, 68,
sondern auch 3, 43 (beide Stellen fehlen bei Mg.). — S. 343
hätte vielleicht auch *conspirare ad fugiendum* Frontin strat. 3, 16, 3
(vgl. *consentire ad bellum inferendum* Cic. off. 3, 99) angeführt
werden können.   S. auch Thes. s. v. II 502. — S. 352 würde
man neben *contentus* c. inf. auch gern etwas über die nabeliegende Verbindung *contentus quod* hören.   Nach dem Thesaurus
(IV 680) scheint sie nicht eben häufig gewesen zu sein.   Klassisch
kann von den da gegebenen Stellen eigentlich nur Cic. or. frg.
A. XIII 27 in Betracht kommen (nicht bei Mg.); denn an den
andern beiden Stellen (Man. 25. div. 1, 16) ist der *quod*-Satz
Erklärung eines demonstrativen *eo (hoc),* ebenso Liv. 4, 6, 11.
44, 37, 4; und b. Alex. 5, 2 *ea* (sc. *aqua*) *plebes ac multitudo
contenta est necessario, quod fons urbe tota nullus est* ist offenbar

nur aus Versehen hierher geraten. Sonst finden sich nur Belege aus Senec. Lucan. u. Sp. — S. 354 s. v. *contineo* konnte bemerkt werden, daß bei *continere* (*tenere*) *aliquem* (*se*) auch für *domus* und Städtenamen sowohl die instrumentale wie lokale Auffassung möglich ist. So steht *continere quem domi* Cic. dom. 110. har. 6. Vat. 22. Su. 42, *tenere quem domi* Brut. 330, *se domi continere* Sest. 26. 89, *se tenere domi* Nep. 10, 9, 1 (ebenso Vell. 2, 44, 5); aber *continere quem domo* or. frg. A. 14, 12 (Thes. IV 702, 59 führt dafür nur Augustin. civ. 19, 5 an), *domo se tenere* sen. 29. dom. 6. Ferner fam. 16, 7 *Corcyrae teneri* (vgl. Val. Max. 1, 7 ext. 6 *se continere Himerae*) neben Att. 5, 20, 3 *Antiochiä teneri*. — S. 359 E. konnte neben *an contra* im zweiten Gliede der Doppelfrage auch *an secus* genannt werden; vgl. Cic. Pis. 68 *rectene an secus*. fin. 3, 44. — S. 383 Z. 8 war zu zitieren Tim. 10 (st. 3 extr.).

S. 395 *decedere* c. abl. in örtlichem Sinne hat Cic. wohl nur Lig. 2 *decedere provincia*. — S. 396 Z. 19 war zu zitieren Att. 7, 5 (st. 3), 6. — S. 397 fehlt neben *decertare cum* die Verbindung *decertare contra*: Cic. Pis. 77 *contra tribunum*; dom. 63 *vi et armis contra vim* wäre *cum* wohl kaum angängig gewesen (fehlt beides bei Mg.). — Ob *deducere* (S. 402 Anf.) in eigentlichem Sinne bei Cic. am gewöhnlichsten mit *ex* verbunden wird, ist mir zweifelhaft; ich kenne dafür nur die 4 zitierten Stellen (Catil. 3, 14 beruht auf einem Versehen) und fr. F. 5, 70 *ex ea* (sc. *via*), während ich den für *de* angegebenen 3 Stellen noch zufügen kann: prov. 13. fat. 18. rep. 1, 34. inv. 2, 52 (zweimal). Nicht erwähnt ist auch Flacc. 17 *a Sicilia deducere*; l. agr. 2, 65 *agris dedacere* ist kritisch (Mg. versagt ganz; falsch zitiert ist hier rep. 1, 84). — S. 409 *deicere* findet sich auch in räumlicher Beziehung bei Cic. mit *ab*, so Caec. 90 *a tuis aedibus*, und ebenso wiederholt *a loco*, *a fundo* Caec. 86—88 neben *ex*; den Unterschied zeigt Caec. 86 *cum de vi interdicitur, duo genera causarum esse intellegebant . . . . ., unum, si qui ex eo loco, ubi fuisset, se deiectum diceret, alterum, si qui ab eo loco, quo veniret,* und ebenso in den folgenden Sätzen. Auch der bloße abl. läßt sich aus Cic. belegen: Sest. 78 *templo* (fehlt alles bei Mg.). — S. 409: für *deinceps* fast = *deinde* führt Lebreton, Caes. s. S. 95 einige Stellen aus Cic. an. — S. 411 konnte bei *delectat* neben dem abhängigen infin. auch der acc. c. inf. erwähnt werden; vgl. Cic. fam. 7, 2, 2. — S. 416 *demovere* c. abl. steht nicht nur Cic. Planc. 53 *loco*, sondern auch Phil. 4, 13 *loco*. Caec. 42 *loco et certo de statu*, also überall nur *loco* (fehlt alles bei Mg.). Gar nicht erwähnt ist *demovere a*, so dom. 68 *a re publica*. Or. 2, 208 *a nobis odium*. inv. 2, 28 *culpam ab aliis*. 93 *ab officio*. — S. 428 *desperare* Z. 5 gehört das Zitat aus fam. 12, 14, 3 Lentulus an, nicht Cicero. Bei den folgenden Cicerostellen sind versehentlich noch die Kapitel statt der Para-

graphen angegeben, es muß heißen Mur. 45. Pis. 89. Clu. 68.
Pis. 84 (dazu sen. 34 *suis* sc. *fortunis*). — S. 432 fehlt *detrahere
ab aris* Cic. har. 28. — S. 434 ist mir *deverti in domum* (st.
domum) für die klassische Sprache mindestens zweifelhaft. Sollte
ferner die Konstruktion Varr. r. r. 3, 3, 9 *ad hospitem Casini de-
vertit* nicht die einzig richtige sein? Da die Richtung „wohin?"
schon durch *ad hospitem* bestimmt ist, wird die Ortsbestimmung
auf die Frage: wo? konstruiert, ebenso wie bei *convenire Romam,*
aber *convenire amicum Romae* (vgl. S. 361). Solange kein Beleg vorliegt, ist mir das im Antib. zugelassene *ad hospitem Casi-
num deverti* bedenklich. — S. 443 a. E. fehlt neben *dies noctesque*
usw. die (übrigens s. v. *diu* angeführte) Verbindung *noctes diesque*;
vgl. Richter-Eberh. zu Deiot. 38. — S. 471 *dolere de* findet sich
auch noch Cic. Att. 7, 3, 8. 12, 14, 4. 16, 4, 1. 13, 46, 4.
15, 2, 4, also nicht gerade selten (übrigens nur in den Briefen
an Attikus!); *dolere ex* kenne ich klassisch nur an der zitierten
Cäsarstelle. — S. 475 wird positives *dubitare* = Bedenken tragen
c. inf. sehr selten genannt; aber außer Cic. n. d. 1, 113 findet
es sich auch div. 1, 56. Phil. 5, 5. 37. Att. 10, 3ª, 2. 12, 49, 2
(Mg. gibt keine von den 6 Stellen). — S. 476 Z. 5 v. u. war
zu zitieren fin. 5 (st. 2), 55.

S. 485 Anf. steht noch, daß die Umschreibung mit *ex* notwendig sei, wenn das Ganze ein Zahlwort oder ein Subst. mit
Zahlwort sei; daß in diesem Falle auch sehr wohl der gen. part.
stehen kann, habe ich N. Jahrbb. 1887 S. 264 aus Cic. belegt. —
S. 489 *educere* a. E.: das Wort wird auch bei Cic. mit bloßem
abl. verbunden Phil. 14, 36 *castris* (fehlt bei Mg.). — S. 495 s. v.
egeo ist Cic. Br. 263 *verborum non egens* nicht berücksichtigt, wohl
weil hier das part. vorliegt; aber ich glaube, CFWMüller hat recht,
wenn er trotz der mehrfach beliebten Befeindung von *egere* c. gen.
die paar Cicerostellen mit dieser Konstruktion unverändert läßt.
Jedenfalls kann man nicht ohne weiteres sagen, Cic. setze immer
den abl. — S. 495 wäre der Artikel *egredi* übersichtlicher, wenn
von vornherein deutlich zwischen eigentlicher und tropischer Bedeutung des Wortes geschieden wäre; daß zunächst nur von
jener die Rede ist, wird erst durch die Gegenüberstellung der
tropischen Bedeutung am Schluß der Seite klar. Im übrigen ist
Z. 17 v. o. Quint. 24 (st. 25) zu lesen; ferner Z. 11 v. u. *porta
egredi* gehört nicht hierher, denn hier steht der abl. instrumental
(ebenso steht es S. 496 mit *porta, portis se eicere*); vgl. Meyer,
Progr. v. Herford 1893 S. 9. — S. 496 soll *egregius* (wie *prae-
clarus*) in ironischem Sinne voranstehen; aber diese Regel stimmt,
trotz Landgraf zu Rosc. S. 175, nicht; vgl. N. Jahrbb. 1894
S. 24 ff. — Ebd. s. v. *licere* ist fälschlich Mil. 78 (st. 87) zitiert.

· S. 525 M. *etiam*: das Wort wird doch klassisch sehr häufig
dem betonten Begriffe nachgestellt, nicht bloß in alter oder
nachklassischer Sprache. Wenn gleich darauf für 'auch, ebenfalls'

in dem bekannten Sinne *idem* verlangt wird, so ist das natürlich durchaus die Regel. Ob aber *etiam* in diesem Sinne ganz zu verwerfen ist, kann zweifelhaft sein; vgl. Hoppe, Progr. v. Lauban 1875 S. 9, der dafür Sen. benef. 6, 39, 1. ep. 85, 30 anführt, sowie die N. Jahrbb. 1894 S. 29 von mir aus Cic. gegebenen Stellen. — S. 527 wird das *etiam* in Verbindungen wie *magnus — maior etiam* noch auf 4 Stellen beschränkt; daß das nicht stimmt, habe ich neuerdings wieder in diesen Blättern (1906 S. 370) betont. — S. 548 Z. 3 ist Tusc. 4, 77 (st. 73) zu lesen. — Nach S. 550 kommt *expedire aliqua re* (statt *ab* oder *ex re*) in klassischer Prosa nicht vor; aber es steht Cic. Att. 2, 25, 2 *expedies nos omni molestia.* frg. A. VII, 7 *si me altero* (sc. *laqueo*) *expedissem.* — S. 560 konnte neben *exspectare dum* auch *quoad* wenigstens kurz erwähnt werden; vgl. Cic. Phil. 11, 25. fam. 14, 1, 2; *exspectare ut* findet sich bei Cic. nicht nur an den zwei gegebenen Stellen, sondern auch or. 3, 97. or. 168.· Att. 7, 26, 3. Pis. 51.

S. 570 M. ist das Zitat Brut. 142 zu streichen, an richtiger Stelle ist es S. 569 E. angeführt, wo übrigens der Deutlichkeit halber bemerkt werden durfte, daß es sich an dem Orte nur um *facere* = 'bewirken'·handelt. — S. 604 über *forsitan* in Nebensätzen ist das ziemlich häufige Vorkommen des Wortes in Relativsätzen nicht erwähnt; vgl. Cic. Verr. 2, 6. 3, 206. 4, 47. 132. 5, 4. Clu. 141. Sest. 45. Or. 1, 163. Brut. 33. or. 3, 74. fam. 5, 21, 3 (Mg. gibt keine Stelle für *forsitan* in Relativ- oder Konjunktionalsätzen). — S. 616 s. v. *fungi* mußte für den prädikativen Gebrauch von *fruendus* mit *esse* die Stelle Cic. fin. 1, 3 vollständiger angegeben werden: *non paranda solum nobis ea* (sc. *sapientia*), *sed fruenda etiam est*; dann würde klar, daß diese vereinzelte Konstruktion nur durch den Anschluß an *paranda* ermöglicht ist (in derselben Weise *gloriandus* Tusc. 3, 49. 50). Außerdem ist die Stelle Tusc. 3, 15 aus Versehen zweimal zitiert. — S. 619 s. v. *gaudeo* a. E. könnte man verstehen, als wenn die Verbindung mit acc. c. inf. klassisch nur eben zulässig wäre; aber sie ist durchaus das Gewöhnliche (ich kann 85 Stellen aus Cic. gegen 9 *quod* anführen), und ebenso steht es bei *gloriari.* — S. 625 *gestire* c. inf. steht außer Cic. epp. oratt. auch fin. 4, 5. 5, 48. — S. 634 wird für *gratulari* c. acc. c. inf. Phil. 2, 28 angeführt, aber die Stelle, die außerdem nur Antonius' Worte gibt, ist S. 634 E. schon richtig für *gratulari* c. acc. zitiert. Ein unanfechtbares Beispiel aus Cic. steht Att. 15, 22, 1, ebenso fam. 3, 12, 1. — S. 640 Z, 17 v. u. mußte der Deutlichkeit halber zu *habet annos quindecim* nach Thielmann a. a. O. ·die Übersetzung = *il y a quinze ans* zugefügt werden. — S. 645 s. v. *haerere* ist das falsche Zitat Sest. 69 (st. 62) von Landgraf übernommen. Angeführt konnte auch werden *haerere* c. abl. rep. 6, 18 *una sede* (sc. 2, 122 *radicibus suis* ist der Kasus zweifelhaft) sowie *haerere*

ad metas Cael. 75, *ad radices* n. d. 2, 135. — S. 660 Z. 7 ist
das genaue Zitat Att. 9, 2ª, 2.

S. 668 ff. ist m. E. die ganze Auseinandersetzung darüber,
daß ein deutsches 'schon' lateinisch oft gar nicht besonders ausgedrückt ist, sehr verbesserungsbedürftig. Als leitender Gesichtspunkt mußte vorangestellt werden, was erst S. 670 M. gesagt ist,
daß nämlich die Ergänzung von 'schon' jedesmal aus dem ganzen
Zusammenhange zu entnehmen ist. Daß dabei der betonte Begriff gern an die betonte Stelle (am Anfang oder Ende des Satzes)
gerückt wird, ist richtig; aber daß das durchaus nicht nötig ist,
zeigt No. 3 der Auseinandersetzung und namentlich No. 4. Deshalb durfte hier die Stellung nicht zum Einteilungsgrund gemacht
werden; denn es ist m. E. verkehrt, daß das deutsche 'schon'
durch die 'bloße Voranstellung des betreffenden Wortes' usw.
ausgedrückt wird. Im einzelnen stimmt eine Reihe von Beispielen
auch gar nicht zu den aufgestellten Sätzen. So wüßte ich nicht,
inwiefern Sall. Jug. 25, 5 *triduo*, 105, 4 und Cic. Tusc. 4, 5 *saepe*,
Mur. 60 *prius* eine besondere Tonstelle einnehmen; und daß
Cat. 1, 19 das 'schon' gar nicht auf das vorangestellte *magno*
bezogen werden kann, zeigt die gegebene Übersetzung: 'der ich
s c h o n d a d u r c h in großer Gefahr bin, daß'. Mur. 30 halte ich
den Zusatz von 'schon' für unpassend; dagegen Caes. b. civ. 3, 16, 4
ac fuisse semper. Cic. Mur. 80 *non auditum aliquando*, wo die
ganz gewöhnliche Wortstellung behauptet wird, sind doch *fuisse*
und *auditum* mit besonderem Nachdruck vor die Adverbia gesetzt.
— S. 673 M.: *idem-ut* findet sich immerhin vereinzelt Cic. Verr.
4, 27. ac. 2, 47. Tusc. 2, 9. — S. 678 wird Mil. 32 (richtig 33)
an vero vos soli ignoratis als Beispiel eines absoluten Gebrauchs
des Verbs angeführt, aber wohl mit Unrecht. Es soll doch
nicht ganz allgemein heißen 'oder seid ihr etwa Ignoranten', sondern als Objekt schwebt dem Redner schon hier der erst an die
folgenden synonymen Wendungen angeschlossene Fragesatz *quas
ille leges . . . . fuerit impositurus* vor. — S. 681 steht der Artikel
ilico an falscher Stelle. — S. 702 M.: in Verbindungen wie *venisse
eo muliebri vestitu virum* ist der bloße abl. nicht bloß z u l ä s s i g,
sondern sogar h ä u f i g, bei Cic., soviel ich sehe, sogar häufiger
als mit der Präposition *cum*. — Zu S. 707 Z. 13 ist zu bemerken,
daß CFWMüller Cic. inv. 2, 45 *incidet* (nicht *incedet*) *ad* liest. —
S. 708 läßt sich s. v. *incidere* der Satz nicht halten, daß das Verb
klassisch nur im part. perf. pass. mit dem abl. stehe; denn wenn
auch Cic. Pis. 92 *in basi inscribi incidique* kein vollgültiger Beweis
ist, so steht doch Tusc. 5, 101 *incidi in busto iussit* (fehlt bei
Mg.). — S. 712 Z. 20 v. u. lies Phil. 3, 31 (st. 30), vier Zeilen
weiter Tusc. 1, 58 (st. 54). — S. 724: *indignari, quod* steht
auch bei Cic. inv. 1, 102. 104. l. agr. 2, 58 (fehlt alles bei
Mg.). — S. 767 Z. 12 v. u.: Caes. b. G. 7, 11, 8 lesen Meusel
und Kübler *multitudini* statt des Genitivs. — S. 770 konnte bei

interest darauf hingewiesen werden, daß der Genitiv der Sache, für die etwas von Wichtigkeit ist, besonders bei persönlichen Begriffen (also wohl nach Analogie des Genitivs der Person) gebraucht wird; bei Cic. zähle ich wenigstens 10 Stellen für den Genitiv von *res publica*, einzelne für *populus, civitas, provincia, salus communis*, dagegen tritt der persönliche Begriff ganz zurück nur bei *res familiaris* fam. 4, 10, 2. — S. 779 s. v. *introire* halte ich es gerade bei den Verbindungen mit *domus* für angebracht, die Attribute dazu in den Zitaten nicht wegzulassen, so Phil. 2, 68 *domum tuam*, Att. 16, 11, 1 *in Siccae domum*; vgl. auch Phil. 6, 6 *introire Metinam*. Die Präposition scheint überhaupt klassisch nur bei Städtenamen und *domus*, soweit es auch sonst möglich ist, fehlen zu können, was hervorgehoben zu werden verdiente. — S. 780: *intueri* steht auch in eigentlicher Bedeutung mit *in* Cic. Brut. 253. — S. 786 konnte für den Ersatz des Passivs von *invideo* auch noch verwiesen werden auf Cic. or. 1, 228 *invidia et odio premi*. Verr. 2, 45 *in invidiam pervenire*, neben fam. 1, 7, 8 *invisum est*; *invidere propter* findet sich auch schon fam. 1, 9, 2. — S. 798 werden Wendungen wie *qui ita appellantur, ita vocant* usw. erwähnt, wo *ita* auf ein vorher gebrauchtes Nomen zurückweise; aber auch *sic* wird oft so gebraucht, besonders in Verbindung mit *appellari* (rund 20 Stellen stehen zu Gebote), und ebenso auch *ut* (Cic. har. 35 *legatus, ut ipse appellavit*. n. d. 2, 160 *oscines, ut augures appellant*). —

Zweiter Teil. S. 2: Die Konstruktion von *laborare* mit abl., *ex* oder *ab* ist wohl schärfer und richtiger gefaßt bei Menge, Repetit. [8] § 108 A. 4. — S. 4: *laetari de* steht Cic. Marc. 33 (nicht 23); übrigens konnte bemerkt werden, daß dies klassisch die einzige Stelle ist (fehlt bei Mg.). — Ob es S. 18 s. v. *liberare* richtig ist, die Präposition Cic. div. Caec. 55 *a Venere se liberare* auf eine besondere Bedeutung des Verbs zurückzuführen, ist mir sehr zweifelhaft; *liberare a* ist eben die Regel bei Personen; vgl. rep. 2, 57 *a regibus*. Nep. 8, 1, 2 *ab uno tyranno*. Wo Cic. den bloßen abl. der Person hat, erklärt sich dies jedesmal durch einen koordinierten sachlichen Begriff, so fam. 11, 8, 2. 12, 1, 1. Brut. 2, 5, 1 *regibus* neben *regno*. Tusc. 1, 48 *gravissimis dominis, terrore ac metu*. — S. 38 *ludificare* steht an falscher Stelle. — S. 54 Z. 8 ff. ist der Begriff von *reliquum est* und *restat* zu eng gefaßt. Beide stehen nicht nur im Übergange zum letzten Teile, sondern auch im Sinne von *relinquitur* = 'es bleibt nur noch die Möglichkeit übrig' oft genug, so *restat* Cic. Marc. 32 (vgl. Richter-Eb.). Quir. 41. n. d. 2, 44. inv. 1, 72. Att. 8, 7, 1. 14, 13, 2. fam. 4, 2. 4. frgm. E. 2, 2, ebenso *reliquum est* Rosc. A. 77. Phil. 12, 28 usw. (25 Stellen). — S. 58 konnte neben *terra marique* u. a. noch erwähnt werden Cic. Verr. 4, 117 *vel terra vel mari*. dom. 18 *mari terraque*. n. d. 1, 97 *terra mari paludibus fluminibus*. Ob man

übrigens sagen kann, *terra marique* diene auch dazu, die äußerste
Anstrengung zu bezeichnen, bezweifle ich; *terra marique conquirere*
heißt doch an sich nur 'in aller Welt zusammensuchen'. — S. 65
Z. 8 mußte das Zitat Archiv VIII S. 595 (st. 95) heißen. —
S. 67 mußte bei den Übersetzungen für 'Mittel' vor allen das
einfache *res* erwähnt werden. — Zu S. 71 *meminisse* a. E. möchte
ich bemerken, daß Deecke, Erläuterungen § 256 *memini quod*
anführt; m. E. ist diese Konstruktion allerdings nicht möglich. —
S. 83 M. ist die Bemerkung über *mille* und *millies* zur Bezeichnung einer unbestimmten großen Zahl nicht scharf gefaßt; *millies*
wird von Cic. in diesem Sinne gebraucht, aber nicht *mille*, sondern dafür setzt er *sescenti*; vgl. Wölfflin, Archiv IX S. 178. 180.
— S. 89 war neben *miscere aliqua re* auch *miscere cum* zu
nennen; vgl. Cic. Or. 196. Phil. 1, 13. Lael. 81 (alle drei nicht
bei Mg.); ebenso *commisceo cum* Marc. 7. dom. 144. n. d. 1, 16,
permisceo cum Vat. 13. ar. 2, 210. div. 1, 129. Tim. 22. —
S. 98 M. hat Verf. recht, wenn er mein Zitat Cic. fat. 6 beanstandet; gemeint war selbstverständlich die wenige Zeilen später
von ihm selbst angeführte Stelle fat. 5. Ob es übrigens nicht
etwas gewagt ist, auf Grund der paar vorliegenden Stellen die verschiedenen beschränkenden Regeln für *moneo* c. inf. aufzustellen?
Wenigstens steht z. B. *admoneo* c. inf. Cael. 34, obwohl das
Subjekt hier eine Person ist. — Nach S. 104 findet sich *mortales*
= die (sterblichen) Menschen bei Cic. nur in Verbindung mit
multi oder *omnes*, der Singular nur einmal mit *nemo* (Lael. 18),
aber nie steht das Wort ohne diese Zusätze allein substantivisch.
Aber wie verträgt sich damit div. 2, 127 *mentes mortalium falsis
visis concitare.* n. d. 1, 42 *mortales ex immortali procreatos?*; vgl.
auch ebd. 1, 50. inv. 1, 35, ebenso für den Singular parad. 16
quo beatius esse mortali nihil potest. n. d. 1, 98 *in homine atque
mortali.* Phil. 2, 114 *mortali.* — Für *multum* bei *antecedere,
praestare* u. ähnl., wovor S. 111 mit Unrecht gewarnt wird, vgl.
meine Ausführungen N. Jahrbb. 1894 S. 29 ff. — S. 111 wird
multum bei intransitiven Verben wie *prodesse, fallere* u. a. für Cicero
auf Briefe und Erstlingsschriften beschränkt; vgl. indes *multum
consulere* l. agr. 2, 88. *dubitare* or. 1. *fallere* Sull. 41; ferner
off. 3, 102 *plus nocere.* Cael. 23 *plus prodesse.* Planc. 25 *plurimum uti.*

S. 120 wäre eine Angabe erwünscht, ob und inwieweit sich
nancisci ut belegen läßt. — S. 131 Z. 9 v. u. wird *ne tum quidem
si* verworfen und dafür nur *ne si . . quidem* zugelassen; m. E.
ist das von Meyer, Progr. v. Herford 1897 S. 16 ff. treffend
widerlegt. — S. 133 A.: für *neque* oder *neve* nach positivem
Gliede in selbständigen wie abhängigen Begehrungssätzen möchte
ich auf meine Darlegungen in dieser Zeitschrift 1896 S. 707 ff.
verweisen. Ferner findet sich *et nec . . nec* nicht erst seit Livius,
sondern auch schon Cic. Tusc. 3, 38. off. 2, 85. Cat. 7. — Nach

S. 135 wird im 2. Glied der Doppelfrage bei *necne* das Verb gewöhnlich nicht wiederholt; immerhin habe ich mir 17 Stellen dafür aus Cicero notiert (über 40 freilich ohne Wiederholung). Am Schluß des Artikels ist zu lesen inv. 1, 95 (st. 94). — S. 154 M. vgl. für *mihi nomen est* meine Bemerkung Wochenschr. f. klass. Philol. 1908 Sp. 471. — S. 174 M.: *nullo adiumento esse* steht auch Cic. Verr. 5, 103. — Zur Einführung der Wirklichkeit nach einem Irrealis dient nicht bloß *nunc* oder *nunc vero* (S. 179); es findet sich auch öfter *nunc autem* (z. B. Tusc. 3, 2), *sed* (z. B. prov. 2, 47. Cat. 4), *vero* (besonders in der Verbindung *cum vero*, z. B. Verr. 2, 98. 118); vereinzelt auch *verum, at nunc, nunc tamen* (vgl. Menge, Repet.⁸ § 467, 8). — S. 184 E. wird *obicere* Cic. Phil. 2, 9 = *opponere* 'einwenden' gedeutet, eine Erklärung, die m. E. mit Recht von Hauschild, De sermonum proprietatibus etc. S. 281 beanstandet wird. — S. 215 Z. 2 lies off. 3, 50 (st. 12). — S. 220 Anf.: Cic. or. 1, 87 liest CFWMüller *qualem se ipse* (st. *esse*) *optaret*, so daß die Stelle für den acc. c. inf. bei *opto* gar nicht mehr in Betracht käme. In der Tat ist die Begründung im Antib., nach der hier die Konstruktion im Zusammenhang weniger 'auffällig erscheint', recht nichtssagend und wohl nur eine Verlegenheitsphrase. Dagegen könnte man n. d. 3, 95 *opto redargui me* als durch die Konzinnität mit dem parallelen Gliede *disserere malui* hervorgerufen hinzufügen. — S. 223 A. mußte für *opus est* mit bloßem Konjunktiv auch Cic. Att. 11, 8, 1 *diligentissime contendas opus est* angeführt werden (fehlt auch bei Mg.).

S. 235 s. v. *pedantismus* wird zur Übersetzung des Wortes 'Pedanterie' auch *ineptiae* nach Ter. Phorm. 648 empfohlen. Für den Zusammenhang paßt hier gewiß 'Pedanterie', aber an sich ist doch der Begriff von *ineptiae* viel weiter, so daß die beiden Worte nicht ohne weiteres gleichgesetzt werden können. Mit 'Pedanterie' wird der lat. Begriff im Grunde nicht übersetzt, sondern ersetzt. — S. 249 E. konnte neben *ita non* usw. auch *sic non* = so wenig (Cic. Mil. 56) erwähnt werden. — S. 257 wird *patiens* c. gen. für Cic. geleugnet; doch steht inv. 1, 109 *patiens incommodorum* (fehlt bei Mg.) — S. 263 s. v. *pax* Z. 5 lies ac. 2, 2 (st. 1); CFWMüller hat übrigens an der Stelle nicht *pace*, sondern *in pace*. — S. 268 wird *pellere* c. abl. = vertreiben aus einem Orte als selten in Prosa bezeichnet, unter Verweis auf Archiv VI S. 98, wo Wölfflin ein *regno pulsus* der klassischen Sprache ganz abspricht. Aber es findet sich *regno pellere* Cic. Rab. Post. 4, ebenso Sest. 58 *Ponto.* 85 *templis.* parad. 27 u. 28 *civitate.* leg. 3, 26 *urbe.* fin. 5, 54 *patria,* und ebenso Tusc. 3, 39. div. 1, 59. rep. 1, 5. Att. 8, 11, 2 *ea* (sc. *Italia*). 16, 1, 3 *agro* usw. Freilich wird vorher *foro pellere* belegt; aber wenn man hier auch nicht gerade 'vertreiben aus' übersetzen kann, so liegt doch im Grunde wohl ganz derselbe Fall vor; die gegebene Scheidung ist überhaupt unnatürlich und verfehlt. — S. 274 M. wird *per = ab* zur Bezeichnung der tätigen Person beim Passiv als unklassisch verworfen; indes, wenn auch *ab* die Regel ist, so ist doch auch *per* gar nicht so selten. Für Caesar führt Dernoscheck, De elegantia Caes. S. 33 eine Reihe von Stellen an (z. B. b. G. 1, 44, 5 *si per populum R. stipendium remittatur.* b. c. 2, 2, 6 *per Albicos eruptiones fiebant*); und für Cic. vgl. die von mir für Menge, Repetit.³ § 106 Abs. 3 zusammengestellten Belege (z. B. Att. 10, 4, 4 *quis potest aut deserta per se patria aut oppressa beatus esse*). Also ist auch Antib. s. v. *mediare* ein solches *per* mit Unrecht auf 'schlechte Stilisten' beschränkt. — S. 290 Z. 4 lies Verr. 5, 64 (st. 63). — S. 312 M.: *plures quam septem* steht auch Cic. leg. 2, 39. — S. 341 Z. 7 wird bei der Erörterung über den Modus in Vergleichssätzen nach *potius, citius, prius quam* das Vorkommen des ind. praes. im Haupt- und Nebensatze bezweifelt; vgl. jedoch Cic. or. 169 *flagito potius quam laudo.* Übrigens hätten auch die entsprechenden Sätze nach *libentius quam* herangezogen werden können; vgl. Cic. Clu. 151 *nihil fecisset libentius quam contulisset* und besonders interessante Verbindungen wie fam. 9, 14, 4 *libentius .. transfuderim quam .. exhauserim* (ebenso Att. 14, 17ª, 4). fin. 2, 8 *didicerim libentius quam te reprehenderim.* Ebd. war unter b) Anf. zu zitieren Cic. fam. 2, 16, 3. — S. 344 oben: für *alii = ceteri* bei Cicero vgl. Lebreton Cic. S. 109 ff. — S. 346 s. v. *praeceptum* wird neben *praeceptum alicuius rei* auf *de aliqua re* gestattet; aber belegt wird nachher nur *praecepta dare de re*, und auf diese Verbindung beschränkt sich doch auch wohl die Anwendung der Präposition. — S. 373 E.: *precari aliquem aliquid* ist doch wohl nur möglich, wenn die Sache durch ein neutrales Pronomen ausgedrückt ist? — S. 389 s. v. *procumbere* lies Gall. 7, 15, 4. — S. 402 s. v. prope: neben *prope* c. acc. war auch *prope a* erwähnenswert; vgl. Cic. Pis. 26. Verr. 2, 6. 5, 6; ebenso *propius a* n. d. 2, 52. 87. — S. 403 A.: wie Caelius sagt *prope oblitus sum*, so hat auch Cic. fam. 14, 3, 1 *prope delevi.* — S. 409 M. konnte neben *meus proprius* auch kurz *meus et proprius* u. ähnl. angedeutet werden; vgl. N. Jahrbb. 1885, S. 234.

S. 451 M. wird für *aliique, ceterique* u. ähnl. (am Schlusse von Aufzählungen) auf den Artikel *et* verwiesen; aber da steht nichts davon. Vgl. zur Sache meine Ausführungen N. Jahrbb. 1894 S. 170 ff. — Die S. 452 gegebene Unterscheidung zwischen *queri rem = '*etwas zum Gegenstand der Klage machen' und *queri de re = '*seine Klage laut werden lassen' will mir nicht einleuchten; in Grunde besagen doch die im Deutschen gewählten Ausdrücke beide ganz dasselbe. — S. 454 wird *non quia = '*nicht als ob' für die klassische Prosa geleugnet; richtiger Kühner II S. 917 ff., der die Verbindung klassisch selten nennt und Cic. fin.

4, 62 *nec quia bonum sit valere, sed quia* usw. und Tusc. 1, 1[1])
anführt (Mil. 59 wird jetzt *non quin* gelesen). Aber außerdem
findet sich noch Tusc. 4, 27 *non quia iam sint, sed quia*. Or. 134
non quia sola ornent, sed quod. fin. 1, 48 *non quia voluptates fu-
giat, sed quia*. Tull. 5 nachgestelltes *non quia non videretur*. Ferner
non quia c. ind. findet sich auch leg. 2, 31, .daneben *non quod* c.
ind. rep. 1, 30 *quaerebat* (Riemann wohl ohne Grund ·*quaereret*).
Or. 198 *constat*. Von den obigen Stellen mit *non quia* steht
übrigens keine bei Mg. — S. 468 A. wird *cum igitur* für viel
seltener erklärt als *itaque cum*, ebenso *cum autem* (*enim*) im Verhältnis zu *sed* (*nam*) *cum*. Aber das stimmt ganz und gar nicht
zu den Stellen, die ich N. Jahrb. 1894 S. 18 ff. gesammelt habe;
ebensowenig S. 573 M. die Bemerkung über *nam si* und *si enim*.
— S. 485 M.: Bei negativem *recuso* findet sich gelegentlich auch *ne*,
vgl. Cic. Clu. 150. 154. — Wenn S. 485 E. von *reddere* mit Adjektiv
die Rede ist, so ist offenbar nur ein prädikatives Adjektiv
gemeint; ein solches liegt aber Cic. inv. 1, 95 *si ratio alicuius
reddetur falsa* offenbar gar nicht vor, so daß *reddi* in diesem
Sinne für die klassische Sprache ganz wegfällt. — S. 486 s. v.
reddere sind die letzten fünf Zeilen unklar. An Stellen wie Cic.
Att. 8, 1, 1 *redditae mihi litterae sunt a Pompeio*. 8, 11 D 1 *dum
mihi a te litterae redderentur*. fam. 3, 1, 2 *libertus tuus mihi red-
didit a te litteras* sind die präpositionalen Ausdrücke *a te, a Pompeio* jedesmal Attribute zu *litterae*, gehören aber nicht zu *reddere*;
denn die Zustellung wird jedesmal durch den Boten besorgt.
Was soll also heißen, daß *reddere* 'sowohl von dem Überbringer
als von dem Verfasser eines Briefes gesagt wird'? — S. 503 s. v.
reponere a. E. lies n. deor. 1, 38 (st. 58). — S. 510: beachtenswert ist auch Liv. 28, 6, 8 *respondere ad spem* = entsprechen;
vgl. auch Varr. R. R. 2, 5, 9 (oft so Vitruv.). — Nach S. 520
Z. 13 v. u. sagt man *rogare ut* oder *ut ne*; daß *rogare ne* nicht
erwähnt ist, dürfte wohl zufälliges Versehen sein (vgl. z. B. Cic.
Att. 13, 19, 1).

S. 537 sind zwei Stellen für *satis habeo quod* zitiert; daß
die Konstruktion nur eine Ausnahme ist, dürfte auch daraus
hervorgehen, daß der Anlaß beidemal offenbar darin liegt, daß·
satis habeo schon selbst im Infinitiv steht, nämlich Liv. 40, 29, 13
satis habendum (sc. *esse*) *quod*. Justin. 22, 8, 14 *satis habere
se quod superstites eos esse sciat*. — S. 570 E.: vereinzelt steht
sive . . . sive auch mit dem coni. irrealis, so Cic. Tull. 32 *voluisses*.
Planc. fam. 10, 24, 4 *accessisset*. Iterativen Sinn hat der Konj.
Tac. ann. 4, 60 *seu loqueretur seu taceret*, konzessiven dial. 25
sive . . . sive appellet. — S. 574 M: neben *ut . . . sic etiam* findet
sich auch vereinzelt Cic. inv. 2, 50 *ut causarum sic oratorum quo-*

---

[1]) Auch CFWMüller liest hier unbedenklich *non quia*. Wenn Schmalz
sich für die Änderung *non quin* auf Gebhardi beruft, so ist es interessant,
daß dieser wieder die Autorität von Schmalz vorführt.

que. — S. 610 s. v. *studium* a. E. wird *cum summo studio* verworfen, man sage nur *magno, maiore, summo studio* ohne *cum*.
Das trifft für Cäsar zu, und auch bei Cicero ist der Abl. durchaus das Gewöhnliche, nicht bloß bei den genannten Attributen;
aber es findet sich doch auch Verr. 5, 153 *summo cum studio*
(Phil. 7, 13 *sine ulla recusatione, summe etiam cum studio no-
mine dant* war der Deutlichkeit halber *cum* wohl nicht gut zu
entbehren). Font. 44 desgleichen. Man. 69 *cum tanto studio*.
Ob deshalb Wölfflin Archiv VI S. 5 Sallust wegen Cat. 51, 38
cum summo studio mangelhafte stilistische Durchbildung vorwerfen
durfte, bezweifle ich. Übrigens wird auch bei manchen anderen
gebräuchlichen abl. modi meist *cum* weggelassen (so in Verbindungen mit *periculo, cura, diligentia, labore, voluntate*), ohne daß
deshalb *cum* unzulässig wäre. — Neben *timendum est ne* == *peri-
culum est ne* (S. 664A.) findet sich auch *verendum est* Cic. Tusc.
2, 12 (wenn man Stellen wie l. a. 1, 24 *verendum nobis erit*.
Cat. 31. prov. 42 wegen des zugefügten Dativs der Person nicht
gelten lassen will), *metuendum est* Phil. 12, 28 (alles nicht bei
Mg.). — Unklar ist mir, weshalb S. 643 s. v. *tanquam* das einfache *tanquam* == 'wie wenn' Cicero abgesprochen und behauptet
wird, er sage nur *tanquam si*; für letzteres habe ich (natürlich,
ohne auf Vollständigkeit Anspruch zu machen) nur 10, für *tanquam* rund 30 Stellen notiert, so z. B. off. 1, 134. Phil. 2, 41. 44.
— S. 701M. heißt es, Sueton weiche von der regelmäßigen Wortstellung in Vergleichsätzen wie *ut erat copiosus* ab, indem er *erat*
ans Ende treten lasse. Indes schon Cicero sagt Verr. 2, 88 *ut in-
primis Siculorum in dicendo copiosus est*. 4, 35 *vasa omnia, ut
exposita fuerunt*. Deiot. 19 *armatos, ut collocati fuerant*. — S. 703A.:
daß *ut eo* == *quo* damit desto an sich nicht unmöglich ist, so
selten es sich auch verhältnismäßig findet, zeigen die bei Menge,
Repet.[3] § 356 Anm. angeführten Stellen.

Manche meiner Bemerkungen, die sich immerhin noch vermehren ließen, mögen etwas kleinlich erscheinen; aber aus kleinen
Einzelheiten besteht ja das Werk seiner ganzen Art nach zum
wesentlichen Teil, und kleine Einzelheiten sind es, über die der
Benutzer oft Auskunft haben will. Namentlich liegt dem Latein-
lehrer oft daran, sich Klarheit darüber zu verschaffen, ob und inwieweit gewisse an sich nach den Gesetzen der Logik zulässige
Ausdrucksweisen durch den Sprachgebrauch gerechtfertigt oder
doch wenigstens entschuldigt werden. Das habe ich im Sinne,
wenn ich wiederholt vereinzelte oder seltene Konstruktionen
namentlich aus Cicero belege.

Was die Form der Darstellung betrifft, so ist der Ausdruck hier und da verbesserungsbedürftig. Es würde zu weit
führen, wenn ich in dieser Beziehung alles aufzählen wollte, was
mir aufgefallen ist; es mag genügen, auf einzelne Stellen hinzuweisen. Zuweilen ist der Satzbau schwerfällig und unbeholfen,

so I 252 s. v. *calx*: 'In der Bedeutung Ende kommt es bei den Alten nur so vor, daß man das Bild von der Rennbahn hernimmt, wo das Ziel im Gegensatz von *carceres*, den Schranken, von welchen aus der Wettlauf begann, *calx* hieß, und womit auch ein Verbum der Bewegung, besonders des Laufens, verbunden wird, und oft auch noch mildernde Wörter, wie *ut dicitur, tamquam, quasi* zur Kennzeichnung des Sprichwörtlichen eingeschoben werden'. Schwerfälliger Satzbau mit schleppenden Relativsätzen findet sich I S. 281 s. v. *circulus* Anf., S. 509 *epocha*, II S. 11 *lectica*, S. 299 *philologicus*, S. 317 *poetaster*, S. 331 *possibilis* Anf. u. ö. Auch der Ausdruck im einzelnen ist manchmal breit und ungeschickt, manchmal ungenau und unzutreffend. So steht I S. 164 *angustus* werde auch 'von einem Worte gebraucht' statt 'von dem Begriffsumfange eines Wortes'. Ferner steht S. 193 '*arator* werde vermieden durch *agricola*' statt 'ersetzt' (dasselbe 'vermeiden durch' findet sich oft, so II S. 229 s. v. *originalis*, S. 293 *perturbator*, S. 309 *pleonasmus* u. ö.); S. 227 Z. 8 'sagt man fast nicht *auf*'; S. 234 Z. 13 'beziehen sich meistens fast nur'; S. 287 *clarus*: 'ebenso sagt man für das Gehör *clara voce*'; S. 297 *collectio* = 'Sammlung von Gedichten aus Mehreren'; S. 399 *declamare* sind die Worte 'und vor dem Volke . . . *contionari*' ohne Konstruktion (ähnlich S. 411 *delectabilis* a. E.); S. 693 '*impetrare* .. beschränkt sich auf Worte, wenn man mündlich oder schriftlich um etwas anhält und es erhält'; S. 796 s. v. *is* Z. 5 sind die Worte: 'und so, wo nicht einfach auf etwas hingewiesen ist, sondern wo die Hinweisung sich auf ein vorangegangenes Substantiv bezieht' kaum verständlich; II S. 79 '*metrum* .. ist beschränkt auf Verse' usw. Hin und wieder finden sich Ausdrücke, die wohl kaum allgemein üblich sind, so I S. 454 *disceptare* 'streitig sein mit jmd.'; S. 731 *infacundia* 'Unberedsamkeit'; II S. 227 *ordiri* 'sich anfangen'; S. 367 *praesumptio* 'Vorausnehmung'; S. 402 Z. 2 'nach Umfluß seines Amtsjahres'; S. 518 Z. 4 v. u. 'einen zu lachen machen' usw.

Einzelne größere Artikel sind m. E. nicht klar und übersichtlich geordnet, so z. B. *intrare* und *modus*; außerdem würde es sich empfehlen, in Artikeln wie I S. 361 ff. *convenire* die Zahlen und Buchstaben der Disposition durch den Druck scharf hervorzuheben. Eine auch äußerlich klar hervortretende Anordnung erleichtert die Benutzung gewaltig. Manche Artikel müßten zerlegt werden, da ein unter einem anderen, wenn auch stammverwandten Worte mitbehandeltes Wort leicht übersehen wird. So würde ich als besondere Artikel aufführen *assuesco* neben *assuefacio*, *auspicium* neben *auspicari*, *commoneo* neben *commonefacio*, *consultare* neben *consulere*, *defensare* neben *defendere* (in das es mitten eingeschoben ist), *munificus* neben *munus*, *spelaeum* neben *specus* und so oft. Mehrfach vermißt man notwendige Verweisungen, so bei *documentum* auf *argumentum*, bei

efficio auf *reddo,* bei *frui* auf *fungi,* bei *perhorreo* (*perhorresco*)
auf *horreo* u. a. m.

Endlich ein paar Druckfehler. I S. 244 a. E. sind die
Worte 'zu Hor. od.' versehentlich in die vorletzte Zeile geraten;
S. 419 s. v. *deplorare* Z. 6 muß es 'verloren geben' (st. gehen)
heißen; S. 720 *indagare* ist das 'sei unedel' unverständlich;
II S. 114 steht: *mundus* = der Menschheit (Dativ) als eines
Ganzen; S. 525 Anf. *sacro* st. *sacra.*

Norden.   Carl Stegmann.

F. J. Wershoven, Poésies Françaises. Französische Gedichte für
Schule und Haus. Ausgewählt und erklärt. Zweite, vermehrte und
verbesserte Auflage. Berlin 1908, Weidmannsche Buchhandlung. X
u. 258 S. 8. 2,20 ℳ.

Der erste Teil der Gedichtsammlung von Wershoven enthält
auf S. 1—28 für die Unterstufe der Schulen 32 leichtere Gedichte verschiedenster Verfasser; der zweite bietet von La Fontaine bis auf Hérédia herab unter besonderer Berücksichtigung
des XIX. Jahrhunderts eine große Anzahl geschmackvoll ausge-
wählter Dichtungen. Der Inhalt ist so mannigfaltig, daß jede
Geistesrichtung durchaus zu ihrem Rechte kommt und der Reichtum der französischen Literatur auch auf diesem Gebiete glänzend zur Anschauung gebracht wird. Der Unterricht in der
Schule wird ja nur für eine beschränkte Zahl solcher Gedichte
Zeit zu eigentlicher Durchnahme finden und sich dann damit begnügen, zu weiterer eigener Lektüre anzuregen. Weil so vieles
geboten wird, kann jede Neigung auf ihre Kosten kommen, und
gerade das, was dem nationalen oder persönlichen Geschmacke
zunächst nicht zusagt, wird lehrreich wirken, indem es den Gesichtskreis erweitert. Erleichtert wird die Privatlektüre durch
die Anmerkungen (S. 212 bis 255), welche außer knappen biographischen und literargeschichtlichen Notizen mit Recht wesentlich der sachlichen Erklärung und zwar hier in ausgiebiger Weise
dienen. Eine kurze Verslehre (S. 207 bis 212) unterrichtet gut
über die Eigenart französischer Metrik und Rhythmik. Den
Schluß des Buches bildet ein alphabetisches Verzeichnis der
Dichter und Hinweis auf die biographischen Notizen; diese fehlen
bei Catalan, Foucher, Montgolfier, Monod und Ryan, vielleicht entschließt sich der Herausgeber, sie noch den Anmerkungen zum
ersten Teile hinzuzufügen, wo am besten auch gleich die Angaben
über Brizeux u. a., die jetzt erst bei dem zweiten Teile gesucht
werden müssen, ihren Platz fänden. Einige Gedichte z. B. Lamartine, Bonaparte; Delavigne, Colomb, sind gekürzt; wo das notwendig erschien, würde es sich empfehlen, den Gedankeninhalt
der ausgelassenen Verse kurz anzugeben.

Einzelne Druckfehler finden sich, der störendste auf S. 77,

wo statt *O généraux sanglots* zu schreiben ist *généreux*. Im
übrigen macht die Ausstattung dem Verlage alle Ehre.

Sondershausen. _____ A. Funck.

**J. C. Andrä, Grundriß der Geschichte für höhere Schulen, neu
bearbeitet und für die Oberstufe neunklassiger Schulen fortgesetzt
von Karl Endemann und Emil Stutzer. 4. Teil. Geschichte
des Mittelalters und der Neuzeit bis zum Jahre 1648, für die Unterprima höherer Lehranstalten. Von Emil Stutzer. Zweite Auflage.
Leipzig 1908, R. Voigtländers Verlag. VI u. 187 S. 8. geb. 2,20 ℳ.**

Daß die von Endemann und Stutzer durchgeführte Neubearbeitung und Fortsetzung des Andräschen Grundrisses der Geschichte sehr wohl gelungen ist und daß das Buch in seiner
neuen Gestalt zu den besten Geschichtsleitfäden gehört, die wir
haben, ist allgemein anerkannt, und es ist sehr erfreulich, daß jetzt
auch für den vierten Teil, dessen erste Auflage ich seinerzeit in
dieser Zeitschrift (LVII. Jahrgang S. 471 ff.) angezeigt habe,
eine neue Auflage nötig geworden ist. Für diese hat Stutzer
alle Besprechungen und viele Ratschläge von Fachgenossen benutzt, und so ist denn das Buch noch besser geworden als es
schon war.

Die Anordnung des Stoffs ist beibehalten, und nur an
wenigen Stellen sind in der Gruppierung der Vorgänge zweckmäßige
Änderungen getroffen worden.

Die Form der Darstellung war von vornherein klar, einfach
und gut: aber auch hier ist noch manches gebessert worden, so
hat der Verfasser die früher allzu zahlreichen Klammern an vielen
Stellen beseitigt und, was sie enthielten, mit dem fortlaufenden
Texte verbunden.

Was den Ausdruck betrifft, so hätte meiner Meinung nach in
der Änderung und Besserung noch etwas mehr geschehen können:
ein Schulbuch muß auch darin mustergültig sein. Das häßliche
„bzw." auf S. 39, Z. 10, das dem greulichen „resp." an beleidi-
gender Zopfigkeit nicht sehr nachsteht, sollte dem einfachen und
durchaus verständlichen „oder" weichen; der Ausdruck „Welt-
reich" (S. 43 Z. 11), der wie immer so auch hier eine ungeheure
Übertreibung in sich schließt, sollte ebenso verschwinden, wie auf
S. 100 Z. 6 die Bezeichnung „Weltherrschaft des Papstes". —
Einen Weg kann man einschlagen — eine Entwicklung nicht
(S. 52 Z. 14 v. u.); ist übrigens ganz abgesehen davon das einfache „während der Norden sich selbständig entwickelte" nicht
viel besser, als die Umschreibung mit dem Hauptwort, die auch
sonst noch öfter ganz überflüssigerweise gewählt ist? Auf S. 55
Z. 4 paßt der Nebensatz „als Heinrich 1056 plötzlich im Harze
starb" recht wenig zu dem einen Zustand beschreibenden vorhergehenden Hauptsatze „Mit der Ausdehnung des Deutschen Reiches
stand seine innere Schwäche in Widerspruch". Auf S. 130 Z. 9
v. u. ist „man", das als Subjekt von drei Prädikaten dient, noch

weniger gut als das auf die „spanische Nation" bezogene „sie"
der ersten Auflage: warum nicht einfach „die Spanier"? Weil
vorausgeht „die spanische Nation"! Das ist aber doch wahrhaftig kein durchschlagender Grund. Daß Melanchthon „in seiner
Person den Humanismus und die Reformation am wirksamsten
vereinte" (S. 138 Z. 6 v. u.), läßt sich kaum sagen; ebensowenig,
daß Karl V. sich „aus Furcht ... genötigt sah, den Protestanten
... freie Religionsübung ... zu bewilligen" (S. 142 Z. 11 v. u.):
es muß doch wohl heißen: „ er wurde durch die Furcht veranlaßt" oder „aus Furcht bewilligte er". — Störend ist auch noch
immer an einigen Stellen das von mir schon früher beanstandete
Fehlen des Artikels, so S. 11 Z. 6 v. u. „Nach Eroberung Daciens
durch Trajan"; S. 62 Z. 5 „Er erwarb solche" (auf eine „starke
Hausmacht" bezogen) statt „Eine solche erwarb er"; S. 92 Z. 3
v. u. „um Erblichkeit der Krone zu erlangen".

Anerkennung verdient es, daß der Verfasser, der von Anfang
an sehr eifrig bemüht gewesen ist, seine Ausführungen möglichst
knapp zu geben und dabei doch genau zu sein, auch in der
neuen Auflage manches, was ihm mit Recht noch entbehrlich
oder vielleicht auch nicht recht zutreffend zu sein schien, gestrichen hat, so die Anmerkung zu § 7, 1, die in starker Übertreibung den Ruhm Roms verkündete. Auch jetzt könnte wohl
noch an manchen Stellen gekürzt werden: so brauchten, um nur
eins zu erwähnen, die Kämpfe bei Wiesloch, Wimpfen und Höchst
auf S. 169 nicht angeführt zu werden. Der Geschichtslehrer
muß in Prima, da ihm leider nur drei Wochenstunden zu Gebote
stehen — manche freilich meinen, er könne auch davon noch
eine missen! —, sowieso schon eine Art Hexenmeister sein,
wenn er wirklich alles tun will, was ihm die Lehrpläne mit der
ihnen eigenen Gelassenheit vorschreiben: er soll das Tatsächliche
vorführen und für „dessen gedächtnismäßig geordnetes Festhalten",
zugleich aber auch für „die ergänzende Vertiefung und vergleichende Durchdringung des in IV bis U II dargebotenen Stoffs
nach verschiedenen Gesichtspunkten" sorgen; er soll „Wiederholungen in zusammenfassenden Überblicken" vornehmen, soll
die Verfassungs- und Kulturverhältnisse eingehend berücksichtigen
und über wirtschaftliche und gesellschaftliche Fragen in ihrem
Verhältnis zur Gegenwart belehren; er soll endlich zu dem allen
auch noch die Alte Geschichte wiederholen: wenn das auch nur
annähernd möglich sein soll, so ist die äußerste Beschränkung
des Stoffes nötig. Wir müssen uns nicht nur um des Buchstabens
der Lehrpläne willen, sondern im Interesse der Jugend dazu entschließen und können es auch ganz gut; gibt es doch eine
ziemlich große Anzahl von Vorgängen, Namen und Zahlen, die
nur deshalb noch gelernt werden, weil sie bisher gelernt worden
sind, weil dem Lehrer ihre Kenntnis infolge langer Gewohnheit
erklärlicher- und doch törichterweise als unentbehrlich, die Un-

bekanntschaft mit ihnen als bedauerlicher Mangel an allgemeiner Bildung gilt, während in Wahrheit doch davon keine Rede sein kann. Der Ansicht bin ich freilich nicht, die auch ihre Vertreter hat, daß auch die wirklich wichtigen Ereignisse, Orte und Zahlen, die im Leitfaden der Mittelstufe als nötig angeführt und gelernt worden sind, ins Lehrbuch der oberen Klassen nicht alle wieder aufgenommen zu werden brauchten, da es hier ja hauptsächlich darauf ankomme, den geschichtlichen Stoff nach höheren Gesichtspunkten zu behandeln. Das soll gewiß geschehen, aber deshalb darf das Tatsächliche doch nicht geringgeschätzt werden, und der Primaner muß, was zu wissen nötig ist, in seinem Lehrbuch finden; man darf nicht meinen, er könne und werde es im Leitfaden der Mittelstufe suchen. Stutzer scheint mir in dieser Beziehung das Richtige zu treffen.

Von den zahlreichen sachlichen Verbesserungen der neuen Auflage hebe ich nur einige hervor: auf S. 10 sind die Ausführungen über den Limes, auf S. 37/38 die Angaben über die militärische Dienstpflicht unter Karl dem Großen sehr zu ihrem Vorteil verändert, auf S. 70 ist die Entwicklung der fürstlichen Landeshoheit unter Friedrich II. klarer und besser dargestellt. Aber auch hier muß ich, der Pflicht gehorchend, ein wenig kritisieren. In § 18, 5 war in der ersten Auflage zu lesen, daß Otto I. seine spätere Gemahlin Adelheid nach seinem Zug über die Alpen befreit habe, während sie doch in Wahrheit bei seiner Ankunft schon aus der Haft entkommen war. Indes war sie, als sie Ottos Hilfe anrief, noch gefangen, und so ist es denn ungenau, wenn Stutzer nun in der neuen Auflage (S. 48 Z. 13) schreibt „Otto kam es sehr gelegen, daß Adelheid, die entflohen war, ihn um Hilfe anging". Dazu kommt dann, daß unmittelbar nachher aus der ersten Auflage die nunmehr ganz widersinnigen Worte „befreite sie" stehen geblieben sind. Auf S. 145 ist der Satz „an deren (der Schwarmgeister) Spitze Thomas Münzer die Gütergemeinschaft predigte" mit Recht geändert; aber genügt wirklich das Gesagte (Z. 17/16 v. u.) zur Charakterisierung jenes Fanatikers? Von Moritz von Sachsen heißt es jetzt (S. 149 Z. 5 v. u.): „sein Charakter wurde jedoch durch die Beziehungen zu den Romanen lange ungünstig beeinflußt". In Wirklichkeit war Moritz von vornherein, auch als er noch keine Beziehungen „zu den Romanen" hatte, nach seinem Biographen Brandenburg ein Fürst ohne religiöses und überhaupt ohne geistiges Interesse, ohne feste politische Anschauungen und Ziele, nur auf Krieg und Jagd, Wein und Weib bedacht; auch nahm er's mit der Wahrheit schon in jungen Jahren nicht genau. Den haben die Romanen nicht erst zu dem gemacht, was er dann — bei all seinen großen Eigenschaften — leider war, und ich würde mich, um das gleich hier zu bemerken, sehr wohl hüten, den Fürsten, wie es ja freilich oft genug geschieht, den „Retter des Protestantismus"

zu nennen (S. 150 Z. 18 v. u.), der diesen vorher durch sein Handeln
erst in die allergrößte Gefahr gebracht hatte: geben wir denn dem
den Ehrennamen eines Lebensretters, der ein Kind erst ins tiefe
Wasser stößt und es nachher, wenn es nahe am Ertrinken ist,
wiederherausholt?

Auch sonst möchte ich dem Verfasser noch einige Veränderungen vorschlagen, die mir als Verbesserungen erscheinen. Auf
S. 8 Z. 12 wird das Gefolgswesen „die eigentümlichste Erscheinung
der germanischen Urzeit" genannt: aber wir finden doch ähnliches
auch bei den Galliern (Caes. b. G. III 22) und bei den Keltiberern
(Val. Max. II, 6, 11). Auf S. 20 Anm. 1 steht: „Die Ortsnamen auf
-leben (= Erbgut) und -stedt kommen fast nur im Thüringischen
vor, die auf -heim finden sich im Fränkischen". Dagegen ist
sehr viel einzuwenden. Die Ortsnamen auf -leben, die auf die
Warnen zurückgehen, finden sich allerdings sehr zahlreich im
heutigen Thüringen — nur an dieses kann man bei dem Ausdruck
„im Thüringischen" denken —, aber sie ziehen sich ebenso zahlreich dann auch weiter nach Norden bis zur Altmark und vereinzelt auch in diese hinein: das ganze Land zwischen Elbe und
Saale im Osten, dem Thüringer Wald im Süden, dem Harz und
der Ocker im Westen und der Ohre im Norden ist ungemein
reich an Ortschaften auf -leben; und sie kommen auch, freilich viel
seltener, noch jenseits dieser Grenzen vor. Das bezeichnete Gebiet ist ja nun allerdings in uralter Zeit auch Thüringerland gewesen, aber auch auf dieses beschränken sich die Orte auf -leben
nicht. Vielmehr stoßen wir, während sich in dem Gebiet von
der Altmark an bis ins nördliche Schleswig (von ganz wenigen
Orten abgesehen, deren Namen meist jüngeren Ursprungs sind)
die Endung -leben nicht findet, plötzlich südlich von der dänischen Grenze wieder auf eine Reihe von Ortschaften auf -leben.
Am bekanntesten ist Hadersleben; dazu nenne ich (nach P. Cassel
„Über thüringische Ortsnamen" S. 223) Aarsleben, Alsleben,
Bollersleben, Norderenleben, Örsleben. Hier ist unter dem
deutschen Einfluß überall -leben aus -lev (lef, leff) entstanden,
das sich als Endung in Schleswig ebenfalls findet (Tingleff). Ortschaften auf -lev finden sich dann sehr zahlreich vor allem im
Süden Jütlands und weiter, wenn auch nicht so häufig, bis an
dessen Nordspitze und auf den dänischen Inseln, Namen auf -löv
in Schonen und vereinzelt auch in Holland.

Ebenso unrichtig ist die Behauptung Stutzers betreffs der
Namen auf -stedt. Sie kommen außer in Thüringen in außerordentlich großer Zahl vor allem in Schleswig-Holstein, Hannover
(nur nicht im Westteil) und Braunschweig vor. Ich nenne nur Id-
stedt und Bredstedt in Schleswig, Bramstedt und Hemmingstedt
in Holstein, Hollenstedt und Beverstedt in Hannover, Helmstedt
und Schöppenstedt in Braunschweig.

Was endlich die Bemerkung betrifft: „die (Ortsnamen) auf -heim finden sich im Fränkischen", so ist sie natürlich an sich richtig: aber Förstemann weist in seinem Altdeutschen Namenbuch mit Recht darauf hin, daß die aus dem Gotischen stammende Endsilbe -heim (= Wohnsitz, Dorf) in Ortsnamen so häufig sei, wie keine andre, und daß ihre Verbreitung sich über die Gebiete aller deutschen Stämme erstrecke; freilich ist -heim im nordwestlichen Deutschland oft zu -um geworden, in andern Gegenden mitunter zu bloßem -en abgeschwächt, in England und Schweden zu -ham, in Flandern zu -hem umgeformt. Von bekannteren Orten auf -heim außerhalb des fränkischen Gebiets nenne ich nur Veltheim und Gandersheim in Braunschweig, Hildesheim, Bentheim und Northeim in Hannover, Mühlheim und Ettersheim im südlichen Baden, wo die Zahl der auf -heim endigenden Orte überhaupt sehr groß ist, Blindheim im bayrischen Schwaben, Schleißheim und Rosenheim in Oberbayern.

Auf S. 51 Z. 16 möchte ich ferner den Satz „Auf dem ersten Zuge erlangte er (Otto I.) die lombardische Königskrone" deshalb beanstanden, weil er den Schüler zu der irrigen Ansicht verführt, Otto sei gekrönt worden; auf S. 59 Z. 17 ff. ist die Behauptung, das Wormser Konkordat habe bestimmt: „Die Bischöfe und Äbte werden durch das Domkapitel, d. h. die zu einer Kathedrale gehörenden Geistlichen und durch das Volk gewählt" deshalb anzufechten, weil es bei einer Abtei wohl ein Kapitel (= Konvent), nicht aber ein Domkapitel geben kann. Der Zusatz „und durch das Volk" ist in dieser Auflage neu hinzugekommen, und das hat seine Berechtigung, denn nicht das Kapitel allein war, wie so oft gesagt wird, zur Wahl berechtigt; aber die Angabe ist doch nicht genau genug: die Wahl der Bischöfe erfolgte nur unter einer gewissen Mitwirkung der nicht zum Domkapitel gehörigen Geistlichen, der Stiftsministerialen und der Bürgerschaft der Stadt; doch war dies Recht der Mitwirkung nie von großer Bedeutung und trat bald ganz zurück: die Dinge entwickelten sich ganz ähnlich wie bei der Wahl des Kaisers und der des Papstes. Nach S. 76 Z. 13 waren die geistlichen Ritterorden deshalb die „eigenartigste Schöpfung der Zeit", weil sie „Mönchsgelübde und Ritterpflichten in den Dienst idealer Zwecke stellten". Aber waren die Ziele vor allem der Mönche nicht auch in ihrer Art ideal und war nicht vielmehr die Vereinigung von Ritter- und Mönchswesen das Eigenartige der Ritterorden? Auf S. 83 u. würde es gut sein, hinzuzufügen, daß die neuen Mönchsorden (die Kartäuser usw.) aus dem Benediktinerorden hervorgegangen sind. Auf S. 85 o. wird nur zwischen königlichen und landesherrlichen Städten unterschieden: die bischöflichen Städte, die Stutzer mit zu den königlichen zu rechnen scheint, nehmen aber doch eine besondere Stellung ein, und die herkömmliche Scheidung in königliche, bischöfliche und landesherrliche Städte verdient unbedingt beibehalten zu werden. Warum S. 90 Anm. 2 die Bezeichnung „gotisch" für den spätmittelalterlichen Baustil statt wie früher durch „barbarisch" jetzt durch „altfränkisch" erklärt wird, weiß ich nicht: für richtig kann ich's nicht halten. Auf S. 94 Z. 4 ff. ist nicht zwischen Uri und Schwyz auf der einen und Unterwalden auf der andern Seite unterschieden. Adolf von Nassau bestätigte nur die Freiheiten der beiden erstgenannten Waldstätten, erst Heinrich VII. die aller drei. Die Hanse (warum auch hier wieder die scheinbar nicht auszurottende Form Hansa?) ist doch nicht dadurch entstanden (S. 97 Z. 7 ff.), „daß die östlich der Elbe bis nach Livland hin neu gegründeten Städte mit den älteren niederdeutschen sich vereinten", sondern vielmehr, wie dies Dietrich Schäfer („Die Hansestädte und König Waldemar von Dänemark") klar dargelegt hat, durch die Vereinigung zweier ursprünglich voneinander unabhängiger Erscheinungen, nämlich der Verbindung deutscher Kaufleute im Ausland einerseits und der Bündnisse und Einigungen norddeutscher Städte untereinander anderseits. Hus' Auftreten ist damit nicht genügend gekennzeichnet, daß von ihm gesagt wird (S. 100 Z. 18), er habe manche Auszüge aus Wicliffs Streitschriften veröffentlicht und besonders die Mittlerstellung des Klerus bestritten. Ebensowenig ist es für den Barockstil eine ausreichende Kennzeichnung, wenn es von ihm heißt (S. 120 Z. 18 f.): „er verzerrt der größeren Wirkung halber die Säulen, Pilaster und Giebel in willkürlicher Weise". Auf S. 135 Z. 5 u. 4 v. u. steht der Satz: „Die Renaissance hatte die Pflege des Individualismus zur Folge". Der Satz müßte richtiger umgekehrt werden, wenn er — und das ist gewiß die Absicht des Verfassers — die durch Jakob Burckhardt herrschend gewordene Ansicht wiedergeben soll. Denn Burckhardt betont ausdrücklich (Kultur der Renaissance, Bd. 1, Abschn. 2, Kap. 1), daß die politischen Verhältnisse Italiens den stärksten Anteil an der Entwicklung der Individualität gehabt hätten; schon am Ausgang des 13. Jahrhunderts, meint er, „beginnt Italien von Persönlichkeiten zu wimmeln": erst nachher kam die Renaissance zum Durchbruch. Aber es läßt sich überhaupt daran zweifeln, daß „die Pflege des Individualismus" etwas Neues, dem absterbenden Mittelalter oder der erwachenden Neuzeit Eigentümliches gewesen sei. Dietrich Schäfer sagt in seiner trefflichen Weltgeschichte der Neuzeit I S. 13 ausdrücklich, Burckhardts Auffassung könne dauernden Wert nur behaupten, soweit künstlerisches Gestalten in Frage komme, und er fährt fort: „Wenn es irgend eine Zeit gegeben hat, in der die Einzelpersönlichkeit entwickelt war, so war es das Mittelalter, und gerade von der Renaissance kann man sagen, daß sie einen starken Anstoß gab, der Individualität der Tat Schranken zu ziehen. Nur dem oberflächlichen Blick, der Zeit und Ort nicht scheidet, erscheinen Ritter und Mönch, Bürger und Bauer, Kaufmann und Zunftgenosse des Mittelalters als feste, unveränderliche Typen. Wer näher hinsieht, erkennt alsbald die

unendliche Mannigfaltigkeit der Hergänge und Verhältnisse und
die Fülle starker Persönlichkeiten, die ihre Umgebung zu formen
vermochten" (vgl. dazu Ed. Meyer, Gesch. d. Altertums, 2. Aufl.
I 1 S. 174). So unrecht hat Schäfer gewiß nicht: es geht uns
mit den Gestalten des Mittelalters ebenso wie mit den Angehörigen
fremder, völlig anders gearteter Rassen: sie kommen uns auch
bei flüchtigem Anblick fast alle einander sehr ähnlich vor, weil
sie alle anders sind als wir; wir sehen zunächst immer nur den
Typus.

Ich brauchte eigentlich nicht erst zu bemerken, daß diese
Ausstellungen den Wert des Stutzerschen Buches durchaus nicht
in Frage stellen sollen. Auch die allerverbreitetsten und am
meisten gerühmten Leitfäden zeigen immer wieder, daß Irren
menschlich ist, und Stutzer wird ja selbst von seinem Buche
nicht so denken, wie der Verfasser einer mir vor längerer Zeit
zu Gesicht gekommenen Anzeige von Plötz' Auszug aus der
alten, mittleren und neuen Geschichte, der kühnlich behauptete,
dies Buch enthalte nunmehr keinen einzigen Fehler mehr! Die
Hoffnung aber, die Stutzer an meine Anzeige der ersten Auflage
anknüpfend in der Vorrede ausspricht, daß keine Stelle des
Buches mehr an Unklarheit leiden möge, konnte schon eher in
Erfüllung gehen und ist auch annähernd erfüllt worden. Von den
wenigen Stellen, die meiner Ansicht nach noch klarer gefaßt
werden müßten, führe ich zwei an; auf S. 27 Z. 6f. steht der
übrigens auch wegen der Häufung des „als" zu beanstandende
Satz: „Als Arianer mußten die Germanen den Römern zugleich
als Barbaren und als Ketzer erscheinen": inwiefern wegen ihres
Glaubens als Barbaren? Ebenso möchte ich Anstoß nehmen
nicht an dem Sinn, wohl aber an der Fassung des Satzes:
„Das erste Maifeld — wegen zunehmender Bedeutung der Reiterei
ward das Märzfeld verlegt — hielt Karl in Paderborn" (S. 34
Z 3f.): ohne genaue Erklärung wird das dem Schüler gewiß unverständlich bleiben. Es ist und bleibt eben außerordentlich
schwer, zugleich kurz und klar zu sein und doch auch nichts
Unrichtiges oder Halbrichtiges zu sagen.

In einem Punkte, der vielen freilich als ganz unwesentlich
erscheinen mag, bringt die neue Auflage eine Verschlechterung.
Früher schrieb Stutzer, wie sich's gebührt, Köln — jetzt ändert
er das auf einmal in Cöln. Diese Schreibart ist aber nicht zu
rechtfertigen, und sie wird nicht besser dadurch, daß sie sich
rühmen darf, amtlich zu sein. Gewiß, der Name der ehrwürdigen
Stadt kommt von colonia, das weiß jedes Kind, aber die Zeiten,
wo der einstige Hauptort der Ubier als römische Kolonie zu
Ehren der dort geborenen Tochter des Germanikus den Namen
Colonia Agrippinensis erhielt, sind nun doch wohl seit etlichen
Jahrhunderten vorüber, und wir schreiben ja auch Wien und
nicht Vien oder Vin! Köln ist eine gute deutsche Stadt und

kann's als solche verlangen, daß es auch mit deutschen Buchstaben geschrieben werde; ein deutsches c aber gibt es nicht
(außer natürlich in der Verbindung ch). Die Stadt heißt doch
wohl Köln und nicht Zöln, wie natürlich bei der Schreibung Cöln
gesprochen werden müßte. Denn Cötus wird Zötus, Cölibat
Zölibat, Cölestin Zölestin usw. gesprochen. Und noch eins: das
Wort Kolonie wird auch von Stutzer wie von jedermann mit k
geschrieben, und doch zeigt es seine Herkunft von colonia sehr
viel deutlicher als das arme Köln. Also fort mit der „amtlichen"
Schreibart; wir wollen sie uns nicht aufzwingen lassen, weil sie
undeutsch und unberechtigt ist. Daß die Schreibarten Cöpenick
(spr. Zöpenick), Colberg, Calau u. a. ebenso verkehrt und verwerflich sind, versteht sich von selbst.

     Daß dem Leitfaden diesmal auch Karten beigegeben sind
— es sind dieselben, die sich in dem für die Mittelstufe bestimmten zweiten Teile befinden — ist gut und nützlich. Den
Geschichtsatlas können sie freilich nicht ersetzen. Das sagt
auch Stutzer selbst, und doch scheint er nach den letzten Worten
seiner Vorbemerkung damit zu rechnen, daß die Schüler aus Bequemlichkeit den Atlas zu. Hause lassen. Mir scheint es viel
besser, sie lassen ihn, wenn sie ihn nicht immer hin und her-
tragen sollen, in der Schule und begnügen sich lieber bei der
häuslichen Wiederholung mit den Kartenbeilagen des Leitfadens.
Denn in der Klasse kann man sie zum Benutzen des Atlas zwingen,
wenn die historischen Wandkarten nicht ausreichen, zu Hause
lassen sie ihn zum Teile doch unbenutzt.

     Die Anzeige ist länger geworden, als sie werden sollte; ich
kann sie nicht schließen, ohne noch einmal ausdrücklich zu betonen, daß das Buch, dem sie gilt, dem Unterrichte trefflich zu
dienen geeignet ist und weite Verbreitung verdient.

     Berlin.   R. Lange.

────────────

Remigius Vollmann, Wortkunde in der Schule. Auf Grundlage des
     Sachunterrichts. I. Teil: Heimat- und Erdkunde. Zweite verbesserte
     und vermehrte Auflage. München 1908, Max Kellerer. X u. 174 S.
     2,60 ℳ, geb. 3 ℳ.

     In der ausführlichen Einleitung tritt der Verfasser mit großer
Wärme für die zuerst von A. Richter und nach ihm besonders
von R. Hildebrand aufgestellte Forderung ein, daß der deutsche
Sprachunterricht „mit der Sprache zugleich den Inhalt der
Sprache, ihren Lebensgehalt, voll und frisch und warm erfassen
soll". Er weist darauf hin, daß der Wortinhalt sowohl, wo es
sich um sinnenfällige Dinge, als auch, wo es sich um abstrakte
Begriffe, also um rein geistige Dinge, handelt, dem Schüler ver-
anschaulicht werden muß, wenn ihm nicht das Wort als „leere
Marke ohne Prägung" im Kopfe bleiben soll. Das größte
Hindernis für die Verwirklichung dieser Ideen sieht er in der
unzulänglichen deutschsprachlichen Ausbildung eines Teiles der

jetzigen Lehrergeneration und will deshalb dem Lehrer neben
den bekannten Wörterbüchern der deutschen Sprache ein aus der
Praxis heraus entstandenes Hilfsmittel bieten, das unmittelbar
dem Unterrichte dient, zumal manches, was für die Schule von
Bedeutung ist, auch in guten Wörterbüchern nicht enthalten ist.
Da nun der auf Wortkunde sich gründende Sprachunterricht nur
im Anschluß an den Sachunterricht erteilt werden kann, ist die
vorliegende Stoffsammlung nach Sachgebieten gruppiert.

Der in zweiter Auflage erschienene erste Teil umfaßt die
Heimat- und Erdkunde. Ohne mich auf die Beurteilung des
Wertes des Werkes für den sprachlichen Unterricht einzulassen,
betrachte ich es im folgenden nur vom Standpunkt des Lehrers
der Erdkunde. Auch in der Erdkunde wird mehr und mehr
Wert darauf gelegt, den Wortbestand der Namen dem Schüler
durch Erklärung zum Verständnis zu bringen und ihm zu zeigen,
wie diese Namen keineswegs tote, leblose Wortformen sind, daß
sie vielmehr Leben in sich tragen und, wenn wir nur den
Schlüssel finden, um ihnen den Mund zu öffnen, zu uns reden
von alten Zeiten oder den Wundern fremder Länder. Für dieses
Ziel bietet nun Vollmanns Wortkunde ein recht brauchbares Hilfsmittel. Es behandelt in 9 Abschnitten: Heimatort, Bodenformen,
Bewässerung, Witterungserscheinungen, Bewohner, Staat und Gemeinde, Himmelskörper, geographische Namen und Worte aus der
Seemannssprache. Schon die ersten sieben Abschnitte enthalten
eine große Anzahl von Worten, die entweder unmittelbar geographische Bezeichnungen sind oder zur Bildung der eigentlichen
geographischen Namen verwandt worden sind, so daß ihre Erklärung auch dem Lehrer der Erdkunde für den erwähnten Zweck
willkommen ist. Vor allem gilt dies von dem achten Abschnitte,
der im besondern die geographischen Namen behandelt. Berücksichtigt sind allerdings dem eigentlichen Zwecke des Buches entsprechend nur geographische Namen des Deutschen Reiches,
Österreich-Ungarns und einiger der angrenzenden Länder. Erschwert wird die Benutzung des betreffenden Abschnittes dadurch,
daß die geographischen Namen nicht in das am Ende des Buches
befindliche Wörterverzeichnis aufgenommen sind, und ferner dadurch, daß sehr oft auf Ausführungen, die an andrer Stelle schon
gemacht sind, verwiesen wird, so daß man mitunter drei, vier
und mehr Stellen nachschlagen muß, um die Erklärung eines
Namens zu finden. Zuerst sind Gebirgs- und Bergnamen, dann
Fluß- und Seenamen zusammengestellt, endlich kommen Länder-
und Städtenamen. Diesem Abschnitte sind vorangestellt die Wortstämme, die vorzugsweise zur Bildung von Ortsnamen gedient
haben, und zwar 1. Ansiedlungen am Wasser, 2. Ansiedlungen
an Bergen und in der Ebene, 3. Ansiedlungen am Walde oder
an Rodungen, 4. Haus und Hof, 5. nach Geschlechtern und Personen benannte Ansiedlungen, 6. an christliche Begriffe an-

knüpfende Ortsnamen.   In Ermangelung andrer Hilfsmittel können
diese Abschnitte recht gute Dienste leisten.   Der Zweck des Buches
ist weniger eine möglichst große Anzahl von geographischen
Namen zu erklären als vielmehr durch die gebotenen Erklärungen
eine Anleitung zu geben, die etwa vorkommenden Namen selbst
zu erklären.   Die gebotenen Namenerklärungen beruhen auf einer
gewissenhaften Benutzung der umfangreichen dieses Gebiet behandelnden Literatur und sind deshalb zuverlässig, soweit die Namen-
forschung überhaupt schon zu feststehenden Ergebnissen geführt
hat.   Wir wünschen dem Buche nicht nur im Interesse des
deutschen, sondern auch des erdkundlichen Unterrichts eine recht
weite Verbreitung.

Treptow a. R.   —————   K. Schlemmer.

Wilhelm Budde's Physikalische Aufgaben für die oberen Klassen
höherer Lehranstalten nebst den Lösungen.   Vierte Auflage, neu bearbeitet und vermehrt von P. Johannesson.   Braunschweig 1908,
Verlag von Friedr. Vieweg & Sohn.   Vorwort, Inhaltsverzeichnis u.
158 S. Text.   gr. 8.   geh. 2 $\mathcal{M}$, geb. 2,40 $\mathcal{M}$.

Die Aufgaben sind den bei Entlassungsprüfungen gestellten
Vorwürfen entnommen.   Hieraus erklärt sich die Art derselben
und die Verschiedenheit des Umfanges der einzelnen Kapitel.

Ein besonderer Teil enthält die Lösungen sämtlicher Aufgaben, zum Teil mit kurzen Erläuterungen, ein Anhang Themata
zu Abhandlungen und Beschreibungen, von der dritten Auflage an
auch aus der Chemie.

Das Buch ist somit ein Gegenstück zu der von Martus im
Jahre 1864 herausgegebenen vortrefflichen Sammlung mathematischer Aufgaben.

Daß Budde bei seiner Auswahl richtig verfahren ist und ein
Buch geliefert hat, das nicht nur für den physikalischen Unter-
richt hervorragend brauchbar ist, sondern auch ein verdienstvolles
Stück Schulgeschichte enthält, weiß jeder erfahrene Lehrer der
Physik.

Der Tätigkeit des Herausgebers der vierten Auflage darf man
zustimmen, doch bedauert Ref., daß der ursprüngliche Titel des
Buches, dessen erste Auflage im Jahre 1888 erschien, nicht unverändert beibehalten ist.   Er entsprach der Eigenart desselben
besser als der jetzige.   Auch das erste Vorwort des Verfassers
vom November 1887 hätte Ref. gern unverkürzt wiederfinden
mögen.

Für die späteren Auflagen empfiehlt Ref., eine mäßige Vermehrung der Aufgaben aus der Lehre vom Schalle, falls die
Jahresberichte der höheren Schulen dazu die nötige Unterlage
liefern, ins Auge zu fassen, im übrigen aber von der ursprünglichen Absicht des Verfassers in keiner Weise abzuweichen.

Potsdam.   · ·   E. Hutt.

EINGESANDTE BÜCHER

(Besprechung einzelner Werke bleibt vorbehalten).

———

1. Meyers Kleines Konversations-Lexikon. Siebente, gänzlich neubearbeitete und vermehrte Auflage. Mehr als 130000 Artikel und Nachweise mit etwa 520 Bildertafeln, Karten und Plänen sowie etwa 100 Textbeilagen. Vierter Band: Kielbank bis Nordkanal. Leipzig und Wien 1908, Bibliographisches Institut. 1024 S. Lex.-8. geb. 12 ℳ.

In kurzer Zeit hat es der neue „Kleine Meyer", der sich jetzt in sechs Bänden präsentiert, fertig gebracht, sich einen Namen zu machen. Der soeben erschienene vierte Band mit seinem geradezu glänzenden Illustrationsmaterial — er umfaßt 8 farbige und 76 schwarze Tafeln, 22 Karten und Pläne sowie 28 zum Teil illustrierte Textbeilagen — wird sicherlich dazu beitragen, diesem Namen Weltruf zu erwerben. Es ist wirklich eine Freude, allenthalben feststellen zu können, wie zielbewußt das Unternehmen seinem Ende entgegengeführt wird. Wir können nur wünschen, daß die Pädagogen, die sich aus Mangel an Platz oder wegen der höheren Kosten den „Großen Meyer" versagen müssen, recht zahlreich zu dem kleinen Sechsbänder greifen mögen. Sie werden an dem schönen Werk, das außer andern Vorzügen auch noch den der Wohlfeilheit hat, ihre Freude haben.

2. Mikrokosmos, Zeitschrift zur Förderung wissenschaftlicher Bildung. Herausgegeben von R. H. Francé. Band II, Heft 1 u. 2.

3. Schule und Technik. Spezialorgan für moderne Schultechnik. Herausgegeben von H. Lemke. Jahrg. 1, Nr. 2.

4. Zeitschrift für Lehrmittelwesen und pädagogische Literatur. Herausgegeben von Fr. Frisch. Jahrg. 4, Nr. 1—5.

5. Festschrift zur Feier des 25jährigen Bestehens der Hansaschule in Bergedorf bei Hamburg am 2. April 1908. Wiss. Beilage zum Jahresbericht der Schule 1908. 214 S. gr. 8.

6. E. Schmiele, Das Königliche Wilhelms-Gymnasium in den Jahren 1858—1908. Festschrift zum 17. Mai 1908. Berlin 1908, Druck von Trowitzsch & Sohn. VIII u. 223 S.

7. Festschrift zum Fünfzigjährigen Jubiläum des Königlichen Wilhelms-Gymnasium am 17. Mai 1908. Veröffentlicht von seinem Lehrer-Kollegium. Berlin 1908, Druck von Trowitzsch & Sohn. 206 S.

8. Jahresberichte für neuere Deutsche Literaturgeschichte. Herausgegeben von Jul. Elias u. a. Fünfzehnter Band (1904). I.: Bibliographie, bearbeitet von O. Arnstein. 1907. 270 Sp. gr. 8. — II.: Text und Register. 1908. 257 S. gr. 8. Berlin, B. Behrs Verlag.

9. A. Ohlert, Abbruch und Aufbau des Unterrichtssystems. Band I: Zur Lösung des Bildungsproblems. Hannover 1908, C. Meyer (G. Prior). VIII u. 96 S.

10. A. Schopenhauer, Über die Weiber. Herausgegeben von B. Friedländer. Treptow-Berlin 1908, Bernhard Zack. 16 S. 0,20 ℳ.

11. W. Ostwald, Grundriß der Naturphilosophie. Mit dem Bildnis des Verfassers. Leipzig 1908, Philipp Reclam jun. 195 S. geb. (Bücher der Naturwissenschaft. Herausgegeben von S. Günther.)

12. K. Schirmacher, Zwischen Schule und Ehe. Sammlung gemeinnütziger Vorträge. Herausgegeben vom Deutschen Verein zur Verbreitung gemeinnütziger Kenntnisse in Prag. Mai 1908. 20 *h.*

13. A. Biese, Pädagogik und Poesie. Vermischte Aufsätze. Erster Band. Zweite Auflage. Berlin 1908, Weidmannsche Buchhandlung. IX u. 343 S. 6 *M.*

14. Fr. Weigl, Karl Mays pädagogische Bedeutung. München 1908, Val. Höfling. 40 S. 0,60 *M.* (Pädagogische Zeitfragen Band 4, Heft 22.)

15. B. Otto, Wie ich meinen Kindern von der Bodenreform erzähle. Berlin, „Bodenreform". 31 S. 0,50 *M.* (Soziale Zeitfragen Heft 35.)

16. M. Kleinschmidt, Grammatik und Wissenschaft. Eine psychiatrische Studie. Hannover 1908, Max Jänecke. 72 S.

17. Hans Vollmer, Ein deutsches Adambuch. Nach einer ungedruckten Handschrift der Hamburger Stadtbibliothek aus dem 15. Jahrhundert. Mit 2 Illustrationsproben. Hamburg 1908. VI u. 51 S.

18. R. J. Bonner, The Jurisdiction of the Athenian Arbitrators. S. 407—418. (S.-A. aus Class. Phil. II.)

19. R. J. Bonner, The Legal Setting of Plato's Apology. S. 169—177. (S.-A. aus Class. Phil. III.)

20. Monatsblätter für den evangelischen Religionsunterricht. Zeitschrift für Ausbau und Vertiefung des Religionsunterrichts usw. In Verbindung mit zahlreichen Mitarbeitern herausgegeben von H. Spanuth. Göttingen, Vandenhoeck & Ruprecht. Jahrg. 1, Heft 6. Preis halbjährlich 3 *M,* Einzelheft 0,80 *M.*

21. Jahrbuch der Naturwissenschaften 1907—1908. Dreiundzwanzigster Jahrgang. Herausgegeben von Dr. Max Wildermann. Mit 29 Abbildungen. Freiburg 1908, Herdersche Verlagshandlung. XII u. 510 S. Lex.-8. geb. in Orig.-Leinwandband 7,50 *M.*

22. Verhandlungen der 49. Versammlung deutscher Philologen und Schulmänner in Basel vom 24. bis 27. September 1907. Im Auftrage des Präsidiums zusammengestellt von G. Ryhiner. Leipzig 1908, B. G. Teubner. VIII u. 221 S. 6 *M.*

23. A. Forel, Die Gehirnhygiene der Schüler. Vortrag. Wien 1908, Manz'sche Buchhandlung. 29 S.

24. J. Cerny, Jean Pauls Beziehungen zu E. T. A. Hoffmann. Progr. Staats-O.-G. in Mies 1907 u. 1908. Selbstverlag des Verfassers. 20 u. 23 S. gr. 8.

25. Ad. Bachmann, Die Einführung und Geltung der inneren Amtssprache in Böhmen. Prag, Juni 1908. 40 *h.*

26. Chr. Ostermanns Lateinisches Übungsbuch. Ausgabe C. Fünfter Teil: Für Obersekunda und Prima. Bearbeitet von H. J. Müller und H. Fritzsche. Leipzig 1908, B. G. Teubner. VIII u. 400 S. geb. 3 *M.*

27. E. Loch, Wörterverzeichnis zu Ostermann-Müllers Lateinischen Übungsbüchern. Dritter Teil: Quarta. Leipzig 1908, B. G. Teubner. IV u. 28 S.

28. Sammlung Göschen. Leipzig 1908, G. J. Göschen'sche Verlagshandlung. Jeder Band geb. 0,80 *M.*

a) R. Sternfeld, Französische Geschichte. Zweite Auflage. 194 S.

b) K. Voßler, Italienische Literaturgeschichte. Zweite Auflage. 147 S.

29. Sand, La petite Fadette. Für den Schulgebrauch herausgegeben von Emmy Schild. Gotha 1908, F. A. Perthes. V u. 116 S. 1 *M.* Wörterbuch 36 S. 0,40 *M.*

ERSTE ABTEILUNG.

ABHANDLUNGEN.

Ibsens Peer Gynt und Björnsons Pfarrer Sang in ihrem Verhältnisse zu der griechischen Tragödie und den tragischen Kunstgesetzen des Aristoteles.

Mit der Forderung, daß das Gymnasium seine Schüler in das Geistes- und Kulturleben der klassischen Völker einführen soll, ist dem Lehrer die Aufgabe gestellt, vor allem sich selbst eine tiefe und umfassende Kenntnis dieses Lebens in seinen mannigfachen Gestaltungen zu erarbeiten. Die Aufgabe ist schön, aber groß und schwer. Die Gebiete, die für ihre Lösung in Betracht kommen, sind zahlreich, und fast auf allen treten uns wissenschaftliche Probleme entgegen, die erst gelöst werden müssen, wenn wir zu einer wirklichen Erfassung des Gegenstandes und zu seiner sicheren Darstellung den Schülern gegenüber vordringen wollen. Zu den wichtigsten dieser Probleme gehört die Frage nach dem Wesen der Tragödie. Bei der Erörterung dieser Frage erscheint es richtig, von den Bestimmungen der Aristotelischen Poetik auszugehen. Freilich kann diesem Verfahren gegenüber geltend gemacht werden, daß dieses Werk sich heutigentags nicht mehr, oder wenigstens nicht mehr überall desselben Ansehens erfreue wie früher, daß im Gegenteil bedeutende Gelehrte und hochgebildete Freunde der Kunst abweichende Anschauungen bekunden. Damit erhebt sich die Frage: Haben die tragischen Kunstgesetze des Aristoteles auch für uns noch Wahrheit und Wert? Wird diese Frage verneint, so hat die Poetik des Aristoteles nur noch historische Bedeutung, und dasselbe Schicksal droht auch der griechischen Tragödie; denn Aristoteles hat seine tragischen Kunstgesetze aus den Meisterwerken der griechischen Bühne abstrahiert. Mit der verneinenden Antwort der gestellten Frage wäre also dem Gymnasium ein heftiger Schlag versetzt; denn der griechische Unterricht hat doch nur dann seine volle Berechtigung, wenn das Geistes- und Kulturleben der Hellenen, von dem die griechische Tragödie einen guten Teil zur Darstellung bringt, für uns „aktuellen" Wert hat. Zur Lösung der so erwachsenden Aufgabe soll auch die vorliegende Abhandlung einen Beitrag liefern.

Als Aristoteles daranging, seine Bücher über den Staat zu schreiben, da hat er eine sehr große Anzahl von Staatsverfassungen studiert, um durch ihre analytische Betrachtung die Erkenntnis vom Wesen des Staates zu gewinnen. Auf demselben Wege hat er das Wesen der Tragödie zu ergründen gesucht. Gewiß können wir uns nur sehr schwer zu der Annahme entschließen, daß ein so ungemein scharfsinniger und besonnener Denker wie Aristoteles auf einem Gebiete von Erscheinungen, die in reicher Fülle offen vor ihm ausgebreitet lagen, bei Anwendung einer vollkommen richtigen Methode der Forschung zu falschen Ergebnissen gelangt sein sollte. Dazu kommt, daß Autoritäten allerersten Ranges ihm zugestimmt haben. Lessing hält die Dichtkunst des Aristoteles für ein „ebenso unfehlbares Werk, als die Elemente des Euklides nur immer sind"[1]. Ein gleiches Urteil bekundet Schiller. In der Zeit, wo er am Wallenstein arbeitete, las er die griechischen Tragiker mit großem Eifer und studierte er auch die Poetik des Aristoteles, die ihm Goethe geliehen hatte. Er war mit ihr sehr zufrieden und glaubte, daß er in seinem Wallenstein in allen wesentlichen Forderungen diesem „nüchternen Kopfe und kalten Gesetzgeber" Genüge geleistet habe und leisten werde. Und in der Tat ist diese unsere größte Tragödie zugleich zum herrlichsten Kommentare für die Poetik des Aristoteles geworden. Darum wird es auch wohl gerechtfertigt erscheinen, wenn wir in der vorliegenden Abhandlung gerade auf diese Tragödie wiederholt zurückkommen. Goethes Übereinstimmung mit den wesentlichsten Regeln des Aristoteles wird die vorliegende Untersuchung selbst dartun. Aber bei der klassischen Richtung der genannten Heroen unserer Literatur und bei der Art, wie die Aristotelische Poetik

---

[1]) Hamburgische Dramaturgie 101.—104. Stück: „Aber man kann studieren und sich tief in den Irrtum hineinstudieren. Was mich also versichert, daß mir dergleichen nicht begegnet sei, daß ich das Wesen der dramatischen Dichtkunst nicht verkenne, ist dieses, daß ich es vollkommen so erkenne, wie es Aristoteles aus den unzähligen Meisterstücken der griechischen Bühne abstrahiert hat. Ich habe von dem Entstehen, von der Grundlage der Dichtkunst dieses Philosophen meine eigenen Gedanken, die ich hier ohne Weitläufigkeit nicht äußern könnte. Indes stehe ich nicht an zu bekennen (und sollte ich in diesen erleuchteten Zeiten auch darüber ausgelacht werden!), daß ich sie für ein ebenso unfehlbares Werk halte, als die Elemente des Euklides nur immer sind. Ihre Grundsätze sind ebenso wahr und gewiß, nur freilich nicht so faßlich, und daher mehr der Schikane ausgesetzt als alles, was diese enthalten. Besonders getraue ich mir von der Tragödie, als über die uns die Zeit so ziemlich alles daraus gönnen wollen, unwidersprechlich zu beweisen, daß sie sich von der Richtschnur des Aristoteles keinen Schritt entfernen kann, ohne sich ebenso weit von ihrer Vollkommenheit zu entfernen".

entstanden ist, kann gesagt werden, daß die tragischen Kunstgesetze dieses Philosophen zunächst doch nur für die griechische
Tragödie Geltung haben, aus deren Untersuchung sie hervorgegangen sind. Auch müssen wir die Möglichkeit anerkennen,
daß das Wesen des Tragischen noch andere Auffassungen zuläßt,
und daß sein Gebiet eine Erweiterung erfahren kann oder auch
schon erfahren hat, wie denn das in gewissem Sinne verwandte
Gebiet der Musik tatsächlich eine solche in hohem Maße gewonnen hat. Man denke nur an Richard Wagner und denke
daran, daß die Musik, die seine Anhänger bei seinem Auftreten
Zukunftsmusik nannten, gleichwie er selbst sein Werk ein Werk
der Zukunft genannt hat, durchaus eine Musik der Gegenwart
geworden ist. Es erwächst also für uns die Aufgabe zu untersuchen, wie weit denn die Tragödien anderer Völker und anderer
Zeiten den tragischen Kunstgesetzen des Aristoteles und damit
den Grundanschauungen der griechischen Tragödie entsprechen.
In gleicher Weise verfährt die Rechtsphilosophie, die sich nicht
mehr mit der Erforschung des römischen und des germanischen
Rechtes begnügt, sondern sogar die rechtlichen Anschauungen
einfacher Naturvölker ihrer Betrachtung unterwirft, und ebenso
erforscht die Religionswissenschaft die religiösen Anschauungen
aller Völker, von denen wir nähere Kunde haben, und sucht auf
diese Weise eine vollkommene Erkenntnis ihres Gegenstandes zu
gewinnen. Daß die Sprachwissenschaft schon längst diesen Weg
beschritten hat, ist bekannt. Wenn wir nun dieses vergleichende
Verfahren für die Erfassung des Wesens der Tragödie in Anwendung bringen, in der Weise, daß wir dabei die Poetik des
Aristoteles im Auge behalten, so müssen wir uns einen unbe-
fangenen Sinn und einen freien Blick bewahren und dürfen nicht
darauf aus sein, die Anschauungen des Aristoteles und der griechischen Tragödie überall wieder finden zu wollen. Besonders
lehrreich erscheint es, Dramen, die zeitlich und räumlich von der
griechischen Tragödie recht weit abliegen, zu dem angegebenen
Zwecke zu betrachten, und so wählen wir zwei von den beiden
großen nordischen Dichtern unserer Zeit gezeichnete dramatische
Gestalten, Ibsens Peer Gynt und Björnsons Pfarrer Sang. Ibsens
Peer Gynt haben wir nicht deswegen gewählt, weil dieses Drama
bei den Norwegern geraume Zeit für das bedeutendste Werk
Ibsens gegolten hat, oder weil Peer Gynt der nordische Faust
genannt worden ist, sondern wegen des ganz eigenartigen, teilweise seltsamen Charakters des Stückes, der eine Zusammenstellung mit der griechischen Tragödie geradezu zu verbieten
scheint. Finden sich trotzdem in ihm wesentliche Übereinstimmungen mit den dieser zugrunde liegenden Anschauungen, so
erhalten wir damit doch wohl ein Recht, in ihnen etwas Allge-
mein-Menschliches zu erblicken und demnach ihnen Wahrheit
beizulegen.

35*

In Deutschland hat man sich lange Zeit nicht viel um dieses
Werk gekümmert, und die weiteren Kreise unseres Volkes sind
erst durch die sich daran anschließenden Kompositionen Edvard
Griegs darauf aufmerksam geworden. Ibsen selbst hat sein Werk
ein dramatisches Gedicht genannt, aber durch einen Teil desselben
geht ein tragischer Zug, den wir unmittelbar empfinden. Bei
der Betrachtung dieses tragischen Charakters lassen wir alles
Allegorische und Symbolische, das einen weiten Raum in dem
Drama einnimmt, soviel als möglich beiseite. Gestalten wie der
Krumme, der Magere, der Knopfgießer kümmern uns nur wenig,
wir haben es vor allem mit dem Bauernsohne Peer Gynt, mit
seiner geliebten Solveig und mit seiner Mutter Aase zu tun.
Aber auch hier dringt die Allegorie ein. Ibsen selbst hat erklärt,
Peer Gynt stelle das norwegische Volk dar, und Solveig bleibt
am Schlusse des Gedichtes nicht die Geliebte Peers, sie wird des
Irrenden Mutter, die den unglücklichen Sohn, der sich fest an
sie klammert und sein Gesicht an ihrer Brust verbirgt, liebevoll
zu sich nimmt:

> „Ich will wiegen dich, ich will wachen;
> Schlaf und träume, du Knabe mein!"

Ist Peer Gynt wirklich das norwegische Volk oder der Re-
präsentant dieses Volkes, dann sind wir versucht, bei seinen
Fahrten über das Meer, bei seinem Streben, Reichtümer und
Herrschaft zu gewinnen, an die kühnen Heerfahrten der Nor-
mannen, an ihre Beute- und Eroberungszüge zu denken. Wie
Gynt ging auch ihnen alles Gewonnene wieder verloren. Selbst
die mit großen Erfolgen Gekrönten, die im Auslande sich eine
Herrschaft erkämpft hatten, teilten dieses Los: die, welche die
Normandie gewonnen hatten, wurden Franzosen, die von da nach
England hinübergingen, Engländer. Ist Peer Gynt Norwegens
Volk, so muß Solveig, die zu Peers Mutter wird, die Heimat
dieses Volkes sein, die in Geduld und liebender Hoffnung der
Ausgezogenen harrt und die nach erfolglosen Mühen und Kämpfen
müde Heimkehrenden freundlich wieder in ihren Schoß aufnimmt. Diese Deutung müßte aber noch eine Modifikation dahin
erfahren, daß Norwegens Volk, nachdem es abenteuernd Reichtum
und Herrschaft in fremden Landen gesucht, aber trotz aller
Tapferkeit und Anstrengung nichts für die Dauer gewonnen hat,
schließlich Frieden und Glück auf dem Boden der heimatlichen
Erde findet. Die Worte, die Solveig zu dem heimkehrenden Geliebten spricht:

> „Du hast mir zu einem schönen Gesang
> Das ganze Leben gemacht, — o Dank!"

lassen sich dann leicht darauf deuten, daß Norwegens Land und
Geschichte durch die kühnen Taten seiner in die Ferne gezogenen
Söhne poetisch verklärt worden ist. Eine solche Stimmung über-
kommt einen jeden, der in Christiania das vor einer Reihe von

Jahren ausgegrabene Wikingerschiff sinnend betrachtet. Doch poetisch verklärt wäre auch die Gestalt einer leibhaftigen Solveig, die in Glaube, Hoffnung und Liebe geduldig des fernen Geliebten geharrt hat, gleichwie das Haupt Gudruns um ihrer unwandelbaren Treue willen der leuchtende Glanz der Dichtung umstrahlt. Ganz durchführen läßt sich jene allegorische Deutung auf keinen Fall. Man denke z. B. an die Szene, die uns Aases Tod vorführt. Im gewissen Gefühle, daß es ans Sterben geht, sagt die Mutter:

> „Ja, Peer, bald ist es vorbei.
> Wenn meine Augen gebrochen,
> So drücke sie sanft mir zu,
> Und bette die alten Knochen
> In den Sarg zu langer Ruh.
> Doch laß ihn auch hübsch mir malen!"

Ängstlich fragt Peer:

> „Was sitzt du so steif auf dem Schlitten,
> O Mutter, und rührst kein Glied?
> Du sollst nicht so liegen und starren.
> Sprich, Mutter! Es ist dein Peer".

Dann schließt er ihr die Augen zu und beugt sich über sie mit den Worten:

> „Hab Dank für alles, fürs Zanken,
> Für Schläge, für Scherz und Kuß!
> Doch mußt du nun auch mir danken
> Für die Fahrt. — — Das ist der Schluß".

Dabei drückt er seine Wange an den Mund der Toten. Hier sträubt sich unser Gefühl gegen jede allegorische Deutung. Das ist nicht Norwegens Volk und Norwegens Land, das ist Peer, Aases Sohn, und seine Mutter. So bleibt für unsere Aufgabe Peer Gynt der norwegische Bauernsohn, und wenn er Norwegens Volk sein soll, so ist er es nur in dem Sinne, daß sich in ihm und seinem Geschicke der Charakter und das Schicksal dieses Volkes widerspiegelt. Es entspricht dieser Auffassung, wenn Ibsen, wie jetzt auf Grund seines Nachlasses gesagt wird, Züge seines eigenen Wesens und Lebens zur Schöpfung dieser Gestalt mit verwandt hat. Nach dieser Feststellung können wir an unsere eigentliche Aufgabe gehen.

Aristoteles bezeichnet als die Grundbedingung des Tragischen den Umschwung aus Glück in Unglück. Er entfernt sich damit von dem griechischen Sprachgebrauche, nach dem ein jedes ernste Drama eine Tragödie ist, und begründet so die Unterscheidung von Tragödie und Schauspiel, die wir heutigentags noch festhalten. Viele wollen nur den tödlichen Ausgang als tragischen Ausgang gelten lassen. Soweit geht Aristoteles nicht. Wenn er seinen Bestimmungen über das Wesen des tragischen Helden noch hinzufügt: „und zwar soll er zu den in großem Ansehen

und in hohem Glücke Stehenden gehören, gleich einem Ödipus
und Thyestes und anderen hervorragenden Mitgliedern solcher
Geschlechter", so soll damit das, was wir ein bürgerliches Trauerspiel nennen, nicht ganz ausgeschlossen sein, sondern ihm nur
die höchste tragische Wirkung abgesprochen werden. So kann
auch der Bauernsohn Peer Gynt der Held einer Tragödie sein.
Bei den Worten „Umschwung aus Glück in Unglück" denken
wir zunächst an ein Glück, das der Held der Tragödie besitzt,
vielleicht schon lange besessen hat, aber es kann ebenso tragisch
wirken, wenn wir eines Glückes verlustig gehen, das wir noch
nicht besaßen, das uns aber zugefallen wäre, hätten wir es nicht
verscherzt. Der Unterschied zwischen beiden Möglichkeiten ist
kein wesentlicher, beide Male gehen wir unseres Lebensglückes
verlustig. Das Tragische des Menschenloses in beiden Fällen
spricht in ergreifenden Worten die Prinzessin in Goethes „Torquato Tasso" aus. Ihr Leben war von früher Jugend an eine
fortgesetzte Übung im Entbehren und Entsagen. Nun soll sie
den jungen Dichter, mit dem ihr das Leben zum Leben ward,
wie sie es nie gekannt, von sich lassen, will sie ihn von sich
lassen, mit blutendem Herzen. Als nun die Gräfin die tiefun-
glückliche Freundin auf die stille Kraft der schönen Welt, der
guten Zeit hinweist, die sie unvermerkt erquicken werde, da
kommen aus ihrem verwundeten Herzen die schmerzlichen Worte,
die das Tragische ihres Loses in voller Wahrheit zur Darstellung
bringen:
> „Wohl ist sie schön, die Welt! In ihrer Weite
> Bewegt sich so viel Gutes hin und her.
> Ach, daß es immer nur um einen Schritt
> Von uns sich zu entfernen scheint
> Und unsre bange Sehnsucht durch das Leben
> Auch Schritt vor Schritt bis nach dem Grabe lockt!
> So selten ist es, daß die Menschen finden,
> Was ihnen doch bestimmt gewesen schien,
> So selten, daß sie das erhalten, was
> Auch einmal die beglückte Hand ergriff!
> Es reißt sich los, was erst sich uns ergab,
> Wir lassen los, was wir begierig faßten.
> Es gibt ein Glück, allein wir kennen's nicht;
> Wir kennen's wohl und wissen's nicht zu schätzen".

Auch für Peer Gynt gab es ein Glück. Es war der Besitz
der reinen, holden Solveig. Als er sie, die das Jahr vorher kon-
firmiert worden war, auf dem Hofplatz zu Hägstad an dem Hoch-
zeitsfeste Ingrids, der Tochter des Hägstadbauern, zum ersten
Mal erblickte, da weist er den ihm dargebotenen Trunk zurück
und sieht ihr unverwandt nach:
> „Welch Wesen! So hab' ich's noch nicht gesehn!
> Ganz Demut vom Kopf bis zu den Zehn,

Den Blick auf die weiße Schürze gesenkt,
In der Hand das silberbeschlagene Buch,
Darauf das weiße linnene Tuch. —
Und wie sie sich an die Mutter drängt!
Ich muß ihr nach".

Unter allen Mädchen bleibt sie allein ihm wert. „Hol der Henker alle Weiber", spricht er in seinem Unmute zu Ingrid, die ihn an sich fesseln will, „außer einer". Mit weicher Stimme bittet er Helga, Solveigs kleine Schwester: „Nein, sag nur, sie soll mich nicht vergessen!" Und auch er hat auf Solveig einen tiefen Eindruck gemacht. Sie kann gar nicht genug von ihm hören. „Erzähl mir noch etwas", bittet sie Aase. „Von meinem Peer?" — „Ja, alles!" — „Alles? Da würdest du müd'". — „Nein, Mutter Aase, eh' das geschieht, zu reden würdest du eher müd'". Und wenn die Mutter Geschichten von ihm erzählt, dann sieht sie ihn, dann hört sie ihn in ihren Gedanken, und wenn nachts die Träume auf sie sinken, dann vernimmt sie die eine Botschaft, die frohe Botschaft: „Nun darfst du kommen". Ob er ihr gut sei, weiß sie nicht; sie weiß nur, daß sie kommen muß. Schwer wird es ihr, von der kleinen Schwester zu gehen, schwerer noch vom Vater, am schwersten von der Mutter. Sie schied von allen, um zu dem Geächteten in seine einsame Hütte zu eilen.

„Auf Schneeschuhn kam ich durch Sturm und Graus;
Sie fragten: Wohin? Ich sagte: Nach Haus.
Da unten war's gleich einer Gruft,
So schwül und beklommen; es engte die Brust.
Auch darum hab' ich fortgemußt.
Doch hier, wo im Winde die Kiefern sausen,
Hier bin ich zu Haus und will hier hausen".

So ist die liebliche und lichte Solveig zu ihm gekommen, mit ihr sein Glück, und er hält beide in seiner Hand.

„So halt' ich dich fest; doch tritt hinein;
Ich hole zum Feuer auf niedrigem Herde
Noch Späne, daß hell und warm es werde;
Wir plaudern dann bei dem freundlichen Schein".

Als Solveig in seine Hütte getreten ist, da steht er erst eine Weile still, dann lacht er vor Freude laut auf und springt in die Höhe:

„Meine Königstochter! Nun endlich gefunden!
Nun sind geheilt die schwersten Wunden".

Sein Glück ist da, und er hat es gefaßt. Doch er läßt los, was er freudetrunken erfaßt hatte. In seiner Brust regt sich das Bewußtsein der Schuld. Ob eine wirklich begangene Schuld vorliegt, oder ob es nur „Gedankensünden" sind, die ihn beunruhigen, brauchen wir hier nicht zu untersuchen. Auf jeden Fall verwehrt es ihm sein Gewissen, der lieblichen Solveig nahe

zu bleiben, denn „sie verlöre den Glanz und die reine Zier“.
Als die holde Jungfrau in die Tür der Hütte tritt, da ruft er ihr
zu: „Du mußt warten; ich hole noch ein paar Kiefernschwarten“.
Freundlich bittet sie: „Doch nicht zu lange laß mich warten“.
Seine Antwort ist: „Lang oder kurz — du mußt warten“. „Ja,
warten“, erwidert sie, ihm zunickend. Peer geht, und nachdem
er seine Mutter bestattet hat, da wandert er über das Gebirge
zur See und fährt nach Amerika, wo er große Reichtümer erwirbt. Wir finden ihn darauf an der Südwestküste von Marokko
wieder, dann an der Grenze der Wüste, später in einer Oase bei
einem Araberhäuptling, wo er den Propheten spielt und sich in
Anitra, des Häuptlings Tochter, verliebt. Solveig ist vergessen.
Von Anitra schelmisch betrogen, stellt er Betrachtungen über
sich, über das Erlebte und über das nun zu Beginnende an.
Eben hat er mit den Worten geschlossen:
„Und die Weiber — da ist man nun ganz verraten“,
da führt uns der Dichter nach dem hohen Norden vor eine
Hütte im Walde, über ihr ein Renntiergeweih. Vor ihr sitzt und
spinnt im Sonnenschein eine Frau von mittlerem Alter, blond
und hübsch. Es ist Solveig, die da singt:
„Wohl vergeht der Winter, die Sommerzeit,
Dann das Jahr, und du bist noch immer weit,
Doch endlich kommst du, dann bleibst du hier,
Und ich warte so lang’, das versprach ich dir.
Gott gebe dir Kraft, wo auch immer du ziehst!
Gott segne dich, wenn du vor ihm kniest!
Hier wart’ ich so lang, bis du kommst, mein Freund;
Und wartest du droben, — bald sind wir vereint“.
Nachdem Peer noch Ägypten besucht hat, kehrt er als Greis
heim und kommt an dieselbe Hütte, aus der Solveigs Gesang zu
ihm tönt:
„Nun ist alles zu Pfingsten bereit.
Lieber Knabe, noch immer weit. —
Kommest du wohl?
Bist auf weiten Fahrten,
So sei nicht bang!
Ich will schon warten,
Sei’s noch so lang“.
Da überzieht Totenblässe Peers Gesicht, und tief bekümmert
spricht er die Worte:
„Eine, die gedacht — und einer der vergessen.
Eine, die entsagt — und einer der vermessen.
O Grauen! Und niemals wandl’ ich’s um.
O Gott! Hier war mein Kaisertum!“
Dann stürzt er fort in den Wald. Die Erkenntnis kommt zu
spät. Sein Leben ist „verpfuscht, verdorben, gekränkt“. Er kehrt
heim „müde vom Leben. O gönnt ihm Ruh!“

Peer hatte das ihm bestimmte Glück gefunden, war es ihm doch nachgegangen; er hatte es mit beglückter Hand ergriffen, aber er hat es sich nicht erhalten. Er ging dieses hohen Glückes verlustig, denn er kannte es nicht; er kannte es wohl und wußte es nicht zu schätzen. Ein Mangel an Erkenntnis also, ein Mangel an Verständnis war der Grund. Goethes Anschauung von dem Wesen des Tragischen berührt sich hier eng mit der Grundanschauung der griechischen Tragödie, wie sie in dem Worte ἄτη ausgedrückt ist. Ἄτη heißt Verblendung und Unheil, und die Verblendung ist der Grund des Unheils. Der Chor in der Antigone des Sophokles sieht die Quelle des Unheils darin, daß die Menschen das Böse für gut halten [1]). Wir denken dabei zunächst an das sittlich Gute und sittlich Böse und sind damit keineswegs im Unrecht, aber doch haben die Worte ἀγαθόν oder ἐσθλόν, wie es an jener Stelle heißt, einen weiteren Umfang und bedeuten auch das, was für uns ein Gut, also ein Glück ist, und das Gegenteil, das Böse, ist demnach auch das, was für uns böse oder schlimm, also ein Übel ist. Diese Auffassung stimmt zu dem Anfange der bezeichneten Antistrophe, und auch die Prinzessin im Torquato Tasso spricht erst von dem vielen Guten, das sich in der weiten Welt hin und her bewegt, und dann vom Glücke. Jenes Gute macht eben das Glück aus.

Nach Goethe also und nach Sophokles ist ein Mangel an Erkenntnis der Grund dafür, daß wir um unser Lebensglück kommen. Nach Aristoteles ist es eine ἁμαρτία oder ein ἁμάρτημα. Das ist auch zunächst ein intellektueller Begriff. Das· Wort bezeichnet ein Verfehlen des Rechten, also eine irrige Auffassung, einen Irrtum, und die daraus hervorgehende falsche Handlungsweise. Wir sagen für ἁμαρτία gern Schuld, aber wir dürfen nicht glauben, daß Schuld ohne weiteres gleichbedeutend mit Verbrechen sei. Die ἁμαρτία kann ein Verbrechen sein, braucht es aber nicht zu sein. Wallensteins Abfall vom Kaiser ist eine ἁμαρτία, also zunächst ein Irrtum, eine Verblendung. Er läßt sich durch die Gräfin Terzky zu dem irrigen Glauben verleiten, daß es gar nicht wider die Natur sei, wenn er die Waffen gegen den Kaiser kehre, daß zwischen ihm und dem

---

[1]) Zweite Antistrophe des dritten Chorliedes der Antigone V. 615—625:

ἁ γὰρ δὴ πολύπλαγκτος ἐλπὶς
πολλοῖς μὲν ὄνασις ἀνδρῶν
πολλοῖς δ' ἀπάτα κουφονόων ἐρώτων·
εἰδότι δ' οὐδὲν ἕρπει,
πρὶν πυρὶ θερμῷ πόδα τις προσαύσῃ.
σοφίᾳ γὰρ ἔκ του
κλεινὸν ἔπος πέφανται,
τὸ κακὸν δοκεῖν ποτ' ἐσθλὸν
τῷδ' ἔμμεν, ὅτῳ φρένας
θεὸς ἄγει πρὸς ἄταν (Verblendung).
πράσσει δ' ὀλίγιστον χρόνον ἐκτὸς ἄτας (Leid).

Kaiser von Pflicht und Recht nicht die Rede sein könne, sondern
nur von der Macht und der Gelegenheit. So war es ein Irrtum,
der ihn zum Verräter werden ließ.

Bis zum Augenblicke der offenen Empörung stand für Wallenstein ein Weg zur Rettung frei, der Rücktritt vom Kommando.
Auf diesen weist ihn Max hin (Wallensteins Tod II 2). Wie er
sich das Leben Wallensteins dann denkt, das schildert er mit
beredten Worten im Gespräche mit der Gräfin (Die Piccolomini III 4):

„Gesegnet sei des Fürsten ernster Eifer!
Er wird den Ölzweig in den Lorbeer flechten
Und der erfreuten Welt den Frieden schenken.
Dann hat sein großes Herz nichts mehr zu wünschen,
Er hat genug für seinen Ruhm getan,
Kann jetzt sich selber leben und den Seinen.
Auf seine Güter wird er sich zurückziehn,
Er hat zu Gitschin einen schönen Sitz,
Auch Reichenberg, Schloß Friedland liegen heiter,
Bis an den Fuß der Riesenberge hin
Streckt sich das Jagdgehege seiner Wälder.
Dem großen Trieb, dem prächtig schaffenden
Kann er dann ungebunden frei willfahren.
Da kann er fürstlich jede Kunst ermuntern
Und alles würdig Herrliche beschützen,
Kann bauen, pflanzen, nach den Sternen sehn,
Ja, wenn die kühne Kraft nicht ruhen kann,
So mag er kämpfen mit dem Element,
Den Fluß ableiten und den Felsen sprengen
Und dem Gewerb die leichte Straße bahnen".

Wahrlich ein schönes Dasein nach einem Leben voll ruhmreicher
Taten und außerordentlicher Erfolge, schöner und köstlicher als
eine Königsherrschaft, die durch Abfall und Verrat und durch
einen blutigen Krieg gegen den eigenen Kaiser erworben werden
mußte. Aber Wallenstein wußte dieses Glück ebensowenig zu
schätzen als Peer das ihm bestimmte.

Woher nun kommt dieser Mangel an Einsicht und Verständnis? Nach dem schon angeführten Chorliede aus der Antigone sind der Grund hierfür die ausschweifenden Hoffnungen.
Diese werden manchem zum Gewinn, andern zum Truge leicht-
fertiger Begierden. Leichtfertiges Begehren also rufen diese Hoffnungen hervor, und dieses erzeugt jene Ate, jene Verblendung,
die uns betrügt, indem sie unser Urteil verkehrt über das, was
uns frommt und was uns nicht frommt. Auch hierfür ist Peer
Gynt ein sehr deutliches Beispiel. Wahrlich, ausschweifend genug
sind seine Hoffnungen. Von ihnen verführt, will er, der einfache
Bauernsohn, große Taten vollbringen, König will er werden,
Kaiser, ja Kaiser der ganzen Welt. Diesem Streben weiht er mit

Mut und Ausdauer, mit hartem Willen und von keinem Mißerfolge
gebeugt, den größten Teil seines Lebens. Doch dieses Streben
war ein vergebliches. Was er gewonnen hatte, ist wieder verloren gegangen. Mit diesem Bewußtsein kehrt er als alter Mann
heim, den Tod im Herzen.

> „O tiefes Leid, unendliches Klagen,
> Die ganze weite Welt durchjagen,
> Und sterbend den Fuß nach Hause tragen!"

Dasselbe maßlose Begehren hat ihn aber auch in schwere Schuld
gebracht. An der Türschwelle der Hütte mit dem Renntiergeweihe
wirft er sich nieder mit den Worten:

> „Ein Sünder — das Urteil — o sprich es aus!
> Ruf laut, was ich verbrochen habe!"

So wird der verhängnisvolle Irrtum zur Schuld; denn er
selbst ist aus der Schuld geboren, geboren aus dem leichtfertigen
Begehren. Ebenso verhält es sich mit Wallenstein. Wohl wohnt
das Gefühl der Treue in seiner Brust, aber daneben auch Ehr-
sucht und Rachsucht. Eine Königskrone will er auf sein Haupt
setzen, Rache will er nehmen für den Tag von Regensburg.
Ohne die Hilfe dieser bösen Mächte wäre die Gräfin niemals imstande gewesen, ihm einzureden, daß sein Abfall vom Kaiser kein
Unrecht sei.

Nach griechischer Anschauung müssen wir Peers Verhalten
als ἀφροσύνη bezeichnen. Diese bildet den Gegensatz zur
σωφροσύνη, der Tugend besonnener Überlegung und maßvollen
Handelns. Ihr Wesen besteht also im Mangel an Überlegung
und Einsicht, namentlich auch im Mangel an Selbsterkenntnis
und damit im Mangel an Erkenntnis der Schranken, die uns gezogen sind. Aus diesem Mangel an Erkenntnis entspringt ein
falsches Handeln, das uns in Schuld und Unglück bringt. Da
die σωφροσύνη eine Tugend ist, so muß die ἀφροσύνη als ihr
Gegenteil ein sittlicher Mangel sein. „Die vernünftige Seele ist
gut", sagt Plato (Gorgias 507a), „wenn aber die vernünftige
Seele gut ist, so ist die Seele von der entgegengesetzten Beschaffenheit böse. Es ist dies aber die unvernünftige und zügel-
lose Seele". Wie die ruhige und besonnene Überlegung den
Menschen die Schranken einhalten läßt, die ihm Gott und seinen
Mitmenschen gegenüber gezogen sind, so führen ihn Unbesonnen-
heit und Unvernunft über diese Schranken hinaus und lassen ihn
der Überhebung und dem Frevelmut, mit griechischem Ausdrucke,
der ὕβρις verfallen. So war auch Peers ganzes Streben Über-
mut und Vermessenheit. Diese Vermessenheit ließ ihn der lieblichen Solveig und damit seines Lebensglückes vergessen. Der
Vermessenheit zeiht er sich selbst in den schon angeführten
Worten: „Eine, die entsagt — und einer, der vermessen". Ent-
sagungsvoll hatte Solveig in einsamer Hütte geduldig seiner

Wiederkehr geharrt, während er sich vermessen hatte, der Kaiser-
krone nachzujagen.

Nach Aristoteles ist es der Zweck der tragischen Handlung,
Furcht und Mitleid in dem Zuschauer, ja auch schon in dem
Leser hervorzurufen. Fürchten sollen wir für den Helden, er
möge der Schuld und damit dem Unglück verfallen. Hegen wir
diese Furcht für Peer? Da, wo er von der edlen Solveig geht,
in der er doch seine Königin gefunden hatte, gewiß, in dem
darauffolgenden Teile des Dramas nicht mehr. Die Weise, wie
ihn der Dichter von da an bis zu seiner Heimkehr schildert, läßt
Furcht für ihn nicht aufkommen, nicht einmal da, wo er beim
Schiffbruche mit Müh und Not sein Leben rettet. Dieser Teil
des Dramas entbehrt aber auch der tragischen Stimmung vollständig. Wir können dem Verfasser keinen Vorwurf daraus
machen; denn er hat sein Werk nicht Tragödie genannt. Von
der Zeit an aber, wo Peer, aus dem Schiffbruche gerettet, den
heimatlichen Boden wieder betritt, ist Raum genug für die bange
Frage: „Was wird nun aus ihm werden? Wird die drohende
Vernichtung seines Selbst, vor der er schaudernd zurückbebt,
eintreten?" Dieser Teil der Handlung ist vollkommen geeignet,
in uns Furcht für den Helden hervorzurufen. Aber dieses tragische Gefühl wird sehr beeinträchtigt durch die ausgedehnte
Anwendung des Allegorischen. Der Knopfgießer, die magere
Person in hochaufgeschürztem Talar mit einem Schmetterlings-
netze über der Schulter, der Dovrealte, wer sind und was wollen
die? Was heißt die wiederholte Erklärung des Knopfgießers,
Peer Gynt müsse in seinen Gießlöffel, um umgegossen zu werden?
Hierin zeigt sich eine ungemeine Abweichung von dem Wesen
der griechischen Tragödie, zugleich aber auch eine große Ab-
schwächung der tragischen Wirkung, da hierdurch unser Verstand
zu sehr in Anspruch genommen wird und wir uns genötigt
sehen, nachzudenken und nachzusinnen, ohne daß wir infolge der
Seltsamkeit des Gedichtes zu einem sicheren Ergebnisse gelangen.
Hierdurch wird die Einwirkung der Handlung auf unser Gefühl
ungemein gehemmt, und so kann eine tragische Wirkung kaum
aufkommen.

Der andere tragische Affekt ist nach der Lehre des Aristoteles das Mitleid. Damit dieses erregt werde, muß das Leiden des
Helden größer sein als seine Schuld. Wäre es nur ebenso groß,
so würde es lediglich eine Befriedigung unseres Gerechtigkeits-
gefühls hervorrufen, wäre es geringer, so würde dieses verletzt.
Auch muß der Held ein im ganzen guter, oder ein überwiegend
guter Mensch sein; denn das volle Mitleid, das tragische Mitleid
ist nur dann möglich, wenn es mit der Furcht verbunden ist,
daß wir leicht ebenso fehlen und damit ebenso dem Leid verfallen können, wie der Held der Tragödie. So liegt in dem
Mitleid für den Helden Furcht für uns beschlossen; aber diese

Furcht für uns hegen wir dem schlechten oder vorwiegend schlechten Menschen gegenüber nicht; denn da wir uns bewußt sind, in sittlicher Beziehung nicht seinesgleichen zu sein, so fürchten wir auch nicht ebenso fehlen zu können und infolgedessen ebenso ins Unglück zu kommen wie jener.

Das sittliche Niveau Peers erscheint bedeutend niedriger, als es nach Aristoteles mit dem Wesen der Tragödie vereinbar ist. Er ist nicht ein im ganzen guter Mann, sondern, wie es im Drama heißt, „einer der mittelschlechten Gesellen". Durch Sklavenhandel und Verkauf von Fetischen hatte er sich in Amerika ein ungeheures Vermögen erworben. Als ihm der Gedanke an sein letztes Stündlein peinlich wurde, da fand er einen Ausweg: er exportierte Götzen weiter, stattete aber auch Missionare mit den nötigen Artikeln aus, mit Strümpfen, Bibeln, Rum und Reis, selbstverständlich nicht ohne Profit. So wurde für jeden verkauften Götzen rasch ein Kuli umgetauft und dadurch die Wirkung neutralisiert. Als es mit dem Sklavenhandel infolge mancher Gefahren zu hapern anfing, da kaufte er ausgedehnte Ländereien im Süden an und behielt den letzten Fleischimport. Es war gerade Primasorte. Er behandelte sie gut. Sie waren zufrieden, und er hatte reichen Gewinn und wurde des Gewinns auch froh. Denn nun war sein Gewissen salviert. Auch baute er Schulen für die Negerjugend und „hielt darauf, daß nicht die Tugend sänk' unter ein gewiß Niveau". In Afrika ließ er sich als Propheten verehren, und der bereits alternde Mann verliebte sich in Anitra, die Tochter eines Araberhäuptlings. Auf einem Ritte durch die Wüste, bei dem er die Geliebte vor sich auf dem Rosse hat, schmeichelt sie ihm fast all sein Geld und seine Kostbarkeiten ab, und als er vom Pferde steigt, um ihr zu zeigen, daß er noch jung sei und tanzen und springen könne wie ein Bock, da gibt sie ihm mit der Reitpeitsche einen gehörigen Schlag über die Finger und jagt im vollen Galopp heimwärts, während der ausgeplünderte alte Geck wie vom Donner gerührt dasteht. Um seiner Frömmigkeit willen glaubt er einen besonderen Anspruch auf göttlichen Schutz zu haben. Als an der Westküste von Marokko seine Gefährten mit seiner Jacht und seinen Reichtümern davonfahren, da ruft er:

„O Gott, du bist weis' und gerecht, — erhör mich!
Ich bin es ja, ich, Peer Gynt! Nicht säume!"

Und als Gott ihn nicht gleich erhört, da hebt er die Hände nach oben und spricht die vorwurfsvollen Worte:

„Du hast wohl die Negerplantage vergessen!
Die Missionare, die ich persönlich
Ausgestattet mit Delikatessen!
Eine Liebe ist doch der andern wert!"

So ist ihm die Frömmigkeit, um mit Plato zu reden, ein Handelsgeschäft, bei dem er recht viel gewinnen will.

Als Peer Gynt, nunmehr ein Greis mit schneeweißem Barte und Haupthaar, auf der Heimreise an der schwedischen Küste ist, da verspricht er dem Kapitän des Schiffes, den ärmeren unter seinen Leuten etwas zu verehren. Den meisten, erwidert der Kapitän, geht es knapp, mit dem Verdienste ist es schwach bestellt, und zuhause haben sie ein Weib und eine zahlreiche Kinderschar. Am schlimmsten geht es dem Koch; er ist ein frischer, junger Bursche, aber daheim herrscht der blasse Hunger. Ja erhielten die Leute ein Sümmchen Geld, dann gäb' es ein lustiges Wiedersehen. Und nun schildert er die Freude, wenn der Vater spät abends an die Türe pocht. Die Frau holt, was sie für ihn aufbewahrt hat. Da wird gebraten, gekocht. Peer malt sich nun weiter aus, wie die Mutter einen Lichtstumpf anzündet oder auch zwei, wie sie zusammen am warmen Kamine sitzen, die jubelnde Kinderschar um sich. Wie er sich das so vorstellt, da überkommt ihn ein bitteres Gefühl. Den alten Peer Gynt erwartet niemand, dem zündet niemand ein Licht an; für ihn ist es Nacht. Barsch verweigert er jetzt dem Kapitän die vorher freiwillig angebotene Gabe an Geld für seine Leute; aber Branntwein soll er ihnen geben. Wozu? Trunken will er sie machen.

„Ja, ohne Besinnung, im Schmutz versunken,
Ein Abscheu den Kindern, ganz ohne Verstand,
So sollen sie auf den Tisch mir schlagen,
Das weinende Weib aus dem Hause jagen".

In der Nähe des Landes zwischen den Schären und der Brandung zerschellt das Schiff. Peer hält sich am Kiele eines gekenterten Bootes fest. Doch auch der Koch taucht aus den Fluten auf und klammert sich ebenfalls am Kiele an. „O lieber Gott", ruft er, „denk meiner Kleinen! Sei gnädig, laß mich mit ihnen vereinen!" Peer, der meint, das Boot genüge nicht für zwei, fordert ihn drohend auf, loszulassen. In dem sich nun entspinnenden Kampfe schlägt sich der Koch die eine Hand lahm und hält sich mit der andern fest. „Die Tatze weg!" ruft Peer. Vergebens fleht der Koch: „O Lieber, schone! Mein armes Weib und meine Kinder!" Die Antwort ist: „Fort, spute dich! Genug Halunk!" Der Koch sinkt. Peer hält ihn am Schopfe, damit er noch ein Vaterunser bete, aber in seiner Todesnot fällt ihm nur die Bitte um das tägliche Brot ein. „Das Gebet der Toren", sagt Peer kalt und läßt ihn in die Tiefe sinken. „Unser täglich", stammelt der Ärmste noch. „Armer, närrischer Gauch!" sagt Peer, dann schwingt er sich auf die Wölbung des Bootes und kommt glücklich ans Ufer.

So zeigt sich Peer als harter, rücksichtsloser Egoist. Sein sittlicher Wert sinkt in unsern Augen dadurch noch tiefer, daß er sich für besser hält als die anderen Menschen, namentlich für frömmer.

„'s ist keine Treu' unter Menschen mehr,
Kein Christentum wie die Schrift es verlangt;
Sie beten noch kaum, die Herzen leer,
Und keinem mehr vor dem Gewaltigen bangt".

Gegen Ende des Stückes schildert er sich dem „Mageren" gegenüber folgendermaßen:

„Sie sehn vor sich 'nen Biedermann.
Ich bot den Gesetzen niemals Trotz;
Saß niemals im Eisen, auch nicht im Klotz.
Ich suchte immer den Fuß zu festen,
Doch strauchelt ich manchmal".

„Stets hielt ich mich fern von den Sündern en gros".

Vor dem Richterstuhl der gewöhnlichen Moral allerdings kann er
einigermaßen bestehen. Aber mit dieser ist es schlimm genug
bestellt. Sie ist wirklich eine dürftige, magere Moral und ganz
unehrlich. Sie trägt ein geistliches Gewand; aber ihr Talar ist
hoch aufgeschürzt und zeigt dem, der nur einigermaßen zusieht,
ihr wahres Wesen, das außer dem „äußerst entwickelten Nagel-
system" der Huf deutlich genug offenbart. Ihre Leichtfertigkeit
wird durch das Schmetterlingsnetz über der Schulter des Mageren
angedeutet. Ihr Prinzip ist: ein jeder ist sich selbst der nächste.
Mit einem Menschen, der sittlich nicht höher steht als Peer Gynt,
pflegen wir kein besonderes Mitleid zu haben, und doch will der
Dichter am Schlusse des Stückes starkes Mitleid mit seinem Helden
hervorrufen. Wie war dies zu erreichen?

Wir müssen zunächst auf einen Unterschied zwischen der
griechischen Tragödie und dem uns vorliegenden Drama achten.
Während die Charaktere jener uns als fertige entgegentreten,
zeigt uns der Dichter bei Peer, wie sich dieser Charakter gebildet
hat. Damit erklärt er uns ihn und die aus ihm hervorgehende
Handlungsweise. In der Erklärung eines fehlerhaften Verhaltens
aber liegt bis zu einem gewissen Grade zugleich seine Entschuldigung.

An Peers maßlosem Streben ist vor allem seine schranken-
lose Phantasie schuld, die ihn vielfach die Grenze zwischen dem
Wirklichen und dem nur Vorgestellten in auffallendster Weise
verkennen läßt. Die Wolke nimmt ihm die Gestalt von Roß und
Reiter an, der Baum, dessen Widerstand er beim Fällen zu überwinden hat, wird ihm zum stahlgepanzerten Ritter, Gedanken, die
in ihm sind, treten ihm gegenüber, sie werden zu Personen, die
zu ihm und wider ihn reden. Diese Eigenart hat er von seiner
Mutter geerbt. Auch ihr wird das Bett, auf dem sie ruht, zum
Schlitten, der Kater, der auf dem Stuhle daneben sitzt, zum
Rappen, ein gewöhnlicher Stock zur Peitsche, die der Sohn als
Kutscher schwingt. Und nun geht es fort rascher und rascher,
einem phantastischen Ziele zu, „zum Schloß von der Sonne
westlich, zum Schlosse östlich vom Mond, zum Soria-Moriapalaste,

das ist das ersehnte Ziel". Da nach Ibsens eigener Erklärung
Peer Gynt der Repräsentant des norwegischen Volkes ist, so
müssen wir hierin einen nationalen Zug erblicken. Man hat
immer gesagt, daß sich altgermanisches Wesen in Norwegen am
reinsten erhalten habe. Demgegenüber erscheint es nicht gerade
wunderbar, wenn bei diesem Volke die Phantasie mancher in
ähnlicher Weise tätig ist, wie zu jener Zeit, da sich der Natur-
mythus bildete, und die uns zunächst befremdende Erscheinung,
daß das Subjekt sich in zwei Personen zerlegt, so dafs der
Redende, wenn er mit sich redet, in seiner Phantasie mit einem
andern redet, erklärt sich aus der Eigenart des Landes. Fahren
wir auf Norwegens Fjorden, so erblicken wir zur rechten und
zur linken steil in das Meer abfallende Bergwände, an deren
Fuße nur selten Raum bleibt für ein sauber gezimmertes Haus
mit rotem oder grünem Anstriche. Durchwandern wir die Täler
des Landes, so treffen wir oft stundenlang weder Mensch noch
Tier; von Zeit zu Zeit aber sehen wir hoch oben am Bergesrande
ein einsames Gehöft, zu dem wir einen Zugang nicht zu entdecken vermögen. Verwundert vernehmen wir, daß die Insassen
auch in der langen Winterszeit dort zwischen Schnee und Eis hausen.

>„Dort oben, wo's dunkelt im blauen Duft,
>Wo das Fjeldtal sich öffnet, als wär's eine Gruft,
>Und unten am Fjord, an dem schmalen Strand,
>Dort also der Mensch ein Heim auch fand.
>Sie wohnen vereinzelt und weit voneinander,
>Nicht leicht, daß einer zum andern wander'"‘.

Aus diesen Verhältnissen begreifen wir wohl, daß diese tief angelegten, stillen Menschen in ihren von der Welt abgeschiedenen
Behausungen oder auf ihren einsamen Wanderungen sich mit
ihren Gedanken beschäftigen, und daß diese zu leibhaftigen Gestalten werden, die ihnen gegenübertreten. So verstehen wir
Peers phantastisches Wesen. Und dieses ihm angeborene Wesen
erfuhr keine Zügelung durch vernünftige Erziehung. Die Mutter
nährte es noch, und der dem Trunke ergebene Vater, der, un-
bekümmert um Weib und Kind, das ererbte Vermögen vergeu-
dete und Haus und Hof immer mehr herunterkommen ließ,
konnte auf die Erziehung des Sohnes keinen Einfluß haben. Die
Mutter fühlte sich zu schwach, der verderblichen Verschwendung
ihres Mannes entgegenzutreten, und ebensowenig vermochte sie
auf die Charakterbildung des Sohnes ausreichend einzuwirken,
namentlich da sie zwischen herber Strenge und schwächlicher
Nachsicht haltlos hin- und herschwankte. Dazu kam der starke
Wille des ungemein kräftigen Jünglings, der der Mutter das Werk
der Erziehung außerordentlich erschwerte. Aber in dieser
Willensstärke liegt etwas Bedeutendes, das uns anzieht. Peer
bleibt auch in schwierigen Lagen Herr der Situation und bewahrt
sein Selbst.

„Wenn dir die ganze Welt geblieben,
Doch du nicht achtetest was edel,
Dich selbst verlörst, mutlos verzagt,
Wär’ alles doch, was zu dir fiel,
Ein Kranz nur um ’nen Totenschädel“.

Auf die Frage, was denn eigentlich dieses Selbst sei, gibt er zur
Antwort:

„Das Gyntsche Selbst, das ist das Heer
Von Wünschen, Sehnsucht und Verlangen;
Das Gyntsche Selbst, das ist das Meer
Von Hoffnung, von Genuß und Bangen,
Kurz das, was mir die Brust bewegt
Und mich bis in den Grund erregt“.

Von diesem Selbst gibt er nicht einen Deut auf. Der Knabe sah
sich schon in seiner Phantasie als Kaiser der ganzen Welt, und
der Mann hat an diesem Ziele festgehalten.

„Der Plan ist mir nicht neu entsprossen
Er war der Inhalt meines Strebens.
Ritt schon als Knabe nicht vergebens
Weit übers Meer auf Wolkenrossen.
Ich trug ’nen Mantel, Krone, Schwert;
Und war der Schluß auch oft nichts wert,
Hielt ich doch immer fest am Ziel“.

Mag auch das Ziel ein verfehltes sein, diesem starken und aus-
dauernden Willen können wir unsere Achtung nicht versagen.

Auch in seinem Hinausstreben in die weite Welt müssen
wir eine nationale Eigentümlichkeit erblicken, die ihm angeboren
ist. Der Dichter selbst erinnert uns daran, z. B. durch die
Worte, die der Geistliche am Grabe des Bauern spricht, der für
seine drei Söhne alles getan:

„Drei reiche Herren in den fernen Welten
Erinnern sich noch kaum des alten Vaters“.

Denken wir ferner an seine herzliche Liebe zur Mutter, die uns
für ihn einnimmt. Allerdings sorgt er wenig genug für sie und
begeht dadurch ein großes Unrecht an ihr. Aber das ist kein
böser Wille, wie auch sein Verhalten gegen Solveig nicht auf
bösem Willen beruht. So erklärt es sich auch, daß die Mutter
ihn innig liebt und stolz auf ihren außergewöhnlichen Jungen ist,
mag sie auch oft genug vorübergehend von heftigem Zorne über
seine Unart erfaßt werden, und daß Solveig ihm unwandelbar in
Liebe zugetan bleibt. Wenn ihn nun die, an denen er sich versündigt, doch lieben, so können auch wir ihm nicht zürnen. Das
wichtigste Moment aber für die Erregung des Mitleides mit Peer
ist seine mit tiefster Reue verbundene Erkenntnis, daß er sich
durch sein Verhalten gegen Solveig um sein Lebensglück gebracht, sich um sein wahres Kaisertum betrogen hat, daß sein
ganzes Leben ein verfehltes war. Die Klänge in der Luft, die

trockenen Blätter, die geknickten Halme, die Tropfen des Morgen-
taus, sie alle gewinnen für ihn eine Sprache und werfen ihm vor,
was er versäumt und was er gefehlt hat. Verzweifelnd wirft er
seinen Hut zur Erde und rauft sein Haar. Als er allmählich
ruhiger geworden, spricht er:

„Ist's möglich? Darf eine Seele schaun
So unsäglich arm ins Todesgraun?
Du schöne Erde, trag mir nicht Haß,
Daß ich zertrat dein junges Gras.
Du schöne Sonne, du mußtest verschwenden
Dein freundliches Licht in leeren Wänden.
's war niemand darin, der sich wärmte und sonnte,
Weil der Herr nicht nach Hause finden konnte".

Wenn wir solche Worte schmerzlichster Reue hören, wenn wir
sehen, wie für den alten Mann nur noch eine Ruhe vorhanden
ist, die Ruhe im Grabe, dann empfinden wir tiefes Mitleid mit
ihm, und das um so mehr, als wir hier ein Schicksal vor uns
haben, dem so viele Menschen verfallen. Es irrt der Mensch, so-
lang er strebt, und wie viele streben, ohne es zu wissen, nach
einem falschen Ziele oder nach dem rechten Ziele auf falschem
Wege und geben durch diesen Irrtum ihres Lebensglückes verlustig. „So selten ist es, daß die Menschen finden, was ihnen
doch bestimmt gewesen schien". Daher müssen wir uns sagen,
daß auch wir uns leicht durch falsches Streben und Trachten
um das Glück des Lebens bringen können.

Hat es nun Ibsen wirklich erreicht, echt tragisches Mitleid
mit seinem Helden in uns zu erwecken, obwohl er, was dessen
sittliche Beschaffenheit anlangt, der Forderung des Aristoteles
nicht nachgekommen ist? Wir müssen diese Frage verneinen;
denn es sind nur einzelne Stellen, bei denen ein tieferes Mitleid
in uns rege wird. Dieses tritt also nur sporadisch auf und verschwindet jedesmal rasch wieder. Sodann sind es solche Stellen,
an denen die innige Empfindung des Dichters in ergreifenden
Worten zur Darstellung kommt. So ist es genau genommen
das in schöner Form sich äußernde Gefühl des Dichters, das in
uns das gleiche Gefühl hervorruft. Aber Aristoteles hat sicher
Recht, wenn er sagt: „Da dem Dichter die Aufgabe zufällt, die
aus Mitleid und Furcht entspringende Lust mittels einer nach-
ahmenden Darstellung zu erzeugen, so leuchtet ein, daß er dies
(den Grund dieser Wirkung) in die Begebenheiten hineinlegen
muß" (Poetik K. 14 S. 1453 b 11 ff.) Es bleibt aber die Tatsache
bestehen: Der Leidende ist ein kalter, rücksichtsloser Egoist,
dessen vermeintliche Frömmigkeit schließlich doch nur Dünkel
und Gewinnsucht ist. Einem solchen stellen wir uns in sittlicher Beziehung nicht gleich und glauben demnach auch nicht,
daß wir leicht ebenso fehlen und dadurch demselben Leiden verfallen können wie er. Daran kann auch das Ergreifende einzelner

Stellen nichts ändern, die in uns wohl vorübergehend eine lyrische Stimmung hervorrufen, aber einer dauernden tragischen
Wirkung ermangeln. Diese Stellen beweisen, daß Ibsen ein
starkes Mitleid mit dem Helden seines Stückes hervorrufen wollte;
aber gelungen ist es ihm nicht. Unser vorherrschendes Gefühl bleibt, daß sein Leiden keineswegs größer ist als seine
Schuld. Dieses Gefühl aber läßt ein tiefgehendes und dauerndes
Mitleid nicht aufkommen.

Das Ergebnis unserer Untersuchung läßt sich kurz in die
Worte zusammenfassen: Die tragische Wirkung des Stückes reicht
so weit, als seine Übereinstimmung mit den tragischen Kunstgesetzen des Aristoteles und demnach mit dem Wesen der griechischen Tragödie reicht. Wollten wir das Stück als eine Tragödie betrachten, so würde es eine Bestätigung der Lessingschen
Überzeugung sein, daß sich die Tragödie keinen Schritt von der
Richtschnur des Aristoteles entfernen kann, ohne sich ebensoweit
von ihrer Vollkommenheit zu entfernen.

Vor dem Nationaltheater in Christiania stehen die Statuen
von Björnson und Ibsen, zwei sehr bedeutenden, aber recht verschiedenartigen Dichtern. So wollen wir denn hier neben Ibsens
Peer Gynt Björnsons Pfarrer Sang stellen, obwohl sie zwei recht
verschiedene Gestalten sind, so verschieden, daß man anfangs
kaum etwas Gemeinsames zwischen ihnen bemerkt. Pfarrer Sang
steht sittlich ungleich höher als Peer Gynt. Sein Charakter ist
gut und edel; er ist erfüllt von einem starken Glauben und getragen von christlicher Liebe, mit der er alle seine Mitmenschen
umfaßt, zu jedem guten Werke bereit. Die Arbeit ist ihm zur
Liebe und Selbstaufopferung geworden. Von ihm strahlt ohne
Unterlaß eine wahre Sonntagsfreude aus. Das ganze Jahr ist ihm
ein Sonntag. Sein Weib und seine Kinder liebt er von ganzem
Herzen. Trotz der Stärke seines Glaubens ist er mild auch gegen
solche, die diesen Glauben nicht teilen. Und doch versündigt er
sich schwer und zwar, gerade so wie Peer Gynt, an denen, die
seinem Herzen am nächsten stehen, aber, wiederum ebenso wie
dieser, nicht in böser Absicht, sondern lediglich aus Mangel an
Erkenntnis. Auch seine Schuld ist eine ἁμαρτία im Sinne der
griechischen Tragödie und des Aristoteles. Er sieht die Schranken
nicht, die ihm wie jedem Menschen gezogen sind, er weiß auch
nicht, daß wir Maß in allem halten müssen, auch im Guten.
Aristoteles lehrt, daß die Tugend die rechte Mitte zwischen zwei
entgegengesetzten Fehlern sei, die Tapferkeit zum Beispiel die
Mitte zwischen Tollkühnheit und Feigheit, die Sparsamkeit zwischen
Geiz und Verschwendung. So wird alle Tugend durch Übertreibung in ihr Gegenteil verkehrt. Die Dinge haben eben ihr
Maß, und es gibt Grenzlinien, diesseits und jenseits von denen
das Rechte und Gute nicht bestehen kann. Schon der Name des

Stückes, der so recht an griechische Lebensanschauung erinnert,
lehrt, daß Sang über die Kraft hinausgeht, über seine Kraft und
über unsere Kraft, das heißt über die Kraft des Menschen überhaupt. Maßlos ist sein Tun, maßlos wie die Natur des Nordlandes und die Vorstellungen der dortigen Menschen. Er geht
über die Verhältnisse hinaus im großen wie im kleinen. Gott-
vertrauen ist gewiß eine schöne Sache, und edel ist die Zuversicht, daß der Mensch sich besonders dann der Hilfe von oben
zu getrösten habe, wenn er im Dienste Gottes seinen Mitmenschen
beistehen will. Aber in einem kleinen Boote über die empörten
Wogen zu einem Kranken fahren in einem Unwetter, bei dem
die erfahrensten Seeleute nicht ein Schiff zu besteigen wagen,
und noch die Kinder mitnehmen, das heißt nicht Gott vertrauen,
das heißt Gott versuchen. Wohltun ist Christenpflicht. Aber es
ist gewiß eine schwere Pflichtverletzung, wenn ein Familienvater
Hab und Gut an Unwürdige verschwendet in einer Weise, die
den Bestand der Familie gefährdet, ja ihn zerstören muß. Durch
diesen Mangel an Maß in seinem Tun zwingt er sein Weib zu
einem Kampfe gegen den von ihr geliebten und verehrten Mann.
Stets ist sie gehetzt; sie hat zu tun, die Familie von einem Tage
zum andern zu bergen. Der Mann würde ja die Kinder ruinieren,
er würde auch sich selbst ruinieren, wenn sie es litte. In diesem
fortgesetzten schweren Ringen erschöpft sich allmählich die Kraft
der zarten, einst lebensfrohen Frau. Lange Jahre hat sie es
ertragen, nun ist sie seit Monaten an das Bett gefesselt, und ihre
überreizten Nerven hindern den Schlaf. Es ist mit ihr vorbei.
Wir vernehmen die Klagen der Dulderin. Klagen will sie eigentlich nicht, sie will nur der Schwester sagen, wie das so gekommen ist; noch weniger will sie ihren Mann anklagen. Hat
sie doch die Lebensreise zusammen mit dem besten Manne von
der Welt gemacht, zusammen mit einem Manne von dem reinsten
Willen. Und doch enthält ihre Erzählung in Wirklichkeit eine
schwere Anklage. Der treffliche Pfarrer mit seinem Herzen voll
von Glauben und Liebe ist ja doch allein daran schuld, daß sie
mit völlig gebrochener Kraft daliegt. Lange Zeit hat Sang nicht
gesehen, was doch so leicht zu sehen war, wie das von ihm so
innig geliebte Weib durch ihn allmählich zugrunde ging. Jetzt
weiß er, daß er an ihrem Unglücke schuld ist, daß sie ihm ihr
Leben geopfert hat. Aber dieses Opfer war unnötig, das Gute,
das Sang geschaffen hat, ließ sich auch ohne ein solches erreichen.
Er war nichts als Güte, nichts als Aufopferung für andere. Aber
war er denn nur für andere da, hatte er nicht auch für Weib
und Kind zu sorgen? Fast fünfundzwanzig lange Jahre ist er
hierfür blind gewesen, ist er nur seinem inneren Triebe gefolgt.
Es gab keine Versagung, keinen Aufschub, wenn einmal etwas für
richtig galt, keine Überlegung, nur Inspiration. „Hätte ich ihn
nicht etwas zurückgehalten", sagt Frau Sang, „so hätten wir jetzt

nichts, wovon wir leben könnten, er selbst nicht und wohl auch die Kinder nicht, — von mir zu schweigen, denn ich bin am Ende". „Gott wird es uns schon wiedergeben", hatte der Pfarrer wohl manchmal getröstet, „denn er hat uns befohlen, so zu handeln". Daß uns Gott aber auch die Vernunft gegeben und damit befohlen hat, vernünftig zu handeln, dieser einfache Gedanke mit seiner zwingenden Logik lag dem Pfarrer fern. Ihm fehlte eben gänzlich ein Sinn, der Sinn für das Wirkliche, und er sah nichts, außer was er sehen wollte. Darum halfen auch Vorstellungen nichts. Die Frau mußte immer etwas Neues erfinden, um ihn abzuhalten, sich und die Kinder gänzlich zugrunde zu richten, jedesmal etwas Neues, sonst merkte er es. „O, es ist zum Verzweifeln", ruft das arme Weib aus. Die Kinder litten unter diesen Verhältnissen. Nichts regelmäßig und bestimmt, eine ewige Unruhe. Sie waren erwachsen und konnten kaum mehr als lesen und schreiben. Und was für einen Kampf kostete es, sie fortzubekommen! Und dann die fünf Jahre, um sie dort zu unterhalten und ihnen den nötigen Unterricht geben zu lassen! Das hat die Kraft der zarten Frau aufgezehrt.

Es ist psychologisch leicht zu begreifen, daß von einem bestimmten Streben oder Begehren vollkommen beherrschte Menschen selbst ganz naheliegende Pflichten vergessen. Kreon in der Antigone des Sophokles will Rache nehmen an Polyneikes, der die Stadt in die größte Not gebracht hat und schuld daran gewesen ist, daß er den eigenen Sohn für ihre Rettung opfern mußte, und darüber versündigt er sich, ohne es zu wissen und zu wollen, an den unterirdischen Göttern, denen der Tote angehört, und denkt gar nicht an die unglücklichen Schwestern des den Raubvögeln und wilden Tieren zum Fraße hingeworfenen Königssohnes. Was fragt denn Schillers Wallenstein viel nach dem Wohle der Gattin? Auch für das hohe Glück, das für seine Thekla in einer Verbindung mit dem herrlichen Heldenjünglinge liegt, hat er, seinem ehrsüchtigen Streben hingegeben, kein Verständnis. Beherrscht von seinen phantastischen Vorstellungen, denkt Peer Gynt nicht an das, was er seiner Mutter und Solveig schuldig ist, und so vergißt Pfarrer Sang, ganz hingerissen von dem Verlangen, Armen und Kranken zu helfen, der eigenen Familie und der Pflichten, die er gegen sich selbst hat. Wie er sich gerade durch edle und zarte Gefühle verführen lassen konnte, unrecht zu tun, zeigt der folgende von dem Dichter überaus fein ersonnene Zug.

„Nun kommt wohl bald Adolf von seiner Morgentour zurück, und dann bringt er Blumen mit, für mich", sagt Frau Pfarrer Sang im ersten Auftritte. Auf die Frage der Schwester: „Kann ich dir nicht ein paar pflücken, da du so sehr danach verlangst?" erwidert sie: „Ach nein. Manche sind darunter, die ich nicht vertrage. Er kennt sie". Und als der mit Sehnsucht erwartete

Gatte zurückkehrt und seinen Morgengruß entboten hat, da sind ihre ersten Worte: „Aber meine Blumen? — Du hast sie fort-gegeben?" Nein, fortgegeben hatte er sie nicht, er hatte sie nicht gepflückt. Als er am Morgen nach einer langen Regenzeit endlich die Sonne erblickte und ausging, — welch eine Blumen-pracht, welch eine Fülle, welch ein Gedränge! Und in dem Ge-dränge dieser Trieb der Selbsterhaltung! Und diese Sehnsucht! Auch die kleinsten bemühten sich, der Sonne den Hals entgegen-zurecken. Selbst ein paar Hummeln gab es schon, die nicht wußten, wo sie hin sollten, in all diesen Strömen von Duft. Denn das eine Tausend duftete und lockte stärker als die andern Tausende, und es waren da tausendmal Tausende. „Gibt es in dieser Millionenfülle nicht auch Individualitäten?" fragte er sich. „Ach gewiß". Und so konnte er es nicht über das Herz bringen, eine der Blumen abzupflücken. Das war also der Grund, warum er der so lange und so schwer leidenden Gattin einen sehnlichen Wunsch, den er recht wohl kannte, nicht erfüllte, eine Gefühlsregung, der er auf Kosten seines unglücklichen Weibes nachgibt ohne jeden wirklichen Grund. Was hätte es denn ge-schadet, wenn er aus der Millionenfülle der Blumen einige ge-brochen hätte? Ist in Pfarrer Sang ein edles Gefühl erwacht, so sieht er nicht rechts, nicht links, auch nicht hinter sich, sondern nur auf seinen Weg, d. h. auf den Weg, auf dem er dem in ihm gleich einer Inspiration aufsteigenden Fühlen und Verlangen Ge-nüge verschafft. So geht er in die Irre, und sein Irrtum wird zur Schuld.

„Die Schuld ist mein. Ich habe es nicht verstanden, dich zu schonen. Du hast dich Stück für Stück geopfert". Das be-kennt er dem innigst geliebten Weibe. Wenn er aber wegen ihrer Krankheit nicht so in Sorge gewesen ist wie die andern, so hat das, wie er selbst sagt, allerdings seinen besonderen Grund. Er konnte ja alles wieder gutmachen, vermochte er ja doch durch die Kraft seines Glaubens und die Macht des Gebetes Wunder zu tun. Hatte er denn nicht schon viele Wunder voll-bracht? Sturm und Wogenschwall hatten ihm nichts anhaben können, durch Gebet und Handauflegen hatte er viele Kranke ge-heilt, durch einfaches Streichen mit der Hand oft die Leiden seiner Frau gemildert, und ein Mädchen, das alle für tot hielten, hatte er ins Leben zurückgerufen. Aber das alles sind nach dem Drama selbst keine Wunder. Dieses weist auf die Macht seiner Persönlichkeit hin und auf die von ihm ausgehende magnetische Kraft. Das Mädchen hielten alle für tot, aber es war nicht tot, ebensowenig wie Melanchthon, als ihn sein Freund Luther durch die Energie seines Willens aus todgleichem bewußtlosem Zustande ins Leben zurückrief. Auch daß der Bergsturz neben der Kirche und dem Pfarrhause vorbeiging, wurde nicht durch das Läuten und den Gesang des Pfarrers herbeigeführt, sondern durch äußere

mechanische Ursachen. Wir erfahren gleich im Anfange des
Stückes von Frau Sang, daß das Kirchlein früher an anderer
Stelle gestanden hat. Als es aber von einem Bergsturz mit fort-
gerissen worden war, da hatte man das neue Gotteshaus etwas
seitwärts gerückt, mehr nach dem Pfarrhause zu, damit ein
anderes Mal die Steinmassen an ihm vorbeigingen. Wußte das
Pfarrer Sang nicht auch? Auf jeden Fall. Aber es beherrscht
ihn das leidenschaftliche Verlangen Wunder zu tun; und so liegt
die natürliche Erklärung des Vorganges ganz außerhalb seines
Gesichtskreises; er hat eben keinen Sinn für das Wirkliche.
Das ist also auch kein Wunder. Aber wenn er seinem
Weibe, dessen Lebensmark bis auf einen ganz kleinen Rest aufgezehrt ist, neue Gesundheit brächte, daß sie wieder aufstünde
und wandelte, wie in früheren Zeiten, das wäre ein Wunder.
Er hat lange Zeit nicht vermocht ihr zu helfen, weil sie nicht
in der rechten Weise mit ihm gemeinschaftlich beten konnte,
weil sie ihm widerstrebte; aber der Tag kommt, an dem er eine
ganz besondere Kraft in sich fühlt und von einer ungewöhnlichen
Zuversicht erfüllt ist. Jetzt will er auch dieses Wunder vollbringen. Rahel sieht ganz klar, daß es sich um das Leben der
Mutter handelt, die nicht die Kraft hat, länger Widerstand zu
leisten, während der Vater jetzt unbeirrt vorgeht. Das Wunder,
das der Vater verrichten will, ist kein Segen; es ist etwas Ent-
setzliches. „Mutter, ach Mutter!" ruft sie, als die Entscheidung
naht, „mir ist so angst!" „Nein, ich halte das nicht aus. Mir
ist so angst". „Mutter! Mutter!" Aber Sang liegt der Gedanke
an eine Gefahr ganz fern. Im festen Glauben an seinen Gott
und in der unerschütterlichen Überzeugung, daß ein solcher Glaube
Wunder wirken könne, geht er in die Kirche, selber sein Gebet
für die Kranke einzuläuten. Und als das Läuten beginnt, da
schlummert Frau Sang ein, und sie schläft so fest, daß sie nicht
einmal das Getöse des herabstürzenden Berges vernimmt. Dann
erhebt sie sich und wandelt. So war denn das Wunder da, und
innigste Freude erfüllte das Herz des Pfarrers, daß er dieses am
meisten ersehnte Wunder vollbracht hatte. Aber es war kein
Wunder. Es war der felsenfeste Glaube Sangs, Gott werde sein
Gebet erhören, der bei der Macht seiner Persönlichkeit und dem
Vertrauen, das die Kranke zu dem geliebten und verehrten Manne
hatte, sich auch ihr mitteilte. So trat Beruhigung bei ihr ein,
und sie entschlummerte. Daß aber der Schlaf nach den durch-
wachten langen, langen Monaten ein sehr tiefer war, ist begreiflich.
Daß sie unter Umständen noch gehen kann, erfahren wir aus
I 1, wo sie sagt: „Nimmt er den Kindern, wovon sie leben
sollen, und gibt es elenden, armseligen Menschen, oder will er
selbst übers Gebirge im Nebel gehen oder im Sturm auf den
Ozean, da, ja da stelle ich mich ihm in den Weg. Ich nehme
an, er wollte es jetzt. Ich habe viele Monate lang nicht auf

meinen Beinen stehen können, aber da könnte ich's. Ich bin ganz
sicher. Da tue auch ich ein Wunder". Aber hier liegt kein
solcher Anlaß vor, und doch steht sie auf und wandelt? Es war
die Macht der Suggestion, die auch bei dem Einschlummern in
erster Linie im Spiele war, also im Grunde genommen wiederum
die Wirkung der starken Persönlichkeit Sangs, die die Kranke
zur Aufbietung des letzten Restes ihrer Kräfte zwang. Damit
ist aber auch dieser kleine Rest erschöpft, und alsbald sinkt
das arme Weib entseelt zu Boden. Neue Gesundheit, neue Kraft
hatte Sang ihr geben wollen, und er hatte ihr den Tod gebracht.
Das war nicht die Absicht gewesen, so hatte er es nicht gemeint.
Sein ganzer Glaube an seine Kraft, Wunder zu verrichten, war
ein Irrtum gewesen und zugleich eine Vermessenheit, eine Hybris;
er war hinausgegangen über die dem Menschen gezogenen
Schranken. Kein Mensch kann Wunder tun, auch der glaubens-
starke nicht, und wer sich vermißt, solche verrichten zu können,
verfällt damit der Schuld. Das ist die Ansicht des Dichters. In
Verblendung hatte Sang lange Jahre gelebt. Der Verblendete aber
kommt nach jenem Chorliede in der Antigone, auf das wir wiederholt Bezug genommen haben, erst dann zu der Erkenntnis seines
Irrtums, wenn er seinen Fuß auf das heiße Feuer gesetzt hat.
Jetzt, wo sein geliebtes Weib tot zu seinen Füßen liegt, hat auch
Sang seinen Fuß am heißen Feuer verbrannt. Der Tod der Frau
war nicht seine Absicht, aber doch sein Werk, die Folge seines
irrigen Glaubens an seine wundertätige Kraft. Wie ein Blitzstrahl
trifft ihn diese Erkenntnis, und er sinkt tot neben dem von ihm
getöteten Weibe nieder. An der Selbsterkenntnis und an der
Tugend des Maßes hat es Sang gefehlt, und so war er dem Irrtum, der Schuld und dem Verderben verfallen.

Wir sehen, Björnsons Drama „Über die Kraft" steht in vollkommener Übereinstimmung mit der griechischen Tragödie, die
vor allem Selbsterkenntnis und die Tugend des Maßes fordert,
und damit auch in Übereinstimmung mit den Regeln des Aristoteles. Pfarrer Sang ist eine edele Natur, erfüllt von dem reinsten
Willen. Von böser Absicht kann bei ihm in keiner Beziehung
die Rede sein; er hat es nur nicht verstanden, sein zartes Weib
zu schonen. So war seine Schuld zunächst nur eine intellektu-
elle, sie war eine $\dot{\alpha}\mu\alpha\rho\tau\iota\alpha$ im Sinne des Aristoteles. Für einen
solchen Mann hegen wir auch die innigste Teilnahme. Bangen
Herzens sehen wir mit der geängstigten Rahel dem Wunder entgegen, das er zur Heilung der schwerkranken Frau vollbringen
will. Wir fürchten für ihn, wir fürchten aber auch für uns.
Denn wenn ein so edler Mensch der Schuld und dem Verderben
verfällt, wie leicht kann dies uns begegnen! Diese Furcht aber
wird zum Grunde des vollsten Mitleides mit ihm. Aber Furcht
und Mitleid, wie sie durch diese Tragödie in uns hervorgerufen
werden, sind reine Affekte, denn wir haben hier nicht einen

gräßlichen Vorgang vor uns, der unser Gefühl verletzte und em-
pörte. Mag auch das Leiden uns größer erscheinen als die
Schuld, so ist es doch durch die Schuld hervorgerufen und nicht
die Wirkung eines tückischen Zufalls noch einer willkürlich über
uns waltenden Macht, der wir wehrlos preisgegeben wären. Der
unmittelbar nach dem Tode der Frau eintretende Tod des gefühl-
vollen Mannes ist für ihn eine Erlösung von schwerer Seelenqual,
gleich wie die Partisane, die Wallensteins Brust durchbohrte,
seine Wohltäterin wurde. Auch daß Pallas Athene des Tela-
moniers Sinn verwirrte, als er in nächtlicher Weile die Fürsten
und Mannen der Griechen ermorden wollte, war für ihn mehr
Wohltat als Strafe. So erfüllt Björnsons „Über die Kraft" den
von Aristoteles gewollten Zweck der Tragödie, sie reinigt durch
Erregung von Mitleid und Furcht die entsprechenden Affekte,
d. h. das Mitleid und die Furcht, die der Anblick oder auch die
Kunde von Vorgängen im wirklichen Leben in uns erregt, die
unser Gerechtigkeitsgefühl tief verletzen und im Widerspruch zu
unserer Menschenliebe stehen. Doch ich kann hier nicht weiter
auf die Aristotelische Katharsis eingehen, meine Ansicht über
diese vielumstrittene Lehre habe ich schon an anderer Stelle
dargelegt. (Der Idealismus der Hellenen in seiner Bedeutung
für den gymnasialen Unterricht. Gera 1906, Kanitz' Verlag.
S. 23 ff.)

Ich habe Björnsons Drama wiederholt mit den Schülern der
Oberprima gelesen, und nach meinen Erfahrungen muß ich seine
Lektüre auf das angelegentlichste empfehlen. Es ist eine wahr-
haft klassische Tragödie, deren Verständnis das Verständnis der
griechischen Tragödie fördert und wahre Wertschätzung der
Aristotelischen Poetik erzeugt. Die Lektüre von Ibsens Peer
Gynt würde sich für das Gymnasium nicht eignen. Abgesehen
von den großen Schwierigkeiten, die es in mancher Beziehung
dem Verständnis bereitet, leidet das Stück auch an bedeutenden
Schwächen. Aber trotzdem ist es bei der Besprechung der
Aristotelischen Theorie vom Wesen der Tragödie, wie sie sich
z. B. an Lessings Hamburgische Dramaturgie passend anschließt,
sehr gut zu verwenden. Der hauptsächlichste Inhalt des Stückes
läßt sich in kurzer Zeit anschaulich darstellen und bietet dann,
wie wir sahen, positiv und zum Teil auch negativ klare und
treffende Belege für die Richtigkeit der Aristotelischen Theorie.
Daß wir aber die Poetik des Aristoteles in Ehren halten und
im griechischen und deutschen Unterrichte recht zur Geltung
bringen, das liegt durchaus im Interesse des Gymnasiums. Wir
schädigen unsere Sache, wenn wir es nicht tun.

Gera.   Gustav Schneider.

ZWEITE ABTEILUNG.

LITERARISCHE BERICHTE.

1) G. Budde, Mehr Freude an der Schule! Hannover und Leipzig 1908, Hahnsche Buchhandlung. 88 S. 8. 1,50 ℳ.

Verf. geht davon aus, daß in den Kreisen der Gebildeten wenig Zufriedenheit mit der höheren Schule herrscht. Ebenso sei bei der Jugend wenig Freude an der Schule zu finden, auch sonst herrsche vieler Orten Schulverdrossenheit, obgleich sich die Unterrichtsverwaltung die erdenklichste Mühe gebe, jene Verdrossenheit zu beseitigen. Da sei es denn die Pflicht namentlich der Lehrerschaft, mehr Freude an der Schule zu schaffen. In diesem Sinne und zu diesem Zwecke will nun Verf. eine Anzahl Schäden in unserem höheren Schulwesen beleuchten und Vorschläge zu ihrer Abstellung machen. — Er handelt zunächst im allgemeinen von der schon vorher erwähnten Schulverdrossenheit, die vor allem auch A. Matthias in der Monatschrift für höhere Schulen zu bekämpfen unternimmt im ersten Hefte des Jahrgangs 1905, indem er der Lehrerschaft den Neujahrsgruß „Freude an der Schule" zurief. Diese Freude fehle bei Schülern und Eltern in weiteren Kreisen, ihr Mangel zeige sich in der Tagespresse, in den die Schule behandelnden literarischen Erzeugnissen (es sei nur an den „Probekandidaten", an „Flachsmann als Erzieher", an „Traumulus" erinnert).

In den nun folgenden 10 Kapiteln werden dann eine Anzahl von Punkten behandelt und Gebiete berührt, auf denen sich in der Tat Schäden und Mängel des höheren Schulwesens finden, die nicht abzuleugnen sind. Dahin gehört zuerst die Lehrerpersönlichkeit und Lehrerbildung. Wie viele Lehrer bleiben ihr Leben lang Pauker, wie vielen fehlt die Freude an der Jugend, an ihrer Eigenart, wie vielen die Kenntnis der Kinderseele; nur selten, sagt auch R. Lehmann, vernehme man einmal eine Äußerung, die auf eindringenderer Beobachtung, auf intimerer Kenntnis der Individualität beruhe! Der Lehrer müsse ein väterlich Gemüt für seine Schüler haben, sein Ernst müsse nicht finster sein, er solle nicht immer zornig dreinfahren; am wirksamsten sei das lebendige Wort der Persönlichkeit, namentlich das Wort eines solchen Lehrers, den die Schüler achten und lieben müssen. Der Lehrer solle nicht karg sein mit dem Lobe der Schülerleistungen, im Tadel des Mißlungenen nicht herbe. Von Pflichtgefühl solle er selbst durchdrungen sein und die Schüler dazu erziehen. Für die Extemporalien sei keine besondere Vorbereitung zu verlangen; die festen Termine für die Arbeiten seien abzuschaffen; den Schülern seien Hilfen zu geben, sie seien auf Schwierigkeiten hinzuweisen; der Text zu den Extemporalien sei gleich ganz zu diktieren und dann sei zu der Übersetzung genügend Zeit zu lassen. Auch bei den Zeugnissen, der Lokation, der Kompensation und Versetzung sei ein Verfahren zu erstreben, welches den Schülern die Lust an der Schule nicht ertöte und benehme. Durchweg sei beim Unterricht lebendiges Interesse zu erwecken, nicht totes Wissen zu vermitteln. Auch Überbürdung, die sich aus der Überschätzung des positiven Wissens ergebe, sei zu vermeiden. Eine besondere Schwierigkeit brächten die fremdsprachlichen Skripta auf der Oberstufe mit sich; die Schüler selbst merkten sehr wohl, wie wenig sie als Maßstab des Wissens geeignet seien. Auch die Ordnung der Reifeprüfung sei umzugestalten. Neuerdings sehe man in der sog. Bewegungsfreiheit ein nicht unwichtiges Mittel der Abhilfe. Es müsse sich bei derselben aber darum handeln, die Schüler von dem Unterricht, der ihrer Eigenart zuwider sei, ganz zu befreien. Dies geschehe bei den bisherigen Versuchen und Vorschlägen noch nicht. Es könne in der Praxis nicht geschehen, wenn nicht vorher die Reifeprüfung eine Abänderung erfahren habe. Eine Durchführung jener Bewegungsfreiheit erfordere auch eine Vermehrung der Lehrkräfte. — Der Verfasser hat in seinen ganz kurz skizzierten Ausführungen eine ganze Anzahl von Mängeln und Fehlern unseres höheren Schulwesens bezeichnet, die zweifellos leider oft vorkommen, die dem Schüler die Freude an der Schule nehmen und dem Lehrer die Lust an seiner Arbeit. Hie und da hat er vielleicht etwas zu stark aufgetragen, aber einem wichtigen Zwecke dient seine auf gründlichen pädagogischen Studien beruhende Arbeit: sie wird dem Lehrer das Gewissen wecken und ihm zeigen, was er zu vermeiden und erstreben hat. Aber was ist und bleibt die Hauptsache? Wir meinen, daß der Lehrer von der rechten Liebe zur Jugend beseelt ist, daß er seine Arbeit mit einer gewissen Begeisterung tut. Dann wird er selbst die rechte Befriedigung von derselben haben und nur dann, wenn dies der Fall ist, wird auch unsere Jugend an ihrer Arbeit in der Schule Freude haben, dann wird sich auch später jeder gern seiner Schulzeit erinnern. — Das Schriftchen ist jedem Lehrer zu recht eingehendem Studium zu empfehlen, ja auch schon dem angehenden Lehrer, damit er sich die in ihm enthaltenen beherzigenswerten Winke schon früh einpräge, damit er ein rechter

Lehrer, Erzieher und Freund der Jugend werde. Damit würde ein Anfang einer Besserung der leider oft noch so unvollkommenen Zustände gemacht werden.

2) **Fr. Paulsen, Moderne Erziehung und geschlechtliche Sittlichkeit.** Einige pädagogische und moralische Betrachtungen für das Jahrhundert des Kindes. Berlin 1908, Verlag von Reuther und Reichard. 95 S. 8. 1 $\mathcal{M}$.

Betrachtungen über Erziehungsfragen sind heutzutage an der Tagesordnung. In diesem Sinne kann man sehr wohl von einem „Jahrhundert des Kindes" sprechen. Überall findet man es bestätigt, daß das Interesse für Pädagogisches im Steigen begriffen ist. Und ganz neuerdings steht vielfach im Mittelpunkt des Interesses die Frage, ob die Pädagogik sich auch mit einer Aufklärung über sexuelle Dinge zu befassen habe. Dieselbe wird äußerst verschieden beantwortet; während sie von vielen Seiten ganz verneint wird, haben an manchen Orten, wie man meint, mit gutem Erfolge, schon Belehrungen der gereifteren Jugend über die geschlechtlichen Verhältnisse stattgefunden, so unseres Wissens in Düsseldorf. Man wird dem berühmten Verf. der vorliegenden Schrift, die sechs vorher in verschiedenen Zeitschriften und Zeitungen veröffentlichte Aufsätze vereinigt, zustimmen müssen, wenn er sagt, daß es eine Sicherheit gegen die Gefahren des letzten und tyrannischsten aller Naturtriebe überhaupt nicht gebe, die Erziehung solle vor allem früh an Selbstüberwindung gewöhnen, durch freien Gehorsam, durch Niederhaltung des sinnlichen Begehrens. Die sexuelle Aufklärung wolle er nicht ganz verwerfen; am besten sei sie einem einsichtigen und wohlwollenden Arzt zu überlassen. Ernstere Willensbildung sei die Hauptsache, sonst sei die Belehrung überhaupt vergeblich. Verweichlichung, Müßiggang, dissolute Begehrlichkeit bereiteten den Dämonen der Unzucht den Boden, nicht die Unwissenheit.

Die ganze neuerdings viel behandelte Frage erscheint uns als eine Abwehr gegen die mancherlei Gefahren aufgeworfen zu sein, welche in den neueren Verhältnissen ihren Grund haben. In diesem Sinne sind denn auch die hier zusammengefaßten Aufsätze Paulsens entstanden, alle durch Zeitströmungen hervorgerufen, die zum Widerstand herausforderten. Der Aufsatz „Väter und Söhne" zieht eine Parallele zwischen den Zuständen der früheren und jetzigen Zeit. Die Veränderungen gegen früher machen sich naturgemäß besonders bei der Jugend, ihrem ganzen Wesen und ihrem Verhältnis zu den verschiedensten Personen und Dingen bemerkbar, namentlich auch auf dem Gebiete der Religion. Da sei es eine unabweisbare Forderung, den Unterricht in derselben umzugestalten. Aber wenn auch eine krankhafte Verschiebung im Verhältnis der beiden Generationen, der früheren und jetzigen, stattgefunden habe, so sieht Verfasser deshalb doch nicht mutlos in die Zukunft. Das deutsche Volk werde das

ruhige Bewußtsein des eigenen Wertes und von der inneren Notwendigkeit seiner geltenden Lebensordnungen behalten. — In
dem Aufsatze „Schuljammer und Jugend von heute" wird das
Verhältnis der Jugend und der Eltern zur Schule beleuchtet, und
es wird eine ganze Anzahl von darin sich zeigenden Schäden und
Mängeln berührt. Ein großer Übelstand sei die Berechtigungs-
frage und die damit in Verbindung stehende soziale Auslese der
Schüler. Auch dürfe die Autorität der Schule wie überhaupt die
Autorität nicht untergraben werden; „Lerne gehorchen", das sei
und bleibe auch heute noch das wichtigste Wort. — Die Abhandlung: „Die sexuelle Moral in G. Frenssens Hilligenlei"
wendet sich gegen eine in dem Roman sich findende Episode, die
von Paulsen aus mehrfachen Gründen verurteilt wird. Jene Episode
in Anna Bojes Leben verstoße durchaus gegen die Sitte und
Moral. Die beiden folgenden Artikel handeln sodann von der geschlechtlichen Sittlichkeit und weisen auf Mängel und Unterlassungs-
sünden unserer akademischen Bildung hin. Von den verschiedensten Seiten könne viel geschehen zu einer besseren Gestaltung
der Verhältnisse auf dem in Rede stehenden Gebiete. Die letzte
Abhandlung „Alte und neumodische Erziehungsweisheit" zieht
noch einmal die Summe aus den Ausführungen des Verfassers. Auf
drei Imperative komme es namentlich an: 1. Lerne gehorchen,
d. h. mit freiem Willen den Willen der Besseren und Einsichtigeren
in deinen Willen aufnehmen! 2. Lerne dich anstrengen, nimm
die geistigen und leiblichen Kräfte zusammen in rechter Übung,
'training' sagen die Engländer! 3. Lerne dir versagen und deine
Begierde überwinden!

Es ist von großer Bedeutung, wenn ein so anerkannter Mann
wie Fr. Paulsen — leider ist er uns vor kurzem durch den Tod
entrissen — sich zu solchen wichtigen sozusagen in der Luft
liegenden Fragen äußert. Wir empfehlen seine geistvollen Ausführungen angelegentlichst der Beachtung nicht nur den Fachgenossen (diesen werden sie eine willkommene Gabe sein), sondern
namentlich auch den weiteren Kreisen Gebildeter, die ein Interesse für unsere Jugend und für pädagogische Fragen haben.

3) R. Jörges, Psychologische Erörterungen zur Begründung
eines wissenschaftlichen Unterrichtsverfahrens. Leipzig
1908, Dieterich'sche Verlagsbuchhandlung Theodor Weicher. XI u.
144 S. 8. 3,80 ℳ.

Die Psychologie ist als Grundlage der pädagogischen Wissenschaft schon wiederholt behandelt worden, und mit vollem Recht;
denn sie spielt in der Tat auf dem Gebiete der Erziehung und
des Unterrichts eine sehr wichtige Rolle. In dem vorliegenden
Buche handelt es sich aber nicht, wie sonst gewöhnlich, „um
theoretische psychologische Untersuchungen und Begründungen,
sondern darum, die psychologischen Tatsachen, die feststehen, für
das Unterrichtsverfahren zu verwerten". Hierin hat der Verf.

auch bereits Vorgänger gehabt, so Benno Erdmann und Hermann
Ebbinghaus, die schon einen Anfang auf diesem Gebiete gemacht
haben. Aber auch andere Psychologen hat er nicht außer Betracht gelassen.

. Man wird aus den vorstehenden Zeilen wohl schon entnehmen, welche Absicht Jörges verfolgt. Versuchen wir, seine
Aufgabe bestimmter zu fassen. Die planmäßige Einwirkung der
Erwachsenen auf die Heranwachsenden (dies ist ja nach seiner
Auffassung die allgemeine Aufgabe der Erziehung) besteht in
nichts anderem als in der Schulung des Denkens: in der Übung
und Ausbildung der körperlichen und geistigen Kräfte. Nachdem
man nun dem Schüler den Denkstoff, das Material herbeigeschafft
habe, müsse man seinem Denken durch geeignete Fragen die
Richtung geben, er müsse angeleitet werden, wie der zur Verfügung stehende Stoff zu bearbeiten sei. Dies wird an einem
Beispiele erläutert, nämlich an der Darstellung des Unterschiedes
zwischen der lateinischen Konstruktion nach „oro" und der deutschen nach „bitten". Zu diesem Unterschiede führen acht vom
Lehrer gestellte Fragen, die allerdings auch kürzer zusammengezogen werden können. Darauf müsse der Schüler dahin geführt werden, daß er in fremder Umgebung, d. h. also an anderem
Material, die Beziehungen, die er an dem Musterbeispiele zu sehen
gewöhnt sei, wiedererkenne. Auch dies wird an Beispielen erläutert.

Aus dem Gesagten ergibt sich schon ganz deutlich, daß Verf.
das ganze Unterrichtsverfahren auf eine psychologische Grundlage
stellen will. Und das tut er denn nun auch in den folgenden
7 Kapiteln, ausgehend von den Grundlagen der Denkvorgänge:
Reproduktion, Gedächtnis, Assoziation, geistige Energie. Dann
gibt er eine psychologische Begriffsbestimmung des Denkens, behandelt die Arten des Denkens und die Fehlerquellen, untersucht die
als Reproduktionsmotive in Betracht kommenden Vorstellungen
und erörtert ihre Reproduktionsenergie, untersucht die bei Erlernung der Fremdsprachen in Betracht kommenden Reproduktionsmotive und erörtert ihren Wert, betrachtet die Prinzipien der
Regelfassung und des Regelbaues, handelt über die Aufmerksamkeit und kommt zuletzt zu einer zusammenfassenden und ab-
schließenden Betrachtung der Psychologie des Unterrichtsverfahrens.

Damit haben wir den Gedankengang des inhaltreichen Buches
ganz kurz skizziert. Man sieht, was der Verf. will und beabsichtigt. Jede mechanische Art des Unterrichtsverfahrens soll ausgeschlossen und vermieden werden; der Schüler ist zum selbständigen Erfassen des Zusammenhanges unter den Begriffen, zum
selbständigen Denken unter Entfaltung der dazu erforderlichen in
ihm schlummernden geistigen Kräfte zu führen; dabei soll er auch
auf den Unterschied des Denkverfahrens auf den verschiedenen

Gebieten achten lernen. Das alles soll ihn zu einer Vertiefung seiner Denktätigkeit führen.

Wie der Lehrer es anzufangen habe, um bei seinem Unterricht diese Ziele zu erreichen, dazu gibt Verf. ihm eine recht vielseitige Anleitung in den Beispielen, die er aus den verschiedensten Wissensgebieten entnimmt. Da steht voran das Lateinische (von der Konstruktion von „oro" und „bitten" war vorher schon die Rede); behandelt wird noch „opus esse", das Gerundivum, die Oratio obliqua, der Infinitiv. Aus dem Französischen werden behandelt die Veränderlichkeit des Participe passé, der Modus nach „que daß", einiges aus der Lehre vom Infinitiv, zur Lehre von den persönlichen Fürwörtern, zur Lehre von der Wortstellung, zur Übertragung von „werden", être, devenir. Aus dem Englischen: aus der Lehre von den Partizipialsätzen, aus der Tempuslehre, aus der Lehre vom Infinitiv, aus der Kasuslehre, einiges zur Übertragung von „werden to be, to become". Ferner kommt die grammatische Terminologie in Betracht, auch beleuchtet Verf. die Psychologie des Vokabellernens und betrachtet einige Lernmethoden, illustriert an Goethes Gedicht „Der Erlkönig". Aus der Algebra endlich bringt er etwas aus der Lehre von den Gleichungen und über Vereinigung von Produkten. — Eine Nennung der Schulmänner, deren Äußerungen herangezogen und kritisiert werden, zeigt, wie sorgsam Verf. die ihm zu Gebote stehenden Quellen benutzt hat.

Wir erkennen, wie mannigfache Beispiele von dem Verf. zur Erläuterung seiner Theorie angeführt sind. Dieselben können als typisch gelten. — Das Buch gibt eine vortreffliche Anleitung zur Vertiefung des gesamten Unterrichtsverfahrens auf den verschiedensten Gebieten. In diesem Sinne wird es jedem Lehrer gute Dienste leisten; ganz besonders sei es auch dem Anfänger empfohlen; er wird aus demselben lernen, wie er einen nachhaltigeren Einfluß auf die von ihm zu unterrichtenden Schüler gewinnen und sie zu selbständiger Denktätigkeit führen kann.

4) **E. Vowinckel, Pädagogische Deutungen.** Philosophische Prolegomena zu einem System des höheren Unterrichts. Berlin 1908, Weidmannsche Buchhandlung. 164 S. 8. 3,40 ℳ.

Man hat die Erziehungslehre von jeher mit anderen wichtigen kulturellen Faktoren in Verbindung gebracht, aber dabei diese einen zu weit gehenden Einfluß auf dieselbe ausüben lassen. Einen solchen dürfe weder die theologische Ethik noch die naturwissenschaftlich orientierte Psychologie gewinnen. Allein die Philosophie darf nach der Anschauung des Verf. des vorliegenden Buches für eine Theorie die Heranbildung jugendlicher Menschen in Betracht kommen. Von diesem Grundsatz ausgehend will Vowinckel die Erziehungslehre auf einen bestimmten Boden gestellt wissen; er behandelt nach dieser Theorie zunächst die

ethische Grundlegung des Unterrichts, dann seinen logischen Aufbau, die Psychologie und Methodik des Unterrichts, die Unterrichtsstunde als Kunstwerk und handelt sodann von der sozialen
Pädagogik in zwei Abschnitten: 1. Das Teilnehmen der Eltern
an der Arbeit der Schule und 2. Zwei zeitgenössische Schülertypen.

Mit der ethischen Grundlegung beginnt Verf. deshalb, weil
„zunächst ein Standpunkt zu gewinnen ist, der Wert und Wahrheit des Geistes begreifen hilft". Die Pädagogik stehe als Wissenschaft unter dem Zeichen des sittlich-geistigen Wesens. Der
logische Aufbau des Unterrichts zeige, daß die Inhalte nicht zufällig, lediglich historisch ankommend seien. Aber auch auf die
Psychologie komme es wesentlich an; denn aus dem Charakter
des Forschungsprinzips selbst erwachse eine Theorie von der
Seele, die die nie versiegende Strömung der seelischen Erscheinungen einhalte und einfange, aber auch notwendig wieder frei-
lasse. Eine Hilfswissenschaft der Pädagogik sei auch die pädagogische Methodik, wenngleich sie nicht, wie man oft angenommen
habe, das Hauptstück der Pädagogik sei. Neben die Methodik
trete die Ästhetik, welche die Frage zu beantworten habe, welche
Bedingungen dazu gehören, daß eine Stunde als Kunstwerk
wirke. — Da die soziale Pädagogik den Schüler als Produkt
der Gesellschaft ansehe, so komme auch sie in Betracht; dahin
gehört der Abschnitt über die Anteilnahme der Eltern am Unterricht und die Vergleichung der beiden Schultypen, nämlich des
deutschen und englischen. — Wir haben ähnliche, auf ähnlichen
Grundsätzen ruhende pädagogische Anschauungen auch sonst schon
bei manchen pädagogischen Schriftstellern gefunden; wir erinnern
an die Bücher von Jahn, Ethik als Grundlage der Pädagogik und
Psychologie als Grundlage der pädagogischen Wissenschaft, sowie
an das jüngst erschienene Werk von R. Jörges, Psychologische
Erörterungen zur Begründung eines wissenschaftlichen Unterrichtsverfahrens. Unser hier zu betrachtendes Buch ist insofern von
besonderer Bedeutung, weil der Verf. eine aus dem Wesen der
philosophischen Einzelwissenschaften selbst und auch der Pädagogik selbst geschöpfte Begründung seiner Anschauungen unternimmt, die dem denkenden Leser eine reiche Anregung bietet.
Dabei halte man seine Darlegungen durchaus nicht für lediglich
abstrakt. Sie behalten auch Fühlung mit der Praxis des Unterrichts und ziehen Beispiele aus dem Unterricht in verschiedenen
Gebieten heran, wenn auch nicht in dem Maße, wie es Jörges
tut. — Mit besonderem Interesse wird man auch den Abschnitt
über die Unterrichtsstunde als Kunstwerk lesen. Verf. weist auf
die Formung des Unterrichtsstoffes hin, der zum eigentlichen
Werkzeug den Sprachstil habe. Kein Gegenstand, die Mathematik
nicht ausgenommen, könne der gestaltenden Sprache entbehren,
obgleich in der Mathematik die künstlerische Forderung darin be-

stehe, die Worte auf ihr geringstes Maß zu beschränken. Interessant sind namentlich auch die Ausführungen des Verf. über den Unterschied zwischen gesprochener und geschriebener Sprache. Überhaupt werden die Unterschiede der Sprachen der einzelnen Unterrichtsgegenstände fein gekennzeichnet. Alles das bietet eine reiche Anregung, die wir allen Fachgenossen nur sehr empfehlen können. Mit Recht hebt Verf. hervor, daß das Wichtigste sei, Begeisterung für den Beruf zu erwecken. — In dem Abschnitt über die soziale Pädagogik wünscht Verf. eine recht verständige Mitarbeit der Eltern an der Gedankenarbeit der Schule, gegenüber dem so oft hervortretenden Schulhaß. Schwinden wird hoffentlich mehr und mehr die an die Lehrpläne gerichtete törichte Frage: „Was nutzt denn das alles?" Alles müsse sich in den großen Werdegang einfügen, den die Schule mit ihrer Belehrung doch nun einmal zu nehmen habe. Als einen besonders wichtigen Ertrag davon sieht Verf. es an, daß bei solcher verständigen Mitarbeit schon früh der unbehinderte Austausch froher Gefühle sich einstellen werde, welche durch die Schönheit der Dichtungen hervorgerufen würden. Der Schluß bietet eine Parallelisierung der zwei Schülertypen, des deutschen und englischen. Die Unterschiede ergeben sich aus dem Naturell der Völker und den verschiedenen bei ihnen herrschenden Anschauungen von den Aufgaben und dem Zwecke der Erziehung und des Unterrichts. Die Vorzüge und Schattenseiten desselben bei beiden Völkern werden behandelt.

Wir haben ein gedankenreiches Buch vor uns, welches nicht nur dem Lehrerstande zu gründlicher Beachtung zu empfehlen ist, sondern auch allen denjenigen eine höchst anregende und belehrende Lektüre bieten wird, die für pädagogische Fragen Interesse und Verständnis haben.

5) O. Willmann, Philosophische Propädeutik für den Gymnasialunterricht und das Selbststudium bearbeitet. Zweiter Teil: Empirische Psychologie. Zweite, verbesserte Auflage. Freiburg im Breisgau 1908, Herdersche Buchhandlung. 179 S. 8. 2,50 ℳ.

Das in diesen Blättern früher bereits angezeigte bestens empfohlene Werk des bekannten Philosophen erschien soeben in seinem zweiten Teile, der empirischen Psychologie, in zweiter, verbesserter Auflage. Bekanntlich steht der Verfasser bei der Behandlung seines Gegenstandes auf dem Boden der aristotelisch-thomistischen Philosophie. Nach seiner Ansicht sind die Grundanschauungen derselben am allergeeignetsten, einen Einblick in die verschiedenen Tätigkeiten der Seele zu gewinnen. Natürlich darf das inzwischen auf diesem Gebiete Errungene nicht unbeachtet gelassen werden. — Nach einer Darstellung des Zusammenhanges der Logik mit der Psychologie und einer allgemeinen Einleitung werden zuerst der Sinn und Trieb behandelt, sodann der Vorstellungs- und Interessenkreis, dann Verstand und Wille, und

den Schluß bildet der Abschnitt Vernunft und Gemüt. Die ganze
Eigenart und Anlage des Buches bringt es naturgemäß mit sich,
daß eine ganze Anzahl von Stellen aus Dichtern und Schriftstellern des Altertums .angezogen wird, welche eine Beleuchtung
psychologischer Fragen und Gegenstände enthalten, darunter
namentlich Aristoteles selbst. Aber nicht allein das Altertum,
sondern auch das Deutsche liefert hier manchen sehr willkommenen Stoff, der eine recht geeignete Verwertung erfährt. Die
altsprachlichen Stellen werden aber sämtlich auch in deutscher
Übersetzung gegeben, so daß das Buch auch von denen benutzt
werden kann, die des Griechischen und Lateinischen nicht kundig
sind. Die reichliche Bezugnahme auf die philosophische und
andere Literatur des Altertums und der neueren Zeit geben dem
Werke so recht den Charakter des Empirischen. Bei seinem Umfange wird dasselbe in Preußen wohl schwerlich als Schulbuch
Verwendung finden, weil eine Durcharbeitung desselben sich
schwer durchführen ließe. Wohl aber ist es ein recht geeignetes
Buch zum Privatstudium des gereifteren Schülers und sehr wohl
passend als psychologisches Lehrbuch für weitere gebildete Kreise,
die sich eine tiefer begründete Kenntnis des Wichtigsten aus der
Psychologie aneignen wollen. In Österreich, wo auf die philosophische Propädeutik mehr Zeit verwendet werden darf, kann es
auch in der Schule wohl verwertet werden. — Dem Lehrer wird
es eine gute Anregung bieten.

Köslin.   R. Jonas.

Eduard Ebner, Magister, Oberlehrer, Professoren, Wahrheit
     und Dichtung in Literaturausschnitten aus fünf Jahr-
     hunderten. Nürnberg 1908, C. Kochs Verlagsbuchhandlung. XV u.
     306 S. 8. 4 ℳ.

In den letzten Jahrzehnten haben sich, wie es in pädagogischen Kampfeszeiten erklärlich ist, die Werke der sogenannten
schönen Literatur gehäuft, in denen Vertreter des höheren Lehrerstandes meist in humoristischer, nicht selten in satirischer, gehässiger Darstellung eine Rolle spielen. Kann man in dieser Erscheinung mit Recht ein Zeichen dafür sehen, daß man endlich
die Bedeutung des Lehrerstandes erkannt hat, so hat man andrerseits in den beteiligten Kreisen oft mit einer gewissen Empörung
aus ihr geschlossen, daß in dem erbitterten Kampfe, der in der
Neuzeit gegen das System, gegen die höheren Schulen und besonders gegen das Gymnasium geführt wird, das Verhältnis des
Volkes auch zu den Trägern dieses Systems gehässiger geworden
sei. Dieser Schluß ist freilich nicht ganz richtig; bereits seit
dem Ende des achtzehnten Jahrhunderts, seit ein Publikum zu
bilden sich begann, das an Fragen der Erziehung und den
Kämpfen um sie Anteil nahm, sind die höheren Lehrer in ähnlicher Weise gezeichnet worden wie heute. Es ist daher recht

verdienstlich, daß der Verfasser, der dem Vorworte zufolge in
dieser Frage kein Neuling ist, sich entschlossen hat, uns vom
historischen Standpunkte aus ein zusammenfassendes Bild von der
Darstellung des höheren Lehrerstandes in der schönen Literatur
der letzten Jahrhunderte zu geben, die natürlich, je weiter sie sich
der Jetztzeit nähert, desto reichhaltiger wird. Die Zahl der von
ihm herangezogenen Werke ist jedenfalls staunenswert: es sind
just 222, und wenn wir an die öde Langeweile, die seichte Flach-
heit, die verbissene Niedertracht so vieler von ihnen denken,
kommt uns Mitleid an mit dem Manne, der in diesem Meer von
bedrucktem Papier so viele Leiden hat dulden müssen. Daß
trotzdem manches, was in der letzten Zeit erschienen ist, seiner
Aufmerksamkeit entgangen ist, kann bei der Fülle dieser meist
auf Buchhändlerspekulation beruhenden Erzeugnisse nicht befremden; so ist z. B. der zu des Ref. Bedauern gerade in der
„National-Zeitung“, einem sonst so vornehmen Blatte, abgedruckte
Roman von Kurt Aram „Jugendsünden“ nicht herangezogen, in
dem Aram den kranken Löwen, den er in einem früheren Romane
nur mit flüchtigem Fuße berührt hat (s. S. 170 f. des besprochenen
Buches), nun mit einem wahren Hagel von Hufschlägen bedenkt.
Auch des „famosus“ Stilgebauers allem moralischen Gefühl ins
Gesicht schlagende neueste Leistung „Das Liebesnest“ hat der
Verfasser offenbar noch nicht gekannt und darf damit zufrieden
sein. Leider scheint auch eine so achtungswerte Erscheinung wie
Charlotte Niese in ihrem von No. 26 an in den „Grenzboten“ 1908
erscheinenden Romane „Reifezeit“ es für nötig zu halten, der allgemeinen Mode im Vorbeigehen ihren Zoll zu entrichten; Herr Külpe,
der Ordinarius ihres Harald, der Besuche von Müttern in Schlafrock
und leichter Unterkleidung empfängt und ein „Mädchen aus einem
Sattlerladen“ heimführt, ist jedenfalls eine eigenartig fossile Erscheinung in der heutigen, auch auf gesellschaftlichem Gebiete
nichts weniger als rückständigen höheren Lehrerschaft. Wenn
der Verf. nun aber meint, diese Erzeugnisse hätten durchweg
besondere Wichtigkeit für den Lehrer, „denn aus ihnen allein
kann er erkennen, wie der Schüler ihn und sein Wirken sieht,
kann er erfahren, wie die breite Masse des Volkes ihn auffaßt
und pädagogisch wie gesellschaftlich einschätzt“, so ist das doch
nur in einer gewissen Beschränkung richtig, weil alle diese Lehrergestalten von Gunst und Haß verwirrt nicht sein können, wie
der Verf. meint, sondern fast durchweg davon verwirrt sind;
es bleiben eben subjektive Erzeugnisse einzelner. Immerhin
werden wir auch aus den verschiedenen Stationen dieses „Leidens-
weges“, aus den Fehlern, die man uns vorwirft, den Anklagen,
die man gegen uns erhebt, indem man die in keinem Stande zu
leugnenden Verfehlungen und Absonderlichkeiten einzelner zu
leidenschaftlichen Anklagen gegen den ganzen Stand verallgemeinert, manches lernen können, besonders dafür, wie wir es nicht

37*

machen sollen, und auch insofern wird die Lektüre des Werkes
uns höheren Lehrern zu empfehlen sein.

Es würde den Rahmen einer Besprechung weit überschreiten,
wollten wir den Verf. auf seinem Gange durch das Mittelalter,
durch die Zeit des Humanismus, die einzige, die eine Reihe würdig
gezeichneter Lehrergestalten aufweist, durch das in lateinisch
redender Pedanterie erstarrte 17. Jahrhundert bis ins einzelne
begleiten, wollten wir genauer mit ihm die trübselige Stellung
betrachten, die der Lehrer im 18. Jahrhundert einnimmt, das
bereits die literarische Satire als wirksames Kampfmittel benutzt;
jedenfalls ist seine Schilderung eingehend und treu, wenn auch
wegen des spärlicher vorhandenen Stoffes nicht so umfangreich
wie in dem letzten Teile des Buches. Dieser umfaßt von S. 99
ab die Darstellung des höheren Lehrers in den verschiedenen
Abschnitten des 19. Jahrhunderts, zunächst während der Zeit des
Neuhumanismus, des goldenen Zeitalters des höheren Lehrers;
denn in ihm wird er noch als harmlos, gutherzig, wenn auch
von rührender Unbeholfenheit, in stets freundlicher, höchstens ge-
mütlich karikierender Art gezeichnet. Aber schon mit den Wiese-
schen Lehrplänen vom Jahre 1856 beginnt der moderne Kampf
gegen Lehrbetrieb und Lehrer, um, besonders den Gymnasien
gegenüber, dauernd an Gehässigkeit zu wachsen. Neben den be-
rufspsychologischen spielen da die Entwickelungsromane die Hauptrolle; von ihnen hat, soviel Ref. sieht, der Verf. keinen irgendwie der Beachtung werten übersehen; den erst jüngst erschienenen
von Otto Ernst „Semper der Jüngling" hat er nicht mehr heranziehen können. Die treffend gewählten „Literaturausschnitte" aus
einzelnen, besonders die aus dem für diese Art besonders typischen Werke von H. Hesse „Unterm Rad", das in 2 Jahren
15 Auflagen erlebte, erhöhen den Wert und Reiz des Buches. —
Auch die Literatur, die sich seit Frank Wedekinds „Frühlings
Erwachen" mit dem neuesten, im Streite der Meinungen hin und
her gewendeten Problem, der sexuellen Aufklärung der Jugend,
und mit der Stellung der Lehrerschaft zu ihr beschäftigt, würdigt
der Verf. eingehender Besprechung, ebenso die „schönen" Blüten,
die die soziale und gesellschaftliche Stellung des Lehrers mit oft
ätzendem Spott überschütten. Wenn dabei der Verf. meint, trotz
der oft gehässigen Satire über das Halten von Pensionären, über
Privatstunden und dergl. sei eine Besserung in der gesellschaftlichen Einschätzung der höheren Lehrer in der letzten Zeit nicht
zu verkennen, so teilt Ref. diesen Optimismus nicht und meint,
daß selbst eine zukünftige Gleichstellung mit den gleich vorgebildeten Berufsarten den Lehrerstand auch in langen Jahren nicht
vor manchen Anwürfen bewahren wird, die denen in Kurt Wigands
Unkultur, Herm. Wettes Spökenkieker, H. Hermanns Kyklopenhöhle,
Adele Osterlohs Oberlehrer Gesenius, Gertrud Frankes-Schievelbein
Unkenteich in nichts nachstehen werden. Da wäre es freilich

verkehrt, nach öffentlichem Schutze zu schreien (vgl. S. 300);
nur von des Standes eigener Arbeit ist Besserung zu hoffen;
solche Bilder von höheren Lehrern müssen — diesem Wunsche
des Verf. schließt sich Ref. voll an — durch die Tatsachen so
unmöglich werden, daß jeder sie als Karikaturen zurückweist.
„Die öffentliche Meinung beherrscht uns alle. Aber niemand hat
so streng wie der Lehrer darauf zu achten, daß sein Ruf unbe-
fleckt bleibt", sagen sehr richtig Zabel und Bock in ihrem Schauspiel „Der Gymnasialdirektor".

Aufmerksamkeit verdient, um noch einen einzelnen, aber des
Ref. Meinung nach für die Stellung der Lehrerschaft zum Publikum besonders wichtigen Punkt herauszugreifen, die sehr richtige
Ansicht, die der Verf. S. 245 bei Besprechung von H. Hermanns
Kyklopenhöhle ausspricht, daß ein gut Teil der Mißachtung, unter der
der Lehrerstand leide, der Selbstausübung des Züchtigungsrechtes zuzuschreiben sei. Das hat offenbar die Behörde richtig
erkannt, wenn sie die körperliche Züchtigung so viel wie möglich
aus der Schule zu verbannen sucht, haben die Kollegien richtig
erkannt, die in freier Vereinbarung sich verpflichtet haben, ihres
Züchtigungsrechtes freiwillig sich zu begeben.

Das ansprechend ausgestattete Buch weist leider eine außer-
ordentliche Zahl von Druckfehlern auf; Ref. zählt mindestens 34
gröberer Art. S. 268 Z. 10 soll wohl statt „Manier" stehen
„Manie". An verschiedenen Stellen ist der Satzbau in arger
Unordnung, so S. 128 Z. 22, wo durch die Ausmerzung von „die
Vorwürfe gegen" Heilung ebenso möglich ist, wie S. 163 Z. 7
durch Fortfall von „von ihrem Kinde". Unheilbar dagegen ist
S. 193 Z. 12 v. u. „wer von beiden es ist, der dem anderen
Teile seiner Seele und seines Leibes verdirbt und schändet",
denn Teile als Nominat. Plur., nicht als Dat. Sing. zu fassen und
davon den Genitiv abhängen zu lassen, verbietet doch der gesunde
Menschenverstand. Flüchtig stilisiert ist auch S. 172 Z. 6 u. 7 v. u.

     Saarbrücken.   Hans Koenigsbeck.

Anton Ender, Lehrbuch der Kirchengeschichte für Mittelschulen.
   Mit Approbation des hochw. Herrn Erzbischofs von Freiburg. Mit
   25 Abbildungen. Freiburg 1907, Herdersche Verlagshandlung. XII u.
   196 S. gr. 8. 2,50 ℳ, geb. 2,90 ℳ.

Das Buch hat große Vorzüge. Die neun Tafeln Abbildungen
z. B. sind als glückliche Neuerung zu begrüßen. Wertvoll sind
die Tabellen im Anhang. Das Wichtigste ist aber, daß das Buch
in 82 Paragraphen zerfällt, die immer eine Lehreinheit umfassen
und so viel Stoff bieten, daß er in einer Stunde bewältigt werden
kann. Übersichtliche Gliederung, übersichtlicher Druck und begeisterte Sprache sind weitere Vorzüge des neuen Lehrbuches,
das vornehmlich in Österreich Eingang finden wird.

     Breslau.   Hermann Hoffmann.

Chr. Muff, Deutsches Lesebuch für höhere Lehranstalten. Achte
Abteilung, für Prima. Dritte, verbesserte Auflage. Berlin 1905,
G. Grotesche Verlagsbuchhandlung. 406 S. 8. geb. 3 *M.*

Da die 1895 erschienene erste Auflage im 11. Jahrgang der
Zeitschrift für den deutschen Unterricht S. 405—411 ausführlich
von mir besprochen ist, kennzeichne ich hier die Eigenart des
Buches nur kurz zusammenfassend. Es bietet eine Auslese von
vorzüglicher nachgoethischer Prosa, die den Primanern die uner-
läßliche Kenntnis des Lebens der Gegenwart und seiner Bestrebungen vermitteln und so die notwendige Ergänzung zum
Lesen der deutschen Klassiker bilden soll. Die Aufsätze sind daher den wichtigsten großen Gebieten der theoretischen und praktischen Tätigkeit unserer Zeit entnommen; Religion, Philosophie,
Welt- und Kulturgeschichte, die schönen Künste, Volkswirtschaft
und Sozialpolitik, Naturkunde und Technik sind berücksichtigt.
Die Auswahl im einzelnen ist ganz selbständig, sehr sorgfältig und
mit pädagogischem Takte getroffen. Das Lesebuch will weder
zersplitternder Vielwisserei noch einseitiger Fachbildung dienen.
sondern im Anschluß an die maßgebenden Unterrichtsfächer der
Prima den Gesichtskreis der Schüler angemessen erweitern und
ihre Gedankenwelt vertiefen. Der Herausgeber hat darauf gesehen,
daß durch die aufgenommenen Lesestücke der Sinn vom Besonderen auf das Allgemeine gerichtet und eine philosophische
Art des Denkens gelehrt werde.

Das günstige Urteil, das ich über die erste Auflage gefällt
habe, gilt in erhöhtem Maße von der dritten, die nicht unerheblich verändert ist. Es sind jetzt neun Stücke entfernt und sieben
neue dafür aufgenommen worden, und zwar so, daß zwar die Zahl
der Nummern auf 56 gesunken, aber der Umfang von 392 auf
406 Seiten angewachsen ist. Einige früher angedeutete Wünsche
sehe ich jetzt mit Freuden erfüllt.

Recht und billig ist es, daß ein so glänzender Stilist wie
H. von Treitschke noch einmal zu Worte kommt, zumal er auch
immer etwas zu sagen hat; er schildert in No. 38 warm und
treffend, welche Energie des geistigen Schaffens gegen Ende des
18. Jahrhunderts in Deutschland herrschte, und im besonderen,
wie die menschliche Liebenswürdigkeit und die schöpferische
Macht der neuen Bildung ihren vollendeten Ausdruck in dem
eigenartigen Freundschaftsbund Goethes und Schillers fand. Die
übrigen neuen Aufsätze rühren, dem modernen Charakter des
Lesebuches entsprechend, sämtlich von noch jetzt lebenden
Männern her und sind aus Büchern entnommen, die erst im
letzten Jahrzehnt erschienen sind. Die Brauchbarkeit der Bücher
für realistische Anstalten ist entschieden dadurch erhöht, daß —
übrigens auf den ausdrücklichen Wunsch von Lehrern solcher
Anstalten — das klassische Altertum mehr als bisher berücksichtigt
ist. Dahin gehören No. 30 und 31, von denen nachher zu reden

ist, sowie No. 21 und 33. In No. 21 „Der Zeus von Olympia" verfolgt U. von Wilamowitz die Geschichte der Stätte und des Festes zu Olympia von der Urzeit an und bespricht sodann die Darstellung des Zeus durch Pheidias, wobei namentlich das Eingehen auf die olympische Rede des Dion bemerkenswert ist. Jedenfalls ist das Lesestück auch für die Schüler von Gymnasien wertvoller als das dafür ausgefallene über die „westöstlichen Schwankungen des Schauplatzes der deutschen Geschichte" von Lamprecht.

Während der Herausgeber selbst in der 1. und 2. Auflage nur einen schönen Aufsatz über den Idealismus des Christentums bot, liefert er jetzt auch seinen auf der Philologenversammlung zu Halle 1903 gehaltenen interessanten Vortrag über die Tragik des Sophokles, worin er die erhaltenen Dramen des Sophokles würdigt und feinsinnige Bemerkungen über die Tragik überhaupt macht. Meinen vollen Beifall hat besonders seine Forderung einer beglückenden Erhebung des Zuschauers und seine Ablehnung der modernen Trauerspiele, die nur den Sturz menschlicher Größe und den Jammer des Daseins vorführen und „den Pessimismus großziehen". Doch möchte ich ergänzend hervorheben, daß m. E. doch auch das Niederdrückende zu dem vielumstrittenen Begriff des Tragischen gehört. Die Erschütterung und Rührung entsteht erst, wenn der Schuld des Helden unendlich viel Recht beigemischt ist, wenn sein Unglück zwar selbstverschuldet, aber doch wieder unverdient ist, wenn er zwar Fehler begeht, die sich rächen müssen, aber doch als ein edler oder großer Mensch unseres innigsten Anteils wert ist. Denn was man gewöhnlich „tragische Schuld" nennt, braucht ja kein Frevel, keine sittliche Verfehlung zu sein, wie es etwa im Wallenstein der Fall ist, sondern bedeutet nur den Beitrag, den der Mensch durch sein eigenes Tun und Lassen, das an sich sehr anerkennenswert sein kann, d. h. durch seinen Charakter zu seinem Untergange liefert. Es bedarf des Zusammenwirkens des Helden und des Schicksals, oder wie man die außerhalb des Helden liegende zwingende Macht der Umstände sonst nennen will. Tragisch ist der anfangs aussichtsreiche, aber schließlich doch vergebliche Kampf mit der Notwendigkeit, und die Wirkung ist um so ergreifender, je sicherer und je berechtigter der Erfolg des Menschen anfangs schien. Und zwar verlangt der in sich widerspruchsvolle Begriff des Tragischen m. E., daß einerseits ein ursächlicher Zusammenhang, anderseits ein Widerspruch zwischen dem Tun des Helden und seinem Leiden, zwischen seinem Wesen und seinem Schicksal bestehe. Damit ist z. B. die Frage nach der Tragik der Antigone einfach gelöst. Echte Tragik zermalmt uns, weil das Große, Edle und Schöne in den Staub sinkt, sie erhebt uns aber auch, weil wir einsehen, daß es so kommen mußte, weil der Ausgang die bestehende Weltordnung bestätigt, weil hohe geistige und sittliche

Kräfte zur Entfaltung gelangen, weil es sich zeigt — hier bin ich
mit dem Verfasser wieder ganz einig —, „daß der Mensch größer
ist als das Schicksal und auch im Untergange Sieger bleibt". —
Ein Stück mit glücklichem Ausgang wie Philoktet bietet so wenige
tragische Momente, daß es m. E. nicht mehr zu den eigentlichen
Tragödien gerechnet werden kann, wenn es auch von den Alten
τραγῳδία genannt wurde. Jede echte Tragödie ist nach dem
Obigen in gewissem Sinne eine Schicksalstragödie, auch König
Ödipus; aber den König Ödipus eine Schicksalstragödie im engeren
Sinne zu nennen wie etwa die Müllnerschen und Wernerschen
Stücke, dazu kann ich mich nicht entschließen. Die Weisheit
des Dichters hat es vielmehr so eingerichtet, daß der „ein für
allemal festgelegte und vorhergesagte Wille des Schicksals" nur
in der Vorgeschichte waltet, nicht aber in der dramatischen Handlung. Diese beruht nicht auf der Ausführung, sondern nur auf
der Entdeckung der Greuel. Und der Held wird im Drama selbst
nur durch die Entschließungen seiner eignen Brust bestimmt, zu
handeln, d. h. die Entdeckung der längst geschehenen Greuel herbeizuführen, er schmiedet sich, verblendet wie mancher tragische
Held, aber mit voller Willensfreiheit sein Schicksal selber. Indessen obgleich ich in manchen Punkten vom Verf. abweiche, so
muß ich es doch als sehr erfreulich bezeichnen, daß durch seinen
anregenden Aufsatz jetzt der Abschnitt aus G. Freytags Technik
des Dramas (Nr. 8) ersetzt ist, der eine recht äußerliche Auffassung der Tragik bekundete.

Die Aufnahme der Stücke No. 38 von v. Treitschke und
No. 33 von Muff brachte es mit sich, daß nicht nur No. 8, sondern
auch die ästhetischen Abhandlungen No. 7 „Das Drama" von L.
Bellermann, No. 37 „Goethes Iphigenie" von Rosenkranz, No. 38
„Das Schicksal in Schillers Wallenstein" von L. Bellermann und
No. 37 „Die Jungfrau von Orleans" von Palleske weichen mußten.
Man kann mit dem Tausch zufrieden sein, da die in den ge-
nannten Stücken der ersten Auflage behandelten Fragen den
Schülern doch schon im Unterricht nahegebracht werden. Aus
andern Gründen können wir missen: No. 29 „Charakteristik der
Aufklärungszeit im 18. Jahrhundert" von Willmann, Nr. 32
„Aristoteles und das 19. Jahrhundert" von Barthélemy-Saint-Hilaire
und No. 55 „Die Galvanoplastik" von Grätz. Entbehrlich wäre
auch der Aufsatz über den Apoll von Belvedere gewesen, weil O.
Jahns Ansicht, daß der Apoll die Ägis gehalten habe, nicht mehr
haltbar ist.

Statt der entfernten Stücke haben wir jetzt vier philosophische Aufsätze. Auch diese Änderung ist entschieden eine Verbesserung. Windelband schildert in No. 30 die Bedeutung Platons
und seiner Ideenlehre, die nicht nur für sein Volk, sondern auch
für die Menschheit groß ist, insofern manche seiner idealen,
geradezu prophetisch aufgestellten Forderungen im Griechentum

unerfüllbar waren, aber in unserer Zeit verwirklicht sind. In
No. 31 gibt A. Rausch eine zum Teil allerdings etwas schematische Übersicht und eine Kritik der Lehre, besonders der Sitt-
lichkeitslehre der Stoa, die es vor allem war, welche die Geister
auf die geläuterte Lebensauffassung des Christentums vorbereitet
hat. Klar und verständlich feiert P. Deussen in No. 32 die Aufstellung des kategorischen Imperativs durch Kant. Im Gegensatz
zu den Klagen, daß die Moral viele zu Schwächlingen, unselb-
ständigen Sklaven und geistlosen Schablonenmenschen mache,
und daß sie die schwelgenden Stimmungen der Seele beein-
trächtige, spricht R. Eucken in No. 10 „ein Wort zur Ehrenrettung der Moral", indem er zeigt, daß die Menschen gerade
durch die Moral immer mehr zur Freiheit und Größe geführt
und immer mehr zu geistigen und sittlichen Persönlichkeiten
erhoben werden, und indem er auf die Höhen des geistigen
Lebens hinweist, wie sie z. B. durch Platon, Luther und Kant
bezeichnet werden. Durch die fünf philosophischen Abhandlungen,
die das Buch zusammen mit dem schon in den früheren Auflagen
stehenden „Sokrates" von Zeller jetzt aufweist, wird es sehr geeignet, die früher oft recht unfruchtbar betriebene philosophische
Propädeutik zu ersetzen.

Hohe Anforderungen stellen ja auch die meisten der neu
aufgenommenen Stücke an die Schüler. Aber noch immer hat
sich der Grundsatz bewährt: „Nur dem Ernst, den keine Mühe
bleichet, rauscht der Wahrheit tief versteckter Born". Und ein
Lehrer, der z. B. No. 10 Die Ehrenrettung der Moral, No. 12
Wie Nationen entstehen, No. 23 Idealismus des Christentums,
No. 30 Platon, No. 39 Die Baustile (natürlich mit veranschau-
lichenden Wandbildern), No. 46 Wir leben nicht auf der Erde,
wer, sage ich, diese Stücke — ich greife nur einige heraus —
gründlich mit seinen Schülern durcharbeitet, der erweist ihnen
einen Dienst für das Leben.

Einen Vorzug des Buches sehe ich auch darin, daß viele
Stücke nicht nur das Denken schulen, sondern sich auch an das
Gemüt der Schüler wenden, sie innerlich erglühen lassen, ihre
Begeisterung wecken und ihnen sittliche Antriebe geben. Das
Buch dient nicht nur der rhetorisch-stilistischen Förderung, sondern
auch der harmonischen Bildung von Geist und Herz.

Wir danken dem Herausgeber, daß er unsern Schülern ein
so vorzügliches Bildungs- und Erziehungsmittel in die Hände gegeben hat, und wünschen von Herzen, daß es recht fleißig gebraucht werde. Wünschenswert ist es ja, daß alle Schüler der
Klasse die dritte Auflage haben, aber daß sich diese auch neben
der ersten und zweiten benutzen läßt, folgt schon daraus, daß
sie einen Grundstock von 49 Nummern gemeinsam haben.

Wetzlar.   Heinrich Gloël.

1) **Albert Geyer, Unsere Kultur von den ältesten Zeiten bis zur**
   Gegenwart in Einzelbildern. Nach den wichtigsten Zeitepochen aus
   größeren Werken zusammengestellt und bearbeitet. Gießen 1907,
   Emil Roth. VIII u. 352 S. gr. 8. 2,40 *M*, geb. 3 *M*.

39 Einzelbilder, die den Leser von der grauen Vorzeit, der
wirtschaftlichen Kultur der alten Germanen, der Kultur im Zeitalter der Völkerwanderung, der Darstellung eines Frauenlebens
aus dieser Zeit (Waltarilied) usw. bis zum Zeitalter Friedrichs
des Großen und zur neuesten Zeit führen. Unterabteilungen
innerhalb dieser Abschnitte erleichtern die Übersicht. Die Quellenschriften (Kämmel, Henne am Rhyn, Janssen, Steinhausen u. a.)
sind sachverständig ausgewählt und benutzt. Das Buch ist nicht
bloß für die Oberstufe der Volks- und Mittelschulen, für die es
zunächst bestimmt ist, sondern auch für höhere Lehranstalten
brauchbar, zumal zur Anschaffung für die Schülerbibliothek. —
Papier, Druck und Ausstattung (Bildschmuck: Kopfleisten und
Schlußvignetten) sind zu loben. — Unter den erklärenden Anmerkungen vermisse ich eine solche zu dem Ausdruck „wergeld"
(S. 8 u. 16), der nicht ohne weiteres verständlich ist. Druckfehler: Kryxta für Krypta (S. 63) und: "Es ist nicht einzusehen"
für „Es ist nicht schwer einzusehen" (S. 328).

2) **A. Schmarsow, Lessings Laokoon in gekürzter Fassung**
   herausgegeben. Leipzig 1907, Quelle u. Meyer. II u. 66 S. gr. 8.
   geh. 0,40 *M*.
3) **A. Schmarsow, Erläuterungen und Kommentar zu Lessings**
   Laokoon. Ebenda. 132 S. gr. 8. geh. 1,60 *M*, geb. 2,20 *M*.

Die Ausgabe gibt, mehr oder weniger gekürzt, die ersten
24 Kapitel der Lessingschen Schrift mit Auslassung der Ausführungen,
die sich auf den Schild des Achilles beziehen (Kap. 18, zweite
Hälfte, und Kap. 19 ganz). Im Verhältnis zum Originaltexte (vgl.
Blümners Ausgabe in Kürschners D. Nat.-Lit.) der ersten 24 Kapitel
ist das kaum die Hälfte. Immer noch mehr als genug für die
Zwecke des Schulunterrichts! Der Herausgeber erklärt in seinem
Geleitwort, daß er in der Auswahl und Kürzung im allgemeinen
mit Schillings „Laokoonparaphrasen" übereinstimme. „Nur einzelne
dort preisgegebene Kapitel glauben wir nicht entbehren zu können
(z. B. V. VI.), weil wir die Belehrung über die Poesie allein nicht
für die Aufgabe der Laokoonlektüre zu halten vermögen, sondern
im Einklang mit der Absicht Lessings die gleichberechtigte Behandlung der bildenden Kunst verlangen. Ja zur Einführung in
die Dichtkunst gibt es andere Gelegenheit genug in der Schule,
und bessere vielleicht als an der Hand gerade dieser Schrift
Lessings. Für das Verständnis der Plastik und Malerei dagegen
einen Anhalt zu gewähren und nach dieser Seite hin den An-
schauungskreis zu erweitern, dafür ist sie geeignet und muß sie
willkommen sein. Das knappe Maß, das sie für diesen Zweck
enthält, sollte nicht verkürzt, sondern eher durch eine sinnvoll

ausgewählte Beispielsammlung verstärkt werden". Die hier entwickelte Auffassung ist nicht eben befremdlich, wenn man bedenkt, daß Geheimrat Schmarsow, Professor für Kunstgeschichte
und Direktor des Kunsthistorischen Instituts an der Universität
Leipzig, Verfasser zahlreicher kunsttheoretischer Schriften, den
Wunsch haben muß, schon die Jugend unserer höheren Lehranstalten in den Tempel der Kunstbetrachtung, des Kunstgenusses
oder doch in die Vorhallen dieses Tempels einzuführen. Ich be-
fürchte aber, daß dieser Standpunkt lebhaften Widerspruch finden
wird, einmal, soweit die Absichten in Frage kommen, die Lessing
selbst bei der Abfassung des Laokoon verfolgt hat, und — ganz
davon abgesehen — zweitens, soweit die Bedürfnisse der Schule
in Betracht gezogen werden. Hören wir, wie sich ein Mann der
Schule, C. Rethwisch, Direktor des Kaiserin Augusta-Gymnasiums
in Charlottenburg, zu der Sache stellt. Er schreibt im Vorwort zur 2. Auflage seines Laokoonkommentars („Der bleibende
Wert des Laokoon", Berlin 1907, Weidmann; vgl. meine Anzeige
im 62. Jahrg. dieser Zeitschr.): „Herder durchschaute es zuerst,
daß man Lessings leitenden Gesichtspunkt ganz verfehle, wenn
man seine Ausführungen über die bildende Kunst für etwas anderes
nehme als für ein Nebenwerk, dessen er für seinen· Hauptzweck,
die Klarlegung des Wesens der Dichtkunst, nicht entraten konnte.
— — Wie hat man das überhaupt nur jemals verkennen können
— — ?" Sei dem, wie ihm wolle: so verlockend es auch für
manchen Lehrer sein mag, bei der Laokoonlektüre auf Lessings
und Winckelmanns Gedanken über die bildenden Künste einzugehen,
um an ihnen oder auch im Widerspruch zu ihnen die Anschauungen der Gegenwart darzutun, so ist doch dieser Weg, den
Schmarsows „Erläuterungen" einschlagen, wie ich wenigstens
glauben möchte, viel zu umständlich und zeitraubend für den Betrieb
des deutschen Unterrichts. Diese Exkurse über: Körperschönheit,
Ausdruck, Natur und Menschengeist in der Kunst, Nacktheit
und Bekleidung, Organisches Gewächs und fremde Zutat im Bildwerk, Poetische Faktoren in der bildenden Kunst, Überwindung
der Körper-Schönheit und -Häßlichkeit in der Malerei — werden
ja jedem, Lehrer oder Nicht-Lehrer, willkommen sein, der in
das Verständnis dieser Dinge eindringen will. Aber Belehrungen
in dieser Richtung wird die Schule kaum anders als gelegentlich
und in knappster Form geben können. — Ganz unabhängig von
diesen Erwägungen ist die Frage zu beantworten, ob Schmarsows
Text nebst Kommentar neben den Ausgaben von Buschmann und
anderen für den Schulgebrauch zu empfehlen sei. Das ist zweifellos der Fall. Eine willkommene Ergänzung dazu bieten die
kritischen Inhaltsangaben, die C. Rethwisch in der oben genannten
Schrift gegeben hat. — Etwaigen Neuauflagen von Schmarsows
Textausgabe hätte allerdings eine sorgsame Bearbeitung der Rechtschreibung (überschwänglich S. 24, indeß S. 26, blos oft neben

bloß, Verhältniß S. 47, Bekenntniß S. 57 u. a. m.) und vor allem
der Zeichensetzung vorauszugehen. Das Buch ist ja doch für die
Schule bestimmt.

Brieg. _____ Paul Geyer.

1) **Wulff, Lateinisches Lesebuch für den Anfangsunterricht
   reiferer Schüler. Ausgabe B** von J. Schmedes. Berlin 1907,
   Weidmannsche Buchhandlung. VIII u. 68 S. 8. 3,20 ℳ inkl. Wortkunde.
2) **Wulff, Aufgaben zum Übersetzen ins Lateinische für den
   Anfangsunterricht nach dem Frankfurter Lehrplan** (Unter-
   tertia). **Ausgabe B.** von J. Schmedes. Berlin 1907, Weidmannsche
   Buchhandlung. VIII u. 94 S. 1,40 ℳ.
3) **Wulff, Wortkunde zu dem Lateinischen Lesebuch. Ausgabe B**
   von J. Schmedes. Berlin 1907, Weidmannsche Buchhandlung.
   152 S.

Mannigfache Klagen über unleugbare Schwierigkeiten in den
Texten des Wulffschen Lateinischen Lesebuches, die sich
namentlich auf die nicht geringe Zahl der Übungssätze moralischen
Inhaltes erstrecken, haben hauptsächlich die Neubearbeitung des
Buches veranlaßt, die jetzt als Ausgabe B vorliegt. In dieser
neuen Gestalt soll das Wulffsche Werk besonders den Bedürfnissen
des Realgymnasiums gerecht werden, doch auch für das Gymnasium nicht außer Betracht bleiben. Aus Pietät gegen den verstorbenen Verfasser und in seiner Überzeugung von der musterhaft planvollen Anlage des Buches glaubte Schmedes das Wulffsche Werk nach Möglichkeit erhalten zu müssen. Die daran vorgenommenen Änderungen beschränken sich daher auf Streichung
inhaltlich oder formell besonders schwieriger Sätze, für die nur
zum Teil Ersatz geboten wurde, auf das Ausmerzen wenig ge-
bräuchlicher Vokabeln, auf stilistische Glättungen und schließlich
auf die Umstellung dreier Stücke.

Hat der Übungsstoff so schon eine nicht unwesentliche Kürzung erfahren (die neue Ausgabe weist nur 68 Seiten Text auf
gegenüber 75 Seiten der alten), so bezeichnet Schmedes außerdem eine Anzahl sowohl von ganzen Lesestücken, namentlich
Fabeln, als auch von Einzelsätzen durch die Hinzufügung eines
Sternchens als entbehrlich, und zwar in der richtigen Erwägung,
daß es zweckmäßiger ist, „eine geringere Stoffmenge durch reich-
lichere Einübung zum völligen Eigentum seiner Schüler zu machen
als eine größere durch erhöhte Anspannung der Klasse und hasti-
geres Vorschreiten".

In der Art, wie Schmedes zu Werke gegangen, hat er ohne
Zweifel den richtigen Takt und großes Geschick bewiesen, und
es ist nicht zu leugnen, daß die Neubearbeitung die anerkannten
Vorzüge des Wulffschen Werkes nur noch deutlicher zu Tage
treten läßt.

Wenn aber das Wulffsche Werk von jetzt ab in zwei getrennten Ausgaben erscheinen soll, so hätte die Verlagsbuch-

handlung vielleicht besser daran getan, neben einer verbesserten Neuauflage des Buches in ursprünglicher Fassung (Ausgabe A) eine völlige Umarbeitung des Werkes (Ausgabe B) zu veranlassen. So konnte einerseits der Pietät gegen den Verstorbenen und zugleich den Wünschen der alten Freunde des Buches Genüge geleistet werden; andererseits wäre der Verlag auf diese Weise den Fortschritten gerecht geworden, die seit dem ersten Erscheinen des Wulffschen Werkes doch sicherlich auf dem Gebiete des ateinischen Lesebuches für Reformschulen gemacht worden sind. Das betrifft vor allem das Verb. Das Verbum finitum ist nun einmal die Seele des Satzkörpers. In dieser Erkenntnis führen fast alle nach Wulff erschienenen lateinischen Lehrbücher für Reformschulen mit dem ersten Stück planmäßig in das Verb ein, so u. a. Ostermann-Müller-Michaelis und Wartenberg; Wulff erst mit Stück 15; freilich schickt er in Stück 11—14 das Verb esse und seine Komposita, also das Unregelmäßige dem Regelmäßigen, das Schwierigere dem Leichteren voraus. Da er aber in den 10 ersten Stücken ohne Verbum finitum keine Sätze bilden kann, verlangt er, daß der Schüler ungefähr 80 einzelne Verbalformen (nach Ausgabe B gezählt, in der alten Ausgabe sind es noch mehr) sich einprägt, .darunter sind fast alle Tempora und Modi des Aktivs und Passivs vertreten, sogar ein Deponens findet sich dabei.

Auch erscheint mir die Darstellung der III. Deklination als durchaus überholt. Die getrennte Behandlung der Deklination nach Endung (22—29) und Geschlecht (30—35) erweist sich als weniger zweckmäßig, weil umständlich. Die Scheidung in konsonantische und vokalische Deklination ist dabei nicht richtig durchgeführt. Maßgebend ist meiner Ansicht nach in dieser Beziehung die Auffassung Wartenbergs, Lattmanns und Kerstens. Die Gleichsilbigen auf -es und -is sind vom praktischen Standpunkt aus zur i-Deklination zu rechnen. Sie gehörten nach dem Empfinden der Zeitgenossen Cäsars sicherlich dazu, wenn auch bei einigen unter ihnen die Wissenschaft bezüglich ihrer ursprünglichen Zugehörigkeit anderer Meinung ist. Die Gleichsilbigen auf -es und -is sind zugleich weiblich der Hauptregel nach. Ausnahmen sind die, auf -nis, -guis, -cis und besonders collis, ensis, orbis, mensis. Die Ungleichsilbigen auf -es und -is sind männlich (vgl. paries, caespes; lapis, pulvis, cinis, sanguis; davon sind seges, merces, quies Ausnahmen). — Die Wörter auf -o werden bei Wulff noch als männlich eingeprägt, während es sich längst als praktischer erwiesen hat, sie der Hauptregel nach als weiblich zu bezeichnen. Als Ausnahmen kommen dann ordo, sermo und allenfalls noch pugio und septentrio in Betracht. Nach Wulff-Gillhausen aber müssen ordo, pugio und septentrio als Ausnahmen von der Ausnahme gemerkt werden. — Für reifere Schüler, für die das Buch geschrieben ist, will mir zudem die Darbietung

der III. Deklination in einem Wurf und zwar nach Stämmen
geordnet (vgl. Wartenberg und Lattmann) als zweckmäßiger erscheinen.

Noch eins darf ich hier nicht unerwähnt lassen: Der Übungsstoff ist im Wulff bekanntlich nicht allzu reichlich bemessen;
zu knapp ist er aber in den ersten Stücken. Auch in der
Ausgabe B sollen vier Sätzchen mit elf Wörtern der I. Deklination
(darunter zwei Eigennamen) zur gründlichen Einübung dieser Deklination ausreichen. Dabei ist der Dativ sing. in dem Stück ebensowenig vertreten wie der Vokativ. So fehlt es auch in Stück 2
und 3 an einem Beispiel für den Dativ plur. — Für Schüler, die
von Haus aus das richtige Sprachgefühl bezüglich der Unterscheidung der Fälle haben, mag der Übungsstoff allenfalls genügen; für unsere rheinischen und norddeutschen Jungen reicht
er nicht aus.

2. Auch in den Aufgaben zum Übersetzen ins Lateinische läßt sich des Bearbeiters geschickte Hand erkennen.
Mancherlei Änderungen zielen auch hier auf Erleichterung hin,
namentlich wieder durch Streichung vieler moralischer Gemein-
plätze, die so wenig nach dem Sinn und Verständnis unserer
Tertianer sind. Schließlich hat sich Schmedes die Verbesserung
des deutschen Ausdrucks angelegentlich sein lassen. Die Anmerkungen sind unter den Text gesetzt und ein Wörterverzeichnis
(besonders geheftet, Preis 40 Pf.) beigelegt worden.

3. Die Wortkunde zu dem Lateinischen Lesebuch
hat insofern eine Änderung erfahren, als die Anordnung der
Vokabeln nach Wortarten aufgegeben ist. Für die häusliche
Tätigkeit des Schülers bedeutet das ohne Zweifel eine Zeiter-
sparnis.

4) **Theodor Nissen, Lateinische Satzlehre für Reformanstalten.**
Wien und Leipzig 1907, F. Tempsky u. G. Freytag. 132 S. 1,80 ℳ.

So vorzüglich die Reinhardtsche lateinische Satzlehre (Weidmann, Berlin) als erstes Werk ihrer Art nach mehr als einer
Richtung hin war und noch ist, für die Praxis des Unterrichts
bietet sie infolge des zu strengen Festhaltens an dem zugrunde
liegenden System gewisse Unbequemlichkeiten. Trotz mancher
Kompromisse findet sich darin vieles Zusammengehörige auseinandergerissen.

Wenn Nissen es nun unternommen hat, nach Reinhardts
Vorgang „den Forderungen einer wirklichen Satzlehre" entsprechend eine neue lateinische Satzlehre zu schreiben, so kam
es ihm wohl in erster Linie auf Vermeidung des erwähnten Übel-
standes an. Durch Erweiterung der Kompromisse ist es ihm in
der Tat gelungen, eine lateinische Syntax zu schaffen, die trotz
der neuen Einkleidung im Kerne das Bild einer Grammatik alten
Systems darbietet. Ablativus absolutus und Participium coniunc-

tum, die bei Reinhardt unter verschiedenen Gesichtspunkten getrennt behandelt werden, finden sich nun vereinigt, ferner die
Regeln über quin und so manches andere. Die Tempuslehre
wird zwar dem System zufolge an zwei verschiedenen Stellen,
nach Haupt- und Nebensatz geteilt, dargestellt, jedoch räumlich
näher zusammengerückt. Die Regeln über den Gebrauch des In-
dikativs findet man indessen, wie bei Reinhardt, an drei verschiedenen Stellen. — Im ganzen läßt sich erwarten, daß auf Grund
der Nissenschen Darstellung das neue System seinen Freundes-
kreis erweitern wird. Die Regeln sind präzis gefaßt. Wert wird
besonders auf ihre Ableitung und Begründung gelegt, wie
überhaupt Verfasser sich nach dem Vorbilde Ziemers (Lat. Schulgrammatik, Berlin 1897) bemüht, die Spracherscheinungen zu
erklären, um so dem Lernenden nicht bloß Gedächtnisarbeit zuzumuten. Erklärungen und Definitionen finden sich indessen in
etwas reichlichem Maße, und mir will scheinen, daß hier nicht
immer der dem Verständnis unserer Tertianer und Sekundaner
angemessene Ausdruck gewählt ist.

Die Beispiele werden nicht in so reicher Fülle wie bei R.
geboten; immerhin mag ihre Zahl ausreichen. Abgesehen von
den Beispielen, die Verfasser dem Elementarbuch von Kersten
entnimmt (an das N. sich in ähnlicher Weise anschließt, wie R.
an Wulff) sind sie nicht nur Cäsar und Cicero entlehnt, sondern
auch Livius, Sallust und Tacitus.

Im einzelnen möchte ich folgendes bemerken: abundare
sucht man vergeblich bei den Regeln über den Ablativ, es fehlt
auch demgemäß im Register. Zu § 68 würde ich der Deutlichkeit wegen *urbs Roma, aber la ville de Rome* hinzufügen.

In § 143 scheint mir die Definition: „der Ablativus absolutus ist ein erweiterter Ablativ" nicht glücklich getroffen. In
§ 150 teilt N. die einfachen Sätze nach ihrem Inhalte in Aus-
sage-, Begehrungs- und Fragesätze. Reinhardt sagt „nach der
Form der Aussage". Ich möchte mich mit R. für die Form
entscheiden, da es in dieser Gegenüberstellung der Satzarten,
vom rein grammatischen Standpunkt aus, hauptsächlich auf die
Form ankommt. Auch würde ich Aussagesatz vermeiden (Aussage ist alles) und dafür Urteils- oder Behauptungssatz
setzen. Vor § 151 vermißt man eine kurze Übersicht über die
Arten des Urteils in der Art, wie sie R. gibt.

Die Unterscheidung in Haupt- und Nebentempora § 191
ist doch wohl von den meisten Grammatikern aufgegeben, da sie
gänzlich unbegründet ist. Das konstatierende Perfekt § 172,
von andern auch urteilendes Perfekt (Perfectum logicum) gehört freilich streng genommen in das Kapitel vom Perfekt. Ich
würde aber das Häufigere und Wichtigere, also das historische
Perfekt an die erste Stelle setzen, danach das präsentische Perfekt folgen lassen und mit R. des konstatierenden Perfekts als

einer besonderen Art historischen Perfekts höchstens in einer
Anmerkung Erwähnung tun. Allzuviel schafft leicht Verwirrung.
— § 212 handelt von den abhängigen Begehrungssätzen. Es
heißt da: „Sie hängen ab von Verben des Wollens", warum
nicht „Begehrens"? Der Ausdruck „begehren" empfiehlt
sich hier vielleicht besser zur Bezeichnung des Begriffs als
wollen, weil nach den Verben des Wollens (velle, nolle, malle)
der Infinitiv steht. So würde ich auch im § 214 von ver-
neinten Verben des Begehrens sprechen, die man in tran-
sitive und intransitive gliedern kann. In § 118 werden die Verba
sentiendi als Verben der (sinnlichen oder geistigen) Wahrnehmung bezeichnet. Da möchte ich bemerken, daß das lateinische sentire wohl den Begriff aller in dem genannten Paragraphen aufgezählten Verben deckt, nicht aber das deutsche
wahrnehmen. Scire, ignorare, cogitare, arbitrari, putare usw.
bezeichnen keine Wahrnehmung.

    Barmen.   O. Vogt.

Lucian aus Samosata, Traum und Charon. Ausgabe für den Schul-
    gebrauch von Fr. Pichlmayr. Zweite Auflage. München 1907,
    M. Kellerer. 42 S. 8. 0,80 ℳ.

    Das kleine Büchlein hat einen sehr guten Zweck; es will
die Lucianlektüre auf dem Gymnasium ermöglichen, indem es
eine billige Ausgabe zweier lesenswerter Schriften bildet. Es ist
ein erfreuliches Zeichen, daß in zwei Jahren eine neue Auflage
nötig geworden ist, und läßt darauf schließen, daß Lucian bei
Lehrern und Schülern sich einer gewissen Beliebtheit erfreut, sobald nur durch brauchbare Ausgaben die Gelegenheit zur Lektüre
geboten wird. Daß er aus mannigfachen Gründen das Interesse
verdient, habe ich in der Einleitung meiner Bearbeitung des
zweiten Bändchens der Sommerbrodtschen Ausgabe auseinandergesetzt und kann hier darauf verweisen.

    Die Ausgabe von P. ist keine wissenschaftliche und stellt
auch keine Ansprüche, als solche betrachtet zu werden. Der land-
läufige Text ist einfach in sauberem, tadellosem Druck wiedergegeben bis auf eine Anzahl von Stellen, an denen der Herausgeber, um ein leichteres Verständnis zu erzielen oder aus pädagogischen Gründen geändert hat. Über die Zweckmäßigkeit solcher
Änderungen kann man mehrfach im Zweifel sein. Wenn es in
dem Traum heißt (Somn. 17): χειμερινὸς ὄνειρος ἢ τάχα που
τριέσπερος, so ist das witzlos geworden, wenn der Zusatz: ὥσπερ
ὁ Ἡρακλῆς, καὶ αὐτός ἐστι fortgelassen ist. Aber war das
wirklich nötig, um die Sittlichkeit nicht zu gefährden? Von
Zeus und Alkmene erfährt der Schüler ja doch sonst auch.

    Um die Lektüre zu erleichtern, hat der Herausgeber kurze
Anmerkungen beigefügt. Ich bekenne, daß sie mich nicht übermäßig befriedigen; mögen sie auch hier und da nützlich sein, so

vermisse ich doch die rechte ratio. Die Niobesage wird aus-
führlich berichtet. Dagegen bei Erwähnung des Praxiteles die
Frage gestellt: „Welches Originalwerk von ihm wurde bei den
Ausgrabungen in Olympia gefunden?" Zu Λαγῶ βίον ζῶν wird
bemerkt: „Sprichwörtliche Redensart: Sinn?" (Somn. 9), dagegen
(Somn. 18) ἱκανὸν (παράδειγμα) übersetzt: „genügend, passend".
Zu ὅπερ κυριώτατόν ἐστι (Somn. 10) findet sich „Eingeschobener
Satz", als ob nicht jeder Relativsatz ein eingeschobener Satz wäre.
Der Herausgeber liebt es, besonders durch Fragen das Nachdenken
der Schüler anzuregen, wie schon das eben zitierte „Sinn?" zeigt.
Ich fürchte, daß der pädagogische Wert dieser Methode sehr
gering ist. Wer flüchtig ist, liest über solche Störungen ruhig
hinweg, und wer sich müht, um den Sinn zu erfassen, dem kann
und darf man auch bessere Weisungen geben. Besonders Fragen
wie zu dem Zeusbilde des Phidias (Somn. 8): „Das Bild des Zeus
in — ?" oder die oben angeführte betreffs des Hermes halte ich
für verfehlt, weil sie nicht durch Nachdenken gelöst werden
können. Das sind Fragen, die mündlich gestellt werden, aber
die beim Unterricht gute Methode in die gedruckten Erklärungen
zu übertragen ist zwecklos. Im Unterricht gibt, wenn nicht der
Gefragte, so ein anderer der Schüler die Antwort, im Notfall der
Lehrer selbst, und so wird überflüssige Verzögerung vermieden.
Wie lange aber soll der Schüler zu Hause über eine solche Frage
brüten, wenn ihm die Antwort nicht einfällt?

Irgendwelche Erklärungen literarhistorischer Art hat der Herausgeber nicht hinzugefügt, um etwa zum „Traum" diese ganze
sophistische Richtung oder zum „Charon" die menippische Schriftstellerei zu beleuchten. Ich finde das bedauerlich und glaube,
daß das Interesse durch solche Behandlung nur zunimmt. Allerdings wird gesagt, es solle dem Lehrer nichts vorweggenommen
werden. Immerhin hätte zu dem Streit der beiden allegorischen
Gestalten im „Traum" nicht nur „Vgl. Herkules am Scheidewege!"
sondern auch der Name des Prodikos gesetzt oder überhaupt auf
die kurze Einleitung verwiesen werden können. Die Bemerkung
am Schluß des „Traumes": „Lucian war wohl von einer Reise
nach Samosata zurückgekommen" ist seltsam gefaßt, da an der
Tatsache doch kein Zweifel ist, daß er von einem Zuge durch
die gebildete Welt als Wanderredner damals in seine Heimat zurückgekehrt war. Herodot ist zum „Charon" wohl einmal genannt,
aber daß die benutzten Geschichten aus ihm entlehnt sind, ist
nicht gesagt. Gerade der „Charon" mit der Verwendung der
Homerverse als Zauberformel und der seltsamen Erfindung, wie
der Fährmann der Schatten zur Kenntnis der Verse gekommen
ist, bedarf weiterer Erläuterungen.

Steglitz. R. Helm.

1) Anatole France, Pages choisies. Herausgegeben von J. F. Le Bourgeois. Berlin 1908, Weidmannsche Buchhandlung. X u. 210 S. 8.
2,20 *M.*
2) Madame de Staël. Auswahl aus ihren Schriften. Erklärt von
H. Quayzin. Berlin 1907, Weidmannsche Buchhandlung. V u. 210 S.
Anmerkungen 34 S. 8. 2,20 *M.*

Der Weidmannsche Verlag hat seiner wertvollen Bibliothek
französischer Prosaschriften aus der neueren Zeit soeben zwei
neue Bände hinzugefügt, eine Auswahl aus Anatole France und
aus Mme de Staël. Wenn ich nicht irre, so hat zuerst Prof.
Sachs in seiner Ausgabe der Œuvres de François Coppée den
Versuch gemacht, statt eines vollständigen Werkes lieber Auszüge
aus mehreren und zwar den wichtigeren eines Autors der Schule
zu bieten und damit ein volleres Verständnis der literarischen
Stellung des Schriftstellers zu ermöglichen. Die vorliegenden
Bände scheinen dieser Anregung ihr Entstehen zu verdanken.

Das erste macht uns mit dem beliebtesten Epigonen der
Parnassiens bekannt. In der Tat verdient es Anatole France
nicht nur wegen seiner überaus klaren, dabei aber berückend
harmonischen Schreibweise, daß ihn jeder Lehrer des Französischen kennen, ihn zum Gegenstand stilistischer Studien machen
möchte, sondern auch wegen der Wahl und Behandlung seiner
Stoffe, seines Humors, seiner Empfänglichkeit für das Schöne, daß
er in gebildeten Kreisen so weite Verbreitung gefunden hat.
Allein seine Neigung zur Skepsis, zur Kritik, das Fehlen jeden
jugendlichen Schwunges dürften ihn für die Schullektüre nicht
empfehlen, wenn es auch angenehm berührt, daß er sich von
dem nationalen Hange zur Lüsternheit nicht gängeln läßt. Überdies hat die vorliegende Ausgabe einen nicht unerheblichen Nachteil: die Auszüge aus den einzelnen Werken sind nicht immer
derart gewählt, daß sie einen Durchblick durch das Ganze ermöglichen. So geben die Abschnitte aus dem Hauptwerke auch
nicht die geringste Erklärung, warum es den Titel „Le Crime
de Sylvestre Bonnard" führt.

Die (französisch geschriebene) Einleitung verrät einen gewandten Stilisten: sie enthält eine nach Inhalt und Umfang
durchaus ansprechende Charakteristik des Schriftstellers und seiner
Bedeutung. Die Anmerkungen, deren Benutzung durch ein alphabetisches Verzeichnis erleichtert ist, verdienen erst recht Anerkennung. Im erfreulichen Gegensatz zu der noch immer nicht
ausgestorbenen Sorte von Erklärern, die an selbstverständlichen
Stellen ihr zusammengerafftes Wissen anzubringen suchen, sich
dagegen an wirklichen Schwierigkeiten lautlos vorbeidrücken, geben
sie sprachliche und sachliche Erläuterungen überall, wo solche in
der Tat notwendig oder wünschenswert sind.

Die beigefügte Übersichtskarte von Paris ist leider wenig
übersichtlich, das gesondert erschienene Wörterbuch hat mir nicht
vorgelegen.

Eine helle Freude müßte die Verwendung des andern Buches als Klassenlektüre für den Lehrer sein, der außer dem Französischen auch Geschichte zu lehren hätte, und der eben das Zeitalter der großen Revolution behandelte. Denn so sehr, besonders für den deutschen Leser, Frau von Staël — abgesehen von ihren persönlichen Schicksalen — als Vorläuferin des Romantismus Aufmerksamkeit verdient, so muß sie als begeisterte Mitkämpferin in dem sozialen und politischen Streite jener Zeit noch größere Beachtung beanspruchen.

Diese Erwägung wohl hat den Hrsgb., als er die Lebensbeschreibung der Schriftstellerin verfaßte, zu einer Ausführlichkeit veranlaßt, die es zweifelhaft macht, welche Leser eigentlich er im Auge gehabt hat. 35 Seiten ist die Biographie lang: für die Schule viel zu viel, viel zu wenig für das Spezialstudium! Warum der Verf. über die einzelnen Abschnitte französische Überschriften gesetzt hat, darüber hat er sich nirgends ausgelassen.

Hohes Verständnis bekundet die Auswahl des Lesestoffes. Die Jugendschriften des Fräulein Necker sind mit Recht übergangen, dagegen sind alle reiferen Arbeiten der Frau von Staël herangezogen. Der Löwenanteil entfällt natürlich auf das Buch de l'Allemagne: mehr als 100 Seiten sind hieraus entnommen. Corinne und Dix années d'exil haben je 20 Seiten geliefert, während dem Romane Delphine und den Gelegenheitsschriften Du caractère de M. Necker, De la littérature considérée dans ses rapports avec les institutions sociales und den Considérations sur la Révolution française im ganzen 20 Seiten entstammen. Leider muß teilweise auch hier derselbe Vorwurf erhoben werden wie bei dem oben besprochenen Bande: weder die aus Delphine noch die aus Corinne gewählten Auszüge lassen erkennen, um was es sich wirklich in diesen Romanen handelt; auch berührt es sonderbar wenn z. B. in dem Abschnitt, der die Überschrift Villa Borghèse führt, auch nicht ein einziges Wort auf diese Villa Bezug nimmt.

Uneingeschränktes Lob gebührt den Anmerkungen, die nur sachliche, keine sprachlichen Erläuterungen enthalten: ich wenigstens habe an Inhalt und Fassung nichts auszusetzen.

Neustadt i. Westpr.   A. Rohr.

Rothwisch, Leopold von Ranke als Oberlehrer in Frankfurt a. O. Berlin 1908, Weidmannsche Buchhandlung. 53 S. 8. 1 ℳ.

Die kleine Schrift des bekannten Schulmannes, Gymnasialdirektors in Charlottenburg und früher in Frankfurt a. O., die zugleich als wissenschaftliche Beilage zum Jahresbericht des Königlichen Kaiserin Augusta-Gymnasiums zu Charlottenburg Ostern 1908 erschienen ist, darf als eine dankenswerte und feinsinnige Arbeit bezeichnet werden.

Der Verfasser weist am Anfang darauf hin, daß zwei unserer größten Männer im 19. Jahrundert, Moltke und Leopold von Ranke, einige Jahre hindurch gleichzeitig, aber ohne einander nahe zu treten, in Frankfurt a. O. tätig gewesen sind, und daß ihre dortige Tätigkeit für ihr späteres Leben besonders bedeutungsvoll geworden ist. Moltke verdankte der ihm übertragenen Leitung der Divisionsschule in Frankfurt seine Berufung in das topographische Bureau des Großen Generalstabes im Jahre 1828, Ranke erhielt nach dem Erscheinen seines ersten, hier entstandenen Werkes „Geschichten der romanischen und germanischen Völker" 1825 einen Ruf als außerordentlicher Professor der Geschichte an die Universität Berlin, von wo aus er dann mit andern gleichgesinnten Historikern zusammen den Gebildeten unseres Volkes das geschichtliche Denken erschlossen und gestärkt hat, welches eine der Hauptquellen des deutschen Einheitsstrebens geworden ist, ohne das dem großen Strategen kaum die Waffe zur Verfügung gestanden haben würde, mit der er die neue Macht und Herrlichkeit Deutschlands erkämpfen half.

Das Friedrichs-Gymnasium in Frankfurt hatte im Jahre 1813 eine Erweiterung erfahren, und eine der so begründeten Oberlehrerstellen wünschte man mit einem Historiker zu besetzen. Auf Vorschlag des Direktors Poppo wurde Leopold Ranke, den jener im philologischen Seminar der Universität Leipzig kennen gelernt hatte, nach eben vollzogener Doktorpromotion 1818 in diese Stelle berufen, die er sieben Jahre bekleidet hat. Er war damals noch keineswegs ausgesprochener Historiker. Auf der Universität hatte er theologische und philologische Studien neben den historischen getrieben, und erst allmählich hatten ihn diese mehr in Anspruch genommen, ohne daß die andern vernachlässigt wurden. Auch in Frankfurt wurde er neben dem geschichtlichen mit altsprachlichem und deutschem Unterricht beschäftigt, den er mit gleichem Eifer und Erfolg wie jenen erteilte; aber seine Privatarbeit wendete sich immer mehr der Geschichte zu. Das hatte seinen Grund einerseits in der Nachwirkung der großen Stürme, die eben erst Europa erschüttert und das Interesse an geschichtlichen Vorgängen geweckt hatten, andererseits aber in Rankes Streben, seinen Geschichtsunterricht möglichst ohne Benutzung von Kompendien auf das Studium der Quellen zu gründen und so diese selbst zu seinem eigentlichen Arbeitsfelde zu machen. Dem eigenen wissenschaftlichen Eifer kam der Umstand zu Hilfe, daß sein Direktor sowohl wie seine Amtsgenossen am Gymnasium sämtlich noch junge Männer von vielseitigen und regen geistigen Interessen waren, bei denen Ranke vielfache Anregung fand, und zwar umsomehr, als sie alle unverheiratet waren und im Gymnasialgebäude zusammen wohnten. Auch sonst herrschte in Frankfurt a. O., das nach Wiederherstellung der preußischen Monarchie Sitz der Regierung für den nach der Stadt benannten Regierungsbezirk und eines Oberlandesgerichtes geworden war, ein reges geistiges Leben und eine eifrige Anteilnahme an den politischen Bewegungen der Zeit, die ebenfalls befruchtend auf den Geist des jungen Gelehrten wirkten.

Durch seine eingehende Vorbereitung für den Geschichtsunterricht besonders in den Oberklassen wurde er vom Studium der antiken Quellen zu dem der mittelalterlichen geführt. Hier interessierten ihn besonders französische Darstellungen der Zeit Ludwigs XI. und Karls VIII. von Frankreich, und bei ihrem Studium reifte in ihm der Plan zu seinem ersten Buche „Geschichten der romanischen und germanischen Völker" um die Wende des 15. und 16. Jahrhunderts heran. Zugleich trieb er universalgeschichtliche Studien, wie er sie für seinen das ganze Gebiet der Geschichte umfassenden Unterricht ebenso nötig hatte wie noch heute jeder Geschichtslehrer in den oberen Klassen, und diesem Studium verdankt er es nicht zum wenigsten, daß er auch in seiner späteren Laufbahn als Universitätslehrer vor einem mehr oder weniger einseitigen Spezialistentum, wie man es dort so häufig findet, bewahrt geblieben ist. Aus seinem ersten Buche, welches er als Frankfurter Gymnasiallehrer verfaßte, wird man auch auf seinen Unterricht und den in ihm herrschenden Geist, von dem wir sonst nichts erfahren, schließen dürfen. Schon hier steht obenan der Grundsatz, die Tatsachen in ungetrübter Reinheit wiederzugeben, wie er es mit dem berühmt gewordenen Worte in der Vorrede seines Buches ausdrückt, „bloß zu sagen, wie es eigentlich gewesen". In aller Geschichte und ihrem Zusammenhange offenbart sich ihm Gottes Walten; er ist ganz durchdrungen von dem Glauben an eine stetig wirkende und planvoll sich betätigende göttliche Weltregierung. Die bedeutenden geschichtlichen Persönlichkeiten, so scharf und bestimmt er ihr Wesen und Tun herausarbeitet, bleiben in seiner Darstellung doch stets in fester Abhängigkeit von der sie umgebenden Welt und von dem die Menschengeschicke in erhabener Gesetzmäßigkeit leitenden göttlichen Willen. Dabei läßt er dem Geheimnis der großen Persönlichkeit so gut sein Recht angedeihen wie dem Streben der ganzen Völker nach Selbständigkeit und nationaler Unabhängigkeit. Nicht minder weiß er die ausschlaggebende Bedeutung des Krieges für die geschichtliche Entwicklung zu würdigen: „es ist nicht anders, die Waffen beherrschen doch die Welt; der Erfolg jahrhundertelanger Weisheit hängt an dem Glück eines einzigen Schlachttages", ein Wort, das man sich in unserer Zeit der Überschätzung der Kulturgeschichte im Jugendunterricht gut tut einmal ins Gedächtnis zurückzurufen. Die Erbmonarchie ist ihm die beste Verfassungsform, doch vermag er auch den Wert der Republik unter gewissen Verhältnissen durchaus zu schätzen; jede erzwungene Universalmonarchie aber — und da wirkt offenbar die Erfahrung nach,

die die Welt eben erst an Napoleon I. gemacht hat — verwirft
er durchaus. Als Meister beweist sich Ranke schon in seinem
Erstlingswerke in der Charakterisierung bedeutender Persönlichkeiten, die er lebensvoll dem Leser vor Augen zu stellen weiß.

Um die Arbeit zu bewältigen, welche Ranke als Lehrer und
geschichtlicher Schriftsteller damals geleistet hat, bedurfte es der
ganzen körperlichen und geistigen Frische, über die er trotz seiner
kleinen und schmächtigen Gestalt verfügte, eines eisernen Fleißes
bei strengster Zeiteinteilung, die auch der Erholung durch Spaziergänge und Ritte in der anmutigen Umgebung Frankfurts ihr Recht
zuteil werden ließ, vor allem aber des mit siegreicher Kraft ihm
innewohnenden Bewußtseins des Genius für die ihm gewiesene
Lebensaufgabe. So ist gleich sein Erstlingswerk die Muster-
leistung geworden, auf Grund deren er zu der akademischen
Lehrtätigkeit aufstieg, in welcher sich seine Gaben erst vollständig
. entfalten konnten.

Kein Wunder, daß sein Weggang von dem Gymnasium in
Frankfurt von dem Leiter der Anstalt wie von seinen Amtsgenossen
lebhaft bedauert wurde. Man hat seiner dort noch lange mit Dank
und Anerkennung gedacht; aber auch er hat bis in sein hohes Alter
mit warmem Herzen an der Anstalt und der Stadt gehangen, in
denen er seine schönsten Jahre der geistigen Entwickelung zu-
gebracht hat.

Möge die liebenswürdige Schrift, die uns den jungen Ranke
als Gymnasiallehrer zeichnet, unter unsern Amtsgenossen viele
Leser finden; sie verdient es.

Halle a. S.   O. Genest.

_____

1) Emil Knaake, Lehrbuch der Geschichte für die oberen
   Klassen höherer Lehranstalten. Teil III: Vom Westfälischen
   Frieden bis zur Gegenwart (Lehraufgabe der Oberprima). Hannover,
   Leipzig und Berlin 1907, Carl Meyer (Gustav Prior). VIII u. 224 S.
   . gr. 8. 2,40 ℳ.

Der bei Besprechung des 2. Teiles geäußerte Wunsch des
Berichterstatters, daß durch recht baldiges Erscheinen des 3. Teiles
das verdienstliche Werk Knaakes seinen Abschluß finden möge,
ist schnell in Erfüllung gegangen und damit den Vertretern des
Geschichtsunterrichts ein Hilfsmittel in die Hand gegeben, das
ihnen ihre schwere Arbeit wohl erleichtern kann. Ich habe die
beiden ersten Teile, die das Pensum der II a und I b enthalten,
mit ihren reichen Vorzügen und geringen Mängeln so eingehend
in dieser Zeitschrift (1905 S. 431 ff. und 1907 S. 660 ff.) besprochen, daß ich mich diesmal kürzer fassen darf, da ja natürlich dieser letzte Teil nach denselben Grundsätzen und in derselben Weise wie die beiden Vorgänger bearbeitet ist; wer sich
darüber näher unterrichten will, der möge jene Besprechungen
nachlesen. Ich will also nur einiges hervorheben, was mir besonders erwähnenswert oder auch verbesserungsbedürftig erscheint.

Der Inhalt ist in 4 Abschnitte gegliedert: Der Absolutismus, die Revolution und Napoleon, die deutschen Einheitsbestrebungen, der Beginn der Weltpolitik; daran ist nichts auszusetzen, dagegen kann auffallen, daß der erste Abschnitt nicht mit den englischen und französischen, an den Namen eines Karl und Cromwell, eines Richelieu und Ludwig XIV. geknüpften Ereignissen, wie das bisher üblich war, beginnt, sondern mit einem Abriß der brandenburg-preußischen Geschichte bis zum Ausgange des Gr. Kurfürsten. Ich finde das insofern gerechtfertigt, als damit gleich von vornherein darauf hingewiesen wird, daß die deutsche, resp. preußische Geschichte durchaus im Vordergrunde steht. Freilich hat es auch seine Nachteile; denn damit wird die Darstellung der preußischen Geschichte in zwei Teile auseinandergerissen; aus praktischen Gründen ist demnach doch vielleicht die Vorwegnahme der englischen und französischen Geschichte vorzuziehen.

Mit Recht wird den zuständlichen Schilderungen bei Knaake ein breiter Raum vergönnt; die Darstellung der politischen Vorgänge darf aber darum nicht zu kurz wegkommen, vor allem das persönliche Element nicht vernachlässigt werden. Ob hier Knaake immer die richtige Mitte innegehalten hat, wage ich nicht so ohne weiteres zu seinen Gunsten zu entscheiden; jedenfalls scheinen mir die Persönlichkeiten eines Friedrich Wilhelm IV., eines Napoleon III., ja auch eines Wilhelm I. und eines Bismarck zu stiefmütterlich behandelt. Namentlich die beiden letztgenannten haben berechtigten Anspruch darauf, in ihrem ganzen Entwickelungsgange, auch bevor sie entscheidend in die Weltgeschichte eingreifen, den Primanern bis ins einzelne vorgeführt zu werden. Natürlich kann und soll das in erster Linie durch den Vortrag des Lehrers geschehen, aber auch das Lehrbuch muß die dazu nötigen Daten enthalten. Auf keinen Fall dürfen politische Vorgänge so kurz behandelt werden, daß dadurch irrtümliche Auffassungen hervorgerufen werden können. Warum z. B. Preußen die versprochene Verfassung nicht erhielt, konnte näher motiviert werden (S. 135); es lagen doch recht wichtige Gründe für den scheinbaren Wortbruch des Königs vor. — Anzugeben war, mit wie geringer Majorität Friedrich Wilhelm IV. gewählt wird; damit wird zugleich mit am besten die Ablehnung der Krone begründet (S. 147). — Wenn auch die Geschichte der Berliner Revolution und der preußischen Unionspolitik kein Ruhmesblatt für die Hohenzollern bedeutet, so durfte sie doch etwas ausführlicher geschildert werden, mindestens mußten Männer wie Radowitz und Brandenburg, in deren Händen damals die Geschicke Preußens und Deutschlands lagen, erwähnt werden. — Nicht unwichtig für die Beurteilung der preußischen Verhältnisse und der Stellung der Krone zum Volke wäre auch die Bemerkung gewesen, daß in Preußen nach dem Siege über die Revolution die Verfassung bestehen blieb (S. 151); das geschah bekanntlich nicht überall. —

Am Platze war vor dem Ausbruch des 7jährigen Krieges ein Hinweis auf die Zusammensetzung und Beschaffenheit der damaligen Heere und die dadurch mit bedingte Art der Kriegführung; ebenso habe ich eine kurze Charakterisierung der beiderseitigen Streitkräfte und militärischen Verhältnisse überhaupt vor der Schlacht bei Königgrätz vermißt. — Soll der Primaner, der im Begriff ist ins Leben hinauszutreten, nichts von der inneren Entwickelung der außerdeutschen Großmächte im vierten Zeitraume erfahren, ihm z. B. über die heutigen Zustände in Frankreich, die Bedeutung der irischen Frage, die ja soviel Ähnlichkeit mit der polnischen hat, den Nationalitätenstreit in der habsburgischen Monarchie, Nihilismus, Panslawismus u. a. m. seitens der Schule nichts mitgeteilt werden? Das Buch enthält nichts davon; soll vielleicht hier die freiwillige Tätigkeit des Lehrers an die Stelle treten? Das genügt nicht. — An anderen Stellen bringt Verf. zu viel; warum z. B. bei der Schilderung der vormärzlichen Dinge (S. 143 f.) Namen wie Pfizer, Welcker, die Forderungen von Offenbach und Heppenheim, die Deutsche Zeitung von Heidelberg u. a. m.? Ebenso erscheinen die einzelnen Jahreszahlen für die Abfassung des BGB sowie die Inhaltsangabe der einzelnen Bücher durchaus überflüssig (S. 180), während im übrigen dem Ausbau und der Entwickelung des neuen Deutschen Reiches mit Recht eine ausführliche Würdigung zuteil geworden ist; die bezüglichen Ausführungen sind wohl geeignet, die bürgerkundlichen Anschauungen des Schülers zu erweitern und einen besonderen Unterricht über diesen Gegenstand zu ersetzen.

Im Ausdrucke sucht der Verf. auch in diesem Bande billigen Anforderungen zu genügen; nur selten scheint er verbesserungsbedürftig wie S. 143 unten „eine Mißernte steigerte auf wirtschaftlichem Gebiete die Lage der Regierung", oder S. 187 Abs. 3, wo zweimal in demselben Satze kurz hintereinander das Wort eingeführt vorkommt; ein Heer kann man wohl die französische Besatzungsbrigade von Rom nicht nennen (S. 156 Abs. 3); daß Rußland seine Flotte nach dem Krimkriege verringerte, klingt sehr optimistisch und läßt nicht vermuten, daß darin die unangenehmste und demütigendste Friedensbestimmung für Rußland enthalten war (S. 158 Abs. 1); die bei Langensalza zurückgedrängten Preußen kann man nicht Korps nennen, darunter versteht man etwas ganz anderes — es mußte heißen Abteilung (S. 164 Abs. 3); endlich ist in dem Satz „Das Reich erwarb Kiautschou" besser zu schreiben pachtete (S. 181 Abs. 4).

Einige andere Stellen bedürfen sachlich einer Berichtigung. Den ersten wirtschaftlichen Anschluß an Preußen vollzieht Schwarzburg-Sondershausen für seine Unterherrschaft, dann folgt Rudolstadt, 1823 zwei weimarische Ämter und erst 1826 Anhalt-Bernburg (S. 136 unten). — Der spanische König, der 1820 die

Verfassung beseitigt, ist nicht Ferdinand XII., sondern VII. (S. 137 unten). — Nicht nur Karl Anton von Hohenzollern-Sigmaringen, sondern auch Fürst Friedrich Wilhelm Constantin von Hechingen trat sein Land 1849 an Preußen ab (S. 153 Abs. 5). — Das 2. preußische Korps marschiert nicht mit Prinz Friedrich Karl gegen die Loirearmee, sondern folgt erst unter Manteuffel gegen Bourbaki (S. 174 Abs. 2). — Bei den Rechten des Bundesrates war als sehr wichtig mit anzuführen, daß er die zur Ausführung der Reichsgesetze erforderlichen Verwaltungsvorschriften erläßt, also nicht nur gesetzgebende, sondern auch regierende Gewalt besitzt (S. 177 Abs. 3). —. Nicht 5, sondern 8 Staatsämter sind allmählich vom Reichskanzleramt abgezweigt (S. 178 Abs. 3). — Nicht mit dem Eintritt in das 70., sondern in das 71. Lebensjahr wird Anspruch auf Altersrente erworben (S. 187 Abs. 2). — Unter den kolonialen Erwerbungen Frankreichs fehlt Tunis, das doch gerade für die Entstehung des Dreibundes von großer Wichtigkeit ist (S. 194 Abs. 2). — Die nähere Bezeichnung der Ortslage ist noch nicht überall durchgeführt; so fehlt sie, um nur eins anzuführen, bei Hambach (S. 139 Abs. 2), während sie bei weniger wichtigen Orten sich findet.

Einige Druckfehler sind auch in diesem Bande zu berichtigen: S. 164 Abs. 4 übertrageu, S. 164 Abs. 2 Hannover. Kurhessen statt eines Kommas zwischen beiden, S. 166 Abs. 1 Falkenstein, S. 169 Abs. 4 Falckenstein, S. 179 Abs. 3 Osterreich.

Wir sehen: lauter Mängel geringfügiger Art; wenn diese und vielleicht noch einige andere — ich habe diesmal nur einen Teil des Buches auf die Einzelheiten hin eingehend geprüft — bei einer neuen Auflage einer Durchsicht unterzogen werden, so dürfte die schon jetzt lobenswerte Arbeit noch mehr gewinnen und im hohen Grade geeignet sein, im Verein mit den beiden vorangegangenen Teilen die dem Geschichtsunterricht an unserer höheren Schule gesetzten Ziele zu erreichen.

2) H. Luckenbach, Kunst und Geschichte. Teil I: Abbildungen zur Alten Geschichte. Siebente, vermehrte Auflage. München und Berlin 1908, Oldenbourg. 120 S. 4. 1,70 ℳ, geb. 2 ℳ.

Die Hoffnung, die ich bei der Besprechung der sechsten Auflage des vorliegenden Buches (Berliner Phil. Wochenschrift 1907, No. 23 S. 722 ff.) mit gutem Grunde zum Ausdruck bringen zu können glaubte, daß das verdienstvolle Werk nach den schnell aufeinanderfolgenden, nicht unerhebliche Abweichungen voneinander enthaltenden Auflagen nun vorläufig seinen Abschluß gefunden hätte, ist nicht in Erfüllung gegangen; denn schon nach 2 Jahren ist die nunmehr 7. Auflage erschienen. Wenn diese schnelle Aufeinanderfolge der Auflagen auch von pädagogischem Standpunkte aus nicht ohne Bedenken ist, so war die neue Auflage doch nötig, nachdem sich Luckenbach einmal entschlossen hatte, die orientali-

sche Kunst zu berücksichtigen. Ich kann es ihm wohl nachfühlen,
daß er lange gezögert hat, diesen entscheidenden Schritt zu tun,
und sicherlich werden sich viele Stimmen erheben, die nicht damit einverstanden sind, da die Unterrichtszeit für die alte Geschichte schon so knapp bemessen sei, daß man kaum das Notwendigste aus der griechischen Kunst besprechen könne. Für
andere, die auch für eine entsprechend der modernen Forschung
notwendig erscheinende, nicht allzu knappe Behandlung der orientalischen Geschichte einige Zeit finden, bedeutet die neue Auflage
die Erfüllung eines langgehegten Wunsches. Namentlich Berichterstatter ist dem Verfasser von Herzen dankbar für die Erweiterung des ursprünglichen Planes, für die er immer eingetreten ist;
ist doch nun die Möglichkeit geboten, auch die wichtigsten Erscheinungen der orientalischen Kunst mit einem bequemen und
schon anderwärts erprobten Hilfsmittel zu veranschaulichen. Aber
auch die Anhänger des Alten kommen mit der neuen Auflage
nicht zu kurz; denn zahlreiche Verbesserungen, besonders im Text,
aber auch in der Auswahl und in der Anordnung der Bilder erhöhen die Brauchbarkeit der Abbildungen, ohne doch so starke
Abweichungen von der 6. Auflage zu bringen, daß beide Auflagen
nicht nebeneinander gebraucht werden könnten; sind doch sogar die Nummern der Bilder beibehalten, indem für die orientalischen Abbildungen die römischen Ziffern gewählt sind. Natürlich kann es aus verschiedenen Gründen nicht meine Aufgabe sein,
alle Abweichungen aufzuzählen, vor allem auch deshalb nicht, um
nicht den einzelnen der Mühe zu überheben, das vorzügliche Buch
selbst zur Hand zu nehmen und einer eingehenden Prüfung zu
unterziehen; ich will mich deshalb darauf beschränken, einige
wichtigere Änderungen hervorzuheben.

Die entschieden wichtigste Neuerung besteht also in der Aufnahme von Abbildungen zur Kennzeichnung der ägyptischen,
mesopotamischen und ägäischen Kultur. Der größte Teil derselben
(15) behandelt die ägyptische Kunst und führt Werke der Archi-
tektur, Plastik und Malerei vor. Das ägäische Kunstgewerbe ist
vertreten mit Funden aus Mykenä, Rhodos und Waphio. Ich
muß gestehen, daß mir die Auswahl recht sympathisch ist und wohl
geeignet erscheint, einen Begriff von dem hohen Stande der Kultur
hervorzubringen, bis das hochbegabte Griechenvolk alles bisher
Bekannte überflügelte. Besonders anschaulich erscheint mir der
mit sieben Terrassen pyramidenartig aufsteigende Turm von Babel
(IV), dann der Aufbau des ägyptischen Tempels (V—VIII), wobei
auch ein Stück von der berühmten Sphinxallee sichtbar ist, die
die Tempel von Luxor und Karnak miteinander verband. Wenn
ich hierbei eins vermisse, so ist es eine Abbildung der ägyptischen
Säulenformen — mit Knospen- und Blütenkapitell und der sogenannten protodorischen —, die doch so überaus charakteristisch
sind. Entsprechend der Neuaufnahme dieser Bilder ist natürlich

auch § 1 des einleitenden Textes erweitert worden, der früher
bloß die Burgen von Troja, Tiryns und Mykenä behandelte, jetzt
auch einen kurzen Überblick über die ägyptische und mesopotami-
sche Kunst enthält. — Ein Zugeständnis an den neuen Charakter
des Buches ist wohl auch der ägyptische Sphinx, der jetzt dem
Ganzen vorgedruckt ist anstelle der Abbildung des Modells der
athenischen Akropolis von Walger, das nunmehr seinen Platz bei
den andern Abbildungen der Akropolis hat. Ebendahin ist auch
ein großer Teil des Textes von § 5 „Die Burg von Athen" mit
Recht verwiesen; denn textliche Einzelheiten finden sich auch
sonst unter den Bildern. Das Literaturverzeichnis am Ende der
Einleitung ist weggefallen, die einzelnen Werke stehen dafür an
den betreffenden Stellen des zusammenhängenden Textes. —
Einzelne Bilder fehlen, neben andern („Fröhliche Emma", Omphalos
von Delphi, verschiedene Bilder der Fora) auch die Ergänzung der
Laokoongruppe nach Pollack, die eben noch der 6. Auflage als
— wie es schien — endlich gefundene glückliche Lösung beigegeben
werden konnte; man ist inzwischen doch wieder anderer Ansicht
geworden, und so ist die Frage wieder offen. Dafür sind eine
ganze Reihe neuer Bilder aufgenommen, so im zusammenhängenden Text der Ganymed des Leochares, Hypnos (S. 7) und der
Löwe von Chäronea (S. 9), ferner eine Kore vom Erechtheion
(Fig. 58 b), Athena Lemnia (58 c), von der früher nur der Kopf
abgebildet war (96), der Parthenon von den Propyläen aus, ergänzt und als Ruine (61 und 61 a), die Schlacht bei Issos von der
andern Langseite des Alexandersarkophags (148 b), Mitte von
Rom (171), Rekonstruktion der Kaiserfora (172). Mit diesen
Änderungen kann man sich im ganzen einverstanden erklären,
namentlich werden die beiden letztgenannten Bilder von Rom dem
Unterricht wohl zustatten kommen; anderes gibt freilich wieder
zu Bedenken Anlaß. Das Relief der Schlacht bei Issos z. B. ist
so klein, daß es beim Unterricht kaum Nutzen stiften kann. —
Manche Bilder zeigen jetzt ein anderes Format (57, 58) oder
auch eine andere Art der Aufnahme, wie der Kopf der Athena
Lemnia (96), dessen Schönheit unzweifelhaft so noch mehr zum
Ausdruck kommt, oder einen helleren Ton, (57), wie mir scheint,
nicht zu ihrem Vorteil.

Besonders läßt der Text, sowohl der einleitende als auch der
die einzelnen Bilder begleitende, von Seite zu Seite die bessernde
Hand des erfahrenen Schulmannes sowie des auf der Höhe der
Forschung stehenden Gelehrten erkennen. So stehen jetzt bei der
Laokoongruppe des Vatikans die Worte „Der rechte Arm ist un-
richtig ergänzt"; zum griechischen Theater (Fig. 38) wird als
Literatur statt Baumgarten, Poland, Wagner das primäre Werk von
Dörpfeld und Reisch angegeben; beim Altar von Pergamon (83)
dient zur weiteren Orientierung der Hinweis, daß sich der eigent-
liche Altar im Inneren auf der großen Plattform befand; die das

Gehege der Ara Pacis umgebenden Säulenhallen werden jetzt mit
Recht als zweifelhaft hingestellt (193); die Person, die auf dem
Fries der Ara Pacis rechts vom Eingange das Staatsopfer darbringt, wird auf Äneas, früher auf Senatus und Populus, gedeutet (191); dem Zweifel, daß die beiden Kinder bei der Tellus
auf dem Panzer des Augustus von Prima Porta nicht Romulus
und Remus sind, wird stärker als früher Ausdruck gegeben (220)
u. a. m.

Überblickt man alle diese Änderungen, so ist das Bestreben
des Verfassers deutlich erkennbar, seine Abbildungen zur Alten
Geschichte, die sich längst Heimatsrecht auf der höheren Schule
erworben haben, immer vollkommener zu gestalten und ihnen
immer mehr die Wege zu ebnen, und für den Berichterstatter
wenigstens kann es keinem Zweifel unterliegen, daß die neue
Auflage den alten Freunden zahlreiche neue hinzugesellen wird.
Mag nur jeder Fachmann das Buch selber prüfen und einen
Versuch damit beim Unterricht machen: er wird nicht wieder
davon loskommen.

· Zerbst.   ——————   G. Reinhardt.

Hohenzollern-Jahrbuch. Forschungen und Abbildungen zur Geschichte
    der Hohenzollern in Brandenburg-Preußen, herausgegeben von Paul
    Seidel. XI. Jahrgang 1907. Berlin und Leipzig, Verlag von Giesecke
    & Devrient. 278 S. gr. 4. 20 ℳ.

Dieser neueste Jahrgang des Hohenzollern-Jahrbuches, das
sich längst einen Ehrenplatz neben den besten historischen Zeitschriften gesichert hat, bietet wieder eine große Fülle sauber
bearbeiteten Materiales. Bei dem beschränkten Raum, der dieser
Anzeige zur Verfügung steht, können nur die für das Gymnasialwesen wichtigsten Abschnitte näher besprochen werden. Zu diesen
gehört der den Band eröffnende Aufsatz des Herausgebers „Der
Kaiser und die Kunst".

Die Kunst, sagt Paul Seidel, hat im Leben der brandenburgisch-preußischen Herrscher stets große Bedeutung gehabt, und
wo sie jeglicher Förderung entbehrte, wie bei König Friedrich
Wilhelm I., lagen so zwingende Gründe staatspolitischer Natur vor,
daß dieser Mangel vielmehr als ein Verdienst um den Staat angesehen werden muß. Auch die Einwirkung der Herrscher ist
hier stets eine rein persönliche gewesen; auf dem mageren Kolo-
nistenboden der Mark gab es seit dem 17. Jahrhundert nur eine
Stätte, wo die Kunst Förderung und Pflege fand und finden
konnte, das war die kurfürstliche Residenz in Berlin. Neben den
Holländern wurden zur Zeit des Großen Kurfürsten die zahlreich
in Brandenburg einwandernden Hugenotten die Lehrer seines
Volkes. König Friedrich I. schuf sich mit Hilfe der Künste den
nötigen Hintergrund für das Königtum, dessen Krone er sich am
18. Januar 1901 in Königsberg auf das Haupt setzte, und wußte

mit Hilfe Andreas Schlüters an seinem Hofe in Berlin ein künstlerisch reges und bedeutendes Leben in solchem großartigen Maßstabe zu erwecken, daß er der Entwicklung des heutigen Berlins
in künstlerischer Beziehung damit die Wege geebnet hat. Erst
allmählich verlor die Kolonie der Ausländer die Führerschaft im
Kunstleben Berlins und stellten sich die eigenen Landeskinder an
die Spitze der Künstlerschaft, wie von Knobelsdorff, Godowicki,
Schadow. Die Franzosenzeit und der Zusammensturz der preußischen Macht drohte auch diese mühsam errungenen Ansätze
eigenen inneren Kunstlebens wieder zu zerstören. Erst sehr allmählich schwang sich die Berliner Kunst unter Führung des
kunstsinnigen Kronprinzen Friedrich Wilhelm IV. an der Hand
eines romantischen Klassizismus zu der Höhe Schinkelscher Ideale
empor, die, der Fortbildung eigenen deutschen Kunstlebens nicht
förderlich, in der Wiederbelebung antiker Kunstschöpfungen das
wahre und einzige Ziel alles Strebens erblicken wollten. Von den
frischen Regungen der deutschen Volksseele, die durch die unter
Kaiser Wilhelms des Ersten Führung erfochtenen Siege zum
Aufbau des neuen Deutschen Reiches führten, sank dieser auf
fremden Idealen aufgebaute, für die künstlerische Erziehung
unseres Volks aber unentbehrliche Entwickelungsperiode in sich
zusammen, und in immer breiter werdendem und oft bedrohlich
überschäumendem Strome überflutete die bisher in enge Schranken
gezwängte Kunsttätigkeit alle Verhältnisse des menschlichen Lebens,
und namentlich das Kunstgewerbe ergriff mit einer jeden Widerstand überwältigenden Hurrastimmung Besitz von allem, was sich
irgendwie mit Ornamenten der verschiedensten Stilepochen bedecken ließ. Da das beste Erfordernis für den Absatz dieser
Massenproduktion aber die Billigkeit sein mußte, wurde den ge-
meinsten Surrogaten und den schlimmsten, auf Unbildung beruhenden Geschmacklosigkeiten Tür und Tor geöffnet. Die Erklärung
dieser Deutschland und ganz besonders Preußen eigenartigen Maß-
losigkeiten und Ausschreitungen des Geschmackes liegt in den
Verwüstungen der unglücklichen Kriege des 17. Jahrhunderts bis
zur Franzosenzeit, in denen alle auf dem mageren Kolonisten-
boden mühsam herangepflegte künstlerische Tradition elend zugrunde gegangen ist. In die Zeit des Ringens zwischen farb-
loser Nüchternheit der menschlichen Wohnräume und ihrer Über-
flutung mit in alle möglichen Farben und Formen gekleideten
Möbel und Dekorationsstücken fielen die Entwickelungsjahre
unseres Kaisers, und das Schicksal hatte ihm und uns zum Glück
beschieden, daß seine künstlerische Entwickelung von Händen geleitet wurde, die berufen und befähigt waren, die kunstgewerblichen Bestrebungen in Preußen zu sammeln und zu klären, sie
mit weitsichtigem liebevollem Interesse zu leiten, zu pflegen und
aus dem Chaos verschwommener unklarer Verhältnisse eine Grundlage zu schaffen, auf der eine gesunde, auf naturgemäßen Lebens-

bedingungen beruhende Entwickelung Platz greifen konnte. Zu
dem Gesamterbe seiner Väter, das der Kaiser auch in dem traditionellen Verhältnis zur Kunst mit ins Leben nahm, tritt hinzu
neben den eigenartigen Anlagen die ganz besondere Erziehung
im Hause der Eltern, in dem die Kunst eine alle Verhältnisse des
täglichen Lebens durchtränkende Bedeutung hatte. Über sein
Verhältnis zu den sogenannten „modernen" Richtungen und Strömungen der Kunst hat sich der Kaiser selber mit voller Deutlichkeit ausgesprochen. Er wendet sich gegen die Künstler, die
die ganze große Entwickelung unserer Kultur und Kunst mit
den Gesetzen der Schönheit und Harmonie, die sich aus ihr ableiten lassen, negieren wollen und die Behauptung aufstellen oder
doch ihre Überzeugung erraten lassen, daß die wahre Kunst erst
von ihnen neu entdeckt sei. Der Kaiser erklärt die Mittel, die
oft benutzt werden, um gewaltsam die Aufmerksamkeit auf sich
zu lenken, für eines wahren Künstlers unwürdig. „Der rechte
Künstler bedarf keiner Marktschreierei, keiner Presse, keiner
Konnexion." „Die großen Vorbilder aller Zeiten auf dem Gebiete
der Meisterschaft, haben gewirkt, wie Gott es ihnen eingab; im
übrigen haben sie die Leute reden lassen. Die Kunst, die
zur Reklame heruntersteigt, ist keine Kunst mehr, und mag
sie hundert- und tausendmal gepriesen werden". „Wer sich
von dem Gesetz der Schönheit, dem Gefühl der Ästhetik und
Harmonie, die jedes Menschen Brust fühlt, ob er sie auch nicht
ausdrücken kann, loslöst und in dem Gedanken einer besonderen
Richtung, einer bestimmten Lösung mehr technischer Aufgaben
die Hauptsache erblickt, der versündigt sich an den Urquellen
der Kunst". Wilhelm II. verkennt nicht die reichen Talente
und die hohe Begabung, die manchem Anhänger der sogenannten
„modernen" Richtungen zuteil geworden ist, aber er wendet sich
gegen die Verwaltung dieses von Gott gegebenen Pfundes und
gegen die Wege, welche diese Männer eingeschlagen haben. Der
Kaiser kann von seiner hohen Stellung an der Spitze des deutschen
Volkes aus nicht zugeben, daß sich die deutsche Kunst loslösen
darf von der nationalen Grundlage und von der Verpflichtung,
auf das deutsche Volk, nicht bloß auf seine künstlerisch und
philosophisch gebildeten Mitglieder, erzieherisch zu wirken. Die
Kunst soll nicht nur ein ausschließliches Genußmittel für das
verfeinerte Auge des internationalen Kenners sein, sie soll nicht
nur eine schöne Form, sondern auch einen schönen Inhalt haben,
sie „soll mithelfen, erzieherisch auf das Volk einzuwirken, sie
soll auch den unteren Ständen nach harter Mühe und Arbeit die
Möglichkeit geben sich an den Idealen wieder aufzurichten". Ein
hervorstehender Charakterzug des Kaisers bei der Kunsttätigkeit ist
die Uneigennützigkeit in bezug auf die Schöpfungen der Kunst, die
ihm ihre Entstehung verdanken. Nicht für sich oder den Schmuck
seiner Schlösser und Gärten läßt der Kaiser die großartigsten

Kunstwerke entstehen, sondern er stellt sie an die öffentlichen Plätze als Geschenk für die Allgemeinheit. Des großen Friedrichs Wort, daß der König der erste Diener seines Staates sein solle, hat unser Kaiser auch auf die Kunst übertragen, die nicht ein Vorrecht der Reichen und Gebildeten, sondern ein Erziehungs- und Befreiungsmittel des Geistes für das gesamte Volk sein soll.

Unter den übrigen Arbeiten des neuesten Bandes des Hohen-zollernjahrbuches möchte ich zunächst die Abhandlung von Friedrich Freiherr von Schrötter „Das Münzwesen Branden-burgs während der Geltung des Münzfußes von Zinna und Leipzig" hervorheben. Da kein Volk auf die Dauer die der Höhe seiner wirtschaftlichen Kultur entsprechenden Zahlmittel entbehren kann, haben große Monarchen immer für gutes Geld gesorgt. Dieser Begriff „gutes Geld" bedeutet aber sowohl zuverlässiges als auch genügendes Geld, ist je nach den Anforderungen des Handels, der wirtschaftlichen Verhältnisse verschieden. Der Handel schafft sich seine Zahlmittel, wenn die Regierung keine genügenden herstellt, selber, er kümmert sich oft garnicht um das Geld des eigenen Landes, er verwendet die Münzen oder Zahlmittel, die im Handel am praktischsten, am begehrtesten sind, gleichviel woher er sie bekommt. Auch der Binnenverkehr schafft sich Geld, wenn es ihm seine Regierung nicht bietet, er fertigt sich entweder Privat-geld wie die englischen Kaufleute und Krämer Jahrhunderte lang es taten, oder er benutzt das Geld der Nachbarländer, wie es lange Zeit in Polen geschah. Wo es uns hier an gutem Kurant-gelde fehlte, d. h. an zureichenden oder zuverlässigen Währungs-münzen, da waren auch immer die politischen oder wirtschaft-lichen Verhältnisse tiefstehende. Eine der traurigsten Begleit-erscheinungen der verfallenden polnischen Republik war ja deren elendes Münzwesen, das eigentlich schon um 1680 ein Ende nahm. Solange in Spanien tüchtige Herrscher waren, stand es auch mit dem Geldwesen dort leidlich; unter den schwachen Nach-folgern Philipps II. ging es mit der Volkswirtschaft und dem Geldwesen rapide abwärts. Auch die Länder, die heute politisch oder wirtschaftlich schwach sind, sind es ebenso in ihren Münzen, z. B. Rußland, Italien, Spanien, die Türkei. Es gibt politisch schwache Länder, die ein gutes Geldwesen haben, dann sind sie aber wirtschaftlich stark wie Holland, die Schweiz. Auch das elende Geldwesen Deutschlands vom 16. bis 18. Jahrhundert findet seine letzten Ursachen in seiner politischen Ohnmacht und Zerrissenheit. Es wurde damit erst besser, als sich die größeren Staaten vom Reiche emanzipierten und ihr eigenes Münzwesen schufen; diese Emanzipation war aber nur ein erster notwendi-ger Schritt: auch die größeren Stände konnten nur dann ein gedeihliches Geldwesen schaffen, wenn die Münzprägung von mehreren nach gleichen Grundsätzen geschah. Später war Preußen allein groß genug, ein eigenes Münzsystem aufrecht erhalten zu

können. Brandenburg mit seinen langen Grenzen gegen Schlesien
und Polen vermochte sich besonders gegen die aus letzterem Lande
einströmenden, seit Sigismund III. fortwährend schlechter werdenden Kleinmünzen kaum zu erwehren, in Pommern und der Neu-
mark bildeten sie das Hauptzahlmittel. Gegen solche Übelstände gab
es nur ein Mittel: den Zusammenschluß in einen Münzverein. Am
27. August 1667 einigten sich die Kurfürsten von Sachsen und
Brandenburg im Kloster Zinna über einen Interimsscheidemünzfuß.
Der Leipziger Rezeß vom 26. Januar 1690 wurde auch von den Lüne-
burger Herzögen in der Einsicht, daß sie den älteren silberreicheren
Fuß unmöglich allein beobachten könnten, unterzeichnet. Brandenburg und Kursachsen zerstörten nun mehrere Heckenmünzen in
Thüringen. Auch der Kaiser nahm sich jetzt dieser Dinge an, ver-
hängte über die Sondershausener Grafen 10000 Taler Strafe und
ließ mehrere Münzen in Holstein zerstören. Ebenso gings anderwärts.
„Die kleine Kipperzeit" (1676—1690) hörte auf. So war der Leipziger
Fuß gesichert, er gewann bald weite Verbreitung. Deutschland
hätte schon um die Wende des 17. Jahrhunderts auf dem Gebiete des Münzwesens besseren Zeiten entgegen sehen können,
wenn nicht in der ersten Hälfte des 18. Jahrhunderts teils durch
übermäßige Scheidemünzprägung der Fürsten, teils ohne deren
Schuld durch Steigen des Silberwertes gegen den Goldwert die
Befolgung des 12 Talerfußes unmöglich geworden wäre. Der
deutsche Reichstaler wurde verdrängt zunächst durch die Deutschen selbst, die ihn in Scheidemünze umprägten, zweitens durch
fremde Taler, besonders die niederländischen Kreuztaler, die leichter
und weniger fein als die deutschen Taler in gleichem Verkehrs-
wert wie diese umliefen. Soviel Mühe sich die größeren
Staaten seit 1623 gaben, den Reichstaler zu erhalten, sie war
vergebens, weil andere Staaten und Stände die Taler weiter als
Material für geringerhaltige Sorten benutzten und mit diesen die
Gebiete der gut Münzenden überschwemmten. Auch die Verträge
von Zinna und Leipzig kann man als Glieder in diesem Taler-
vernichtungsprozesse ansehen; denn was 1668, was noch 1690
von diesen Stücken vorhanden war, wurde in die Zinnaschen,
dann Leipziger Kurantsorten umgeschmolzen. Aber die positiven
Erfolge dieser Verträge waren doch bedeutender: sie bestanden
in Schaffung eines unter den damaligen Umständen prägbaren
Handelsgeldes, eines Geldes, das besser war als die Taler; denn
diese waren nicht festzuhalten. Allerdings waren beide Verträge
nur provisorisch abgeschlossen worden, weil man immer vorhatte,
durch allgemeines Reichsgesetz zum alten Fuß zurückzukehren.
Dies spricht sich besonders darin aus, daß man keinen neuen
Taler prägte, sondern eine Münze, die zwar soviel Silber enthält
wie ein halber alter Taler, aber $^2/_3$ Taler galt. Es stimmte also
die Zahleinheit nicht mit der Rechnungseinheit überein, diese war
der Taler zu 24 Groschen, hier der Gulden zu 16 Groschen.

Erst 60 Jahre später schuf man in Preußen wieder ein Münzsystem, in welchem die Zahleinheit auch Rechnungseinheit war, nämlich der 1750 geschaffene Taler der $^1/_{14}$ Mark Feinsilber enthielt. Im übrigen Deutschland blieb man meist bei der Guldenwährung und prägte Doppelgulden (Konventionstaler), Gulden und kleinere Sorten, von denen der Gulden $^1/_{20}$ Mark Feinsilber hielt. So schied sich Deutschland seit dem Siebenjährigen Kriege in die Taler- und Guldenländer.

Von besonderem Wert für den Unterricht ist Georg Schuster, „Die Verwandtschaft der Häuser Hohenzollern und Wettin". Wie die Zollern im südlichen Deutschland, so erscheinen auch die Wettiner an den Ufern der Saale und Elbe von Anbeginn an als mächtige Grundherren. Beide arbeiteten mit stetiger Folgerichtigkeit an der Erweiterung ihres Hausbesitzes. Kauf und Tausch, Erbe und Erbverträge, Pfandschaft und Lehen, sowie Festhalten am Reich und seinem Oberhaupte, weniger an einem Herrschergeschlecht als an dem jeweiligen Inhaber der Königskrone, alles das häufte Güter und Rechte auf beide Familien, denen sich an Macht und Einfluß bald kein fürstliches Geschlecht diesseits und jenseits des Maines vergleichen konnte. Bereits gegen Ende des 13. Jahrhunderts hatte das beiderseitige Herrschaftsgebiet solchen Umfang angenommen, daß seine Grenzen in der Gegend des oberen Mains sich berührten. Seitdem begannen beide Fürstenhäuser, in ihren Interessen vielfach aufeinander angewiesen, sich zu nähern. Die freundnachbarlichen Beziehungen fanden bald in Familientraktaten und Erbverbrüderungen, vornehmlich aber in regen Eheverbindungen einen hervorragenden Stützpunkt. Zwar hat das Schicksal im Laufe der Jahrhunderte häufig mit rauher Hand in diese Familienbeziehungen hineingegriffen, zwar hat der Widerstreit politischer Interessen und die Macht der Verhältnisse und Zeitumstände häufig genug Hohenzollern und Wettiner zu erbitterten Gegnern gemacht, aber das waren doch im ganzen nur vorübergehende Erscheinungen. Im Grunde waltete im Laufe von 5 Jahrhunderten zwischen beiden konkurrierenden Gewalten ein Verhältnis ob, das als ein freundschaftliches bezeichnet werden darf. Daß hierzu die regen Familienbande, die seit den Tagen des Burggrafen Friedrichs V. von Nürnberg und des Markgrafen Balthasar von Meißen bis in die neuste Zeit beide Geschlechter verknüpfen, das Ihrige beigetragen haben, steht außer allem Zweifel. Es gibt 32 Eheverbindungen zwischen Hohenzollern und Wettinern. Davon entfielen fünf auf das 14. und 15. Jahrhundert. Siebzehnmal schlossen Angehörige der kurfürstlichen und königlichen wie der markgräflichen Linie der Hohenzollern mit Mitgliedern der Ernestinischen Linie des Hauses Wettin den Bund fürs Leben, während die Verwandtschaft der Hohenzollern mit den Albertinern auf im ganzen zehn Vermählungen beruht.

Stephan Kekule von Stradonitz, einer der bedeutendsten
Genealogen der Gegenwart, hat in seinen „Ausgewählten Aufsätzen
aus dem Gebiet des Staatsrechts und der Genealogie" (Berlin,
Carl Heymanns Verlag) an einem genealogischen Schnitzer Mauren-
brechers gezeigt, wie nützlich es für einen Lehrer der Geschichte,
insbesondere auch für einen Gymnasiallehrer ist, die Genealogie
nicht in der bisher vielfach üblich gewesenen Weise zu vernachlässigen. Wie der vorgenannte Aufsatz Schusters, so ist auch
der Aufsatz von Stephan Kekule von Stradonitz „Hohenzollern
als Retter des Ordens vom Goldenen Vlies in alter Zeit" im
neusten Band des Hohenzollernjahrbuches für die Nützlichkeit des
genealogischen Studiums ein Beweis. Der Orden vom Goldenen
Vlies oder de la Toison d'Or ist von Philipp dem Guten, Herzog
von Burgund, am 10. Januar 1429/30 zu Brügge gestiftet worden.
Die Satzungen gab der Herzog dem Orden d. d. Lille, 27. Nov.
1431. Die dem Orden damals gegebene eigenartige Verfassung
hat nur ein und ein drittel Jahrhundert ihre völlig ungeschmälerte
Geltung behauptet. Philipp der Gute hatte die Zahl der Ordensritter ursprünglich auf 24, in den genannten Satzungen einschließlich seiner, des Oberhauptes („chef et souverain"), selbst auf 31
festgesetzt. Karl V., das fünfte Oberhaupt, erhöhte bereits
diese Zahl, aber unter Beibehaltung der Ordensverfassung, auf 51.
Papst Leo X. genehmigte diese Erhöhung durch Bulle vom Jahre
1516, deren Ausfertigungstag verschieden, und zwar auf den
26. September und auf den 8. Dezember, angegeben wird.
Philipp II., das sechste Oberhaupt, setzte die alte Verfassung,
deren wichtigste Bestandteile die Neubesetzung erledigter Stellen
im Orden durch Kapitelwahl mit einfacher Stimmenmehrheit und
die jedesmalige Untersuchung des Lebenswandels der einzelnen
Ordensritter einschließlich dessen des Ordensoberhauptes durch
das Kapitel waren, den Tatsachen nach alsbald außer Gebrauch.
Eine Reihe päpstlicher Breven bewilligte dem Oberhaupte, ledig
gewordene Stellen ohne Kapitelwahl und ohne Vollmacht durch
das Kapitel zu besetzen. Schließlich gestattete Papst Paul V. durch
Breve vom 19. April 1608, auch die in Zukunft ledig werdenden Stellen ohne das Kapitel zu besetzen. Damit war die alte
Verfassung des Ordens auch dem Rechte nach durchlöchert. Das
Generalkapitel des Jahres 1559 blieb endgültig das letzte. So
sank der Orden allmählich zu einer burgundisch-niederländischen
ritterlichen Genossenschaft der Großen des Landes, zu einer
spanischen höfischen Auszeichnung herab. Wenn man vom
„alten Orden vom Goldnen Vlies" im Rechtssinne sprechen will,
ergibt sich also das Jahr 1608 als äußerstes Grenzjahr. Die geschichtlichen Ereignisse, die dann später dazu geführt haben, daß
sich dieser hohe und alte Orden in zwei Zweige, den österreichisch-habsburgischen und den spanisch-bourbonischen teilte,
sind bekannt. Die Teilung setzte ein mit dem Beginn des Spani-

schen Erbfolgekrieges, also mit dem Tode Karls II. im Jahre
1700. Bis dahin war, und in Österreich ist noch heute der
Orden vom goldnen Vlies ein streng römisch-katholischer Orden,
während die Krone Spanien nach und nach dazu übergegangen
ist, zunächst ihn auch gelegentlich an nicht römisch-katholische
Christen, namentlich an nicht römisch-katholische Staatsoberhäupter,
schließlich aber in der Neuzeit, ihn sogar an Juden und Mohammedaner
zu verleihen. In geschichtlichem Sinne wird man also bis zur
Teilung gleichfalls vom „alten Orden vom goldnen Vlies" sprechen
können. Es ist bei dieser Sachlage aber klar, daß die fränkische
Linie und namentlich der kurfürstlich-brandenburgische Zweig
dieser Linie des Hauses Hohenzollern mit dem Augenblick aus
dem Kreis derjenigen hochadligen Häuser ausschied, die für den
Erwerb des Ordens in Betracht kamen, in dem sich der Übertritt
dieser Zweige des Hauses Hohenzollern zum evangelischen Glauben
vollzog. Es ist weiter klar, daß dieser Zustand bei der königlichen
Linie der Hohenzollern für den österreichisch-habsburgischen Zweig
des Ordens bis heute andauerte und auch für den spanisch-
bourbonischen Zweig so lange andauern mußte, als nicht hier die
erwähnte mildere Praxis Platz griff. Es ist endlich einleuchtend,
daß von der ersten Hälfte des 16. Jahrhunderts ab bis heute in
Österreich, und in Spanien bis zum Einsetzen jener milderen
Praxis, nur die katholisch gebliebene schwäbische, d. h. fürstlich-
hohenzollernsche Linie des Gesamthauses für den Erwerb des
Ordens in Betracht kommen kann.

Der verfügbare Raum erfordert, die übrigen Aufsätze nur noch
kurz anzuführen: Volz, Eine türkische Gesandtschaft am Hofe
Friedrichs des Großen im Winter 1763/64; Hofmann, Hohen-
zollern-Erinnerungen im Bayerischen Nationalmuseum in München;
Erhardt, Die Ausbildung des brandenburgisch-preußischen
Kalenderwesens in Beziehung zur Geschichte; Lehmann, Branden-
burgisch-preußische Fahnen in der Zeit des letzten Kurfürsten
und des ersten Königs; Volz, Friedrich der Große und seine
Leute. I. Hans-Karl von Winterfeldt; Clausnitzer, Aus der
Regierungszeit des Kurfürsten Johann-Sigismund von Brandenburg. Zur 300 jährigen Wiederkehr seines Regierungsantrittes am
18. Juli 1608; Arnheim, Gustavs Adolfs Gemahlin Maria
Eleonora von Brandenburg; Seidel, Zur Geschichte des Kron-
prinzen-Palais in Berlin, insbesondere der ehemaligen Wohnung
der Königin Luise; Miscellanea. Die vielen und lehrreichen Abbildungen, mit denen der vorliegende Band geschmackvoll geziert
ist, bieten ein nützliches Material für den Anschauungsunterricht.
Ich nenne beispielsweise eine Reihe von Porträts, darunter das
Bildnis Friedrichs V., Burggrafen von Nürnberg, dasjenige der
Kaiserin und Königin Augusta, des Kaisers und Königs Wilhelm I.,
des Kurfürsten Johann Georg I. von Sachsen sowie Lambert
Distelmeiers, des Kanzlers Kurfürst Joachims II.

Die mitgeteilten Proben mögen die Reichhaltigkeit und Vielgestaltigkeit dieses schönen Bandes andeuten. Die äußere Ausstattung ist, wie man dies von der berühmten Weltfirma Giesecke & Devrient nicht anders erwartet, ganz vorzüglich und entspricht der Gediegenheit des Inhaltes.

Dresden.   **Eduard Heydenreich.**

H. Gelzer, Ausgewählte kleine Schriften. Leipzig 1907, B. G. Teubner. 429 S. 8. 5 ℳ.

Professor H. Gelzer, in weiteren Kreisen bekannt durch seine zwei Werke „Vom heiligen Berge und aus Makedonien" und „Geistliches und Weltliches aus dem türkisch-griechischen Orient", die im Teubnerschen Verlag erschienen sind und in denen er auf Grund eigner Beobachtung und Studien die Klosterrepublik auf dem Heiligen Berge und andere von ihm besuchte griechische Klöster und ihre Geschichte, die Zustände in der Türkei und in Griechenland, besonders die kirchlichen, religiösen und kulturellen schildert, hatte die Absicht, seine sonstigen zerstreuten Abhandlungen gesammelt herauszugeben. Da ihn der Tod daran verhinderte, so hat der Sohn wenigstens diejenigen Aufsätze und Vorträge, die keiner fachmäßigen Überarbeitung bedurften und sich an einen größeren Kreis von Lesern richten, in dem vorliegenden Bande vereinigt. Da das Hauptinteresse des Verfassers sich immer mehr der Kirchengeschichte zugewendet hatte, so fällt auch der größere Teil dieser Abhandlungen in dieses Gebiet. Die ersten drei führen uns in die byzantinische Zeit, die, wie schon aus Obigem hervorgeht, dem Verfasser besonders nahelag. Sie behandeln einen griechischen Volksschriftsteller aus dem 7. Jahrhundert (Leontios von Neapolis), das Verhältnis von Staat und Kirche in Byzanz, die Konzilien als Reichsparlamente. Aus den folgenden Aufsätzen über das armenische Kloster San Lazzaro in Venedig, über das älteste Gotteshaus diesseits der Alpen (St. Maurice) und aus dem Aufsatz Pro monachis spricht das lebhafte Interesse Gelzers an Klöstern und Mönchtum. Daß er sich aber trotz dieser Vorliebe einen offenen Blick für das Leben und die Forderungen der Gegenwart, besonders ihre kirchlichen und staatlichen Fragen und Angelegenheiten bewahrte, beweisen der Aufsatz über den Bischof von Hefele und die Rede auf den Großherzog Karl Alexander. In dem ersteren fällt vielfach neues Licht auf das Verhalten v. Hefeles in kirchlichen Dingen. In den beiden Aufsätzen „Wanderungen und Gespräche mit Ernst Curtius" und „Jakob Burckhardt" legte der Verfasser seine persönlichen Erinnerungen an diese beiden Gelehrten, denen er selbst so viel verdankte, nieder; besonders der letztere enthält eine Fülle unmittelbarer Äußerungen des berühmten Basler Gelehrten, mit dem Gelzer viele Jahre verkehrte.

Offenburg (Baden).   **L. Zürn.**

Werner Hoffmann, Das literarische Porträt Alexanders des
Großen im griechischen und römischen Altertum. Heft VIII
der Leipziger Historischen Abhandlungen. Herausgegeben von E.
Brandenburg, G. Seeliger, U. Wilcken. Leipzig 1907, Verlag von
Quelle und Meyer. VI u. 115 S. gr. 8. geb. 4 ℳ, Subskriptions-
preis 3,20 ℳ.

Die Geschichtsforschung bearbeitet gegenwärtig mit Vorliebe
ein neues Gebiet: das literarische Porträt historischer Persönlichkeiten, d. h. die Feststellung, welche Beurteilung diese in der
Literatur zu verschiedenen Zeiten gefunden haben, ein Weg, der
zweifellos der historischen Wahrheit näher bringt. Das vorliegende
Buch will diese Aufgabe, der sich sein Verfasser mit Liebe und
wohl ausgerüstet widmet, für Alexander den Großen erfüllen; der
Verfasser geht deshalb sorgsam den Spuren nach, wo Alexanders
in der antiken Literatur gedacht wird. Nicht daß jede zufällige
Erwähnung des Namens herangezogen wird, sondern in erster
Linie werden diejenigen Schriften berücksichtigt, in denen im
Zusammenhange über Alexander gesprochen wird, sodann Einzel-
urteile, soweit sie von allgemeiner Bedeutung sind oder Erklärung
und Erläuterung zu bieten scheinen; nur für die hellenistische
Zeit selber hat Verfasser sich bemüht, jeder auch noch so unbedeutenden Spur nachzugehen. Von den einzelnen Literatur-
gattungen kommen in Betracht die philosophische, die historische
und die rhetorische Prosa, während die Poesie Alexander nicht
viel behandelt, die neuere Komödie z. B. ihn kaum kennt, das
Epos nur unbedeutende, ja vergebliche Versuche zu einer Alexan-
derdichtung macht; höchstens kann man noch einige unbedeutende Epigramme auf Alexanderstatuen erwähnen, die naturgemäß
rein panegyrischen Charakter tragen.

Verf. betrachtet nun zuerst die philosophische Literatur
des Hellenismus. Von den Philosophen wird der Wert der Persönlichkeit nach moralischen Gesichtspunkten gemessen, was sich
auch in der Geschichtschreibung bemerklich macht. In Betracht
kommen die Peripatetiker, die Kyniker und die Stoiker. — Peri-
patos steht im Gegensatz zu Alexander: jener will Trennung von
Hellenen und Barbaren, dieser Verschmelzung. Aristoteles'
eigenes Urteil ist durch Alexanders Vorgehen gegen seinen Neffen
Kallisthenes beeinflußt. Kallisthenes, der als Hofhistoriograph
mitzog, war ursprünglich der Lobredner Alexanders, und dieser
Ton ist für die spätere Alexanderbiographie vielfach vorbildlich
geblieben. Aber das Verhältnis zwischen beiden wurde anders,
als die προσκύνησις eingeführt werden sollte, Kallisthenes wurde
auf die Seite der Opposition gedrängt, und sein Tod brachte die
Peripatetiker auch gegen die Person des Königs auf, sie sahen
bei Alexander einen Mißbrauch des Glücks, namentlich in seiner
Genußsucht, der τρυφή, und so ließen sich viel Anekdoten, Aussprüche u. dgl. ausschmücken, einseitig auffassen oder erfinden,
die gleich den Berichten über Alexanders Gefallen an Schmeichelei

seitdem die Alexanderhistorie umranken. So ist durch die Peripatetiker das Bild Alexanders von vornherein gezeichnet. Auch den **Kynikern** war er nichts anderes als das Gegenbild ihres Herrscherideals, d. h. ein **Tyrann**. In der Begegnung Alexanders mit Diogenes ist dieser durchweg der Sieger. Die **Stoiker**, die Erben der kynischen Lehren, auch der politischen, haben die gleiche Stellung Alexander gegenüber, so sehr auch dessen Weltimperium dem stoischen Kosmopolitismus entgegenkam; aber auch sie stellten das Postulat auf, daß der Weise allein wahrer König sei; und so erblickte wohl schon die zeitgenössische Stoa in Alexanders Herrschaftsform einen krassen Despotismus, während er in der mittleren Stoa der in τῦφος und τρυφή verkommene Tyrann wurde, Züge, die dann immer an ihm haften geblieben sind. Der große Kritiker Eratosthenes allein, kein eigentlicher Stoiker, sondern ein Eklektiker, maß Alexander nach dem, was er leistete, alle andern maßen ihn nach ihrem Dogma vom Könige. So entstand ein Zerrbild des historischen Alexander, dessen Einfluß das Urteil über ihn in der ganzen antiken Literatur beherrscht.

Die **historische Literatur** kennt von vornherein nur entweder urteilslose Begeisterung oder maßlosen Haß; Alexander hat nicht wie Perikles einen Thukydides, nicht wie Scipio einen Polybios gefunden. Die **alexanderfreundliche** Literatur umfaßt einmal die **Offiziellen**, die von Arrian zusammengearbeitete Darstellung des Ptolemaios und Aristobulos; in ihr wird namentlich die Rächertätigkeit (gegen die Perser) als maßgebend hingestellt; sodann die **Panegyriker**, deren Hauptvertreter aus der frühhellenistischen Zeit Kleitarchos ist (am reinsten im 17. Buche des Diodor erhalten), das Fundament der Vulgata, auch des Trogus und Curtius. Die **alexanderfeindliche** Historiographie hatte ihre Stütze zunächst in der hellenischen Opposition, die sich darin gefiel, den Makedonen herabzusetzen. Die grundstürzenden Bewegungen der Diadochenzeit drängten dann die abwägende Betrachtung von Verdienst und Glück, ἀρετή und τύχη, in den Vordergrund, die von da an den Rhetorenschulen willkommene Themata für ihre Deklamationen darbot. So bemächtigte sich auch die **Rhetorik** des Alexanderbildes. In dem im 3. Jahrhundert erwachenden griechisch-römischen Antagonismus wurde dann aus dem makedonischen Hellenenfeind der Heros und Vorkämpfer des freien Hellenentums, und man gefiel sich in der Betrachtung, was geworden wäre, wenn Alexander bei längerem Leben auch die Römer besiegt hätte; und die Antwort war für die Hellenen nicht zweifelhaft, wenn auch urteilsfähige Männer wie Polybios, Poseidonios und Dionysios sich anders aussprachen. Wer in römischem Sinne diese Frage behandelte, brauchte sich nur an das mehr düstere Alexanderbild, wie es in der philosophischen Literatur erschien, zu halten; und so wurde der namentlich auf Kleitarch beruhenden Überlieferung ein Gegenbild gegenübergestellt. Allein keiner von beiden Typen, der von den Panegyrikern gepriesene und der von den Philosophen herabgesetzte Alexander, wurde von dem anderen ganz verdrängt; und die etwas unbefangenere historische Auffassung steht bis auf Cicero und Diodor unter dem Einflusse Kleitarchs.

Seitdem nach Sulla die griechische Literatur ihre Vorherrschaft an die römische abgetreten hatte, fehlte es an einem Anlasse Alexander herabzusetzen; der große Kriegsheld wurde in Italien fast eine populäre Figur. Indessen wurde bei den Römern die Rhetorik, die seit Livius eine besondere Macht auf ihre gesamte Literatur ausübte, eine ausgesprochene Gegnerin Alexanders. Und wenn auch wie für Cäsar so für mehrere der ersten Kaiser Alexander das Vorbild war, so war doch die allgemeine Anschauung über den Makedonen die, wie sie Livius (im 17. und 18. Kapitel des 9. Buches) ausspricht; auch bei Velleius, Plinius (n. h.), Tacitus (Ann.) tritt in gelegentlichen Äußerungen ein ungünstiges Urteil über Alexander zutage. Deutlich verquickt sich das Alexanderbild der Rhetoren mit dem der Philosophen bei Seneca und Lucan. Senecas schroff ablehnendes Urteil über Alexander beruht nicht bloß auf der rhetorischen Schulung, sondern auch auf seiner stoischen Philosophie. Der hervorstechendste Zug an Alexander ist ihm die Ländergier, bei deren Befriedigung er von *felix temeritas* geleitet wird. Dasselbe Tyrannenbild wie bei dem Philosophen Seneca finden wir bei Lucan, der (im 10. Buche, wo sich der Alexanderexkurs findet) als der maßloseste Gegner der Monarchie sich darstellt.

Die historische Literatur bis auf Trajan weist als Zeichner des Alexanderbildes Trogus und Curtius auf. Bei Trogus, der uns in dem Auszuge des Justinus erhalten ist, stehen zwei entgegengesetzte Auffassungen ziemlich unvereint nebeneinander: Alexander ist bald der unbesiegte, ritterliche Held, bald der schlaue orientalische Despot; bei Curtius liegt zwar auch im ganzen die panegyrische Kleitarchische Tradition zugrunde, aber willkürlich und meist kritiklos sind Elemente einer Alexander ungünstigen Überlieferung verarbeitet und zwar mit Festhaltung eines Gesichtspunktes: daß Alexander die meisten Erfolge seinem unerhörten Glücke verdanke. Und dies ist eben einer der charakteristischen Züge der römischen Rhetorik; Trogus berichtet oft dieselben Einzelheiten mit völlig anderer Tendenz. So beherrscht im großen und ganzen die Rhetorik in der Periode bis auf Trajan auch die Gestaltung des Alexanderbildes.

Der letzte Abschnitt des Buches umfaßt die Literatur von Trajan bis zum Ausgange des Altertums. Trajan, mit dem die griechische Renaissance erwachte, und später die Kaiser von Septimius Severus an trieben Alexanderkult. Die freilich auch jetzt nicht schweigenden philosophischen Verleumder, wie

Pseudo-Diogenes (1. u. 2. Jahrhundert), rufen eine immer stärkere Gegenströmung hervor, wie Plutarch und Arrian zeigen. Hat Dio Chrysostomus ein günstigeres Urteil über Alexander als Pseudo-Diogenes, so ist dies — nach Hoffmann — wesentlich begründet in seinem nahen Verhältnis zu dem Alexanderverehrer Trajan; das kynische Tyrannenbild wandelt sich bei ihm fast in das Bild eines Idealkönigs. Bei Lukian bleibt die kynische Auffassung Siegerin, bei Julian (4. Jahrhundert) steht Alexander hoch als Feldherr, dagegen das Herrscherideal ist ihm Marc Aurel, der Philosoph auf dem Throne. Julian ist unter den Philosophen der letzte Zeuge über Alexander aus dem Altertume. Im Sinne der Rhetorik tritt Plutarch für des Königs ἀρετή ein, aber von der großen Bedeutung des Weltherrschers und Völkervereiners weiß der Biograph auch in der *vita Alexandri* nichts, Plutarch ist immer nur der moralisierende Beurteiler. Mit ihm beginnt das Wiederaufleben der Panegyrik, wenn auch der Tadel nicht ganz ausgeschlossen ist. In der populären Alexanderverehrung hat auch Arrians Anabasis ihren Ursprung; aber Arrian, der von der Größe seines Helden durchdrungen ist und deshalb im ganzen das Alexanderbild der beiden offiziellen Historiker Ptolemaios und Aristobulos vor sich sieht, sucht die Wahrheit; es fehlt auch bei ihm neben dem ἐπαινῶ nicht ganz das μέμφομαι.

Während die antike Alexanderhistoriographie mit Arrian ihren Abschluß fand, lebte der Alexanderroman, Anekdoten und Legenden sammelnd und nach Sensation haschend, fort, wobei auch der Phantasie Raum gegeben wurde; Pseudo-Kallisthenes (aus dem 2. Jahrhundert) hat noch im Mittelalter und auch bei andern Völkern seine Einwirkung geübt.

So gehen durchweg zwei Grundauffassungen über Alexander im Altertume nebeneinander her: die eine, mehr populäre, die in Alexander das Ideal des Heldenkönigs sieht, die andere, die kritische, die in ihm den von der τύχη getragenen Tyrannen erblickt.

Dies die Hauptgedanken, die Verfasser vorträgt, in verständiger Weise erörtert und im einzelnen mit zahlreichen Beispielen belegt. Das Buch ist übersichtlich geschrieben und sachlich gehalten; der Verfasser verirrt sich nicht in unfruchtbare Polemik, wenn er auch mitunter anderer Auffassung widerspricht, z. B. an einigen Stellen Schwartz (bei Pauly-Wissowa, Artikel „Aristobulos", „Arrian", „Curtius") und Hirzel („Der Dialog"), doch nicht, ohne seinen Widerspruch eingehend zu begründen. Ein sorgfältig ausgearbeitetes Register erleichtert die Benutzung des Buches.

Hanau.   O. Wackermann.

DRITTE ABTEILUNG.

BERICHTE ÜBER VERSAMMLUNGEN, NEKROLOGE, MISZELLEN.

Der erste kunsthistorische Ferienkursus in Florenz.

Aus der Schulstube hinaus, von der Arbeitsfülle des endenden Schuljahres hinweg ging die Fahrt über die schneebedeckten Alpen nach Florenz. Der preußische Kultusminister hatte 22 Direktoren, Professoren und Oberlehrer höherer Schulen zu einem vierwöchigen Aufenthalt in der Arnostadt eingeladen, um dort von einem Kunsthistoriker in die italienische Renaissancekunst eingeführt zu werden. Wer wäre von uns nicht gern dieser Aufforderung gefolgt? Voll froher Spannung trafen wir in Florenz ein, und unsre hohen Erwartungen sind nicht getäuscht worden. So sorgenfrei durch Italiens Städte und Fluren zu pilgern, die Denkmäler einer großen Geschichte zu schauen, die Werke einer Kunstperiode zu bewundern, wie die Weltgeschichte sie nicht herrlicher aufzuweisen hat, das war ein Genuß ohnegleichen. Wir, die wir immer nur lehren, konnten wieder einmal lernen, konnten die Augen öffnen und die Seele weiten und sammelten Eindrücke so erhebender Art, daß wir alles Kleine und Alltägliche vergaßen und wie auf einem höheren Lebensboden wandelten. Dafür gebührt unser erster Dank der Unterrichtsverwaltung, die diesen Kursus veranlaßte und die Teilnahme durch reichlich bemessenen Reisezuschuß erleichterte. Das Verdienst des glücklichen Gelingens aber trug unser Führer, Prof. Schubring aus Berlin. Er war der Leiter des ganzen Unternehmens, unermüdlich tätig und anregend; er lehrte uns sehen und verstehen, Zusammenhänge finden und Gegensätze erkennen, und, was die Hauptsache, er wußte die Liebe zur Kunst, die ihn selbst beseelt, auf seine Zuhörer zu übertragen.

Und was hat unser Führer uns nicht alles gezeigt! Wir sollten nicht nur die bekannten auserlesenen Meisterwerke sehen, sondern die Entwicklung der Kunst von ihren Anfängen bis zu den Höhepunkten verfolgen und sollten einen Eindruck von der unermeßlichen Fülle der Kunstwerke erhalten, die über die Museen, Kirchen, Klöster und Paläste Toskanas ausgestreut ist. So haben wir manches Kleinod schauen dürfen, das etwa in einer Sakristei oder Kapelle versteckt, von den meisten Italienfahrern nicht gekannt und nicht gesucht, an der einsamen Stelle, für die es geschaffen, nur um so tiefer und stärker wirkte.

War Prof. Schubring der Leiter des ganzen Unternehmens, so empfingen
wir doch auch von andrer Seite manche Belehrung. Vom ersten Tage an
bildete das Kunsthistorische Institut in Florenz eine Art Mittelpunkt für
uns. Ganz besonderen Dank sind wir seinem allverehrten Vorsitzenden,
Prof. Dr. H. Brockhaus, schuldig; er war stets in freundlichster Weise um
unser Wohl bemüht und bot uns mit seiner Gemahlin liebenswürdigste
Gastfreundschaft. In den Arbeitsräumen des Instituts fanden wir uns zum
ersten Male zusammen; hier begrüßte uns auch Dr. Davidsohn, der Älteste
des deutschen Gelehrtenkreises in Florenz und Geschichtschreiber der
Stadt; hier hörten wir dann auch eine Reihe belehrender Vorträge von
Mitgliedern des Instituts und anderen Herren, die sich freiwillig dieser
Mühe unterzogen. Ihnen allen sind wir für die mannigfaltigen Anregungen
zu Dank verpflichtet.

Daß in Florenz die berühmten Stätten der Kunst alle besucht wurden,
ist selbstverständlich. Von den Ausflügen in die Umgebung möchte ich
den nach Impruneta hervorheben; der Ort ist noch nicht einmal im
Bädeker erwähnt, allen Besuchern von Florenz aber sei er angelegentlichst
empfohlen.

Der Aufenthalt in Florenz wurde nach zehn Tagen unterbrochen durch
die Fahrt nach Siena, der alten Nebenbuhlerin der Arnostadt. Durch ihre
Lage auf hohem Bergesrücken, ihre engen, krummen Gassen, durch ihre
stolzen Plätze und Paläste, ihre eigengeartete Kunstentwicklung machte
gerade diese Stadt auf uns nachhaltigen Eindruck. Und war uns sonst auf
unsrer Reise das Wetter wenig günstig, so genossen wir hier von der Höhe
der Domruine, vom Kloster Osservanza oder von dem Mauerkranz der Villa
Belcaro aus die herrlichsten Blicke auf die toskanische Landschaft mit ihren
Hügeln und Tälern; in scharfen Linien schlossen die schneebedeckten Apen-
ninen im Norden und Osten das Bild ab, und nach Süden hin schweifte das
Auge an dem Monte Amiata vorüber nach der Richtung auf Rom hin und
glaubte in duftiger Ferne fast den spitzen Kegel des Sorakte zu schauen.
Ein andres, aber nicht minder eigenartiges Bild bot dann das alte San
Gimignano, die Stadt der fünfzig Türme einst, von denen immerhin noch
dreizehn aufrecht stehen, dicht nebeneinander wie eine Schar riesiger Recken,
die trotzig einander bedrohen. Und auch dieses Felsennest, das wie aus dem
Berge herausgewachsen erscheint, barg zu unserer Überraschung so manches
köstliche Werk der Kunst. Und nun Pisa mit seinem Domplatz! Nirgends
wie hier wird das empfängliche Gemüt durch den Anblick der Kunst ernst
und feierlich gestimmt. Daß der schöne Turm durch seine Schiefheit entstellt ist, wird nach Überwindung des ersten Erstaunens kaum noch beachtet; die ehrwürdige Stille des grünen Planes, auf dem die vier Gebäude
aus weißem Marmor sich erheben, stimmt die Seele zu weihevoller Andacht
und diese steigert sich zu tiefer Ergriffenheit, wenn man das schlichteste,
aber ernsteste dieser Gebäude, den Campo Santo, betritt und einsam durch
die Hallen dieses Friedhofs wandelt, der alle Welt vergessen läßt und die
Seele mit Gedanken des Todes, aber auch des Friedens füllt.

Als wir nach diesem fünftägigen Abstecher wieder in Florenz ein-
trafen, war es uns hier fast heimatlich zu Mute; nur eine Woche war uns
leider zur Ergänzung unserer Kenntnisse und zur stillen Vertiefung in lieb-
gewordene Kunstwerke noch gegönnt. Dabei erwies sich die Unterbrechung

des Florentiner Aufenthaltes durch den Besuch Sienas als pädagogisch sehr heilsam: wie eine Offenbarung ging uns jetzt der Unterschied zwischen der zarten, überirdischen sienesischen und der kräftigen, in der Wirklichkeit fußenden florentinischen Malerei auf.

Diese Woche bot uns auch sonst noch vieles Schöne und Lehrreiche. Von Rom kam Prof. Amelung herüber und erläuterte uns an zwei Vormittagen in feinsinniger Weise die wichtigsten etruskischen Altertümer und Antiken der Uffizien. Stunden edler Gastfreundschaft genossen wir in der Villa Böcklins, die der jetzige Besitzer, Geheimrat Arnhold, als eine für immer geweihte Stätte hegt und in Ehren hält; feierlichen Empfang bot uns der Sindaco von Florenz in den Prachträumen der Signoria.

Nur gar zu rasch verflossen diese letzten Tage, und es war uns wehmütig ums Herz, als wir die schöne Stadt verlassen mußten und zum letzten Male zu ihrer Kuppel emporblickten.

Dem kleinen Pistoja widmeten wir einige Stunden, um vor allem die Heimsuchung des Luca della Robbia zu bewundern, nach Jakob Burckhardt die schönste Gruppe der Renaissance; zu unsrer schmerzlichen Überraschung hatte man sie auseinandergenommen, aber selbst in diesem Zustande ließ sie ihre ergreifende Schönheit erkennen. In Bologna begannen wir die Mannigfaltigkeit und den Reichtum der oberitalischen Malerschulen zu ahnen und lernten vorsichtig werden in der üblichen Geringschätzung der Maler des 16. Jahrhunderts; im übrigen galt unser Augenmerk hier der kirchlichen Baukunst und den plastischen Denkmälern; nicht vergessen sei der berühmte Kopf der Athene Lemnia, dessen ernste Schönheit jedem unvergeßlich bleibt, der ihn einmal gesehen.

Eine Welt für sich eröffnete sich uns in dem stillen Ravenna; das Zeitalter des sterbenden Römerreichs trat uns vor die Seele mit Galla Placidia, Theoderich und Justinian als beherrschenden Gestalten. Das junge Christentum hat seine erste Kunstblüte gezeigt, und seine Grabbauten und Sarkophage, seine Basiliken und Zentralbauten mit ihren Mosaiken spiegeln bei aller Pracht den strengen Charakter des neuen Glaubens wieder. Einen letzten Höhepunkt erreichte unsre Reise dann in Padua. Drei der Allergrößten sind es, die hier den Kunstfreund empfangen: Giotto, der erste Genius der Renaissance, und zwei seiner größten Nachfolger, Donatello und Mantegna. In ihren Werken trat uns noch einmal die ganze Herrlichkeit der italienischen Kunst entgegen, ehe es galt Abschied zu nehmen.

Hier in Padua fand der Kursus sein Ende und ein letzter Abend vereinigte noch einmal die Teilnehmer beim purpurnen Chianti. Dabei kam denn vor allem der herzliche Dank zum Ausdruck, den wir alle für unsern verehrten Führer empfanden, daneben dann noch etwas, was sich allmählich in diesen vier Wochen entwickelt hatte, nämlich die Wärme der persönlichen Beziehungen, die sich unter den Mitgliedern des Kursus angeknüpft hatten. Aus allen preußischen Provinzen hatten sie sich zusammengefunden, von Gymnasien und Realanstalten, Historiker, Alt- und Neuphilologen, auch ein Theologe, ältere und jüngere, ruhige und lebhafte, still empfangende und mehr kritisch veranlagte; keiner hatte den andern vorher gekannt, aber das Zusammenleben auf der Reise und vor allem die gemeinsame Freude am Lernen und Genießen hatte sie schnell einander nahegebracht, und die Verschiedenheit der Naturen verlieh dem Verkehr, der auf den Ton fröhlicher

Humors gestimmt war, nur höheren Reiz. Eine schöne Ergänzung erhielt unser Kreis durch mehrere Damen, Gattinnen von Teilnehmern, die sich uns angeschlossen hatten und mit bewundernswerter Ausdauer und Lernbegier sich allen Anstrengungen unterzogen. Der Gemahlin unseres Leiters sei besonders noch gedankt; sie hat treu sorgend von Anfang an um ein schönes Gelingen des ganzen Unternehmens sich bemüht und selbst in Italien aufgewachsen, ward sie uns eine Vermittlerin zum liebevollen Verständnis italienischen Volkscharakters.

Als wir nach jenem letzten Zusammensein auseinandergingen, waren wir alle von dem Bewußtsein erfüllt, nicht bloß eine schöne und genußreiche Zeit verlebt zu haben, sondern auch bleibenden Gewinn für unser inneres Leben mit heimzubringen. Daß dieser Gewinn auch unsern Schülern zugute kommen soll, war natürlich die Voraussetzung, unter der wir zu unsrer Reise aufgefordert wurden. Ganz von selbst wird zunächst die Bereicherung, die wir in unsrer Gesamtbildung erfahren haben, irgendwie für unsern Unterricht Früchte tragen. Aber soll der Nutzen des Unternehmens nur so im allgemeinen liegen und nicht auf das Gebiet der Kunst im besondern sich erstrecken? Ohne Zweifel war dies die Absicht; denn weshalb hätte man uns sonst gerade nach Florenz geschickt und uns einen Kunsthistoriker zum Führer gegeben? Wir sollen von dem, was wir an künstlerischen Eindrücken mitgebracht haben und was wir weiterhin durch private Studien an Kenntnissen auf diesem Gebiete uns erwerben — daß dabei die deutsche und die holländische Kunst nicht zu kurz kommen dürfen, ist selbstverständlich —, wir sollen davon unsern Schülern etwas weitergeben. Daß aber unsre Regierung damit umgehen sollte, eigentlichen Unterricht in der Kunstgeschichte auf den höheren Schulen einzuführen[1]), glaube ich nimmermehr, es wäre geradezu ein Unglück. Denn wie könnte man Lehrer, die die Liebe zur Kunst vielleicht nicht in sich tragen, dazu nötigen, in andern diese Liebe zu wecken? Aber deshalb brauchen wir nicht alle Kunstbelehrung von der Schule fernzuhalten. Daß sie ein schweres und gefährliches Ding ist, wird niemand leugnen. Denn aller Schulbehandlung haftet gar leicht der Charakter des Zwanges an, und das Höchste und Schönste darf man nur mit Vorsicht zum Schulstoff machen. Aber sollte es denn einem für seine Sache begeisterten Lehrer nicht gelingen, die Vorstellung des Zwanges auf Viertelstunden wenigstens aus den Seelen seiner Schüler zu bannen und sie vergessen zu lassen, daß sie müssen? Kann so ein Lehrer seine Schüler nicht zu Mitgenießenden, zu Genossen erheben, die sich mit ihm freuen? Trauen wir uns doch zu, Homer und Goethe und andres Schöne mit ihnen zu treiben, ohne es ihnen zu verleiden oder gar zu „verekeln“.

Der Universität sollen wir, so heißt es weiter, die Einführung in die Kunstgeschichte überlassen; wer Liebe und Talent dazu habe, werde dort sich ihr zuwenden; eindrillen lasse sich das Talent doch nicht. Gewiß, eindrillen nicht; aber wo es schlummert, läßt es sich wecken, und es muß frühzeitig geweckt werden, das Talent nämlich, die Augen aufzumachen und zu sehen. Nur darum kann es sich für uns handeln; die Schüler sollen womöglich an Originalen, sonst an Nachbildungen lernen, wie man ein *Bild*

---

[1]) Solche Befürchtungen äußerte Dr. Helmut Hopfen in einem Artikel der Frankfurter Zeitung, welcher sich mit unserem Kursus beschäftigte.

besieht und in seinen Gehalt eindringt, zunächst in elementarer Weise, später auch unter höheren Gesichtspunkten. Viel Zeit soll es gar nicht kosten und keins der bestehenden Schulfächer braucht nennenswerte Opfer zu bringen. Aber unsre Jugend soll doch auch an sich selbst zu erfahren beginnen, daß es etwas Herrliches und Großes ist um die Kunst, daß sie eine Quelle reiner, veredelnder Freude werden kann. ¡Und sollen denn die vielen, die gar keine Hochschule besuchen, ohne solche Anregung ins Leben treten? Soll die Beschäftigung mit der Kunst und die Freude an ihr den Akademikern vorbehalten bleiben oder gar nur den Kunsthistorikern? Ich denke nicht, sondern wo ein Lehrer ist, der Liebe zur Kunst hegt und sich zutraut, sie auf seine Schüler übertragen zu können, da soll er freie Hand haben innerhalb der Grenzen, die der Organismus des Ganzen ihm steckt. Ob es der Lehrer des Deutschen oder eines andern Faches ist, ob und wie er die Kunstbelehrung mit dem übrigen Unterrichtsstoff in Zusammenhang bringt, das und andres Ähnliche ist Nebensache, das Entscheidende ist die Persönlichkeit des Lehrers, von ihr hängt alles dabei ab. So wird es vermutlich die preußische Unterrichtsverwaltung gemeint haben, als sie uns nach Florenz schickte. Daß bei diesem ersten Versuche eines kunsthistorischen Kursus auch einzelne Erfahrungen gemacht wurden, die für spätere Wiederholungen — die hoffentlich nicht ausbleiben — lehrreich sein können, wird niemand verwundern. Diese Zeilen wollen jedoch keine Ratschläge geben, sie sollten nur den freudigen Dank eines, der mit dabei war, zum Ausdruck bringen.

Wesel.   Ernst Walbe.

Berichtigung.

Der Preis des deutschen Lesebuches für Prima von R. Biese ist oben S. 503 irrtümlicherweise mit 4 ℳ bezeichnet worden. Es ist dies der frühere Preis. Der Verleger hat für die 3. Auflage den Preis auf 2,40 ℳ herabgesetzt.

VIERTE ABTEILUNG.

EINGESANDTE BÜCHER
(Besprechung einzelner Werke bleibt vorbehalten).

1. **Blätter für deutsche Erziehung**, herausgegeben von Arthur Schulz. Jahrg. 10, Heft 6—8.

2. **Mikrokosmos**, Zeitschrift zur Förderung wissenschaftlicher Bildung, herausgegeben von R. H. Francé. Jahrg. 2, Heft 3—4.

3. **Neue deutsche Schule**, Monatsschrift für pädagogische Reform. Freie Schulgemeinde 1908. Jahrg. 1, Heft 1.

4. **Vierteljahrsschrift für körperliche Erziehung**, herausgegeben von V. Pimmer. Jahrg. 4, Heft 2.

5. **Xenien**. Eine Monatsschrift, herausgegeben von H. Graef. Leipzig, Xenien-Verlag. Jahrg. 8, Heft 8.

6. **Zeitschrift für Lehrmittelwesen und pädagogische Literatur**, herausgegeben von Fr. Frisch. Jahrg. 4, Nr. 6.

7. **Die Religion in Geschichte und Gegenwart**. Handwörterbuch, unter Mitwirkung von H. Gunkel und O. Scheel herausgegeben von F. M. Schiele. Tübingen 1908, J. C. B. Mohr (Paul Siebeck). Lief. 1. Sp. 1—64.

8. **G. Jaegers Monatsblatt**. Zeitschrift für Gesundheitspflege und Lebenslehre. Jahrg. 27, Nr. 7 u. 8.

9. **Bericht über die am 10. und 11. Juni 1908 in Zwickau abgehaltenen 18. Jahresversammlung des Sächsischen Gymnasiallehrervereins**, erstattet vom Vorstande des Vereins. Leipzig 1908, Dürr'sche Buchhandlung. 55 S.

10. **Neue griechische Schulvorschriften**. Zweite Auflage. Halle a. S., Buchhandlung des Waisenhauses. 0,30 ℳ.

11. ***₊*, Gedanken zur künftigen Beamtenpolitik in der Justiz**. Berlin S. 14, in Kommission bei W. Moeser. 22 S. 0,50 ℳ.

12. **Svante Arrhenius, Die Vorstellung vom Weltgebäude im Wandel der Zeiten. Das Werden der Welten**. neue Folge. Aus dem Schwedischen übersetzt von L. Bamberger. Mit 28 Abbildungen. Leipzig 1908, Akademische Verlagsgesellschaft. XI u. 191 S. gr. 8. 5 ℳ.

13. **J. Benziger-Jerusalem, Wie wurden die Juden das Volk des Gesetzes?** Tübingen 1908, J. C. B. Mohr (Paul Siebeck). 48 S. 0,70 ℳ, geb. 1 ℳ. (Religionsgeschichtliche Volksbücher II 15.)

14. **K. Holl, Der Modernismus**. Ebendaselbst. 48 S. 0,70 ℳ, geb. 1 ℳ. (Religionsgeschichtliche Volksbücher IV 7.)

15. **J. Berninger, Elternhaus, Schule, Lehr- und Werkstätte**. Vorschläge und Anleitung zur gemeinsamen Erziehung und Pflege der Jugend durch Eltern, Lehrer und Meister, unter Berücksichtigung der Schul- und Volkshygiene. Leipzig 1908, O. Nemnich. 107 S. 1,80 ℳ, geb. 2,50 ℳ.

16. **E. Beutinger, Leitfaden für das Veranschlagen (Baukostenberechnung)**. Mit 11 Abbildungen und zahlreichen Tabellen. Leipzig 1908, H. A. Ludwig Degener. 50 S. gr. 8. geb. 1,50 ℳ.

17. J. Bezard, La classe de français. Journal d'un Professeur dans une division de Seconde C (latin—sciences). Paris 1908, Vuibert et Nony. 320 S.

18. C. Born, Französische und englische Gedichte. Leipzig 1908, Quelle & Meyer. VI u. 58 S. 0,80 ℳ.

19. Breitfeld, Leitfaden für den Unterricht in der Natur- lehre. Ausgabe A ohne Abbildungen. Leipzig 1908, H. A. Ludwig Degener. VIII u. 128 S. gr. 8. steif kart. 1,50 ℳ.

20. Abbildungen zur Naturlehre (Physik und Chemie) nach Zeichnungen von Breitfeld und Wohlgeboren. Leipzig 1908, H. A. Ludwig Degener. 29 S. 1 ℳ.

21. P. Cauer, Zur Reform der Reifeprüfung. Offener Brief an Friedrich Paulsen in Berlin. Heidelberg 1908, Carl Winter. 59 S. 1 ℳ.

22. Chöre zum Herakles des Euripides, metrisch übersetzt von K. Brandt, komponiert von H. Chemin-Petit. Groß-Lichterfelde, Chr. Fr. Vieweg. Klavierpartitur 3 ℳ, Singstimme 0,60 ℳ, Textbuch 0,20 ℳ.

23. W. von Christs Geschichte der griechischen Literatur. Fünfte Auflage, unter Mitwirkung von O. Stählin bearbeitet von W. Schmid. Teil I: Klassische Periode der griechischen Literatur. München 1908, C. H. Becksche Verlagsbuchhandlung (Oskar Beck). XII u. 716 S. 13,50 ℳ.

24. Th. Dreher, Leitfaden der katholischen Religionslehre. I. Die Glaubenslehre. Achte und neunte Auflage. Freiburg i. Br. 1908, Herdersche Verlagshandlung. VII u. 64 S. 0,55 ℳ.

25. Aus deutschen Lesebüchern. Vierter Band: Epische und lyrische Dichtungen. Zweite Abteilung: Lyrische Dichtungen. Heraus- gegeben von G. Frick und P. Polack. Vierte Auflage. Leipzig 1908, B. G. Teubner. X u. 576 S. 5 ℳ, geb. 6,40 ℳ.

26. J. Endt, Aus griechischen Papyri. Sammlung gemeinnütziger Vorträge. Prag. Nr. 358—359. S. 85—107.

27. J. Bachmann, Fasten und Ostern im Egerlande. Eben- daselbst. Nr. 360. S. 109—124.

28. R. Eucken, Einführung in eine Philosophie des Geistes- lebens. VIII u. 197 S. 3,80 ℳ, geb. 4,60 ℳ.

29. Th. Fitzhugh, Prolegomena to the History of Italico- Romanic Rhythm. Charlottesville 1908, Anderson Brothers. 22 S. Lex.-8.

30. R. Flatt, Der Unterricht im Freien auf der höheren Schulstufe mit durchgeführten Beispielen aus verschiedenen Unterrichts- gebieten (Naturwissenschaften und Geographie, Zeichnen und Mathematik, Geschichte und Sprachen, körperliche Erziehung). Frauenfeld 1908, Huber & Co. VII u. 146 S. gr. 8.

31. H. François, Scènes de la révolution française, erläutert von A. Mühlan. Leipzig 1908, Raimund Gerhard. VIII u. 130 S. 1,50 ℳ, Wörterbuch 30 S. 0,30 ℳ.

32. W. Fries, Die Ordnungen für die Prüfung, für die praktische Ausbildung und die Anstellung der Kandidaten des höheren Lehramts in Preußen mit den erläuternden und ergänzenden Bestimmungen. Vierte Auflage. Halle a. S. 1908, Buchhandlung des Waisen- hauses. 92 S. 1,20 ℳ.

33. Freytags Sammlung französischer und englischer Schriftsteller. Leipzig 1908, G. Freytag. 8. geb.

a) Grimpses of America. Herausgegeben von Elisabeth Merhaut. 205 S. 1,80 ℳ.

b) Walter Scott, The Lady of the Lake. Herausgegeben von E. Wasserzieher und Anna Groß. Mit 1 Karte und 5 Abbildungen. 212 S. 1,80 ℳ.

c) Tales of the Present, being six Stories by modern Writers. With notes by Clifford Sally. With three illustrations. 160 S. 1,50 ℳ.

d) Shakespeare, Macbeth. Herausgegeben von G. Kohlmann 133 S. 1,40 ℳ.

e) Stories and Sketches, zweiter Band. Herausgegeben von G. Knauff. 152 S. 1,50 ℳ. Wörterbuch 63 S. 0,60 ℳ.

f) Ch. Normand, Biographies et scènes historiques des temps anciens et modernes. Herausgegeben von M. Schmitz-Mancy. Mit 25 Abbildungen. 93 S. 1,20 ℳ. Wörterbuch 26 S. 0,30 ℳ.

34. Sammlung Göschen. Leipzig 1908, G. J. Göschen'sche Verlagshandlung. Jedes Bändchen geb. 0,80 ℳ.

a) L. Diels, Pflanzengeographie. 163 S. mit einer Karte.

b) B. Bauch, Geschichte der Philosophie. IV: Neuere Philosophie bis Kant. 174 S.

c) Th. Achelis, Abriß der vergleichenden Religionswissenschaft. Zweite Auflage. 166 S.

d) F. Werner, Das Tierreich. III: Reptilien und Amphibien. Mit 53 Abbildungen. 184 S.

e) F. Junker, Höhere Analysis zweiter Teil, Integralrechnung. Mit 86 Figuren. Dritte Auflage. 190 S.

f) G. Grein, Landeskunde des Großherzogtums Hessen, der Provinz Hessen-Nassau und des Fürstentums Waldeck. Mit 13 Abbildungen und 1 Karte. 158 S.

g) R. v. Ihering, Landeskunde der Republik Brasilien. Estados Unidos do Brazil. Mit 12 Abbildungen und 1 Karte. 167 S.

h) A. Philippson, Landeskunde des Europäischen Rußlands nebst Finnlands. Mit 9 Abbildungen, 7 Textkarten und 1 lithographischen Karte. 148 S.

35. Goethe, Iphigenie auf Tauris, herausgegeben von G. Frick. Leipzig 1908, B. G. Teubner. 76 S. 0,50 ℳ, geb. 0,70 ℳ.

36. K. Groos, Das Seelenleben des Kindes. Ausgewählte Vorlesungen. Zweite Auflage. Berlin 1908, Reuther & Reichard. VIII u. 260 S. 3,60 ℳ.

37. Der Harz und das Kyffhäusergebirge sowie die Städte Bernburg, Braunschweig, Hildesheim. Offizieller Führer des Harzer Verkehrs-Verbandes. Bad Harzburg 1908, Rud. Stolle. 236 S. 0,50 ℳ.

38. A. Heilborn, Die deutschen Kolonien (Land und Leute). Zehn Vorlesungen. Mit vielen Abbildungen und 2 Karten. Zweite Auflage. Leipzig 1908, B. G. Teubner. IV u. 170 S. 1 ℳ, geb. 1,25 ℳ.

39. K. Kesseler, Die Vertiefung der Kantischen Religionsphilosophie durch Rudolf Eucken. Banzlau 1908, G. Kreuschmer. 38 S.

40. R. Kron, Italienische Taschengrammatik des Nötigsten. Freiburg i. B. 1908, J. Bielefelds Verlag. 88 S. geb. 1,25 ℳ.

41. A. Ladenburg, Naturwissenschaftliche Vorträge in gemeinverständlicher Darstellung. Leipzig 1908, Akademische Verlagsgesellschaft. VI u. 264 S. gr. 8. 9 ℳ.

42. Lamartine, Graziella. Für den Schulgebrauch herausgegeben von Hanna Glinzer. Gotha 1908, F. A. Perthes. VII u. 112 S. 1 ℳ. Wörterbuch 35 S. 0,40 ℳ.

43. O. Richter, Kreis und Kugel in senkrechter Projektion für den Unterricht und zum Selbststudium. Mit 147 Figuren. Leipzig 1908, B. G. Teubner. X u. 188 S. 4,40 ℳ, geb. 4,80 ℳ.

44. J. F. Thöne, System der Metaphysik mit besonderer Berücksichtigung der Kosmologie. Entwurf einer realistisch-spekulativen Weltformel. Dresden 1908, Richard Lincke. VIII u. 300 S.

45. Schiffbau-Studium? Studiengang, Kosten, Aussichten. Berlin 1908, Polytechnische Buchhandlung A. Seydel. 22 S. 0,50 ℳ.

ERSTE ABTEILUNG.

Aus der Gymnasialpädagogik Schleiermachers.

In dem von Professor Dr. W. Rein herausgegebenen „Jahrbuch des Vereins für wissenschaftliche Pädagogik" 1908 (40. Jahrgang) findet sich u. a. eine längere Abhandlung über „Die Pädagogik Schleiermachers und ihre ethischen Prinzipien" vom Stadtvikar Dr. G. Vöhringer. Die Abhandlung enthält viele interessante Einzelheiten, die auch für Fachleute z. T. neu sein werden. Auffallend ist das durchaus moderne Gepräge, das den pädagogischen Grundsätzen anhaftet, die Schleiermacher in seinen Vorlesungen über Pädagogik aufstellt. Dieses Moderne überrascht uns auch in den Anschauungen, die er speziell über die Gymnasialpädagogik, d. h. über die Pädagogik an den höheren Knabenschulen, entwickelt.

An die Volksschule soll sich die Bürgerschule anschließen. Die Bürgerschule entspricht der heutigen Realschule. In den Fächern, die sie mit der Volksschule gemeinsam hat, soll das Material bis an die Grenze der Wissenschaftlichkeit hin erweitert werden. Außerdem sind in der Bürgerschule zwei lebende Sprachen zu lehren, dagegen die alten Sprachen auszuschließen, „die für die größte Mehrzahl toter Stoff werden würden und ein Zurückbleiben auf dem gewerblichen Gebiet zur Folge hätten". Der Unterricht muß an diesen Schulen in allen Fächern auf dem Boden der Empirie bleiben. Für die höhere Bildung am Gymnasium bleibt das rein Spekulative. Die Bürgerschule besteht aus zwei Stufen, einer unteren und einer oberen. Die Unterstufe ist nur eine Erweiterung der Volksschule, die Oberstufe dagegen soll „die einzelnen Disziplinen in ihrem Zusammenhang und von einem zusammenfassenden Prinzip aus" behandeln, „und zwar für die durch die Umstände besonders Begünstigten, nicht nur für die sogenannten mittleren Stände, sondern auch für die sogenannten höheren Stände, soweit sie sich nicht wirklich wissenschaftliche Bildung aneignen wollen". Besonders gründlich muß

der Unterricht in der Muttersprache und in den beiden modernen
Fremdsprachen sein. Wenn er richtig erteilt wird, lassen sich
dann die alten Sprachen leicht anschließen. Den tüchtigen
Schülern muß die Möglichkeit des Übergangs von einem Zyklus
zum andern, d. h. von der Bürgerschule zum Gymnasium gegeben
sein. Dieser Übergang ist „durch äußere Umstände, z. B. durch
Termine zur Rezeption, zu erleichtern, um diese Art der Vorbildung immer allgemeiner und sozial wirksamer zu machen".
Also diese Art der Vorbildung, d. h. zuerst Besuch der Volksschule, dann der Bürgerschule und daran anschließend erst des
Gymnasiums, scheint Schleiermacher für die beste gehalten zu
haben.

Wenn ein solcher Übergang von der Bürgerschule zum Gymnasium möglich werden soll, so sind an dieser Anstalt die realen
Kenntnisse mehr zu pflegen, als es geschieht. Die alten Sprachen
dominieren hier zu sehr. Die auf dem Gymnasium zu Erziehenden haben die Aufgabe, in ihrer Generation die Leitung zu übernehmen. Dazu bedürfen sie einer tieferen geschichtlichen und
spekulativen Bildung. Auf eine gründliche spekulative, also philosophische Bildung legt Schleiermacher auch für das Universitäts-
studium den größten Wert. Die Basis der gesamten Universitäts-
bildung muß die Philosophie sein. „Für alle sollte gemeinsam
geboten werden der Zusammenhang der Totalität des Wissens,
die spekulative Bildung. Nehmen nicht alle Schüler der Hochschule dieses Allgemeine zuerst in sich auf, dann geht der
wesentliche Charakter der Hochschulbildung verloren. Erst nach
diesem wäre ein Auseinandergehen in die Fakultäten am Platz".
Aber Schleiermacher fordert, wie wir sahen, die philosophische
Bildung auch schon am Gymnasium und nimmt damit Stellung
zu einer Frage, die ja gerade neuerdings wieder zur Diskussion
steht. Das tut er in gewisser Weise auch in bezug auf die
Methodik des altsprachlichen Unterrichts, insofern er besonders
„gegen alles Mechanische, also auch gegen alle Gedächtnisübungen"
auf dieser Stufe kämpft und sich damit gegen den Grammatizismus
erklärt, der ja die Gedächtnisübungen sehr pflegt.

Er will auch vergleichende Sprachwissenschaft in den Lehrplan mit aufnehmen, und zwar wünscht er eine Vergleichung der
semitischen, ostasiatischen und indogermanischen Sprachen. „Beschränkung auf Griechisch und Lateinisch ist Einschränkung".
Das möchte denn doch, besonders wenn auch noch eine Verstärkung der realen Fächer einträte, wie sie Schleiermacher
wünschte, eine zu starke Belastung der Gymnasien bedeuten.
Bei der Erwähnung der Gedächtnisübungen macht er eine interessante Bemerkung über das Gedächtnis an sich. „Es gibt keinen
Unterschied im Gedächtnis selbst, nur Leute, die schwerer auffassen, aber Interesse behalten, und andere, die leichter auffassen,
aber weniger beharrlich sind. Es kommt nur darauf an, daß

lebendig aufgefaßt wird und daran fortdauerndes Interesse sich
anknüpft, was sich bei richtigem Unterricht von selbst ergibt,
wo kein Charakterfehler vorliegt". Man beachte die Betonung
eines „fortdauernden Interesses", auf dessen Wirkung man gegenüber vielfacher einseitiger Wertschätzung positiven Wissens heute
auch noch immer wieder hinweisen muß. Es gilt auch heute
noch, daß nicht derjenige Unterricht der beste ist, der die jungen
Köpfe mit positivem, oft totem Wissen überfüllt, sondern derjenige, der das größte „fortdauernde Interesse" bei den Schülern
auslöst. Ob bei Kritiken und Revisionen des Unterrichts dieser
pädagogische Fundamentalsatz immer die gebührende Berücksichtigung findet, weiß ich nicht, es darf aber nach dem, was man
hier und dort hört und liest, bezweifelt werden. Man weiß, wie
die Ansichten über die Berechtigung oder Nichtberechtigung des
zu Recht bestehenden Abiturientenexamens gerade in unseren
Tagen auseinandergehen und daß eine vor noch gar nicht langer
Zeit bei den führenden Geistern erfolgte Rundfrage über dieses
Thema große Meinungsverschiedenheiten erkennen ließ. Schleiermacher ist ein Gegner der unter staatlicher Kontrolle sich ab-
wickelnden Abgangsprüfung. „Eine Rechenschaftsablegung an den
Staat ist, da die Schule ihrem Wesen nach gar nicht in unmittelbarer Beziehung zur Regierung steht, keine aus dem Wesen
der Sache zu begründende Einrichtung. Was der öffentliche
Dienst erfordert, dessen Vorhandensein ist am Eintritt in diesen,
nicht am Austritt aus der Schule zu konstatieren". Aus dem
Wesen der Sache ist das Maturitätsexamen auch meiner Ansicht
nach nicht zu begründen, aber man kann für dasselbe doch
andere Gründe ins Feld führen, die auch vom pädagogischen
Standpunkt aus nicht ohne weiteres von der Hand zu weisen
sind. — Was mir und wahrscheinlich auch manchem Leser
dieser Zeilen ganz neu war und mich am meisten überrascht hat,
ist das, was der Theologe Schleiermacher über den Religionsunterricht und religiöse Veranstaltungen an den höheren Schulen sagt.

Ich lasse es nach Vöhringer wörtlich folgen: „Die Belebung
des religiösen Prinzips ist teils Sache der Kirche, und als solche
nicht hierher gehörig, teils Sache der Familie. Auch dies fällt
außerhalb unserer Theorie; nur ist zu sagen: man vermeide alles
Technische und beschränke sich auf die Wirkung des in der
Familie Lebendigen. Da aber die Familie ihre Aufgabe verschieden erfüllt, versucht man in den Schulen ein Supplement
zu geben. Wenn Andachtsübungen wirklich gehalten werden
sollen, müssen sie unbedingt wahr sein und dürfen nur von
solchen Persönlichkeiten geleitet werden, die eine persönliche
Freudigkeit dazu haben. Besser fallen sie allein in Kirche und
Familie. Der religiöse Unterricht der öffentlichen Anstalten kann
ganz erspart werden. Ist der Konfirmandenunterricht voraus-
gegangen, ist die Jugend durch ihre Familie an den Geistlichen

gewiesen, dann bleibt für den Unterricht in den höheren Schulen
nur Theologie oder eine trockene und tote Art von Katechese,
die keinen rechten Boden unter den Füßen hat. Die Erfahrung
bestätigt auch den geringen Erfolg dieses Unterrichts". Also
Schleiermacher plädiert für Abschaffung des Religionsunterrichts
an den höheren Schulen nach der Konfirmation. Dieser Forderung wird sich mit mir mancher nicht anschließen. Ich möchte
den Religionsunterricht auf keinem Fall aus der Schule verbannt
sehen. Neuerdings will man ihn ja vielfach durch Moralunter-
richt ersetzen. Ich las vor einiger Zeit zufällig den Verlauf einer
solchen Moralstunde in einer französischen Schule und muß gestehen, daß etwas Trockeneres und Lederneres, als was hier den
Schülern geboten ist, kaum denkbar ist. Wie kann ein solcher
Unterricht mit allerhand Definitionen und dürren Erläuterungen
einen lebendigen Religionsunterricht ersetzen! Aber da liegt's,
lebendig, d. h. inneres, wirkliches religiöses Leben weckend muß
der Religionsunterricht sein, nirgends ist das Hinarbeiten auf ein
möglichst großes positives Wissen verderblicher als hier. Der
Religionsunterricht muß sich die richtige Aufgabe stellen und
auch den veränderten Zeitverhältnissen und Anschauungen Rechnung tragen. Auch in bezug auf diesen Punkt trifft Professor
Paulsen in seiner Schrift „Das deutsche Bildungswesen in seiner
geschichtlichen Entwicklung" ohne Frage das Richtige, wenn er
sagt: „Wir können, wie gegenwärtig die Dinge liegen, eine andere
Aufgabe uns nicht stellen als die: historische Kunde von dem
Christentum und seinem Glauben, seinen literarischen Denkmälern
und seinen Lebensformen, seinem Wachstum und seinen Revolutionen zu vermitteln. Von der absoluten Wahrheit dieser oder
jener Glaubenssätze zu überzeugen, das ist eine Aufgabe, die über
das Vermögen und über den Auftrag der Schule hinausgeht.
Wenn wir uns entschlössen, diese Konsequenz zu ziehen, dann
würde damit vor allem eins erreicht, daß unsere Lehrer wieder
mit gutem Gewissen diese Dinge behandeln könnten". Die
Stellungnahme Schleiermachers zum Religionsunterricht an den
öffentlichen Schulen, speziell an den höheren Schulen, wird auch
dadurch veranlaßt sein, daß dieser Unterricht zu seiner Zeit wohl
fast durchweg engherzig dogmatisch erteilt wurde und dadurch
aller wahrhaft religiösen Wirkungen verlustig ging.

Jedenfalls erkennt man aus der obigen Skizze, daß Schleiermacher in seinen Ansichten über Gymnasialpädagogik ein durchaus modernes Gepräge zeigt. Und das tut er auch in manchen
Fragen der allgemeinen Pädagogik. Dies wird nicht bloß mir,
sondern auch wohl vielen andern bislang kaum bekannt gewesen
sein, und deshalb ist es von Dr. Vöhringer sehr verdienstvoll,
daß er in einer besonderen Arbeit die Pädagogik Schleiermachers
gebührend gewürdigt hat.

Hannover.   G. Budde.

Einige Sätze über Generalisieren und Individualisieren.

(Skizze des Vortrags über Generalisieren und Individualisieren, gehalten in der Sitzung des Deutschen Gymnasialvereins zu Basel am 23. September 1907.)

Die Schule muß generalisieren, der Lehrer soll individualisieren. Wie läßt sich beides vereinigen?

1. Die allerneuesten und lautesten Schulreformer klagen über Verkümmerung der Persönlichkeit durch den Massenunterricht, ihr Schibboleth ist „Pflege der Persönlichkeit". Aber sie haben vom Wesen der Persönlichkeit nur unklare Vorstellungen und sind in dem Irrtum befangen, der Mensch sei von Natur gut und brauche nur zu wachsen, um das zu werden, was er werden kann und soll.

2. Die Individualität des Kindes darf nicht überschätzt werden. „Wäre die ursprüngliche Verschiedenartigkeit der Beanlagung unter der Jugend so groß, wie es vielen Eltern anzunehmen gefällt, und wären demnach die auf diese Verschiedenheit gegründeten Ansprüche an die Tätigkeit des Erziehers berechtigt, so würde ein gemeinsamer Unterricht vieler Kinder unmöglich und die Einrichtung von Schulen widersinnig sein. In Wahrheit sind es nur wenige Kinder, deren geistiger Kraft und Eigentümlichkeit durch die Schulerziehung nicht ein völliges Genüge geschieht" (Wilhelm Schrader, Erziehungs- und Unterrichtslehre⁶, S. 44). „Man muß für ein leeres ins Blaue gehende Gerede die Behauptung halten, daß der Lehrer sich sorgfältig nach der Individualität seiner Schüler zu richten, dieselbe zu studieren und auszubilden habe. Dazu hat er gar keine Zeit. Die Eigentümlichkeit des Kindes wird im Kreise der Familie geduldet, aber mit der Schule beginnt ein Leben nach allgemeiner Ordnung, nach einer allen gemeinsamen Regel; da muß der Geist zum Ablegen seiner Absonderlichkeiten, zum Wissen und Wollen des Allgemeinen, zur Aufnahme der vorhandenen allgemeinen Bildung gebracht werden. Dies Umgestalten der Seele, nur dies heißt Erziehung" (Hegel bei Schrader, S. 51).

3. In der Gemeinschaft wird der Mensch erzogen für die Gemeinschaft. „Dem Individualbewußtsein als solchem ist Einzigkeit, Sonderung von jedem andern wesentlich. Aber, wer darauf ausschließlich den Blick geheftet hielte, würde nicht nur zum ethischen Egoismus, sondern notwendig zum theoretischen Solipsismus kommen. Der egozentrische Standpunkt der Kosmologie ist nicht naiver oder irrtümlicher als jener egozentrische Standpunkt der Bildung, der heute von so manchem als tiefe und wohl gar neue Philosophie angestaunt wird ... Erhebung zur Gemeinschaft ist Erweiterung des Selbst. Die Spontaneität, die echte Individualität der Bildung streitet damit überhaupt nicht ... Die Gesetzlichkeiten der Gestaltung alles Inhalts unseres Be-

wußtseins und also unserer Bildung sind Gesetzlichkeiten des Bewußtseins selbst: das ist der Individualismus echter Bedeutung. Aber dieser schließt die Gemeinschaft nicht aus, sondern führt zwingend zu ihr hin. Dagegen heißt es die wahre Individualität verkürzen und nicht sie befreien, wenn man ihr diese Beziehung zur Gemeinschaft nimmt" (Paul Natorp, Sozialpädagogik § 10). Verinnerlichung und Läuterung, Befreiung und Entfaltung der Individualität nach den Ideen des Wahren und Schönen, Guten und Heiligen; keine Selbstherrlichkeit und Glorifizierung des empirischen Individuums in seinem natürlichen und unmittelbaren Dasein, mit all seiner Schwäche, Unfertigkeit und Verkehrtheit (Rudolf Eucken, Grundbegriffe der Gegenwart). „Schließlich ist doch Individualität immer auch Schranke, und es ist sittlich notwendig, daß sie als Schranke zum Bewußtsein kommt; dadurch wird nicht die Eigenart selbst zerstört, sondern nur dem Dünkel der Eigenart gesteuert. Das kann aber nicht wirksamer geschehen als durch unbedingte Voranstellung der S a c h e, d. i. der Gemeinschaft, die jede gute Eigenart gelten läßt und in ihren Dienst nimmt, jeder unrechten Prätention der Individualität dagegen mit unwidersprechlich höherem Ansehen gegenübertritt, ihr zu Diensten zu sein sich unbedingt weigert" (Natorp a. a. O. § 25).

4. Persönlichkeit wächst nicht von selbst auf dem Grunde der empirischen Individualität, sie ist die Frucht ernsten Kampfes mit der Sinnlichkeit und den oft so starken und bösen Naturtrieben. Wer diese bemeistert und sein Leben durch Vernunft und Gewissen nach Zwecken und Gesetzen zu gestalten weiß; wer sittliche Selbständigkeit und Beharrlichkeit im guten, d. h. einen moralischen Charakter erworben hat, der hat das Zeug zur Persönlichkeit in Kantischem Sinne. Herbart definiert: „Persönlichkeit ist Selbstbewußtsein, worin das Ich sich in allen seinen mannigfaltigen Zuständen als eins und dasselbe betrachtet". Wenn wir uns all dieser geistigen Zustände stets klar bewußt wären, wenn wir nichts vergäßen und nicht so vieles in uns unbewußt bliebe, dann wären wir vollkommene Persönlichkeiten. Wir sind es nicht. Vollendete Persönlichkeit ist nur das Absolute, Gott (Lotze, Mikrokosmus *passim*, Religionsphilosophie § 33—40).

5. Kein Kultus der Persönlichkeit! Wir sind nicht dazu da, um unser liebes Ich schön darzustellen oder gar uns „darzuleben", sondern um selbstvergessend und aufopfernd an der Verwirklichung des Guten in der Welt mitzuarbeiten.

6. Wie wird man eine Persönlichkeit? In der Schule nicht anders als durch die erprobte Unterrichts- und Erziehungskunst, im Leben durch dieselben geistigen Mächte, die auch sonst den Menschen binden, befreien und erheben. Sehr wirksam ist eine vorbildliche Persönlichkeit. Vor allem aber nicht zu vergessen: jedermann ist für die Entwickelung seiner Persönlichkeit den Ein-

richtungen der Gesellschaft aufs tiefste verpflichtet. Das vielge-
rühmte „Individualisieren" allein tut es nicht.

7. Das Individualisieren hat seine Grenzen nicht bloß an der
allgemeinen Gesetzlichkeit, der äußeren wie der inneren, sondern
auch an der Schranke der menschlichen Erkenntnis. Denn niemand ist sich selbst vollkommen durchsichtig, noch weniger durchschaut einer den andern bis auf den Grund der Seele. Gleichwohl ist das Individualisieren notwendig und bis zu einem gewissen Grade möglich.

8. Ein Erzieher, der mit seinen Zöglingen lebt und ein
liebevolles Auge für sie hat, wird die Eigentümlichkeiten der
jungen Leute je länger je mehr herausfinden. Er lernt es allmählich, den Trägen und Aufgeweckten, den Offenherzigen und
den Schleicher usw. richtig zu behandeln; er weiß, wann er
Langmut und Milde, wann Ernst und Strenge usw. anzuwenden
hat. Ist der Knabe „verschlossen und trutzig", so wird ihm
schwer beizukommen sein, am wenigsten durch Liebeswerben und
rührselige Ermahnungen. Männlicher Ernst imponiert ihm. „Ist
Gehorsam im Gemüte, wird nicht fern die Liebe sein".

9. Der Unterricht bietet vielfach Gelegenheit zu billigem
Urteil und ausgleichender Gerechtigkeit. Nicht jeder soll jedes in
gleicher Weise und in gleichem Maße lernen. Solange es Schulen
und Prüfungen gibt, solange gibt es Kompensationen, die verständige Männer mit Einsicht handhaben.

10. Um individualisieren zu können, wünschen wir Bewegungsfreiheit für Lehrer und Schüler. Jedes Interesse, jede eigentümliche Kraft, jedes Charisma soll sich betätigen dürfen, aber ohne
Willkür und Laune, ohne sprunghaften Dilettantismus und —
innerhalb der geltenden Lehrverfassung. Wir wünschen nicht
eine Auflösung der geschlossenen Klasse in so und so viele Lieb-
habergruppen; wir verwerfen alles, was den Rahmen der Unter-
richtsordnung zu sprengen droht.

Blankenburg am Harz.   **H. F. Müller.**

Ein Oberlehrerroman[1]).

Daß ein Roman in dieser Zeitschrift angezeigt wird, die
sich mit der Wissenschaft und Technik unseres Berufs beschäftigt,
ist gewiß eine auffallende Erscheinung. Aber es geschieht ja nicht
um seiner künstlerischen Form willen, sondern wegen seines Inhalts, der die Berücksichtigung der Berufsgenossen verdient. Sollte
es nicht uns allen heilsam und wertvoll sein, uns einmal Bilder

---

[1] **Stietz-Kandidat.** Roman aus grauer Vergangenheit des Oberlehrerlebens von **Wilhelm Arminius.** Zwei Bände. Berlin 1908, Verlag
von Gebrüder Paetel. 252 u. 243 S. 8. 6 ℳ.

aus unserem Stande vorführen zu lassen, zumal, wenn dies von
einem Sachkenner und erprobten Schriftsteller geschieht? In
zahllosen Büchern wird uns pädagogische und didaktische Weisheit
zugeführt, aber wie wir uns als Menschen bilden, unsere Weltanschauung und Persönlichkeit fördern, die wichtigste Grundlage
unserer beruflichen Betätigung, davon schweigen die Bücher. Hier
können wir in belustigenden Bildern allerlei schauen und anschauend lernen. Namentlich unsere junge Lehrerwelt wird das
Buch nicht ohne Nutzen aus der Hand legen. Denn es ist von
einem Idealismus getragen, der in unserem Stande eine Verstärkung wohl verträgt.

Es ist ein Oberlehrerroman, geschrieben von einem Ober-
lehrer, der von Liebe zu 'seinem Stande und Berufe erfüllt ist.
Davon geben schon die Geleitssprüche Zeugnis, die er auf die
Rückseite der an Wilhelm Jensen in Freundschaft und Verehrung
gerichteten Widmung gesetzt hat. Es sind zunächst zwei Worte
Goethes:

Die Menschen soll keiner belachen, als der sie herzlich liebt; ,

und:

Wer sich nicht selbst zum besten haben kann, der ist
gewiß nicht von den Besten.

Das Ziel des Verfassers aber kennzeichnet ein Wort Hebbels:
Die Literatur soll der Menschheit durch treue Fixierung jedes
symbolischen Lebens- und Entwickelungsprozesses zu einem immer
klareren Selbstbewußtsein verhelfen.

In diesem Sinne kann man sagen: Der Verfasser entwirft ein
von idealem Geiste erfülltes Bild eines jungen, weltfremden Mannes,
der, aus kleinem und engem Kreise hervorgegangen, unerfahren,
aber von hohem und ernstem Streben beseelt, in unseren Beruf
eintritt und als Probekandidat in einer kleinen Stadt in der Berührung mit dem frisch pulsierenden Leben allmählich lernt, seine
verschiedenen Brillen, die ihm die klare Erkenntnis der Wirklichkeit verschleiern, abzulegen, die Welt mit hellen Augen zu erfassen und die ihm anhaftenden Jugendtorheiten abzustreifen.

Dabei wird die ganze Umwelt, besonders die engere des
Gymnasiums mit Direktor und Lehrerkollegium, ihren Frauen und
Töchtern lebenswahr gezeichnet, mit den guten (und wie prächtigen
dabei!) Seiten wie den Mängeln, und zwar mit solcher Liebe und
so herzerfreuendem Humor, daß man sich an allem ergötzen, auch
die bisweilen bitteren Wahrheiten willig hinnehmen wird.

Fast könnte man es bedauern, daß der Verfasser mit seiner
guten Beobachtung und ausgesprochenen Gabe für Satire und
Karikatur nicht die Gegenwart aufs Korn genommen hat. Aber
gute Gründe mögen ihn davon abgehalten haben. Wir Ältere
schweifen gern mit unseren Gedanken in die Vergangenheit und
rufen uns die scharf ausgeprägten Charakterköpfe ins Gedächtnis

zurück, die uns die Weisheit verkündigten, einen Ranke, Bresemer und Zumpt, einen Haupt und Müllenhoff. Vielleicht vermißte er auch in unserer gleichmachenden Zeit die Mannigfaltigkeit und kräftige Prägung der Typen, welche eine frühere bot. Wenn er aber sein Werk „einen Roman aus grauer Vergangenheit des Oberlehrerlebens" nennt, so sitzt ihm schon auf dem Titelblatt der Schalk im Nacken. Denn so arg grau und vergangen ist die geschilderte Zeit nicht. Es wird noch viele unter uns geben, welche in ähnlichen Verhältnissen zu jungen Gymnasiallehrern herangewachsen sind und der hier gezeichneten Typen sich noch wohl erinnern, auch mögen manche von ihnen noch immer unter uns herumlaufen oder wohl gar etliche Züge von uns selbst tragen.

Als Vorbild seiner Darstellungsweise hat sich Arminius Richter-Raabe gewählt. Fürwahr kein übles Muster, wenn man auf den Humor und Geist sieht! Aber doch bedenklich, wenn man an die Übertreibungen ihrer Manier denkt. Und diesen Klippen ist der Verfasser nicht immer entgangen. Auch er übertreibt nicht selten, im Stil wie in der Zeichnung der Situationen, er redet in atemlosen Sätzen und malt zuweilen in ermüdender Breite. Ich gestehe, daß ich das Buch einigemal mißmutig zur Seite gelegt, aber auch, daß ich es immer wieder zur Hand genommen habe, angezogen von der liebenswürdigen Weise, mit der Menschen und Situationen geschildert werden, insbesondere der Held selbst, dessen von seiner anfänglichen Haartracht entlehnter unerfreulicher Spitzname den unschönen Titel des Romanes geliefert hat. Er erscheint eben mit einem großen Haarschopf auf der Bühne seiner Wirksamkeit, der ihm erst allmählich gekürzt und endlich ganz abgeschnitten wird.

Aber obwohl Veranlassung zu zahllosen komischen Erlebnissen und Situationen, ist er doch ein Prachtkerl, der trotz seiner Jugend ältere und jüngere Kollegen anzieht, ja ihnen in schweren Stunden durch sein offenes, kindliches und tiefgründiges Wesen zur Aufrichtung ihres gebrochenen Wesens hilft. So bringt er den Oberlehrer, der, um seine Universitätsschulden zu tilgen, ein ungeliebtes reiches Mädchen heiratet, aus dem moralischen Druck zur Selbstbesinnung, und einem andern, der sich für einen fertigen Atheisten hält und sich deshalb die Schulandacht zu halten weigert, weckt er wieder aus dem eingetrockneten Gemüt schlummernde religiöse Regungen.

Das Leitmotiv des Romans mag den Schluß dieser kurzen Anzeige bilden. Es findet sich gegen Ende des zweiten Bandes. Der Kandidat hat am Ende seines Probejahres seinen Doktor gemacht. Hochbeglückt kehrt er von der Universität zu seinem alten Mutterchen zurück.

„Voll tiefem Nachsinnen über sich selbst, als ein gleichsam erst Erweckter, durchschritt er die bekannten Gassen, und als er im Abenddunkel um sich blickte, da glommen vor ihm die trüben

Lichtlein des „Schellenmoritz" auf, über denen er vor Zeiten seine
beiden Studentenfensterlein gehabt hatte.   Er setzte sich in das
Dunkel der gegenüberliegenden Moritzkirche, stellte den Doktorhut
auf die Kniee, holte das vergessene Frühstück aus der Tasche,
breitete es im Hute auseinander und biß kräftig in das hart gewordene knusprige Brot.   So fest die Rinde war, die festeren
Zähne zermalmten sie gleichmäßig sicher.   Und als er alle mit-
genommenen zehn Schnitte erledigt hatte, war er auch mit den
zehn Semestern seiner studierenden Vergangenheit, den Studenten-
jahren und seiner Probezeit, fertig — er hatte sie dabei ebenfalls
zermalen.
      Er klopfte die Krümel aus dem Doktorhut, und es war ein
neuer Mensch, der sich von solchem Doktorschmaus erhob.   Einer,
der nicht wie die vielen seinesgleichen mit den Prüfungen zugleich ein Fertiger sein wollte, sondern — das erkannte er jetzt —
einer, der, aus stiller, idealer, germanischer Versonnenheit und
eigensinniger Träumerei geweckt, zu einem werktätigen Leben in
dieser Welt sich erst die erforderlichen harten und schneidigen
Waffen schmieden mußte, und der bei allem Können und bei
allem Lehrersein stets ein Lernender sein würde.   Nichts galt es,
zur Nährung des Selbstbewußtseins und zur Befriedigung der groß-
gezogenen eigenen Eitelkeit den Selbstwillen durchzusetzen, sondern,
ein Glied der großen Menschengemeinde ringsum, als ein rechter
Mann den Hebel da anzusetzen, wo immer es nur möglich war,
und das Seine zu arbeiten an dem Menschheitswerk, das ihn mit
den Zeitgenossen verband".
      Friedenau-Berlin.   Karl Kinzel.

ZWEITE ABTEILUNG.

LITERARISCHE BERICHTE.

1) **Enzyklopädisches Handbuch der Erziehungskunde.** Unter Mitwirkung von Gelehrten und Schulmännern herausgegeben von **Joseph Loos.** II. Band [M—Z]. Wien und Leipzig 1908, A. Pichlers Witwe & Sohn. 1100 S. Lex.-8. eleg. geb. 17 ℳ.

Der zweite Band des sorgsam angelegten und umsichtig redigierten, geschmackvoll ausgestatteten und preiswerten Handbuches ist dem ersten überraschend schnell gefolgt. Was über den ersten Band gesagt ist (vgl. 1907 S. 364 ff.), trifft auch auf diesen Schlußband zu. Die Vorzüge überwiegen die Mängel entschieden. Natürlich ist das hübsche Nachschlagewerk, das uns nun in Kürze über alle Fragen der Erziehung und des Unterrichts aufklärt, zunächst für Österreich bestimmt und demgemäß auch zumeist von Österreichern abgefaßt. Aber dies geschieht nicht so ausschließlich, daß nicht die reichsdeutschen Verhältnisse in ausgiebigem Maße besprochen würden. Übrigens ist auch die Zahl der Mitarbeiter aus dem Reiche nicht klein, größer, als sie z. B. Uhlig in der Anzeige des Werkes im Humanistischen Gymnasium (1908 S. 102) angenommen hat. Gleich der erste Artikel „Mädchenerziehung" ist von A. Mollberg in Weimar geschrieben. Sonst haben von Reichsdeutschen allein am zweiten Bande mitgearbeitet: Ad. Bär in Weimar (Staats- und Gesellschaftskunde. Wirtschaftsgeschichte und Wirtschaftslehre), P. Cauer (Übersetzen im fremdsprachlichen Unterricht), Alb. Gutzmann in Berlin (Sprachstörungen. Taubstummenerziehung), O. Heine in Weimar (Ritterakademien), M. Hennig (Das Rauhe Haus), M. Hübner in Breslau (Schulmuseum), O. Jäger (W. Schrader), R. Lehmann (W. Münch, Fr. Paulsen), P. Natorp (Pestalozzi), E. Nawratzki in Wannsee (Nervensystem. Schlaf. Seelenkrankheiten), W. Rein (Wissenschaftliche Pädagogik), Ad. Rude in Nakel (Methodik), E. v. Sallwürk sen. (u. a. Religiosität), Ed. Scholz (W. Rein), H. Schröer (u. a. Spielbewegung. Turnen), J. Trüper in Jena (Schwachsinn und Abnormenfürsorge), G. Uhlig (u. a. Reformschulen, Stundenplan), R. Wehmer in Berlin (u. a. Schul-

krankheiten), R. Windel in Halle (Pietismus. Erb. Weigel). † H.
Schillers Mitarbeit kommt für diesen Band nicht mehr in Frage,
seine Umarbeitung der Lindnerschen Artikel der ersten Auflage
haben wohl, soweit ich sehe, besonders v. Leclair in Wien und
der Herausgeber selbst fortgesetzt. Auch ohne diesen ergibt es
nach dem „Verzeichnis der Mitarbeiter" 20 Namen, Uhlig hat
deren in beiden Bänden nur 10 gefunden!
Selbstverständlich fehlen die besten österreichischen Namen
nicht, vor allem nicht O. Willmann (u. a. Mittelalterliches Bildungswesen. Philanthropinismus. Sozialpädagogik); dann haben sich um
das Werk recht verdient gemacht u. a. Commenda in Linz, Ferd.
Frank in Wien, G. Hergel in Aussig, Konr. Kraus in Wien, A.
v. Leclair in Wien, Ed. Martinak in Graz, W. Zenz in Wien und
last not least Jos. Loos. Der umfangreiche Artikel „Österreich"
S. 157—210 stammt von Florian Hintner in Wels; er ist gut
geschrieben und für uns recht lehrreich, wenn der Verfasser sich
auch auf den jetzt wogenden Kampf um die Reform der Mittelschulen nicht eingelassen hat. Am Schlusse gibt er 19(!) Spalten
Literatur, die sich aber nicht allein oder vorzugsweise mit Österreich beschäftigt. Darüber unten einige Worte. Den uns nicht
weniger anziehenden Artikel „Gymnasium" hat Al. Höfler in
Wien (früher in Prag, Nachfolger O. Willmanns) geschrieben; ich
erwähne dies hier nachträglich, weil sich auf diesen Artikel die
Mitarbeit des jetzt vielgenannten Mannes beschränkt. Die meisten
Artikel über das ausländische Schulwesen hat Osk. Leuschner geschrieben, der nach dem Verzeichnisse in Berlin wohnt, unter
den Artikeln aber als in Wien wohnhaft angenommen wird. Von
ihm rührt auch der Artikel „Preußen" her, der mehrere Ungenauigkeiten enthält, so daß ich Herrn Leuschner meinerseits in
Wien suchen würde. Es ist sehr zu bedauern, daß gerade dieser
Artikel hinter den Erwartungen zurückbleibt. Die statistischen
Angaben sind meistens veraltet; die Frequenzlisten führt der Verfasser nur bis 1902/3 vor, die Zahl der Gymnasialseminare gibt
er nach 1900 an, die Maximalstundenzahl, die Titel- und Besoldungsverhältnisse, die er angibt, stimmen nicht mehr usw.
Im geschichtlichen Überblick ist Bosse mit keinem Worte erwähnt, dem die preußischen Lehrer ein Denkmal gestiftet haben;
dafür ist Herr Studt sogar mit seinem ganzen Ordenssegen abgebildet; als Kultusminister fungiert auch im Bilde(!) Maximilian
von Puttkamer, der also seinen Namensvetter mit dem langen
Barte Robert Viktor verdrängt hat.
Überhaupt die Illustrierung! Der gute Wille der Redaktion,
nur Gutes und Nötiges zu bringen, leuchtet ja überall durch,
aber zu manchem Bilde muß man doch den Kopf schütteln.
Wozu hier unter Preußen die drei Abbildungen von der Hohen-
zollernschule in Schöneberg? Sind sie für Preußen charakteristisch? Da gibt's denn doch viel reizvollere, eigenartigere

Fassaden neuerer Gymnasialgebäude, würdigere und einfachere
Aulen, lichtere Eintrittshallen. Aber was sollen die Bilder gerade
unter „Preußen"? Gibt's nur da etwa solche Gebäude? Ähnlich
steht es mit Abbildungen von Schulgebäuden aus Schweden, der
Schweiz. Lagepläne können lehrreich sein, sollten aber dann
alle Stockwerke berücksichtigen. Zum Artikel „Schwachsinn"
werden ferner zwei Klassenbilder aus der Trüperschen Anstalt
auf der Sophienhöhe bei Jena, der Anstalt des Artikelschreibers,
wiedergegeben. Inwiefern unterscheiden diese sich von gewöhnlichen Schulen mit Ausnahme der geringeren Anzahl und der
Blödigkeit der Kindergesichter? So wird doch, äußerlich betrachtet, der Anschauungs- bzw. Zeichenunterricht auch voll-
sinnigen Kindern erteilt. Den natürlich vorhandenen methodischen Unterschied kann doch solch ein Klassenbild nicht wiedergeben.

Wichtiger aber als alles dies dünkt mir ein anderer Übelstand, der nicht etwa nur in diesem Handbuche vorliegt, sondern
in allen ähnlichen sich mehr oder minder fühlbar macht. Er
betrifft die Literaturangaben. Bei der immer mehr sich häufen-
den Literatur ist dieser Punkt immer mehr maßgebend geworden.
In der jetzt beliebten Regellosigkeit kann's doch nicht weitergehen.
Man scheint vielfach den Zweck dieser Zugabe zu verkennen, der
doch kein anderer sein kann, als den Leser des Artikels aufmerksam
machen, wo er das in weiterer Ausführung am besten finden
kann, was im Handbuch nur knapp behandelt werden konnte.
Daß man diesen Zweck kurz erreichen kann, beweist u. a. Natorp
unter dem Artikel „Pestalozzi". Aber auch er, wie alle Welt,
unterläßt manche nötige Angabe, vor allem die des Buchpreises.
Als ob der nicht für den Leser von größter Bedeutung wäre!
Es versteht sich von selbst, daß die neueste Auflage und der
Verleger genau bezeichnet werden müssen. Es sollte ferner sich
von selbst verstehen, daß man dem Leser nicht eine unterschieds-
lose Masse von Büchern nennt, sondern sie irgendwie einteilt
und beurteilt. Ja, beurteilt! Kurz, so kurz wie möglich, und
nach dem eignen Urteil, oder, wenn man selbst keins hat und
bei der Unmenge haben kann, nach dem Urteil eines gutbeleu-
mundeten Kritikers. Eine Unmasse Angaben könnten auch in
diesem Handbuche dafür ausgelassen sein, wenn man sich die
Mühe nähme, den Leser genau darauf hinzuweisen, wo er
weiteren Aufschluß (nicht bloß Katalognummern) finden kann.
Ferner sollten in solchem Nachschlagewerke die allgemeinen
Werke (Handbücher, Zeitschriften usw.) ein für allemal an einer
Stelle zusammengestellt und beurteilt werden, so daß in den
einzelnen Artikeln mit einem Wort und der betr. Stellenangabe
auf sie verwiesen werden könnte. So aber wird immer wieder
Reins oder Schmids Enzyklopädie, Matthias usw. zitiert, was sich
eigentlich von selbst versteht. Ich weiß wohl, daß solche

Literaturangabe mehr Arbeit machen kann als die Niederschrift
des Artikels; sie ist aber nötig und kann den Beweis erbringen,
ob der Artikelschreiber wirklich in der Sache steht und glaubwürdig ist. Es wird vielleicht geraume Zeit vergehen, ehe Loos'
Handbuch neu aufgelegt werden muß. Aber wenn die Stunde
kommt, sollte der Finger fest auf diese wunde Stelle gelegt
werden. Wie jetzt meistens die Literatur verzeichnet wird, verwirrt sie den Leser mehr als sie ihn leitet.

**Neuere Veröffentlichungen der Gesellschaft für deutsche
Erziehungs- und Schulgeschichte.**

2) Das österreichische Gymnasium im Zeitalter Maria There-
    sias von Karl Wotke. I. Texte nebst Erläuterungen. Berlin 1905,
    A. Hofmann & Comp. 615 S. geh. 18 *M*. (Monumenta Germaniae
    Paedagogica XXX.)

Die Anzeige erscheint erst jetzt, da das Buch mir verspätet
zugegangen ist und ich hernach mit ihm zugleich andere
Monumentabände anzeigen wollte. Die Schicksale des österreichischen Gymnasiums berühren uns zunächst zwar nicht direkt,
und die geschilderte Zeit, übrigens sind auch die Erlasse
Josephs II. und Leopolds II. noch aufgenommen, ist zwar an sich
sehr anziehend, jedoch für uns im allgemeinen Vergangenheit, aber
im weiteren Sinne ist der Kampf, der damals die Geister erregte,
noch nicht ausgetragen. Es ist der Kampf des jesuitischen und
liberalen Geistes um die Mittelschule, in den wir versetzt werden.
Er spinnt sich, hier zum ersten Male veröffentlicht, vor unsern
Augen ab und erweckt das lebhafteste Interesse jedes geschichtlich
denkenden Menschen. Joseph II. hat sich um die Gymnasien
wenig gekümmert, denn sein gefährliches Interesse richtete sich
vornehmlich auf die Volksschule; aber bezeichnend ist der kleine
Umstand, daß er das Schulgeld einführte, um den Zudrang zu
den Gymnasien zu vermindern. Er haßte und fürchtete ein gelehrtes Proletariat. Um so rühmlicheren Anteil hat seine große
Mutter an der Verbesserung der Lateinschulen genommen. Wotke
weist das gebührend nach. Die Geschichte des österreichischen
Gymnasiums in jener Zeit ist mit der Geschichte zweier Reformatoren identisch; der eine, Gaspari, hat sich namentlich durch
die Einführung und Pflege des Griechischen verdient gemacht,
der zweite, noch bedeutendere, der Piaristenpater Gratian Marx,
durch Betonung der Realien und Sicherstellung des Gymnasiums
gegen die Bestrebungen, es mit der Volksschule unheilvoll zu
verknüpfen; für die Pflege des Deutschen sind beide Reformatoren eingetreten. Wer sich also um die Wirkungen der Aufklärung auf die Mittelschule in einem katholischen Lande bekümmert, findet in diesem Buche reiche Belehrung. Es ist sehr
sorgfältig gearbeitet und mit Erläuterungen und Anhängen ausreichend versehen.

3) Die Jugend und Erziehu'ng der Kurfürsten von Brandenburg und Könige von Preußen. Von Georg Schuster und Friedr. Wagner (†). I. Die Kurfürsten Friedrich I. und II., Albrecht, Johann, Joachim I. und II. Berlin 1906, A. Hofmann & Comp. XXIII u. 608 S. 8. geb. 20 ℳ. (Monumenta Germaniae Paedagogica XXXIV.)

Mit diesem Bande beginnt eine hochbedeutsame Reihe innerhalb der Monumenta. Er umfaßt die Kurfürsten, die noch im Schatten der mittelalterlichen Kirche aufgewachsen sind. Die drei ersten hat G. Schuster bearbeitet, die andern hatte Friedr. Wagner übernommen und seine Aufgabe auch ziemlich beendet, als er heimberufen wurde. Demgemäß ist die ganze Drucklegung, die Anfertigung der Register, die Illustrierung u. ä. wieder Schuster zugefallen. Es ist sichtlich keine Mühe gespart worden, um die Jugendgeschichte der ersten Hohenzollern in der Mark aufzuhellen, und schon was der stattliche Band an Anmerkungen (S. 407—512), Anlagen (bis S. 554), Sach- und Personenregister (bis S. 601) enthält, stellt eine höchst lobenswerte Leistung dar, die dem Buche seinen vollen Wert für den Benutzer eigentlich erst verleiht. Dazu kommt eine stattliche Anzahl illustrierender Beigaben an Bildnissen, Wappen, Kulturszenen, faksimilierten Schrift- und Druckproben, die zwar zum guten Teile mit der „Jugend und Erziehung" der Kurfürsten wenig zu tun haben, aber doch den meisten Lesern willkommen sein werden. Über den Umfang des Begriffs „Jugend" haben sich die Herausgeber dahin geeinigt, daß sie ihn bis zur Gründung eines eigenen Haushalts, in der Regel also bis zur Vermählung ausgedehnt haben. Sie konnten sich nicht gut anders entschließen. Aber nun hat man die Gefahr nicht sorgsam genug vermieden, verlockt durch die Fülle archivalischen Stoffes, der großenteils noch nicht veröffentlicht war, manches mitzuteilen, was eigentlich außerhalb des Themas lag. Denn, das muß doch gesagt werden, über Erziehung und Unterricht der älteren von den jetzt behandelten Prinzen wissen wir so gut wie nichts. Allmählich fließen ja die Quellen ergiebiger, aber selbst bei Johann und den Joachims immer noch keineswegs reichlich. Mit Vergnügen lernen wir da Greußers lateinische Grammatik näher kennen (S. 517 ff., allerdings zum teil schon veröffentlicht im 15. Hefte der „Mitteilungen" 1895), erfahren Interessantes über den Kadolzburger Kodex, der zu Unterrichtszwecken zusammengestellt ist (S. 524 ff.), und über einiges sonst, müssen uns aber diese uns Schulmänner näher angehenden Dinge aus einer großen Masse von geschichtlichen und kulturgeschichtlichen Einzelheiten heraussuchen. Oft sind es reine Kuriositäten, die mit dem Behagen des Quellenforschers ausgekramt werden. Solche Dinge sucht man hier nicht, und sie gehören auch nicht hierher. Bisweilen fühlt man das wohl und versucht eine Begründung der Aufnahme; vgl. S. 253: „da dieses prunkvolle Fest (eine Fürstenhochzeit in Aschaffenburg), umrahmt von der schönen Mainlandschaft, um-

jubelt von einer lebensfrohen Bevölkerung, unzweifelhaft auf das
junge Gemüt unseres Kurprinzen (Joachim I.) einen tiefen Eindruck gemacht hat, so seien ihm einige Worte gewidmet". Unzweifelhaft? Tiefen Eindruck? Woher will man das wissen?
Beweise dafür fehlen, der Brief des siebenjährigen Knaben an
seinen Vater, er möge das Hochzeitsgeschenk gütigst bezahlen,
der ja eigenhändig sein soll, verrät davon nichts. Aber selbst
wenn dem so wäre, brauchten wir die Schilderung der Hochzeit
nicht, wie wir anderwärts die Aufzählung einer Ausstattung, der
Reisekosten usw. gern — in diesem Zusammenhange — entbehrten.
Der genannte Brief (statt an S. 155 an S. 140 angeklebt) zeigt
Schriftzüge, wie sie ein siebendreivierteljähriger Knabe wohl niemals
besessen hat, so daß ich trotz einer „archivalischen Notiz" an
der Eigenhändigkeit zweifeln möchte (wie Steinhausen nach der
Anmerkung auf S. 472 es auch getan hat), jedenfalls aber nicht
so viel daraus schließen würde, wie geschehen ist. Es ist im
günstigsten Fall ein genaues Nachmalen einer Vorlage. Man kann
sonst nicht gerade behaupten, daß die Verfasser ihre Quellen ungebührlich gepreßt hätten, aber sie sind, man möchte sagen, zu
verliebt in sie und können sich nicht rechtzeitig von ihnen
trennen. Darum haben wir einen dicken Band für 20 Mark bekommen und hätten doch lieber einen für 5 Mark gehabt, damit
wir — wir Lehrer oder unsere Schulbüchereien — ihn uns auch
kaufen konnten. Das Programm der „Gesellschaft" muß streng
durchgeführt werden, wenn ihre heilsamen und notwendigen Bemühungen der großen Masse pädagogisch interessierter Menschen
zugute kommen sollen. Kulturgeschichtliche Quisquilien und geschichtliche Diatriben findet man anderwärts schon zur Genüge.
Wissen wir Pädagogisches über einen Kurprinzen nicht, dann
möchte ich fast sagen, um so besser, dann wenden wir unsere Aufmerksamkeit und unser bißchen Zeit einem Orte zu, wo was zu
holen ist. Ich wollte, daß. der Vorstand der „Gesellschaft" in
diesem Punkte keinen Spaß verstünde, damit wir ein bißchen
flinker von der Stelle kommen.

4) Das Berliner Handelsschulwesen des 18. Jahrhunderts von
    Hermann Gilow. Berlin 1906, A. Hofmann & Comp. 341 S. 8.
    10 ℳ. (Monumenta Bd. XXXV.)

„Den Ältesten der Kaufmannschaft von Berlin dargebracht"
zur Eröffnung der Handelshochschule. Also „aktuell" wie selten
eine geschichtliche Arbeit! Und dazu eine feine, sorgsame, gelungene Arbeit. „Es war nicht immer leicht, der Versuchung zu
lokalgeschichtlichen Exkursen zu widerstehen" (S. 3). Aber man
hat dem Versucher widerstanden, des sind wir fröhlich. Der
Lohn ist nicht ausgeblieben, auch dafür nicht, daß Gilow sich
der vorhandenen Literatur gegenüber zurückhaltend benommen
hat. So hat er ein geschlossenes, lesbares Buch geschrieben, das

man mit Befriedigung und Dank für gewordene Belehrung aus
der Hand legt. Es ist zugleich zur Ehrenrettung eines Mannes
geworden, dessen Name schnödes Vergessen verdeckte. Der
Philanthropist Joh. Michael Friedr. Schulz ist von ihm wieder auf-
geweckt worden, und der Mann verdient es trotz seiner menschlichen Schwächen. Der Inhalt des Buches ist überaus lehrreich,
namentlich sind auch die vorbereitenden Abschnitte über die
Heckersche Realschule und das Philanthropin zur Einführung in
die Geschichte des Realschulwesens vorzüglich geeignet (z. B. zu
Referaten in den Gymnasialseminaren); es folgt die Tragikomödie
der Irrungen und Wirrungen des Schulzschen Handelsschulunter-
nehmens, die wir mit geteilten Gefühlen vor uns wohl dramatisiert ablaufen sehen, bis der Mann mit seinen schönen Plänen
und seiner noch beneidenswerteren Arbeitskraft in die Hände
der Behörde gerät, die sein Kindlein teils durch verkehrtes Wohlwollen teils durch bureaukratische Verbohrtheit ziemlich rasch zu
Tode kurieren. Ostern 1806 schied Schulz als fertiger Mann
aus, Michaelis 1806 — noch vor dem allgemeinen Débâcle — ging
die Schule an Entkräftung ein. Alles ist vorzüglich klar dargestellt, mit treffenden Beilagen (S. 254—327) und Registern versehen. Ein solches Buch macht Lust zur Beschäftigung mit der
Geschichte der Erziehung und des Unterrichts.

5) Die Jugend des Königs Friedrich Wilhelm IV. von Preußen
und des Kaisers und Königs Wilhelm I. Tagebuchblätter
ihres Erziehers Friedrich Delbrück (1800—1809). Mitgeteilt
von Georg Schuster. Berlin 1907, A. Hofmann & Comp. I. Teil
(1800—1806). LXII u. 529 S. 8. 12 *M*. II. Teil (1806—1808).
578 S. 8. 14 *M*. III. Teil (1808—1809). 387 S. 8. 10 *M*.
(Monumenta Bd. XXXVI, XXXVII, XL.)

Die Veröffentlichung des Delbrückschen Tagebuches über sein
„Erziehungsgeschäft" an den königlichen Prinzen ist von der
Tagespresse und auch in Zeitschriften freudig und dankbar aufgenommen worden. Wer wollte leugnen, daß sie verdienstlich
ist und einmal geschehen mußte? Ebensowenig läßt sich verkennen, daß der Herausgeber die Aufgabe, die er sich gestellt,
sorgfältig gelöst hat. Es war keine so leichte Sache, aus dem
gewaltigen Stoffe, den der schreibselige Delbrück da hinterlassen
hat, eine Auswahl zu treffen, die möglichst weiten Kreisen Lust
machte, sich mit dem Gegenstande näher zu befassen. Ich erkenne auch gern das Geschick an, mit der die einleitenden Abschnitte über Subjekt, Objekt und literarischen Wert der Auf-
zeichnungen angefertigt sind, nicht minder den Fleiß, der in den
zahlreichen Fußnoten und in den umfangreichen Registern steckt.
Trotzdem kann ich mich von meinem Standpunkte des geschichtlich interessierten Pädagogen mit den vorliegenden drei dicken
Bänden schwer abfinden. Der Herausgeber versichert, er habe
kräftig gestrichen, namentlich in den wortreichen Diatriben Del-

brücks, aber nach meinem Urteil hätte für den Zweck, den die
„Monumenta“ verfolgen, noch viel mehr gestrichen werden
können und — aus praktischen Gründen — müssen. Der Herausgeber sagt: „Erörterungen sind beibehalten, wo vielleicht ein —
wenn auch anspruchloser — Gewinn für die Kulturgeschichte oder
die Beurteilung einer historischen Persönlichkeit zu winken
schien“. Er ist also nach eigenem Geständnis bis an die Grenze
des Wissenswerten gegangen. Viele werden mit mir der Meinung
sein, diese Grenze sei häufig überschritten. Nicht alles übrigens,
was kulturgeschichtlich bemerkenswert erscheinen kann, gehört in
unsere Sammlung; es gibt Orte genug, wo so etwas abgeladen
werden kann. Über den Begriff einer historischen Persönlichkeit
vollends wird man sich so leicht nicht einigen können. Aber
das behaupte ich, daß Hunderte von Notizen des Tagebuches, die
dann wieder oft genug der Erklärung bedurften, ohne irgend
welchen Schaden wegbleiben konnten. Was herausgestellt werden
mußte, war das „Erziehungsgeschäft“, wie Delbrück in unbewußter
Selbstkritik seine Tätigkeit nennt. Es hätte sich dann leichter
als jetzt gezeigt, daß dieses Geschäft teils mit, teils ohne Schuld
des Geschäftsführers nicht glänzend gegangen ist. Man hat da
merkwürdig genug operiert, und die Geschäftskenntnis, die
Warenkunde und die Umsicht des Inhabers erscheinen oft in
einem traurigen, bisweilen in einem trotz allem den Leser er-
heiternden Lichte. Nur dessen Betriebsamkeit, Gewissenhaftigkeit
und Ehrlichkeit sind unantastbar. Hans Vaihinger hat dem guten
Delbrück als Erzieher, wie ich lese, böse die Leviten gelesen.
Stoff zu einer schlimmen Satire liegt allerdings genug vor. Aber
Delbrück war unter den Schulmeistern seiner Zeit gewiß einer
der besseren; die herschende Moralpaukerei und der modische
Philanthropinismus haben auch seinem weichen Wesen arg ge-
schadet. Lassen wir ihn ruhen, er hat getan, was er konnte.
Und nach ihm kam der Kronprinz mit Ancillon bekanntlich aus
dem Regen in die Traufe. Das ist das Beste an den teuren drei
Bänden, daß ihre Lektüre uns noch heute so oft zum Nachdenken
über unsere Zeit veranlaßt. Basedow geht wieder um, cavete
principibus, cavete pueris! Aber ein Band hätte dazu auch
genügt.

6) Mittelschulgeschichtliche Dokumente Altbayerns einschließ-
    lich Regensburgs gesammelt und mit einem geschichtlichen Über-
    blick versehen von Georg Lurz. Berlin 1907/1908, A. Hofmann
    & Comp. 1. Band. Geschichtlicher Überblick und Dokumente bis
    zur Mitte des 16. Jahrhunderts. XI u. 348 S. 6. 11 *M*. 2. Band.
    Seit der Neuorganisation des Schulwesens in der zweiten Hälfte des
    16. Jahrhunderts bis zur Säkularisation. VIII u. 630 S. 8. 16 *M*.
    (Monumenta Germaniae Paedagogica XLI u. XLII.)

Herr Kollege Lurz in München hat uns zwei interessante
Monumentabände geliefert. Er hat nicht nur die einschlägigen
Dokumente fleißig gesammelt, sondern, was besonders hoch an-

zuschlagen ist, sie richtig benutzt, streng gesichtet, umsichtig ausgezogen und die einzelnen in lichtvolle Beziehung gesetzt. Es steckt viel Fleiß und nicht weniger Urteilskraft in
dieser Arbeit. Selbst einem der Sache Fernerstehenden, wie dem
Ref., hat er den störrigen Stoff so nahegebracht, daß man von
dem Studium dieser Bände befriedigt scheiden kann. Prächtig
ist vor allem der geschichtliche Überblick, der diesmal den Dokumenten vorausgeht. Auch in das mittelalterliche Dunkel hat der
Herausgeber einzudringen sich heroisch bemüht und aus den
spärlichen Nachrichten aus jener Zeit gemacht, was sich nur
irgend machen ließ, vielleicht hier und da ein wenig mehr als dies.
Daß Lurz seine Arbeit gegen andere schon vorhandene oder noch
zu leistende streng abgesteckt hat und nicht unnötig wiederkäut,
ist ihm zu hohem Lobe anzurechnen. Dabei fallen doch wichtige
Ergebnisse ab, z. B. der Nachweis, daß eine Schulordnung von
1548 nicht existiert (gegen Lipowsky). Für uns Evangelische
sind natürlich die Wirkungen der Reformation und Gegenreformation auf das Schulwesen in hohem Grade anziehend, sowie der
Vergleich zwischen den Jesuitengymnasien und dem Gymnasium
poeticum in Regensburg. Freilich hat Lurz über den inneren
Betrieb der ersteren wenig gesagt, weil er in diesem Punkte auf
Pachtlers vier Monumentabände verweisen konnte und mußte,
aber ein Vergleich ist auch so noch angängig. Das protestanti-
sche Stadtgymnasium in Regensburg, bald nach der Gründung
(1537) in schöner Entwicklung begriffen, konnte sich auf seinem
einsamen Posten unter ungünstigen Umständen nur mühsam behaupten und war 1811, als es mit dem alten Jesuitengymnasium
(eigentlich bischöflichem Lyzeum) zu St. Paul zu einem staatlichen
paritätischen Gymnasium vereinigt wurde, bis auf 80 Schüler
herabgesunken. Was aber Lurz an Dokumenten über die Anstalt
vorlegt, überrascht durch die Quantität (190 Seiten) und kaum
weniger durch die Qualität des Inhalts. Die Blüte der Schule
beruhte außer auf einem Zuschuß aus der Kämmereikasse doch
wesentlich auf der Persönlichkeit ihrer Leiter und Lehrer. Und
unter diesen Verhältnissen, umbrandet von jesuitischer Hochflut,
haben sie dort unten Treffliches geleistet. Mit Freude habe ich
die Reformgedanken gelesen, die ein Anonymus (man rät auf den
Superintendenten Ursinus in Regensburg) im Jahre 1665 nieder-
geschrieben hat. Welche geistige Ruhe und Klarheit, welche
Weite des Blicks und Milde des Urteils tritt uns in diesem
Schriftstück entgegen! Mancher Reformer von heute könnte von
diesem klugen Manne lernen. Auch von seinem Stile, der sich
auffallend zu seinen Gunsten von dem der übrigen abhebt. Ob
sich nicht der Abdruck dieser Encyclopaedia scholastica, die in
der Kreisbibliothek in Regensburg ruht, empföhle? Sie atmet
Comeniusschen Geist; vgl. „die Wissenschaft macht keinen, sondern
der Brauch zum Meister". Sehr lehrreich sind die Auszüge aus

den Protokollen der großen Visitation von 1558—1560; sie unterrichten uns über den kirchlich-konfessionellen Zustand, der damals in Bayern herrschte, über den wunderlichen Wirrwarr vor dem Einschreiten der Herzöge und Jesuiten in kurzer, oft ergötzlicher Weise. Und so ist das Buch anziehend und lehrreich, wo man es aufschlagen mag. Ein nicht zu wortkarges Register erleichtert die Benutzung wesentlich.

7) **Andrea Guarnas Bellum grammaticale und seine Nachahmungen** herausgegeben von **Johannes Bolte**. Berlin 1908, A. Hofmann & Comp. Zusammen 400 S. 8. 11 *M.* (Monumenta Germaniae Paedagogica XLIII.)

Andrea Guarna, ein priesterlicher Humanist aus Cremona (etwa 1470—1517), hat sich durch seine barocke Idee, die Schwierigkeiten der lateinischen Formenlehre durch die Allegorie eines Krieges zwischen dem verbalen König amo und dem nominalen poeta den Schülern mundgerechter zu machen, einen ziemlich wohlfeilen Nachruhm verschafft. Denn er hat unglaublich viel Anklang gefunden, namentlich in Deutschland. Hier ist die Schrift in einer Überarbeitung von Spangenberg (1555) oft gedruckt worden. Metrisch hat sie schlecht und recht der Pommer Manderssen bearbeitet. Prosaisch war wiederum die Bearbeitung durch den Jesuiten Pontanus (1620). Diese ist in einer Schulkomödie von Kremsmünster benutzt, wie sich denn herausgestellt hat, daß der dankbare Stoff in England, Deutschland und Frankreich oft dramatisiert ist. Von diesen Schulkomödien sind in unserm Bande ganz abgedruckt die Oxforder (um 1590), die Münchner (1597), von einigen andern eine Auswahl. Auch von den Übersetzungen des Bellum grammaticale und seinen anderweitigen Nachwirkungen in der Literatur wird genau und, wie es scheint, abschließend gehandelt, so daß wir nun in vortrefflicher Form alles beieinander haben, was sich auf diese Frage bezieht. Freilich hat sie für uns nur eine geschichtliche Bedeutung, aber wir haben von der Beschäftigung mit ihr nicht nur unsern Spaß und manche Erkenntnis in den Schulbetrieb jener Tage, sondern können sogar, wenn wir wollen, manches lernen. Kap. 10 heißt es: venit etiam praepositionum regina ad; cum qua erant ab et in, coniunctae nominum casibus, ducebantque secum tres phalanges strenuorum militum. In prima erant apud, ante . . . versus, omnes servientes accusativo casui etc. Sie **dienen** dem Akkusativ! Drücken sich unsere Grammatiken immer so treffend aus? Selbst Waldeck sagt noch: Den Ablativ **regieren** usw.

8) **Historisch-pädagogischer Bericht über das Jahr 1906.** 15. Beiheft zu den Mitteilungen der Gesellschaft für deutsche Erziehungs- und Schulgeschichte. Berlin 1908, A. Hofmann & Comp. VIII u. 240 S. 8. 5 *M.*

In den letzten Jahren enthielten die „Mitteilungen" der Gesellschaft zunächst an ihre Mitglieder auch Übersichten über die einschlägige Literatur. Das war natürlich sehr erwünscht, ja es war zu erklären, daß diese Arbeiten den wertvollsten Inhalt der Hefte ausmachten. Darüber kam aber der eigentliche Zweck der Mitteilungen, kleinere Arbeiten zu bringen, etwas ins Gedränge. Deshalb hat man sich entschlossen, nunmehr die so unentbehrlichen und trefflichen Literaturberichte regelmäßig als Beihefte auszugeben und dadurch die Mitteilungen ihrer ursprünglichen Bestimmung zurückzugeben. Dieser Entschluß ist sehr heilsam gewesen, wie uns das stattliche 15. Beiheft beweist. Die Arbeit des Referierens ist auf eine größere Zahl kräftiger Schultern verteilt, die Redaktion ruht in den bewährten Händen von Prof. Heubaum und Dr. Galle. Der Plan der neuen Einrichtung dürfte sich im allgemeinen bewähren, wenn er auch von Fall zu Fall im einzelnen Änderungen erfahren wird. Vor allem wünschen wir der Leitung einen zahlreichen, leistungsfähigen und — pünktlichen Mitarbeiterstab, sonst nützt der schönste Plan nichts. Man spricht im Hinblick auf die Ausdehnung des Arbeitsfeldes von der Notwendigkeit, die Beiträge der Mitglieder zu erhöhen. Ist die Gesellschaft wirklich in der Lage, dies wagen zu können? Schon fünf Mark sind für den einzelnen reichlich viel, wenn man auf weitere Kreise rechnet. Wohl aber sollte es mindestens jeder Schulbibliothek zur Anstandspflicht gemacht werden, Mitglied der Gesellschaft zu werden. Wie oft werden da fünf Mark für einen modernen Reformquark vergeudet. Es wäre schon viel gewonnen, wenn durch ein verbreiteteres Studium der Schulgeschichte in einem Kollegium die Stimmung eines Ben Akiba herrschend würde. Wir können sie allmählich gebrauchen. Hier in Hannover hätten sie andere Kreise allerdings noch nötiger.

Hannover.   F. Fügner.

O. Heinemann, Handbuch über die Organisation und Verwaltung der öffentlichen preußischen Unterrichtsanstalten. Potsdam 1908, A. Stein's Verlagsbuchhandlung. Lieferung 4—10. à 112 S. je 3,00 ℳ.

Auf S. 747—748 des 61. Jahrgangs dieser Zeitschrift sind die ersten drei Lieferungen dieses Werkes angezeigt worden. Jetzt liegen sieben weitere vor, und es ist mit dem Buche selbst eine Wandlung vorgegangen. Vielfachen Anregungen folgend hat nämlich der Verfasser sein ursprünglich für die staatlichen, staatlich verwalteten und staatlich unterstützten Unterrichtsanstalten bestimmtes Werk auf sämtliche öffentliche preußische Unterrichtsanstalten ausgedehnt. Infolgedessen ist auch der Umfang des Werkes nicht unerheblich größer geworden. Es wird sich jetzt voraussichtlich auf 16 Lieferungen à 7 Bogen ausdehnen. Zur leichteren Handhabung ist die Einteilung in 2 Bände vorgesehen. Der erste von ihnen, bis einschließlich Lieferung 8 und bis zu dem Artikel „Schulfest" gehend, liegt abgeschlossen vor. Die

Lieferung 10 schließt mit dem Artikel „Technisches Unterrichtswesen". Zu dem in der ersten Anzeige Gesagten kann kaum
etwas anderes hinzugefügt werden, als daß das neu Hinzu-
gekommene die Erwartungen nach jeder Richtung gerechtfertigt
und den Wunsch, das so brauchbare Werk bald vollendet zu
sehen, nur verstärkt hat.

Pankow. ——————— **Max Nath.**

Gregor Schwamborn, Kirchengeschichte in Quellen und Texten.
I. Teil. Altertum und Mittelalter. Neuß a. Rh. 1908, L. Rutz.
XVI u. 147 S. 8. 1,80 ℳ.

Das Buch ist freudig zu begrüßen. Die evangelischen
Kollegen haben für ihren Religionsunterricht schon längere Zeit
Hilfsmittel, wie es die katholischen jetzt durch Schwamborn erhalten. Solche Sammlung ermöglicht eine Veranschaulichung der
Begebenheiten und Zustände und eine Belebung des Unterrichts,
indem Zeugen vergangener Zeiten zu Worte kommen. Die Sammlung schließt sich der Einteilung des Stoffes an, die Wedewer in
seinem Lehrbuch der Kirchengeschichte befolgt, läßt sich aber
neben jedem andern Lehrbuch verwerten. Die Auswahl ist gut
getroffen, wenngleich jeder Benützer das eine oder andere Stück
als entbehrlich bezeichnen und an seine Stelle anderes gesetzt
haben möchte, das ihm wertvoller erscheint. Jedenfalls bedeutet
das Buch eine wertvolle Bereicherung der Hilfsmittel für den
Religionslehrer.

Breslau. **Hermann Hoffmann.**

———————

Alfred Döhring, Deutsch-lateinische Satzlehre für Schulen.
Königsberg i. Pr. 1908, Gräfe & Unzer. VI u. 177 S. 8. geb. 2,60 ℳ.

Das vorliegende Werk ist das Ergebnis langjähriger Arbeit
auf dem Gebiete der lateinischen Syntax. In mehreren umfangreichen Aufsätzen in den Neuen Jahrbüchern (II 1890, 1894, 1903)
hat Verf. die Grundsätze, nach denen seine Satzlehre aufgebaut
ist, behandelt und begründet. Im Anschluß an Josupeit und Vogt
macht er zur Grundlage für die Betrachtung der syntaktischen
Erscheinungen der lateinischen Sprache die deutsche Ausdrucksweise, und die diese Ausdrucksweise behandelnde deutsche Satzlehre wird nicht nach den Wortformen (Kasus, Tempora usw.),
sondern nach Satzteilen und Satzarten geordnet. In der Terminologie schließt sich Verf. im wesentlichen an Kern an. Diese
neuere Methode sei zwar schon in einigen Lehrbüchern angewendet, aber doch nicht so durchgeführt worden, daß der volle
Nutzen aus der Neuerung gezogen werden konnte. Und diese
Wahrnehmung hat den Verf. zur Herausgabe seiner Satzlehre bestimmt.

Von der Ansicht ausgehend, daß der Träger jeder in einem
Satze ausgesprochenen Vorstellungsverbindung das Verbum finitum

oder, wie D. will, das Vollverbum ist, läßt er auf den Abschnitt „Prädikat und Subjekt" (§ 1—8) sofort die „Bestimmungen des Verbums" im Akkusativ, Nominativ, Genitiv und Dativ folgen (§ 9—24), und zwar seiner Methode gemäß zunächst nur so weit, als sich diese syntaktischen Erscheinungen im Deutschen finden; zuerst werden die Übereinstimmungen zwischen Deutschem und Lateinischem hervorgehoben, dann die Abweichungen besprochen. Der auf diese Weise zunächst ausgeschlossene Ablativ kommt erst in dem folgenden Abschnitte zu seinem Rechte „Bestimmungen des Verbums durch Präpositionen" (§ 25—42); hier wird außer Ort-, Zeit- und Zweckbestimmungen auch der Ablativus causae, instrumenti usw. behandelt, und außerdem eine ganze Reihe lateinischer Präpositionen. Der folgende Abschnitt (§ 43—50) behandelt die Bestimmungen des Verbs durch Adverbia und durch das Neutrum eines Pronomens. Die §§ 51—71 „Bestimmungen des Nomens oder Attribute" stellen in gewissem Sinne eine Abweichung von dem bisher eingeschlagenen Wege dar, indem das Prinzip, das Verb zur Grundlage der Betrachtung zu machen, fallen gelassen wird oder vielmehr fallen gelassen werden muß. Dieser Teil umfaßt folgende Abschnitte: 1. Adjektivische Attribute, hierbei wird auch die Übersetzung des unbestimmten Artikels besprochen. 2. Genitivische Attribute, hier wird der Gebrauch des deutschen Genit. part. (z. B. die meisten der Soldaten) nicht erwähnt. 3. Dativische Attribute. 4. Präpositionale Attribute, wird hier u. a. der Genit. obiectivus, partitivus, qualitatis behandelt; der Gen. und Abl. qual. in Verbindung mit *esse* ist schon § 20, 2 besprochen. 5. Infinitivische Attribute, z. B. „die Hoffnung zu siegen", „das Verdienst Theben befreit zu haben", „ich bin nicht der Mann, mich schrecken zu lassen". Es wird hier also als dem Schüler bekannt vorausgesetzt die Lehre vom Gerundium und Gerundivum und die Lehre vom Gebrauch des Konjunktivs in Relativsätzen. Vorher ist von dem Gerundium die Rede gewesen nur in einer Anmerkung zu § 35 und im § 61 (*ad dimicandum paratus* und *decemviri legibus scribundis*). 6. Appositionen, hier kommen auch solche Wendungen zur Erwähnung, wie „eine große Zahl Sklaven", „nichts Neues". 7. Attributsätze. „Nomina können auch durch Relativsätze näher bestimmt werden", und zwar rechnet D. hierzu nicht bloß die unterscheidenden (determinativen), sondern auch die beschreibenden (erzählenden, begründenden u. ä.). Aber in den beschreibenden Sätzen wie z. B. „die Phocäer, die an der Rettung des Vaterlandes verzweifelten, wanderten aus" und „Pompeius, der auf die Gastfreundschaft des Königs vertraute, begab sich nach Ägypten" (§ 67) hat der Relativsatz doch wohl nicht die Funktion, das zugehörige Nomen näher zu bestimmen.

§ 75 gibt die „Einteilung der Sätze". „Die Hauptsätze werden eingeteilt in Aussage-, Frage- und Wunsch- oder Aufforderungssätze". Die §§ 76—85 behandeln den Gebrauch der Tempora, die §§ 86 und 87 den Gebrauch der Modi in Aussagesätzen. Hier findet sich die Bemerkung, daß im Lateinischen der coni. potentialis nur in den Fällen steht, wo wir die Hilfsverba „ich möchte, könnte, sollte, dürfte" hinzusetzen. Aber es findet sich doch im Deutschen als Potentialis auch der bloße Konjunktiv, z. B. in dem von D. selbst S. 125 aufgeführten Satze „wenn einer bei gesunden Sinnen sein Schwert bei dir verwahrte usw., wäre es Sünde, es ihm zurückzugeben". In dem Abschnitt über die „Fragesätze" (§ 88—90) ist beachtenswert die Unterscheidung der Prädikatsfragen (Satzfragen) in solche, die die Antwort voraussehen lassen (*num* und *nonne*), und solche „mit ungewisser Antwort" (-*ne*), ebenso werden § 89 die Nominalfragen geschieden. In dem Abschnitt über „die Aufforderungs- oder Wunschsätze" (§ 91 f.) heißt es in einer Anmerkung, der lateinische coni. imperf. bezeichne einen hoffnungslosen Wunsch, ein Bedauern; das ist richtig, gilt aber doch auch von dem coni. plusqpf., z. B. *utinam ad alia tempora fortuna me reservaviscet* (S. 93, II 3). Es folgt nunmehr eine an sich recht zweckmäßige Zusammenstellung der verschiedenen Arten, in denen die deutschen Verba „sollen" und „müssen" zu übersetzen sind.

Die §§ 95—101 behandeln die „Konjunktionen" als die Elemente, die dazu dienen, mehrere Sätze miteinander zu verbinden. So wird die Lehre von den Konjunktionen, die in den meisten Lehrbüchern einen Abschnitt für sich bildet, an den ihr gebührenden Platz innerhalb der Satzlehre gestellt.

Im § 102 wird übergegangen zur Behandlung der (deutschen) Nebensätze. „Das Verbum wird nach § 9 auch durch Sätze näher bestimmt, und zwar 1. durch Infinitivsätze, 2. durch indirekte, 3. durch Konjunktionsätze". In dem Abschnitte über die Infinitivsätze wird die Konstruktion des accus. cum inf. besprochen, ebenso die verschiedenen Arten der Übersetzung des deutschen „ohne zu" (und „ohne daß"). Unter „indirekten Sätzen" (§ 110 ff.) versteht D. solche Aussage-, Frage- und Aufforderungssätze, die im Deutschen ohne Konjunktion an den regierenden Satz sich anreihen. Bei den indirekten Aussagesätzen muß natürlich die Konstruktion des accus. cum inf. wiederum besprochen werden. In dem Abschnitte über die indirekten Fragesätze (§ 111) ist sehr zweckmäßig die Angabe der Merkmale, nach denen im Deutschen ein indirekter Fragesatz von einem Relativsatz unterschieden werden kann. Praktisch ist auch der in der „Regel A" gegebene Hinweis, daß indirekte Fragen nicht bloß nach den Verben des Fragens, sondern auch nach den verwandten wie „wissen, erfahren usw." stehen. Mehr stilistisch ist die „Regel B".

Die Konjunktionsätze werden behandelt in den §§ 115—136. Im § 116 heißt es „Temporalsätze mit *wenn* = *sooft* bezeichnen einen wiederholten Fall". Ich meine, nicht die Neben-, sondern die Hauptsätze enthalten einen „wiederholten Fall". Für die Nebensätze wird sich die von Koppin[1]) vorgeschlagene Bezeichnung „indefinite Temporalsätze" empfehlen. Für „bis = *dum, quoad*" werden nur Beispiele mit dem Indikativ gebracht, während doch — auch außerhalb der innerlichen Abhängigkeit — der Konjunktiv vorkommt, z. B. *Horatius Cocles impetum hostium sustinuit, quoad cives pontem interrumperent* = bis die Bürger die Brücke abbrachen. Die Übersetzung, die D. im § 137 gibt „bis sie abgebrochen hätten", ist m. E. falsch. Denn gewiß setzt der Römer den Konjunktiv, weil er das [*interrumpere* als etwas Erwartetes bezeichnen will, aber „innerliche Abhängigkeit" liegt hier ebensowenig vor, wie in Konsekutivsätzen mit *ut*, wo der Konjunktiv steht, weil der Römer die Wirkung als etwas Erwartetes bezeichnen will. Die Angabe, daß *ante* und *priusquam* „meist mit dem coni. stehe", ist zu allgemein. Ferner *postquam* = nachdem steht nicht bloß mit dem Perfekt, in einer ganzen Masse von Beispielen verbindet es sich mit dem Imperfekt und Plusquamperfekt. Das Perfekt steht eben nur dann, wenn *postquam* den Sinn hat von *simulatque*. Mit Recht scheidet D. den Gebrauch des nicht negierten von dem des negierten *antequam*. Unter Nr. 6 des § 116 heißt es, daß die Gleichzeitigkeit durch *dum* mit Präsens bezeichnet werde. Aber es findet sich doch oft auch zur Bezeichnung der Gleichzeitigkeit (nicht bloß der gleich langen Dauer) auch das Imperfekt. Ferner wird die Gleichzeitigkeit auch durch (*tum*) *cum* bezeichnet. Von *cum* c. coni. = da, da nun, als heißt es (§ 117): „Es enthält einen Fortschritt in der Erzählung (einen Teil der Erzählung)". Aber ein Satz mit *cum* (*primum*) und dem Indikativ enthält doch auch einen Fortschritt in der Erzählung, also kann damit der Konjunktiv nicht erklärt werden.

Die Darstellung der Bedingungssätze (S. 118 ff.) ist unzulänglich. Da heißt es: „1. Wird eine Bedingung mit Bestimmtheit ausgesprochen, so steht der Indikativ". Sofern das Wort „Bestimmtheit" sich auf den Inhalt bezieht, wird keine Bedingung mit Bestimmtheit ausgesprochen; bezieht es sich auf den Begriff „Bedingung", so wird jede Bedingung mit Bestimmtheit ausgesprochen. „2. Bedingungssätze stehen im coni. potentialis, wenn Zweifel an der Wirklichkeit ausgedrückt werden soll". Wenn Cicero sagt: *Si patria loquatur* (Cat. I 8, 19), will er damit bloß einen Zweifel an der Wirklichkeit aussprechen oder weiß er nicht vielmehr, daß es nicht wirklich ist? Außerdem werden hier Fälle mit dem Potentialis der Vergangenheit gar nicht berührt, z. B. Tusc. I 90 *cur Camillus doleret, si putaret, et ego doleam, si putem*. 3. heißt es, daß durch den coni. imperf. der Gegensatz zur Wirklichkeit bezeichnet werde „mit Genugtuung oder mit

---

[1]) K. Koppin, Zur unterrichtlichen Behandlung der griechischen Modi. Programm Kgl. Gymn. Stettin 1907, S. 14.

Bedauern". Aber wenn Cicero sagt *servi mei si me isto pacto metuerent*, hat er doch nicht die Absicht, seine Genugtuung, seine Befriedigung auszusprechen. „Der coni. plusq. ist der Irrealis der Vergangenheit", so heißt es schlankweg, aber auch der coni. imperf. bezieht sich sehr häufig auf einen Vorgang der Vergangenheit, und außerdem ist der coni. plusq. zunächst nichts weiter als ein Potentialis; einen besondern Modus zum Ausdruck der Irrealität hat die lateinische Sprache ebensowenig wie die deutsche und die griechische erzeugt. Ferner weicht Verf. hier von seinem Prinzip ab, insofern er vom Deutschen ausgehend folgende „Fälle" aufstellen müßte:

1. wenn er kommt, kam usw. = *si venit* usw.
2. wenn er kommen sollte = *si veniat* oder *veniet*.
3. wenn er käme = a) *si veniat*, b) *si veniret*.
4. wenn er gekommen wäre = *si venisset* (aber oft auch = *si veniret*!).

Die §§ 125—129 geben eine eingehende Darstellung der Vergleichungssätze, die folgenden behandeln die Konzessiv-, Kausal-, Folge- und Finalsätze. § 135 gibt eine gute Zusammenstellung der verschiedenen Arten, wie das deutsche „daß" zu übersetzen ist. In den §§ 137—144 werden einige Besonderheiten im Gebrauch der Modi und Tempora besprochen, darunter auch die oratio obliqua und die consecutio temporum, doch befriedigt dieser letztere Abschnitt nicht, weil er nicht auf das Wesen dieser Erscheinung eingeht. Abweichend von seinem Prinzip widmet D. dem Gebrauch des lateinischen Partizips einen besonderen Abschnitt (§ 145—148); merkwürdigerweise benutzt er diese Gelegenheit nicht, um eine Übersicht über den Gebrauch des Gerundivs = partic. fut. pass. zu geben.

Die letzten Paragraphen enthalten Stilistisches und Rhetorisches: Verb statt Nomen, Parenthesen, Wortstellung und Betonung, Anlehnung u. a.

Diese Übersicht des Inhalts dürfte genügen, ein Bild von der Eigenart des Buches zu geben. Ich habe aber schon gelegentlich darauf hingewiesen, daß diese Eigenart, die darin besteht, daß vom deutschen Sprachgebrauch ausgegangen wird, nicht immer festgehalten wird. Ohne Grund weicht Verf. von seinem Prinzip ab, wenn er den Satz „Ganz Samos gehörte dem Polykrates" in dem Abschnitt über die genitivischen Ergänzungen bringt (§ 21), ebenso gehören die Wendungen „im Vertrauen auf eure Einsicht" und „der Bewunderung wert", wenn man vom Deutschen ausgeht, nicht in den § 60, wo von dativischen Attributen eines Nomens die Rede ist, sondern die erste in den § 61, die zweite in den § 58. Und doch fordert D. in dieser Sache Konsequenz (s. Neue Jahrbücher II S. 236).

Es fragt sich nun, ob diese von D. angewandte Methode geeignet ist, einen deutschen Schüler in die lateinische Syntax einzuführen. Diese Frage könnte im großen und ganzen bejaht werden, wenn im Betriebe des lateinischen Unterrichtes das Schwergewicht auf die Übersetzung aus dem Deutschen gelegt wäre und der weitaus größte Teil der zur Verfügung stehenden Zeit auf diese Tätigkeit verwandt würde. So ist es aber nicht, und so soll es nicht sein. Wenn auch das Abiturientenskriptum noch besteht, so ist doch das Ziel des Unterrichts, den Schüler in den Stand zu setzen, die lateinischen Autoren zu lesen und zu verstehen. Aus ihnen und an ihnen muß das Verständnis für die so vielfach vom Deutschen abweichenden Erscheinungen der lateinischen Syntax gewonnen werden, womit aber nicht gesagt ist, daß hier ausschließlich die induktive Methode zur Anwendung gelangen soll. Wenn der Schüler bei der Lektüre einem Infinitiv, einem Gerundiv, einem Konjunktiv begegnet, so hilft ihm doch die aus der Übersetzung aus dem Deutschen gewonnene Übung, auch wenn sie noch so groß ist, nicht, um jene Formen gerade an der Stelle, die ihm vorliegt, zu erklären und richtig zu übersetzen. Um z. B. die richtige Übersetzung eines Gerundiums oder Gerundivums zu finden, müßte er sich aller der verschiedenen Stellen erinnern, an denen in dem Buche diese Erscheinung der lateinischen Syntax erwähnt wird. Diese Stellen sind: § 35, Anmerk. (Gerundiv bei *tradere* usw.), § 61 *ad dimicandum paratus* und *decemviri legibus scribundis*, § 94, 5 Gerundiv bei *esse*, § 136 Gerundiv mit *ad* und *causa* (dagegen *ad dimicandum* § 35!), § 145 *docendo discitur*, § 149 Übersetzung der deutschen Nomina auf -ung. Vielleicht habe ich noch eine Stelle übersehen.

Lattmanns von D. (Neue Jahrbücher 1890, S. 433) angeführtes Urteil ist ganz richtig, er sagt, daß ein solches System der Gliederung die sprachlichen Formen zu häufig auseinander reiße. Wenn D. hierzu bemerkt, daß, wenn dieses Urteil richtig sei, damit so ziemlich über den ganzen deutschen Sprachunterricht, wie er jetzt gehandhabt werde, und auch über die übliche Methode, Sätze und Perioden zu konstruieren, der Stab gebrochen sei, so geht er zu weit. Der Deutsche kann zur Betrachtung der Erscheinungen seiner eigenen Sprache sehr wohl ein solches Schema der Kategorien zugrunde legen, aber nicht zur Betrachtung einer fremden Sprache, zumal wenn er diese fremde Sprache wesentlich zu dem Zwecke treibt, um die Schriftsteller dieser Sprache verstehen zu lernen. Der Verf. hat jenen Übelstand auch erkannt und sich darüber ausgesprochen in den N. Jahrb. 1894 S. 238 f., und so ist es zu erklären, daß er in den §§ 145—148 dem Gebrauch des lateinischen Partizips einen besonderen Abschnitt widmet. Das Ausgehen vom Deutschen ist auch innerhalb dieses Abschnittes nur scheinbar. Gleich das erste Beispiel gibt Anlaß zu einer Ausstellung: *auditune dormientes egemus?* = entbehren wir, wenn wir schlafen, des Gehörs? Die Übersetzung „im Schlafe" ist doch ebenfalls möglich, und insofern gehört dieses

Beispiel in die Paragraphen über die präpositionalen Bestimmungen des Verbs.

Auch über Wesen und Gebrauch des lateinischen Konjunktivs kann sich der Schüler aus dieser Satzlehre nicht genügend informieren. So kommt der coni. concessivus in Hauptsätzen nirgends zur Besprechung, während er doch erwähnt werden müßte in den §§ 86 und 87. Der Gebrauch des Konjunktivs in Relativsätzen wird zwar § 68 (also vor dem Gebrauch in Hauptsätzen) besprochen, aber seine so häufige Anwendung in sogenannten Konsekutivsätzen nach affirmativen Sätzen, z. B. *ea est gens Romana, quae victa quiescere nesciat* wird nicht erwähnt. Übersehen hat D. diesen Fall, weil er eben vom Deutschen ausgeht, das diese Anwendung des Konjunktivs nicht kennt.

Demnach kann ich das Buch nicht als geeignet ansehen, als Grundlage für die Behandlung der lateinischen Syntax zu dienen.

Wohl aber ist es sehr geeignet, dem Lehrer des Lateinischen und besonders dem jungen Lehrer gute Dienste zu leisten, indem es ihn durch eine Fülle gut gewählter Beispiele in den Stand setzt, gelegentlich, nämlich zur Wiederholung und Befestigung syntaktischer „Regeln", den Standpunkt der Betrachtung wechselnd vom Deutschen auszugehen und z. B. die verschiedenen Übersetzungen des deutschen „daß" oder der Verba „sollen und müssen" vorzuführen. Auch die Wörtchen „wenn" und „als" eignen sich hierzu, ebenso vielleicht „mögen" (mag, möge, möchte, mochte) u. a. Ich habe mir für den Unterricht mehrere solche Zusammenstellungen gemacht und immer gefunden, daß einer hierauf gegründeten Repetition die Schüler ein reges Interesse entgegenbringen.

Ferner stimme ich dem Verf. zu, daß eine feste Terminologie in der Syntax durchaus notwendig ist, und zwar eine für das Deutsche und das Lateinische (und selbstverständlich auch für die anderen Sprachen) übereinstimmende Terminologie; s. Neue Jahrb. 1890 S. 436. Sie ist besonders notwendig an solchen Anstalten, wo, wie es jetzt — leider — wohl häufiger vorkommt, der lateinische Unterricht auf den unteren und mittleren Stufen in den Händen von Neusprachlern, Historikern, Mathematikern und — gewesenen Theologen ruht. Aber aus der Forderung eines für den Unterricht in allen Sprachen geltenden grammatischen Systems und einer entsprechenden Terminologie ergibt sich nicht die Konsequenz, daß die deutsche Ausdrucksweise prinzipiell der Betrachtung der fremden Sprache zugrunde gelegt werde.

Bromberg.   Rudolf Methner.

Wilhelm Capelle, Die Schrift von der Welt. Ein Weltbild im Umriß aus dem 1. Jahrhundert n. Chr. Eingeleitet und verdeutscht. Jena 1907, Eugen Diederichs. 100 S. kl. 8. 3 *M.*

Die pseudo-aristotelische Schrift περὶ κόσμου wird hier in

einer ansprechenden Übersetzung veröffentlicht, nicht für Philologen oder Philosophen von Fach, sondern für jeden etwas philosophisch denkenden Gebildeten; „für religiöse und naturwissenschaftliche Kreise" sagt die Ankündigung. Die Schrift wird einer Sonderbetrachtung selten unterzogen; sie ist wohl in Sammelwerken und Gesamtausgaben zu finden, aber, wie es scheint, gibt es keine Einzelausgabe außer der von J. Ch. Kapp, Altenburg 1792, und der Übersetzung von J. G. Schulteß, Zürich 1782. Es war deshalb ein sehr glücklicher Griff von U. v. Wilamowitz-Moellendorff, daß er in seinem „Griechischen Lesebuch" wenigstens dem größten Teil der sieben Kapitel umfassenden Schrift, und zwar Kap. 2 u. 3 und Kap. 5—7, einen Platz gab. Die Schrift ist nichts Geringeres als ein Niederschlag der gesamten griechischen Weltanschauung, und zwar enthält sie die Erde und Himmel umspannenden Gedanken des letzten bedeutenden Geistes, den der Hellenismus hervorgebracht hat, wie man den grofsen Stoiker Poseidonios aus Apamea genannt hat, der zu Ciceros Zeiten Jahrzehntelang die Verkörperung hellenischer Wissenschaft für die Römer war. Und so verdient denn die in dem 1. Kapitel sich als Brief des Aristoteles an Alexander ankündigende Schrift, die in Wirklichkeit in der Zeit der ersten römischen Kaiser verfaßt ist, die Würdigung, die ihr in dem vorliegenden Büchlein zuteil wird; es ist auch mit Dank anzuerkennen, daß sein Verfasser eine geschmackvolle und lesbare Übersetzung darbietet, die es auch dem sprachlich nicht Geschulten ermöglicht, die bedeutsamen und tiefen Gedanken zu genießen. Der Übersetzer hat es aber nicht bei dieser Arbeit bewenden lassen, sondern er hat für sie eine eingehende Vorbereitung geliefert, indem er in drei ausführlichen Kapiteln 1. „über Gott und die Welt in der griechischen Philosophie", 2. „von alter Erd- und Himmelskunde", 3. „von der Schrift von der Welt und Poseidonios" handelt (S. 2—61), denen dann (S. 63—96) die Übersetzung, begleitet von einigen kurzen literarischen und geschichtlichen Anmerkungen, folgt. Der Verfasser führt seine Leser in den auf die Schrift vorbereitenden Kapiteln durch die mannigfachen Lehren der griechischen Philosophen von der ältesten Zeit an, soweit sie für das Verständnis der Schrift 'von der Welt' von Belang sein können; daher wird dem $\pi\acute{\alpha}\nu\tau\alpha$ $\acute{\varrho}\epsilon\tilde{\iota}$ des Herakleitos, in dem der bis in die letzten Konsequenzen verfolgte Pantheismus zum ersten Male in der Geschichte des menschlichen Denkens das Wort ergreift, ebenso den Grundlehren der Pythagoreer, den Ideen (den „Urbildern" der Dinge) des Plato, dem Monotheismus des Aristoteles, der pantheistischen Anschauung der Stoa, der dennoch die Gottheit nicht bloß Welt, sondern nach bestimmten Zwecken handelnde Vorsehung ist, ein breiterer Raum gegönnt als der materialistischen Weltanschauung des Leukipp und Demokrit. In der im zweiten Kapitel gegebenen Übersicht der alten Erd- und Himmelskunde werden die im Laufe der Jahrhunderte wechselnden Vorstellungen besprochen, von der naiven Anschauung Homers an bis auf Aristarch von Samos, der um 250 v. Chr. die Hypothese aufstellte, daß die Erde sich auf einer zu ihrer Achse schiefliegenden Bahn um die Sonne bewege, und bis auf den als Naturforscher, Astronom, Geograph, Ethnologe und Geologe gleich großen Poseidonios, der bei seinem tief religiösen, schwärmerischen Empfinden zugleich auch Dichter und Prophet war. Von seinem verloren gegangenen umfangreichen Werke über Meteorologie gibt uns das 4. Kapitel der Schrift 'von der Welt' eine Vorstellung, das fast wörtlich daraus entnommen ist. Der Verfasser des hier besprochenen Buches liebt es, bei seinen Ausführungen über die Weltanschauungen der Alten darauf aufmerksam zu machen, wo die von den alten Philosophen aufgestellten Ansichten in späteren Zeiten nachgewirkt oder in späteren Entdeckungen überraschende Bestätigung gefunden haben. Es hat ja für jeden Gebildeten einen besonderen Reiz, moderne Errungenschaften der Wissenschaft und Erkenntnis gleichsam in nuce in der Vorahnung der Weisen der Urzeit oder längst vergangener Jahrhunderte vorzufinden.

Was die Übersetzung der pseudo-aristotelischen Schrift selbst betrifft, so ist sie genau, doch nicht sklavisch, und in geschmackvoller Form gehalten, dem Geiste der deutschen Sprache angemessen. Dieser Teil des Buches wird ebenso wie die drei vorbereitenden Kapitel zur Lektüre anreizen und dem denkenden Leser Befriedigung bereiten. Vielleicht hätte der Verfasser manchem seiner Leser noch einen Dienst erwiesen, wenn er eine und die andere der von v. Wilamowitz (in seinem Lesebuch) gegebenen Sinn erklärenden Anmerkungen herübergenommen hätte.

Hanau.   O. Wackermann.

Johannis Vahleni Opuscula Academica. Pars posterior: Proemia indicibus lectionum praemissa XXXIV—LXIII, ab a. MDCCCLXXXXII ad a. MDCCCCVI. Lipsiae MDCCCCVIII, in aedibus B. G. Teubneri. IV u. 646 S. 8. geh. 14 ℳ.

Erfreulicherweise ist dem ersten Bande von Vahlens Opuscula Academica, der hier im Jahrgang LXII S. 113 ff. angezeigt worden ist, der zweite in verhältnismäßig kurzer Zeit gefolgt, so daß jetzt das stattliche Werk vollendet vor uns liegt. Da bei Gelegenheit der Besprechung des ersten Teiles auf die Eigenart und den hohen Wert dieser Publikation bereits ausführlich hingewiesen worden ist und ein Eingehen auf Einzelheiten sich bei der Art und Fülle des Stoffes von selbst verbietet, so kann es sich hier nur darum handeln, noch einmal dem hochverehrten Verfasser und allen denen, die sich um das Zustandekommen der Ausgabe verdient gemacht haben, den herzlichsten Dank abzustatten, vor allem Emil Thomas, der sich der großen und verantwortungsvollen Arbeit

unterzogen hat, die Indices zu verfassen, die für ein Buch, wie
es das vorliegende ist, eine unentbehrliche Zugabe bilden. Die
Zeiten sind ja, Gott sei Dank, vorbei, da es für unvornehm galt,
den Benutzern eines noch so reichhaltigen Werkes durch ausgiebige Register zu Hilfe zu kommen; wer aber jemals versucht
hat, eine solche Arbeit zu leisten, der kann ermessen, welche
Mühe und Umsicht dazu gehört, wirklich brauchbare und erschöpfende Inhaltsverzeichnisse zu verfassen. Zahlreiche Stichproben, meist solche bei schwierigen Stellen, haben mir gezeigt,
daß die Arbeit von Thomas ganz musterhaft ist. Er bietet uns
I. einen Index rerum, II. einen Index vocabulorum, III. einen
Index locorum. Gerade der erste muß eine gewaltige Mühe verursacht haben, da es z. T. galt, für die feinen Einzelbeobachtungen
Vahlens sozusagen erst Überschriften festzustellen, die einerseits
den Kern der Sache treffen, anderseits auch so eingerichtet sind,
daß man sie im Index an der richtigen Stelle sucht. Gerade
hierbei hat Thomas, wie mir meine Stichproben gezeigt haben,
ein sehr großes Geschick bewiesen; so wird man die S. 40 des
ersten Bandes besprochene Eigentümlichkeit in der Behandlung
des Relativums kaum deutlicher und kürzer bezeichnen können,
als es im Index S. 587 mit den Worten geschieht: pronomen
relativum ad universam sententiam relatum = 'si quis'. — Der
dritte Index ist natürlich besonders darum von Interesse, weil er
ein Bild von der ungeheuren Menge des Stoffes bietet, der in
diesen Proömien verarbeitet ist, und er ermöglicht es jetzt jedem,
der zum Verständnis irgendeiner Stelle antiker Autoren etwas
beitragen zu können glaubt, sich in kurzer Zeit darüber zu informieren, ob nicht etwa Vahlen darüber bereits gehandelt und
Ähnliches oder Besseres darüber vorgetragen hat. — Möge dem
hochverehrten Manne nun auch die Freude zuteil werden, zu
sehen, daß diese seine Arbeiten, da sie in so schöner und allgemein zugänglicher Form vorliegen, überall die Beachtung finden,
die ihnen bisher doch noch nicht immer in dem Maße zuteil geworden ist, wie es ihrer Bedeutung entspricht.

Berlin.   Franz Harder.

Paul Maillefer, Cours élémentaire d'Histoire générale à
l'usage de l'enseignement secondaire. Deux volumes. 2ième édition
entièrement revue. Illustré de 93 et de 60 gravures. Lausanne 1907,
Payot u. Cie. 359 u. 323 S. 8.

Das hier vorliegende Geschichtswerk, das zunächst für
Schulen der französischen Schweiz bestimmt ist, aber doch auch
in französischen Schulen gebraucht werden könnte, dürfte jedenfalls in einer Beziehung selbst für unsre eigenen höheren Lehranstalten in Betracht gezogen werden, nämlich in seiner praktischen Einrichtung. Der Verfasser wollte für den Schüler ein
nicht zu umfangreiches Lehrbuch von handlicher Form schaffen,

das ihm das unentbehrlichste Wissen in klarer und gedrängter Fassung bieten sollte. Manchem freilich wird das Gebotene zu dürftig erscheinen, aber wo will man das Messer ansetzen, wenn nicht hier, um dem Vorwurf der Überbürdung unsrer Schüler mit Lernstoff zu begegnen? Andrerseits steht es demjenigen Lehrer, der den gegebenen Stoff etwa noch zu ergiebig findet, frei, all das in die Anmerkungen Verwiesene unberücksichtigt zu lassen bezw. dies und jenes auch aus dem Texte selbst zu streichen.

Um Wiederholungen des Wesentlichsten aus dem im Zusammenhange Erlernten zu erleichtern, sind am Schlusse jedes der beiden Bände die wichtigsten Daten der Weltgeschichte zusammengestellt und da wieder durch verschiedenen Druck das in erster Linie Erforderliche von dem in zweiter und in dritter Linie in Betracht Kommenden unterschieden. So sind beispielsweise für die französische Revolutionszeit und die erste Republik im Druck am hervorstechendsten die Daten: *1789, 5 mai. Réunion des Etats généraux à Versailles. 1792, 21 septembre. La Convention proclame la République. 1794, 27 juillet. Journée du 9 thermidor.* Etwas weniger hervortretend finden wir die Daten: *1793, 2 juin. Commencement de la Terreur. 1795. Troisième partage de la Pologne. 1797. Traité de Campo* (im Buche steht irrtümlich *Compo) Formio. 1799, 9 novembre. Coup d'Etat du 18 brumaire. 1800. Bataille de Marengo. 1802. Paix d'Amiens.* In gewöhnlichem Druck finden sich dazwischen vermerkt: *1790, 14 juillet. Fête de la fédération. 1791, octobre. Commencement de la législative. 1792. Paix de Jassy. 1795. Paix de Bâle. 1795. Avènement du Directoire. 1796. Campagne de Bonaparte en Italie. 1798. Bataille d'Aboukir. 1801. Paix de Lunéville. 1803. Recès principal de la députation d'Empire.* Wenn nun aber sogar noch unter diesen in der letzten Rubrik aufgeführten Daten Unterschiede in den Typen gemacht werden, so erhebt sich allerdings die Frage, ob nicht hier des Guten ein wenig zu viel getan ist und ob es nicht überhaupt geratener wäre, in Rücksicht auf die gar weit auseinandergehenden Meinungen über das, was in der Weltgeschichte wichtig und und unwichtig ist, die Auswahl der einzuprägenden Daten dem Lehrenden selbst zu überlassen.

Der Text der beiden Bände zerfällt in 8 Bücher, von denen 1 bis 4 dem ersten, 5 bis 8 dem zweiten Bande angehören. Die einzelnen Bücher sind betitelt: Les Peuples de l'Orient. Histoire grecque. Histoire romaine. Histoire du moyen âge. Epoque de la Réformation. La monarchie absolue. La Révolution. Histoire contemporaine. Jedes Buch zerfällt in eine Reihe von Kapiteln. Eine *Introduction préhistorique* von dem Genfer Professor Pittard, eine kurze Übersicht über die Bedeutung jedes einzelnen Volkes des

Orients vor Beginn des ersten Buches, eine synchronistische Tabelle für die Geschichte dieser Völker nach Abschluß des Textes, eine sehr übersichtliche Einführung in die Geschichte des griechischen Volkes und ebenso eine in die Geschichte Roms, eine synchronistische Tabelle über die alte Geschichte bis zur Geburt Christi, eine gedrängte Übersicht über die Geschichte des Mittelalters, eine neue synchronistische Tabelle über die Herrscher Frankreichs, Deutschlands, Englands und die Päpste und so vieles, vieles andre zur Veranschaulichung Gebotene, besonders aber die zahlreichen Abbildungen, geben dem Buche seine eigenartige, hervortretende Stellung unter den geschichtlichen Lehrbüchern überhaupt.

Wenn schließlich auf der einen Seite die nächstliegende Verwendung des Werkes etwa da und dort einmal durch größere Berücksichtigung der Schweiz zu bemerken ist, als sie diesem Lande in andren Geschichtsbüchern zuteil zu werden pflegt, so finden wir daneben doch auch eine Heranziehung so mancher Dinge sonst, die wir anderwärts vermissen. Zumal das Kapitel XIII des achten Buches unter dem Titel *La civilisation contemporaine* bietet eine Fülle von literarischen, naturwissenschaftlichen, kunsthistorischen, sozialpolitischen und ähnlichen Notizen, wie sie selbst in den modernsten, auf die Schule zugeschnittenen deutschen Geschichtswerken schwerlich angetroffen werden mag. Der Schüler, dem es vergönnt ist, dieses Lehrbuch durchzuarbeiten, tritt dann ebenso wohlvorbereitet ins Leben wie in die Wissenschaft ein und nennt das, was man als „allgemeine Bildung" zu bezeichnen pflegt, in höherem Maße sein eigen als dies anders vorgebildete Schüler zu tun vermögen.

Frankfurt a. M. Max Banner.

Adolf Bär, Methodisches Handbuch der Deutschen Geschichte. Teil I: Die deutsche Urzeit. Gotha 1905, E. F. Thienemann. IX u. 223. 8. 2,80 ℳ, geb. 3,30 ℳ. Teil II: Völkerwanderung und Frankenreich. Gotha 1906, E. F. Thienemann. 1 u. 269. 8. 3,50 ℳ, geb. 4 ℳ.

Wieder ein Buch auf dem überschwemmten Büchermarkt, das nicht nur wesentlich auf anderen Werken beruht, sondern sie sogar oft exzerpiert — und dennoch ein gutes Buch. Schon deshalb ein gutes Buch, weil es die guten Gedanken (und verschiedenen Ansichten) unsrer besten Historiker — Historiker im weitesten Sinne gefaßt — nicht nur mit Geschick äußerlich nebeneinander stellt, sondern verständnisvoll verwertet. Ein gutes Buch trotz einiger Wunderlichkeiten. Man mag es öfter zu umständlich und breit, in den Ausführungen ungleich finden, an Einzelheiten hier und da Anstoß nehmen, es wäre doch sehr zu bedauern, wenn es nicht benutzt und wenn es nicht weitergeführt werden sollte. Mir war es eine Herzensfreude, bei der Lektüre

zu sehen, wie der fleißige und belesene Verfasser trotz seiner
zärtlichen Schwächen für manches (z. B. das Volkslied), was
mindestens ohne Schaden hätte wegbleiben können, doch immer
bestrebt gewesen ist, das Augenmerk auf das Wesentliche, Ausschlaggebende zu lenken, das Verständnis der Geschichte zu
fördern, überall klare Auffassung zu bewirken, wie er dem
Mechanischen, Reingedächtnismäßigen den Krieg erklärt und wie
er immer die Vergangenheit mit der Gegenwart in Verbindung
bringt, diese als das Resultat jener verstehen lernen will.
Freilich entgleist er ein paarmal, indem er heutige Einrichtungen
aus früheren ableiten will, z. B. wenn er II 63 die Möglichkeit
zugibt, daß im Märzfeld der Ursprung unsrer „Frühjahrskontrolle
der Personen des Beurlaubtenstandes" liege. Aber wie viel Lehrreiches, Beherzigenswertes bietet andererseits das Buch, wie
manchen klugen Wink gibt er dem jungen Geschichtslehrer! Allerdings es erweckt auch die Besorgnis, daß es zu Mißgriffen verführt. Das kulturgeschichtliche Moment, das Zuständliche überwiegt oft zu sehr das ethische Moment der Geschichte. So wird
z. B. des Heldenkampfes der Ostgoten mit den Byzantinern kaum
Erwähnung getan, und der wackere Ludwig der Deutsche wird
eben nur genannt. Die Bedeutung des historischen Ereignisses
für die Entwickelung gibt fast ausschließlich den Ausschlag
für eingehendere Behandlung des Stoffes. Auch die Neigung zum
Schematisieren kann den Unterricht schwer belasten, wenn sich
— gewiß gegen die Absicht des Verfassers (siehe Einleitung) —
ein Lehrer verleiten lassen sollte, solche Übersichten wie z. B.
II 255/56 einpauken zu wollen. Übrigens vernachlässigt Bär
nicht das ethische Moment völlig, durchaus nicht, er hat nur
noch mehr Vorliebe für das wirtschaftliche. Oft weiß er ganz
vorzüglich die moralische Seite der Geschichte wirksam zu machen.
Man lese nur, wie er I S. 88 ff. aus Waitz, Lamprecht, Bismarck
(Gedanken und Erinnerungen) und Briefen Wilhelms I. Abschnitte
bringt, um die Bedeutung der deutschen Treue bei Besprechung
der Gefolgschaft klarzustellen. Wenn der Lehrer dergleichen Ausführungen richtig benutzt, kann er das Herz des Schülers gewaltig packen.

    Gewichtiger noch ist ein andres Bedenken. Bär setzt sich
souverän über die beschränkte Zeit hinweg, die dem Geschichtsunterricht bewilligt ist. Er empfiehlt z. B., das politische Urteil
der Schüler dadurch zu bilden, daß wir sie in „das Werden einer
jeden (!) Handlung, zwischen Wille und Tat" versetzen. Sie
sollen mitberaten und mitbeschließen mit den handelnden Personen. Gewiß steckt hierin ein gut Körnchen beherzigenswerter
Wahrheit, wenn es auch nicht überall angänglich ist, den Schüler
in die Gedankenwelt der Helden einzuführen und ihn als Cäsar
und Bismarck denken und entscheiden zu lassen. Aber davon
abgesehen — die ausgeworfene Unterrichtszeit müßte verzehnfacht

werden, wollten wir ausführen, was der Verfasser hier alles verlangt. Da heißt es z. B.: „Tacitus erzählt, daß Armin nach gewonnener Schlacht (Teutoburg) eine Rede an seine Kampfgenossen gehalten habe. Gib den Gedankengang an, halte sie!" Dergleichen oratorische Übungen sollen nicht selten veranstaltet werden (vgl. z. B. noch II 19 und II 178 f.). Man denke sich das so bis auf Bismarck durchgeführt! Und dann, mit Verlaub, ist es doch ein gewagtes Ding, das Versetzen in die Gedankenwelt der handelnden Helden. Die Gedanken und Beweggründe, die den Taten zugrunde liegen, können wir doch meistens nur vermuten. Gerade darauf ist doch aufmerksam zu machen, das erfordert die Wahrhaftigkeit und die Gerechtigkeit. Der Verfasser setzt sich über derartige Bedenken hinweg. Man lese z. B. I 77: „Armin dachte: Die Kämpfe gegen die Römer haben wir siegreich bestanden, wir sind wieder frei. Wie lange? Ich schaue zweifelnd in künftige Zeit; denn ach, mein Volk ist nicht einig". So geht es ungefähr 30 Zeilen weiter. Hat Armin das wirklich alles Herrn Bär anvertraut? Doch man wird zugeben, daß meistens bei solchem Gedankenlesen mit Geschick verfahren ist und die Beweggründe der Handelnden recht verständig erklärt werden. Es kommen derartige Monologe nämlich öfter vor, und zuweilen klingen sie auch ergötzlich. Aber das sind geringfügige Ausstellungen an einem sehr gründlichen und tüchtigen Werke. Stets hat der Verfasser die Fragen vor Augen: wie läßt sich der vorliegende geschichtliche Stoff verwerten, um den historischen Sinn der Schüler zu wecken, ihr Verständnis für die Gegenwart zu fördern und ihre Liebe zu unserem Volkstum und zu unserem Reiche zu stärken? Das sind sicherlich ausgezeichnete Gesichtspunkte, und man wird billigerweise anerkennen müssen, daß Bär die Sache fast immer mit großer Einsicht und mit Takt angreift und daß er infolgedessen vortreffliche Anregungen gibt. Auch sozialdemokratische Behauptungen widerlegt er gelegentlich in sehr geschickter Weise. Ein sehr ansprechender, aufrichtiger patriotischer Grundton klingt durch alles hindurch.

Man wird aus meinen bisherigen Ausführungen schon ersehen haben, daß Bärs Buch ein ganz eigenartiges ist. Man könnte es als einen — sehr beachtenswerten! — Versuch bezeichnen, das politische, das biographische und ethische Moment der Geschichte mit der Kulturgeschichte unter starker Bevorzugung speziell der Wirtschaftsgeschichte für den Unterricht zu verbinden und fruchtbar zu machen. Manchem wird vielleicht öfter das, was Bär an politischen Unterweisungen für die Schüler aus der Geschichte herausholt[1]), zu weit zu gehen scheinen, ich begrüße solche Ver-

---

[1]) Der Stoff, den man heute in den sogen. Bürgerkunden darbietet, wird zum großen Teile in die geschichtliche Darstellung eingeflochten. Diese Methode hat ihre Vorzüge.

suche mit Freuden. Vieles, vor allem die Knappheit der zu-
gemessenen Zeit, verführt ja heute leicht dazu, daß der geschichtliche Stoff in geisttötender Weise eingepaukt wird, da ist es gut,
wenn hier die Sache einmal ganz anders angegriffen wird. Daß
in mancher anderen Beziehung zu weitgehende Forderungen aufgestellt werden, haben wir schon zugegeben. Zur Eigenart des
Buches gehört es, daß es eigentlich weniger eine zusammenhängende Geschichtserzählung als einzelne typische Bilder bietet,
zwischen denen jedoch eine gewisse Verbindung hergestellt worden
ist. Den einzelnen Abschnitten folgen regelmäßig Betrachtungen
unter den Überschriften „Beobachtungen", „Rückblicke", „Methodisches", „Urteile und Würdigungen" und ähnlichen anderen. Zur
Charakterisierung der Bärschen Darstellung, als Beispiele für die
Art und die Absichten des Verfassers wähle ich zwei Stellen aus.
II 154: Die Fronhöfe sind demnach die Orte, an denen sich
die Teilung der nationalen Arbeit in Urproduktion und Gewerbe
vollzog: und so sind sie die Geburtsorte der landwirtschaftlichen
und gewerblichen Berufe. Damit war ein ungeheurer wirtschaftlicher Fortschritt gewonnen. Von den Fronhöfen ausgehend,
spaltete sich unser Volk im Laufe der nachfolgenden Entwickelung immer mehr in eine landwirtschaftliche und gewerbliche
Bevölkerung. Und damit im Zusammenhang bildeten sich
zwei Siedelungsformen, die unser Volksleben bis ins Ende des
19. Jahrhunderts kennzeichnen, das Dorf und die Stadt, jenes
der Sitz der Urproduktion, dieses des Gewerbes. II 243: Einst
unterwarf Rom Griechenland durch Heere und Waffen, Griechenland Rom durch Bildhauer, Baumeister, Dichter und Philosophen.
Die Germanen zertrümmerten das Römerreich; einer von ihnen,
ein Franke, trug jetzt die Krone des abendländischen Kaisertums,
Kaiser aus deutschem Geblüt geboten jahrhundertelang auf römischer Erde. Und römischer Geist unterrichtete die Deutschen
auf ihren Baustätten, in ihren Gärten und Weinbergen, in ihren
Kirchen und Schulen — und leitet sie heute noch. So unmittelbar sind Sieg und Niederlage beieinander. Oder gibt es einen
höheren Standpunkt, von wo aus das Getrennte als Einheit erscheint?

Es ist auch ein ehrliches Buch. Bär verleugnet nie, daß er
bei unseren großen Historikern zu Gaste sitzt, er gibt ehrlich
alle Quellen, auch Zeitschriften an, alles, was er mit Bienenfleiß
gelesen — und lebendig in sich aufgenommen hat. Ich nenne
von den vielen Werken, die dem Buche zugrunde liegen, nur
einige: Rankes Weltgeschichte, Delbrücks Geschichte der Kriegs-
kunst, die Werke von Lamprecht, Dahn, Arnold, Waitz, Nitzsch,
Kaufmann, Meitzen, Hauck, W. Scherer, Hermanns Deutsche
Mythologie, die Werke von Jakob Grimm, Hildebrand, Mühlbacher,
K. Breysig. Das ist aber nur eine sehr unvollständige Auslese.
Sprache und Darstellung sind fast durchweg klar und ansprechend,

nur ausnahmsweise sind mir eine gewisse Geziertheit und hier und da Flüchtigkeiten aufgefallen. Doch es widerstrebt mir, hier zu mäkeln. Auch was sachliche Korrektheit anlangt, gäbe es nur weniges zu erinnern. In der römischen Geschichte ist aber der Verfasser nicht so bewandert wie in der deutschen. Das Register ist nicht ganz vollständig, es fehlen z. B. Fronhof und Burgunder. Ich schließe mit einer ungefähren Inhaltsangabe. Abschnitt I: Wanderungen, Kriege, Wirtschaft, Recht (15 §§), Abschnitt II: Mythologie in 7 §§, Abschnitt III: Völkerwanderung in 5 §§, Abschnitt IV: das Frankenreich in 13 §§, von denen ich ein paar anführe: § 32 Die Grundherrschaft, § 34 Heerwesen, § 35 Fortschritte in der Rodung und Kanalisation des Landes, § 36 Aus dem wirtschaftlichen Leben der Markgenossenschaft und Dorfgemeinde, § 37 Gerichtswesen, § 38 Geistesleben, § 39 Karl Kaiser. Sein Tod, § 40 Ausgang der Karlinger und Entstehung des Deutschen Reiches. Mit dem Tode Ludwigs des Kindes 911 schließt das Werk, das ich mit großem Interesse gelesen habe. Es ist in erster Linie für die Seminarlehrer bestimmt, aber es kann auch warm den Geschichtslehrern an den höheren Schulen empfohlen werden, besonders auch das treffliche Vorwort zum 1. Teil, wo es z. B. heißt „daß nur der Lehrer die Welt seiner Schüler zu seiner Sache leiten kann, der's fühlt, dem's aus der Seele dringt, der seinen Schülern den deutschen Mann deutschkundig, deutschfroh und deutschstark vorlebt, und daß ferner, wie Treitschke so fein bemerkt, der Lehrer niemals in den Kern der Geschichte eindringen und einführen kann, der keinen politischen Sinn hat". Gott schenke Deutschland recht viele solcher Lehrer, wie sie Bär hier schildert — und der Prima eine Geschichtsstunde mehr —, dann haben wir keine Schulreform nötig.

Sangerhausen.   J. Froboese.

---

1) A. Thaer, Kambly-Langguth, Arithmetik und Algebra. Nach den preußischen Lehrplänen von 1901 umgearbeitet. Ausgabe A: für Gymnasien. 39. Auflage der Kamblyschen Arithmetik und Algebra. Mit 15 Figuren im Text. Breslau 1908, F. Hirt. 172 S. 8. 2 ℳ.

Das weitverbreitete Lehrbuch von Kambly, das in seiner 34. Auflage von Langguth einer gründlichen Umarbeitung unterworfen worden war, erscheint jetzt in einer neuen Umarbeitung, die deshalb notwendig erschien, weil den neuen Lehrplänen von 1901 genügt werden und der Entwickelung von Wissenschaft und Methodik im letzten Jahrzehnt Rechnung getragen werden mußte. Dabei ist jedoch Wert darauf gelegt, daß die neue Auflage neben der alten gebraucht werden kann. Viele der neu erschienenen Aufgabensammlungen machen ja ein Lehrbuch der Arithmetik für die Hand der Schüler entbehrlich; es gibt aber gewiß viele Lehrer, die neben der Aufgabensammlung ein Lehrbuch brauchen, um die notwendigen Erklärungen und Lehrsätze in einem Buche vereinigt zu haben. Ihnen kann das vorliegende Buch entschieden empfohlen werden. Der Inhalt des Buches berücksichtigt durchaus die für das Gymnasium festgestellten Lehrpläne; nur hin und wieder sind in einigen Paragraphen Erweiterungen gegeben, die, wenn die nötige Zeit zu Gebote steht, eine angenehme Bereicherung des Pensums darbieten. Dabei vermisse ich die allgemeine Lösung der Gleichungen des dritten Grades, die meiner Ansicht nach überhaupt nicht im Pensum der Prima der Gymnasien fehlen sollte, zumal da ihre Lösung an und für sich für die Schüler nach verschiedenen Seiten interessant ist und durch sie der Aufgabenkreis namentlich für die Stereometrie bedeutend erweitert wird. — Das Buch enthält auch in der neuen Bearbeitung keine Übungsaufgaben, sondern nur einige ausgeführte Musterbeispiele. Die Erklärungen, die Lehrsätze und die sich daraus ergebenden Regeln sind möglichst kurz und doch nicht auf Kosten der Deutlichkeit gefaßt und ebenso scharf und knapp sind die Beweise aufgestellt. Meiner Ansicht nach wird freilich, namentlich bei den Anfangsgründen, ein passend gewähltes Beispiel dem Schüler die Sache klarer machen, als der strenge Beweis. Die geschichtlichen Hinweise sind in sehr bescheidenem Umfange geboten, davon könnte etwas mehr gegeben sein.

2) J. Jacob, Lehrbuch der Arithmetik für Obergymnasien. Mit 20 Figuren. Wien 1908, Franz Deuticke. 292 S. 8. 3,20 ℳ.

Dieses wesentlich für östreichische Obergymnasien berechnete Buch umfaßt in seinem ersten, dem größeren Teile, ein Lehrbuch der Arithmetik und der Algebra und in dem zweiten eine den einzelnen Paragraphen entsprechende Sammlung von Aufgaben. In dem Lehrbuche werden ungefähr dieselben Teile der Elementarmathematik behandelt wie bei uns, nur dürfte die Reihenfolge der einzelnen Abschnitte von der bei uns befolgten wesentlich abweichen. So geht der Verfasser nach der Darstellung der Addition und der Subtraktion sogleich zur Auflösung von Gleichungen mit einer Unbekannten über, in denen keine Produkte und Quotienten vorkommen, die vollständige Lehre von den Gleichungen folgt dann erst später, nach Durchnahme der Spezies. Da der Verfasser großes Gewicht auf den Begriff der Funktionen und auf die Veranschaulichung einer Funktion zu legen scheint, so behandelt er sie ziemlich früh, nachdem das dazu nötige Material durch den Unterricht gewonnen ist. Ob auf einer verhältnismäßig so niedrigen Stufe des Unterrichts bei den Schülern ein volles Verständnis des Begriffes der Funktion zu erreichen ist, dürfte mindestens zweifelhaft sein. Zur Veranschaulichung benutzt der Verfasser die Figur, indem er die Funktionswerte als Abszissen und Ordinaten auf zueinander senkrechten Koordinatenachsen abträgt und die gewonnenen Punkte miteinander verbindet. Jedenfalls dürfte sich so noch am ersten ein Verständnis erzielen lassen. Auch dem Differentialquotienten und dem Integral widmet der Verfasser einen besonderen Abschnitt, den er allerdings als einen solchen bezeichnet, der im Unterricht übergangen werden kann. Es scheint hiernach, als ob auf den östreichischen Gymnasien die Differential- und Integralrechnung noch nicht in das Pensum aufgenommen ist. Ich würde eine solche Erweiterung des Pensums auch nicht für eine Bereicherung halten; denn die Zeit und das Verständnis der Schüler reichen selbst im günstigen Falle nur dazu aus, die Anfänge dieser Rechnungen zu behandeln. Daraus dürfte aber den Schülern keine bedeutende Bereicherung ihres mathematischen Wissens erwachsen, die für sie von bleibendem Werte wäre. Dazu kommt, daß auch diejenigen Schüler, die sich einem Studium widmen, das diese Rechnungen braucht, immer auf der Universität Gelegenheit finden, sie von Anfang an in ihrem ganzen Umfange kennen zu lernen. Hat man Zeit und tüchtige Schüler, so gibt es meiner Ansicht nach näherliegende Teile der Elementarmathematik, um die man das Pensum der Prima vermehren kann. — Nicht unerwähnt will ich lassen, daß der Verfasser, der selbstverständlich die kurze Divisionsmethode anwendet, da sie ja in Östreich allgemein üblich ist, für die abgekürzte Multiplikation die Ziffernfolge des Multiplikators umkehrt, anstatt die Multiplikation stets mit der höchsten Ordnung des Multiplikators zu beginnen, wie wir es ja auch bei der Buchstabenrechnung zu machen gewohnt sind.

Die Ausstattung des Buches ist ausgezeichnet.

Berlin.   A. Kallius.

---

1) H. Bohn, Leitfaden der Physik. Unterstufe. Ausgabe A. Mit chemischem Anhange von Otto Nitsche. Leipzig 1908, Erwin Naegele. 121 u. 64 S. 8. geb. 2,40 ℳ.

Das „Naturwissenschaftliche Unterrichtswerk" von Schmeil hat durch den vorliegenden Leitfaden der Physik eine wertvolle Ausgestaltung erfahren. Zunächst erscheint die Unterstufe in zwei Ausgaben, von denen die mit A bezeichnete das Pensum des chemischen Unterrichtes der U II im Anhange behandelt, während in · der Ausgabe B dieser Anhang fehlt. Der Leitfaden ist sichtlich aus der Unterrichtspraxis hervorgegangen, er stellt den Lehrstoff nach methodischen Grundsätzen in leicht verständlicher Sprache dar. Auf der Anschauung und auf zweckmäßigen Versuchsanordnungen fußend, bei denen möglichst einfache Apparate Verwendung finden, werden die Begriffe und Gesetze, wenn auch nicht immer in erschöpfender, so doch dem Verständnis der Schüler angemessener Weise abgeleitet und festgestellt. Nur im chemischen Teile gibt die zwar bequeme, aber nicht einwandfreie Benutzung der Elektrolyse des Wassers als Ausgangspunkt für die

Betrachtung chemischer Prozesse zu den bekannten Bedenken Veranlassung, daß einmal der Versuch mit angesäuertem Wasser ausgeführt wird und dann, daß das sichtbare Quantum des ausge-
schiedenen O weniger als die Hälfte des H beträgt. Diese von
den Schülern zu erwartenden Einwände sind stichhaltig und verlangen zu ihrer Beseitigung umfangreichere Auseinandersetzungen,
die gerade im Anfange des chemischen Unterrichtes als störend
empfunden werden müssen.

Die im Leitfaden vorkommenden Fremdwörter werden in
einem alphabetisch geordneten Anhange zweckmäßig erläutert.
Die Figuren sind systematisch gehalten und deutlich. Aus pädagogischen Gründen ist von einer Beigabe von Übungsaufgaben abgesehen worden.

2) F. Pietzker, Lehrgang der Elementarmathematik in zwei Stufen.
    Teil II: Lehrgang der Oberstufe. Mit 200 in den Text gedruckten
    Figuren. Leipzig und Berlin 1908, B. G. Teubner. VIII u. 442 S. 8.
    geb. 4,40 *M.*

Die Gesichtspunkte, welche von der Unterrichtskommission
der Gesellschaft deutscher Naturforscher und Ärzte für die Reform
des mathematischen Unterrichtes als maßgebend aufgestellt sind,
werden jetzt insbesondere auch bei der Herstellung neuer Lehrbücher der Mathematik in gebührendem Maße beachtet. In allen
Teilen des vorliegenden Werkes ist daher der Funktionsbegriff
stark betont, überall werden funktionale Beziehungen hervorgehoben und erörtert, im Abschnitt über die allgemeine Größenlehre nimmt er sogar eine beherrschende Stellung ein. Daß der
mathematische Unterricht sich oft genug für das Leben so wenig
fruchtbar erwiesen hat, glaubt der Verfasser in der bisher noch
weit verbreiteten Darbietungsform des Lehrstoffes begründet zu
finden, in der die Pensen wie ein nur äußerlich zusammenhängendes Kompendium erscheinen. Daher hat der Verfasser im
Lehrgange mehr eine entwickelnde Darstellung gewählt, die neuen
Erkenntnisse ergeben sich als erwartete Ausgestaltung schon gewonnenen Wissens; daher erscheint auch die Stoffbehandlung auf
der Oberstufe als eine Vervollständigung und Vertiefung des auf
der Unterstufe erworbenen geistigen Besitzes und Könnens. Das
hindert nicht, daß die Stoffverteilung systematisch gehalten ist.
Wenn auch von der Infinitesimal-Analysis abgesehen wurde, so
ist doch der Lehrstoff so reichhaltig und so weitgehend ausgestaltet, daß er selbst an Realanstalten nicht vollständig bewältigt
werden könnte, geschweige denn am Gymnasium. Wer indessen
den Unterricht in verschiedenen Jahrgängen variieren und den begabten Schülern Gelegenheit zu ergänzenden Studien geben will,
der wird den Lehrgang mit Vorteil benutzen können.

Das Buch zerfällt in zwei Hauptabschnitte, die allgemeine
Größenlehre und die Raumlehre. In beiden finden wir auch eine

Erörterung ihrer philosophischen Grundlagen, insbesondere einen Abschnitt über die neueren Raumtheorien, deren Darstellung allerdings nur ausnahmsweise ausreichendem Interesse und Verständnis bei den reiferen Schülern begegnen dürfte. Eine kurze Übersicht über die Geschichte der Mathematik ist nicht hinzugefügt, auch ist die Behandlung der Kegelschnitte und der analytischen Geometrie einem dritten Bande vorbehalten.

3) **H. Müller und A. Witting, Lehrbuch der Mathematik** für die oberen Klassen der höheren Lehranstalten. Im Anschluß an H. Müllers Unterrichtswerk. Mit 4 Tafeln und 174 Figuren im Text. Leipzig und Berlin 1907, B. G. Teubner. XII u. 320 S. 8. geb. 3,60 *M.*

Auch dieses Lehrbuch behandelt den Stoff in entwickelnder Form, aber in systematischer Anordnung und zwar in teilweiser Anlehnung an das bekannte Werk „Die Mathematik auf Gymnasien und Realschulen" von H. Müller. Es soll als Grundlage für eine freiere Gestaltung des Unterrichtes auf den Oberklassen dienen, insbesondere ist es für den Unterricht in einer mathematisch-naturwissenschaftlichen Abteilung der Prima bestimmt, ohne deshalb für die andere Abteilung unbrauchbar zu werden, weil die über das vorgeschriebene Pensum hinausgehenden Teile mit einem * versehen sind und ohne Gefährdung des Zusammenhanges ausgelassen werden können.

Der Funktionsbegriff tritt auch in diesem Lehrbuche in den Vordergrund, sowohl in der Arithmetik und Algebra als auch im geometrischen Teile in der Beweglichkeit der Figuren und in der Koordinatenlehre, in der u. a. die graphische Darstellung der Funktion $y = x^n$ zur Auflösung von Gleichungen Verwendung findet. Die Entwickelung der Funktionen in unendliche Reihen führt zur Behandlung der Taylorschen und der Mac Laurinschen, der Exponentialreihe u. a., ja es werden die Betrachtungen aus der Funktionslehre auch auf die einfachsten Begriffe und Anwendungen der Differential- und Integralrechnung ausgedehnt.

Die Stereometrie enthält außer der üblichen Flächen- und Volumenlehre die elementarsten Sätze und Anwendungen der darstellenden Geometrie. Die Gebilde werden in schiefer Parallelprojektion im Grund- und Aufriß gezeichnet, auch werden geeignete Aufgaben zur Einübung der Darstellungsmethode angegeben.

Die Kegelschnitte werden im wesentlichen in einem Umfange behandelt, wie er auf Gymnasien üblich ist. Am Schluß findet sich ein kurzer historischer Anhang.

Ein Vergleich der beiden besprochenen Werke zeigt, daß das Pietzkersche Buch mehr in die Tiefe eindringt, das Müller-Wittingsche mehr die erweiterten praktischen Ziele des Unterrichtes im Auge hat.

4) **F. Pietzker, Kegelschnittslehre im Zusammenhange mit den Anfangsgründen der analytischen Geometrie.** Teil III des Lehrganges der Elementarmathematik. Mit 54 in den Text gedruckten Figuren. Leipzig und Berlin 1908, B. G. Teubner. 96 S. 8. geb. 1,80 $\mathcal{M}$.

Durch die analytische Geometrie der geraden Linie werden die nötigen Grundlagen geschaffen, um die analytischen Beziehungen der Kurven im allgemeinen zu erörtern, wobei namentlich auf die Tangenten und Normalen Rücksicht genommen wird. Bevor dann die allgemeine Gleichung II. Grades zur Diskussion gelangt, kommen folgende fünf Spezialfälle zur Erörterung:

1) $x^2 + y^2 = r^2$ 2) $F x^2 + G x y + H y^2 + L = o$ 3) $G x y + Hx + K y + L = o$ 4) $y^2 = p x$ 5) $y^2 = p x + s x^2$.

Hieran schließt sich die Transformation der allgemeinen Gleichung II. Grades durch Drehung und Parallelverschiebung des Koordinatensystems in die unter 5) angegebene Normalform, welche alle Formen der Kegelschnitte enthält. Es folgt sodann die Einführung der schiefwinkligen und der Polar-Koordinaten, die zunächst auf die Gerade und den Kreis angewendet werden. Den Gegenstand der ferneren Betrachtungen bilden die besonderen Formen der Kegelschnitte, deren teils algebraisch-analytische, teils geometrisch-synthetische Behandlung nebeneinander hergehen und sich gegenseitig ergänzen. Auch ihre projektivischen Eigenschaften kommen in einer zweckmäßigen Auswahl zur Darstellung, indem die Kegelschnitte als Abbildungen eines Kreises mit der Kegelspitze als Projektionszentrum betrachtet werden. Die Erörterung der Verwandtschaft der Kegelschnittformen führt zu einer wohl nicht ganz ausreichenden Namenerklärung. Den Schluß bilden Kreisberührungsaufgaben, bei denen die Kegelschnitte als geometrische Örter eine Rolle spielen. Jedem Abschnitt ist eine größere Anzahl von Übungsbeispielen beigegeben, die sich an die erörterten Beziehungen unmittelbar anschließen.

Der Umfang des Lehrstoffes ist so weit gefaßt, daß man im Gymnasialunterrichte von seinem Inhalt nur mit Auswahl Gebrauch machen kann. Die korrekte und sachgemäße Darstellung entspricht auch insofern den neuesten Bestrebungen, als überall auf die funktionalen Abhängigkeiten der Größen voneinander hingewiesen wird. Im allgemeinen kann man die Figuren als zweckmäßig und deutlich anerkennen, doch sollten die dem VII. Abschnitte zugrunde gelegten Zeichnungen durch größere ersetzt werden, wodurch ihre Klarheit namentlich auch in den Bezeichnungen gewinnen würde.

Berlin.   R. Schiel.

1) Karl Kräpelin, Leitfaden für den botanischen Unterricht an mittleren und höheren Schulen. Siebente, neubearbeitete Auflage. Mit 407 Abbildungen im Text und 14 mehrfarbigen Tafeln. Leipzig und Berlin 1908, B. G. Teubner. VIII u. 318 S. 8. geb. 3,20 ℳ.

Um der mannigfachen großen Schwierigkeiten Herr zu werden, welche die methodische Behandlung des botanischen Unterrichtsstoffes bietet, schlägt der Verfasser in der Vorrede zu obigem Werke einen besonderen Weg vor, dem das Buch in jeder Weise angepaßt ist. Eine kurze Einleitung führt die Pflanze als lebendes Wesen vor. Der erste Abschnitt des Buches bringt dann morphologisch-biologische Besprechungen der Organe der Pflanze. Ein zweiter enthält Beschreibungen der bekanntesten heimischen Pflanzen und bereitet dabei die Systematik durch Vergleiche und Zusammenfassungen vor. Lautet doch z. B. gleich die erste Überschrift: Die Tulpe und ihre Verwandten und die zwanzigste: Die Doldenpflanzen. Ein dritter Abschnitt gibt an der Hand des Systems einen Überblick über die gesamte Pflanzenwelt und ein vierter belehrt über die wichtigsten Lebenserscheinungen der Pflanze.

Der Verfasser weist nun dem ersten Schuljahre die Einleitung und einen Teil des ersten Abschnittes, die Morphologie der vegetativen Organe, der Wurzel, des Stengels und der Laubblätter, zu. Einzelbeschreibungen leicht verständlicher Pflanzen können eingeschoben werden. Das zweite Jahr soll nach dem zweiten Abschnitte die wichtigsten einheimischen Blütenpflanzen im wesentlichen morphologisch besprechen. Das dritte Jahr ist dann zunächst der morphologisch-biologischen Behandlung der Generationsorgane (Schluß des ersten Abschnittes) zu widmen, während der Rest der Zeit an der Hand des zweiten Abschnittes zur Untersuchung auch der unscheinbaren Blütenformen, der Korbblütler, Knöteriche, Melden, verwendet wird. Der Schluß des zweiten Abschnittes ist auch im vierten Unterrichtsjahre der Besprechung der Kätzchenträger, Gräser und Riedgräser zugrunde zu legen. Darauf hat nach dem dritten Abschnitte die wissenschaftliche Systematik der Blütenpflanzen zu folgen, die im fünften Jahre beendigt wird. Ihr folgt passend eine zusammenfassende Übersicht der wichtigsten exotischen Kulturgewächse, wie sie im Buche an dieser Stelle eingeschoben ist. Auf das sechste Schuljahr fallen dann der Rest des dritten Abschnittes, die Behandlung der Kryptogamen, und der vierte Abschnitt.

Der ganze Lehrgang legt auf Morphologie und Systematik größeres Gewicht, als es im allgemeinen jetzt wohl üblich ist. Er wird auch mancherlei Schwierigkeiten begegnen. Die geplante zusammenhängende Behandlung der Morphologie und Biologie erfordert sehr viel Anschauungsmaterial, dessen Beschaffung oft recht schwierig sein wird. Regelmäßige Ausflüge werden nötig sein, doch können die Lage der Stunden, das Wetter und andere

Umstände dabei sehr stören. Geringer werden die Schwierigkeiten, wenn der so wünschenswerte Pflanzengarten überall zur
Verfügung steht. Anatomie und Physiologie der Pflanzen werden
sehr wenig eingehend behandelt; das ist ein Übelstand, solange,
wie zur Zeit, der biologische Unterricht den Oberklassen vorent-
halten bleibt.

2) C. Matzdorff, Tierkunde für den Unterricht in höheren Lehranstalten.
   5 Teile in 3 Bänden. Breslau 1907, Ferdinand Hirt. 255, 320,
   127 S. 8. geb. 2,20, 2,80, 1,50 ℳ.

Das vorliegende Werk zeichnet sich aus durch klare Darstellung, vorzügliche Abbildungen, guten Druck und gutes Papier.
Der Stoff ist nach den preußischen Lehrplänen eingeteilt. In
jedem Teile finden sich zuerst Beschreibungen, dann übersichtliche Erläuterungen und Zusammenfassungen, auf die bei den Beschreibungen an gegebener Stelle stets hingewiesen wird. Diese
Erläuterungen bilden ein ausgezeichnetes Hilfsmittel für die
Wiederholung. Sie enthalten ferner unter der Überschrift „Verwandtschaft" Tabellen, die im beschränkten Maße auch zur Bestimmung verwendet werden könnten.

Der Stoff scheint mir für die VI — 20 Tiere — zu knapp
bemessen, für die V, IV, z. T. auch für die IIIb dagegen weitaus
zu reichhaltig zu sein. 40 Abschnitte Beschreibungen in der
Quinta für etwa 40 Stunden — es werden wenig mehr herauskommen — ist zuviel, da so mancher Abschnitt doch nicht in
einer Stunde bewältigt werden kann und für die Lehre vom Bau
des menschlichen Körpers, für Zusammenfassungen und Wiederholungen Zeit übrig bleiben muß. Für Quarta sind 33 Abschnitte
vorgesehen. Der erste handelt vom Maikäfer, Hirschkäfer und
der Familie der Blatthornkäfer. Sowohl in der Quarta des Gymnasiums wie in der Tertia der Realschule habe ich dazu stets
zwei bis drei Stunden gebraucht. Ähnlich steht es mit anderen
Abschnitten, z. B. dem 22. (Die Erdhummel. — Die Honigbiene.
— Unterordnung der Blumenwespen. Stechimmen. — Ordnung
der Immen.) So eingehend die Krebse zu behandeln wie der
Verfasser ist mir daher nie möglich gewesen. Es ist auch schwer,
das dazu nötige Anschauungsmaterial zu beschaffen. Mancherlei
scheint mir in das Buch hineingearbeitet zu sein, was nur für
den Naturforscher, nicht aber für den Schüler Bedeutung hat,
auch ebenfalls schwer der Anschauung vorzuführen ist. Ich erwähne als Beispiele die verschiedene Ableitung der Milchdrüsen
aus Schweiß- und Talgdrüsen, die Einzelheiten des inneren
Baus der Insekten, die Gleichgewichts- bzw. Gehörbläschen der
Weichtiere. Der Abschnitt über die Tierverbreitung umfaßt
45 Seiten, kann also sicher nur gelegentlich und auszugsweise
verwendet werden. Die Einführung in die Systematik ist gut,
doch wird allzu sehr spezialisiert. Von den Bildern sind die

Augenblicksphotographien des laufenden Windhunds wenig zu verwerten.

Im einzelnen ist mir aufgefallen, daß der alte schematische Maulwurfsbau wieder als normal vorgeführt wird, wenn es auch heißt, daß er oftmals einfacher gestaltet wird. Smalian sagt in seiner Tierkunde darüber: Meist ist über dem einfachen oder doppelten Nest ein luftzuführender Erdhügel errichtet, durch den besondere Gänge von meist unregelmäßiger Bildung verlaufen. Mehr als 300 in England untersuchte Maulwurfsbaue haben diese Unregelmäßigkeit bewiesen; nur gelegentliche Ansichten wie die beistehende Figur (des angeblich normalen Baus) gaben früher dazu Anlaß, dem Maulwurf eine gesetzmäßige Anlage eines „Kunstbaues" zuzuschreiben. Wenn es ferner von ihm heißt: Im Garten dürften höchstens die aufgeworfenen Erdhügel lästig fallen, doch lassen sich diese leicht mit der Harke zerteilen, so wird kein Gartenliebhaber dem zustimmen. Im Garten richtet der Maulwurf oft dadurch nicht unerheblichen Schaden an, daß er junge Pflanzen bei seinem Wühlen herausstößt und zum Welken bringt. Nicht ganz übereinstimmend ausgedrückt ist es wohl, wenn S. 163 im ersten Bande der Krötenschleim als nicht giftig bezeichnet wird, während S. 225 vom Drüsenschleim der Lurche gesagt wird, er wirkt auf kleine Wirbeltiere giftig, bleibt aber auf uns ohne Wirkung. Im dritten Bande S. 64 heißt es: Die starken Nervengifte Morphium und Kokain wirken schmerzlos und sind daher schätzenswerte Hilfsmittel der Heilkunde. Es soll wohl schmerzlindernd oder -aufhebend heißen. § 1022 wird gesagt: Entfernt man von einem Gliedmaße die Haut. Das Gliedmaß ist zwar richtig, doch ganz ungebräuchlich.

Einige Druckfehler sind mir aufgefallen, meist falsche Zahlen beim Hinweise auf die Erläuterungen.

Angenehm ist es, daß im Inhaltsverzeichnis stets Paragraph und Seite angegeben werden.

Seehausen in der Altmark.　　　　　Martin Paeprer.

EINGESANDTE BÜCHER

(Besprechung einzelner Werke bleibt vorbehalten).

---

1. **Meyers Großes Konversations-Lexikon.** Ein Nachschlagewerk des allgemeinen Wissens. Sechste, gänzlich neubearbeitete und vermehrte Auflage. Mit mehr als 168 000 Abbildungen im Text und auf über 1500 Bildertafeln, Karten und Plänen sowie 160 Textbeilagen. Zwanzigster Band (Veda bis Zz). Leipzig und Wien 1908, Bibliographisches Institut. 1056 S. gr. 8. geb. 10 ℳ, oder in Prachtband geb. 12 ℳ.

Der Große Meyer hat hiermit seinen Abschluß erreicht. Der zwanzigste Band präsentiert sich wie alle Vorgänger auf das vorteilhafteste: gediegen, zuverlässig und in wahrhaft großartiger Weise illustriert. Dem Verlage kann man nur Glück wünschen, daß er das großartige Werk zu einem so schönen und schnellen Ende geführt hat. Sechs Jahre hat der Große Meyer zu seinem Erscheinen bedurft.

Es liegt in der Natur der Sache, daß der Inhalt von so außerordentlicher Vielseitigkeit fortwährender Wandlung und Neugestaltung unterworfen ist. Die Neuerungen, Veränderungen, Berichtigungen machen einen Ergänzungsband notwendig. Dieser wird demnächst erscheinen, mit mehreren hundert Abbildungen, zu demselben Preise, wie die einzelnen Bände des Lexikons. Endlich macht die Verlagshandlung zur bequemen Aufstellung des Großen Meyer auf die von ihr zu beziehenden Wand-Regale aufmerksam, die in breiter und in hoher Form durch jede Buchhandlung zu beziehen (mit Nußbaumfurnier 38 ℳ und mit Eichenfurnier 33 ℳ, resp. 35 ℳ und 30 ℳ; mit verschließbaren Glastüren kosten die Regale 14 ℳ mehr).

2. **Meyers Historisch-Geographischer Kalender für das Jahr 1909.** XIII. Jahrgang. Mit 365 Landschafts- und Städteansichten, Porträten, kulturhistorischen und kunstgeschichtlichen Darstellungen sowie einer Jahresübersicht. Als Abreißkalender eingerichtet. Verlag des Bibliographischen Instituts in Leipzig und Wien. Preis 1,75 ℳ.

Es ist erfreulich zu sehen, wie auch „Meyers Historisch-Geographischer Kalender" rüstig mit der Neuzeit Schritt hält. Immer seltener werden die Holzschnitte, an deren Stelle vortreffliche Autotypien treten. Dies ist um so dankenswerter, je zahlreicher die Bilder und Photographien werden. Das ist bei dem Kalender, der so vielseitiges Anschauungsmaterial aufweist, vor allem wichtig beim Porträt, beim Städtebild, beim Typenbild und wie die Darstellungen alle heißen, die dieser Kalender in so reicher Fülle jedes Jahr neu beschert. Der Festtage, Jubiläen, nationalen Gedenktage ist auch in den Bildern nicht vergessen; erfreulicherweise sind auch unsere Kolonien zahlreich vertreten.

3. **Mitteilungen des Vereins der Freunde des humanistischen Gymnasiums.** Herausgegeben vom Vereinsvorstande. Redigiert von S. Frankfurter. Heft 6 und 7. Wien 1908, C. Fromme. 86 u. 42 S. 0,85 u. 0,50 ℳ.

4. **J. Hense, Deutsches Lesebuch für die oberen Klassen höherer Lehranstalten.** Auswahl deutscher Poesie und Prosa mit literarhistorischen Übersichten und Darstellungen. Zweiter Teil: Dichtung der Neuzeit. Vierte Auflage. Freiburg i. Br. 1908, Herdersche Verlagshandlung. XV u. 488 S. gr. 8. 4,20 ℳ, geb. 4,80 ℳ.

5. **Dem Kaiser.** Gedicht von M. Nieduray, für vierstimmigen Männerchor komponiert von P. Gaida. Op. 75. Tarnowitz O. S., A. Kothe. Partitur 0,60 ℳ, Stimmen 0,60 ℳ.

6. J. Kleiber, Experimental-Physik für die Unterstufe. Zum Gebrauche an Realschulen. Mit 341 Figuren, 4 Spektralbildern, zahlreichen Schülerübungen und Musterbeispielen. München und Berlin 1908, R. Oldenbourg. VII u. 216 S.

7. F. Kuhlmann, Bausteine zu neuen Wegen des Zeichenunterrichts. Das lebende Tier im Zeichenunterricht. Mit zahlreichen Schülerarbeiten aus dem Realgymnasium zu Altona. Dazu 2 Blätter Künstlerzeichnungen vom Tiermaler R. Friese. Dresden 1908, A. Müller. Fröbelhaus. 40 S.

8. O. Ladendorf, Hans Hoffmann. Sein Lebensgang und seine Werke. Mit einem Bilde Hans Hoffmanns. Berlin 1908, Gebrüder Paetel. 255 S. 5 ℳ, geb. 6 ℳ.

9. Mary C. Lane, Index to the Fragments of the Greek Elegiac and Jambic Poets as contained in the Hiller-Crusius Edition of Bergk's Anthologia Lyrica. Cornell Studies in Classical Philology Nr. XVIII. Published for the Cornell University 1908 by Longmans, Green & Co. III u. 128 S. geb.

10. M. Lederer, Die Gestalt des Naturkindes im 18. Jahrhundert. Progr. Bielitz 1908, im Verlage der Staats-Oberrealschule.

11. A. Lewinneck, Schülerselbstmorde und Elternhaus. Königsberg i. Pr. 1908, Hartungsche Buchdruckerei. 29 S. 0,50 ℳ.

12. J. Loos, Sach- und Personen-Register zu den Verhandlungen der Mittelschul-Enquete im K. K. Ministerium für Kultus und Unterricht. Linz 1908, Ebenböck'sche Buchhandlung (H. Korb). 29 S.

13. Th. B. Macaulay, Historical Portraits, ausgewählt und erläutert von J. Klapperich. Berlin und Glogau 1908, Carl Flemming Verlag. VIII u. 104 S. geb. 1,60 ℳ.

14. A. Messer, Empfindung und Denken. Leipzig 1908, Quelle & Meyer. VII u. 199 S. 3,80 ℳ, geb. 4,40 ℳ.

15. R. Methner, Dum, dummodo und modo. S.-A. aus Glotta I. 17 S.

16. E. Meumann, Intelligenz und Wille. Leipzig 1908, Quelle & Meyer. VII u. 293 S. 3,80 ℳ, geb. 4,40 ℳ.

17. W. Mohr, Führer ins Leben. Berlin 1908, Modern-Pädagogischer und Psychologischer Verlag. Band I: B. Otto, Kindesmundart. 139 S. (S. 5—10 ein Wort zum „Führer ins Leben" und zur „Kindesmundart" von der Herausgeberin.)

18. Ph. Müller, Unser Eisenbahnwesen. Mit 22 Illustrationen und 4 Formularen. Stuttgart o. J., Ernst Heinrich Moritz. 212 S. 1,50 ℳ.

19. W. Persuhn, Unser Postwesen. Seine Verwaltung und Einrichtungen nebst Versendungs-Vorschriften und Taxen. Ebendaselbst. 176 S. 1 ℳ.

20. A. Forel, Hygiene der Nerven und des Geistes im gesunden und kranken Zustand. Mit 10 Illustrationen, darunter 4 Tafeln. Dritte Auflage. Ebendaselbst. 319 S. 3,50 ℳ.

21. P. Natorp, Volk und Schule Preußens vor hundert Jahren und heute. Festrede. Gießen 1908, A. Töpelmann. 31 S. 0,50 ℳ.

22. R. Neuhöfer, Platonv Jon. Progr. Gymnas. zu Brně. 1908. 32 S.

23. R. Pattai, Das klassische Gymnasium und die Vorbereitung zu unseren Hochschulen. Reden und Gedanken. Wien 1908, Selbstverlag des Verfassers (in Kommission bei der Manzschen Buchhandlung). 76 S. Lex.-8.

24. R. Philippsthal, Festschrift zum 13. Allgemeinen Deutschen Neuphilologentage in Hannover. Hannover 1908, Carl Meyer (G. Prior). 100 S. gr. 8.

25. H. Riemann, Grundriß der Musikwissenschaft. Leipzig 1908, Quelle & Meyer. 156 S. (Wissenschaft und Bildung Nr. 34.) 1 ℳ, geb. 1,25 ℳ.

26. Th. Ribot, Die Psychologie der Aufmerksamkeit. Autorisierte deutsche Ausgabe nach der 9. Auflage von Dietze. Leipzig 1908, Eduard Maerter. 154 S. 2,50 *M*, geb. 3,25 *M*.

27. O. Schmeil und Jost Fitschen, Flora von Deutschland. Ein Hilfsbuch zum Bestimmen der zwischen den deutschen Meeren und den Alpen wildwachsenden und angebauten Pflanzen. Mit 587 Abbildungen. Fünfte Auflage. Leipzig 1909, Quelle & Meyer (Erwin Nägele). VIII u. 418 S. 3,80 *M*.

28. H. Schmitz, Englische Synonyma, für die Schule zusammengestellt. Dritte Auflage. Gotha 1908, F. A. Perthes. VI u. 99 S. 1,20 *M*.

29. A. Schöb, Velleius Paterculus und seine literar-historischen Abschnitte. Diss. Tübingen 1908. 112 S.

30. O. Schroeder, Aufnahme und Studium an den Universitäten Deutschlands. Auf Grund amtlicher Quellen mit besonderer Berücksichtigung des Frauenstudiums. Halle a. S. 1908, Buchhandlung des Waisenhauses. 220 S. 2,50 *M*.

31. J. Schumacher, Hilfsbuch für den katholischen Religionsunterricht in den mittleren Klassen. Dritter (Schluß-) Teil: Der kirchliche Gottesdienst. Zweite Auflage. Mit 11 Abbildungen. Freiburg i. B. 1908, Herdersche Verlagshandlung. 68 S. 0,70 *M*.

32. K. Schwering und W. Krimphoff, Ebene Geometrie. Mit 160 Figuren. Sechste Auflage. Freiburg i. Br. 1908, Herdersche Verlagshandlung. X u. 138 S. 1,70 *M*, geb. 2,20 *M*.

33. E. Schulze, Das Wesen und Förderung der Aufmerksamkeit. Leipzig 1908, Quelle & Meyer. 36 S. 0,80 *M*.

34. J R. Seeley, The Expansion of England. Für den Schulgebrauch herausgegeben von E. Köcher. Leipzig 1908, G. Freytag. 176 S. geb. 1,60 *M*.

35. A. Sieberg, Der Erdball, seine Entwicklung und seine Kräfte. Eßlingen und München, J. F. Schreiber. Liefg. 1. 0,75 *M*.

36. Supplementary Papers of the American school of classical studies in Rome. Volume II. New York 1908, The Macmillan Company. 293 S. 4. (G. H. Allen, The Advancement of Officiers in the Roman Army; C. D. Curtis, Roman Monumental Arches; A. W. van Buren, The Palimpsest of Cicero De re publica; J. C. Egbert, Inscriptions from Rome and Central Italy.

37. W. Uhl, Winiliod. Leipzig 1908, Eduard Avenarius. VIII u. 427 S. gr. 8. (Teutonia, Arbeiten zur germanischen Philologie, herausgegeben von W. Uhl, 5. Heft.)

38. P. Wagner, Lehrbuch der Geologie und Mineralogie für höhere Schulen. Kleine Ausgabe für Realschulen und Seminare. Mit 268 Abbildungen und 3 Farbentafeln. Zweite und dritte Auflage. Leipzig 1908, B. G. Teubner. VIII u. 190 S. gr. 8. geb. 2,40 *M*.

39. J. Warneck, Die Lebenskräfte des Evangeliums. Missionserfahrungen innerhalb des animistischen Heidentums. Zweite Auflage. Berlin 1908, Martin Warneck. XI u. 328 S. gr. 8. 4,50 *M*.

40. W. Wetekamp, Selbstbetätigung und Schaffensfreude in Erziehung und Unterricht mit besonderer Berücksichtigung des ersten Schuljahres. Mit 13 Tafeln. Leipzig 1908, B. G. Teubner. IV u. 45 S. Lex.-8. 1,80 *M*.

41. Winter, Der falsche Klang in unserer höheren Schule und die Reform. Leipzig 1908, Dr. Seele & Co. 20 S. 0,50 *M*.

42. H. Wolf, Ödipus und sein Geschlecht. Fünf Tragödien von Äschylus, Sophokles, Euripides. Zweiter Teil: Erläuterungen. Leipzig 1908, H. Bredt. 112 S. 1,50 *M*.

ERSTE ABTEILUNG.

Wissenschaftlicher Sinn, Arbeitsfreudigkeit und Leistungsfähigkeit der deutschen Jugend an den höheren Lehranstalten[1].

Klagen über die höheren Schulen sind alt, und sie wollen nicht verstummen. Meine Absicht ist nicht, sie zu vermehren. Im Gegenteil, ich erkläre gern, daß unsere Schüler im allgemeinen immer noch ein erfreuliches Maß von Eifer und Arbeitslust zeigen und ein gewaltiges Stück ehrlicher, anerkennenswerter Arbeit leisten müssen und leisten. Man muß aber nicht zu viel von der Schule verlangen. Heutzutage soll sie das Heilmittel sein gegen alle Schäden der Zeit und Gesellschaft. Das ist höchst schmeichelhaft für uns Lehrer, und ich möchte ganz besonders denen diese erhabene Aufgabe der Schule ins Gedächtnis rufen, die sich nicht überzeugen können oder wollen, daß den Lehrern unter den übrigen höheren Beamten eine durchaus ebenbürtige Stellung zukommt.

Es wäre das Natürliche, wenn wissenschaftlicher Sinn, Arbeitsfreudigkeit und Leistungsfähigkeit bei allen unseren Schülern in befriedigendem Maße anzutreffen wären. Wenn das nicht der Fall ist, so gibt es dafür mancherlei Gründe, besonders in unserer Zeit, und es ist auch nicht unbedingt zu beklagen. Das „Volk der Denker und Dichter" hat beweisen wollen und müssen, daß es auch ein Volk der Tat sein kann. Auf eine mehr wissenschaftliche Richtung ist eine solche der praktischen Arbeit gefolgt, ohne daß die Wissenschaft vernachlässigt wird. Das Zeitalter der Elektrizität findet nicht mehr die behagliche Ruhe zu sinnigem Versenken in die Vergangenheit; wir leben für die Gegenwart und schaffen hastig für die Zukunft. Wir sind reicher geworden und damit empfänglicher für die Genüsse des Lebens. Der Individualismus unserer Zeit predigt das Sichausleben. Das

---

[1] Diese Abhandlung ist aus einem Vortrage entstanden, der bei der 34. Hauptversammlung des „Schlesischen Philologenvereins" in Neisse am 27. V. 1908 gehalten wurde.

alles kann nicht ohne Einwirkung bleiben auf die Jugend, zumal
die Jugend gerade von dem Neuen und Neuesten immer am
meisten angezogen wird. Sie wird auch schon auf den Jahrmarkt
des Lebens gezerrt, geistig durch aufdringliche Schriften, leider
auch leiblich durch kurzsichtige Eltern und falsche Freunde.
Außerdem besteht ein ungesunder Andrang zu den höheren
Schulen. Diese unübersehbaren Scharen bestehen natürlich nicht
aus lauter wissenschaftlichen Köpfen; viele wollen ja bloß eine
„Berechtigung", dann gehen sie wieder. Es ist also ganz natürlich und keineswegs zu beklagen, daß durchschnittlich etwa nur
zwanzig vom Hundert das Reifezeugnis erlangen. Ich möchte ein
bekanntes Lied so umändern: Was soll aus der Welt denn noch
werden, wenn's lauter Gelehrte nur gibt? Es wird ja bald nur
noch wenige Berufe geben, für die nicht „akademische" Bildung
oder wenigstens das Reifezeugnis gefordert wird. Hüten wir uns
vor solchem Bildungstaumel und Bildungsschwindel; er richtet
uns mit Sicherheit ebenso zugrunde, wie die „staubige, schau-
rige, eintönende Fabrikarbeit" (Nordhausen im „Tag"), besonders
wenn sich jetzt auch die Frauen noch in die Hatz hineindrängen,
sowie sie bereits die Geschäftszimmer und die Fabriksäle füllen,
sie, auf denen vor allem die Kraft und die Zukunft unseres
Volkstums beruht Wissenschaftlicher Sinn, Arbeitsfreudigkeit
und Leistungsfähigkeit sind nicht unbedingt zurückgegangen,
sondern nur verhältnismäßig, weil es früher viel seltener
vorkam, daß wenig Begabte höhere Schulen besuchten. Heute
entscheidet oft nicht der Drang des Sohnes, sondern die
Eitelkeit der Mutter oder der starre Sinn des Vaters. Endlich
sind unsere Schulen tatsächlich zu gut geworden (Münch,
Monatschr. f. höh. Schulen 1908, Febr.); es wird zu viel und zu
vielerlei verlangt; für all das kann nicht jeder Schüler Sinn und
Eifer in gleichem Maße zeigen. Wie sollen wir uns dem gegenüber verhalten? Können wir wissenschaftlichen Sinn, Arbeitsfreudigkeit und Leistungsfähigkeit erzeugen? Können wir sie
heben und fördern? Sie hängen miteinander aufs innigste
zusammen; das eine erzeugt das andere; wo das eine fehlt,
kann auch das andere nicht dasein. Wir brauchen sie also
im folgenden nicht einzeln zu erörtern. Ich will meine und
anderer Erfahrungen und Beobachtungen in aller Kürze mitteilen. Der Gegenstand verdient allseitige Beachtung, Untersuchung und Besprechung. Die wichtigsten Erziehungs- und
Unterrichtsfragen kommen in Betracht.

I. Schule und Unterricht, Einrichtungen und Maßnahmen.

1. Körperliche Ertüchtigung.

Sinn und Eifer für die Wissenschaft verlangen zuvörderst körperliche und geistige Gesundheit. Diese erfahren

aber in unserer Zeit mancherlei Hemmungen und Schädigungen. Ich bin kein laudator temporis acti, sondern ich habe mich stets bestrebt, die Gegenwart zu verstehen und ihr zu dienen. Aber manche Erscheinungen unserer Zeit sind doch geeignet, Bedenken zu erregen, und mahnen uns zu erhöhter Wachsamkeit und zu Gegenmaßregeln.

Die Bewegung gegen den Mißbrauch von Nikotin und Alkohol gewinnt gottlob täglich an Ausdehnung und Macht; aber diese Genußgifte richten immer noch unsäglichen Schaden an, auch bei der Jugend, indem sie Körper- und Geisteskraft abstumpfen und lähmen. Sehr beherzigenswert für jeden Lehrer und Erzieher sind die durchaus besonnenen Ausführungen über Alkohol und Nikotin in v. Schenckendorffs Schrift „Wehrkraft und Erziehung", 1904. Die Freiheit, die ich der Jugend gern gönne, wird leider oft gemißbraucht. Das Treiben Unreifer wird eben zu leicht unvernünftig. Kameradschaft kann bei anderer Gelegenheit viel besser gepflegt werden; ich denke ganz besonders an Wanderungen, die viel zu selten stattfinden, an Leibesübungen, an Zusammenkünfte zu wissenschaftlichen und künstlerischen Zwecken.

Zu den Verheerungen, die Alkohol und Nikotin anrichten, kommen die schädlichen Wirkungen des Kaffees und Tees. Wenn früher die Jugend auch so gelebt und keinen Schaden gelitten hat, so folgt daraus weiter nichts, als daß die heutige Jugend, der ja die auffallende „hochgradige Nervosität" alle Tage bescheinigt wird, weniger widerstandsfähig ist.

Das Schlimmste ist aber noch etwas anderes. Tacitus könnte heute von den Deutschen nicht mehr berichten: Sera iuvenum Venus. Darauf führt er aber mit Recht Körper- und Geisteskraft der alten Germanen zurück. Gar mancher denkt und spricht wie der Schülermund, der jüngst auf der Hauptstraße einer preußischen Großstadt sich also vernehmen ließ: „Man liebt, man trinkt, man amüsiert sich, und man arbeitet nichts". Wir brauchen uns nicht durch alles schrecken zu lassen, was wir in dieser Beziehung hören und lesen; es wird viel ungehörig verallgemeinert, zu schwarz gemalt, übertrieben.

Aber manches gibt doch zu denken. Prof. Dr. Kopp (München) erklärte in der Beilage der „Münchener Allgemeinen Zeitung" 1903, S. 92: „Von einem großstädtischen Gymnasium ist es uns bekannt, daß von sämtlichen Schülern der Obersekunda, Schülern im Alter von 16 und 17 Jahren, nicht einer war, der nicht bereits auf dem Gebiete der Geschlechtsliebe persönliche Erfahrungen gewonnen hätte. In der Poliklinik sehen wir nicht selten Jungen von 14 bis 15 Jahren mit Gonorrhöe behaftet". Bei Aufhebung einer Schülerverbindung hat sich gezeigt, daß in derselben „die Unsittlichkeit in der unflätigsten Weise kultiviert wurde" (Worte des bayrischen Kultusministers von Land-

43*

mann) [1]). Dieselbe „Münchener Allgemeine Zeitung", die sich doch nicht als zu ängstliche Tempelwärterin aufspielt, schrieb schon vor mehreren Jahren: „Wir können uns kaum mehr retten vor all dem Schmutz, der von Paris und Berlin, Wien und Pest hier in Deutschland zusammenströmt. Es ist geradezu unheimlich, wie tief und rapid der Stand der öffentlichen Anständigkeit in den letzten zehn Jahren gesunken ist. Durch Bücher, Bilder, Tingeltangel, Postkarten, Annoncen, Witzblätter, Gassenhauer, Operetten, Possen, reine und pseudowissenschaftliche Pornographie, durch gewisse Redouten und Herrenabende, durch Schaufenster, durch breit und behaglich nachgedruckte Gerichtsverhandlungen wird eine Art geistiger Syphilis verbreitet, die grauenhaft ist: kein Stand, kein Lebensalter ist mehr intakt; Reinheit des Familienlebens, Reinheit der Jugend, Gesundheit der Geschlechter stehen auf dem Spiele". Ich füge als Tatsache hinzu: Unsaubere Schriften finden in den Kreisen der Jugend reißenden Absatz.

Ein Jüngling, der sittlichen Verirrungen ergeben ist, ist aber zu angestrengter und erfolgreicher Geistesarbeit unfähig. Achten wir mit heiliger Sorgfalt auf das, was die Schüler lesen, auf ihren Umgang, auf ihre Vergnügungen. Die schon oben empfohlenen Wanderungen und Leibesübungen sind ein kräftiger Wall gegen den Schmutz. Der stärkste freilich ist religiöser Sinn (nicht Auswendiggelerntes, nicht konfessionelle Verbohrtheit), und zu diesem trägt das meiste das Beispiel des Lehrers bei. Aufklärung nutzt wenig. Hauptsache ist Willens-, Charakterbildung, Achtung und Heilighaltung von Anstand und Sitte, Ehrgefühl. Selbstverständlich ist hier die „Kinderstube" von grundlegender Bedeutung. Wenn der Vater keine Zeit hat oder findet, sich um seine Kinder zu kümmern, wenn die Mutter aufgeht in Eitelkeit und äußerem Tand und das übrige den Bediensteten überläßt (was schon Tacitus so ernst beurteilt und so bitter beklagt), dann ist es zu verwundern, wenn die Kinder nicht mißraten.

In den Genußgiften und in der Unlauterkeit, freilich auch vielfach in erblicher Belastung ist der Hauptgrund dafür zu suchen, daß wir so viele schwächliche und nervöse Schüler haben [2]). Dazu kommt gar oft ein ruheloses Leben

---

[1]) Das darf uns jedoch nicht entmutigen, Manches Jahr sind alle Früchte eines Baumes vom Wurm zerfressen; der Baum ist gesund. So halte ich die Wurzel der deutschen Volkseiche noch für gesund. Und wenn man mich fragt, woher die schlechten Früchte, so möchte ich mit dem Heiland antworten: „Das hat der Feind getan". Ein gemeiner Frechling kann eine ganze Klasse verderben.

[2]) Daß in Preußen von 100 Schülern 40—70 „kränklich und defekt", 60 nervös sind (so „nach zuverlässigen Angaben" Benda in d. Zeitschr. f. päd. Psychol. (1905) VII 3), kann ich nach meinen Beobachtungen glück-

in der Familie, das von dem stillen „Glück im Winkel" und
von dem Gesundbrunnen am häuslichen Herd nichts weiß. Die
Lebensweise unserer Zeit ist verkehrt, wenigstens in der Stadt.
Alt und jung schläft zu wenig. Und das ist den Schülern
der höheren Lehranstalten besonders schädlich. Wie viele von
den Kindern schlafen denn, wie es ihnen zuträglich wäre, zehn
Stunden und mehr? Wie viele von den Erwachseneren schlafen
acht Stunden? Nur gut, daß sie manchmal, wie es heißt,
während des Unterrichts schlafen; die armen Jungen können
nicht anders. Beherzigen wir nur den englischen Spruch „Early
to bed, and early to rise, makes a man healthy, wealthy, and
wise"! Diese Engländerei wäre vernünftig.

Das ist der Segen der Alumnate und Konvikte unter
fachmännischer Leitung, daß sie eine vernünftige Lebensweise
sichern.

Unsere Schüler arbeiten oft zu ungehöriger Zeit, gleich
nach Tisch und bis spät in die Nacht hinein.

Täglich regelmäßig zwei Stunden ausgiebige Bewegung im ·
Freien, hat das jeder Schüler? Und doch ist es dringend
nötig, wenn wir nach dem Wunsche unseres treu sor-
genden Landesvaters „eine kräftige Generation haben wollen".
Wieviel Zeit vertrödeln aber unsere Schüler, wieviel Zeit bringen
sie auf den Straßen und Plätzen der Stadt zu, wenn nicht gar
in dumpfen Wirtshäusern? Bei den Mädchen ist es mit der Bewegung im Freien außerhalb des Unterrichts und zwischen den
Unterrichtsstunden noch viel schlimmer bestellt. Und wenn wir
gar noch die Mädchenerziehung der der Knaben angleichen wollen,
so sind wir auf dem besten Wege, den Quell der Volkskraft zu
vergiften und das ganze Geschlecht mit der Wurzel zu verderben.
Von 100 zum einjährigen Militärdienst Berechtigten sind 60—70
untauglich. Daß daran die Schule schuld oder allein schuld ist,
hat noch niemand bewiesen; aber die betrübende Tatsache redet
doch eine beredte Sprache. Unser Bildungstaumel nützt uns
nichts, wenn wir körperlich verelenden. Sehen wir doch, wie
die Kinder in den Ferien essen und sich kräftigen, und wir haben
einen Maßstab dafür, wie sie während der Schulzeit in ihrer Entwicklung gehemmt werden, wenn wir unsere Anforderungen nicht
beschränken und für eine vernünftige Lebensweise, besonders für
gehörige Bewegung im Freien, sorgen. Natürlich müssen die
Eltern mitwirken.

Ein Schüler, dem die erforderliche körperliche und geistige
Widerstandsfähigkeit fehlt, klagt natürlich über Überbürdung.
Sonst kann von einer solchen an den höheren Knabenschulen,

licherweise als zu hoch gegriffen bezeichnen. Hartmann (Leipzig) bezeichnete auf dem Deutschen Oberlehrertage in Eisenach von 100 Knaben etwa
30, von 100 Mädchen etwa 40 als kränklich. Das ist auch schon genug.

wenigstens in den unteren und mittleren Klassen, überhaupt gar
keine Rede mehr sein; in den oberen auch nur, wenn ein Lehrer
hinter den Einsichten und berechtigten Forderungen der Gegenwart zurückgeblieben ist, oder wenn eine Klasse mit Unbefähigten
und unreif Versetzten bevölkert ist. Das ist ganz selbstverständlich,
daß von einem Schüler, der im Tage sieben oder gar acht Unterrichtsstunden hat und da seine Schuldigkeit tut, nicht mehr
viel verlangt werden kann. Bei den höheren Mädchenschulen
möchte ich die Annahme einer Überbürdung nicht in jedem
Falle so ohne weiteres als unberechtigt zurückweisen. Sie müßten
meines Erachtens noch vorsichtiger sein in der Arbeitsbemessung
und -zuteilung in Rücksicht auf die weibliche Natur und Entwicklung.

Wenn sich der Gesundheitszustand unserer Jugend nicht
bessert, so bin ich für alle möglichen Erleichterungen: Einführung
der Kurzstunden, Beschränkung der Hausaufgaben, Einführung eines freien (nicht pflichtmäßigen) Spielnachmittags ohne
Hausaufgaben für den folgenden Tag, Beschränkung der Zahl
der schriftlichen Klassenarbeiten (wöchentliche Arbeiten lassen
Schüler und Lehrer nicht zur Ruhe kommen). An manchen
Anstalten sollen 90 von 100 Schülern Privatunterricht haben.
Das ist natürlich ein Übelstand, der nicht geduldet werden
darf. Auch der mittelmäßig Begabte muß ohne Nach-
hilfe fortkommen können. An solchen Anstalten sind wahrscheinlich viele Untaugliche, viele Bequeme, die andere für sich
arbeiten lassen, und viele, deren häusliche Verhältnisse ihrem
Fortkommen hinderlich sind.

Es könnte viel mehr Unterricht im Freien abgehalten
werden, nicht bloß in Naturgeschichte, Erdkunde, Geschichte, Gesang, sondern auch in anderen Fächern. Wie schön wäre eine
Horazstunde im Freien, wenn z. B. Frühlingslieder durchgenommen
werden! Kann eine Religionsstunde nicht in Gottes freier Natur
abgehalten werden? Die Soldaten erhalten ihren Unterricht sehr
häufig, teilweise regelmäßig im Freien. Braucht man denn immer
Bücher und Hefte? Der beste Unterricht findet ohne diese statt.
Und wird die Gymnasialbildung sinken, wenn wirklich einmal ein
Kapitel Nepos oder Vergil weniger gelesen würde? Die Durchführung wäre leicht und verursachte keine Kosten. Freilich
wäre es schön, wenn wir Geld hätten, um Wandelhallen zu bauen.

Ein freier Studientag scheint sich nach den gemachten
Erfahrungen durchaus zu empfehlen, besonders freilich in Inter-
naten; sonst muß für genügende Beaufsichtigung gesorgt sein.

Ein Schularzt kann die Arbeit der Lehrer und Schüler
außerordentlich unterstützen und fördern und den Zwecken der
Schule höchst dienlich sein [1]).

---

[1]) Vgl. Hartmann, Der Schularzt für höhere Lehranstalten, eine notwendige Ergänzung unserer Schulorganisation. Neue Jahrb. 1906, II, 102—130.

Ganz besonders liegt mir noch am Herzen zu betonen, daß die geistige Hetze in unserem höheren Schulwesen keine Stätte finden darf. Alles Hasten ist im Unterricht vom Übel, oder wir müssen auf bleibende Eindrücke verzichten. Ich kann darüber nichts Besseres und Schöneres sagen als Harms in seiner „Vaterländischen Erdkunde" S. VIII: „O, dieses ewige Nicht-Zeitfinden! Sollte man sich denn wirklich in einer wichtigen und anziehenden Materie nicht einmal in behaglicher Vertiefung ausleben dürfen? Aber die Hatz des Jahrhunderts stürmt auch in unsere Schulstuben. Uns peinigt immer die Sorge, ob unsere Kinder auch alles oder richtiger von allem etwas wissen. Wir können's nicht vertragen, wenn der Revisor einmal meint, das oder das hätten die Kinder ja wohl eigentlich auch noch wissen müssen. Wir bringen unsere Nerven, unsere Ruhe und unsere Befriedigung, den normalen Geistesappetit unserer Kinder und ihre Gesundheit dem modernen Bildungsmoloch zum Opfer, statt in Vernünftigkeit der Göttin der Weisheit zu dienen".

Schließlich empfiehlt sich eine andere Verteilung des Schuljahres und der Ferien. Versetzung im Sommer und dann große Ferien, das bringt Freude und Erholung. Jetzt sind die Sommerferien für viele schon mit Furcht wegen der Versetzung und mit Arbeit erfüllt. Die Osterferien sind zur Erholung nach der Hauptarbeit zu kurz, und oft ist um diese Zeit schlechtes Wetter. Außerdem würden durch obige Änderung die Hemmnisse beseitigt, die für den Unterrichtserfolg entstehen durch die Zerreißung des Schuljahres.

Besondere Schulen für schwach Begabte könnten der Gesundheit und dem Unterrichtserfolge sehr förderlich sein; aber ich fürchte, es würden wenige hineingeschickt werden.

2. Geistige För'derung.

So sind wir zu den Maßnahmen und Einrichtungen behufs geistiger Förderung gekommen.

Sonderschulen für hervorragend Begabte würde es bald so gehen wie unseren jetzigen höheren Schulen; diese waren doch einstmals auch nur für besonders Begabte bestimmt.

Nach den bisherigen Erörterungen, die den Boden ebnen sollten für eine fröhliche, frische Geistesarbeit, scheue ich mich nun auch nicht, im Unterricht Anspannung aller Kräfte zu fordern und alle Maßnahmen gutzuheißen, welche geeignet erscheinen, wissenschaftlichen Sinn, Arbeitsfreudigkeit und Leistungsfähigkeit zu erhöhen. Ich meine nicht die den Nichtkenner verblüffenden, bedenklichen, gleichmäßig guten äußeren Scheinleistungen, sondern solche, die wirklich ein geistiges Wachstum bekunden. Ich weiß auch, daß das Beste nicht eingelernt und abgefragt werden, also auch bei einer Prüfung nicht in die Erscheinung treten kann.

Bei der Aufnahme der Schüler werde eine zweckentsprechende Auswahl getroffen. Die Versetzung sei angemessen, ich will nicht sagen streng. Alles Minderwertige darf aber nicht durchgedrückt werden. Ist damit dem Staate und der Kirche gedient? Wir wollen doch eine auserwählte Klasse von Menschen heranbilden, die zukünftigen Stützen und Führer des Volkes. Durch allzu große Milde wird die Schule und die Jugend und damit das Volk wissenschaftlich und sittlich heruntergebracht. „Die Schule ist entweder das Werkzeug der Selektion oder ihr Opfer". „Eine leichte Schule ist ein soziales Verbrechen" (Zielinski, Die Antike und wir). Die spätere Erkenntnis der Unfähigkeit ist viel bitterer als auf der Schule zurückbleiben. Wie schlecht fallen oft die Staatsprüfungen aus, wie vieler Leben ist infolgedessen verfehlt! „Soll der bereits unheimliche Zudrang zur Universität noch größer werden? Soll die schützende Mauer so niedrig gemacht werden, daß auch die Krüppel und Lahmen sich hinüberhelfen können?" (Aly, Gymnasium militans). Nein, eine höhere Schule darf keine Dreschmaschine werden, aus der eine entsprechende Menge Körner herauskommen müssen, wenn man nur tüchtig hineinstopft. In der Reformschule ist die Fernhaltung ungeeigneter Schüler von selbst gegeben; das ist das Geheimnis ihrer Erfolge. In derselben Weise muß sie auch an den übrigen höheren Schulen stattfinden.

Es muß regelmäßig und tatkräftig gearbeitet werden von der ersten Stunde des Schuljahres bis zur letzten. Man hört wohl öfters die Äußerung: Im Sommerhalbjahr ist nichts zu machen; da arbeiten die Jungen nicht. Wo letzteres der Fall ist, muß von allen Seiten mit allen Mitteln dagegen angekämpft werden; sonst können im weiteren Verlauf des Schuljahres keine befriedigenden Ergebnisse erzielt werden. Ebenso darf es kein Nachlassen in den letzten Tagen vor den Ferien geben und kein Schonen in den ersten Tagen nach den Ferien.

Der alte, allseitig anerkannte Grundsatz „Multum, non multa" muß mit Entschiedenheit durchgeführt werden. Man braucht deswegen die Lehrpläne gar nicht zu ändern. „Unsere Schüler leiden darunter, daß in allen Fächern volle Forderungen gestellt werden" (Matthias in der Schles. Dir.-Vers. 1905). Versetzungsordnung und Prüfungsordnung sehen über einzelne Fächer hinweg und gestatten einen Ausgleich. Die höheren Lehranstalten sind amtlich angewiesen, ihre „Eigenart zu pflegen". Also tun wir es! Wir kleben viel zu sehr an den „Lehrplänen", obwohl unsere oberste Behörde wiederholt erklärt hat, daß die Lehrpläne keine bindenden Vorschriften, sondern nur ein Wegweiser, ein Anhalt sein sollen. Gewähren wir den Schülern auf den obersten Stufen mehr Bewegungsfreiheit. Die starke Empfehlung derselben liegt in der Freude an der größeren Selbständigkeit und Freiheit, in der Anregung freier Selbstbetätigung und in der Freude an dem durch freiwillige Arbeit errungenen Erfolge. Keineswegs rede ich aber einem Sichgehenlassen das Wort, einem schlaffen den Neigungen Nachhängen. Es liegt eine unschätzbare Geisteszucht und Erziehungsmacht darin, wenn der junge Mann alle Kräfte anspannen muß, um etwas Anständiges zu leisten auch auf einem Gebiete, wofür er nicht besonders begabt ist und wozu er keine besondere Neigung verspürt. Im Leben werden wir auch nicht bloß vor Lieblingsaufgaben gestellt. Also man sehe sich die Schülerpersönlichkeiten an, denen man die Bewegungsfreiheit zugestehen will, und man lasse nie die Eigenart der Schule aus dem Auge[1]).

Der Lernstoff ist allenthalben zu beschränken, um für die Anregung zur Selbsttätigkeit des Geistes Raum und Zeit zu gewinnen — ein ergiebiges Arbeitsfeld für Lehrer- und Direktorenversammlungen. Lebendige, innere Teilnahme, wachsende Geisteskraft, Schärfung der Urteilskraft, Begeisterung, Willenskräftigung, das sind unsere Ziele. Nicht Vielwisser, sondern klar denkende, warmherzige, willensstarke Männer wollen wir heranbilden, Männer, die Kopf und Herz auf dem rechten Fleck haben. Lassen wir nicht auswendig lernen, sondern inwendig! Kein Formel- und Regelkram, sondern geistige Durchdringung, Einsicht in die Entwicklung! Wissenschaftlicher Sinn beruht auf dem Streben nach Einsicht in die Gründe des Seienden. Dieser philosophische Zug kann und muß sich überall zeigen, selbst beim Abfragen von Wörtern, indem man die Abstammung, die Wortbildung, die Grundbedeutung und den Bedeutungswandel gebührend berücksichtigt. Area die Tenne, wieso denn? Der Schüler fragt nicht; aber wir müssen ihn dazu anhalten, sich oder uns zu fragen, sonst lernt er ebenso bereitwillig und geistreich area die Pudelmütze. Man lasse nicht Formen lernen, sondern man lasse sie vor den Augen der Schüler an der Tafel entstehen, und man lasse die Formen bilden, so daß der Schüler zu fortwährender eigener Gedankenarbeit angeregt wird. Nicht ut regiert den Konjunktiv, sondern der Inhalt des Satzes verlangt ihn. Und immer gehe man vom Deutschen aus und zeige das Verhältnis der Fremdsprache zum Deutschen. Die grammatischen Grundbegriffe sind manchem Primaner noch nicht klar geworden, so daß er in die größte Verlegenheit kommt, wenn er z. B. sagen soll, was ein Attribut ist. Die Einsicht, warum bei invidere der Dativ steht, ist das die Geisteskraft Anregende und daher Wertvolle, wertvoller sicher als das gedächtnismäßige Wissen, daß invidere den Dativ „regiert“. „Der Buchstabe tötet, der Geist macht lebendig“. Der Leipziger Chemiker

---

[1]) Maßvoll und vorsichtig behandelt alle hier in Betracht kommenden Fragen Cramer, Die freiere Behandlung des Lehrplans auf der Oberstufe Berlin 1907, Weidmannsche Buchhandlung.

Ostwald hat vor kurzem (3. XII. 07) in einem Vortrage in Wien
den Sprachenbetrieb geradezu für bildungsfeindlich erklärt. Beweisen wir das Gegenteil; beweisen wir, daß Luther recht hat,
wenn er sagt: „Die Sprachen sind die Scheide, darin das Messer
des Geistes steckt"!· Der sehnsuchtsvolle Ruf „Mehr Geist!", der
die im Stofflichen zu ersticken drohende Kultur unserer Zeit
durchzittert, muß auch in der Schule Erhörung finden. Nicht
verba und nicht res, sondern per res et verba ingenium ac mores!
In der Religion liegt verzweifelt wenig an äußerlichem Wissen;
Religion ist tief im Herzen zu begründen. Der deutsche Unterricht begnüge sich nicht mit Inhaltserklärung und Aufbau eines
Dramas, sondern zeige die psychologische Entwicklung, großzügige
Menschennaturen und ergreifende Menschenschicksale, welche die
ganze Seele des Schülers erfüllen und seinen Willen mächtig
anregen! Ebenso lasse man in der Geschichte die gewaltigen
Persönlichkeiten auf das Gemüt des Knaben wirken, und den
Reiferen lasse man in die großen Zusammenhänge und in die
beherrschenden, treibenden Ideen einen Einblick tun! Von Formeln
und Regeln, mit denen die Mathematik viel zu tun hat, ist oben
schon die Rede gewesen. Die Naturwissenschaft zeige das reiche,
weise geordnete Leben in der Natur und die Beziehungen zum
Menschenleben[1])!

Auf diese Weise werden in der Unterrichtsstunde Lehrer
und Schüler vom Buche unabhängig arbeiten; und das muß
der Fall sein so weit als irgend möglich.

Der philosophische Geist, der den ganzen Unterricht durchdringt, ist ncoh mehr wert als propädeutischer Unterricht
in der Philosophie. Aber diesem ist auch die größte Bedeutung beizulegen, gerade in unserer Zeit, als einem Mittel gegen
die Zerfahrenheit, Urteilslosigkeit und äußere, materielle Richtung
unserer Zeit und als hervorragendem Mittel zur Erzeugung wissenschaftlichen Sinnes. Natürlich kommt es bei diesem Unterricht
nicht auf die Breite an, sondern auf die Tiefe; er muß den Er-
kenntnistrieb wecken, den Hunger nach der Lösung der großen
Aufgaben des Menschengeistes; er muß nicht Philosophie, sondern
philosophieren lehren.

Teilnahme und Eifer werden ganz besonders erweckt durch
geschickte Verwertung der Beziehungen des Unterrichtsstoffes zur Gegenwart. Über den altsprachlichen Unterricht
hört und liest der Schüler so schiefe, Urteile und so unver-
ständige Vorurteile, daß es nötig ist, dem Schüler zum Bewußtsein zu bringen, und zwar durch den Unterricht, nicht streitend,
von welcher Bedeutung eine wissenschaftliche Einsicht in das ge-

---

[1]) Vgl. meine Abhandlung „Die deutsche höhere Schule in den Strömungen und Strebungen der Gegenwart" I (Jahresbericht des Kgl. Gymn.
Sagan, 1897).

schichtliche Werden unserer Bildung und Gesittung ist, in den
innigen Zusammenhang unseres Geisteslebens und gerade des
Geisteslebens der Größten und Besten unserer Nation mit den
großen, ewig bedeutsamen Geistesströmungen des Altertums.
Ebenso muß aus dem Unterricht hervorgehen, daß wir nicht
Grabwächter der Alten sind und nicht auf den Gräbern der Alten
mit unseren jugendfrischen und gegenwartsfreudigen Schülern einschlafen wollen, sondern daß wir auf dem Grunde des Verständnisses der Vergangenheit bewußt und tatkräftig arbeiten für die
Gegenwart, um uns tüchtig zu machen zur Lösung der großen
Aufgaben unserer Zeit[1]). Im Anschluß an Plato lassen sich
grundlegende Fragen und Probleme der Philosophie darlegen in
ihrer Bedeutung für das Geistesleben der Menschheit und für die
Geschichte der Geisteswissenschaften. Es läßt sich ein philosophischer Standpunkt begründen, eine Lebensanschauung, eine
Willenserziehung für den ewigen Kampf des Lebens zwischen
Materie und Idee, zwischen Fleisch und Geist, zwischen den
„zwei Seelen, die wohnen, ach, in unsrer Brust". Viele Fäden
spinnen sich von Plato und den Sophisten zu Kant und Nietzsche.
Aus der Lesung der Antigone muß das Verständnis des Wesens
der Tragödie erwachsen. Euripides leitet uns zum Naturalismus
unserer Zeit. Im Horazunterricht läßt sich oft überraschend
Ähnliches herbeiziehen aus dem deutschen Schrifttum. Also seien
wir keine „Mumien mit Glasaugen", und machen wir auch unsere
Schüler nicht dazu!

Solchen Grundsätzen entsprechend, können wir natürlich bei
der Reifeprüfung keinen Wert legen auf eine Masse oder
Fülle oder Vollständigkeit stofflichen Wissens, sondern auf die
Bekundung geistiger Reife oder geistigen Reifens, auf den Flügel-
schlag eines erstarkenden, flügge werdenden Geistes. Die Prüfung
darf nicht den „Charakter einer peinlichen Gepäckrevision" haben
(Weißenfels, Kernfragen I 75), sondern sie trage ihrem Namen
Rechnung und mache ihm Ehre! Nicht πολυμαϑίη, sondern
πολυνοΐη!

Allenthalben herrsche mehr Fröhlichkeit, nicht die steifleinene Beamtengrämlichkeit! „Froh der Schüler, froh der Lehrer,
froh und fröhlich der Direktor!" (Wychgram in einer Rede über
das Mädchenschulwesen). Steht es so in Wirklichkeit? Die
Jugend lechzt nach Freude. Gönnen wir ihr und verschaffen wir
ihr alle denkbaren reinen Freuden, damit wir die unreinen fern-
halten! Kommen wir ihren Neigungen und Wünschen in wissen-

---

[1]) Darüber handelt eingehend meine Rede „Das alte Gymnasium im
Dienste der neuen Zeit", Heidelberg 1904, Winter. Cauer, Palaestra vitae
ist von diesem Geiste durchdrungen. Nachdrücklich ist darauf hingewiesen
in dem Aufsatz von A. Busse „Die Vorstellungswelt unserer Schüler"
(Monatschr. f. höh. Schul. 1906, S. 417—426).

schaftlicher und künstlerischer Beziehung tunlichst entgegen, lassen
wir sie zu diesem Zwecke sich vereinigen, machen wir mit ihr
Ausflüge, mehr als einen im Jahre, pflegen wir mit ihr Leibesübungen aller Art! Der Griesgram erschwert sich und den
Schülern die Arbeit; der fröhliche Lehrer hat gewonnenes Spiel.
Damit will ich nicht etwa sagen, daß er fortwährend Witze reißen
soll, und auch nicht, daß er den Schülern ernste Arbeit ersparen
soll, aber die ernste Arbeit geschehe mit Fröhlichkeit! Dann hat
das Schülerwort keine Bedeutung mehr: „Das Leben ist der
Güter höchstes nicht, der Übel größtes aber ist die Schule".
„Heiterkeit ist der Himmel, unter dem alles gedeiht, Gift ausgenommen" (Jean Paul).

   Nach diesen großen Gesichtspunkten stelle ich nur noch
kurz folgendes zusammen. Für mündliche und schriftliche
Gewandtheit der Schüler im Deutschen sei jeder Lehrer
eifrigst besorgt! Jeder zeige, wie der Schüler erfolgreich
arbeiten kann und soll! Jeder wiederhole stetig und fleißig
und in der anregenden, Freude am Wissen und Können,
erzeugenden Art, über die so schön und lehrreich handelt
A. Matthias, Prakt. Päd.² S. 118 ff. Die Besonderheit des
Schülers werde nach Möglichkeit berücksichtigt! Es muß
dem Schüler gestattet sein, jederzeit Fragen zu stellen; ja man
muß ihn geradezu dazu anregen. Die Wirkung von Muster-
leistungen beim Übersetzen, bei Aufsatz- und Stilübungen
werde nicht unterschätzt! Die Aufgaben zu den schriftlichen
Klassenarbeiten seien mit Sorgfalt ausgewählt, keine Sammlung von versteckten Fallen „im Dienste der Kriminalpädagogik"
(Matthias, Päd.² S. 45)! Man verhüte nach Kräften das
Abschreiben und den Gebrauch gedruckter Übersetzungen!
(Tadellose Übersetzung des Durchgenommenen ist zu verlangen,
beim Neuen jede billige Rücksicht zu nehmen.) Stete Selbst-
beobachtung und strenge stündliche Selbstbeurteilung sowie
Verwertung guter pädagogischer Abhandlungen sind von
großem Vorteil; desgleichen öftere Lehrerberatungen, über
die Entwicklung der Schüler. Der Besuch der Lehrstunden
der Amtsgenossen ist als ein vortreffliches Mittel zur Hebung
der Erfolge des Unterrichts mehrfach erprobt (in Berlin und
Görlitz). Wissenschaftliche Vorträge seitens der Lehrer sind
höchst anregend und fruchtbar. Eine Herabsetzung der zulässigen Höchstzahl der Schüler ist sehr zu wünschen. Der
Direktor muß ein überlegener Geist und eine gewinnende
Persönlichkeit sein; und er muß Zeit haben, wirklich als
leitender Geist die ganze Anstalt zu durchdringen. Auf den
Direktor möchte ich gern die Stelle in den Piccolomini (I 4) anwenden:

   „Eine Lust ist's, wie er alles weckt
   Und stärkt und neu belebt um sich herum,

> Wie jede Kraft sich ausspricht, jede Gabe
> Gleich deutlicher sich wird in seiner Nähe!
> Jedwedem zieht er seine Kraft hervor,
> Die eigentümliche, und zieht sie groß,
> Läßt jeden ganz das bleiben, was er ist;
> Er wacht nur drüber, daß er's immer sei
> Am rechten Ort".

Öftere Besichtigungen durch die Provinzialschulräte können sehr segensreich wirken. Über freundliche, mehr anerkennende und ermunternde als abweisende und tadelnde Revisionen der Vorgesetzten handelt in herzerquickender Weise A. Matthias in der Monatschr. f. höh. Schulen 1905, 1. Diese und andere Verwaltungsangelegenheiten zu erörtern wäre unserem Zwecke dienlich; aber hier ist wohl nicht der rechte Ort dafür.

II. Persönlichkeit, amtliche und außeramtliche Stellung des Lehrers.

Von der höchsten, ja von einer zauberhaften Bedeutung ist aber die Persönlichkeit des Lehrers. Sie zieht an, sie stößt ab, sie regt an, sie stumpft ab, sie erhellt jedes Dunkel, sie läßt alles unklar, sie erwärmt, sie läßt kalt, sie reißt fort, sie erregt Widerwillen, sie erzeugt freudige, schöne Leistungen, sie erzielt bei allem Zwange nichts Befriedigendes. Wodurch, das ist schwer zu sagen. Man sagt, der Lehrer müsse geboren sein. Vor der Seele dieses geborenen Lehrers schwebt ein Urbild, nach dem er stetig trachtet, nach dem er schafft und meißelt; seinen Geist haucht er in die Seele des Jünglings, bewußt und unbewußt; dieser wird Fleisch von seinem Fleisch und Bein von seinem Bein. Die weihevollsten Stunden sind die, in denen nicht gelehrt und nicht gefragt und nicht geantwortet wird, sondern der Lehrer bei Erörterung und Wertung des Unterrichtsstoffes sein Innerstes enthüllt und die Jünglingsseele erbebt vor der Macht und Würde einer edlen, ausgereiften Persönlichkeit. Dazu gehört ein klarer Kopf, ein warmes Herz, ein sonniges Gemüt, ein hochstrebender, tatkräftiger, von Mißerfolgen und Enttäuschungen sich nicht beugen lassender Wille, ein ganzer Mann, der mit Stolz und Freude sich bewußt ist, daß er mehr zu leisten hat als gar mancher Angehörige dieses oder jenes hochangesehenen Berufes, daß ihm das Heiligste anvertraut ist, das er in Ausübung „staatlichen Hoheitsrechtes" nicht nur, sondern auf Grund göttlicher Sendung von Geschlecht zu Geschlecht hüten und wahren soll.

Ein solcher Mann amtiert nicht bloß verstandesmäßig, sondern mit künstlerischer Einbildungskraft, mit Gemüt, mit persönlicher Teilnahme, mit Heiterkeit und Geduld, mit dem Feuer der Begeisterung, welches ihn, wenn er auch nicht mehr jung ist, von seinem Sitze aufschnellen und mit Jugendfrische vor seine Klasse treten läßt. Für ihn sind die Schüler auch

noch da nach dem Glockenschlage der letzten Stunde. Ihr
ganzes Sein und Streben, ihre Lust und ihr Leid hält er in
seiner Hut. Durch zarte Fürsorge außerhalb des Unterrichts
lernt er seine Schüler erst recht kennen, und mancher wird dadurch erst für die Sache der Schule gewonnen und auf den
rechten Weg zu seinem Lebensziele geführt, manchmal durch ein
freundliches Wort, durch eine Anerkennung, durch eine Er-
munterung, durch ein Buch. Ein solcher Lehrer braucht nicht
immerfort zu sagen: Du sollst, du mußt; die Schüler tun ihm
alles zuliebe.

Um diese persönliche Teilnahme am Unterricht, diese geistige
Frische und Lebendigkeit zu bewahren, muß der Lehrer wissenschaftlich tätig sein, nicht im „Stunden geben" verdorren,
nicht von der Hand in den Mund leben. Wissenschaftliches
Streben, das gibt seiner Tätigkeit die Weihe, das spornt auch
die Schüler an. Besonders frommt jedem Oberlehrer die Beschäftigung mit der Philosophie; diese gewöhnt an Erforschung
der Gründe aller Erscheinungen; sie verhütet am besten Einseitigkeit und Kleinlichkeit, sie richtet den Blick auf das Große
und Ganze. Eine vortreffliche Anspornung sind wissenschaftliche
Kurse, die aber nicht in die Ferien gelegt werden sollten.

Aber woher soll ich denn die Zeit nehmen? wird mancher
seufzen. Und ich muß den Einwand teilweise als berechtigt
anerkennen, besonders wenn jemand körperlich nicht ganz
kräftig ist. Aber alle sind nicht überlastet. In manchen
Fällen könnte die Arbeitslast gleichmäßiger verteilt werden[1]. Es
könnten auch weniger Schülerarbeiten geschrieben werden, ohne
gegen den Willen der Lehrpläne und der Behörden zu verstoßen.
Endlich ist zu hoffen, daß die Verhältnisse sich bessern, sobald
nur mehr Menschen den Behörden zur Verfügung stehen. Vielleicht ist dann auch eine Herabsetzung der Pflichtstundenzahl zu
ermöglichen und eine Herabsetzung der Schülerzahl in den
einzelnen Klassen. Entschiedener Wille der preußischen Unterrichtsverwaltung ist es, zur Förderung wissenschaftlichen Strebens
und Arbeitens die nötigen Erleichterungen eintreten zu lassen,
und auch den Anstaltsleitern sind in dieser Beziehung Befugnisse
eingeräumt.

Freilich wäre es schön, wenn etwas Anerkennung, Auszeichnung und Lohn, wonach alle menschliche Tätigkeit dürstet,
auch der Tüchtigkeit des Jüngeren winkte und nicht alles von
dem leidigen Dienstalter abhinge, mit dem leider auch eine Zunahme des Lebensalters verbunden ist.

Die amtliche Stellung und das Ansehen unseres immer
noch in der Entwicklung begriffenen Standes in der Gesellschaft

---

[1] Vgl. den sachkundigen Aufsatz „Schulfragen" in den Grenzboten,
24. Aug. 1905, S. 411 f.

hat sich bedeutend gehoben dank der warmen Fürsorge der deutschen Fürsten und der Behörden und dank dem Eifer, mit dem an der inneren Ausgestaltung unseres Standes gearbeitet worden ist. Natürlich muß ein jeder auch fürderhin durch sein ganzes Auftreten in und außerhalb der Schule sich sein Ansehen selbst schaffen und es wahren und fördern. Manche Wünsche werden hoffentlich noch in Erfüllung gehen, und auf diese Weise werden auch mancherlei Hemmnisse der Lehrertätigkeit von selbst schwinden. Man geht damit um, eine „Laufbahn" für die Volksschullehrer zu schaffen; für die Oberlehrer wäre eine solche ebenso wünschenswert. Und sie wäre nach meinem Dafürhalten unschwer zu schaffen. Vermehrte Aussicht auf Beförderung würde natürlich die Berufsfreudigkeit erhöhen und das Ansehen des Standes auch bei der Jugend heben.

Neisse.   Otto Michalsky.

Zur Auffassung der 6. Römerode des Horaz.

Als Ergebnis nüchterner Verstandesarbeit, die auf uns Nachfahren Goethes oft genug erkältend wirkt, charakterisiert sich uns die Lyrik des Horaz. Nur selten wird uns warm bei seinen Liedern. Daß der Dichter jedoch auch wirklich echte Herzenstöne findet, beweist neben Gedichten wie dem innigen IV 5: divis orte bonis die 6. Römerode, wie mir scheint, besonders deutlich. Aber nirgends finde ich diese lyrische Schöpfung des Horaz in ihrer Eigenart gebührend gewürdigt. Und doch bricht sich hier eine Urgewalt seelischer Erregung Bahn, die den Dichter seine und des Augustus Absichten völlig vergessen läßt.

Gelassen beginnt trotz der Bedeutung des Gegenstandes der Dichter; und er darf gelassen bleiben. Denn wenn es auch heißt: „Du wirst, o Römer, obwohl selbst unschuldig, die Sünden der Väter büßen", so wird doch sofort ein Ende der Leiden prophezeit in dem Augenblicke, da die gesunkenen Tempel wieder auferstehen. Wir haben nur eine energischere Wendung des Gedankens vor uns: „Baut die Tempel auf, sonst geht es euch weiter schlecht". Die Huld der Götter für die Zukunft ist nicht etwa verloren, sie ist nur an eine leicht erfüllbare Bedingung geknüpft. Darauf wird in jenem sattsam bekannten „gefrorenen Pathos" erzählt, welch Unheil den Römern bereits widerfahren ist oder beinahe widerfahren wäre.

Dann fährt der Dichter fort:

Fecunda culpae saecula nuptias
Primum inquinavere et genus et domos.
Hoc fonte derivata clades sqq.

Ach! An Sünde reich hat die Zeit zuerst die Ehe und die Rasse
und das Familienleben verseucht. Das ist die Quelle, aus der
der Strom des Unheils sich ergossen hat über Land und Volk.

Mit gutem Grunde habe ich die klagende Interjektion an den
Anfang dieses Absatzes gestellt. Auf einmal glaubt man hier den
Herzschlag des Dichters zu fühlen, mit einem Schlage setzt hier
echtes Pathos ein. Man beachte die Fülle des erregten Ausdrucks
in nuptias et genus et domos, als könne der Dichter sich nicht
genugtun in der Darstellung dieser Verderbtheit.   Und zwar tritt
diese veränderte Stimmung so jählings ein, daß ein völliger Bruch
mit dem ersten Teile des Gedichts erfolgt, wie das unter anderem
bereits K. Lehrs empfunden und ausgeführt hat. Vers 1—16 besagen: Gottesfurcht ist die Grundbedingung unseres Gedeihens.
Und hier heißt es ohne jeden Versuch einer Überleitung oder
Verbindung: Unsittlichkeit richtet uns zugrunde. Daß ein Erklärer, wie es wohl geschieht, den Riß zu verkleistern imstande
ist, tut hier nichts zur Sache; Horaz selbst hat, dieser Gedanke
muß ganz nackt herausgeschält werden, nicht den leisesten Versuch einer Verzahnung gemacht. Und in immer größerer
Leidenschaftlichkeit malt er dann mit den glühendsten Farben die
Schamlosigkeit der Mädchen und die wahllose Hingabe der Ehe-
frauen an den ersten schlechtesten hergelaufenen Kerl, wenn er
nur brav bezahlt für ihre Schande (dedecorum pretiosus emptor).
Wer den raschen Pulsschlag dieser von sittlicher Empörung durch-
bebten Strophe spürt, der wird nicht mehr philiströs von Tauto-
logie und Pleonasmus sprechen gegenüber

> sed iussa coram non sine conscio
> surgit marito,

sondern wird jeden einzelnen Ausdruck recht scharf accentuieren:
auf Geheiß (scil. des Gatten) ganz öffentlich vor den Leuten, und
der Gatte weiß es, wobei iussa und non sine conscio marito nicht
zusammenfallen [1]); der Gatte hat ihr nicht nur befohlen, mit
ihrem Leibe Geld zu verdienen, sondern er ist auch vorurteilslos
genug, dem Geschäft beinahe zu assistieren. So aufgefaßt gibt
die Strophe die tiefe Empörung des Dichters wieder, daß man
sein Ächzen zu hören meint über die bodenlose Schamlosigkeit
dieses Gesindels.

Das waren anderer Eltern Kinder (non his iuventus orta
parentibus), so fährt der Dichter fort, die einst Roms Schlachten
schlugen, damals gab es noch harte Zucht in latinischen Landen,
die unsere Jungen stählte mit schwerer Arbeit bis zum Feier-
abend. Denn dieses anheimelnde Wort wird man anwenden
müssen, wenn man der weichen Stimmung der Verse gerecht
werden will:

---

[1]) Ebenso erklärt Porphyrio: scilicet facere non permittente tantum
marito, sed etiam iubente.

                sol ubi montium
        mutaret umbras et iuga demeret
        bobus fatigatis, amicum
            tempus agens abeunte curru.

Das ist keine ganz bodenständige Poesie, wohl wahr; Erinnerungen an griechische Vorbilder werden mitgeholfen haben;
das Homerische: ἦμος δ’ ἠέλιος μετενίσσετο βουλυτόνδε wird
Horaz mitgeklungen haben, wie es uns mitklingt; aber wie meister-
lich ist doch das fremde Gut genutzt, den tiefen Abendfrieden
für den Arbeitsmüden zu malen.

Der Dichter ist ins Träumen geraten; sein Geist, entrückt
den Greueln der Gegenwart, hat sich tief versenkt in glückliche
Fernen. Da schrickt er auf: Und wie steht's heute? Mit noch
verhaltener Leidenschaft hebt die letzte Strophe an:

        damnosa quid non imminuit dies?

Und dann die mächtig einherrauschenden Verse:

        aetas parentum peior avis tulit   .
        nos nequiores, mox daturos
            progeniem vitiosiorem.

Den rasenden, bedingungslosen Verfall der Römerwelt von
Stufe zu Stufe innerhalb der letzten Generationen, den völlig
hoffnungslosen Ausblick in die Zukunft in drei Versen zu schildern,
das mache dem Dichter erst einer nach; das ist nicht auszuklügeln,
auf einmal ist es da, und Horaz hat selbst nicht gewußt, von
wannen es kam. Das ist ekstatische Kunst. Und wie hier die
charaktervolle, zielstrebige alkäische Strophe die Grandiosität der
Diktion noch hebt und wie hier die eigenartige Wucht der lateinischen Sprache geradezu zerschmetternd wirkt! So ist es in Wahrheit mit diesem „hübschen Gedicht“ beschaffen, wie es Lehrs
nennt. Ein gigantisches Gedicht ist es, in heiligem Zorn geboren,
wie es seinem Schöpfer nicht zum zweiten Male geglückt ist.

Mit einem gellenden Verzweiflungsschrei schließt der Dichter:
Laßt alle Hoffnung fahren! Vielleicht hat der ungewöhnliche Ausdruck: daturos progeniem eine verächtliche Schattierung des Gedankens, die man wiedergeben könnte: bestimmt, eine noch ärgere
Sippe in die Welt zu setzen. Jedenfalls schließt das Gedicht mit
einem hoffnungslosen Aufschrei, und somit steht der Schluß in
schroffem Gegensatz zum Anfang. Bei Kießling-Heinze heißt es
in der Einleitung zunächst ganz meiner Auffassung entsprechend:
„und schließt (scil. der Dichter) absichtlich mit der Aussicht auf
unaufhaltsamen Verfall“[1]). Wenn ich aber weiter lese: „um so

---

[1]) Die Anmerkung zur Schlußstrophe lautet: „So geht es unaufhaltsam
abwärts und wird weiter abwärts gehen, wenn nicht die in den ersten
Strophen gepredigte Rückkehr zur Gottesfurcht eintritt“. Nein, die Pro-
phezeiung des Untergangs ist an gar keine Bedingung geknüpft. Wer aus
der letzten Strophe noch ein „wenn“ heraushört, der empfindet nicht ihre
zermalmende Wucht.

die Gemüter aufzurütteln und für die von Augustus wohl schon
frühe zur Hebung der Sittlichkeit geplanten Maßnahmen empfänglich zu machen", so kann ich diesen Finalsatz ebensowenig wie
irgend einen andern unterschreiben, meine vielmehr, daß der
Dichter hier einmal in dichterischer Verzückung vergißt, was er
eingangs gesagt hat (donec templa refeceris), vergißt, was er und
doch wohl auch Augustus mit diesem Odenzyklus bezweckten, und
nun — an ungelegenster Stelle — seine tiefste wahre Herzensmeinung herausprudelt, wie sie ihm jetzt gerade die Stimmung
des Augenblicks eingab, seine Verzweiflung an der moralischen
Wiedergeburt wenigstens der Kreise, in denen er selber verkehrte.
Monte decurrens velut amnis, imbres quem super notas aluere
ripas, fervet; brausend ergießt sich der Strom der Begeisterung,
über seine Ufer schwellend, in ein neues Bett und strömt unaufhaltsam einem neuen Ziele zu. Begreifen kann man diesen plötzlichen Ekel und diesen Ausbruch der Verzweiflung sehr wohl;
man braucht nur an Augustus selber zu denken, der so beflissen
ist, der Unzucht durch Gesetze zu steuern, ohne sich selbst im
mindesten zu zügeln. Quid leges sine moribus vanae proficiunt?

Eine Frage bleibt freilich zu beantworten: Wie konnte Horaz
ein Gedicht, das so wenig den Absichten des hohen Herrn entsprechen konnte, dessen Auftrage oder doch Wunsche diese Lieder
ihre Entstehung verdanken mochten, wie konnte Horaz dieses
Gedicht unter die Römeroden aufnehmen und an so bedeutungsvolle Stelle setzen? Nun, der Dichter hat wohl Verständnis genug
gehabt, einzusehen, daß dieses „illegitime" Kind, im Rausche einer
ihm sonst fremden Begeisterung erzeugt, erhalten bleiben mußte,
so wenig es sich auch in seine Umgebung fügen mochte.

Groß-Lichterfelde b. Berlin.   Lothar Wendriner.

Kritische Bemerkungen zu Cäsars Bellum Gallicum.

H. Meusels allseitig anerkannte Ausgabe ist in zweiter Auflage
erschienen[1]). Sie ist nicht nur im Titel geändert, sondern der
erste Blick zeigt dem Leser, daß sie noch splendider als früher
ausgestattet ist, daß direkte und indirekte Rede im Druck unterschieden und die Kapitel, wo es nötig schien, in kleinere Abschnitte zerlegt sind; die in Schulbüchern übliche Orthographie
ist durchgeführt, und auf Grund sorgfältigster Prüfung sind viele
Änderungen, geringe und erheblichere, vorgenommen, deren
Verzeichnis den Lehrern von der Verlagsbuchhandlung unentgelt-

---

[1]) C. Iulii Caesaris commentarii rerum in Gallia gestarum VII.
A. Hirtii commentarius VIII. Für den Schulgebrauch herausgegeben von
H. Meusel. Mit einem Anhang: Das römische Kriegswesen zu Caesars Zeit
von R. Schneider. Zweite Auflage. Berlin 1908, W. Weber. XV u.
284 (u. 16) S. 8. geb. 1,60 ℳ.

lich angeboten wird. Meusels ausgezeichnete Darstellung über
Leben und Schriften Cäsars ist, fast unverändert, wieder vorangestellt, und hinten findet sich das Verzeichnis der Eigennamen
und R. Schneiders knapp gefaßter, aber inhaltreicher Aufsatz über
das römische Kriegswesen. Darin ist auf Grund seiner und
E. Schramms jüngsten Arbeiten der Abschnitt über die antiken
Geschütze völlig umgearbeitet, die Zeichnungen der vinea und
der turris ambulatoria sind durch bessere ersetzt, und statt
der früheren catapulta und ballista sind ein steinschleudernder
Einarm und ein zweiarmiges Pfeilgeschütz in Vorder- und Seiten-
ansicht in zuverlässigen Darstellungen gegeben; hinter 'erreicht'
S. 279 M. ist 'beim Einarm' hinzuzusetzen, und S. 277 unter der
betreffenden Figur zu 'Signum' noch die Worte 'eines Manipels'.
In der Mitte derselben Seite stände statt der unantiken 'Fahnen'
vielleicht besser 'Feldzeichen'. Da es S. 271 heißt: „Das Lager
war das Abbild einer wohlangelegten Stadt“, so hätte auf S. 278
beim 'Kampf um feste Plätze' gesagt sein sollen, wie eine wohl-
angelegte Stadt befestigt zu sein pflegte. S. 267 wäre mit Rücksicht auf II 25, 2 die Bemerkung zweckmäßig gewesen, daß auch
der Feldherr nicht ohne Schild war. — Auf der von Meusel beigegebenen Karte von Gallien sind die Namen *Metiosedum* und
Lutetia unverändert geblieben, auch S. XV Z. 3 das Wort 'Paris',
das den Leser in dieser Umgebung zu modern anmutet.

Über die Textveränderungen wird H. Meusel selbst in den
Jahresberichten des Philologischen Vereins zu Berlin Rechenschaft
geben; daher begnüge ich mich, hier noch einige Vorschläge an-
zufügen in der Hoffnung, daß er von dem einen oder anderen
wieder bei einer neuen Auflage wird Gebrauch machen können.

Wie Meusel IV 7, 3 *venisse* ⟨*se*⟩, IV 27, 5 *ignoscere* ⟨*se*⟩,
V 36, 2 *sperare* ⟨*se*⟩ ergänzt hat, so ist vielleicht auch I 14, 3
deponere ⟨*se*⟩ zu vervollständigen.

I 19, 1 ist nach meiner Meinung *cum* (für *quod*, dem vorhergehenden *cum* koordiniert) *a magistratu Haeduorum 'accusaretur*
zu schreiben und dieser Satz vor *quod ea omnia .. iniussu suo ..
fecisset* zu setzen, so daß *iniussu suo* sich auf *magistratu* (= Liscus,
vgl. 18, 1) zurückbezieht.

I 31, 2 möchte *se* vor *venturos* in *suos* zu verwandeln sein,
so daß bestimmt die Geiseln § 15 gemeint sind.

I 31, 16 ist *auctoritate .. exercitus* auffällig. 33, 1 *auctoritate*
meint nur Cäsars maßgebendes Ansehen, und etwas anderes ist
IV 16, 7 *opinionem eius exercitus*. Man sollte 31, 16, unter
Wegfall von *atque*, umgestellt erwarten: *vel exercitus recenti victoria*.
Auf diese Weise entstehen drei gleichgebaute, einander genau
entsprechende Glieder.

Da I 36, 3 *armis congressi* nur *quoniam belli fortunam temptas-
sent* aufnimmt, so bleibe ich bei meiner Meinung, daß das folgende
ac zu tilgen ist.

44*

I 41, 3 verdient *per* B²β den Vorzug vor *cum* α.

I 51, 3 ist *milites* mit a f wegzulassen, zumal es bei Cäsar selten von Nichtrömern gebraucht wird.

II 30, 4 dürfte die geringe Änderung ausreichend sein: *turrim* a d (für *in*) *muros* (mit α) .. *conlocare*. Daß der Plural *muri* auch von einer Stadtmauer vorkommt, zeigen Stellen in Meusels Cäsar-Lexikon. Im übrigen verweise ich auf diese Zeitschr. XLVIII S. 772.

III 4, 1 wird das überlieferte *rebus .. conlocandis* geschützt durch B. Alex. 33 *rebus .. conlocatis*.

Ist III 13, 6 *hac* hinter *confectae* noch Rest eines ehemaligen *et consutae*, das leicht hinter *confectae* verstümmelt werden konnte, aber nicht gut entbehrt werden kann?

III 24, 2 scheint *suam* hinter *multitudinem* ausgefallen zu sein, das der Deutlichkeit dienen und den Gegensatz zum folgenden *nostrorum* bilden würde.

IV 16, 7 ist *uti opinione .. tuti esse possint* ein störendes Einschiebsel nach § 6; es ist entstanden, weil man das mit *tantum* beginnende Epiphonem als solches nicht erkannte.

V 40, 1 empfiehlt der lateinische und im besonderen der Cäsarianische Sprachgebrauch die Konjektur: *praemiis si ⟨qui⟩ pertulissent*.

Sollte nicht Cäsars Redeweise die Ergänzung V 43, 7 *deturbati ⟨sunt⟩ turrisque succensa est* notwendig erscheinen lassen? *Sunt* konnte vor *turris* leicht ausfallen.

V 49, 2 hat Meusel meine Vermutung *Gallium ⟨alium⟩* aufgenommen. Aber danach kann doch wohl *repetit* nicht stehen bleiben, das nur als alte Konjektur anzusehen ist. Die Gewähr bietenden Hss. haben *repperit*. Man erwartet *petit* oder *expetit*.

VI 28, 4 stört der Satz *sed adsuescere .. excepti possunt* jedenfalls den Zusammenhang. Er ist entweder Randbemerkung eines Lesers zu § 3 *hos studiose foveis captos interficiunt*, oder er stand, vom Verf. selbst geschrieben, ursprünglich gleich hinter diesem Satze.

VI 37, 9 kann das von mir vorgeschlagene *paene* vor *nullum .. praesidium* um so weniger fehlen, als § 3 doch gesagt ist: *vix primum impetum cohors in statione sustinet*. VII 20, 12 ist *paene* nach *fame* in β hinzugefügt, VIII 8, 4 ist es nach *ratione* in β ausgefallen.

VI 40, 6 scheint *se .. recipere conati .. ⟨se⟩ demiserunt* notwendig.

VII 64, 2 sollte man nach *neque fortunam temptaturum* nicht *aut acie dimicaturum*, sondern das erklärende *et* erwarten.

VII 71, 9 ist *exspectare .. parat* seltsam; *his rationibus* gehört jedenfalls zu *bellum administrare*; daher ist *exspectare et* in *exspectans* zu ändern.

VIII 8, 3 ist *multitudinis* hinter *animus* schwerlich richtig, wenn auch jemand darin einen Gegensatz zum vorangehenden *consilio* suchen möchte; entweder ist es in *militum* zu ändern oder einfach zu streichen, indem im Genitiv zu *animos* die Mitglieder des Kriegsrats zu denken sind.

VIII 35, 3 möchte ich *dispositis* [*ibi*] *praesidiis* schreiben und 43, 1 *oppidi* hinter *moenium* stellen.

VIII 44, 1 ist *neque exitum consiliorum suorum animadverteret* nicht zu halten; man erwartet etwa *neque exitum negotiorum fore animadverteret*, und darauf, unter Berücksichtigung von *Sβ, plures ⟨rebellandi⟩ consilia inissent.*

Groß-Lichterfelde. Wilhelm Nitsche.

Die Konjectur eines Schülers zu Tacitus' Agricola c. 24.

Die Stelle gehört nicht zu denen, an welchen der Philologe nicht vorbeikommt, ohne einen Heilungsversuch zu machen; den Herausgebern erscheint im Gegenteil alles hinreichend klar und deutlich:

Agricola expulsum seditione domestica unum ex regulis gentis (Irlands nämlich) *exceperat ac specie amicitiae in occasionem retinebat. saepe ex eo audivi legione una et modicis auxiliis debellari obtinerique Hiberniam posse; idque etiam adversus Britanniam profuturum, si Romana ubique arma et velut e conspectu libertas tolleretur.*

Die einzige Schwierigkeit, die man hier fand, war die Beziehung des *ex eo*; es von dem Häuptling zu verstehen, wie zunächst liegt, verwehrt der Umstand, daß Tacitus nicht in Britannien gewesen ist. So weisen uns die Erklärer denn an, *ex eo* von Agricola gelten zu lassen, und zeigen durch einige andere Stellen, dafs solche Härte nicht untaciteisch sei. Aber indem man so den grammatischen Anstand beseitigte, schuf man einen viel schlimmeren sachlichen, ohne ihn freilich zu sehen. Zu meiner Freude wurde er bei der Besprechung der Stelle von der Klasse gefunden: Agricola bezichtigt sich selber einer groben Pflichtvergessenheit, wenn er eine so bequeme Gelegenheit, das Reich zugleich zu sichern und zu vergrößern, gesehen und unbenutzt gelassen.

Wie hier zu helfen, hatte ich nicht gesehen; ich mußte mich begnügen, auf die Schwierigkeiten aufmerksam zu machen. Aber noch war ich nicht fertig, da erhob sich ein Primaner mit der Frage, ob man denn nicht *audivit* für *audivi* lesen könne. Und zweifellos hat er damit das Richtige getroffen. Das sachliche Bedenken ist hinfällig geworden, *ex eo* hat seine natürliche Beziehung gewonnen, und die Tempora in *posse* und *profuturam* passen jetzt erst; denn bei der so lange angenommenen Erklärung hätte es doch *potuisse* und *profuturum fuisse* heißen müssen.

Marienburg. Fr. Heidenhain.

ZWEITE ABTEILUNG.

LITERARISCHE BERICHTE.

Deutsche Schulausgaben. Herausgegeben von J. Ziehen. Leipzig, Dresden, Berlin. L. Ehlermann.

1) **Band 48. E. Stutzer, Lehrbuch zur deutschen Staatskunde. 168 S. 8·**

Als ich unter den mir von der Redaktion dieser Zeitschrift neulich zugesandten Bänden auch den mit dem oben stehenden Titel versehenen bemerkte, war ich nicht wenig überrascht und erstaunt. Wie komme ich, fragte ich mich, der ich mich niemals ernstlich mit Geschichte, geschweige denn mit politischer Literatur befaßt habe, dazu, ein Buch zu besprechen und zu beurteilen, welches ausschließlich von politischen Dingen handelt? Ich glaubte, daß es mir, wenn nicht an politischer Bildung, doch an politischem Wissen fehle, um einer solchen Aufgabe gerecht zu werden, und ich wollte das Buch schon „mit verbindlichstem Dank" zurückschicken. Als ich dann aber doch anfing, darin zu blättern, entdeckte ich bald, daß weder die behandelten Gegenstände selbst noch die Art ihrer Behandlung meinen Horizont überstiege. Im Gegenteil, ich folgte den Ausführungen mit ungeteilter Aufmerksamkeit, und je weiter ich vordrang, desto mehr wurde ich von dem Inhalt gefesselt. Nach Vollendung der Durchsicht aber kam ich zu der Überzeugung, daß der Verfasser wirklich einen guten Griff getan hat, indem er als Vorschule für das bürgerliche und politische Leben eine Reihe von Auszügen aus den Werken unserer tüchtigsten Staatsrechtslehrer zusammenstellte, die in erster Linie für reifere Schüler und Studierende bestimmt sind, aber, wie ich meine, auch auf weitere Kreise wirken können. Denn es ist wohl unbestreitbar, was in der Vorrede gesagt ist, daß es mit dem politischen Wissen der Gebildeten in Deutschland im allgemeinen nicht am besten bestellt ist.

Die Sammlung zerfällt in drei Teile. Der erste bringt Auszüge aus Schriften, die der Darstellung allgemeiner Themata aus dem Gebiete des Staatsrechtes gewidmet sind. Es ist die Rede

von der Entwickelung und dem Ursprunge des Staates, von dem
Wesen der Selbstverwaltung, von Staat und Gesellschaft, von
staatlicher Sozialpolitik usw. Der zweite, der durch die frisch
geschriebene und packende Rede Sohms über die Entwickelung
des Staatsgedankens in Deutschland eingeführt wird, handelt von
den Zuständen des Deutschen Reiches, seiner Begründung, seiner
Verfassung, seiner Regierung und Verwaltung, seinen Finanzen,
seiner Weltstellung und Weltpolitik. Hier finden wir auch eine
Rede Bismarcks, wie denn in den meisten der hierher gehörigen
Aufsätze ein Hauch von dem Geiste des großen Kanzlers zu
spüren ist, indem vielfach seine schöpferischen Gedanken dargestellt und erläutert werden. Die Aufsätze des dritten Teiles verfolgen den Weg, den der preußische Staat zurückgelegt hat, um
an die Spitze von Deutschland zu gelangen. Man müßte, um
die Bedeutung der einzelnen Artikel in das rechte Licht zu
setzen, auch die Namen der Verfasser angeben. Das ist aber
nicht wohl angängig, weil es zu viele (18) sind. Ich nenne nur
die bekanntesten Namen: Bluntschli, Geffcken, Laband, Lamprecht, Paulsen, den schon erwähnten Sohm, womit jedoch keineswegs gesagt sein soll, daß die Beiträge der übrigen — vielleicht
nur dem Schreiber dieser Zeilen weniger bekannten Autoren —
hinter den andern zurückstehen. Es sind, wie gesagt, meist nur
Auszüge, die hier geboten werden. Aber durch die Mannigfaltigkeit
der Gaben gewinnt der Leser zugleich die Möglichkeit, die gesamte
staatsrechtliche Literatur zu überschauen, die Namen der wichtigsten Werke und ihrer Verfasser kennen zu lernen und, wenn
er will, durch weitergehende Studien der Originalwerke seine
Kenntnisse zu erweitern und zu vertiefen. Noch ein Anhang ist
dem Buche beigegeben, der Auszüge aus der Verfassung des
Reiches und der Einzelstaaten, namentlich Preußens, ein paar
Kernsprüche Friedrichs des Großen und Bismarcks, sowie eine
Zeittafel enthält. Möge dem gut ausgestatteten Buche der erhoffte
Erfolg beschieden sein.

2) **Karl Kinzel, Aus Goethes Prosa.** Kleine Dichtungen und Aufsätze. 191 S. 1,45 ℳ.

Einem größeren Kreise soll dies Buch laut der Vorrede
Goethes Bild erweitern und vertiefen. Aber ist dazu eine Auswahl vonnöten, sind heute nicht Goethes sämtliche Werke in
wohlfeilen Ausgaben überall verbreitet und zur Hand? So könnte
man fragen. Gewiß, aber die Gesamtwerke sind ein Irrgarten,
in dem sich der Laie nur schwer zurechtfindet: gar zu leicht
übersieht er das Wichtige und Wesentliche, wird irre gemacht
durch Ausführungen, die heute veraltet erscheinen und nur noch
historischen Wert haben und läßt sich schließlich wohl gar durch
die Masse des andrängenden Stoffes von der Suche und Auslese
abschrecken. Darum mag es manchem willkommen sein, das

Beste und Lesenswerteste in einem handlichen Bande vereinigt
und geordnet zu sehen, um es so „rein", wie Goethe vielleicht
sagen würde, zu genießen; zumal wenn durch Erklärungen Verständnis des Ganzen wie der Einzelheiten geebnet wird.

Drei Teile enthält der vorliegende Band. Der erste bietet
zwei Proben von Goethes Prosadichtung, die Novelle und eine
Erzählung aus den Unterhaltungen deutscher Ausgewanderter, die-
jenige, die Goethe selbständig entworfen hat. Der zweite bringt
Beiträge zur dichtenden wie zur bildenden Kunst. Zunächst
Goethes Auslassungen über Shakespeare, die Rede zum Shak-
spearetag des Jahres 1771, die auf Shakespeare sich beziehenden
Episoden des Wilhelm Meister, zuletzt die Abhandlung „Shakespeare und kein Ende", von dieser natürlich nur den ersten Teil.
Dann folgt der Aufsatz „Von deutscher Baukunst", weiterhin
Auszüge aus Goethes „Winckelmann", die Aufsätze über Laokoon
und über das Abendmahl Lionardos, dieser gekürzt. Mit der
mittelalterlichen Kunst und der Sammlung der Gebrüder Boisserée
werden wir bekanntgemacht durch einen Abschnitt, den der
Herausgeber mit dem Titel „Das Erwachen der niederrheinischen
und niederländischen Malerei" versehen hat, es ist ein Auszug
aus dem Kapitel „Heidelberg" in den Kunstschätzen am Rhein,
Main und Neckar. Nun folgt der dritte Teil mit Beiträgen aus
den kleineren selbstbiographischen Schriften Goethes: der Übergang über die Furka aus den Briefen aus der Schweiz, die
Kanonade von Valmy aus der Kampagne in Frankreich und die
Zwischenrede, Goethes Bericht über seine erste Bekanntschaft mit
Schiller, drei Abschnitte aus den Tag- und Jahresheften (1796,
1804, 1805), dazu das Schlußwort: „Dankbare Gegenwart",
endlich der Aufsatz des Dichters über seine Beziehungen zu Lord
Byron.

So liegt eine Auswahl vor uns, die mit Geschick und Umsicht getroffen ist, das sieht man nicht nur aus dem, was da
steht, sondern auch aus dem, was weggeblieben und übergangen
ist. Für den Unterricht wird namentlich der zweite Teil brauchbar sein, der auch mit einigen gut ausgeführten Abbildungen
ausgestattet ist. Zu bedauern ist, daß der Aufsatz über das
Rochusfest in Bingen ganz unberücksichtigt geblieben ist. Er ist
schon deswegen so anziehend, weil er uns den „Olympier" in
einer ganz ungewohnten Beleuchtung zeigt. Den Hofmann und
Geheimrat hat er in die Tasche gesteckt, labt sich an dampfenden
Würsten und Landwein, von dem er ein Krüglein nach dem
andern kommen läßt, und plaudert mit den Landleuten wie mit
seinesgleichen über allerlei Gestein, über Weinwachs, Legenden
und Wetterprophezeiungen, auch dabei seinen in die Weite
gehenden Wissenstrieb nicht verleugnend. Wem es wie dem
Unterzeichneten vergönnt war, der Rochusfeier einmal als Zuschauer anzuwohnen, der wird erstaunen über die Treue der

Goetheschen Schilderung und gerade diesem Aufsatz besonders zugetan sein. Ob der Herausgeber an den kleinen Aufsatz über Nachahmung der Natur, Manier und Stil gedacht hat? Auch ihm möchte man einen Platz in der Sammlung gönnen.

Die den Texten vorausgehenden Einleitungen verbreiten sich über die Abfassungszeit, Zweck und Bedeutung der einzelnen Aufsätze, die knappen, nur in den biographischen Beiträgen reichlicher fließenden Fußnoten erklären das Einzelne. Hier möchte ich zweierlei zu bedenken geben: Im Aufsatz von deutscher Baukunst heißt es (S. 76): „Wie über dem Haupteingange der zwei kleinere zu'n Seiten beherrscht" usw. und der Herausgeber bemerkt dazu: „Der gotische Bogen des Portals faßt die beiden nebeneinander liegenden Türen zu einem Ganzen zusammen". Das ist unklar oder gar unrichtig. Goethe meint offenbar die beiden Seitenportale, die von dem hochstrebenden Bogen des Hauptportals wohl beherrscht, aber nicht zusammengefaßt werden. Zusammengefaßt werden dagegen die beiden Türflügel des Haupteinganges. Zweitens: Der Tod des Athleten Milon wird nicht von Herodot, wie S. 117 angegeben ist, sondern von Strabo (VI 263) und mit einigen Abweichungen von Pausanias (VI 14) berichtet. Herodot gedenkt im dritten Briefe des Milon nur im Vorübergehen.

3) Julius Ziehen, Goethes Italienische Reise. In verkürzter Gestalt herausgegeben.

Niebuhrs abfälliges Urteil über Goethes Italienische Reise ist längst verklungen. Daß der Bericht, objektiv genommen, ungemein einseitig ist und nach unserer Auffassung unbegreifliche Lücken zeigt, ist offenbar. Aber man bewundert wie immer bei Goethe die Schärfe der Beobachtung und die Kunst der Darstellung, die auch das Kleine und Unbedeutende emporhebt und anziehend macht, und betrachtet das Ganze als das, was es sein soll und in Wahrheit ist, nämlich ein Beitrag zu der Lebens- und Entwickelungsgeschichte unseres großen Dichters. So angesehen und gewürdigt behält das Werk seinen unverlierbaren Wert, zeigt es uns doch den Dichter, wie der Herausgeber des vorliegenden Auszuges treffend sagt, auf einem Höhepunkt seines Lebens, in einem Prozeß der Weiterbildung zu neuen ungeahnten Daseinszielen, der in dem Leser nicht nur immer wachsende Bewunderung, sondern ein frohes Gefühl innerster Teilnahme an dem Glück des Erzählers erweckt. Der Gedanke, das Werk, das überdies auch in sachlicher Beziehung einen so unendlich reichen Inhalt hat, auch für Schule und Unterricht fruchtbar zu machen, ist also wohlberechtigt. Und der bequemste Weg dazu mag ja wohl ein Auszug sein, der das irgendwie Anstößige, minder Wichtige, allzu Spezielle und rein Persönliche ausscheidet, wobei denn freilich so schöne Episoden, wie die von dem drolligen

Prinzeßchen oder die von der schönen Mailänderin u. a. m. erbarmungslos geopfert werden müssen.   Nun steht es freilich damit nicht so wie mit der Septuaginta.   Wollte man 70 im Lehrfach wohlerfahrene Personen mit der Herstellung eines solchen
Auszuges beauftragen, so würde man sehen, daß nicht zwei völlig
zusammenstimmen, manche würden vielleicht weit auseinandergehen.
Der eine würde die Kunst, ein anderer die Natur und die Landschaft, ein dritter die Volkssitten, ein vierter die Geologie und
Botanik, noch ein anderer die anekdotenhaften und novellistischen
Züge stärker hervortreten lassen.   Es wäre daher zwecklos über
einzelnes zu rechten, im ganzen wird man der Auswahl zustimmen können, jedenfalls erhält man ein Bild von der Weite
und der Vielseitigkeit der Eindrücke, die Goethes empfänglicher
Geist in Italien aufgenommen und sich eingeprägt hat.   Manchmal
fragt man freilich verwundert cui bono?, wenn man z. B. bemerkt, daß der Vers: Fluctibus et fremitu resonans, Benace ma-
rino — er gehört bekanntlich dem Vergil an, wird aber von
Goethe ungenau zitiert — oder das Marlboroughliedchen samt
Hackbrett und Violine einfach unter den Tisch gefallen ist.   Indes das sind ja Kleinigkeiten.   Bedenklicher ist, daß die Erläuterungen, die diesmal wider alle Regel dem Text vorangehen, den
Leser so oft im Stich lassen.   Was will überhaupt eine Hand voll
Anmerkungen und wenn es auch zwei oder drei sind für Goethes
Italienische Reise, mag sie auch stark gekürzt sein, bedeuten, wo
der Leser Seite für Seite Aufklärungen verlangt.   Der Herausgeber fühlt das auch selbst.   Wenn er aber dafür die neuesten
Goetheausgaben und verschiedene Einzelschriften nennt, aus denen
man sich Rat holen könne, so heißt das anstatt der Barzahlung
höchst unsichere Anweisungen ausstellen.   Denn abgesehen von
der großen Weimarer Ausgabe, die wohl Lesarten, aber keine
Erklärungen bringt, — wer von den Lesern, auf die der Herausgeber rechnen kann, wird im Besitz der schönen v. d. Hellenschen
Ausgabe oder der Heinemannschen sein, denen es allerdings an
Anmerkungen nicht fehlt?   Die angeführten Einzelschriften aber
können vielleicht zur Ergänzung, aber schwerlich oft zur Erläuterung des Goetheschen Textes dienen.   Und was das merkwür-
digste ist, von der Hempelschen Ausgabe, die weiter verbreitet
ist als die genannten und Düntzers großen, grundlegenden Kommentar zur Italienischen Reise enthält, verlautet hier kein Wort.
Gewiß ist die Angabe der einschlägigen Literatur dankenswert;
aber zunächst heißt es doch: hic Rhodus, hic salta!   Mag die
Knappheit der Erläuterungen durch Raummangel, wie es beinahe
scheinen will oder sonstwie bedingt sein — ein Mangel ist sie
immerhin.   Und dieser Mangel wird auch nicht aufgewogen durch
die frisch und warm geschriebene Einleitung, worin die Entstehungsgeschichte der Italienischen Reise dargelegt wird, und die
hübschen Abbildungen — sieben an Zahl — die eine willkommene

Ergänzung zu des Herausgebers kunstgeschichtlichem Anschauungsmaterial zu Goethes Italienischer Reise bilden. Den Druckfehler
auf S. 9 Joasaph für Josaphat wird eine zweite Auflage des
Buches wohl beseitigen.

4) **Sammlung Göschen. Das deutsche Volkslied. Ausgewählt und
erläutert von Julius Sahr. Dritte, vermehrte und verbesserte Auflage. 2 Bde. I u. 135 S., II u. 108 S.**

Die neuerdings erschienene dritte Auflage der vorliegenden
Sammlung ist so beträchtlich verstärkt worden, daß aus dem
einen Bändchen nun zwei geworden sind. Zu den Liedern der
zweiten Auflage sind noch 24 Nummern hinzugekommen. Die
Reihe der historischen Lieder ist bis auf den letzten großen
Krieg, ja noch weiter fortgeführt, das letzte ist gar ein österreichisches, das aus den Kämpfen in Bosnien und in der Herze-
gowina stammt. Dagegen vermißt man immer noch die bekannten
Lieder von der Pavierschlacht. Durch die Aufnahme von Texten,
in denen einzelne Klassen, Bergleute, Jäger, Hirten, zu Worte
kommen, ist die Auswahl noch vielseitiger geworden, auch einige
Schnadahüpfl tummeln sich in dem bunten Reigen. Die Melo-
dien, von denen einzelne in einem besonderen, dem letzten Abschnitt der Sammlung, vereinigt waren, sind jetzt mit den Texten
verbunden und bedeutend vermehrt. Auch das Vorwort ist um
ein paar Seiten gewachsen, indem die in der neuesten Zeit wieder
lebhaft hervorgetretenen Bemühungen um die Wiederlebung und
Pflege des Volksliedes verfolgt werden. Die ausgiebigen Einleitungen und Anmerkungen des älteren Bestandes sind im wesentlichen unverändert geblieben, der Zuwachs mit entsprechenden
Erläuterungen versehen. Zweierlei möchte ich hinzufügen. Es
scheint mir nicht ausgemacht, daß unter dem wunderbösen Weib,
das in der Schwimmersage (I S. 118) genannt wird, die Mutter
zu verstehen ist, auch wenn es das liebende Mädchen als unsere
Tochter bezeichnet. Auch eine ältere Hausgenossin oder Vertraute kann so sprechen. Wenn ich nicht irre, hat Hildebrand
einmal — ich weiß nicht wo — über diese freiere Anwendung
des Pronomens unser gehandelt. Zweitens ist in dem Satze (II
S. 30) „Wånn unsre zwa Herzlan zwa Glöcklan, dö Freud" nicht,
wie der Herausgeber annimmt, im Vordersatze ein „wären" zu
ergänzen, sondern dies steckt in dem Worte wånn, das offenbar
durch Verschleifung aus waren = wären entstanden ist.

Weimar. F. Kuntze.

_____

A. Böhtlingk, Bismarck und Shakespeare. Stuttgart und Berlin 1908,
J. G. Cottasche Buchhandlung Nachfolger. VIII u. 149 S. 8. 3 ℳ.
„Man kann die ganze Literatur über den Eisernen Kanzler
durchlesen und man wird sein Verhältnis zu dem englischen
Dichterkönige kaum angedeutet finden", so heißt es im Vorworte.

Das trifft nicht ganz zu. Klein-Hattingen allerdings in seinem
ebenso groß angelegten wie kleinlich-einseitigen Werke mit dem
stolzen Titel „Bismarck und seine Welt, Grundlegung psychologischer Biographie" erwähnt nur zweimal, soviel ich sehe, und
zwar ganz kurz, Bismarcks Liebe zu Dichtern, vor allem zu Goethe
und Schiller, ohne Shakespeare auch nur zu nennen. Daß Liman
die Wahlverwandtschaft Bismarcks und des großen Briten wenigstens
streift, hebt Böthlingk selbst hervor. Unbekannt geblieben ist
ihm offenbar die in dieser Zeitschrift 1905 S. 155 f. von mir kurz
angezeigte Schrift von Prutz über Bismarcks Bildung, ihre Quellen
und ihre Äußerungen; S. 144—148 findet man das Verhältnis
des Kanzlers zu Shakespeare erörtert. Daß anderseits in der
ganzen neueren Shakespeare-Literatur die Beziehung der beiden
Männer gar nicht erwähnt wird, wie B. behauptet, geht etwas zu
weit: es fragt sich allerdings, was unter „Beziehung" verstanden
wird. Max J. Wolff in seinem mit Recht gerühmten Werke über
Shakespeare hebt im zweiten Bande (1908) S. 390 die Liebe zur
Natur, das Ziel, „ihren Kohl selber zu bauen", als Gemeinsamkeit
beider hervor. „Starkes Befremden, wohl auch bedenkliches Kopfschütteln" erregt „die Zusammenstellung der beiden Namen" doch
nicht bei allen; es kommt nur darauf an, in welcher Weise und
wie eng man sie verbindet. Und da schießt unser Verfasser in
seiner Schrift denn doch bedenklich übers Ziel hinaus, wenn er meint:
„Bei der Zusammenstellung Bismarcks und Shakespeares handelt
es sich in der Tat um nichts Geringeres als um Aufhellung des
Werdeganges unserer gesamten (!) Geisteskultur, aus ihrer Wurzel
heraus bis in ihre höchsten Kronen hinein", und wenn er am
Schluß des Vorwortes die Frage aufwirft: „Wie, wenn das Verständnis des einen am wirksamsten durch das Verständnis des
andern gefördert würde?"

Der erste Abschnitt (bis S. 12) „Wie Bismarck zu Shakespeare gekommen" bringt für den Literaturkenner nichts Neues,
stellt aber den Stoff vollständig und übersichtlich zusammen.

Der zweite Abschnitt (bis S. 54) behandelt Shakespeares
Grundanschauungen in sechs Unterabteilungen: Dichter und
Mensch eins, Religion und Ethik, Ehrbegriff, Dichterische und
göttliche Gerechtigkeit, Humor, Anschauung vom Staate mit Rücksicht auf Vaterlandsliebe, Stellung zum päpstlichen Rom, Königs-
tum, Hofstaat, Mißstände im Staate, Volksmenge. Durchaus stimme
ich dem Verfasser zu, wenn er den Dichter einen entschiedenen
Monarchisten und Gegner Roms nennt; ein Fragezeichen aber
muß ich zu dem Satze (S. 40) machen: „Aus einem Könige einen
vollwertigen Menschen und aus einem vollwertigen Menschen einen
König werden zu lassen, ist recht eigentlich die Achse, um die
sich Shakespeares Königsdramen drehen". Der Dichter hielt sich
meines Erachtens genau an die Geschichte, ohne stark zu
idealisieren. Deshalb bin ich auch nicht ganz ohne Bedenken,

wenn Verfasser am Schlusse „reines Menschentum" als die Achse bezeichnet, um die sich Shakespeares „ganze Dramatik" dreht. Solche Auffassung geht vielleicht etwas zu weit. Doch sicherlich blieb dem Dichter nichts Menschliches fremd.

Der dritte Abschnitt (bis S. 84) trägt eine Überschrift, die nicht ganz mit dem Inhalte stimmt. Bismarcks Shakespearezitate — ja, einige, aber nicht alle, und an manchen Stellen überhaupt kein Zitat, sondern eine nicht immer ganz ungezwungen hergestellte Beziehung zum Dichter, z. B. bei der vierten Unterabteilung: Iffland oder Shakespeare. Der Verfasser zieht nämlich Roons Brief vom 26. Juni 1862 heran, in dem es heißt: „Mehr Handlung muß in das langweilige Ifflandsche Familiendrama gebracht werden oder wir sterben an allgemeiner Geringschätzung". Böhtlingk fährt dann fort: „Mit anderen Worten: Bismarck sollte kommen, um aus dem langweiligen Ifflandschen Familiendrama eine Shakespearsche Historie zu machen". Mit ganz demselben Rechte aber könnte z. B. Schiller genannt werden, um so mehr, da an dessen Wallenstein[1]) der deutsche Reichskanzler in einigen Beziehungen erinnert. Ebenso willkürlich zieht der Verfasser in der siebenten Unterabteilung, die sich mit 1866 befaßt, gerade Shakespeare wieder heran. „Ist es nicht, als hörte man Kent, den Getreuesten der Getreuen, über sein Verhältnis zum greisen König Lear sich aussprechen? Auch dem greisen König Wilhelm fehlte es offenbar nicht an Festigkeit und Hartnäckigkeit". Sicherlich nicht, aber ist etwa darin eigenartig Shakespearisches zu finden? „Daß der Geist des englischen Dichterkönigs den deutschen Recken niemals greifbarer umschwebt hat, als während des Feldzugs nach Frankreich hinein" (S. 77), muß als eine durch keine Tatsache zu erhärtende subjektive Ansicht Böhtlingks bezeichnet werden. Ferner können manche Zitate gar nicht als Beweis für ein näheres Verhältnis zum Dichter, geschweige denn für eine Geistes- und Seelenverwandtschaft gelten, weil sie zu geflügelten Worten geworden sind; ganz besonders ist das von Shylock und vom „Sein oder Nichtsein?" zu sagen. Endlich sind die Zitate unseres Verfassers bei weitem nicht vollständig, weder die aus den Reden noch die aus den Briefen; unter diesen vermisse ich namentlich die sehr bezeichnenden an Gerlach vom 22. VI. 51, 25. XI. 53, 3. II. 54 und 7. X. 55. Unter den Hamlet-Zitaten in Bismarcks Reden fehlt „von des Gedankens Blässe angekränkelt", das zweimal vorkommt (siehe Politische Reden, Ausgabe von Horst Kohl, VII S. 213 und VIII S. 238).

---

[1]) K. Lamprecht hat unmittelbar nach einem Aufenthalte bei Bismarck in Friedrichsruh am 1. Januar 1895 aufgezeichnet: „Von historischen Persönlichkeiten würde ich mir ähnlich denken: Karl den Großen, König Heinrich I., Konrad II., den Großen Kurfürsten vielleicht, vielleicht auch nach gewissen Seiten Wallenstein".

Im vierten Abschnitte (bis S. 100) sodann werden Bismarck und Shakespeares Heldengestalten verglichen und zwar 1. Hamlet und König Lear, 2. Percy und Prinz Heinz, Shakespeares Musterkönig, 3. Coriolan. Kopfschütteln muß die Stelle S. 98 in bezug auf Thiers erregen. „Als der übereifrige, so schwer heimgesuchte kleine Greis während der langen Friedensverhandlungen in Bismarcks Arbeitsstube erschöpft zusammensank, überredete ihn Bismarck, auf dem Sofa auszuruhen, um seine Kräfte zu erneuern. Während Thiers schlief, arbeitete Bismarck an seinem Schreibpulte weiter. Da fällt ihm ein, daß sich der greise Schlummernde erkälten könnte. Er erhebt sich und deckt ihn unvermerkt mit seinem Kriegsmantel zu. Auch hierzu wird ihm der große Brite Beifall genickt (!) haben". Wie mag er aber sein Haupt geschüttelt haben, als es dem kleinen Greise gelang, den großen Kanzler in bezug auf den Einzug in Paris zu überlisten! Dies letzte ist Tatsache, während jener Vorgang mit dem Kriegsmantel vielleicht auf Ausschmückung beruht.

Im letzten Abschnitte endlich (bis S. 144) setzt Böhtlingk Bismarcks und Shakespeares Geistes- und Seelenverwandtschaft auseinander nach sechs Richtungen hin: 1. Natur, 2. Religion, 3. Politik, Monarchismus, Hof, 4. Der Staat als Kunstwerk, 5. Bismarck als Künstler, Staatsbildner und Redner, 6. Menschtum, Erstes und Letztes. Daß es sich bei dem Vergleiche in politischen Dingen nicht um Einzelheiten handeln kann, sondern nur um eine Analogie in der Grundanschauung über das Wesen des Staates und der Regierungskunst, hebt der Verfasser sehr richtig hervor, und mit ebendemselben Rechte sagt er, Shakespeares Duldung in religiösen Dingen sei ohne Schranken, doch aus seinen Werken könne nicht nachgewiesen werden, inwieweit ihm Glaubenskämpfe in seinem Innern erspart geblieben seien. Als unzweifelhaft übertrieben dagegen muß ich folgende Sätze bezeichnen: „Die strenge Losung des Dichterkönigs ist der Maßstab, den Bismarck als Staatsmann allenthalben (!!) anlegt" (S. 121) und „Die höchste Steigerung, die köstlichste Würze seiner parlamentarischen Beredsamkeit, die Schlager, von denen er selbst sich die größte Wirkung versprach, waren Anführungen aus Shakespeare, Worte und Gestalten des englischen Dichterkönigs".

Man spricht mit Recht von der tiefen Tragik des Genies, das stets in größerem oder geringerem Maße mit dem Unverstande der Massen und, was schlimmer ist, mit dem Neide und der Eifersucht einzelner ringen muß. Wenn irgend einer, so hat Bismarck den Becher dieser Tragik bis zur Hefe zu leeren gehabt. Also ist es ganz begreiflich, daß er immer wieder bald an diese, bald an jene Heldengestalt aus Shakespeares Dramen erinnert, diesen „aufgeschlagenen, ungeheuren Büchern des Schicksals" (Goethe); aber, um Böhtlingks Worte zu gebrauchen, „er deckt sich doch mit keiner von ihnen. Er vereinigt vielmehr in sich so ziemlich alle Eigenschaften der hervorragendsten unter ihnen, von denen keiner sich ihm gleichwertig anreihen kann". Daraus folgt doch nun aber nicht eine „eingeborene urwüchsige Seelenverwandtschaft" gerade und nur mit dem großen Briten und mit keinem anderen ·Dichter! Unzweifelhaft haben Shakespeares Stücke auf Bismarck tief und nachhaltig eingewirkt. Was jedoch dem Engländer recht ist, das ist dem Deutschen billig, und in derselben Weise wie unser Verfasser über Bismarck und Shakespeare, so kann man auch über Bismarck und Schiller oder über Bismarck und Faust handeln. Gerade so oft nämlich wie des Briten Dramen, ließen auch die der deutschen Klassiker eine Saite in seinem Innern erklingen. Der gestürzte Kanzler griff, wie hervorragende Besucher (ich nenne nur Friedjung und Keyserling) ausdrücklich hervorheben, während schlafloser Nächte zu Schillers Dramen, namentlich zu den Räubern, und pries noch am Abend seines Lebens den Faust als profane Bibel. Das ist doch recht bezeichnend!

Das Ergebnis aller solchen Schriften, die über Bismarcks Verhältnis zur Kunst handeln, wird sein müssen: die Kunst war ihm nicht mehr als eine Freundin, die hier und da einmal in sorgenvollen Stunden mit leisem Finger über die Stirne streicht, wie der von Böhtlingk besonders angeführte Bismarckverehrer Liman sich ausdrückt.

Das nur durch Begeisterung für wahrhaft Großes wohltuend berührende, der *Alma mater Ienensis* zum 350. Jahrestage dargebrachte Buch Böthlingks liest sich im allgemeinen nicht übel. Die falsche Wendung „wie er es bewendet wissen will" (S. 111) fällt auf, ebenso das Adjektiv „lustspielerisch" (S. 25) und „vollwerte" statt vollwertig (wie S. 40 auch steht). Der Pleonasmus „intuitive Anschauungen" (S. 132) hängt wohl mit dem Fremdwörterunfug zusammen, der sich auch in dieser Schrift bemerkbar macht; man findet z. B.: Affinität, kontrastiert, dezidiert, konzipieren, disparat. Der S. 132 erwähnte Dichter Robert Haaß wird vom Verfasser wohl überschätzt. Von Druckfehlern seien schließlich erwähnt: Bismark, Elisée, Erdetage und Gigante.

Görlitz.   E. Stutzer.

------

1) Hans Delbrück, Das Leben des Feldmarschalls Grafen Neidhardt von Gneisenau. Dritte Auflage. 2 Bände. Berlin 1908, Georg Stilke. XVI u. 410 S.; IV u. 367 S. gr. 8.

Hans Delbrücks Gneisenau-Biographie ist in dritter, „durchgesehener und verbesserter" Auflage erschienen. Man braucht sie nicht zu empfehlen; es ist bekannt, daß sie gut geschrieben und zugleich streng wissenschaftlich gehalten ist, daß der Leser in übersichtlichen, knapp gehaltenen Anmerkungen und Exkursen auch in wichtigere Kontroversen eingeführt wird, daß das Persönliche, die herrliche Gestalt des Helden ihr Recht erhält und zugleich ein klares Bild der Weltereignisse, der jene große Zeit bewegenden Ideen, insbesondere der militärischen Vorgänge gegeben wird. Das Buch gehört zu den besten Biographien, die wir auf dem Gebiet der politischen Geschichtschreibung haben.

Über zwei Punkte, auf die Delbrück auch in seiner Selbstanzeige (Preuß. Jahrbücher, Band 130 S. 502, Dezember 1907) besonders eingeht, möchte ich einige Bemerkungen hinzufügen: zunächst über die Konvention von Tauroggen und die Rolle, die der Flügeladjutant des Königs, Major von Wrangel, dabei gespielt hat. Bekanntlich hat Friedrich Thimme, gestützt auf ein Tagebuch Wrangels und auf eine Eingabe, die dieser im Jahre 1838 dem damaligen Kronprinzen eingereicht hat, und in der er sich über seine Verdienste um den Staat verbreitet, die Behauptung aufgestellt, die Konvention von Tauroggen sei nicht einem selbständigen Entschluß Yorks entsprungen, sondern gehe auf einen von Wrangel überbrachten Befehl des Königs zurück. Die Angaben Wrangels stimmten schlecht zu allem, was wir sonst über die Vorgeschichte jener Konvention wußten, insbesondere zu Yorks wiederholter Versicherung, daß „der Schritt, den er getan habe, ohne Befehl Seiner Majestät geschehen sei"; andererseits schienen sie doch glaubwürdig genug, sodaß man sich irgendwie mit ihnen abfinden zu müssen glaubte. Jetzt scheint, nachdem einer von Delbrücks Schülern, Andrees, in einer Berliner Dissertation v. J. 1907 die Frage besprochen, nachdem Delbrück selbst in einem Exkurs (Gneisenau, Bd. I S. 278) dazu Stellung genommen, nachdem endlich Max Lehmann in den Preuß. Jahrbüchern, Band 131, S. 428—442 die Glaubwürdigkeit Wrangels einer gründlichen Prüfung unterzogen hat, der Streitfall erledigt. Aus äußeren und inneren Gründen müssen Wrangels Behauptungen als unrichtig bezeichnet werden. Aus äußeren Gründen: die Teile des Tagebuchs, welche seine Enthüllungen enthalten, sind nicht in derselben Handschrift wie die übrigen, sondern in einer zitterigen, nicht leicht zu lesenden Greisenhandschrift geschrieben, sind also nicht gleichzeitig mit den Ereignissen, sondern entstammen etwa derselben Zeit wie seine Eingabe an den Kronprinzen. Aus inneren Gründen: nicht nur widerspricht der Inhalt der Weisungen, die Wrangel 1812 empfangen haben will, in wichtigen Punkten den bekannten und als sicher festgestellten Tatsachen, sondern auch, was er über seine sonstige politische Tätigkeit erzählt — er habe 1810 durch einen Bericht über die wahre Gesinnung Alexanders gegen Preußen den Abschluß eines französisch-preußischen Bündnisses verhindert, er sei es ferner gewesen, der im März 1813 Alexander und Friedrich Wilhelm miteinander versöhnt und ersteren zur Reise nach Breslau bewogen habe —, erweist sich auf den ersten Blick als so völlig unvereinbar mit allem, was sonst feststeht, daß Wrangel als glaubwürdige Quelle nicht mehr gelten kann. Der alte Herr hat sicherlich neben einer stark übertriebenen Vorstellung von seiner persönlichen Bedeutung mindestens eine sehr lebhafte Phantasie gehabt. Als Adjutant des Königs mit Überbringung einer Kabinettsorder an das in Rußland stehende preußische Hilfskorps beauftragt, hat er daraus eine geheime Mission von weltgeschichtlicher Bedeutung gemacht. Boyen sagt in seinen Erinnerungen von ihm und einem anderen Flügeladjutanten, sie seien beide dem König hauptsächlich als eine Art von Lustigmachern angenehm gewesen. „Boyen", so schließt Max Lehmann, „behält mit seiner niedrigen Einschätzung des Majors Wrangel vollkommen recht. Ein Depeschenträger, kein Urheber von Weltumwälzungen."

Es handelt sich ferner um die Beurteilung der strategischen Maßnahmen, die der Leipziger Schlacht vorangehen, insbesondere der Disposition, die Schwarzenberg am 13. Oktober ausgegeben hat, und deren Ausführung durch den General Toll, der bei Kaiser Alexander heftig dagegen auftrat, verhindert worden ist: erstens ihres Inhalts — denn es ist umstritten, was Schwarzenberg in der Tat beabsichtigt hat —, zweitens ihres Wertes. Die böhmische Armee hatte durch eine Linksbewegung die Saale und den Anschluß an Blücher erreicht; Bernadotte stand einige Meilen nördlich; für den Augenblick war Napoleon die Rückzugsstraße verlegt. Was sollte nun weiter geschehen? Daß die Bernhardische Auffassung, Schwarzenberg habe gehofft durch bloße Manöver Napoleon zum Rückzug zwingen zu können, das Richtige nicht trifft, ist heute wohl allgemein anerkannt und des näheren von Kaulfuß, einem Schüler Delbrücks, in einer 1902 zu Berlin erschienenen Dissertation dargelegt worden; dagegen spricht ja auch der Schluß des Schwarzenbergischen Armeebefehls: „Dem Kaiser Napoleon bleibt nichts anderes übrig als sich auf die eine oder die andere Weise durchzuschlagen; wir aber haben keine andere Disposition als vereint auf den Punkt loszugehen, den er angreift". Daß Schwarzenberg also einen Angriff des Feindes vorausgesehen hat, ist sicher; in diesem Fall will er dem angegriffenen Teil seiner Armee zu Hilfe kommen. Ob er jedoch eine große Entscheidungsschlacht, wenn auch nur in der Form der Defensivschlacht, für die nächsten Tage ins Auge gefaßt hat, wie Delbrück und Kaulfuß wollen, bleibt mir auch ferner zweifelhaft (vgl. dazu Friederich, Herbstfeldzug Bd. II S. 434 und v. Cämmerer, Die Befreiungskriege S. 76). Dieselbe Disposition spricht davon, daß man in dieser Stellung, „wenn uns der Feind Zeit läßt", die Ankunft des russischen Reservekorps unter Bennigsen erwarten und dann „nach und nach täglich mehr Terrain zu gewinnen suchen" müsse; und wenn sie es auch für erlaubt hält, jetzt an die Vernichtung der feindlichen Armee zu denken, so fügt sie sofort hinzu, daß jede Übereilung schädlich und die größte Vorsicht geboten sei. Das alles sieht nicht nach einem bestimmten, freudigen Entschluß aus; und wer sich die sonstige Kriegführung

Schwarzenbergs vergegenwärtigt, dieses Mannes von vornehmem, intaktem Charakter, der sich aber doch mehr von den Dingen treiben ließ als selbst kräftig eingriff, der wird hier auch keinen Widerspruch finden.

Es bleiben noch einige Worte darüber zu sagen, ob eine Defensivschlacht in der von Schwarzenberg in Aussicht genommenen Stellung einen Sieg verheißen hätte. Delbrück und Kaulfuß nehmen es an, obwohl die verbündete Armee über einen großen Raum verteilt und durch die buschigen Niederungen von Pleiße und Elster in drei Teile zerrissen gewesen wäre. Friederich und Cämmerer sind anderer Ansicht. Sie meinen, daß Napoleon sich auf einen Teil seiner Gegner geworfen und ihn zurückgetrieben haben würde, ehe ausreichende Hilfe herangekommen wäre. Mir scheinen diese Befürchtungen begründet zu sein, wenn man nach der sonst bewiesenen Schwerfälligkeit der Schwarzenbergischen Armee sowie nach den Erfahrungen des 16. Oktobers urteilen darf; an diesem Tage gerieten bekanntlich die rechts der Pleiße stehenden Truppen durch Napoleons Übermacht in große Gefahr, und wenn die von Schwarzenberg für diesen Tag ursprünglich geplante Truppenverteilung nicht wiederum durch Alexanders Einspruch verhindert worden wäre, so würde ein Mißerfolg ziemlich sicher gewesen sein.

2) Aus den Tagen Bismarcks. Politische Essays von Otto Gildemeister. Herausgegeben von der Literarischen Gesellschaft des Künstlervereins in Bremen. Leipzig 1909, Quelle und Meyer. 230 S. 4,40 *M*, geb. 4,80 *M*.

Der Übersetzer Shakespeares und Byrons, Dantes und Ariosts, Otto Gildemeister, ist auch Journalist und Staatsmann gewesen. Er war dreiunddreißig Jahre Mitglied des Senats seiner Vaterstadt Bremen, dreimal ihr Bürgermeister und dreiundzwanzig Jahre lang, von der Gründung des Norddeutschen Bundes an bis zu dem Jahre, in dem Bismarck zurücktrat, Bevollmächtigter Bremens im Bundestag. Schon ehe er in den bremischen Staatsdienst eintrat, war er Mitglied, zuletzt Leiter der Redaktion der Weserzeitung gewesen, und dieser Zeitung ist er bis zu seinem Tode (1902) treu geblieben und hat ihr regelmäßig Beiträge geschickt, den letzten einen Monat vor seinem Tode.

Aus der großen Zahl von Artikeln wird hier von treuen Verehrern des hervorragenden Mannes eine Auslese geboten. Nicht eine politische Parteischrift wollten sie herausgeben, sondern den „vorhandenen literarischen Denkmälern Gildemeisters ein neues hinzufügen". „Die formale Schönheit der Artikel ist in gleichem Maße wie ihr geistvoller Inhalt bestimmend gewesen, eine kleine Auswahl aus ihnen gesammelt aufs neue zu veröffentlichen"; „ein Werk wesentlich historischen Charakters, bestimmt die Ereignisse und Anschauungen eines abgeschlossenen Zeitraumes im Spiegel eines hervorragenden Zeitgenossen und aus-

gezeichneten Beobachters zu reflektieren". Es ist eine schöne
Gabe, die uns geboten wird; mit starker Anteilnahme, die ebenso
der Persönlichkeit, die zu uns spricht, wie der künstlerisch vollendeten Form, der edlen Sprache gilt, liest man diese Aufsätze,
in denen ein innerlich tüchtiger, hochgesinnter, durch und durch
deutscher Mann, ein Meister der Sprache, von hoher Warte aus
und zugleich mit der ganzen Wärme eines stark fühlenden Herzens,
in klarer, echter Beredsamkeit zu bedeutenden, ja gewaltigen Zeitereignissen Stellung nimmt.

Das erste Stück der Auswahl versetzt uns in den August
1866. „Dies ist unser! so laßt uns sagen und so es behaupten",
ruft der Verfasser dem französischen Kaiser zu, der „zur Kompensation" die Abtretung deutschen Gebietes verlangt hat. Der
nächste Artikel beschäftigt sich mit Bismarck: es ist nicht „Macht-
schwärmerei", nicht blinde Anbetung des Erfolges, wenn das Volk
diesem Staatsmann Vertrauen zu schenken gelernt hat. „Diese
Politik wird verherrlicht, weil sie glänzend verwirklicht hat, was
die Nation innig gewünscht hat, den Sturz der österreichischen
Fremdherrschaft über Deutschland"; aber allerdings ist „ohne
Macht eine sittliche Staatsentwickelung, ein würdiges Volksleben
ganz unmöglich". Und bald kommen die Tage, da der Verfasser
den Aufschwung der deutschen Kraft und des deutschen Geistes
erleben darf: des deutschen Geistes, der — so ruft er am 25. Juli
1870 — „sich selbst wiedergefunden hat nach langer Verirrung".
„Das Erwachen des deutschen Riesen erlebt zu haben, wie er
seine gewaltige Rüstung anlegte", schreibt er fünf Wochen später,
„darum werden uns noch späte Geschlechter beneiden". „Unseren
Tagen war es vorbehalten, mit schauerlicher Schnelligkeit tiefsten
Frieden mit unerhörtestem Blutvergießen, frevelhaftesten Cäsaren-
hochmut mit bitterster Demütigung wechseln zu sehen. Nicht
mit starrerem Schrecken können Herkulaneum und Pompeji aus
dem Schlafe erwacht sein, als der Berg zu donnern begann und
die Aschenwolke auf ihre Dächer niederprasselte — nicht mit
starrerem Schrecken, als Frankreich diese eisernen Augustschauer
auf seine Fluren herabregnen sah". Und woher diese Siege?
Sie sind nicht das Ergebnis eines Zufalls, sondern sie fließen aus
den „uralten tiefen Quellen der deutschen Natur"; „der mächtige
Strom dieser edlen Kräfte hat durch die Jahrhunderte der Zersplitterung, der Abdämmung und oft der Verschüttung mit immer
erneutem Ansatze das Bette gesucht, in welchem er heute zum
ersten Male seit unvordenklichen Zeiten sich ergießt, das Bette
der nationalen Einheit".

Der Raum verbietet es, was ich gern getan hätte, noch zahl-
reichere Zeugnisse der starken und tiefen Empfindung und der
schönen, kraftvollen, anschaulichen Redeweise des Verfassers anzuführen. Eine Reihe von Artikeln sind dem Kriege, dem Friedens-
schluß, der deutschen Einheit gewidmet; am 22. März 1871

feierte Bremen zum ersten Male den Geburtstag eines deutschen
Kaisers. Dann nimmt der Kulturkampf und alle die Fragen, die
er anregt, das Interesse Gildemeisters auf das stärkste in Anspruch.
Es folgen Aufsätze zur Wirtschaftspolitik; hier ist er durchaus
Freihändler. Das Schicksal Alexanders von Bulgarien erregt sein
Mitgefühl. Bismarcks Rede vom 6. Februar 1888 wird bewundernd
besprochen. „Noch nie ist der Nation von einem großen Manne
ihr eigenes Bild in so stolzen Linien, so leuchtenden Farben gezeigt worden, und es müßte seltsam zugehen, wenn an diesen
Worten nicht der Entschluß, dem Bilde ähnlich zu bleiben, sich
in dem Herzen der Hörer entzündete". Dann lesen wir schöne
und gute Worte zum Andenken Kaiser Friedrichs, Moltkes, zur
Enthüllung des Bremer Kaiserdenkmals, zu Bismarcks Rücktritt,
Geburtstag und Tod. „Sein unter allen Lebenden allein", so
schreibt er am 1. August 1898, „war die Herrscherseele, die das
Chaos der ringenden Kräfte zu einer Welt zu ordnen vermochte,
und nie sollen wir es vergessssen".

Es geht von diesem Buche — mag man über wirtschaftliche
und soziale Dinge auch anders denken als der Verfasser — etwas
Erhebendes, Herzstärkendes aus. Man muß den Herausgebern,
den Herren Wilhelm von Bippen, Edmund Ruete, Armin Reiche,
für ihre Arbeit aufrichtigen Dank sagen.

Frankfurt a. M.　　　　　　　　　　　F. Neubauer.

A. Biese, Deutsche Literaturgeschichte in 2 Bänden. 1. Band:
　　Von den Anfängen bis Herder. Mit Proben aus Handschriften
　　und Drucken und zahlreichen Bildnissen. IX u. 648 S. 5,50 *M.*

Diese siebente große illustrierte deutsche Literaturgeschichte
bezeichnet im Vorwort ihren Leserkreis, ebenso wie ihr unmittelbarer Vorgänger Eduard Engel, als den großen Kreis der „Nichtwissenden", aber Wißbegierigen, und will auch wie jener „in der
Mannigfaltigkeit der einzelnen Erscheinungen die großen Linien
festhalten, die zur Höhe hinaufführen, nicht an Totes die Aufmerksamkeit vergeuden, das Lebendige aber auch dort hervorheben, wo man es vielfach bisher verborgen ließ". Auch in der
Absicht, die Dichter für sich selbst reden zu lassen, berühren sich
beide, nur daß Engel dabei ziemlich willkürlich auswählt und
noch lieber Dichter über Dichter reden läßt, Biese dagegen planmäßig und eingehend den Inhalt der Dichtungen diesem Ziele
entsprechend darstellt. Durch das alles wollen beide ihr Werk
zu einem recht v o l k s t ü m l i c h e n machen; denn ein solches
gerade fehlte in der Reihe der vorhandenen. Dies letztere kann
man zugeben, wenn man darunter ein wirkliches Lese- und Unter-
haltungsbuch versteht, das in formvollendeter fortlaufender Erzählung auf dem Grunde gediegenen Wissens durch Einführung
in den Inhalt der Dichtungen die Dichter selbst vor dem Leser
erstehen und sie in und aus ihrer Zeit verstehen läßt — Scherersche

Darstellungsart, nur den „Nichtwissenden" angepaßt. Wenn man die beiden neuesten Literarhistoriker auf dieses Ziel hin beurteilt, so kommt ihm Biese, nach diesem ersten Bande zu urteilen, zweifellos viel näher als Engel. Eine gleichmäßige Ruhe der Darstellung, ein liebevolles Eingehen in des Dichters Absichten und der Dichtung Schönheiten, sowie eine meist künstlerische Formgebung zeichnen ihn aus. Gerade das Bestreben, überall das Wertvolle herauszuheben und doch Schwächen nicht zu verschweigen, ist zu rühmen, und mit Recht hat Biese im Gegensatz zu Engel auch die bekanntesten Dichtungen und Werke eingehend besprochen, um den Leser für sie und ihren Dichter zu erwärmen. Überall wird wenigstens etwas vom Inhalt gesagt, nur selten finden sich bloße Namen, und vielfach sind in die Analyse der Dichtungen charakteristische Stellen, natürlich in beschränktem Umfange, eingeflochten. Bei den altdeutschen Dichtungen geschieht dies teils im Urtext mit Glossar, teils in Interlinearversion, was mir allerdings wenig angebracht zu sein scheint, teils in Übersetzungen, die entweder bekannten Werken entnommen (merkwürdigerweise ohne Quellenangabe) oder von Will Vesper, der allein genannt wird, neu gemacht sind. Anmutend ist auch die zwanglose Anordnung des Stoffes. Verf. verschmäht eine eigentliche Disposition in Ober- und Unterteile; er stellt 35 Kapitel nebeneinander, deren jedes einen in sich geschlossenen Entwickelungsgang enthält, z. B. 6. das Ritterepos, 7. die höfische Lyrik, 8. das Volksepos, 9. geistliche Dichtung, 10. Predigt, 11. Lehrhafte, moralisierende weltliche Dichtung, 16. Martin Luther usw. Die großen Epochen ergeben sich dem aufmerksamen Leser daraus von selbst. Etwa die erste Hälfte des Bandes ist dem Mittelalter (bis Luther) gewidmet, die zweite reicht bis Herder inkl. Der bereits für den Herbst 1907 angekündigte, aber noch nicht erschienene zweite Band wird mit Goethe beginnen. Ästhetisches Interesse beherrscht das Buch, und damit hat der Verf. augenscheinlich die Geschmacksrichtung der Zeit getroffen. Wenigstens läßt sich das aus zahlreichen Lobpreisungen der Tageszeitungen schließen.

Allein wir müssen höhere Anforderungen an ein „wahrhaft volkstümliches" Buch stellen. Wir fordern, daß es sich auf einer gediegenen wissenschaftlichen Grundlage aufbaut, ohne doch gelehrten Charakter anzunehmen, daß es wirklich ganz volkstümlich ist und doch dem Kundigen keinen Zweifel läßt, daß der Verf. mit allen einschlägigen wissenschaftlichen Fragen wohl vertraut ist, vor allem, daß es sich fernhält von Phrase und Schönrednerei. Und wenn man diesen Maßstab anlegt, so läßt sich leider von Bieses Werk weniger Rühmliches sagen.

Was Verf. von germanischer Urgeschichte und indogermanischer Sprachverwandtschaft S. 11 sagt, wäre besser ganz weggeblieben: „Wenn sich jedoch auch die Germanen, nach Westen (so!)

wandernd, von jenen Völkern getrennt hatten, mit denen sie einst
eine Familie bildeten: Religion, Recht, Sitte und vor allem die
Sprache blieben das gemeinsame Band, das sie mit den übrigen
stammverwandten Ariern verknüpft". Was soll man sich dabei
denken? Es werden dann die indogermanischen Wortformen für
Vater und Mutter zusammengestellt und die mehr als fragwürdige
Ableitung von pa schützen und ma zumessen hinzugefügt, um
das Ergebnis festzustellen, daß wir „nicht nur die nahe Verwandtschaft der Sprachen, nicht nur die so charakteristische Lautverschiebung, d. h. die Verhärtung oder Erweichung der Konsonanten (!), erkennen, sondern auch, daß schon vor der Völkerwanderung ein nach Rechten und Pflichten geordnetes Familienleben unter den arischen Hirten (!) bestanden haben muß". —
Die Behandlung Otfrieds zeigt die Kunst des Verf.s, auch sprödem
Stoff interessante Seiten abzugewinnen, aber was er von der
metrischen Neuerung des „Krist" (so noch immer!) und von
ihrem Verhältnis zur lateinischen Hymnenpoesie sagt, oder was
er von Otfried zu rühmen weiß, daß er sich nach anfänglichem
Ringen „leichter und freudiger emporhebt oder der Walddrossel
gleich oftmals dieselben Gedanken in neuen Wendungen wiederholt, voll Freude an den wohlklingenden Versen", das ist alles
phrasenhaft und zeigt Unbekanntschaft sowohl mit den metrischen
Dingen als mit dem bekannten germanischen Parallelismus
membrorum, wie er auch u. a. im Heliand erscheint. Um weiter
zu greifen: Man lese die Einleitung des Kapitels „Ritterepos",
und man wird sich lebhaft an Aufsatzthemata wie etwa „Ein
Traum in einer Burgruine" erinnert fühlen. Vom Rittertum,
wie es wirklich wurde und war, lernen die Leser nichts. Und
so stößt man fast in allen Kapiteln über die mittelalterliche Literatur, bei der Lyrik, bei der Gralsage, bei Walther, bei der Entstehung der nhd. Schriftsprache, aber auch bis in die Neuzeit
hinein auf unzureichende wissenschaftliche Fundierung und eine
gewisse Neigung zu Phrase und Schönrednerei. Sehr nachzuprüfen
sind auch, wie es scheint, die Datierungen des Verfassers. So
habe ich mir angemerkt: Reineke Vos nicht 1458, sondern 1498,
Joachim Rachel nicht 1608, sondern 1618, Pufendorf nicht 1672,
sondern 1632 geboren. „In der Schlacht bei Kunersdorf am
24. August 1759 starb Kleist den Heldentod".

Ungenauigkeiten dieser letzteren Art, vielleicht oft nur Druckfehler, lassen sich ja leicht bei einer zweiten Auflage ausmerzen,
nicht so aber, fürchte ich, die andern Dinge. Wer auf sie kein
Gewicht legt, findet in dem Buche mit seiner schönen Sprache
und fesselnden Darstellung die „ergötzende Belehrung", die zweifellos die eine wichtige Seite eines volkstümlichen Werkes ist, und
da die Zahl solcher Leser ebenso zweifellos sehr groß ist, so wird
auch dieser siebenten großen illustrierten Literaturgeschichte der
Erfolg nicht fehlen. Die Ausstattung ist über alles Lob erhaben,

das beigegebene Bildwerk — gegenüber den Vorgängern ohne
Schaden erheblich eingeschränkt — ausgezeichnet.

Berlin. Gotthold Boetticher.

Der Kanon der altsprachlichen Lektüre am österreichischen
Gymnasium von R. C. Kukula, E. Martinak, H. Schenkl,
Professoren der Universität Graz. Leipzig 1908, B. G. Teubner.
97 S. 2,60 M.

Dem Verein der Freunde des humanistischen Gymnasiums
ist vorstehende Schrift gewidmet, in der Martinak Geschichte und
Theorie der Klassikerauswahl, Schenkl den Kanon des griechischen
und Kukula den des lateinischen Lehr- und Lesestoffes behandelt.
Als Vermittler und Verteidiger des humanistischen Bildungsideals
bezeichnen sich zu unserer Freude die Herausgeber, aber
sie können sich nicht der Tatsache verschließen, daß die Bedingungen des gymnasialen Lehrbetriebs seit der Begründung des
neuhumanistischen Gymnasiums andere geworden sind: andere
Ziele, andere Wege; das Formale muß mehr dem Realen geopfert werden, ohne das Ideale aufzugeben. Lateinsprechen und
Lateinschreiben kann nicht mehr Ziel sein; der altsprachliche
Unterricht muß seine Existenzberechtigung dadurch dartun, daß
er sich als unentbehrlich für die Erreichung allgemeiner, d. h.
vereinter sachlicher und formaler Bildung dartut. Das Altertum
ist nach wie vor als Ursprung und Wiege unserer heutigen
Kultur anzusehen. Darauf beruht der Wert unserer Kenntnis des
antiken Lebens und der vielfältigen Formen, in denen es zum
Ausdruck kommt. Der antike Schriftsteller ist der berufene Vermittler dieser Kenntnis, und seine Lektüre im Originaltext ist
hierzu ebenso unerläßlich, wie das Studium einer Symphonie nur
nach der Partitur, das Studium der Anatomie nur nach der
Natur, nicht nach künstlichen Modellen zum richtigen Kennen und
Können führen wird. Dies sind die wesentlichen Erwägungen,
die die Herausgeber im Vorwort anstellen und durch die sie sich
zu einer Prüfung des heutigen offiziellen Kanons der altsprachlichen
Literatur auf den höheren Lehranstalten veranlaßt sehen.
Bekannt ist es ja, daß auf den österreichischen Gymnasien eine
weit geringere Bewegungsfreiheit der Lehrer besteht, wie ja die
festgefügten Lehrpläne beweisen, während in Preußen der so
außerordentlich gesunde Grundsatz gilt, daß die offiziellen Lehrpläne ein Versuch sind, zu dem vorgezeigten Ziele zu gelangen,
daß aber andere Wege, wie sie ein Lehrerkollegium etwa findet,
wenn sie auch zum Ziele führen, auch gangbar sind. Leider
entschließen sich in Preußen die Lehrerkollegien nur selten
zu dem Beschreiten eines neuen Weges, namentlich die alt-
philologisch gebildeten. Die Verfasser wünschen eine organische
Fortentwicklung des Gymnasiums auf unversehrter Grundlage
seiner bisherigen bewährten Organisationsbestimmungen; sie

wünschen eine Reform des altsprachlichen Lesestoffes, wie ja —
dies Beispiel führen sie an — beim erdkundlichen Unterricht
periodische Auswechselung des Karten- und Bildermaterials oder
in den naturwissenschaftlichen Disziplinen fortwährende Ausgestaltung der Kabinette und Laboratorien und Korrektur der Anschauungsmittel seit jeher als selbstverständliche Notwendigkeit
betrachtet worden sind. Der obersten Unterrichtsbehörde in
Österreich, allen Fachgenossen und Schulmännern sind die Erörterungen unterbreitet. Sicherlich eine sehr beachtenswerte Erscheinung, um so erfreulicher, je mehr es ja unser Wunsch sein
muß, daß die Universitätslehrer ihre Aufmerksamkeit den höheren
Unterrichtsanstalten widmen, die wenigstens mit einem Teile ihrer
Schüler Vorbereitungsstätten für die Universität sind.

Zunächst liefert Martinak seinen Beitrag (S. 8—31). Er gibt
eine kurze, übersichtliche Darstellung der Art des Unterrichts-
betriebes von den ersten Anfängen bis in die neueste Zeit.
Wenn er S. 14 keinen wesentlichen Unterschied des lateinischen
Lektürekanons auf den preußischen Schulen vom Jahre 1892 und
dem vom Jahre 1901 anerkennt, so hat er, beide äußerlich verglichen, recht, doch scheint mir nicht unbeachtet gelassen werden
zu dürfen, daß in den Lehrplänen vor 1901 bei der Auswahl der
Lektüre weniger Rücksicht auf die Förderung des Geschichts-
unterrichtes durch die klassische Lektüre genommen zu sein
scheint, die nur stärker betont wird bei der Empfehlung eines
griechischen Lesebuches, etwa des von Wilamowitz. Besonders
interessant sind die Mitteilungen aus dem Marxschen Lehrplane
vom Jahre 1775, der den Utilitarismus der Periode der Aufklärung
charakterisiert: „Die Antike wird vorwiegend historisch, z. T. auch
nur enzyklopädisch eingeschätzt". Und heute? — Dann bespricht
er den Bonitz-Exnerschen Organisationsentwurf, durch den 1849
die Grundgedanken des Neuhumanismus in Österreich durchgeführt
wurden. Interessant ist da zu lesen, daß die Xenophonlektüre erst
1855 angeordnet wurde. Weiterhin erörtert geistreich der Verfasser,
welche verschiedenen Interessen in den einzelnen Zeitläuften für
den Kanon bestimmend gewesen sind (S. 22 ff.). Bezeichnend für
den Standpunkt des Verfassers ist die Charakteristik der sogenannten klassizistisch-historischen Auffassung, die einerseits alles
Bestehende in seiner geschichtlichen Entwicklung betrachtet und
doch wiederum in der Antike absolute Werte sieht; diese Richtung sei der Gefahr nicht ganz entronnen, über dem jugendfrischen Glanze der Antike den richtigen Maßstab für die Bewertung alles Späteren und insbesondere der Gegenwart mitunter
zu verlieren, jetzt stünden sich der kritisch vertiefte historische
Standpunkt und der klassizistisch-historische recht deutlich gegenüber. Doch wenn ich mich auch bei der Wiedergabe des Inhaltes
vielfach der Worte des Verfassers bedient habe, so ist damit nicht
genug geschehen: die ganze Erörterung verdient das aufmerksame

Studium der Lehrer. M. kommt dann auf die Rücksichten, auf
die Psyche und Aufnahmefähigkeit des Lernenden bei der Aufstellung
des Kanon zu sprechen, wie sie in den verschiedenen Zeiten verschieden genommen worden sind: Kampf gegen Laszives und
Obszönes, Interessekreis des Schülers, Leistungsfähigkeit, harmoni-
sches Zusammenwirken aller Unterrichtsfächer. Die Elastizität des
in Österreich bis jetzt bestehenden Kanons ist gering — ich sprach
schon oben davon — namentlich aus Rücksicht auf die Freizügigkeit
der Schüler, eine Rücksicht, die ja hin und wieder auch bei uns
empfohlen wurde, aber zum Wohle der Schule nie entscheidend
geworden ist. Mit Recht hebt auch der Verf. hervor, wie unter
dem ewigen Einerlei die Frische des Lehrenden leiden kann.
Ferner kommt es doch auch nicht zuletzt auf das Stofferledigen —
eine Rücksicht, die unter Herbarts Einfluß die Lehrpläne von 1892
zu sehr beherrscht hat — an, als vielmehr auf das Kraftbilden durch
den Stoff. Ist die Kraft gewonnen, dann erträgt ein Schüler auch
trotz der Verschiedenheit des Kanons den Wechsel der Schule.
Doch was läßt den Verfasser in besonderem Grade eine Änderung
des Lektürekanons in Österreich nötig erscheinen? 1. Der Einfluß
der Gedanken Wilamowitz-Moellendorffs und seiner Ansicht ·vom
Klassizismus, die der Ausdruck einer allgemeinen Zeitströmung
seien. 2. Die Wertschätzung einiger Schriftsteller sei eine andere
geworden. 3. Verschiebung der Zielforderungen. Die Forderung
der stilistischen Beherrschung der Sprache sei fast ganz gefallen,
der letzte Rest sei noch das deutsch-lateinische Skriptum bei der
Maturitätsprüfung, das dem Verfasser schon fast ein Anachronis-
mus ist, dem er eine besonders lange Dauer nicht mehr wünschen
kann[1]). Das Übersetzen in die Fremdsprache werde nur mehr
Übungswert für die elementare und die Mittelstufe beanspruchen
dürfen, ganz die Ansicht, die der leider so früh verstorbene
Dettweiler in seinem Buche vom lateinischen Unterricht aufstellt,
die ich aber nicht ganz teilen kann[2]). Weiterhin meint der Verfasser, es habe die Lust und Freude an der altklassischen
Lektüre bei den Schülern, ja mitunter auch bei den Lehrern
abgenommen. Das wäre freilich schlimm! Zu leugnen ist
es leider nicht, daß nicht alle Lehrer des klassischen Unterrichts
für diesen zu begeistern verstehen, daß es manche viel zu sehr
auf die Ausbildung des Intellektes absehen und zu wenig die
Empfindung für die Schönheit der alten Sprachen auch durch
ein gutes, von Begeisterung eingegebenes Vorlesen der Schriftsteller zu wecken verstehen. Wie trefflich verstand dies in
meiner Jugend der Gymnasialdirektor Dr. Fürstenau zu Hanau!
Mit vollem Recht sagt der Verfasser: Das Gymnasium ist

---

[1]) Es ist durch die neue Prüfungsordnung für die Gymnasien Österreichs beseitigt.
[2]) Vgl. Monatschrift für höhere Schulen. Berlin 1908. S. 339 ff.

nach und nach geradezu in eine Kampfstellung gedrängt
worden und in diesem Kampfe liegt die vielleicht stärkste Waffe
— pro und contra — in dem Maß von Liebe und Begeisterung
— oder mindestens Interesse —, das wir unseren Schülern ein-
flößen können oder nicht. Wenn doch nur diese Worte von allen
Lehrern der klassischen Sprachen beherzigt würden und wenn nur
von der Schulverwaltung alle die beseitigt würden, die nur Unlust
zu den klassischen Studien zu erzeugen verstehen! Auf S. 31.
faßt er dann seine Forderungen in vier Sätzen zusammen, die
aus dem bisher Erörterten verständlich sind und von mir nur.
angedeutet zu werden brauchen: 1. Historisches Prinzip. 2. Ab-
schüttelung dessen, was unzeitgemäß ist (Cicero, Demosthenes,
Xenophon, Vergil). 3. Zurückdrängung des stilistisch-rhetorischen
Standpunktes. 4. Bedachtnahme auf das Interesse der Schüler.

Danach gibt uns von S. 35—64 Schenkl seinen Kanon des
griechischen Lehr- und Lesestoffes. Der Verfasser erklärt, gründliche Kenntnis des Lateinischen könne ohne das Griechische gar
nicht erworben werden, ohne Not dürfe also das Griechische
aus dem Organismus des Gymnasiums nicht gestrichen werden;
dabei ist er nicht gegen die Zulassung von Realschulabiturienten
zu dem Studium der Naturwissenschaften, der Rechte und für
einige andere Fächer der philosophischen Fakultät. Er verlangt
größere Freiheit in der Auswahl des Lesestoffes, Berücksichtigung
der Koine und des Attizismus. Aber für das Lesebuch von
Wilamowitz kann er sich nicht aussprechen: der Inhalt ent-
schädige nicht die Schüler für die aufgewendete Mühe, unvoll-
kommene Anfänge einer heut weit vorgeschrittenen Wissenschaft
durch die Mühe des Übersetzens zu gewinnen könne die Schüler
nicht reizen — und mit Recht; das Interesse des Gelehrten darf
nicht mit dem eines Schülers verwechselt werden. Nur das, was
als literarisches Kunstwerk Wert hat, sollen wir den Schülern
bieten, an ihm sollen sie sich erfrischen und eine Basis für ihr
ästhetisches Urteil gewinnen. Rhetorische Schriften seien abzulehnen, von den Philosophen nur Platon den Schülern zugänglich (abgesehen von Xenophon und den historischen Teilen der
Ἀθηναίων πολιτεία); im Kanon sollen die hauptsächlichsten
Formen des literarischen Kunstwerkes soweit möglich vollzählig
vertreten sein, und zweitens seien die Vertreter dieser Formen
aus denjenigen Schriftstellern zu wählen, in denen die Griechen
selbst die hervorragendsten Muster der einzelnen Gattungen erblickt haben. Bisher wurden auf den österreichischen Gymnasien
ausgewählte Gesänge der Ilias und der Odyssee und eine Tragödie des Sophokles gelesen. Wenn sich Zeit gewinnen lasse,
Euripides — ein mustergültiges Rezitieren lyrischer Partien, wie es
die Lehrpläne verlangten, sei unmöglich: sicherlich; denn was kann
heute von metrischen Fragen für ausgemacht gelten! Die hierauf
verwendete Zeit sei besser genutzt, wenn Proben aus Euripides

den Schülern geboten würden (S. 45), oder statt Sophokles könne
wohl auch von einem dazu befähigten Lehrer überhaupt Euripides
gelesen werden; für Schenkl ist ja Sophokles nicht der Höhepunkt der tragischen Kunst, die feine Abstimmung aller Teile
gegeneinander und die so erzielte harmonische Gesamtwirkung
könne nicht ersetzen schöpferische Kraft der Erfindung und Tiefe
der Auffassung. Die Lektüre eines Prometheus oder eines Stückes
der Orestie des Äschylus dagegen sei kein Gewinn für die Schüler,
wenn ihnen statt dessen Antigone, Elektra oder König Ödipus
entgehen sollten. Dasselbe aber möchte ich im Hinblick auf
Euripides sagen, wenn auch auf einigen preußischen Gymnasien
jetzt Euripides gelesen wird. Wenn auf den österreichischen Gymnasien etwa 4000—4500 Verse Homer gelesen werden, von denen
ein Viertel oder etwas mehr auf die Odyssee, der Rest auf die
Ilias entfällt, wenn ferner auf den österreichischen Gymnasien der
ganze Homer den Schülern überhaupt nicht in die Hand gegeben
wird und Schenkl die Forderung aufstellen muß, daß doch
wenigstens ein Gesang in verkürzter Form gelesen werde (er
schlägt den VI. der Ilias vor), dann dürfen wir doch zu unserer
Freude sagen, daß auf preußischen Gymnasien eine weit umfangreichere Lektüre des Homer, wie die Jahresberichte ergeben, stattfindet und ohne allen Zweifel zur wahren Bildung
unsere Jugend; denn welche Lektüre kann genußreicher und
bildender für den Schüler sein, als die des Homer! Wir müssen
immer mehr danach streben, ihn unseren Schülern zum vollen
Eigentum zu machen, in ihm muß er heimisch sein. Allerdings
glaube ich, daß ein großer Teil der Iliade nicht in der Schule
gelesen zu werden braucht, sondern von den Schülern zu
Hause gelesen werden muß. In der Schule wird der Lehrer
durch vertiefende Besprechung des Gelesenen sich von dem Ergebnis der häuslichen Arbeit überzeugen und dabei die beste Gelegenheit finden, seine Schüler zu bilden, indem er ihnen den
Homer neben anderen zu ihrem Lehrmeister macht. Doch
Schenkl will von einer eingehenderen Lektüre der Odyssee und
Iliade, als sie bisher stattfand, nichts wissen und spricht sich mehr
für Lektüre geeigneter Stellen der Hesiodischen Poesie (S. 49) und
Homerischen Hymnen aus. Warum aber von diesem und jenem
etwas, statt etwas den Schülern ganz zu geben und lieb zu machen,
daß es wirklich ihr Eigentum wird. Vergesse man doch nicht, daß
unsere Schüler bis zu ihrem Verlassen der Schule Elementarschüler
sind und nicht Gelehrte und daß sie nur einen guten Grund legen
sollen, der ein Weiterbauen zuläßt, ja zu ihm auffordert! Nicht
Sättigen, sondern Hungrigmachen muß unser Ziel sein, und das
wird wohl eher erreicht, wenn die Freude an einem wirklichen
festen Besitz gewonnen wird, als die, von diesem und jenem ge-
schmeckt zu haben. Von den Lyrikern wird Bakchylides empfohlen, Pindar als der Dichter einer versinkenden Zeit zurück-

gewiesen, und doch wie bedeutungsvoll ist Pindar für Goethe gewesen. Sollten wir wirklich unseren Schülern keine Anschauung von ihm geben können; in meiner Jugend lasen wir Pindar nach der Stollschen Anthologie mit Nutzen; warum sollte dies nicht noch heute möglich sein? Der Beginn des Griechischen damals in IV ist doch nicht von so großem Nutzen gewesen, daß heute nicht etwa dasselbe geleistet werden könnte! Auch Theokrit will der Verfasser den Schülern vorgelegt wissen.

Von den Prosaschriftstellern enthält der österreichische Kanon Xenophon, Herodot, Demosthenes, Plato. Ausgeschlossen sind also Thukydides, auch Plutarch und Lysias, die neuerdings auf preußischen Gymnasien und zwar m. E. mit Recht hin und wieder gelesen werden. Die Demostheneslektüre will der Verfasser wegen ihrer allerdings nicht zu verkennenden Schwierigkeit fallen lassen. Von Xenophon empfiehlt er nur die Anabasis und die erzählenden Stücke der Cyropädie. An seine Stelle will er Arrian setzen. Die Herodotlektüre verlegt er nach Prima: hier soll viel und rasch gelesen und großzügig erklärt werden. Gern konstatiere ich, daß die Zeiten vorüber sind, in denen Herodot im Interesse des griechischen Skriptums ins Attische übersetzt' wurde; das war eine nicht zu begreifende Geschmacklosigkeit! Mit Recht spricht sich der Verfasser gegen die Übersetzungen ins Griechische auf der oberen Stufe aus, er will nur solche in das Deutsche. Selbstverständlich ist es, daß der Lehrer des Griechischen darüber wachen muß, daß die Sicherheit in der griechischen Formenlehre nicht verloren geht und ebenso nicht das Verständnis für die Syntax. Unvermeidlich wird es allerdings sein, daß auf der Universität von den Professoren griechische Übungen angestellt werden. Das Gymnasium, das heute modernem Wissen mehr Rechnung zu tragen hat, kann nicht mehr die Ausbildung der zukünftigen Philologen so, wie früher, im Auge haben. Das gilt auch für das Lateinische. Mit Freuden lese ich, wenn der Verfasser die Platolektüre zu einer Palästra philosophischen Denkens machen will: Plato und nicht Cicero! Neben Apologie und Kriton empfiehlt er Gorgias, wenigstens Kap. 1—36, aber auch Protagoras, Lysis und Charmides. Hier tritt der Verfasser mit Recht für die größte Freiheit des Lehrers bei der Auswahl ein; denn von ihm hängt es ja ab, die Schriften den Schülern näher zu bringen. An Stelle der Demostheneslektüre setzt er Lysias (VII, XII, XIX, XX, XXII, XIV. Rede). Bei der Anziehungskraft, die auf die jugendlichen Gemüter die Biographie ausübt, tritt er für Plutarch ein; mit Recht: ich habe ja schon erwähnt, daß er auch wieder auf diesem und jenem preußischen Gymnasium gelesen wird. Der Verfasser glaubt, es könnten in einem Semester etwa 200 Teubnerseiten erledigt werden; vielleicht ist dies etwas zu viel, ein Viertel weniger wird wohl das Richtige sein. Von Thukydides empfiehlt er I 89—95; 128—138; V 2—6; 8—23;

26—41; 69—87. Wir lasen mit großem Genuß, wenn auch mit Mühe, den Epitaphios. Der Euboikos des Dion wird von ihm, wie von Wilamowitz, empfohlen. Was er von der Privatlektüre S. 63 f. sagt, ist ja recht schön, aber in der Praxis schwer durchzuführen: wieder und wieder möchte ich für das Privatstudium Homer empfehlen; in ihm sollen die Schüler heimisch werden.

Es folgt der Kanon des lateinischen Lehr- und Lesestoffes von Kukula (S. 67—97). Für Livius (doch mit Ausschluß des 1. Buches), Sallust, Tacitus, Ovidius, Horaz tritt selbstverständlich der Verfasser ein. Nepos, Cäsar, Cicero und Vergil gilt seine Kritik. Nepos wird wegen seiner Form und seines Inhaltes verworfen: auch ist er nach meiner Ansicht zu schwer für die Quartaner; es empfiehlt ihn nur das Übersichtliche seiner Biographien, ihr Inhalt ist sehr zweifelhafter Art. Doch was an seine Stelle setzen? Eine Auswahl aus Justin, wie sie seinerzeit Jacobs hergestellt hat. Cäsars bellum gallicum aber gehört nach Kukula zu den unglücklichsten Lesetexten unseres Gymnasiums: es ist nach des Verfassers Ansicht viel zu viel Fachwerk, um eine geeignete Lektüre eines Tertianers zu sein (S. 72). „Von allem Anbeginn an müßte den Knaben zum Bewußtsein gebracht werden können, daß auch die alten Römer Menschen wie wir gewesen sind, daß ihre sozialen Zustände, ihre Kunst, die Entwicklung ihrer Literatur, ihr Gefühlsleben überall Analogien und Zusammenhänge mit unseren Zeiten zeigt, daß sich ihr Dasein vielseitig wie das unsrige abspielte und ihre Tätigkeit nicht bloß auf das Schlachtfeld und das Forum konzentriert war. Aber unter der Einseitigkeit und Eintönigkeit der heute vorgeschriebenen Lesestoffe leidet ebenso der sprachliche wie der sachliche Erfolg des altklassischen Unterrichts besonders in den unteren Klassen (S. 73). Der Verfasser verlangt eine zweckmäßig eingerichtete, für Tertia und Quarta ausreichende Chrestomathie nach Art der deutschen und neusprachlichen Lesebücher für Unterklassen: ein sehr beherzigenswerter Vorschlag! Außer vielem anderen Wichtigen würde es auch leichter erreicht werden, daß die Schüler lernen ohne gedruckte Übersetzungen zu arbeiten; denn für eine solche Chrestomathie würde wenigstens längere Zeit keine Übersetzung vorhanden sein: Cäsars bellum gallicum würde ich vielleicht wesentlich auf Obertertia beschränken, in Untertertia die Kapitel lesen lassen, die sich auf Deutschland beziehen, daneben dürfte Ovid einen größeren Raum einnehmen.

Nun zu Cicero! „Sein nachdrückliches Studium gehört in die philologischen Hörsäle und Seminarien der Universität, nicht mehr in die Mittelschule" (S. 75): so der Verfasser, nachdem er zuvor Cicero gerecht charakterisiert hat. Seine Wortfülle, sein romanischer Prunk der Periode machen ihn zum Stilverderber.

De imp. Cn. Pomp., in Catil., pro Archia; Cato maior, Laelius — die auf den österreichischen Gymnasien am meisten gelesenen Schriften Ciceros — besitzen nach des Verfassers Ansicht wenig Wert für unsere Jugendbildung. Mit diesem verwerfenden Urteile kann ich doch nicht übereinstimmen: die Rede de imp. Cn. P. erscheint mir wegen ihrer Klarheit in der Anordnung und wegen der Reinheit der Sprache ganz besonders lehrreich für den Schüler und dann ist sie doch immerhin ein sehr wichtiges Zeugnis für die Zeit; ebensowenig möchte ich die Lektüre der einen oder der anderen Katilinarischen Rede missen: sie sind einmal charakteristisch für die Beredsamkeit Ciceros, von der es sich doch lohnt eine Anschauung zu bekommen, wenn sie auch nicht als nachahmenswert bezeichnet werden soll, und dann geben sie uns immerhin die Auffassung einer sicherlich nicht unbedeutenden Person von der Persönlichkeit Katilinas; wenn die Reden ihre Wirkung getan haben — mögen sie gehalten sein wie sie wollen — dann kann die Auffassung Ciceros von Katilina doch nicht unbedingt falsch gewesen sein. Aber auch Cato maior erscheint mir und vielen anderen Schulmännern als eine für einen Sekundaner recht geeignete Lektüre. Der Verfasser selbst will auch eine der Katilinarien und die IV. Verrine von den Schülern gelesen haben; warum nicht auch pro Rosc. Am., erzählende Abschnitte aus den philosophischen Schriften und vielleicht auch Abschnitte aus de oratore, den ich als Primaner unter K. W. Piderit in der Schule ganz gelesen habe. Aber auch ich möchte gern Tacitus vor allem Platz schaffen durch Zurückdrängung des Cicero. Bei aller Wertschätzung, die Kukula für Vergil hat (S. 79), möchte er ihn und sein gründliches Studium auf die Universität verweisen, ihn kennen zu lernen genüge etwa der 1. Gesang mit anschließender Inhaltsangabe des gesamten Werkes; eine ausführlichere literarische Würdigung könne im Anschluß an Schillers freie Übersetzungen der Lehrer des Deutschen übernehmen. Mit den Darlegungen Kukulas über diese Frage, wie sie sich S. 61 ff. finden, wird sich der preußische Gymnasiallehrer wohl kaum ganz einverstanden erklären. Was heißt gründliches Studium dieses oder jenes Klassikers? Nach Art Nordens kann ein VI. Gesang der Äneis nicht erklärt werden: der Jugend wird nahegebracht, was ihr nahegebracht werden kann, ohne daß sie das Bewußtsein oder vielmehr den Wahn eines vollen Verständnisses gewinnt; das Unvergängliche des Klassischen bewährt sich gerade durch den Genuß, den es den verschiedenen Altersstufen gewährt. Wenn der Verf. aber die Briefe des jüngeren Plinius für die Schule benutzt haben will, so möchte ich vorsichtig auf diesem Wege folgen, indem ich allerdings glaube, daß dem Verständnis der Tacitus- wie auch der Horazlektüre durch ihn gedient wird; wie die Lektüre dieser Schriftsteller vielseitig und anregend wirken kann und muß, so auch die des Plinius.

Daß aber Kukula den Wert der Cicerolektüre, der in der Klarheit des Ausdruckes seinen Grund hat, zu gering anschlägt, sei noch einmal gesagt. Wenn aber (S. 87) Namen wie Mimnermos, Theognis, Alkaios, Anakreon, Sappho, Simonides den österreichischen Gymnasiasten nur ein fremder Schall bleiben, so ist dies auf den preußischen bekanntlich besser. Wenn die Worte „Nur Horaz, dem griechischsten römischen Dichter, wird knapp vor Torschluß, da sich schon das Gespenst der Maturitätsprüfung stets drohender äußert, ein Weilchen zerstreutes Gehör geschenkt“ zutreffend sind, so ist dies allerdings zu bedauern. Ich erinnere mich, daß vor etwa 20 Jahren auf den hessisch-darmstädtischen Gymnasien Horaz kaum das letzte Jahr gewidmet wurde, ob es jetzt noch so ist, weiß ich nicht. Auf den preußischen gehören dem Horaz seit langem die zwei Primajahre mit wöchentlich zwei Stunden, und dabei muß es auch bleiben, wenn unsere Gymnasiasten den Horaz gründlich sollen kennen lernen und all die Fragen, zu denen er anregt, eine Beantwortung mit Rücksicht auf die Gegenwart erhalten sollen. Gestattet es die Zeit, gestatten es die Schulen, dann kann man ja auch noch die Chrestomathie etwa von Biese benutzen und Catull, Tibull, Properz den Schüler kosten lassen, nötig ist es nicht: lieber einige Schriftsteller gründlich lesen, als von allen etwas kosten. Das möchte ich zum Schlusse der Besprechung des Buches betonen: wenn die Gymnasiallehrer den Glauben an den Klassizismus des Altertums aufgeben, wenn sie sich dem sogenannten Historizismus zuwenden und die bisher für klassisch erklärten Werke des Altertums nur als eine der gewöhnlichen Entwicklungsstufen ansehen, dann ist das alte Gymnasium mit dem Reformgymnasium dem Untergange verfallen. Ich bin der Ansicht, daß die Erzeugnisse der Blüte des Altertum mustergültig sind, und die Geschichte hat gelehrt, daß die tiefere Kenntnis dieser Erzeugnisse stets reinigend auf Geschmack und Urteil gewirkt hat. Deshalb halten die Pädagogen der alten Richtung das eindringliche Studium der besten Erzeugnisse des Altertums aus der Blüteperiode für die gesündeste Kost der heranwachsenden Jugend; sie hat sich bewährt und wird sich bewähren; lasse man nur den Lehrern die Gelegenheit, unbehindert und ihrer Individualität gemäß die Kost zu reichen! Hoffentlich schwindet dann auch mit der Zeit wieder das verkehrte Urteil über Wert und Betrieb der klassischen Sprachen, das jetzt hin und wieder in Presse und Gesellschaft sein Unwesen treibt.

Kiel.   ——————   J. Loeber.

Wilhelm Gemoll, Griechisch-deutsches Schul- und Handwörterbuch. Wien u. Leipzig 1908, Tempsky u. Freytag. Lex.-Form. 8 ℳ.

Der Verf. spricht als seine Absicht aus, den Wortschatz der Schulschriftsteller im weitesten Umfange zu verzeichnen, ja auch über diesen Kreis hinausgehend ein Handwörterbuch zu liefern, das dem Mangel eines solchen auf der Höhe des gegenwärtigen Wissens stehenden Werkes abhelfen soll. Von diesem Gesichtspunkt betrachtet, hat das Werk sicher Existenzberechtigung neben den älteren bewährten Schulwörterbüchern wie Kaegi und Menge. Neben dem Umfange des berücksichtigten Wortschatzes kommt es nach Ansicht des Rez. bei einem Wörterbuch vor allem auf eine klare, übersichtliche Gestaltung des einzelnen Artikels an. Diese Aufgabe löst der Verf. mit großem Geschicke, wenn er auch weniger Belegstellen bietet als die genannten Wörterbücher. Um die logische Gliederung der Bedeutung schärfer hervortreten zu lassen, hat er sich bei ungefähr 230 Artikeln des graphischen Mittels der „Einrahmung" bedient, doch ist zu bemerken, daß es in der größeren zweiten Hälfte des Werkes sehr viel seltener (30 : 200) angewandt wird als in der ersten, wahrscheinlich weil der Verf. mit dem Raum sparen mußte. Rez. hat diese ca. 230 „Rahmen" geprüft und in den meisten Fällen die Gliederung gut, zuweilen vortrefflich gefunden, wenn auch oder wohl gerade weil die oft zu weit ins einzelne gehende Bedeutungsunterscheidung, wie sie Menge bietet, von dem Verf. nicht beliebt wurde. Als vortrefflich erscheinen dem Rez. z. B. die Artikel: ἁπλοῦς, ἀπό, ἀποπνέω, ἀσφαλής, ἀτελής, βαρύς. γένος, γίγνομαι, γραφή. δημόσιος, δόξα, δύναμις, ἐφίσταμαι, καιρός, κατά, χείρ, ὡς; zuweilen allerdings gibt Rez. der von Kaegi gebotenen Gliederung den Vorzug. Ausführlicher sei dem Rez. über die Etymologie zu sprechen gestattet, da ihm gerade die Verwertung derselben für die Schule sehr am Herzen liegt. Es ist anzuerkennen, daß der Verf. die Etymologie in ausgedehnterem Umfange heranzieht, als dies von Kaegi geschieht. Dagegen hält Rez. es nicht für richtig, in einem Schulwörterbuch andere Sprachen als das Lateinische und Deutsche zur Vergleichung zu benutzen; denn nur diese sind dem Schüler und auch den meisten Lehrern bekannt. Von den germanischen Dialekten müßte entweder nur das Nhd. oder sicherlich dieses neben den andern besonders genannt werden. Als unrichtig erscheinen dem Rez. folgende Angaben: αἴγλη nicht aus ἀγίλη vgl. dagegen Prellwitz und Boisacq; ἀκόλουθος nicht = α cop. + κόλουθος Nebenform für κέλευθος, sondern mit Ablaut gebildetes Kompositum; über ἄμοτον s. Prellwitz 2. Aufl.; s. v. ἄρκτος wird ursus als aus *urctus entstanden erklärt, das hätte aber urtus ergeben (vgl. tortus, fortis u. a.), sondern aus *urcsus (gr. κτ aus idg. kþ = lat. cs vgl. τέκτων: texo); Ἀττική nicht aus Ἀθηναική, sondern zu ἀκτή Küste; βέλτερος nicht aus *μέλτερος zu μάλα, sondern zu dē-bilis; βορά nicht zu gula, das höchstens von einer Parallelwurzel gel oder gᵘel stammt; βροτολοιγός nicht zu lūgeo, sondern, wie es unter dem Simplex richtig heißt, zu ὀλίγος; lūgeo gehört zu λευγαλέος und λυγρός, wie auch der Verf. richtig angibt; δαίμων nicht zu lar, sondern

zu δαίομαι, vgl. μοῖρα: μέρος, Νέμεσις: νέμω, avest. bagha
Gott: bāgem Anteil, Los; δένδρον, nicht aus *δένδο + δρεϝον,
sondern einfach durch Dissimilation aus *δέρδρεϝον nach Hirt
Handb.; ἑστία nicht zu ἐσχάρα, sondern zu ἄστυ αὐλή, Vesta
und Wesen; θειλόπεδον nicht aus *τερσλο; εἴκω „weichen“ nicht
zu vinco und ahd. wīgan, sondern eher vices Wechsel und ahd.
wīhhan; ἔνεροι nicht aus ἐν und ἔρα, sondern zu νερθεν, nieder,
Nord, Nerthus, νεάτη, nīdus; ἐξαίφνης nicht zu ἄφνω, sondern
zu αἰπύς, αἶψα; θρίαμβος nicht aus τρίς und *ἄμβος = abd.
ancha Schenkel, sondern nach Prellw. aus θριάζω und *-βος
zu ai. gā singen, vgl. ἴαμβος; θύλακος nicht zu follis, sondern
dieses zu θύω, follis gehört zu φάλλος; ἶνις nicht zu iuvenis,
eher zu ζειά (lat. j = ζ, vgl. jugum: ζυγόν); ἰονθάς nicht zu
villus (dieses nach Walde zu vellus); κάμινος nicht zu altslav.
kaměni Stein, sondern zu καμάρα, camur; bei κημός ist Rez.
die Angabe „lat. cāmus Fremde“ unverständlich, es ist wohl ein
Druckfehler für lat. cāmus Fremdwort“, die Vergleichung mit
quālum ist unrichtig; λαγώς nicht zu λαγνός geil, sondern zu
langueo und οὖς = Schlappohr; λάπτω nicht zu Lefze, Lippe
(die Lippe leckt nicht; Walde); λύγος nicht zu ligare, sondern
zu luctari; μαλάχη nicht semitisch, sondern verwandt mit μαλακός; μέμονα nicht zu μάομαι, sondern zu √men in μένος, vgl.
γέγονα: γένος = μέμονα: μένος; μηρός nicht zu ahd. muriot,
sondern aus *mēmsro *mēro zu membrum (aus memsrom) und
got. mimz; bei μοῦσα zieht Rez. die alte Erklärung Brugmanns
aus *μόντια als „Sinnende“ der „Bergfrau“ Wackernagels vor;
bei ναῦς hält Rez. die Alternative „nach andern zu navo aus-
gehöhlter Baum“ für überflüssig; ὁπλότερος nicht zu ἁπαλός,
sondern zu ὅπλον = rüstiger, Prellwitz; οἶτος nicht zu lit. saitas
„Zeichendeuterei“, sondern eher zu οἴσω, vgl. die Bedeutungs-
parallele fors, fortuna: ferre; bei οὖρος II ist *σϝορϝος zu
streichen, desgl. bei οὐρός νεώριον, da dieses zu ὁράω gehört;
bei ὀχετός ist zu ὄχος II hinzuzufügen, da es zu √regh gehört;
ὀχλέω 1. fortbewegen gehört zu vehere; bei πᾱνός ist φᾱνός zu
streichen, dieses gehört zu φαίνω aus *φαεσνός; bei πᾶς ist
zu streichen quantus, dieses gehört natürlich zu dem Pronominal-
stamm kʷo; bei πάλαι zu streichen „W. πελ in grauer Vorzeit“; παιφάσσω nicht zu focus; bei πείθω ist zu streichen
„nach andern“, beide Wörter fīdo und bitten gehören dazu;
πείκω nicht zu πικρός; πόρκης nicht zu πείρω, sondern zu
compesco aus *compercsco, dagegen πόρπηξ zu πείρω; ῥαχίς
nicht zu ahd. hrucki, sondern dieses zu crux; bei σπλήν ist
„Lunge“ zu streichen, da es zu ἐλαχύς gehört, vgl. παχύς:
Bunge = ἐλαχύς: Lunge; στεῦται gehört zu στοά, στῦλος,
σταυρός, stauen, Steuer, steuern; τέρμιος nicht zu *τέρμα = ai.
cárma Haut, Schild, sondern zu τέρμα Ende, Grenze, anord. þromr

äußerster Rand, ahd. drum Endstück, wegen der Bedeutung vgl.
Rand = Schild. Bei τήμερον ist hodie zu streichen (τ aus kj)
τήμερον gehört also zu κεῖνος, cis u. a.; τιτϑός nicht zu „Zitze“,
sondern als Kurzform zu τιϑήνη mit Verdoppelung des ϑ wie in
Kosenamen; τραυλός nicht zu raucus! ὑγρός nicht zu altslav.
jugu Süden, Süd, sondern zu ὕνεο, ümidus, wohl auch „Ochse“
(vgl. verres: ἔέρση; bei ὑμέναιος ist die zweite Alternative:
äol. ὑμε = ὁμοῦ und ναίω „wohnen“ zu streichen; φαιδρός
darf entweder mit lit. gaidrùs oder mit φαίνω verglichen
werden, aber nicht mit beiden zugleich, ersteres erscheint dem
Rez. richtiger; χαίτη nicht zu caesaries, sondern zu haedus, die
Mähne ist „die fliegende“, der Ziegenbock ist der „Springende“;
bei χολάδες ist χορδή zu streichen, das zu √gher fassen und
hira und Garn gehört, wie Verf. ja richtig angiebt; wenn fremo
zu χρεμίζω gehört, kann es nicht auch zu βρέμω gestellt
werden, Walde stellt es zu βρέμω; ὦμος nicht aus *ὄμσος,
sondern aus *ὤμσος. Als zweifelhaft erscheinen dem Rez. die
Etym. von ἀδημονέω, ἄελλα, ἀϑρόος, αἶα, αἰγίοχος, αἰγύπιος,
ἀϊζηός, ἄκανϑα, Ἄλπεις, ἄλσος, ἀλωή, ἄμη, ἀμνίον, ἄμπυξ,
ἀνάγκη, ἀνακωχή, ἄνεω, ἀνοπαῖα, ἀπαυράω, Ἀπόλλων, ἅπτω,
ἄραβος, ἀραιός, ἁρπεδόνη, ἀσκαλαβώτης, ἀσκός, ἀσπάζομαι,
ἀσπάλαϑος, ἀστράβη, ἀτάσϑαλος, ἀτμός, ἀτρύγετος, ἀτύζω,
ἄφενος, ἄωτος u. v. a. Vermißt hat Rez. folgende Vergleichungen
mit deutschen Wörtern: ἄδην: satt; ἀεί: ewig, je, immer;
ἄεσα ἄστυ: Wesen; ἄημι: Wind; ἀϑερίζω: der untere;
αἰδέομαι: Ehre; αἴϑω: Esse; αἶμα: Seim; ἀχαχίζω: Ähre,
Egge, Ecke; ἀλδαίνω: alt; ἄμαϑος: Sand; ἀμαρύσσω: Morgen;
ἀμέργω: Mark = Grenze; ἄμφω: beide; ἄνεμος: ahnden =
strafen; ἀνεψιός: Neffe, Niftel; ἀντί: Antlitz, Ende, ent-;
ἀπάτη: finden; ἀπειλή: Beispiel (= Gleichnis); ἄριστον: eher,
erste; ἀστεμφής: Stab; ἄτρακτος: drechseln; αὖ γε = auch;
αὖος: dial. sohren; αὔριον: Osten, Ostern; αὐτέω: ju, juch;
ἀχερωΐς: Esche; βαίνω: bequem, bekömmlich; βακτηρία: ndd.
Pegel; βεῦδος: Kutte; βδέω: fisten; βόϑρος: Bett; βράκα:
ahd. bruoch, engl. breeches; βροτός: Mord; βρύχιος: brakig;
βύκτης: Pogge; γλάμων: klamm; γλισχρός, γλοιός: Klei,
kleben; γλουτός: Kloß, Klotz, Kugel; γλύφω: Kloben, Kluft;
γνίφων: kneifen; γρύζω: grunzen; γρυμέα: Krume, krauen;
γρύψ: krumm, Krüppel; δαίδαλος: Zoll; δαπάνη, δεῖπνον:
Ungeziefer; δατέομαι: verzettele, Zettel = Einschlag; δέννος:
Kot; δέρω: trennen; δήν: zaudern; δόλος: Ziel, Zahl; ἐγείρω:
karsch; ἐγχεσίμωρος: Märe, Märchen, — mar (im Eigennamen); ἕδνα: widmen; ἕζομαι: sitzen; ἔϑος: Sitte; εἰλα-
πίνη, ἐλπίς: wollen; εἴλλω: wallen, Welle, Walze; εἶπον,
ἔπος: erwähnen; εἴργω: Rache, Recke; ἐκεῖ: hier, her u. a.;
ἐκυρός: Schwäher, Schwieger; ἐλάτη: lind; ἔλαφος; Lamm;
ἔλδω: wählen, wollen; ἐλελίζω: Leich, leichen; ἔλσος: Lücke,

Loch; ἐλεύθερος: lotter, liederlich; ἐννέπω: sagen; ἔνεροι: Nord, Nerthus; ἔνος: got. sineigs, Seneschall; ἐπιεικής: Weigand = Kämpfer, Hedwig; ἐρέβινθος: Erbse; ἐρευνάω: raunen; ἐρείκω: Reihe; ἐρετμόν: Ruder; ἐρύομαι: wahren, wehren; ἐρωή I: rasen; ἕσπερος: Westen; ἔτος: Widder (= Jährling); εὐνή: wohnen, Wunsch, Wonne, gewinnen, Wahn; εὖνις Wahnsinn, Wahnwitz, engl. want; εὐρύς: Raum; ἕως: Osten, Ostern; ζειά: jung; ζεύγνυμι ζυγόν: Joch; ἥλιος: Sonne (mit anderer Ableitung); ἡμεῖς: uns; θάμνος: Tann; θάπτω, τάφος: Dung vgl. Tacitus, Germania 16 und den Nürnberger „Dung" = Webe-keller; θάρσος: engl. dare; θήγω: Degen (kelt. L); θείνω, φόνος: Eigenn. auf -gund; θάλλω: bayr. Dult = Jahrmarkt; θολερός: toll; θρῆνος: Drohne; θωμός: Damm; ἰτέα: Weide, Wiede (Strick aus Weidenruten); ἴσκε: sagen; καλέω: hallen; καλύπτω: Hel, Hölle; καμάρα: Hemde, Leichnam; καρκίνος: hart; κάρφω: schrubben; καττύω: Saum; κέντρων: Hadern; κέρας: Hirsch; κῆδος: Haß, hetzen; κῆρυξ: Ruhm; κίχλη: gellen, Nachtigall; κλίβανος: Laib, Lebkuchen; κλύω: lauschen, oberd. losen = hören; κλώζω: glucksen; κνάπτω: ndd. Noppe; κνάω: Nute, nieten; κνηκός: Honig; κνήμη: engl. ham Schinken; κόπτω: Schöps (slav. L. verschnittener Schafbock, vgl. Hammel: ahd. hamal verstümmelt); κόρδαξ: Scherz; κόρυζα: Rotz; κραιπνός, καρπός „Handwurzel": Wirbel, werben; κράμβος: schrumpfen; κρίνον, κρίνω: rein; κρόμμυον: engl. ramsen Lauch; κρούω: Reue; κύκλος: engl. wheel „Rad" Julfest; κύμβαχος: Haube, Humpen; κύρβις: Wirbel werben; κύτος: Haut; κώπη: Hand-habe, Haft, Hebel, heben; λᾶας: Lot, engl. lead; λαγαρός: schlank; λακτίζω: lecken wider den Stachel; λαφύσσω: Löffel; λάρυγξ: schlürfen (mit anderem Wurzelauslaut); λάταξ: Letten; λάχεια: liegen, engl. low „niedrig"; λεία: Lohn; λέπω: Laub; λευγαλέος: Lücke, Loch; λευκός: Licht, leuchten; λούω: Lauge; λύζω: Schlauch; μένος: Mann, Mensch, Minne; μάμμη: Memme, Muhme; μανιάκης: Mähne; μαραίνω: morsch; μάσσω: machen; μέΐραξ: Braut; μέλι: Meltau; μιαίνω, μύδος: Schmutz, Moder; μικρός: schmähen, Schmach, schmächtig; μίνθη, μόθος: Mandel-holz = Mangel (d. i. Drehholz); μυκάομαι: muhen; νέατος: nieder, Nest; νεκρός: Naglfar (Totenschiff); νεόγιλος: keimen; νευρά: Schnur, nähen; νεφέλη: Niflheim; νότος: entweder zu „naß" oder zu „Süden"; ὄγκος I: Angel; οὐρανός: Raum; οὐτάω: Wunde, Wal = Kampf; ὄφις: Unke (eig. Schlange); παλαίω: fühlen; πάομαι: Futter; πάσσαλος, πήγνυμι: fügen; παχύς: Bunge, Bingelkraut; πεῖρα: erfahren, Gefahr; πέλαγος: flach; πέος, πόσθη: Fasel — d. i. Zuchtschwein usw.; πέπλος: falten; πέρᾱ: fahren; περκνός, πρώξ: Föhre, Forelle; πέρυσι: Ferner, Firn, Firnwein; πίμπλημι: füllen; πληγή: fluchen; πλάθανος: Fladen, Flunder; πλαταγέω: plätschern, pladdern; πλῆθος: Volk; πλωτός: Flut; ποικίλος: Feh (buntes sibirisches

Eichhörnchen); πόκος: ahd. falhis „Haar", Faeroer = Schafinseln; πάτος, πόντος: finden; πέρδομαι: farzen, Furz; πορεύω: fahren, führen; πορθμός, πόρος: Furt, Föhrde, Fjord; πόσις: got. bruþfaþs Bräutigam; πότερος: weder; πράμος: fromm; πράσον: engl. furze Heidekraut; πρόμος: anord. fram vorwärts, Fram (Schiff Nansens), Framea, Franken; πτέρνα: Ferse; πτερόν: Feder; πυγμή: fechten; πυθμήν: bauen; πωλέω: feil; πτῶμα: Futteral; ῥάφανος: Rübe; ῥέμβομαι Ranke, Ränke, ringen; ῥῆμα: Wort; ῥίον: Warze; σέλας: schwelen, schwül; σκάλλω: Schale, Scholle, zerschellen; σκιά: schimmern; σκιρτάω: Scherz; σκορπίος: schürfen, scharf; σκῦλον Scheuer, Scheune; σκώρ: Harn; σμάω: Schmied, schmeißen; σμῆνος: sammeln; στέγω: decken; στείβω: steif, Stift; στέλλω: stellen; στένω: stöhnen; στερεός: stark; στήλη: Stuhl; στέρνον: streuen, Stroh; στραγγάλη: Strick, streng; στρουθός: Drossel; σφαραγέομαι: sprechen, Sprache; τανύγλωσσος: dünn; ταρσός: Darre; ταῦρος, τύλη: Daumen; τείρω: durch; τρίβω: dresche; τεῖχος: Deich; τέκνον: Degen = Held; τέκτων: Dachs; τένων: Dohne; τερσαίνω: dürr, Durst; τεύχω, τυγχάνω: taugen; τέφρα: Tag; τήκω: tauen, verdauen; τήμερον: heute; τίς: got. hvas, wer; τορύνη, τυρός: Quark (slav. L.); τρέχω: ahd. drigil Läufer; τρύξ: Dreck; τυφλός, τῦφος, θύω: betäuben, toben, Taube, toll, töricht, Dusel; ὑμήν: Saum; ὗς: Sau; ὑστέρα: Wanst; φάλαγξ: Bohle; φαίνω: bohnen; φαληρίς: Belche (Wasserhuhn); φάραγξ: brechen; φείδομαι: beißen; φίλος: billig; φλέγω: blicken, Blitz, blecken, blinken; φλύω, φλύκταινα: Blut; φρύνη: Bär, Biber; φύλλον: Blatt; φύρω: brauen, brausen, braten, brennen u. a.; φῦσα, φύκη: fauchen; φώγω: backen; φωλεός: Bau, Bauer, Bude; χανδάνω: vergessen; χαυνός, χάος: Gaumen; χείρ: gern, begehren; χόρτος: Garten; χελιδών: Nachtigall; χλαίνα, χλίω, χλωρός: glühen, Glut, Glanz, glatt; χόνδρος: Grind, Grund; χραίνω: Grenze (slav. L. vgl. Mark: margo: ἀμέργω und ὀμόργνυμι); ψάμμος: Sand; ὠλένη: Elle.

Ebenso vermißt Rez. folgende Vergleichungen mit lat. Wörtern: ἄεσα: Vesta; ἄημι: ventus; αἰγανέη, αἴγειρος: aesculus; s. v. ἀλλᾶς mußte bei allium die Bedeutung: „Knoblauch" angegeben werden; s. v. ἀλοσύδνη mußte unda (aus *udna) erklärt werden; ἄμαθος: sabulum; ἀμέργω: merges, margo; ἀμφίπολος: ancilla; ἀνεψιός: nepos, neptis; ἀνήρ: Nero; ἀραιός: rārus; ἀριθμός: reor, ratio; s. v. ἀρτύνω ist bei artus hinzuzufügen: ūs; ἀσβολος ἄρεο; ἄστυ: Vesta; ἀτραπός: trepidus; ἀντέω: iūbilare; ἀφύσσω: imbuo; ἀχερωΐς: ornus; βακτηρία: imbecillus; βαρύς: gravis, brūtus (osk. umbr. L.); βάσκανος: fascinus; βέλτερος: dēbilis; βρύχιος: mare; γρυμέα: grūmus; δίδάσκω: disco; δοκέω: doceo; δῖος: diēs, deus; ἐγγύη: vola; ἐγείρω: expergiscor; ἔθος: suētus; ἐκεῖ, ἐκεῖνος: cis, -ce; ἐλάτη: linter, lentus; ἔλδω, ἐλπίς: velle; ἐλεύθερος: līber; ἐνδελεχής: indulgeo; ἐνηής: aveo; ἔντερον: *interus; ἐντόσθια: intestina; ἔπος: vox; ἐρείδω: ridica Weinpfahl; ἕρμα: series, serere; ἕρση: ᾽verres; ἔτος: vitulus; εὖνις: vānus; εὐρύς: rūs; εὔχομαι: voveo; ζειά: iuvenis; ἡμεῖς: nōs; ἠπίολος: vappo Lichtmotte; θηλή: fīlius eig. der Saugende; θῡμός: fūmus; θώραξ: firmus; ἰαύω: Vesta; ἰδρύω: sīdo; ἵεμαι: via, vēnari; καρκαίρω: carmen; καυλός: cavus; κείρω: cerno; κελαινός: columba; κέντρων: cento; κηλέω: calvi; κλίβανος: lībum; κλώζω: glōcio; κολοσσός: celsus, collis; κόπτω: capo Kapaun; κόρυζα: screa, excrēmentum; κότος, κῶνος = catus, cōs; κρήγυος: crēdo; κριθή: horrēre; κρίκος: circus; κτάομαι: situs; κτείς: pecten; κύκλος: colo, culus Spinnrocken, collum; κύμβαχος: cūpa; κύτος: obscūrus; λαιμός: L. Lamia; λακτίζω: lacertus; λάλος: lallare; λαμυρός: lemures; λάχεια: lectus; λεκάνη: lacertus; λέκτρον: lectīca; λεπτός: lepidus; ληκάω: locusta; λίνον: linere, litare, λοβός: legūmen; λύγος: luctari; μαίομαι: mōs; μαλακός: molo, mollis, mulcēre, mulcare; μαλθακός: mollis (aus *molduis); μάμμη: mamma; μανιάκης: eminēre, mons; μαραίνω, μάρναμαι: marceo, morior; μάψ: mox; μεῖραξ: marītus; μείλιχος: mītis; μίλτος: mulleus; μῆνιγξ: membrāna; μικρός: mīca; μίτος: mittere; μύκης: mūcus, emungo; νάννος: nonnus Kinderwärter; νεάτη: nīdus; νευρά: nervus, neo; νῦν: nunc; ξανθός: cānus (aus *casnus); ξαίνω: cārēre, novacula; ὄαρ: sero, sermo, soror; οἰδάω: aēmidus; οἴς: vestis, exuo, induo; οἶστρος: Ira; οἴσυον: vītex, vīmen; ὅλος: salvus, consōlari; ὀμφαλός: umbo; ὄνομα, ὄνομαι: notare; ὀξύη: ornus; ὀργάω: urgēre; ὀρυγάνω: ructare, ērūgere; ὀρφνός: rōbur; ὀσφραίνω: frāgrare; ὀτρύνω: turba, turma; οὐ: au-, haud mit unorganischem h; οὐλαμός: volvo, volūmen; οὐλή: vellere; οὐρανός: rūs; ὄφις: anguis; ὀχέω: vehere; παγετός, πάγη: pango; παιπάλη: pollen, puls, palea; παλαίω: pello, palma; πάσσαλος: pango; παῦρος: paulum; πείρινς: sporta; πελεμίζω: pello, palpo; πελιός, πέλεια: palumbēs, palleo; πέλλα, πήληξ: pellis; πέρθω: perdo; πήγανος: pāgina; πιμέλη: opīmus; πίσινος: pisum; πίτυλος: petulans; πίων: pinguis; πλέκω: *plicare; πλῆθος: plēbēs; πλίνθος: later; Πλούτων, vgl. Dis: dīves; ποδαπός: Suff. -απός vgl. mit -inquus in propinquus, longinquus; πόρκης: compesco; πόρτις: pario; πότερος: uter; πραπίς, πρέπω: corpus; πρόκα: procul; πτελέα: tilia; πτίλον: vespertīlio Schmetterling eig. Abendflatterer; πτοιάω, πτύρω: pavēre; πτύσσω: fugio; πυγή, πύματος: puppis; πύθω: pūs; πῦρ: pūrus; ῥάβδος, ῥάπτω: verbēnae, verberare; ῥαδαλός: radius, rāmus; ῥάφανος: rāpa; ῥέγχω: ringor, rictus; ῥέω: serum; ῥήν: vervex; ῥῖγος: rigēre; ῥίον: verrūca; ῥόμβος: vergo; σεύω: cieo; σιμός: L. sīmia Affe; σκάλλω: scalpo, sculpo; σκίμπτω: scīpio, cippus; σκιρτάω, σκαίρω, κόρδαξ: scurra, currere, cardo; σκῦλον: obscūrus, cutis; σκῶρ: screa; σορός, σωρός: obtūrare, tumēre; σπέρχω

spargo; στάσις: statio; στείβω: stipare; στέλλω: locus (aus·
*stlocus); στέρνον: sterno; στίζω: stimulus; στραγγάλη:
stringo; στρουθός: turdus; σχάω, σχίζω: scio; σῶκος, σῶμα,
σῶς: tumēre, tōtus; ταμίας: timēre; ταρσός: torrēre; τέγος:
tectum; τένων: tenus; τέρεμνον: trabs; τέρετρον: terebra;
τερσαίνω: torris, torrens; τέφρα: foveo, favilla oder: tepidus;
τίω: caerimonia; Τιτάν: titio Feuerbrand; τορύνη: turba, turma;
τρέπω: turpis; τρίζω: strīdeo; τριττύς vgl. tribus; τρύξ: troia
Sau; τρύζω, τρυγών: turtur; τύπτω: stuprum, tundo; τυρός:
trua; ὑγρός: ūveo, ūmidus; ὕδρα: unda; ὑμήν, ὑμέναιος, ὕμνος:
suō, vgl. wegen der Bedeutung textus; ὑπέρ: super; ὑσμίνη:
juba, jubeo; ὑστέρα: vensica, venter; ὕω: sūcus; φαίνω:·
fenestra; φάλαγξ: fulcio; φαλλός, φλέω: follis; φαληρίς:
fulica; Bleßhuhn, fullo; φάραγξ: frango; φλύκταινα: fluo; φρήν:
fragrare; φράσσω: frequens; φύλαξ: bubulcus; φύλλον: flōs;
φύρω: fretum; φωλεός: favus; χάλιξ: calx; χάος: fāmes,.
fauces; χείρ: hir Hand; χίλιοι verw. milia aus *smī + *ghsli;
χλαρός; glaber; χλεύη: laetus; χλόη: flāvus; χναύω: novācula
Schermesser; ψάλλω: palpare; ψῆττα: squatina; ὠμός: amā-.
rus; ὠρύομαι: rūgio, ērūgo, ructo.

Ferner vermißt Rez. die Angabe der lateinischen und deutschen Lehnwörter aus dem Griechischen, während das in dem
gleichen Verlage erschienene lateinische Wörterbuch von Stowasser.
die Lehnwörter aus dem Lateinischen in anerkennenswertem
Umfange bietet. Die Angabe der Lehnwörter läßt den Schüler
erkennen, welchen großen Einfluß die griechische Sprache auf das
Lateinische und unmittelbar oder mittelbar (durch das Lateinische)
auf das Deutsche gehabt hat. Es hätte erwähnt werden müssen
unter anderm: ἐλεημοσύνη: Almosen; ἀμφορεύς: ampulla, Ampel;
ἄγκυρα: ancora, Anker; ἀπόστολος: Apostel; ἀρσενικόν: Arsenik;
ἀποθήκη: Apotheke, franz. boutique, span. Bodega; ἰατρός:
Arzt (ἀρχιατρός); ἀστήρ: Aster; ὄστρειον: Auster; βιβλίον:
Bibel (τὰ βιβλία); ἐπίσκοπος: Bischof; βύρσα: Börse, Bursche;
πυξίς, πύξος: buxus und -um, Buchsbaum, Büchse; βούτυρον:
Butter; δάκτυλος: Dattel, Dachtel; δράκων: draco, Drache,
Dragoner; ἄγγελος: Engel; ἐπιστολή: epistola, Epistel; ἀρχι-:
Erz z. B. in Erzbischof u. a.; κόλπος: franz. golfe, Golf; γρα-
φεῖον: graphium, graphiolum, Griffel; κρυπτή: crypta Gruft, ital.
Grotte; ἐμφυτεύω: impfen; καμάρα: camera, Kammer, Kamerad;
κάμινος: Kamin, Kemenate (heizbares Frauengemach); κάννα:
canālis Kanal, Kanone, Kanaster; κώνωψ: cōnōpēum (Bett mit
Mückennetz), franz. canapé, Kanapee; · χάρτης: charta, carta,
Karte, Kerze; κόφινος: cophinus franz. coffre, Koffer; κύμινον:
cumīnum, Kümmel; καθαρός: Ketzer; κυριακόν: Kirche; λαός:
Laie; λαμπάς: franz. lampe Lampe; λαμπτήρ: lanterna, Laterne;
λύρα: Leier; λιτανεύω: Litanei; ἀμυγδάλινος: Mandel; μάρ-
μαρος: marmor, Marmor, Marmel, Marbel; μαρτύριον: martyrium,

Marter; μηχανή: māchina, franz. machine, Maschine; μάζα: massa, Masse, Messing; μῆλον: mēlo, Melone; μέταλλον: metallum, Metall; μέσπιλον: mespilum, Mispel; μοναχῇ: monachus, Mönch, München (= zu den Mönchen); ἄμη: ama, Ohm; ἔλαιον: oleum, Öl; ἐλαία: olīva, Olive; ὄργανον: Orgel; πάπυρος: papyrus, Papier; παράδεισος: paradīsus, Paradeis, Paradies; ποινή: poena, Pein; πελεκᾶς, πελεκῖνος: Pelikan; Πέργαμος: pergmēna, Pergamen, Pergament; πάππας: Pfaffe; πέπων: pepo, Pfebe; πέπερι: piper, Pfeffer; πεντηκοστή: Pfingsten; Περσικά: Pfirsich; ἐμπλάσσω: Pflaster (ἔμπλαστρον); πειράτης: pīrāta, Pirat; πλατύς: platt; πλατεῖα: platēa, Platz; πολιτεία: Polizei; πομπή: pompa, franz. pompe, Pomp; πρεσβύτερος: Priester; πορφύρα: purpura, Purpur; κυδώνιον μῆλον: Quitte; ὄρυζα: ital. riso, Reis; σάκκος: saccus, Sack; μίτος: Samt (ἐξάμιτον); σάνδαλον: Sandale; σάγμα: sagma, Saumtier; σαρκόφαγος: Sarg; σκῆπτρον: scēptrum, Scepter; κάλαμος: calamus, Kalmus, franz. chalumeau, Schalmei; χελιδόνιον: Schöllkraut; γράφω: ital. sgraffiare, schraffieren; σχολή: schola, Schule; σέλινον: selīnon. Sellerie; σίναπι: sināpi, Senf; συλλαβή: syllaba, Silbe; σκάνδαλον: scandalum, Skandal; σκελετός: sceletus, Skelett; σχέδιος: schedium, Skizze; ἀσπάραγος: asparagus Spargel; στρουθός: strūthio, Strauß; στρόβιλος: Strobel (Zirbelnuß); τῦφος: *extūfare, Stube; τάπης: tapēte und -um Teppich, Tapete; διάβολος: diabolus, Teufel, franz. diable; θρόνος: thronus, Thron; θύννος: thynnus, Thunfisch; τίγρις: tigris, Tiger; δισκος: discus, Tisch; τόνος: tonus, Ton; τύρσις: turris, Turm; τορνεύω: franz. tourner, turnen; ὥρα: hōra, Uhr; θήκη: thēca, Zieche; ζώνη: zōna, Zone; κεράτιον: franz. carat, Karat; ἀδάμας: adamas, Demant, Diamant.

An lateinischen Lehnwörtern aus dem Griechischen wären zu nennen gewesen: abacus, acta, adeps (aus ἄλειφαρ), argilla, balineum, cādūceus (aus καρυκεῖον) coccum, cochlea, concha, conchȳlium, cōnus, corōna, crāpula, crystallum, cubus, cupressus, cumba, delphīnus, elephantus, ēlogium, fīcus, galea, leo, līlium, mina, mitra, murtus, nānus, nausea, obsōnium, paliūrus, panthēra, paelex, perdix, phalanga, phalerae, placenta, platanus, poēta und Ableit., pūga, rosa, scopulus, scutula Walze, spatha, spēlunca, triumphus, trutina, pessulus.

Bei einigen Lehnwörtern führt der Verf. zwar die lateinischen und deutschen Wörter an, aber ohne die Angabe, daß diese entlehnt sind. Ein Schüler muß in solchem Falle Urverwandtschaft annehmen: vgl. z. B, μίνθη, μορόεις, ποινή, στραγγάλη, ἄντρον, βραχίων, καμάρα, κόμη, ἱλαρός, μάκελλον, ἐλαία, ἔλαιον, φαινόλης, θύος, τύρσις, ζώνη.

Auch hinsichtlich der „inneren“ Etymologie, auf die der Verf. wie er in der Vorrede ausspricht, großes Gewicht legt, sei dem Rez. eine Bemerkung gestattet. Es ist allerdings anzuerkennen,

daß bei jedem einzelnen Worte das Wort angegeben wird, von
dem es abgeleitet ist. Aber das genügt nach der Ansicht des
Rez. nicht. Denn in sehr vielen Fällen ist es auch für den
Schüler so leicht, diese Ableitung zu ermitteln, daß ihre Angabe
nur „aus Prinzip" notwendig ist. Wichtiger ist es, daß der
Schüler die Hauptgruppen von Wörtern, die von einer Wurzel
oder einem Wortstamm abgeleitet sind, kennen lernt. Dem Rez.
scheint deshalb die Methode Menges vorzuziehen: bei ἄγω z. B.
führt M. als Ableitungen an: ἀγός, ἀγωγή, ἄκτωρ, ἄγρα, ἀγρός,
ἀγών, ἀγυιά, ἀγίνέω, ἄξων. So überschaut man bei M. einen
weiten Kreis, während bei dem Verf. der Blick am einzelnen
haftet. Auch auf die Reziprozität der Angaben wäre mehr zu
achten: bei βιβρώσκω z. B. wird auf βορά verwiesen, aber nicht
umgekehrt; bei dem dazu gehörigen βάραθρον fehlt jede Angabe eines verwandten griechischen Wortes, während ai. gar ver-
schlingen (neben lat. vorare) erwähnt wird. Das Ideal einer
innern Etymologie, das allerdings viel Raum beanspruchen würde,
wäre, wenn bei jedem Worte, um einen genealogischen Ausdruck zu gebrauchen, außer dem einen Aszendenten sämtliche
Deszendenten des nächsten Grades — selbstverständlich mit Beschränkung auf die im Lexikon angeführten — Wörter angegeben
würden; man könnte sich oft mit der Angabe der Suffixe begnügen.

Was schließlich die Eigennamen angeht, so bietet der Verf.
teils zu viel, teils zu wenig; überflüssig erscheinen dem Rez.
z. B. die biblischen Namen wie Ἀδάμ, Ἀβραάμ, Δαβίδ, Νῶε
u. v. a., die Kaegi und Menge mit Recht unberücksichtigt lassen.
Andrerseits fehlen aber öfter bei Ortsnamen nähere Angaben, besonders die heutigen Namen derselben, z. B. Ἄγκυρα j. Angora,
Ἄθως j. Monte Santo, Ἄξιος j. Wardar, Ἀχελῷος j. Aspropotamo,
Πάνορμος j. Palermo, Παντικάπαιον j. Kertsch, Ῥοδόπη j. Des-
poto Dagh u. a. Zu loben ist die Angabe der Bedeutung bei
vielen Orts- und Personennamen, z. B. bei Ἀμαζόνες, Θῆβαι,
Κόρινθος, Λεῦκτρα, Λυκοῦργος, Ναυσικάα, Πρίαπος, Σπάρτη,
Τειρεσίας, Τέμπη u. a. Aber es scheint das Prinzip nicht
konsequent durchgeführt; denn es fehlen Namenerklärungen, die
sich bei den beiden andern Schullexikographen finden, z. B. bei
Ἀνεμώρεια, Ἀνόπαια, Βερενίκη, Δαίδαλος, Ἦλις, Κρομμυών,
Ὄλυμπος, Μελικέρτης u. a. Rez. hätte es gern gesehen, wenn
gleiche oder ähnliche deutsche Orts- und Personennamen öfter
zur Vergleichung herangezogen worden wären, als es der Verf. z. B.
bei Ὄσσα=Egge, Καλλιρρόη=Schönbrunn, Δουλίχιον =Lange-
land tut. Es sei dem Rez. gestattet, einige Beispiele anzuführen,
die sich natürlich bedeutend vermehren ließen. Bei Ἀπραγόπολις
könnte außer Sanssouci, das der Verf. nennt, noch Buitenzorg
auf Java angeführt werden, ebenso bei Καλλιρρόη Schönfließ,
bei Κόραξ vgl. die Rabensteine bei Harzburg, Ἐρυθραί: Roten-
burg, Εὔβοια: Schönweide; Ἀνθηδών: Blumenau; Αἴπεια:

Höchstädt; *Αὐλών*: Thale; *Κρῆναι, Κραννών*: Brunnen, Brünn; *Κρομμυών*: Laucha, Lauchstädt; *Ἀνεμώρεια*: Windhuk; *Ἄφος*: Oste; *Γεράνεια*: Kranichfeld; *Γυραί*: Krummhübel; *Ἐλεύθεραι*: Freiburg, Freistadt, Freiberg u. a.; *Κοῖλα*: Die Hohl (Straßenname); *Ἱπνοί*: Öfen z. B. bei Golling im Salzachtal; *Πύλος*: Thorn, Pforta, Pforzheim; *Πύργος, Πόλις*: Burg; *Ἐλαιοῦς*: Oliva; *Ἑλίκη*: Weida; *Μεγαλόπολις*: Mecklenburg; *Ἕλος*: Moorungen; *Σπερχειός*: Jagst; *Τρικάρανον*: Triglav oder Terglou; *Ζῆλα*: Neidenburg; *Ζώνη*: Gardelegen; *Ἡδύλειον* oder *Αἴλαια*: Wünschelburg; *Ἠιών*: Stade; *Ἡλίου πόλις*: Sonnenburg; *Θερμά*: Warmbrunn; *Θυρέα*: Thorn; *Ἰαρδανος*: Netze; *Θύαμος*: Sturmhaube; *Ἴδη*: Harz, Hardt; *Ἱππουκρήνη*: Roßbach; *Καινή*: Neustadt; *Κεγχρεαί*: Hirsau; *Κεκρυφάλεια*: Hutberg; *Κελαιναί*: Schwarzburg; *Κλεωναί*: Rüdesheim; *Κολοσσαί*: Riesa, Riesenburg; *Κόρινθος*: Hohenburg, Homburg; *Λάβρανδα*: Beilstein; *Λευκάς*: Weißenfels; *Λευκὸν τεῖχος*: Weißenburg; *Λιπάρα*: Reichenau; *Λύκειον*: Lichtenhain; *Μεδεών*: Herrnstadt, Herrenhausen; *Μεσσαπία*: Werdau; *Ὀλβία*: Glückstadt, Glücksburg; *Πιτύεια*: Forchheim; *Πλαταιαί*: Breitenfeld; *Ὕπατα*: Höchst, Oberstdorf u. a. Ferner bei Personennamen vgl. *Θρασύβουλος*: Konrad; *Ἀρκεσίλαος*: Werner; *Δāμάρατος, Δημόδοχος*: Dietwein, Dietlieb, Leutwein; *Δημαίνετος*: Dietmar; *Δημοφῶν*: Lambert, Lamprecht; *Δημοσθένης*: Volkart; *Διομήδης*: Oswald; *Διοπείθης*: Traugott; *Κλεινόμαχος*: Ludwig, Hildemar; *Κλεοφῶν*: Ruprecht, Robert; *Κλεόβουλος, Κλεομήδης*: Reimar; *Κριτόλαος*: Bertbar; *Κριτόβουλος*: Radbert; *Λαομέδων*: Leutold; *Τιμοκράτης*: Erhard. Aus den zweistämmigen Vollnamen bildeten Griechen wie Germanen einstämmige Kurz- oder Kosenamen, z. B. *Δάμων, Δημᾶς*: Dietz; *Δεινίας*: Egino; *Δίων*: Götz; *Δόλων, Δόλιος*: Hugo; *Θράσυλλος*: Kunz, Kuno; *Κλεινίας, Κλεῖτος*: Rudi; *Κρέων*: Megino, Walto; *Κρίτων, Κριτίας*: Berto; *Λάιος*: Dietz; *Μέδων*: Walto; *Κτησίας*: Otto u. v. a.

Die vorstehenden Bemerkungen sollen den Wert des jedenfalls verdienstvollen Buches nicht herabsetzen, sondern nur einzelne Wünsche des Rez. ausdrücken, die vielleicht bei einer neuen Auflage Berücksichtigung finden könnten.

Weilburg.   Franz Stürmer.

---

1) **Rudolf Schneider, Antike Geschütze auf der Saalburg. Erläuterungen zu Schramms Rekonstruktionen. Vom Saalburg-Museum herausgegeben. Homburg v. d. H. 1908, Schudts Buchdruckerei. 21 S. 8.**

In einem gleichbetitelten populären Aufsatze in der Zeitschrift „Die Umschau", Frankfurt a. M. 1905, hatte der Verf. weitere Kreise für die antike Artillerie zu interessieren versucht. Die jetzige kleine inhaltreiche Schrift ist aus einem Vortrage hervorgegangen, den er vor einer zahlreichen aus Heidelberger

Studenten bestehenden Zuhörerschaft jüngst an Ort und Stelle auf der Saalburg gehalten hat. Mit der Veröffentlichung hat er einen ihm nahe gelegten Wunsch erfüllt, und viele werden ihm Dank wissen.

Th. Mommsens Gedanke, daß die Burg auch rekonstruierte antike Geschütze aufnehmen möchte, konnte erst durch das gemeinsame Wirken eines Militärs wie E. Schramm und eines Philologen wie R. Schneider in Erfüllung gehen. Durch sie sind Köchlys und Rüstows Irrtümer auf diesem Gebiete dargetan. Unter Nichtbeachtung neuerer Erfindungen galt es, genau nach den überlieferten Vorschriften der Alten und den beigefügten bildlichen Darstellungen und nach Maßgabe der aufgefundenen geringen Geschoßreste zu arbeiten. Dank pekuniärer Unterstützung von Seiten des Staates sind bis jetzt neun Geschütze hergestellt, teils in Originalgröße, teils, wo bestimmte Angaben nicht vorhanden sind, nach wahrscheinlichen Abmessungen. Sie sind sämtlich eingeschossen und haben die Richtigkeit der Rekonstruktion dargetan. Seiner Beschreibung der Geschütze hat Schneider Abbildungen von diesen nach photographischen Aufnahmen beigegeben.

Vor 300 Jahren dachten verständige Männer in vollem Ernste an Erneuerung antiker Tormenta, weil sie ihnen nach den Angaben der Alten vor den Pulvergeschützen ihrer Zeit den Vorzug zu verdienen schienen. Und allerdings z. B. die von Oberst Schramm rekonstruierte einarmige Riesenschleuder (μονάγκων, im Soldatenwitze onager genannt) schießt eine Steinkugel von vier Pfund 300 m weit; der Anfangsdruck des überspannten Nervenbündels wurde bis auf 60000 kg gesteigert und kommt also der Zugkraft einer starken Lokomotive gleich. Derartige Wurfgeschütze hat vielleicht schon der jüdische König Usia gebraucht, 2. Chron. 26, 15, wo auch Pfeilgeschosse erwähnt werden; jedenfalls aber kunstvollendete Geschütze mit zwei Armen und zwei Nervenbündeln, wie sie die Techniker des 2. Jahrhunderts v. Chr., Heron und Philon, beschreiben, haben erst die Griechen geschaffen.

Außer jener einarmigen Schleuder finden wir folgende zweiarmige Werkzeuge von Sch. dargestellt, erstens drei von Heron beschriebene: a) den noch mit Bogenarmen versehenen Bauchspanner (γαστραφέτης, eine Windenarmbrust); starke starre Holzarme haben alle folgenden Maschinen: b) das Pfeilgeschütz (εὐθύτονον), c) das Steingeschütz (παλίντονον); dazu kommen von Philon beschriebene Pfeilgeschütze: d) der Keilspanner[1]), e) der Erzspanner (χαλκότονον), jener von ihm erfunden, dieser vervoll-

---

[1]) Am Keilspanner hat Schramm, gegen seinen Grundsatz, willkürlich Büchsen angebracht; Schneider bemerkt Berl. Philol. Wochenschr. 1908 Sp. 351, daß die beiden Büchsen zum Aёrotonon gehören, dessen Rekonstruktion noch nicht gelungen ist.

kommnet, f) das Mehrladegeschütz ($\pi o\lambda\acute{v}\beta o\lambda o\nu$), erfunden vom Alexandriner Dionysios; vielleicht hat schon Cäsar solches Magazin-gewehrs sich bedient (B. G. VII 25).

In Abgüssen aufgestellt sind auf der Saalburg auch noch die erhaltenen antiken Reliefs mit Geschützdarstellungen: das älteste stammt aus Pergamon; das Original war dort einst unter anderen kriegerischen Zieraten an der Brüstung des Tempels der Athena Polias angebracht und ist jetzt in Berlin; es muß jedenfalls vor dem Übergang des pergamenischen Reiches an die Römer, also vor dem Jahre 133 vollendet gewesen sein. Das zweite auf dem Grabmal des kaiserlichen Zeughauptmanns Vedennius, jetzt im Vatikan, gehört der Zeit um 100 n. Chr. an. Diese beiden Monumente hat R. Schneider in seinen „Geschützen auf antiken Reliefs" 1905 beschrieben und in Abbildungen wiedergegeben. (Das pergamenische Geschütz nennt er mit Recht ein $s\dot{v}\vartheta\dot{v}\tau o\nu o\nu$; dagegen die Bezeichnung von dem des Vedennius als eines $\pi\alpha\lambda\acute{\iota}\nu\tau o\nu o\nu$ $\check{o}\varrho\gamma\alpha\nu o\nu$ erklärt er selbst in der „Umschau" S. 890, 1 für unsicher.) „Endlich sind auf den Reliefs der Trajanssäule in Rom (113 n. Chr.) eine ganze Reihe von Geschützen und zwar fast alle in Tätigkeit dargestellt. Sie sind von einer leichteren Art, deren Verständnis zur Zeit noch nicht ganz aufgeklärt ist". Sie konnten sowohl bei Belagerungen wie in der Feldschlacht und zur See gebraucht werden. Ein solches fahrbares Geschütz (Carroballiste) im Gefecht wird auf S. 19 der „Geschütze auf der Saalburg" dem Leser vorgeführt.

In einer Nachschrift zu seinem Aufsatze in der „Umschau" hatte Schneider mitgeteilt, daß Schramm in den handschriftlichen Bildern, die dem Texte der griechischen Techniker beigegeben sind, eine neue Quelle für antike Geschützkunde entdeckt habe, und schon hatte er sich auch selbst mit allem Eifer auf das Studium jenes Gegenstandes geworfen, ausgerüstet mit allen Mitteln der neueren Technik und unterstützt durch Behörden und gelehrte Gesellschaften. Als Vorläufer einer neuen Ausgabe der griechischen Poliorketiker veröffentlichte er zuerst
Geschütze auf handschriftlichen Bildern (Ergänzungsheft zum Jahrbuch der Gesellschaft für lothringische Geschichte und Altertumskunde, II). Metz 1907, G. Scriba. II und 71 S. 4, mit Abbildungen im Texte und 5 Tafeln (= Herons Belopöika S. 75—112 Wescher).
Die Handschriften der Poliorketiker dienten meist fürstlichen Personen zum Schmucke ihrer Bibliotheken und zum Studium der Kriegswissenschaft; daher ist die Sorgfalt bei der Herstellung des Textes und der zu ihm gehörigen Abbildungen groß gewesen. Nach Schneiders Veröffentlichungen und Schramms Rekonstruktionen wird niemand mehr den Unwert dieser antiken Abbil-

dungen zu behaupten wagen, wie es noch nach Weschers Herausgabe seiner Poliorcétique des Grecs geschehen ist, dem
Schneider die verdiente Anerkennung wegen Veröffentlichung jener
Abbildungen und für seine grundlegende Textkritik nicht vor-
enthalten hat. Mit den Ergebnissen seiner Kritik der Hss. erklärt sich Schn. einverstanden und faßt sie dahin zusammen: Der
Text ruht auf Hs. M = Paris. Suppl. gr. 607 (XI. Jhd.), P = Par.
gr. 2442 (XI./XII. Jhd.; eine Schriftprobe gibt Schn. auf Tafel V),
V = Vatic. gr. 1164 (XL/XII. Jhd.); unter ihnen steht der die
erste Klasse bildende Kodex M obenan; P und V zusammen geben
das Zeugnis der zweiten Klasse; alle drei Hss. müssen überall
berücksichtigt werden, um den Text zu konstituieren. Die
Fragm. Vindob. 120 (XVI. Jhd. = F) haben seit der Auffindung
des Mynaskodex M keinen Wert mehr; nur wo Auslassungen in
M sind, kommt F in Betracht. Abweichende Lesarten der übrigen
Hss. sind Konjekturen gleich zu achten, — Bilder und Text,
wiewohl von verschiedenenen Personen gefertigt, sind bei den
Poliorketikern so innig verbunden, daß sie bei der Bearbeitung
nicht getrennt werden können, sondern bei der Feststellung des
Ursprünglichen eins dem andern zu Hilfe kommen muß. Die
Überlieferung der Bilder steht an Treue in keiner Weise hinter
der Überlieferung des Textes zurück; und zwar sind die Grundlage für die Ermittelung der Originalbilder wieder allein jene genannten drei Hss. Voran steht wieder Kodex M trotz seiner un-
ansehnlicheren Zeichnungen; ihm haben wir vor allem die
Kenntnis der einzelnen Teile des Bauchspanners zu verdanken,
die in ihrem Ineinandergreifen auch bei der Vervollkommnung
der Geschütze beibehalten sind (Heron S. 81, 8 W.; Schramm,
Bemerkungen zu der Rekonstruktion griechisch-römischer Geschütze in d. Jahrbüchern für lothring. Gesch. u. Altertumskunde
XVI S. 145 f.). Weil die beiden anderen Hss., wie im Texte, so
auch in den Bildern fast völlig übereinstimmen, so hat Sch. in
seiner Ausgabe bei der Wiedergabe der Bilder neben M nur P
verwendet. Eins könnte man noch wünschen: wie bei der Herstellung des Textes neben der recensio der Lesarten die Emen-
dation auch bei Schn. ihre Stelle gefunden hat, so würden die
Leser dankbar sein, wenn er außer seinen gewissenhaften kritischen Bemerkungen über die Bilder S. 64 ff. seiner Schrift
auch noch die I. und III. Tafel beigegeben hätte, die Schramm
zur Erläuterung seiner Bemerkungen im XVI. Bande veröffentlicht hat.

Schn.s kritischer Textapparat fußt auf Weschers genauen Vergleichungen, die nur an wenigen Stellen der Nachbesserung bedurften; weil Schn. Entbehrliches weggelassen hat, so erscheint
seine Adn. crit. sehr sauber und übersichtlich Ein Zweifel bleibt
bei 102, 12, wo Schn. *ἕνεκα*, Wescher *ἕνεκεν* gibt, beide ohne
Angaben im Apparat; ebenso Schn. 75, 7 *σωλῆνα .. τὸ ΚΛ*, wo

W. τὸν für τό hat, dem Sprachgebrauch Herons gemäß; ferner steht bei Schn. 98, 5 ὡς *ΚΑΜΝ*, während W. vor *Κ* noch ἤ hat, wie es Herons überwiegender Gewohnheit entspricht. 111, 3 πλατεῖα hatte schon W. in den Add. zu dieser Stelle unter Berufung auf Byz. 255, 12 gebessert. 96, 9 ist bei Schn. χαλκῇ gedruckt statt χαλκή; auch harmonieren nicht μοχλῷ 101, 13 und μόχλῳ 110, 2, κατάκλεις S. 64 Schn. und κατακλεῖδα 79, 13, 80, 1, ἐντορνία 97, 5. 12 und ἐντορνια 97, 11. Nach Schn.s sonstiger Weise müßte auch 94, 7 ein Komma zwischen *ΑΔ* und *ΓΕ* stehen, ferner in der folgenden Zeile zwischen *ΗΘ* und *ΚΛ*, auch 95, 8 zwischen *ΑΠΓ* und *ΔΡΕ*, 104, 13 zwischen *ΑΓ* und *ΒΔ*, 105, 3 zwischen *ΑΖ* und *ΘΒ*. Auf diese Kleinigkeiten habe ich im Interesse der zu erwartenden vollständigen Ausgabe von Herons Belopöika in Sch.s Poliorketikern hingewiesen.

Indem Schn. Text und Abbildungen aufs neue mit großer Akribie durchgeprüft und beide sorgfältig miteinander verglichen hat, ist er bedeutend über Wescher hinausgelangt; durch seine Bemühungen ist die Schrift erst völlig lesbar geworden. Jener Prüfung und seiner Sachkenntnis sind schöne Verbesserungen entsprungen, z. B. 84, 2 τὸ ἴσης (statt τοῖς ὡς M, τὸ PV); 90, 4 εὐκώλως ἐντετάσθαι (statt εὐκόλως ⟨ἐν M⟩τίθεσθαι); 100, 1 ⟨ἐν⟩ταθέντων, vgl. 99, 4. 107, 11 (auch 105, 11 ist wohl λοιπὸν ⟨ἐν⟩βάλλοντες zu schreiben); 83, 1 ⟨ἐν⟩ τοῖς ἀγκῶσι; 76, 15 περόνη ⟨ἡ M καὶ⟩; 83, 8 ⟨τρήματα ἐξέκοπτον⟩ [μὴ]; 84, 10 μειζόνων ⟨ὀργάνων⟩; 85, 15 ⟨ἐκλύεσθαι, τὰ δὲ⟩ ἐπειλεῖσθαι; 86, 5 ⟨δύνηται καὶ ἐπινεύειν⟩ καὶ ἀνανεύειν (leichter war der Ausfall bei ursprünglicher Stellung: καὶ ἐπινεύειν δύνηται); 86, 7 διοπτεύοντες (statt νεῦον MV, νεῦρον P); 88, 11 ἐρηρείσθω (statt ἔστω, worauf Köchly wohl richtig καὶ ἔστω statt ἵνα ἔσται folgen ließ; derselbe hat auch vielleicht 108, 7 recht mit ἀνιόντες [statt ἀνιόντες] καὶ βραχύ; vergleichen läßt sich immerhin Philon 66, 19 ἀνιεὶς πραέως); 109, 6 μήρυμα (statt ἥμισυ). — Ohne Not geändert hat Schn. 84, 14 τὰς ἀγομένας ἀρχάς; nur muß der Singular stehen, denn den Plural zu schützen dürfte 85, 12 nicht ausreichen. Gemeint ist das gezogene Ende, im Gegensatz zu dem am Flaschenzug festsitzenden, vgl. Heron, ed. Schmidt, II 276, 15. 278, 2. 5. 9. 12, auch Hultsch im Index zu seinem Pappus unter ἄγειν. — 86, 12 ist zu schreiben [Ə] *B*, [*Α*] *Γ*; denn Ə und *Α*, sind, wie Z. 11 ausdrücklich gesagt war, die Enden der Welle (ἄξων); daher ist vielleicht σκυταλίδων δύο vorher nicht einzuklammern. — 101, 6 ist ς in *Φ* zu verwandeln, wie schon die Reihenfolge der Buchstaben und außerdem noch der Vergleich mit 99, 11 zeigt. — 91, 2 genügt Schn.s Text noch nicht; ist vielleicht zu schreiben τὰ δὲ περὶ .. τὸ ἡμιτόνιον ὅπως διαλάσσει (statt - ῃ), ἐροῦμεν δὴ ἑξῆς (statt ὡς) ἕκαστον τῶν περὶ αὐτὸ γινομένων. Ἑξῆς

gebraucht Heron häufig in solchen Wendungen; I 298, 3 f. steht
es sogar zweimal dicht hintereinander; gewöhnlich ist die Stellung
$\dot{\varepsilon}\xi\tilde{\eta}\varsigma$ $\dot{\varepsilon}\varrho o\tilde{v}\mu\varepsilon\nu$, wie auch Schn. 99, 2 ergänzt hat; aber nachgestellt
ist das Adverb auch III 40, 12 $\delta\varepsilon\dot{\iota}\xi o\mu\varepsilon\nu$ $\dot{\varepsilon}\xi\tilde{\eta}\varsigma$. — 95, 9 dürfte
zu lesen sein $\gamma\dot{\iota}\nu o\nu\tau\alpha\iota$ $\delta\dot{\varepsilon}$ $\alpha\dot{\iota}$ $\pi\varepsilon\varrho\iota\varphi\acute{\varepsilon}\varrho\varepsilon\iota\alpha\iota$ $\varkappa\acute{v}\varkappa\lambda ov$ (statt ω)
$o\dot{v}\sigma\alpha\iota$ = die entstehenden Rundungen sind Kreisrundungen; vgl.
104, 15 $\pi\varepsilon\varrho\dot{\iota}\gamma\varrho\alpha\psi o\nu$ $\pi\varepsilon\varrho\iota\varphi\acute{\varepsilon}\varrho\varepsilon\iota\alpha\nu$ $\varkappa\acute{v}\varkappa\lambda ov$ und III 246, 11 $\dot{\varepsilon}\dot{\alpha}\nu$
$\beta ov\lambda\acute{\omega}\mu\varepsilon\vartheta\alpha$ $\tau\dot{\eta}\nu$ $\pi\varepsilon\varrho\iota\gamma\varrho\alpha\varphi o\mu\acute{\varepsilon}\nu\eta\nu$ $\mu\dot{\eta}$ $\varepsilon\tilde{\iota}\nu\alpha\iota$ $\varkappa\acute{v}\varkappa\lambda ov$ $\pi\varepsilon\varrho\iota\varphi\acute{\varepsilon}\varrho\varepsilon\iota\alpha\nu$,
$\dot{\alpha}\lambda\lambda'$ $\dot{\varepsilon}\lambda\lambda\varepsilon\acute{\iota}\psi\varepsilon\omega\varsigma$ $\varkappa\tau\acute{\varepsilon}$.

Herons Texte hat Sch. eine vortreffliche, dem Gegenstand
angemessene, deutliche, geschmackvolle Übersetzung gegenübergestellt und dadurch seine Arbeit einem weiteren Publikum zugänglich gemacht.   84, 1 übersetzt er dem Sinne gemäß ‚mußte‘;
mich wundert, daß er nicht auch $\langle\ddot{\varepsilon}\rangle\delta\varepsilon\iota$ geschrieben hat, ent-
sprechend den Präteriten $\dot{\eta}\nu\alpha\gamma\varkappa\acute{\alpha}\sigma\vartheta\eta\sigma\alpha\nu$ 83, 12 und $\pi\varrho o\sigma\acute{\varepsilon}\vartheta\eta$-
$\varkappa\alpha\nu$ 84, 4 usw. — Kunstausdrücke hat er geschickt wieder-
gegeben, z. B. $\dot{\varepsilon}\nu\tau\acute{o}\nu\iota o\nu$ durch ‚Spannleiter‘. ($K\tilde{\omega}\lambda\alpha$ 82, 2 würde
wohl noch besser durch ‚Gewinde‘ als durch ‚Taue‘ übersetzt).
Oft dient die Übersetzung zugleich als Kommentar; daher ist sie
nötigenfalls etwas freier, z. B. 81, 9 $\varepsilon\ddot{v}\tau o\nu o\nu$ „die Arme fertigten
sie aus festem, unbiegsamen Holze‘‘; 110, 5 wo fehlerhaft über-
liefert ist: $\ddot{o}\tau\iota$ $\varepsilon\ddot{v}\chi\varrho\eta\sigma\tau\alpha$ $\tau\dot{\alpha}$ $\nu\omega\tau\iota\alpha\tilde{\iota}\alpha$ $\ddot{\eta}\tau o\iota$ $\dot{\omega}\mu\iota\alpha\tilde{\iota}\alpha$ $\tau\tilde{\omega}\nu$ $\ddot{\alpha}\lambda\lambda\omega\nu$
$\zeta\acute{\omega}\omega\nu$, gibt er im Deutschen, was der Zusammenhang verlangt:
„daß bei verschiedenen Tieren auch andere Sehnen brauchbar
sind‘‘, indem er dazu in der Anmerkung Weschers Änderung
hinzufügt: $\ddot{o}\tau\iota$ $\varepsilon\ddot{v}\chi\varrho\eta\sigma\tau\alpha$ $\langle o\dot{v}$ $\mu\acute{o}\nu o\nu\rangle$ $\tau\dot{\alpha}$ $\nu\omega\tau\iota\alpha\tilde{\iota}\alpha$ $\varkappa\tau\acute{\varepsilon}.$, die
freilich nach der dicht vorangegangenen Alternative $\chi\varrho\tilde{\eta}\sigma\vartheta\alpha\iota$ $\ddot{\eta}\tau o\iota$
$\dot{\omega}\mu\iota\alpha\acute{\iota}o\iota\varsigma$ $\ddot{\eta}$ $\nu\omega\tau\iota\alpha\acute{\iota}o\iota\varsigma$ seltsam klingt. Man sollte wirklich nur
erwarten, was Schn.s Übersetzung enthält: $\ddot{o}\tau\iota$ $\varepsilon\ddot{v}\chi\varrho\eta\sigma\tau\alpha$ $\varkappa\alpha\dot{\iota}$ $\ddot{\alpha}\lambda\lambda\alpha$
$\tau\tilde{\omega}\nu$ $\ddot{\alpha}\lambda\lambda\omega\nu$ $\zeta\acute{\omega}\omega\nu$.   Unübersetzt geblieben ist 77, 2 $o\varrho\vartheta\acute{\iota}\alpha\nu$,
79, 1 $\Gamma\varDelta$ hinter AB, 91, 7 $\varkappa\alpha\dot{\iota}$ $\ddot{\varepsilon}\tau\iota$ $\tau\tilde{\omega}\nu$ $\dot{\varepsilon}\pi\iota\zeta v\gamma\acute{\iota}\delta\omega\nu$ $\pi\varepsilon\varrho\dot{\iota}$ $\ddot{\alpha}\varsigma$
$\dot{o}$ $\tau\acute{o}\nu o\varsigma$ $\varkappa\alpha\vartheta\acute{\alpha}\pi\tau\varepsilon\tau\alpha\iota$, 93, 3 $\pi\lambda\acute{\alpha}\tau o\varsigma$ $\delta\dot{\varepsilon}$ $\ddot{\iota}\sigma o\nu$ $\tau\tilde{\omega}$ $N\varDelta$, 99, 4 f.
$\varkappa\alpha\dot{\iota}$ $\varkappa\varepsilon\dot{\iota}\mu\varepsilon\nu\alpha$ $\dot{\varepsilon}\pi\dot{\iota}$ $\tau\iota\nu\omega\nu$ $\varkappa\alpha\nu\acute{o}\nu\omega\nu$, 102, 8 f. $\tau o\tilde{v}$ $\tau\varepsilon$ $\delta\iota\alpha\pi\eta\gamma\mu\alpha\tau o\varsigma$.
Hinzugefügt hat Sch. ‚selbst‘ zur Übersetzung von 85, 5 $\chi\varepsilon\lambda\omega\nu\acute{\iota}\omega$,
aber trotz des $\ddot{\alpha}\lambda\lambda\omega\varsigma$ 85, 3 und des Wortunterschiedes von
$\ddot{\alpha}\varkappa\varrho\omega$ 84, 13 und $\varkappa\acute{\alpha}\tau\omega$ 85, 5 sehe ich nicht, wie sich 85, 3—6
$\delta\acute{v}\nu\alpha\tau\alpha\iota$ . . $\ddot{\alpha}\xi o\nu\iota$ unterscheidet von 84, 12 f. $\dot{\varepsilon}\xi\acute{\alpha}\psi\alpha\nu\tau\varepsilon\varsigma$ . . $\ddot{\alpha}\xi o\nu\iota$.
Hat etwa ein Leser jenes $\ddot{\alpha}\varkappa\varrho\omega$ mißverstanden und darum den
Satz $\delta\acute{v}\nu\alpha\tau\alpha\iota$ $\varkappa\tau\acute{\varepsilon}$. hinzugefügt? — Bei der Übersetzung von
104, 14 f. „dann (ziehst du) eine etwas größere Kreislinie‘‘ ist
als Text vorausgesetzt: $\varkappa\alpha\dot{\iota}$ $\mu\iota\varkappa\varrho\tilde{\omega}$ $\mu\varepsilon\tilde{\iota}\zeta\omega$ (die La. von PV)
$\pi\varepsilon\varrho\dot{\iota}\gamma\varrho\alpha\psi o\nu$[1]) $\pi\varepsilon\varrho\iota\varphi\acute{\varepsilon}\varrho\varepsilon\iota\alpha\nu$ $\varkappa\acute{v}\varkappa\lambda ov$, aber im griechischen Text
hat Sch.: $\ddot{\iota}\sigma\eta$ . . $\varkappa\alpha\dot{\iota}$ (= und auch, oder auch) $\mu\iota\varkappa\varrho\tilde{\omega}$ $\mu\varepsilon\tilde{\iota}\zeta\omega\nu$,

---

[1]) Wescher hatte mit Unrecht $\pi\varepsilon\varrho\dot{\iota}\gamma\varrho\alpha\psi o\nu$ $\mu\dot{\varepsilon}\nu$ gesetzt, weil $\pi\varepsilon\varrho\iota$-
$\gamma\varrho\dot{\alpha}\varphi o\mu\varepsilon\nu$ in PV überliefert ist, woraus in M $\pi\varepsilon\varrho\iota\gamma\varrho\alpha\varphi o\mu\acute{\varepsilon}\nu\eta$ geworden ist.
(Wie 104, 15, ändert Schn. die Endung auch 104, 10: $\dot{\varepsilon}\varkappa\acute{\alpha}\lambda ov\nu$ für das über-
lieferte $\dot{\varepsilon}\varkappa\alpha\lambda o\tilde{v}\mu\varepsilon\nu$; so steht $\dot{\varepsilon}\varkappa\acute{\alpha}\lambda ov\nu$ 77, 9. 79, 13. 81, 1. 83, 3.)

indem er Weschers Änderung μείζων beibehält, aber nicht das von jenem außerdem noch vor καὶ eingeschobene ἤ. Indes scheint dieses ἤ καὶ bei diesen Mechanikern stereotyp zu sein; vgl. z. B, 107, 8 ἐν τοῖς ἄκροις ἤ καὶ ἐν μέσῳ, 74, 10 λίϑους .. ἤ καὶ ὀιστούς, auch I 2, 17. III¹ 246, 12, dgl. Athenaios π. μηχαν 38, 6 W. τριπλῆ ἤ καὶ τετραπλῆ, wo geringere Hss. ἤ auslassen, während Byz. 205, 13, der die Stelle ausschreibt, es auch hat. — Auch 99, 6 weichen Text und Übersetzung voneinander ab: τοῦ ἐν⟨τ⟩ὸς ἀγκῶνος „eines Armes". — 101, 1 ἐπάνω δὲ τῶν κατὰ τὸ μῆκος κανόνων lautet in der Übersetzung „neben die Längslatten", wiewohl doch gleich folgt τουτέστι ⟨ἐπί⟩ τῶν διαπηγμάτων nach Maßgabe der Stelle 107, 9. — 107, 11 ist der Plural τὰ .. ἡμιτόνια flüchtig mit dem Singular übersetzt. 84, 9 ist ein Druckversehen: ‚Stelle' statt ‚Welle', auch 67, Z. 7 v. u. ‚und' (statt: nur) ‚ein schmales Stück'.

In betreff der Bilder führt Schn. den Nachweis für seine Behauptung, die er in den „Antiken Geschützen auf antiken Reliefs" S. 175 getan hat: „Die Jahrhunderte lange Trennung der beiden Handschriftenklassen Herons hat die Zuverlässigkeit der Bilder nicht beeinträchtigt". Der Beweis ist im ganzen als durchaus gelungen anzusehen trotz der Kritik, die er selbst S. 64 ff. an den Bildern übt und in der er ihr Verhältnis zum Originale und zum Texte und das Verhältnis der überlieferten Bilder zueinander prüft und Mängel derselben aufzeigt. In der Beurteilung seines Vorgängers Wescher macht er ihm u. a. den berechtigten Vorwurf, daß er in seiner Ausgabe die Zeichnungen oft aus ihrer ursprünglichen Stelle, die in beiden Handschriftenklassen dieselbe ist, gerückt hat. Diesem Gegenstande hat Schn. ein ganzes Kapitel S. 26 ff. gewidmet. Schneider selbst hat „Vgl. Tafel III" hinter 89, 9 gesetzt; vermutlich aber war dieser Hinweis erst hinter 90, 2 ταῦτα μὲν οὖν περὶ τὴν σύριγγα γίνεται κατὰ τὸν ὑποδεδειγμένον τρόπον zu setzen; vgl. den entsprechenden Ausdruck 96, 6 τῷ ΑΒΓ, ΔΕΖ ὑπογεγραμμένῳ, welche Worte Schn. richtig übersetzt: „der unten gezeichneten Figur". Auch S. 69 war die Figur besser zwei Zeilen tiefer zu setzen, weil darauf erst mit den Worten „was P 77 an der gleichen Stelle bietet = Fig. XXXIV" auf die Figur Bezug genommen wird.

Der Unterschied der Euthytona und Palintona.

Schramm in seinen Bemerkungen (Bd. XVI S. 144, 3. 159) erklärt die Euthytona, welche Pfeilgeschütze (ὀξυβελῆ ὄργανα) waren, für Flachbahngeschütze und die Palintona, die meistenteils (Heron 74, 10) als λιϑοβόλα ὄργανα benutzt wurden, für Steilbahngeschütze. Er befindet sich damit in Übereinstimmung mit anderen modernen Gelehrten, hat aber kein antikes Zeugnis für

sich. Vielmehr spricht Heron 86, 5 und 89, 14 vom Heben und
Senken der Geschütze ohne Scheidung der Arten ganz allgemein
innerhalb des Kapitels von der Syrinx, das 91, 1 abgeschlossen
wird. Darauf geht er zum Geschützkasten über und bespricht
nunmehr die Palintona und Euthytona im besonderen, die sich
eben nach dem Bau dieses Kastens unterscheiden; was über
Hebung und Senkung vorher allgemein gesagt war, das gilt auch
für sie. Das angegebene Verhältnis der beiden Kapitel von der
Syrinx und dem Geschützkasten findet seine Bestätigung im
Folgenden: 107, 11 werden ausdrücklich in den Worten ἐντεῖναι
ἤτοι τὰ τοῦ παλιντόνου ἡμιτόνια ἢ τοῦ εὐθυτόνου τὸ πλιν-
θίον die beiden Geschützarten zusammengefaßt, darauf wird
109, 7 mit den Worten εἶτα διαβαλὼν τὸν ἀγκῶνα τὰ ἑξῆς
πρᾶττε ὡς προείρηται ausdrücklich auf 82, 5 ff. zurück-
verwiesen, also auch für das über Hebung und Senkung Gesagte.
Aber von einem Unterschiede der Euthytona und Palintona als
von Flach- und Steilbahngeschützen ist nirgend die Rede. Und
das mit gutem Grunde. Mit welchem Neigungswinkel sollte denn
die eine Geschützart aufhören und die andere beginnen? Wo
sollte die Grenze liegen? Dazu kommt noch, daß bei größerer
Steilheit des Neigungswinkels mächtigere Steine oder Kugeln
durch den breiten Sehnengürtel (Heron 111, 13 ff.) schwerlich
noch gehalten und vor dem Fall bewahrt worden wären. Nicht
nach der Verschiedenheit des Neigungswinkels, sondern nach
der verschiedenen Einrichtung sind die Geschütze verschieden
benannt worden.

An einen solchen spezifischen Unterschied dachte Rudolf
Schneider einst; aber seine von Schramm abweichende Ansicht
hat er auf dessen überzeugende Gegengründe hin zurück-
genommen. Indes mit einer andern Meinungsäußerung wird er
recht behalten; schon in dem erwähnten Aufsatz in der „Umschau“ sprach er S. 889b aus: „Da die Alten die Ausdrücke Euthytona und Palintona gebrauchten, ohne den Unterschied irgend
wie zu erläutern, so müsse er ihnen ohne weiteres aus dem
bloßen Namen klar gewesen sein“. Schon Homer erwähnt mehrmals das τόξον παλίντονον, und der Gedanke liegt nahe, daß
eine Beziehung obwalten müsse zwischen dieser Fernwaffe und
dem späteren Ferngeschütz Palintonon. Die ursprüngliche Bedeutung von εὐθύτονος ergibt sich aus Pindar Ol. 11 (10) 64
Bergk στάδιον μὲν ἀρίστευσεν, εὐθὺν τόνον (überliefert ist
εὐθύτονον) ποσσὶ τρέχων (Thiersch wollte στάδιον in Verbindung mit εὐθὺν τόνον). Stephanus' Thesaurus erklärt richtig:
εὐθύτονος qui in rectum tendit aut tenditur. Auch die Griechen
verstanden sehr wohl curvo dignoscere rectum; wenn sie nun,
wie wir voraussetzen dürfen, die eine Art Bogen εὐθύτονα
nannten, so wird es im Gegensatz zu den παλίντονα geschehen
sein, weil sie einfache Kreisbogen bildeten, also eine eben-

mäßig in derselben Richtung sich fortsetzende Krümmung hatten, wie vorher das Stadion sich ebenmäßig in einer geraden Linie fortsetzte. Dagegen bezeichnete παλίντονος eine Doppelkrümmung wie *recurvus* und *recurvatus* = zurückgebogen, zurückgekrümmt. Die Bedeutung der lateinischen Wörter führt uns mit Sicherheit auf die des griechischen. Das Zeitwort *recurvare* gebraucht Ovid. Her. 4, 79 *sive ferocis equi luctantia colla recurvas* und das Adjektiv Fast. 5, 119 von der Ziege Amalthea: *cornibus in sua terga recurvis*. Aus so geformten Hörnern haben wir uns den berühmten Bogen des Odysseus gefertigt zu denken, der uns φ 11 vorgeführt wird: ἔνθα δὲ τόξον ἔκειτο παλίντονον, noch nicht gespannt; das geschieht erst 409; also ist mit dem Adjektiv der Bau des Bogens bezeichnet. Teukros hatte einen derartigen Bogen, geschenkt von keinem geringeren als Phoibos Apollon, dem Ferntreffer: O 441. 443; Θ 266 (vgl. M 372) wird von diesem Bogen der Plural gebraucht, doch gewiß wegen seiner Bestandteile, der zwei Hörner; παλίντονα τόξα führt auch im Hymn. Homer. 27, 16 die Göttin Artemis, die V. 12 als εὐκαμπέα τόξα gerühmt werden. Vermutlich hatte auch der gewaltige Bogen des Pandaros Δ 105. 109 diese Gestalt, τόξον εὔξοον ἰξάλου αἰγὸς ἀγρίου .. τοῦ κέρα ἐκ κεφαλῆς ἑκκαιδεκάδωρα πεφύκει; 122 wird der Schuß beschrieben: ἕλκε δ' ὁμοῦ γλυφίδας τε λαβὼν καὶ νεῦρα βόεια· νευρὴν μὲν μαζῷ πέλασεν, τόξῳ δὲ σίδηρον. αὐτὰρ ἐπεὶ δὴ κυκλοτερὲς μέγα τόξον ἔτεινεν, λίγξε βιός, νευρὴ δὲ μέγ' ἴαχεν, ἆλτο δ' ὀιστὸς ὀξυβελής. Auch des Odysseus Bogen wird ausdrücklich μέγα genannt φ 405; auch er wird 419 in gleicher Weise gespannt: τὸν ῥ' ἐπὶ πήχει ἑλὼν ἕλκεν νευρὴν γλυφίδας τε. Dem Herakles wurde später die Keule beigelegt, aber vorher führte der Halbgott auch παλίντονα τόξα (Soph. Trach. 511). Wie haben wir uns nun die Gestalt dieses Bogens zu denken? Ein Archäologe wird uns vielleicht auf den Krater verweisen, auf dem Herakles diese Waffe spannend abgebildet ist, welches Bild in Henkes Hilfsbuch zur Ilias § 342 gut wiedergegeben ist. Jeder Geographiekundige erhält die beste Auskunft durch Strabo II 5, 22 p. 125 Cas.; er vergleicht die nördliche Küste des Schwarzen Meeres mit einem skythischen Bogen διττὴν ἔχοντι τὴν ἐπιστροφήν, τὴν μὲν ἄνω περιφερεστέραν, τὴν δὲ κάτω εὐθυτέραν. (Die Südküste des Meeres vergleicht er mit der Sehne des Bogens; besser hätte er sie noch mit dem τόξον εὐθύτονον verglichen.) Mit dem Gesagten stimmt Eustath. zu Θ 266 p. 712 Rom. überein; Ἡρόδοτος δὲ (Eustath. meint Her. VII 69, wo dieser von den τόξα παλίντονα μακρά der Ἀράβιοι spricht) .. ὑπέβαλε νοεῖν μὴ πᾶν τόξον εἶναι παλίντονον ἁπλῶς, ἀλλὰ κυρίως καὶ μάλα τὸ κατ' ἐπίτασιν ἔμπαλιν τεινόμενον, ὡς καὶ οὕτω κυκλοτερὲς γίνεσθαι, ἧ καὶ ἄλλως φράσαι, τὸ ἐπὶ θάτερα μέρη κλινόμενον, ὡς φασιν οἱ παλαιοί,

Stein bemerkt zu der Herodotstelle: „Die παλίντονα βέλεα der
Skythen (Aeschyl. Choeph. 156 Herm.) beschreibt Ammian. XXII
8, 37 als bestehend aus zwei halbmondförmigen Hörnerflügeln,
die in der Mitte durch einen zylinderförmigen Bügel verbunden
sind". Auch Theokrit 13, 56 meint diese Bewaffnung, indem er
sagt: Μαιωτιστὶ λαβὼν εὐκαμπέα τόξα, Beim τόξον παλίντονον waren demnach die Hörner nicht an den Bügel angesetzt,
seine Richtung fortsetzend, sondern sie waren auf ihn aufge-
setzt und zunächst etwas nach außen gekrümmt; so gestützt,
empfingen die Bogenarme erhöhte Widerstands- und Schnellkraft,
und zugleich vermochte der Schütze, da er den Bügel näher
hatte, auch einen größeren Bogen beim Spannen voll auszuziehen
bis zum Entstehen der Form des eben erwähnten κυκλοτερές.
Ein τόξον εὐθύτονον dagegen (einen Bogen von gewöhnlicher
Form, da er kein Adjektiv weiter hinzusetzt) beschreibt uns
Herodot gleich hinter der angegebenen Stelle in VII 69 ohne
Zweifel in den Worten: Αἰθίοπες .. τόξα εἶχον ἐκ φοίνικος
σπάθης (also aus Holz, in einem Stücke) πεποιημένα μακρά,
τετραπηχέων οὐκ ἐλάσσω; dieses Maß würde er nicht angegeben haben, wenn es nicht für ein τόξον εὐθύτονον ungewöhnlich
groß gewesen wäre.

Als nun um 400 v. Chr. bei Gelegenheit der großen Waffen-
rüstungen des ersten Dionysios (Diodor XIV 42, 1. 43, 3) außer
den Bogen, den gesteigerten Kriegsanforderungen gemäß, noch
weiter tragende und stärker wirkende Geschütze gebildet
wurden, nahm man für die beiden Zwecke der Pfeil- und der
Stein- oder Kugelentsendung die beiden Formen der Bogen als
Analogon, aber statt der biegsamen Hörner mußte man nun
starre Hölzer nehmen, länger als die Bogenhörner (Heron
Belop. 81, 6 ff.). Für die Pfeile genügte eine schmale Schußöffnung und die Form des Euthytonon, die beiden Spann-
nervenbündel wurden in einem eine Front bildenden Rahmen
vereinigt, der bei Heron 104, 5. 105, 2. 8 zwei, nur für die
διώστρα Zwischenraum lassende Mittelständer hat, die dann bei
Philon 64, 5. 11. 18 dicht aneinander zu stehen kommen und
nur für die Schußöffnung allein Raum lassen, welche nach 64, 30
nur wenige Finger breit ist. (Vgl. Tafel IV in Schneiders Heron
und Tafel I bei Schramm, Bemerkungen, Bd. XVI.) Dagegen für
die Kugeln und Steine war eine breite Öffnung und daher die
Form des Palintonon notwendig. Nach Philon war das
kleinste Palintonon das 10minige, dessen Schußgewicht also
4,4 kg betrug (Schramm, Bemerkungen, Bd. XVI S. 149) und ein
Nervenstrangloch von 11 Finger Durchmesser erforderte,
Philon 51, 38; das größte Kaliber war das 3talentige mit einem
Schußgewicht von 80 kg und einem Nervenstrangloch von
27 Finger Durchmesser, Philon 48, 44. 51, 44, vgl. Heron
S. 114 W.; die κλιμακίς (so pflegte man die σύριγξ der Palin-

tona wegen ihrer größeren Breite zu nennen, Heron 100, 5) hatte (nach Philon 54, 15) $1^1/_5$ Durchmesser des Nervenstrangloches; nach dem Nervenstrangloch nämlich wurde die Größe aller übrigen Geschützteile berechnet. Infolge der weiten Schußöffnung waren die beiden Geschützrahmen (ἡμιτόνια) weiter als beim Euthytonon voneinander entfernt, nach Heron 99, 4 μικρῷ μεῖζον διπλάσιον τὸ τοῦ ἐν⟨τ⟩ὸς ἀγκῶνος μῆκος, welche Länge zu rechnen ist von dem nach der Mitte zu gelegenen Widerlager (πτερνίς) jedes der beiden Geschützarme bis zum Austritt des ἀγκών aus dem Geschützkasten. Es ließen sich nun nicht mehr die beiden Geschützrahmen zu einem Ganzen vereinigen; sie bekamen Halt durch die Palintonon-Gestaltung, durch die rhombosförmigen Peritreten, die nur hier und nicht beim Euthytonon von Philon 51, 23. 52, 30 und Heron 103, 12 bezeugt werden. Durch sie wurde die Front des Geschützes wie beim τόξον παλίντονον weiter nach vorn hinausgeschoben und die Geschützarme konnten weiter nach außen hinausschlagen: Heron 103, 12 τὰ δὲ περίτρητα ῥερόμβωται ἕνεκα τοῦ τὰ τῶν ἀγκώνων ἄκρα τὴν τοξῖτιν (andere Gelehrte schreiben τοξῖτιν) δεχόμενα πλεῖον (als beim Euthytonon) ἀπ᾽ ἀλλήλων ἀπέχειν· οὐ μὴν ἀλλὰ καὶ οἱ παραστάται ἐξεκόπησαν τὰς εἰρημένας (92, 1) κοιλασίας τῆς αὐτῆς αἰτίας ἕνεκεν, vgl. 82, 13. 92, 2f.

Die Beschreibung Herons wird durch die überlieferten Figuren bestätigt: Schneiders Tafel IV zeigt das Euthytonon mit geradwinkligen Peritreten, Tafel V das Palintonon mit rhombosförmigen; aber diese aus der Hs. P entnommene Zeichnung läßt sich nicht völlig mit der zuverlässigen Spezialzeichnung eines Palintonon-Peritreton vereinigen, die, aus M entnommen, zum Text auf Schneiders S. 50 hinzugefügt ist. Leider ist die Gesamtzeichnung des Palintonon in M einst durch Buchbinderhand verstümmelt worden: aber sollte nicht vielleicht der Rest doch noch die Veröffentlichung lohnen? Schramm hat, wie seine Tafeln I und III zeigen, die Gestalt des Euthytonon und des Palintonon richtig aus der Beschreibung der Schriftsteller gefunden; um so mehr ist es zu verwundern, daß er nicht darauf gekommen ist, daß in der Verschiedenheit des Baues der beiden Geschützarten der Namensunterschied des Euthytonon und Palintonon begründet ist.

2) Ἀπολλοδώρου Πολιορκητικά. Griechische Poliorketiker, mit den handschriftlichen Bildern herausgegeben und übersetzt von Rudolf Schneider. (Abhandlungen der Königlichen Gesellschaft der Wissenschaften zu Göttingen, philol.-hist. Klasse. Neue Folge Bd. X. No. 1.) Berlin 1908, Weidmannsche Buchhandlung. 65 S. 4. Dazu 51 Figuren auf 14 Tafeln. 8 ℳ.

Als erstes Stück der griechischen Poliorketiker in Schneiders auf den gründlichsten Studien beruhenden Bearbeitung erscheint hier Apollodors, des großen Baumeisters der Kaiser Trajan und

Hadrian, einzig erhaltene Schrift. Sie bildet den Anfang des
großen Unternehmens, weil Apollodor der einzige dieser Schriftsteller ist, der datiert werden kann; ferner schreibt er, ein Praktiker,
nach seinen eigenen Worten für Ungeübte, nämlich für Legionare,
die Pionierdienste tun sollen, läßt es also an Deutlichkeit nicht
fehlen. Dies ist für uns Jetztlebende besonders wichtig, da sonst
die antiken Schriftsteller ihnen selbstverständlich Scheinendes mit
Stillschweigen zu übergehen pflegen. Auch kommt der Erklärung
und Verbesserung seines Textes die Paraphrase des Anonymus
Byzantinus (Byz.) zu Hilfe; ich führe beispielsweise Apoll. 188, 7
an, wo Schn. aus ihr (p. 254, 4 in Weschers Poliorc.) ὁ δὲ κριὸς
für das ὅς in Ap.s Hss. entnommen hat.
    Die handschriftliche Grundlage ist für Ap. dieselbe wie für
Heron. Auch die Einrichtung der Ausgabe entspricht der dortigen;
doch ist noch eine Verbesserung insofern eingetreten, daß Ap.s
Text genau, Zeile für Zeile, im Druck Weschers Ausgabe folgt.
Viele Verbesserungen hat Bruno Keil auf Grund sorgsamster
Lektüre beigesteuert. Schn.s eigene Emendationen zeugen wieder
von seiner großen Sprach- und Sachkenntnis, z. B. 155,7 σκε-
πέσθω κατά (für σκεπέτω καί), 155, 11 f. γινομένης (für γιγνο-
μένας M, γινομένας PV), 171, 6 σ⟨ηκ⟩ώματα, 141, 1 ζωθήκας
(für ζωσθήκας M, ζωσθῇ καί PV). Das hier hinter ω überlieferte σ dürfte aus ι entstanden sein, vgl. 173, 12 πλατυνούσης
PV, πλατυνούσῃ M; übrigens verdienten die in den Hss. noch
erhaltenen ι adscripta wohl ebensogut Erwähnung in der Adn.
crit., wie mancher verfehlte Akzent: 145, 11 δᾱιδες M; 151, 1
δᾱιδες M; 170, 2 ῥαιδίως V; 152, 7 ἦι M; 174, 4 ηι MPV;
177, 16 ἀπαιτηι P; 190, 6 καταπίπτηι PV; 161, 4 αὐτῶι V.
Sonst bewährt sich auch in der Beachtung von Kleinem Schn.s
Sorgfalt; z. B. hat er 142, 4 die reduplizierte Perfektform ἐε-
ρυσσώμεναι behalten unter Verweisung auf W. Crönerts Memoria
Graeca Herculanensis S. 206, 2. Auch Heron S. 102, 12 war
ἐερόμβωται zu belassen, zumal dieser auch I 160, 4 Schm. ἐκ-
ρερευκώς gebraucht hat, aber niemals ein mit ἐρρ- beginnendes
Perfekt. Auch Athenaios π. μηχανημάτων 18, 3 W. bildet ἐε-
ραμμέναις. (Auffällig ist, daß Mayser, Grammatik der griechischen Papyri aus der Ptolemäerzeit, kein derartiges Perfekt anführt.) Ich bemerke noch: Apoll. 162, 2 und 178, 4 schreibt
Schn. ἀντηρείδες; entsprechend Heron S. 66 seiner Ausg. ἀντήρεις
und 89, 4 ἀντηρείδιον, aber 101, 9. 104, 7 ἀντηρίδες; ferner
durchweg bei Apoll. ἔλαττον, dagegen wechselt er, je nach der
Überlieferung, zwischen ἥσσων und ἥττων. Auch seien gleich
noch einige Versehen in der Ausgabe Ap.s notiert: anfangs wird
akzentuiert ἰσοϋψής und ἀνισοϋψής, später werden diese Adjektiva
als Paroxytona behandelt; 171, 2 steht, wie bei Wescher, δύσι,
an den übrigen Stellen ist richtig akzentuiert; dgl. ist wie bei W.,
173, 16 ἐκλῦσαι und 168, 3 αὐτῶν statt ἐκλῦσαι und αὐτῶν

geschrieben; 149,1 ist τοῦ μοχλοῦ vor τοῦ ausgefallen; 176,14
hat W. noch τῶν vor τῆς πρώτης, wie beide Hgg. in der folgenden
Zeile; 173,11 lies συμπλοχῇ, 188,1 ἐπιστροφήν, 187,16 τοῦ
(f. τῆς) ἐπιλαμβανομένου, und 167,5 ἀντιπαραλλάσσῃ; 161,10
mußte nicht nur ein Komma vor τί, sondern auch ein anderes
am Ende des Nebensatzes hinter πολέμιοι gesetzt werden, um
jeden Zweifel über die Konstruktion auszuschließen (vgl. Byz.
232,14). Die Beischrift 'Tafel III Fig. 9' ist in der Übersetzung
richtig zu 151,5 gesetzt, aber beim griechischen Text falsch zu
152,4; falsch steht auch zu 180,12 sowohl beim Text wie bei
der Übersetzung die Randbemerkung 'Tafel XI Fig. 38' statt zu
181,15 (denn πρόκειται heißt doch wohl auch hier, wie 163,4,
'ist beigefügt'); infolge davon ist in der Übersetzung noch zu
180,12 eine Bemerkung eingefügt. An einigen Stellen bat Schn.
Weschers Angaben über die Lesarten nachprüfen lassen; gehört
dazu 148,6, wo Schn. als La. von M μεσσοστενος angibt, aber
W. μεσοσστενος? und 189,13, wo Schn. als La. von M ἑκά-
τερας anführt, W. aber ἑκάτεραι? 159,4 steht als La. von PV
bei W. παλαιστιαίοις, bei Schn. παλαισταίοις. 168,5 fehlt οἴ
zwischen τοσούτοις und MPV. 170,9 lies καταγραφή; lies ferner
171,1/2 (f. 2/3) ἐπιριπτόμενος. 167,8 αὐξόμενον ist wohl
Schn.s Verbesserung; W. bat mit M αὐξομένων und setzt in der
Var. lect. hinzu: αὐξαμένων V; über P erfahren wir aber weder
von W. noch von Schn. 169,7 wäre statt der Angabe: „⟨...⟩
Wescher" deutlicher gewesen: „⟨δεῖ ἐπιθεῖναι⟩ Wescher". 180,9
schreibt Schn.: αἱ δὲ τρίται und in der Adn. crit. die Angabe
aus W.: αἱ τρίται PV, αἱ τρίται δὲ F. Wie steht es nun mit
M? Das erfahren wir von keinem.

Einige kritische Bemerkungen über den Text möchte ich anschließen. 138,8 schlägt Schn. ἐγχειρητικούς für das überlieferte
ἐγχωρίους vor unter Berufung auf Xen. Hell. IV 8,3 (vielmehr
§ 22); hier wird Struthas im Vergleich zu Thimbron ein ἐγχει-
ρητικώτερος στρατηγός genannt: unternehmender, oder geschickter
etwas anzugreifen. Das dürfte in den Zusammenhang bei Apoll.
nicht passen. Dagegen scheint das überlieferte τέκτονας ἐγχωρίους
unantastbar; Ap. meint Mechaniker aus der Provinz, wie sie ihm
nur zu Gebote stehen, im Gegensatz zu den anerkannt besten in
Rom (vgl. Ludw. Hahn. Rom und Romanismus, S. 194). Ἄλλως
darauf fasse ich: ohne τέκτονες, technische Künstler, zu sein;
Ap. meint vor allem die nachher beispielsweise gleich erwähnten
von ihm geschickten Soldaten. — 140,11 ist vielleicht zu ergänzen ⟨οὐ⟩ τροχοὺς ⟨ἀλλ' ἥλους⟩ σιδηροῦς ἔχουσα. — 141,3
ist [ἑ]αὐτῶν notwendig. — 143,9 verdient ἐφαρμόζει[ν] in P[b]
den Vorzug. Darauf muß es mit Byz. 214,18 heißen: ἐνέστηκε
δὲ ⟨πρὸς⟩ τῷ τείχει παραστάτης ἐκ τοῦ ἐδάφους ὑπόθεμα
ἔχων. — 143,14 bemerkt Schn.: „ἔν τισι χελώναις ist unverständlich". Seine Übersetzung „am Unterrande der Schildkröten"

legt die Vermutung nahe: ἐν ταῖς χελώναις; vgl. Byz. 214, 21 f.
— 150, 1 f. liest Schn. ἐπὶ τῶν ἔξω ὄλισθον mit PV; M hat
τω für των. Sollte nicht τό zu schreiben sein? In diesen Hss.
werden o und ω oft verwechselt, vgl. die La. zu 153, 6 αὐτῷ:
αὐτὸ PV. Byz. 222, 1 erklärt ἐπὶ τὴν ἔξω καταφοράν. — 150, 3
würde ich lieber mit M, wie W., setzen: ἔστι τὸ σχῆμα τοιοῦτον
⟨τὸ⟩ τῆς κλίσεως, entsprechend der Fassung des Byz. 222, 1
ἔστι τὸ τῆς κλίσεως σχῆμα τοιοῦτον. Übrigens ist hier κλίσεως,
welches Schn. mit 'Zusammenbruch' übersetzt, von der Neigung,
dem Aufsteigen des Bohrers zu verstehen, wie 149, 5 zeigt. —
150, 9 ist εἰσαγομένοις überliefert. Schn.s richtiger Übersetzung
'verjüngen' entspricht aber συναγομένοις; s. den Artikel συν-
αγωγή in Schn.s hinten beigefügtem Index. — 152, 8 ist in
Apoll.s Hss. ὡς hinter γίνεται ausgefallen; erhalten ist es Byz.
219, 3. — 153, 4 dürfte βίαν nach ὁμοίαν verloren gegangen
und schlecht durch πληγήν ersetzt sein. Die Wirkung des Feuers
kann doch nicht wohl durch πληγή bezeichnet werden. Die
folgenden beiden καί sind erklärend; sie sind daher richtig vom
Byz. 220, 3 f. durch Partizipien wiedergegeben. Der Gebrauch von
καί bei Apoll. ist recht mannigfaltig; gleich nachher 154, 10 und
vorher 149, 5 geht in umgekehrter Weise vermittelst dieser Konjunktion die frühere Konstruktion des Nebensatzes in einen Hauptsatz über. — Nach vorhergehendem μεταξύ ist 154, 14 wohl
⟨ἐν⟩τίθεται zu schreiben (entsprechend dem ἐμβάλλονται Byz.
226, 1), wie 161, 13 μεταξὺ .. ἐντίθεται überliefert ist. Freilich
166, 7 und 172, 7 steht das Simplex. — 156, 1 dürfte so zu verstehen sein: „die Zeichnungen von dem aufrecht Stehenden und
dem unten Befindlichen", wenn man nach 163, 3 urteilen darf,
wo der durch den Byz. 237, 4 bestätigte Wortlaut von Schn.
übersetzt wird: „die Zeichnungen .. zeigen das Gestell zuerst in
der Ruhelage, dann aufgerichtet". Bemerkenswert ist an dieser
zweiten Stelle, daß die Zeichnung vom Gestell in der Ruhelage
in M und die von der aufgerichteten Leiter in P erhalten ist. —
159, 8 sollte man nach dem Zusammenhange für πολλῶν entweder πλειόνων erwarten (welcher Komparativ bei Apoll. 176, 13
und 182, 3 vorkommt) oder τριῶν (vgl. 160, 4. 161, 3. 162, 16);
vielleicht war γ̅ ausgefallen und wurde falsch πολλῶν ergänzt. —
164, 1 ist zu schreiben σχοινία δ̅, [τοῖς] ἄκροις τοῖς ὀρθοστά-
ταις προσδεδεμένα (Byz. 236, 10 sagt dafür σχοινία δ̅, ἐπὶ τὰ
ἄκρα τῶν ὀρθοστατῶν προσδεδεμένα); vgl. bald darauf 164, 9
ξύλα .. ὑπτίῳ τῷ πάχει κείμενα. — 173, 10—12 bedarf noch
der Verbesserung; beispielsweise kann Z. 12 ἐκ τοῦ συντιθεμένου
schwerlich heißen „nach den gegebenen Verhältnissen"; das wäre
etwa ἐκ τοῦ δεδομένου. Byz. 246, 12 hat einfach πλατυνούσῃ
τὸν ὑποκείμενον κάτωθεν τόπον unter Benutzung von Z. 9 bei
Apollodor. — Bisweilen bietet die Hs. F das Richtige; das hat
auch Schn. anerkannt, z. B. 172, 5. So ist wohl auch 174, 1

ἐπαίρει von Wescher mit Recht aus der Hs. aufgenommen; es
konnte nach dem vorangegangenen μέρη leicht ausfallen; die ent-
standene Lücke wurde in den andern Hss. schlecht durch καί aus-
gefüllt. Darauf war 174, 2 ein Kolon vor τούτοις zu setzen, wie
in Byz. 247, 9 geschehen ist. — 180, 7 περικείμενα übersetzt
Schn. „liegen nebeneinander". Mich wundert, daß er nicht auch,
seiner Übersetzung entsprechend, παρακείμενα gesetzt hat. —
180, 10 bezeichnet Schn. durch Kreuze die Überlieferung als verdorben. Vielleicht hat Wescher recht, wenn er τὸ σύνθεμα vor
τὸ δὲ σύνθεμα einsetzt. — 185, 14 möchte für ἐπὶ τὰς στέγας
zu lesen sein ἐπὶ τῆς στέγης ⟨ἑστῶτες⟩. Ἑστῶτες konnte leicht
nach στέγης ausfallen. Vgl. Byz. 249, 8 ἐπὶ τοῦ καταστρώματος
.. ἑστῶτες. Schn. übersetzt und kommentiert richtig: „die auf
dem unteren Dache stehenden Leute". (Im Griechischen durfte
vielleicht κάτω als selbstverständlich ausfallen, wiewohl ἄνω vorhergeht.) Andere Konstruktionen sind gebraucht 175, 14 ἐν τῷ
ὕψει ἑστώτων, 187, 8 ἐπὶ τῇ στέγῃ (so Schn. für ἐπὶ τὴν
στέγην) οἱ ἑστῶτες, 192, 3 ἐπὶ ταύταις ἐφεστῶτες. — 185, 16
ist βάρος in μέρος zu verwandeln. Egger besserte Philon Syntax. V
S. 84, 24 βαρῶν in πύργων. Liegt in τῶν βαρῶν καὶ τῶν
πύργων Philon 84, 36 eine Dittographie vor? — 186, 2 erscheint
nötig ἀεὶ ⟨ἴσως⟩ διεστῶσαι. Ἴσως konnte vor διεστῶσαι leicht
ausfallen. Vgl. 187, 15 ἵνα τὸ πρὸς ἀλλήλους διάστημα δια-
τηρῶσιν ἀλλήλαις und Byz. 250, 5 ἀεὶ .. τὰ αὐτὰ συντηροῦσαι
πρὸς ἀλλήλας διάχωρα und darauf Z. 11 ἐξ ἴσου τὸ αὐτὸ συν-
τηροῦσι διάστημα. — 191, 1 tilge ich τὸ τοῦ ποταμοῦ πλάτος,
das wohl nur als erklärende Bemerkung zu πλάτος der folgenden
Zeile in den Text gekommen ist. Das bloße παρελθεῖν vorher
ist aus dem Zusammenhange vollkommen verständlich. — 191, 7
hat Wescher ἔργον, Schn. (ohne Notiz in der Var. lectio) ἕτερον
mit Byz. 274, 12. Ἔργον ist, wie es scheint, überliefert und bedarf keiner Änderung; es bedeutet 'das hergestellte Werk', wie
159. 8. 164, 4 (vgl. auch Byz. 214, 14) und bezeichnet hier die
σχεδία (189, 4). — 193, 2 ist zwischen δὲ und διανοιγομένη,
wie Byz. 276, 1 zeigt, σχεδίᾳ ausgefallen.

Auch die Apollodors Text gegenübergestellte Übersetzung
Schn.s verdient hohes Lob. Sie kann sehr wohl selbst des griechischen unkundige Leser in den Schriftsteller einführen. Daß die
Maßbestimmung δάκτυλος mit 'Zoll' wiedergegeben wird, hätte
eine Anmerkung verdient. 160, 4 wird ἀπωθεῖται mit 'werden
zurückgezogen' übersetzt; aber auch hier heißt es, wie gewöhnlich, 'werden zurückgestoßen', nämlich infolge des geschehenen
Anpralls. Nach der Übersetzung ist 176, 5 καρφίνων == aus
dem Holze der Weißbuche, aber nach dem Index == aus dem
Holze der Rotbuche gefertigt. Zu bedenken bleibt, daß beide
Buchenholzarten zu den schweren Hölzern gehören, während hier
doch von ξύλα ἐλαφρά die Rede ist. 179, 3 ist ἐγειρομένας τε

καὶ ἀνορϑουμένας unübersetzt geblieben, dgl. 189, 7 ἀραιοῖς, 192· 8 λεληϑότως, 192, 10 κατὰ μέτωπον.

Auf S. 52—65 hat Schn. seinem Apollodor einen Index hinzugefügt, ein mühsames, aber höchst erwünschtes Werk; nur schade, daß bei vielen Wörtern bloß das erste Beispiel mit folgendem 'u. ö.' angegeben ist; und doch befinden sich unter den fehlenden Angaben mitunter beachtenswerte Dinge; z. B. verdiente die kontrahierte Form ἀϑροῦν 150, 2. 183, 5 Erwähnung; 193, 3 ist sie sogar = ἀϑρόαν gebraucht. Unter δύο war mindestens noch 181, 2 f. δυοῖν δακτύλοιν als einziger Dual bei Apollodor herauszuheben. Wie unter τρύπανον, könnte auch unter ποιεῖν einen Platz beanspruchen 149, 1 τοῦ μοχλοῦ τοῦ τὸ τρύπανον ποιοῦντος 'der Stange, die den Bohrer bildet'; dgl. unter τοιοῦτος die unter ὅσα angeführte Verbindung: τοιούτων ὅσα 176, 5. Unter περιστομίς müssen die Ziffern der zuerst angeführten Stelle heißen: 155, 11.

Durch meine bescheidenen Bemerkungen möchte ich nach meinen Kräften Schneiders Werk fördern. Ich weiß ihm herzlichsten Dank für seine unermüdliche und so erfolgreiche Tätigkeit. Möge sein bedeutendes Unternehmen, das er getreulich zu Ende zu führen auf sich genommen, den besten Fortgang haben!

3) Anonymi de rebus bellicis liber. Text und Erläuterungen von Rudolf Schneider. Mit 10 in den Text gedruckten Abbildungen Berlin 1908, Weidmannsche Buchhandlung. IV u. 40 S. 8. 1,20 ℳ

Nach dem Vorwort ist als Grundlage für den Text wie für die Bilder die Ausgabe von Froben (Basel 1552) benutzt worden. In der merkwürdigen Schrift macht der Anonymus, ein Projektmacher, dem genügende technische Kenntnisse fehlen[1]), in der Lingua legitima des Latein (Hahn, Rom und Romanismus, S. 211) seinem Herrscher Vorschläge auf den Gebieten der inneren und äußeren Politik; als Grenzfluß wird die Donau, als Feinde werden die Araber und Perser genannt; der Kaiser und sein Mitregent haben schon Söhne. „Danach kann", so schloß Seeck, „das Schriftchen nur unter Valentinian und Valens geschrieben sein und zwar zu der Zeit, nachdem auch dem letzteren ein Sohn geboren war, d. h. zwischen 366 und 378 n. Chr.". Während der sprachliche Ausdruck der um diese Zeit lebenden sachverständigen Schriftsteller Ammianus und Vegetius straff und klar ist, schreibt der Anonymus ein Latein, welches zeigt, daß diese Sprache seine Muttersprache nicht war (S. 29). Auch das Griechische ist es schwerlich gewesen; das zeigen die unerhörten Namen und Wortbildungen S. 33: Tichodiphrus, Clipeocentrus, Currodrepanus, Thoracomachus, Ascogefrus. Das sind die Benennungen von Kriegs-Maschinen und -zurüstungen, die der Verfasser seinem Kaiser

---

[1]) Vgl. S. 14 sein Bekenntnis: dicent melius qui usu bella cognoscunt.

vorführt, dem er auch eine Reorganisation der Heeresverfassung
vorschlägt, dabei Herabsetzung der Dienstzeit auf fünf Jahre ver-
langend.

Im Gegensatz zu den Meinungen aller früheren Gelehrten
steht nun Schneiders Ansicht. Er bezweifelt S. 34, daß um
400 n. Chr. bereits Schaufelräder im Gebrauch waren, wie sie der
Anonymus seiner Liburna gibt. Er weist darauf hin, daß Belisar
wegen der Erfindung der Schiffmühlen im J. 536 ausdrücklich gerühmt wird, und sagt S. 35: Die wichtigste Darstellung eines
durch Schaufelräder getriebenen Schiffes findet sich erst in der
berühmten Bilderhandschrift der Göttinger Bibliothek von der Hand
Konrads Kyeser, geb. 1366. Sodann hebt der Hgb. S. 35 eine
andere auffällige Sache hervor: „Die Triebkraft des antiken Geschützes bildet die Torsion der Spannnerven: das ist ihr Charakteristikum von 400 v. Chr. bis mindestens 600 n. Chr. Dem Mittelalter ist diese Technik unbekannt: in diesem Zeitraume schießt
man nur mit Geschützen, die ihre Kraft der Elastizität der Bogenarme entnehmen, also eine verstärkte Armbrust darstellen“.
Schneider versteht also nicht von Spannnerven die S. 11 in der
Beschreibung der Ballista quadrirotis stehenden Worte: *sagittas ex
se non ut aliae funibus sed radiis eiaculatur*, und die S. 21 bei
der Ballista fulminalis vorkommenden: *arcu etenim ferreo supra
canalem, quo sagitta exprimitur, erecto, validus ne|rvi funis ferreo
unco tractus eandem sagittam magnis viribus in hostem dimissus
impellit.* Schneider sagt ausdrücklich S. 38 f.: „Bei unserem
Anonymus fehlt jede Erwähnung der Spannnerven, ohne die jedes
Geschütz, nach Vegetius, unbrauchbar war. Die Torsion kannte
der Anonymus eben nicht, also kann er auch nicht im IV. Jahrhundert gelebt haben“. S. 39 kommt Schneider zu dem Ergebnis:
„Es wird sich jedem die Meinung aufdrängen, daß diese Abschnitte
(von dem Münzwesen und der Heeresverfassung) schlecht für das
IV. Jahrhundert passen, aber die Zustände um das XIV. Jahrhundert .. ausmalen“.

Die Schrift hat in dem verlorenen Codex Spirensis gestanden,
in dem sie hinter der Notitia dignitatum folgte. S. 40 sagt
Schneider: „Ich habe mich vergebens bemüht einzusehen, warum
die Gelehrten (darunter Mommsen) sie ins IX. oder X. Jahrhundert
hinaufrücken wollen“.

Höchst auffällig bleibt bei Schneiders Auseinandersetzungen
aber doch eine Tatsache, auf die er nicht weiter eingeht; man
muß doch fragen, wie der Verfasser, wenn er um das XIV. Jahrhundert lebte, darauf gekommen ist, gerade die Zeiten um 400
n. Chr., und zwar in so genauer Weise, seiner Darstellung zugrunde zu legen oder unterzuschieben; warum schilderte er nicht
klar und offen die Zeiten, in denen er lebte? Ich muß gestehen,
daß ich durch Schneiders Beweisführung nicht überzeugt bin.
Wir kennen doch aus dem Altertum zu wenig, um behaupten zu

können, daß vor 400 n. Chr. Schaufelräder noch nicht angewendet wurden. Und die unklare Verwendung der *funes* kann bei einem Manne nicht auffallen, dessen Liburna der Hgb. S. 33 für geradezu verrückt erklärt und dessen Ballista fulminalis nach S. 37 von unglaublicher Torheit zeugt. Wie heutzutage bisweilen, konnte auch früher bei Projektmachern Torheit mit klügeren Einfällen sich mischen.

Wie immer indessen es sich mit dem Schriftchen des Anonymus verhalten mag, es hat für die Kriegswissenschaft geringe Bedeutung. Ganz anderer Art ist das, was R. Schneider und E. Schramm mit vereinter philologischer und technischer Tätigkeit aufgehellt haben. Freuen wir uns des durch sie errungenen dauernden wissenschaftlichen Besitzes und wünschen wir ihren weiteren Bemühungen den besten Erfolg!

Groß-Lichterfelde.   Wilhelm Nitsche.

Gottlob Egelhaaf, Geschichte der neuesten Zeit vom Frankfurter Frieden bis zur Gegenwart. Stuttgart 1908, Carl Krabbe Verlag. VIII u. 452 S. 8. 6 ℳ, geb. 7 ℳ.

Seit 1875, sagt der Verfasser im Vorwort, hat er begonnen „systematisch Stoff zur Zeitgeschichte zu sammeln und ihn Jahr um Jahr auch in eine schriftstellerische Form zu bringen". Daraus und aus Vorlesungen, die er an der Technischen Hochschule zu Stuttgart gehalten hat, ist dieses Werk erwachsen, von dem gleich gesagt sei, daß es gründlich und zuverlässig ist, einen sorgfältigen Bericht über die Ereignisse bietet und allen denen, die sich den Verlauf der Geschichte seit 1871 vergegenwärtigen wollen, mögen sie diese Jahre miterlebt haben oder nicht, durchaus zu empfehlen ist.

Das Buch enthält einen reichen Stoff, eine Fülle von Tatsachen. Daß zuweilen die Disposition nicht ganz glücklich ist, daß man innerlich Zusammengehöriges öfter räumlich getrennt findet, daß man hier und da ein genaueres Eingehen auf die tiefer liegenden Ursachen der Ereignisse vermißt, liegt wohl in der Art der Entstehung des Werkes, aus jährlich zusammengefaßten Notizen und Berichten, begründet. Als Beispiel führe ich an, daß Sozialistengesetz und soziale Reform weit voneinander getrennt sind — dazwischen wird die gesamte äußere Politik von 1871 bis zum Abschluß des Dreibundes dargestellt —, während z. B. im vierten Kapitel recht verschiedenartige Dinge vereinigt sind (Beginn der Verhandlungen mit Rom, Sozialistengesetz, Zollreform). Über die Vorgeschichte der sozialen Gesetzgebung möchte man gern etwas mehr wissen — auf S. 46 ist etwas unerwartet von der „sozialistischen Verhetzung" die Rede; ebenso etwa von den Gründen, die zur Gründung deutscher Kolonien führten. Aber es sei noch einmal betont, daß das Gegebene gründlich und zuverlässig ist.

Zu dem Bericht über Bismarcks Entlassung vergleiche man die Ausführungen Delbrücks in den Preuß. Jahrbüchern Band 33, S. 361 (August 1908), denen man meines Erachtens beipflichten muß. Weniger kann ich seiner Bemerkung zustimmen, daß Egelhaafs Buch aus einer Stimmung herausgeschrieben sei, die nur das vor Bismarcks Entlassung Geschehene gelten lasse und der Gegenwart nörgelnd und verdrossen gegenüberstehe. Ich kann dieses Urteil, so allgemein ausgesprochen, nicht für richtig halten.

Frankfurt a. M. _____ F. Neubauer.

1) G. Krüger, Verordnungen und Gesetze für die Gymnasien und Realanstalten des Herzogtums Anhalt. Erstes Ergänzungsheft, (Januar 1902 — Mai 1907). Dessau 1907, E. Dünnhaupt. VIII u. 139 S. 3 *M.*, geb. 4 *M.*

Im Jahrgang 57 dieser Zeitschrift ist auf S. 234—235 das Hauptwerk gewürdigt worden, zu dem die vorliegende Veröffentlichung die Ergänzung bildet. Man kann auf sie mit gutem Gewissen übertragen, was von dem ersten gesagt worden ist. Das Heft ist ein erneutes Zeugnis von der sorgsamen und eingehenden, den Forderungen der größeren Gemeinschaft sich fügenden, doch das Eigenartige der heimischen Verhältnisse liebevoll bewahrenden Pflege der anhaltischen Schulverwaltung. Die zweckentsprechende Einrichtung macht auch dieses Heft zu einem bequemen Orientierungsmittel.

2) K. Düsing, Die Elemente der Differential- und Integralrechnung in geometrischer Methode. Ausgabe A: Für Gymnasien, Realgymnasien und Oberrealschulen, sowie zum Selbstunterricht. Hannover 1908, Max Jänicke. VII u. 74 S. geb. 1,30 *M.*

Die Eigenart des Buches liegt in der geometrischen Herleitung der Differentialquotienten der einfachen Funktionen, die der Verfasser — mit Recht — als anschaulich, deswegen auch als leichter und interessanter bezeichnet, wie die algebraische Methode, die leicht zu mechanischer Anwendung von Regeln werde und keineswegs als exakter wie die erste bezeichnet werden könne. Eine zweite Eigentümlichkeit besteht in der Durchführung des Grundsatzes, die gefundenen Ergebnisse zu besprechen, dem Schüler Anleitung zu geben, über das Gewonnene nachzudenken, in erster Linie seine Richtigkeit zu prüfen. Aus der Seele gesprochen sind dem Berichterstatter die Worte des Verfassers, daß minutiöse Untersuchungen nicht auf die Schule, sondern auf die Hochschule gehören, daß es ebenso verkehrt sein würde, bei der Einführung der Differentialrechnung in den Unterricht der höheren Schulen über die einfachen Funktionen hinauszugehen, wie es verkehrt war, die höhere Mathematik ganz von diesen Anstalten auszuschließen, endlich, daß wie in der Natur die Bewegungen stets den kürzeren, d. h. den leichteren Weg nehmen, so auch der Lehrer verfahren solle, möge sich sein Weg scheinbar zur höheren Mathematik wenden oder elementar genannt werden.

Was den Inhalt des Buches betrifft, so entwickelt es die Differentialquotienten der einfachen Funktionen, der Funktion einer Funktion, die von unentwickelten Funktionen, behandelt kurz den zweiten Differentialquotienten und fügt der Theorie eine genügende Zahl von Übungsbeispielen hinzu. Es wird dann der Begriff des unbestimmten und bestimmten Integrals entwickelt und eine Anzahl von Beispielen für die Berechnung von Flächen und Rotationskörpern geboten. Die Behandlung der ausgezeichneten Punkte (Maxima und Minima, Wendepunkte) beschließt das Ganze. Interessant ist in diesem Abschnitt die Herleitung der Kriterien für Maximum oder Minimum mit Hilfe der Differentialkurve (S. 56 ff.). Die Wendung S. 43 „Vielfach findet man das Integral durch Probieren etc." wäre wohl besser weggeblieben.

Sicherlich bietet das Buch ein brauchbares, empfehlenswertes Hilfsmittel für den Unterricht dar.

3) **Georg Häring, Lehrbuch der Geometrie für die Oberstufe der höheren Lehranstalten und zum Selbstunterricht.** München und Berlin 1908, R. Oldenbourg. VI u. 96 S. 1,30 *M.*

Ein Fünftel des Buches nehmen Lehren der Planimetrie (Transversalen, Harmonische Beziehungen, Pole und Polare, Potenzen und Ähnlichkeitsbeziehungen der Kreise), ein zweites Fünftel Lehren der projektiven Geometrie, den Rest eine elementarsynthetische Behandlung der Kegelschnitte ein. Sie sind als Erzeugnisse einer Tangentialebene an die Dandelinschen Berührungskugeln mit einem Kreiskegel aufgefaßt. Das letzte Kapitel ist also das weitaus ausführlichste. Neben einer sehr reichlichen Fülle von Lehrsätzen enthält es eine sehr große Anzahl teilweise nicht ganz leichter Aufgaben. Doch ist diesen häufig eine kurze Anleitung zur Lösung beigefügt, so daß auch derjenige Hilfe findet, der das Buch im Selbstunterricht benutzt. Der Abschnitt über die projektive Geometrie bietet die Hauptsätze bis zur involutorischen Beziehung. Eine große Zahl sehr übersichtlicher, vorzüglich ausgeführter Figuren gereicht dem Buche zu besonderer Empfehlung.

4) **Max Simon, Didaktik und Methodik des Rechnens und der Mathematik.** Zweite umgearbeitete und vermehrte Auflage (Sonderausgabe aus A. Baumeisters „Handbuch der Erziehungs- und Unterrichtslehre für höhere Schulen"). München 1908, C. H. Becksche Verlagsbuchhandlung. VI u. 206 S. geb. 5,50 *M.*

5) **Max Simon, Über Mathematik.** Erweiterung der Einleitung in die Didaktik (1. Heft des II. Bandes der „Philosophischen Arbeiten", herausgegeben von H. Cohen und P. Natorp). Gießen 1908, A. Töpelmann. 32 S. 0,80 *M.*

Die zweite, kleinere Schrift des Verfassers, auf ca. sechsfachem Raum das Thema des großen Buches behandelnd, dem dieses vier Seiten widmet, gipfelt in der Definition der Mathematik als der Lehre von den Größen als solchen, ihrer Teilbarkeit, Zusammensetzbarkeit, Zählbarkeit einerseits, ihren Lagebeziehungen andererseits (S. 18). Mit einer Fülle von Gelehrsamkeit, besonders das Altertum heranziehend, doch auch Kant und Leibniz, und unter den Lebenden die Arbeiten Cohens und Natorps berücksichtigend, wird diese Definition entwickelt und ihre Berechtigung nachgewiesen.

Von dem Hauptwerk liegt jetzt die zweite Auflage vor, nachdem die erste im Jahre 1897 erschienen war. Hat es also auch nicht ganz so lange gedauert, wie bei dem Werke Fr. Reidts, bis diese erste Auflage vergriffen war, so spricht doch der Zeitraum von zehn Jahren immer noch für die Anschauung, daß in den Kreisen der Mathematiklehrer das Bedürfnis oder die Wertung. methodischer Arbeiten nicht eben groß ist. So ist ja auch ihre Zahl nicht sehr groß. Neben Simon und Reidt kann man fast nur auf Kefersteins gediegene, doch knappe Aufsätze in der Reinschen Enzyklopädie und auf Bertrams Artikel „Mathematik" in der zweiten Auflage der Schmidschen Enzyklopädie hinweisen. Eine dritte, vollständige, Bearbeitung steht wohl aus der Feder von A. Höfler zu erwarten.

Die zweite Auflage des Simonschen Werkes ist nicht unwesentlich erweitert. Die 128 Seiten der ersten Auflage sind nun auf 206 in der neuen angewachsen, zu ihrem Vorteil, wie ohne weiteres gesagt werden kann. Manches ist jetzt berücksichtigt, was früher vermißt wurde, manches ausführlicher besprochen, was damals nur gestreift worden war. Und es ist immer ein Genuß, Simons Meinungen zu lesen. Nicht daß man sie ohne weiteres annehmen möchte. Auch nicht, daß man einen unbedingten Genuß von dem Studium hätte. Man muß sogar manches Unbequeme in den Kauf nehmen. Nicht selten schweift die Erörterung ganz plötzlich auf einen Nebenpunkt, gelegentlich auf das kaum mit dem Thema Zusammenhängende ab. Wird der Faden wieder aufgenommen, so empfindet der Leser die Unterbrechung zunächst doch als Störung. Dazu kommt manchmal eine Ungleichheit des Stiles, die ebenfalls nicht angenehm berührt. Aus breiter, wohlgerundeter Darstellung geht der Verfasser zu einem Lapidarstil über, dessen Bewältigung jedesmal eine gewisse Anstrengung kostet. Auch die Gleichgültigkeit, mit der gewisse Äußerlichkeiten behandelt sind, wirkt zumeist nicht gerade einladend. Abkürzungen einzelner Worte (Math. == Mathematik, Geom. == Geometrie, Par. ax. == Parallelenaxiom S. 142, — die Anzahl könnte leicht vermehrt werden) mag im Manuskript des Autors, dessen Gedankenflug der langsamen Feder vorauseilt, berechtigt sein, in dem gedruckten Texte sollten sie ausgemerzt sein. Sie sind zum mindesten Schönheitsfehler. Und auch eine Reihe in die Augen fallender Druckfehler hätten vielleicht vermieden werden können. Simons Art, fremde Schriften zu zitieren, ist aus seinen früheren Werken nicht mehr unbekannt. Jeder, der aus seinen Büchern zu lernen sucht, hat sie gewiß bedauert. und gelegentlich verwünscht. Die Büchertitel, manchmal nur halb oder in Abbreviatur, unvollständig nicht selten in bezug auf Jahr und Ort des Erscheinens, auf den Verleger, mitten im Text, stören das Studium des Buches selbst und lassen doch manchmal das Nachschlagen der Quelle nicht zu, — eben weil sie unvollständig sind. Selbst auf die Gefahr des Vorwurfs zu großer „philologischer Akribie" würde es sich empfohlen haben, die genaue Angabe der Titel usw. in Anmerkungen unter den Text zu setzen. Der Verfasser hätte dadurch um ein nicht Geringes den Dank vergrößert, den seine Leser ihm spenden werden.

Denn ein im höchsten Grade dankenswertes Werk hat er der Welt der mathematischen Lehrer doch geliefert. Es füllt eine klaffende Lücke aus, die die oben angeführten Bücher und Aufsätze lassen. Sein Verdienst besteht in der grundsätzlichen, durchgehenden Berücksichtigung der historischen und der philosophischen Seite unserer Wissenschaft. Es nötigt den Leser, er mag wollen oder nicht, dieser Seite seine Aufmerksamkeit zuzuwenden, — er müßte sich denn entschließen, es kurzerhand wegzulegen. Wünschen wir, daß es recht wenige solcher Leser finde. Mit diesem Hinweis auf die Notwendigkeit philosophischer und historischer Betrachtungsweise stellt das Buch die Mathematik im Kreise der Schulwissenschaften gerade als vollwertiges Glied, das wie die andern zu wahrer humanistischer Bildung sein ehrlich Teil beizutragen imstande ist, hin. Es macht allerdings recht hohe Ansprüche an den Lehrer der Mathematik, vor allem was dessen philosophische Studien anlangt. Selten wird sich bei einem zweiten Mathematiklehrer diese Weite und Tiefe des Wissens wieder zusammenfinden, wie Max Simon sie in seinem Buche zeigt, das Bewandertsein in den philosophischen Schriften des indischen und des griechischen Altertums bis in die Gegenwart hinein, und zugleich die Kenntnis vieler historischen Details. Aber die Lebhaftigkeit und Eindringlichkeit seiner Darstellung und seiner Erörterungen wird wohl die meisten Leser veranlassen, wenigstens den Versuck zu machen, ob es ihnen gelingt, bisher vernachlässigte Seiten ihrer Wissenschaft anzubauen. Und von solchen Bestrebungen hätten Schule und Schüler den größten Nutzen. Versteht es der Lehrer, die Früchte solcher Studien taktvoll, am rechten Orte, in weiser Dosierung seinen Zöglingen nahezubringen, sie für sie zu interessieren, das trockene Einerlei der Sätze, Regeln und Aufgaben mit ihnen zu umweben, zu schmücken und schmackhaft zu machen, so dürfte es manchen gewinnen, der schon im Begriff war, sich mutlos abzukehren.

In dieser Anregung zu historischer und philosophischer Betrachtungsweise, zu einem von dieser durchzogenen Unterricht scheint dem Berichterstatter die große Bedeutung der vorliegenden Arbeit zu liegen. Über die Einzelheiten der methodischen und didaktischen Vorzüge und Ansichten mag man streiten. Der Berichterstatter kann zu seiner großen Genugtuung feststellen, daß er keine Veranlassung zu ernsthaftem Widerspruch gefunden hat. Es konnte, nach früheren Äußerungen des Verfassers, so scheinen, als würde er den Meraner Lehrplänen, besser der in der Deutschen Naturforscherversammlung angeregten Bewegung zu einer Abänderung des mathematischen Unterrichts als ein Gegner sich erweisen. Nichts davon! In allem Wesentlichen segelt er mit demselben Winde. Er macht — mancher Mathematiker des Realgymnasiums wird ihm zürnen — das Zugeständnis, die Stundenzahl, die für die Gymnasien und die Realgymnasien, abgesehen vom mathematischen Zeichnen (S. schreibt auch hier „math.") ist vier für alle Klassen (S. 191), er tritt wiederholt für die starke Hervorhebung des Funktionsbegriffes ein.

Eine Fülle aus langjähriger Lebenserfahrung geschöpfter Bemerkungen hat der Berichterstatter mit Freude angemerkt. Es ist zurzeit vielerorts die Sitte, mit der Berechnung von Logarithmen viel Mühe zu verschwenden. Da sagt denn Simon S. 99: „Meines Erachtens hat es keine Bedenken, den Schüler, nachdem er weiß, daß er die Berechnung unschwer selbst vornehmen könnte, wenn er die erforderliche Zeit daran setzen wollte oder könnte — die gekaufte Logarithmentafel benutzen zu lassen; er schreibt sich ja auch seinen Cicero nicht aus den Codices ab". Volle Beistimmung haben des Verfassers Ansichten über Wert und Art der Extemporalien, Hausarbeiten und Wahl der Reifeprüfungsaufgaben. Geschickt ist die Zusammenstellung häufig vorkommender Fehler (S. 179—180). Auch der Verurteilung muß man zustimmen: „Außerordentlich übertrieben wird sehr häufig die Umformung der Ausdrücke in Produkte, zum Zweck der bequemen logarithmischen Rechnung. Die Arbeit ist meist größer als die etwaige Ersparnis". Vor manche Aufgabensammlung wäre dieser Satz immer noch als Warnung zu setzen.

Gelegentlich fällt ein bitteres Wort! Es muß Beachtung finden, wenn über die Besoldungsverhältnisse der höheren Lehrer ein Mann wie der Verfasser Bemerkungen macht, wie sie S. 181 zu lesen sind. Und man kann ihm nicht widersprechen.

In einer Beziehung differiert der Berichterstatter von dem Verfasser, was nämlich die Abschaffung der Reifeprüfung anlangt. Mag die Verbesserungsfähigkeit und -bedürftigkeit der Prüfungsordnungen zugegeben werden, das Fortbestehen der Institution scheint ihm wichtig. Doch darüber zu diskutieren ist hier nicht der Ort.

Das Buch bespricht nach einer kurzen Einleitung im ersten Abschnitt die historische Entwicklung des mathematischen Unterrichts, geht dann zur allgemeinen Methodik über, aus deren

Kapiteln der Berichterstatter die über allgemeine und besondere Zwecke des mathematischen Unterrichts, über Konstruktionsaufgaben und Synthesis der Gleichungen, über die Mathematik in den höheren Mädchenschulen hervorheben möchte. „Meines Erachtens drängt die ganze Entwicklung der Frauenfrage mit absoluter Notwendigkeit auf die Einführung der Math. (sic!) in den Lehrplan der höheren Töchterschule" (S. 50). Es folgt ein Abschnitt über den Rechenunterricht, aus dem die Polemik gegen die Voranstellung der Dezimalbruchrechnung in der Form des „Rechnens mit Dezimalzahlen" hervorgehoben werden muß. Das folgende Kapitel: „Arithmetik und Algebra" kennzeichnet sich durch die Überschrift seines ersten Abschnittes: „Einschränkung des Formalismus, Betonung des philosophischen Elements, die elementare Arithmetik als abgeschlossene Wissenschaft". Der Verfasser bricht eine Lanze für die Wahrscheinlichkeitsrechnung, die gewiß sehr interessant behandelt werden „kann", wenn dabei die Würfelaufgaben nicht die Hauptsache bilden. Eine spezielle „Didaktik der Arithmetik und Algebra" folgt, oft verweisend auf die Vorträge, die der Verfasser als Honorarprofessor an der Universität Straßburg gehalten und durch den Druck veröffentlicht hat. Es schließen sich an: „Geometrie" und „Spezielle Didaktik der Geometrie". Aus dem ersten Kapitel möchten die Ausführungen über die „Nichteuklidische Geometrie", über „Anschauung", über die „vier Konstruktionsmethoden" hervorzuheben sein. Der Geometrographie steht der Verfasser kühl gegenüber, die „Fusion" der Stereometrie mit der Planimetrie lehnt er ab, er spricht sich für die elementar-synthetische Behandlung der Kegelschnitte aus, bezweifelt, daß der Primaner das Wesen der analytischen Geometrie fassen könne. Aus der speziellen Didaktik ist ganz besonders bemerkenswert, was über den Anfangsunterricht in der Quinta gesagt wird. Der letzte Abschnitt „Unterrichtsführung" enthält eine große Zahl trefflicher Bemerkungen zum Teil allgemein pädagogischer Art.

So seien dem Buche viele Leser beschieden, dann wird es vielen Nutzen stiften, nicht durch strikte Befolgung seiner Lehren, sondern indem es die Geister anregt und erregt und reizt und zu eigener Stellungnahme nötigt. Und das ist doch die bessere Wirkung, die tiefere, die lebensvollere.

6) Sigmund Günther, Geschichte der Mathematik. I. Teil: Von den ältesten Zeiten bis Cartesius. Leipzig 1908, G. J. Göschensche Verlagsbuchhandlung. (Sammlung Schubert, Bd. XVIII.) V u. 427 S. geb. 9,60 ℳ.

Im Jahrg. 57, S. 754 und Jahrg. 58, S. 455 hat der Berichterstatter J. Tropfkes Geschichte der Elementarmathematik angezeigt und dabei die Lage gekennzeichnet, in der sich bezüglich ihrer Stellung zu der geschichtlichen Entwicklung ihrer Wissenschaft gegenwärtig noch ein nicht geringer Teil der Lehrer der Mathematik befindet. Die neue Erscheinung, die den Gegenstand der heutigen Besprechung bildet, ist aus denselben Gründen wie Tropfkes Veröffentlichung freudig zu begrüßen. Sie gewährt, wie jene, einen bequemen, nicht gar zu zeitraubenden und dabei doch sehr anregenden und zu weiterer Befassung ermutigenden Einblick in die Vergangenheit und in die Entwicklung des mathematischen Wissens. Wenn Tropfkes Darstellungsart es ermöglicht, alles, was man für ein bestimmtes Gebiet einer Lehraufgabe an historischer Erörterung und Klarstellung bedarf, schnell zu übersehen, so bietet die Arbeit Günthers die Unterlage zu einer Orientierung über den Stand der mathematischen Forschung in einem einzelnen Zeitraum oder bei einem einzelnen Kulturvolk. Gibt das eine Werk Längsschnitte, so gibt das andere Querschnitte durch die Entwicklung des Wissens von Zahl und Raum. So kann das eine als willkommene Ergänzung des anderen bezeichnet werden.

Es wird nicht nötig sein, durch ausführliche Angabe des Inhalts, d. b. schließlich ja der Überschriften der zwanzig Kapitel, in denen Günther seinen Stoff darstellt, das Buch zu kennzeichnen. Das wird auf andere Weise besser geschehen. Nur das eine mag hervorgehoben werden, daß für die Abgrenzung des Stoffes das bewußte Auftreten der Koordinatengeometrie und das Aufkommen infinitesimaler Betrachtungsweise, die den Geist der neuen Mathematik kennzeichnen, maßgebend gewesen sind. Der zweite noch ausstehende Teil soll die Geschichte der Entwicklung von diesem Zeitpunkt bis zur Gegenwart heranführen. Der Tod hat dem Mann, der diese Aufgabe übernommen hatte, hat Anton v. Braunmühl die Feder aus der Hand genommen, ehe er noch ihre Lösung zu Ende geführt hatte. Nach dem, was dieser erste Teil bietet, muß man wünschen, daß recht bald eine andere berufene Hand des verwaisten sich annehme und ein Ganzes von gleichmäßiger Brauchbarkeit zustande komme.

Die Eigenart des Güntherschen Buches besteht nun einmal darin, daß ein nicht geringes Maß positiven historischen Wissens von einem gründlichen Kenner ausgewählt und in einer leicht lesbaren, dabei aber — trotz alles Aufwandes von Zahlen, Formeln und Namen — keineswegs trockenen Form vorgeführt wird. Es bleibt aber nicht bei einer solchen Darbietung historischen Wissens, vielmehr ist überall die besondere Eigenheit der Epochen, der durch die Volkseigentümlichkeiten und Zeitverhältnisse hervorgerufenen Abwandlungen des wissenschaftlichen Interesses und der Behandlungsart der Probleme hervorgehoben, oft finden sich präzise Charakteristiken der in Frage kommenden Forscherpersönlichkeiten. Von den uns überkommenen literarischen Werken, vorzüglich des griechischen Altertums, wie z. B. von den Elementen des Euklid, von dem Hauptwerke des Apollonius, von der Synagoge des Pappus erhält der Leser übersichtliche, wenn

auch kurze Inhaltangaben. Gewisse Probleme, wie z. B. die
Frage, inwieweit Archimedes bereits im Besitz einer, wenn auch
noch nicht methodisch ausgebildeten Infinitesimalgeometrie gewesen sei, ferner der Prioritätsstreit um die Entdeckung der
Lösung der Gleichungen dritten Grades finden eine besonders
ausführliche Erörterung. — Die Brauchbarkeit des Buches wird
erhöht durch einen ausführlichen Namenindex und durch die Angabe der für die einzelnen Kapitel bedeutsamsten Quellenschriften
in bibliographischer Genauigkeit. — Leider ist der Druck nicht
völlig fehlerfrei. Aufgefallen und störend sind dem Berichterstatter deren zwei: S. 62 Z. 1 v. o. lies: Dreiteilung des W i n k e l s
statt des Würfels; S. 254, Z. 5 v. o. lies: $\dfrac{3000}{10} = 300$ statt 3000.
— Wie das Buch aber eine fesselnde und anregende Einführung
in das Studium der Geschichte der Mathematik ist, so ist es für
die Bibliotheken der höheren Schulen auch als Nachschlagewerk
neben allen anderen Erscheinungen (Cantor, Zeuthen, Hankel,
Tropfke) durchaus empfehlenswert.

7) H. Weber und J. Wallstein, Enzyklopädie der Elementar-
   Mathematik. Ein Handbuch für Lehrer und Studierende.
   III. Band: Angewandte Elementar-Mathematik. Berlin und Leipzig 1907,
   B. G. Teubner. XIV u. 666 S. geb. 14 ℳ.

Ein kurzer Überblick über den Inhalt dieses Schlußbandes,
dessen beide ersten Bände in dieser Zeitschrift Jahrgang 60
S. 660 ff. angezeigt worden sind, mag die Besprechung des vorliegenden einleiten. Die fünf Bücher, in die er zerfällt sind betitelt: Mechanik, Elektrische und magnetische Kraftlinien, Maxima
und Minima, Wahrscheinlichkeitsrechnung, Graphik. Die Mechanik
behandelt in drei Abschnitten Vektorgeometrie, analytische Statik
und Dynamik, das zweite Buch in zwei Abschnitten Elektrizität
und Magnetismus und Elektromagnetismus, das dritte Buch geometrische Maxima und Minima und Anwendung der Lehre vom
Größten und Kleinsten auf die Lehre vom Gleichgewicht und besonders von der Kapillarität. Das Buch über die Wahrscheinlichkeitsrechnung bringt einen Abschnitt über die Prinzipien der Wahrscheinlichkeit, über Wahrscheinlichkeitsrechnung und über die
Ausgleichung der Beobachtungsfehler, die Graphik behandelt in
vier Teilen die Parallelprojektion auf e i n e Tafel, das Grund- und
Aufrißverfahren, die graphische Statik, endlich das ebene Fachwerk.

Wie man hieraus ersieht, ein zwar recht reichhaltiger Stoff,
doch ohne systematischen Zusammenhang und für den ersten
Blick nach seiner Auswahl schwer zu rechtfertigen. Die Verfasser
gestehen das erstere offen zu, sie wollen „aus Nachbarwissen-
schaften Anwendungen zu den arithmetischen und geometrischen
Grundlagen liefern", wie sie die beiden ersten Bände geschaffen

haben, und sie wollen „die Grundlagen dieser Gebiete ebenso logisch entwickeln, wie die Grundlagen der Mathematik und der Geometrie selbst".

Soweit vor allem die letzte Absicht mit Erfolg ins Werk gesetzt ist, wird das Buch als berechtigt und willkommen bezeichnet werden können. Denn was die Auswahl an sich betrifft, so könnte wohl mancher eine andere Umgrenzung der gewählten Gebiete, eine andere Wahl selbst als geeigneter bezeichnen wollen. Damit soll aber nicht gesagt werden, daß der Berichterstatter sich dieser Zahl der Leser des Werkes zurechnen wollte. Ihm erscheint die getroffene Auswahl ganz berechtigt; denn sie bezieht sich in der Tat auf die in erster Linie in Betracht kommenden Anwendungsgebiete. Höchstens einen Abschnitt vermißt er, der sich auf mathematische und astronomische Geographie zu beziehen hätte. Wie die Auswahl, so könnte auch die Begrenzung der einzelnen Abschnitte Gegenstand der Zustimmung oder Mißbilligung sein. In dieser Hinsicht möchte dem Abschnitt über graphische Statik eine größere Ausdehnung zu wünschen sein.

Recht wohl erreicht haben die Verfasser ihre Absichten in dem Mechanischen Teil, wo sie dahin gingen, den ganzen Gang zuzuspitzen „nach dem wohl dem heutigen Schulunterricht immer noch nicht in seiner Allgemeingültigkeit recht zugänglichen Energieprinzip". Und außerordentlich erfreulich war dem Berichterstatter die Lektüre des letzten Abschnittes über das ebene Fachwerk. Allerdings enthält ja gerade dieser Abschnitt ganz besonders viel Stoff, zu dessen Verwertung der Unterricht wohl nie Gelegenheit haben wird. Aber wenigstens die allerersten Anfänge zu benutzen, hat man wohl nicht ohne Erfolg den Versuch gemacht (A. Schülke in seiner bekannten Aufgabensammlung für die Oberklassen, Leipzig 1902, B. G. Teubner; vgl. auch Zeitschr. f. phys. Unt. 1901, S. 18. Zeitschr. f. math. Unterricht. 1902, Heft 2).

Im ganzen wird man also auch diesen Band des großen Werkes als eine recht brauchbare Bereicherung der Lehrbuchliteratur bezeichnen können. Er gerade wird dem Lehrer an höheren Schulen den Eingang in eine Anzahl Disziplinen der angewandten Mathematik zu eröffnen vermögen, ohne daß seine Zeit oder seine Kasse zu sehr in Anspruch genommen wird. Immer bleibt es aber wohl auch hier, wie bei der Anzeige der zwei ersten Bände betont worden ist, der Zukunft vorbehalten, dem Ideale einer solchen Enzyklopädie, wie es dort zu zeichnen versucht wurde, noch näher zu kommen.

8) K. Schwering, Handbuch der Elementar-Mathematik für Lehrer. Leipzig und Berlin 1907, B. G. Teubner. VIII u. 407 S. geb. 8 *M*.

Wenn der Verfasser in diesem „Handbuch für Lehrer" in der Vorrede und an verschiedenen Stellen seines Werkes selbst

auf die Weber-Wallsteinsche Enzyklopädie der Elementar-Mathematik verweist und ihr ein uneingeschränktes Lob spendet, so
könnte man versucht sein, zu fragen, ob die Herausgabe eines
eigenen Buches notwendig gewesen sei, wie dieses sich von der
Enzyklopädie unterscheide. Es ist nicht ganz leicht, das deutlich
zu umschreiben, — andererseits bürgt doch des Verfassers Name
dafür, daß es etwas Gediegenes ist, vor das er ihn setzt. — Indem
er in vier Kapiteln die Mathematik, Planimetrie, Trigonometrie
und Stereometrie behandelt, beschränkt er in der Tat seinen Stoff
auf das engere Gebiet dessen, was als Elementar-Mathematik bezeichnet wird. Er spricht nicht von Mengenlehre und Zahlbegriff,
noch von Nichteuklidischer Geometrie. Er stellt sie nicht dar,
aber er streift sie und bei diesen Gelegenheiten nennt er dann
die Enzyklopädie die Quelle, aus der weitere Belehrung zu
schöpfen sei. Neben ihr erscheint sein Buch wie ein für bestimmte
Zwecke geschriebenes Handbuch neben dem Repertorium, das den
Gesamtstoff zusammengetragen enthält. Es gibt den Lehrstoff
der Schulmathematik, dargestellt nicht nach methodisch-didakti-
schen Rücksichten, sondern in systematischer Form, getragen von
der Grundlage tieferer wissenschaftlicher Erkenntnis, — doch nicht
in systematischer Vollständigkeit, sondern in einer Auswahl solcher
Lehren, die durch jene tiefere Erkenntnis ein helleres, neues
Licht erhalten können.

Dabei geht er freilich an vielen Stellen sehr ins Einzelne, besonders geleitet auch durch die Neigung zu „arithmetisierender"
Behandlung. Ein Muster von Klarheit und Strenge ist die Darstellung des arithmetischen Lehrgebäudes selbst, die Erweiterung
des Zahlengebietes, — aber die Behandlung der Gleichungen
dritten und vierten Grades trägt infolgedessen etwas nicht ganz
leicht Durchsichtiges an sich. Es ist selbst für den Geübten
keine geringe Arbeit, diesen Abschnitt zu bewältigen. Freilich aber ist die Anstrengung auch gewürzt durch das Vergnügen an der Eleganz bei der Bewältigung der durch die allgemeine Form der Darstellung herbeigeführten Schwierigkeiten.

In der Planimetrie ist der Parallelismus — wie auch in des
Verfassers zusammen mit Krimphoff bearbeiteten Leitfaden — erst
hinter den Kongruenzsätzen behandelt. Interessant sind die Paragraphen, die von den grundlegenden Konstruktionsaufgaben, von
den merkwürdigen Punkten des Dreiecks und von der Lösbarkeit
geometrischer Aufgaben handeln.

Auch die Darstellung der Trigonometrie bietet besonders in
dem ersten Abschnitte, der die Goniometrie behandet, des Eigenartigen vieles. So die Herleitung der Funktionen für beliebige
Winkel, der Nachweis, daß es auf unendlich viele Arten möglich
ist, $\frac{\pi}{4}$ in eine Summe von Winkeln zu zerlegen, deren trigonometrische Tangenten Brüche mit dem Zähler 1 und ganzzahligem

Nenner sind u.a.m. Verhältnismäßig knapp ist der Abschnitt über die Dreiecksberechnung gehalten, und es kann bei der Bestimmung des Buches für die Lehrer die Durchführung von Zahlenbeispielen füglich wundernehmen.

Am meisten von dem Üblichen weicht der Verfasser in der Stereometrie ab. Ähnlich, wie hier, hat er — wenn der Berichterstatter sich recht erinnert — einige Kapitel, z. B. die dreiseitige Ecke, wohl schon anderweitig, z. B. in seinen „Hundert Aufgaben" behandelt. Andres, wie die Darstellung der Lehren von Punkt und Ebene, von Parallelismus im Raum, von Kugelteilung und regelmäßigen Körpern, war den Berichterstatter neu.

Unmittelbar im Unterricht wird von dem Inhalt des Buches vielleicht häufig recht wenig zu benutzen sein. Aber für den Lehrer ist es in der Tat ein Handbuch, das ihm den Gegenstand seines Unterrichts in neuer Beleuchtung, in neuer Verknüpfung vor die Augen führt und ihn vor der Gefahr bewahren kann, in der banal-schulmäßigen Ausgestaltung des Lehrstoffes allmählich zu erstarren. Die Bekanntschaft mit recht verschiedenartigen Darstellungsformen des Lehrgebietes, das man vertritt, macht den Blick weiter und das Urteil milder, gegenüber Abweichungen von der eigenen Lehrform, an der eigensinnig festzuhalten gerade den Mathematiker so leicht dem Anschein der Kleinlichkeit aussetzt.

9) **Bastian Schmid, Der naturwissenschaftliche Unterricht und die wissenschaftliche Ausbildung der Lehramtskandidaten.** Leipzig und Berlin 1907, B. G. Teubner. 352 S. geb. 6 *M.*

Dieses Buch zu schreiben war wohl keiner berufener als der Verfasser, der als Mitglied der Unterrichtskommission der Naturforschergesellschaft all die Sorgen mitgetragen, all die Arbeit mitgeleistet hat, der sie sich nun seit Jahren für die Hebung des naturwissenschaftlichen Unterrichts, für die höhere Wertung seiner Bedeutung bei der Erziehung der heranwachsenden Jugend unterzieht. Es ist denn auch keine Frage und kein Problem in dieser Bewegung, das er in seinem Werke nicht eingehend erwägt und erörtert. Naturgemäß fällt seine Entscheidung fast stets zusammen mit den Vorschlägen, die in Meran und Stuttgart den Auftraggebern der Kommission vorgelegt worden sind. Das Buch kann als ein Kommentar zu dem ersten Teil des Berichts angesehen werden, den der Vorsitzende A. Gutzmar in Dresden erstattet hat. Als solcher sei er allen zur Lektüre empfohlen, die die Berechtigung und das Ziel dieser Bewegung noch genauer kennen lernen wollen.

Sie werden wohl dahin gelangen, die Berechtigung als unbestreitbar und das Ziel als klar umschrieben anzuerkennen. Den Weg zu finden, auf dem das Erstrebte in Wirklichkeit umzusetzen wäre, ist schwieriger. Zwar was die Methodik des Unterrichts, was das Maß der nötigen Zeit, die Vorbildung der Lehrer betrifft, so hat die Arbeit der Kommissionsmitglieder bis ins Einzelne hinein die klarsten, detailliertesten Vorschriften gegeben. Die Schwierigkeiten liegen auf dem Gebiete der Beschaffung der nötigen Mittel und in der Einfügung der in Anspruch genommenen Stundenzahl in die Unterrichtspläne der höheren Schulen. Hier versagt nun besonders bezüglich der Herstellung eines Gesamtlehrplanes der Gesamtbericht, und auch das Buch von Bastian Schmid streift diese Frage kaum. Die Einschränkung des sprachlichen Unterrichts wird gefordert und für angängig erklärt, eine eingehende Begründung wird aber vermißt, der Nachweis nämlich, wie bei einer solchen Einschränkung die alten Lehrziele erreichbar bleiben oder ob eine Herabsetzung möglich ist.

Daß die Erörterung dieser Probleme in dem Buche fehlt, wird dem Leser als eine Lücke erscheinen, wenn eben auf das ins Leben Führen der Vorschläge mehr Gewicht gelegt wird, als auf das Ausmalen einer Möglichkeit, der die tatsächlichen Unterlagen fehlen.

Andererseits aber ist es durchaus geeignet, durch seine Haltung den Vorurteilen entgegenzutreten, die die Naturwissenschaften als minder geeignet für die Geistesbildung der Jugend erachten. Die Ausführungen, vor allen über den physikalischen Unterricht und noch mehr der Abschnitt „Naturwissenschaft und philosophische Propädeutik" kommen dafür besonders in Betracht. In der Tat drängen alle die Bestrebungen zu einer Durcharbeitung des Stoffes, auf dessen Verwertung zur Herstellung einer „humanistischen" Bildung. Dies besonders hervorzuheben mag gerade in der Zeitschrift für das Gymnasialwesen nicht bedeutungslos sein, um dem Buche Leser zu verschaffen und damit auch verständnisvolle Beurteilung der neuen Bewegung.

Pankow.   Max Nath.

Erklärung.

Trotz meiner Erklärung im 31. Jahrgang der Jahresberichte S. 332, daß ich für die neuen Abdrücke meiner bei Freytag erschienenen Ausgaben nicht verantwortlich bin, da sie ohne mein Wissen hergestellt und mir selbst nicht zu Gesichte kommen, ist in den Jahresberichten 1908 S. 252 der 3. Abdruck der Catilinarien aufgeführt und getadelt, daß frühere Ausstellungen nicht berücksichtigt worden sind. Ich denke, aus dem Jahresbericht dürften diese Ausgaben nun verschwinden, zumal der Herr Verleger infolge meiner damaligen Erklärung statt des irreführenden Wortes ‚Auflage' das richtige ‚Abdruck' verwendet hat.

Berlin.   H. Nohl.

EINGESANDTE BÜCHER

(Besprechung einzelner Werke bleibt vorbehalten).

---

1. **Christliches Kunstblatt für Kirche, Schule und Haus**, herausgegeben von David Koch. München, Georg D. W. Callwey. Jahrgang 50, September.

2. **Zeitschrift für Lehrmittelwesen und pädagogische Literatur**, herausgegeben von Franz Frisch. Jahrg. 4, Nr. 7—8.

3. **Xenien**. Eine Monatsschrift, herausgegeben von H. Graef. Jahrg. 1908, Heft 10. Drei Hefte vierteljährlich 1 ℳ, Einzelheft 0,35 ℳ.

4. **Wandervogel**. Monatsschrift des „Wandervogel" deutschen Bundes für Jugendwanderungen. Jahrg. 2, Heft 3.

5. **Mikrokosmos**. Zeitschrift zur Förderung wissenschaftlicher Bildung, herausgegeben von der Deutschen mikrologischen Gesellschaft unter der Leitung von R. H. Francé, Band 2, Heft 5—6.

6. **A. Seligo, Tiere und Pflanzen des Seenplanktons**. Mikrologische Bibliothek Band III. Mit 1 Tafel und 247 Textabbildungen. Stuttgart, Deutsche mikrologische Gesellschaft. Geschäftsstelle: Franckh'sche Verlagshandlung. 64 S. Lex.-8.

7. **J. H. Fabre, Bilder aus der Insektenwelt**. Autorisierte Übersetzung aus „Souvenirs Entomologiques", I.—X. Serie. Erste Reise. Mit zahlreichen Abbildungen. Stuttgart, Kosmos, Gesellschaft der Naturfreunde. Geschäftsstelle: Franckh'sche Verlagshandlung. 125 S. Lex.-8. 2,25 ℳ.

8. **Gesundheitsbüchlein**. Gemeinfaßliche Anleitung zur Gesundheitspflege. Bearbeitet vom Kaiserlichen Gesundheitsamte. Mit Abbildungen im Text und 3 farbigen Tafeln. Dreizehnte Auflage. Berlin 1908, J. Springer X u. 272 S. kl. 8. 1 ℳ, geb. 1,25 ℳ.

9. **Otto Anthes, Erotik und Erziehung**. Eine Abhandlung mit Zwischenspielen. Leipzig 1908, R. Voigtländer's Verlag. 72 S. 1 ℳ.

10. **F. Ladek, Zur griechischen und lateinischen Lektüre am österreichischen Gymnasium**. Eine Kritik neuerer Vorschläge zum Lektürekanon. Wien 1908, Selbstverlag. 122 S. (S.-A. aus Zeitschr. f. d. österr. Gymn. 1907/08.)

11. **Hans Leimeister, Die griechischen Deklinationsformen bei den Dichtern Persius, Martialis und Juvenalis**. Diss. München 1908. 42 S.

12. **R. van Deman Magoffin, A Study of the Topography and Municipal History of Praeneste**. John Hopkins University Studies Ser. XXVI Nr. 9—10. Baltimore 1908, The John Hopkins Press. 101 S.

13. **Sophokles' König Oidipus**. Für den Schulgebrauch erklärt von Gustav Wolff. Fünfte Auflage von Ludwig Bellermann. Leipzig 1908, B. G. Teubner. VI u. 176 S. 1,60 ℳ, geb. 2 ℳ.

14. **H. Unbescheid, Die Behandlung der dramatischen Lektüre erläutert an Schillers Dramen**. Dritte Auflage. Berlin 1908, Weidmannsche Buchhandlung. 189 S. 8. 3,60 ℳ. — Löst die gestellte Aufgabe an der Hand von Gustav Freytag. Dazu noch Goethe mit fünf, Lessing mit drei Dramen; Shakespeares Macbeth, Grillparzers Sappho, Kleists Prinz von Homburg. S. 151 ff. dramatische Geometrie. S. 187 ff. Verzeichnis der seit 1876 über Schillers Dramen erschienenen Programmabhandlungen.

15. **Aischylos' Eumeniden,** übersetzt von U. v. Wilamowitz-Moellendorff. Für gemischten Chor und Begleitung komponiert von F. Kriegeskotten. Opus 58. Düsseldorff 1908, L. Schwann. 79 S. Preis der Partitur 6 *M*, der 4 Gesangstimmen einzeln je 50 *Pf*.

16. **Dem Kaiser Heil!** von Dr. Macke, Ahrweiler. Für den Schülerchor höherer Lehranstalten mit Klavierbegleitung komponiert von C. Fürchtening-Boening. Düsseldorf, L. Schwann. 3 S. Preis 0,30 *M*, von 10 Exemplaren ab je 0,15 *M*.

17. **Es wurzelt ein Baum tief im Preußenland** von C. Frick. Gemischter Chor mit Klavierbegleitung für patriotische Feierlichkeiten in Vereinen und höheren Lehranstalten komponiert von J. Dittberner. Düsseldorf, J. Schwann. 5 S. Preis 0,40 *M*, von 10 Exemplaren ab je 0,20 *M*.

18. **Gen-Ichiro Yoshioka, A semantic study of the verb of doing and making in the Indo-European Languages.** Diss[s] Chicago. Tokyo 1908. 46 S. Lex.-8.

19. **Th. Ziegler, Das Gefühl.** Eine psychologische Untersuchung. Vierte Auflage. Leipzig 1908, G. J. Göschen'sche Verlagshandlung. VII u. 366 S. 4,20 *M*, geb. 5,20 *M*.

20. **Gaudeamus.** Blätter und Bilder für unsere Jugend. Redigiert von Egid von Filek. Wien VII, G. Freytag und Berndt. XI. Jahrgang. Band I u. II. Monatlich 2 Nummern. Jahrgang 5 *M*, Einzelnummer 0,35 *M*.

21. **Blätter für deutsche Erziehung,** herausgegeben von Arthur Schulz, Jahrg. 10, Heft 9.

22. **G. Jaegers Monatsblatt.** Jahrg. 27. Nr. 11.

23. **Tierschutz-Kalender** 1909. 48 S. mit steifem Deckel. Portofrei zugesandt 0,10 *M*.

24. **Bericht über den 18. Kongreß des deutschen Vereins für Knabenarbeit in den Saarstädten** vom 10. bis 12. Juli 1908. Herausgegeben vom Deutschen Verein für Knabenarbeit. Kommissionsverlag von Frankenstein & Wegner in Leipzig. 144 S.

25. **H. Bauer, Manneswürde und Mädchenehre.** Zweite Auflage. Göttingen 1908, Vandenhoeck und Ruprecht. 22 S. 0,50 *M*, 12 Ex. 4,80 *M*, 50 Ex. 15 *M*.

26. **Martin Brennecke, Aus einem Leben „voller Leuchten und Wunder".** Leipzig 1908, J. C. Hinrichs'sche Buchhandlung. Mit einer Bildnistafel. IV u. 100 S. 1,20 *M*, geb. 2 *M*.

27. **K. Duden, Orthographisches Wörterverzeichnis der deutschen Sprache.** Zweite Auflage. Leipzig und Wien 1908, Bibliographisches Institut. 160 S. 0,20 *M*, geb. 0,50 *M*.

28. **John Bartholomew O'Connor, Chapters in the History of Actors and Acting in Ancient Greece, together with a Prosopographia Histrionum Graecorum.** Diss. Chicago 1908. The University of Chicago Press. IX u. 144 S. gr. 8. 1,06 *Sh*. postpaid.

29. **V. Macchioro, Ceramica Sardo-Fenica nel Museo Civico di Pavia.** Pavia 1908. 24 S. (S.-A. aus Bolletino della Società Pavese di Storia Patria.)

30. **V. Macchioro, Ricerche demografiche intorno ai colombari.** Klio VIII S. 282—301.

Druck von W. Pormetter in Berlin.

so erscheinen die Beweisgründe, die Verf. daran knüpft, keineswegs durchaus zwingend. Wir können nicht ermessen, nach welchen Prinzipien von dem oder den Verfertigern der Reliefs die Auswahl der einzelnen Szenen getroffen ist, ob nicht die vorhandenen Bilder uns selbst nur eine Auswahl aus einer ursprünglich größeren, dem Gedichte genauer folgenden Reihe von Darstellungen bieten. Auch künstlerische Zwecke können den Verfertiger geleitet haben. Dazu zeigt mitunter ein einzelnes Bild in sich Abweichung von der Homerischen Darstellung; z. B. ist in Σ Thetis bei ihrem Besuche bei Hephaistos von einer Frauengestalt (einer Nereide?) begleitet, und Hephaistos hat drei Kyklopen als arbeitende Gehilfen bei sich in der Werkstätte, von denen die Ilias nichts weiß[1]). So erscheint es nicht zulässig, auf dieser Grundlage bestimmte Beweise aufzubauen, wie Verf. dies tut.

Immerhin ergibt die größere letzte Hälfte der Untersuchung in außerordentlich fleißiger Kleinarbeit, daß auf epischem Gebiete die größte Freiheit in der Ausnutzung fremder Geistesprodukte herrschte. Ein Rechtsschutz fehlte eben für die Sicherung des geistigen Eigentums; aber nicht bloß im Altertum, sondern das ganze Mittelalter hindurch bis in die neuere Zeit. Dies in bündiger und einleuchtender Weise zusammenhängend dargetan und durch viele schlagende Beispiele belegt zu haben, ist dem Verf. als Verdienst anzurechnen, das nicht dadurch geschmälert wird, daß vielleicht gegen eine oder die andere Einzelkombination eine Einwendung erhoben werden könnte.

Einige wenige Druckversehen sind der Korrektur entgangen; so stört S. 42 in dem Zitat aus Macrobius alienigenias (st. alienigenis) und cornpilarint (st. comp.), S. 48 $\mu\dot{\eta}\gamma\epsilon\nu\eta\tau\alpha\iota$ (st. $\mu\dot{\eta}\ \gamma\epsilon\nu\eta\tau\alpha\iota$), S. 60 $\ddot{\alpha}\lambda\omega\sigma\iota\varsigma$ (st. $\ddot{\alpha}\lambda$.), S. 137 in v. 315 $\delta\dot{\eta}\mu o\iota$ und $\ddot{\epsilon}\nu\vartheta o\vartheta\iota$ (st. $\delta\dot{\eta}\ \mu o\iota$ und $\ddot{\epsilon}\nu\delta o\vartheta\iota$).

Hanau.   O. Wackermann.

Dörwald, Beiträge zur Kunst des Übersetzens und zum grammatischen Unterricht. Ein Hilfsbuch für den griechischen Unterricht in Obersekunda. Berlin 1907, Weidmannsche Buchhandlung. V u. 64 S. 8. 1,20 M.

Der Verfasser hat seinem Buche: „Aus der Praxis des griechischen Unterrichts in Obersekunda" die oben genannten Beiträge folgen lassen, die sich auf den Unterricht in derselben Klasse beziehen.

Die einzelnen Beiträge sind nicht von gleichem Werte. Die Abschnitte 1 und 3 enthalten zum Teil so elementare Dinge, daß sie

---

endigt von Ad. Michaelis. Bonn 1873. Die Reliefs befinden sich jetzt im Museo Capitolino.
    [1]) Vgl. O. Jahn a. a. O. S. 19 und 26.

vom Beginn der Lektüre ab beachtet werden müssen. Für die Übersetzung der psychologischen Ausdrücke Homers und der ethischen der Memorabilien werden beachtenswerte Winke gegeben. Den letzten Abschnitt, in dem „aus der Herodotlektüre die bezeichnendsten Beispiele für die Regeln der griechischen Syntax" zusammengestellt sind, halte ich für recht überflüssig. Solche Stoffsammlungen haben nur Wert, wenn der Schüler sie selbst anlegt. Aber in der Gegenwart, wo man gegen den klassischen und besonders gegen den griechischen Unterricht so unentwegt und von kurzsichtigen Eltern unterstützt Sturm läuft, sind solche zeitraubenden Anforderungen an die häusliche Arbeitskraft streng zu vermeiden.

Der Verfasser wünscht seine Beiträge auch in den Händen vorgeschrittener Schüler zu sehen, weil sie „zu eigenem Nachdenken und selbständigem Arbeiten anregen". Dieser Hoffnung stehe ich sehr skeptisch gegenüber. Die öffentliche Meinung hat die Schüler so gegen den klassischen Unterricht aufgehetzt, daß ihre Abneigung nur durch die Art des Unterrichts überwunden werden kann. Gedruckte Unterweisungen verfangen dabei nicht.

Charlottenburg.   Gotthold Sachse.

W. Niedermann, Historische Lautlehre des Lateinischen. Heidelberg 1907, C. Winter. XVI u. 115 S. 8. 2 *M*.

Es gereicht mir zu besonderer Freude, das in der Überschrift genannte schmucke Büchlein anzeigen zu dürfen. Und zwar in doppelter Hinsicht. Einesteils wegen seines eigenen Wertes, anderenteils aber, weil es die Einführung darstellt in ein überaus dankenswertes Unternehmen, das die rührige Universitätsbuchhandlung von C. Winter in Heidelberg in die Wege geleitet hat. Nachdem sie schon seit Jahren eine vortreffliche Sammlung von streng wissenschaftlichen Handbüchern aus dem Gebiete der indogermanischen Sprach- und Altertumskunde hat erscheinen lassen, darunter auch A. Waldes schöne Etymologie des Lateinischen, hat sie nunmehr einen von dem anerkannten französischen Indogermanisten A. Meillet besonders nachdrücklich betonten Gedanken aufgegriffen und tatkräftig in die Wirklichkeit umgesetzt, nämlich den, auch auf dem grammatischen Gebiet die Kluft überbrücken zu helfen, die sich unleugbar in den letzten Jahrzehnten zwischen Wissenschaft und Schule aufgetan hat und die zu schließen ein dringender Wunsch beider in Betracht kommender Parteien sein muß. Mit vollstem Rechte ist dieses Thema in seinem gesamten Umfange auf der soeben abgeschlossenen 49ten Philologenversammlung zu Basel ausführlich behandelt worden. In der Grammatik der alten Sprachen handelt es sich nun vornehmlich darum, die entweder auf bloßen Drill hinauslaufende oder aber nach dem Vorbilde der alexandri-

EINGESANDTE BÜCHER

(Besprechung einzelner Werke bleibt vorbehalten).

---

1. **Meyers Kleines Konversations-Lexikon.** Siebente, gänzlich neubearbeitete und vermehrte Auflage in sechs Bänden. Mehr als 130000 Artikel und Nachweise mit etwa 520 Bildertafeln, Karten und Plänen sowie etwa 100 Textbeilagen. Dritter Band: Galizyn bis Kiel. Leipzig und Wien 1907, Bibliographisches Institut. 1024 S. Lex.-8. eleg. geb. 10 *M.*

Schnell ist dem zweiten Bande der dritte gefolgt und reiht sich ihm würdig an. Die Ergebnisse wissenschaftlicher Forschung finden sich in allen Artikeln verwertet, und in Politik, Handel, Industrie, Technik usw. wird auf den Stand der Gegenwart gebührend Rücksicht genommen. Überall wird bestimmt und klar Auskunft erteilt. Unterstützt wird das Ganze durch ein vorzügliches Illustrationsmaterial. Gewiß greifen viele zu diesem „Kleinen Meyer", und sie werden sich nicht getäuscht sehen.

2. **G. Budde, Philosophisches Lesebuch** für den englischen Unterricht der Oberstufe. Mit biographischen Einleitungen und Anmerkungen. Hannover 1908, Hahnsche Buchhandlung. VI u. 247 S. geb. 2,20 *M.*

3. **Baruch de Spinoza.** Theologisch-politischer Traktat. Dritte Auflage. Übertragen und eingeleitet nebst Anmerkungen und Registern von C. Gebhardt. Leipzig 1908, Dürrsche Buchhandlung. XXXIV u. 423 S. 5,40 *M.,* geb. 6 *M.*

4. **A. Wenzel, Die Weltauffassung Spinozas.** Erster Band: Spinozas Lehre von Gott, von der menschlichen Erkenntnis und von dem Wesen der Dinge. Leipzig 1907, W. Engelmann. VIII u. 479 S. 9 *M.*

5. **G. Brunner, Die religiöse Frage im Lichte der vergleichenden Religionsgeschichte.** München 1908, C. H. Beck'sche Verlagsbuchhandlung (Oskar Beck). 135 S. geb. 1,80 *M.*

6. Παιδαγωγικὸν δελτίον. Τόμος δεύτερος, Τεῦχος τρίτον.

7. **Xenien.** Eine Monatsschrift. Herausgegeben von Hermann Graef. Leipzig, Verlag für Literatur, Kunst und Musik. Vierteljährlich 3 Hefte. 1 *M.,* Einzelheft 0,35 *M.* Jahrg. 1908, Heft 1.

8. **A. Gutzmer, Die Tätigkeit der Unterrichtskommission der Gesellschaft deutscher Naturforscher und Ärzte.** Leipzig 1908, B G. Teubner. XII u. 322 S. geb. 7 *M.*

9. **Otto Dornblüth, Hygiene der geistigen Arbeit.** Zweite Auflage. Berlin 1907, Deutscher Verlag für Volkswohlfahrt. 258 S. 3,60 *M.,* geb. 4 *M.*

10. **F. Meyerholz, Erkenntnisbegriff und Erkenntniserwerb.** Eine Natorp-Studie. Hannover 1908, Carl Meyer (G. Prior). 68 S. 8. 1,20 *M.*

11. **E. Javal, Die Physiologie des Lesens und Schreibens.** Autorisierte Übersetzung nach der 2. Auflage des Originals nebst Anhang über deutsche Schrift und Stenographie von F. Haass. Mit 101 Figuren und 1 Tafel. Leipzig 1907, W. Engelmann. XXXIV u. 351 S. 9 *M.,* geb. 10 *M.*

12. **R. Eucken, Der Sinn und Wert des Lebens.** Leipzig 1908, Quelle & Meyer. IV u. 162 S. 2,20 *M.,* geb. 2,80 *M.*

13. **K. Witte, Singular und Plural.** Forschungen über Form und Geschichte der griechischen Poesie. Leipzig 1907, B. G. Teubner. VIII u. 270 S. 8 *M.*

14. **Claus Peters, De rationibus inter artem rhetoricam quarti et primi saeculi intercedentibus.** Diss. Kiel 1907. 101 S.

15. Langenscheidts Taschenwörterbuch der dänischen und deutschen Sprache. Mit Angabe der Aussprache nach dem phonetischen System der Methode Toussaint-Langenscheidt, bearbeitet von Anker Jensen, zusammengestellt von F, A. Mohr. Teil I: Dänisch-Norwegisch-deutsch (XVI u. 646 Seiten); Teil II: Deutsch-dänisch (LVI u. 474 Seiten). Preis jedes Teiles 2 ℳ. Beide Teile in einen Band gebunden 3,50 ℳ.

16. Freytags Sammlung französischer Schriftsteller. Leipzig 1906/1907, G. Freytag.

  a) Pierre Loti, Pêcheur d'Islande; herausgegeben von K. Reuschel. VII u. 142 S. geb. 1,60 ℳ.

  b) Wörterbuch zu Molière, Les femmes savantes, bearbeitet von E. Pariselle. 25 S. 0,30 ℳ.

  c) Wörterbuch zu Daudet, Le petit chose, bearbeitet von G. Balke. 55 S. 0,60 ℳ.

17. Fr. Coppé, Auswahl. Für den Schulgebrauch herausgegeben von G. Franz. Leipzig 1907, G. Freytag. 143 S. geb. 1,50 ℳ.

18. H. Margall, Vier Erzählungen aus En pleine vie. Für den Schulgebrauch herausgegeben von B. Röttgers. Leipzig 1907, G. Freytag. 79 S. geb. 1 ℳ.

19. G. Weitzenböck, Lehrbuch der französischen Sprache. Teil, mit 1 Münztafel. Siebente Auflage. Leipzig 1907, G. Freytag. 172 S. 2,50 ℳ.

20. G. Weitzenböck, Lehrbuch der französischen Sprache. II. Teil. B. Sprachlehre. Fünfte Auflage. Leipzig 1906, G. Freytag. 90 S. 1,50 ℳ.

21. G. Weitzenböck, Lehrbuch der französischen Sprache. Teil II: Übungsbuch. Mit 25 Abbildungen, 1 Karte und 1 Plan von Paris. Sechste Auflage. Leipzig 1908, G. Freytag. VI u. 196 S. geb. 2,50 ℳ.

22. G. Weitzenböck, Lehrbuch der französischen Sprache für höhere Mädchenschulen und Lehrerinnenseminarien. II. Teil. B. Sprachlehre. Zweite Auflage. Leipzig 1907, G. Freytag. 90 S. 1,70 ℳ.

23. Ch. Kingsley, Westward Ho! In gekürzter Fassung für den Schulgebrauch herausgegeben von J. Ellinger. Leipzig 1906, G. Freytag. 152 S. geb. 1,20 ℳ.

24. Wörterbuch zu Mark Twain, A Tramp Abroad, bearbeitet von M. Mann. Leipzig 1906, G. Freytag. 46 S. 0,50 ℳ.

25. L. Hamilton, The English News-Paper Reader. Leipzig 1908, G. Freytag. 365 S. gr. 8. geb. 4 ℳ.

26. Aus Natur und Geisteswelt. Band 185. E. Sieper, Shakespeare und seine Zeit. Mit 3 Tafeln und 3 Bildern. Leipzig 1907, B. G. Teubner. 140 S. geb. 1,25 ℳ.

27. Freytags Schulausgaben und Hilfsbücher für den deutschen Unterricht. Leipzig 1906/1907, G. Freytag.

  a) Hebbel, Die Nibelungen, herausgegeben von A. Neumann. 272 S. geb. 1,50 ℳ.

  b) Goethe, Aus meinem Leben, 2. Band. Mit 1 Titelbild, herausgegeben von K. Hachez. 168 S. geb. 0,80 ℳ.

  c) Kleist, Prinz Friedrich von Homburg, herausgegeben von A. Benedict. Mit 1 Plan der Schlacht bei Fehrbellin. Dritte Auflage. 112 S. geb. 0,60 ℳ.

  d) P. Hagen und Th. Lenschau, Auswahl aus den höfischen Epikern des deutschen Mittelalters. Erster Band: Hartmann von Aue und Gottfried von Straßburg. 104 S. geb. 0,80 ℳ.

28. Schiller, Don Karlos, herausgegeben von G. Frick. Leipzig 1907, B. G. Teubner. 242 S. steif brosch. 1,20 ℳ.

29. R, Eickhoff, Weltpolitik und Schulpolitik. Leipzig 1908, B. G. Teubner. 16 S. 0,40 ℳ.

ZEITSCHRIFT

FÜR DAS

YMNASIALWESEN.

HERAUSGEGEBEN

VON

H. J. MÜLLER.

LXII. JAHRGANG,
DER NEUEN FOLGE ZWEIUNDVIERZIGSTER JAHRGANG.

DEZEMBER

BERLIN 1908.
WEIDMANNSCHE BUCHHANDLUNG
SW. 68, ZIMMERSTRASZE 94

Manuskripte und Briefe, die für die Redaktion bestimmt sind, werden erbeten unter der Adresse des Herausgebers: Geh. Regierungsrat Prof. Dr. H. Müller, Berlin W. 10, Hohenzollernstr. 8.

Bücher, Karten usw. sind nur zu senden an die Weidmannsche Buchhandlung, Berlin SW. 68, Zimmerstr. 94.

Preis für den Jahrgang in 12 Heften 20 Mark.

INHALT.

Fortsetzung auf der dritten Seite des Umschlages.

Soeben erschien:

Wielands
Gesammelte Schriften.

Herausgegeben

von der

Deutschen Kommission
der Königlich Preußischen Akademie der Wissenschaften.

Erste Abteilung: Werke.

Erster Band.

Poetische Jugendwerke.

Erster Teil.

Herausgegeben

von

Fritz Homeyer.

Gr. 8⁰. (XI u. 462 S.)
Geh. 9 M., geb. in Halbfrzbd. 11,20 M.

Inhalt:

Fromme Kinder. — An Jakob Gutermann. — An Frau Kid. — Ode
(Tugend! o wie reizend). — Die Natur der Dinge. — Lobgesang auf die Liebe. —
Hermann. — Ode an Hr. M. C. — Ode. An seine Freundin. — Ode. Auf
Eben dieselbe. — Ode an Herrn Bodmer. — Zwölf moralische Briefe. — Antiovid
oder die Kunst zu lieben. — Lyrische Gedichte. — Ode an Herrn S*. — Erzählungen. — Der Frühling. — Hymne. — Ode an Doris. — Ode (Und ich seh
dich noch nicht). — Ode (Wenn du Daphnen umarmst). — Elegie. — Ode (Die
du, als mein Geschick). — Ode (Wen du, o Muse, da er gebohren). — Ode.
Klagen und Beruhigung. — Schreiben an Herrn*** von der Würde usw.

Wielands Gesammelte Schriften.

Zweite Abteilung: Übersetzungen.

Erster Band.

Shakespeares theatralische Werke.

Erster und zweiter Teil.

Herausgegeben

von

Ernst Stadler.

Gr. 8⁰. (V u. 372 S.)

Geh. 7.20 M., geb. in Halbfrzbd. 9.40 M.

Inhalt:

Popes Vorrede. — Ein St. Johannis Nachts-Traum. — Das Leben und der Tod des Königs Lear. — Wie es euch gefällt. — Maaß für Maaß.. — Der Sturm.

Die von der Königlich Preußischen Akademie der Wissenschaften veranstaltete Ausgabe von **Wielands gesammelten Schriften,** die hiermit zu erscheinen beginnt, zerfällt in drei Abteilungen:

1. Werke im engeren Sinne,
2. Übersetzungen,
3. Briefe.

Die Lesarten werden zur bequemeren Benutzung in besonderen Bänden oder Heften erscheinen.

Die Ausgabe wird mindestens 50 Bände umfassen, die auch einzeln käuflich sind. Jährlich werden etwa 2 bis 3 Bände erscheinen.

Vorwort.

Gegenüber Lessing und Herder, Goethe und Schiller entbehren wir immer empfindlicher eine wissenschaftliche Biographie Wielands, zu der 1813 Goethes meisterhafte Logenrede, achtzig inhaltschwere Jahre durchmessend, die ersten Grundlinien gleich „Marginalien" eines künftigen Buches gezogen hat; und als ihre Voraussetzung eine umfassende historisch-kritische Ausgabe seiner Werke mit den Varianten, deren Studium ebenfalls von Goethe schon 1795 nachdrücklich empfohlen worden ist. In dem Aufsatz „Literarischer Sansculottismus" liest man: „So ist es zum Beispiel nicht zu viel gesagt, wenn wir behaupten, daß ein verständiger, fleißiger Literator durch Vergleichung der sämtlichen Ausgaben unseres Wielands, eines Mannes, dessen wir uns, trotz dem Knurren aller Smelfungen, mit stolzer Freude rühmen dürfen, allein aus den stufenweisen Korrekturen dieses unermüdet zum Bessern arbeitenden Schriftstellers die ganze Lehre des Geschmacks würde entwickeln können".

Die Übersetzungen, die auf antikem Gebiet bis in Wielands hohes Greisenalter hinanreichen, deren großer Erstling, der deutsche Shakespeare, niemals wiederholt worden und heute schwer zugänglich ist, dürfen als zweite Abteilung nicht fehlen; hat doch Wieland selbst ihre Aufnahme in seine Ausgabe letzter Hand eifrig bedacht. Eine von allen Lücken und Fehlern älterer Editionen freie, aus massenhaften Einzeldrucken und Handschriften um viele hundert Nummern ergänzte Sammlung der deutschen und französischen Briefe dieses außerordentlichen Korrespondenten muß sich drittens anschließen als Spiegel seiner nur dem flüchtigen Blick schillernden Persönlichkeit, als Schatz seiner menschlichen und literarischen Beziehungen.

Die gesamten Schriften im Umfang drei solcher Abteilungen, alles in allem mindestens fünfzig Bände, darzubringen, ist unmöglich ohne sehr erhebliche Zuschüsse, und die Königlich Preußische Akademie der Wissenschaften hat darum in gerechter Würdigung des oft ausgesprochenen Bedürfnisses ihrer Deutschen Kommission gern freie Bahn geschaffen. Die Kommission aber mußte sich sogleich zur Grundlegung der ganzen Arbeit und zu eigener Übernahme des langsam vorrückenden Briefkorpus den vertrautesten Kenner Wielands beigesellen, Bernhard

Seuffert, mit dem der Unterzeichnete zunächst die Hauptfragen in Graz besprochen hat und dessen „Prolegomena zu einer Wieland-Ausgabe" (in den „Abhandlungen" unsrer Akademie 1904, 1905 und 1908/9) voll gelehrter Akribie die Schriften um vieles vollständiger verzeichnen und alles Nötige über die Ausgabe letzter Hand, die Zeitfolge der Jugendschöpfungen, die maßgebenden Texte, die Verteilung auf möglichst geschlossene Bände, die Einrichtung der Lesarten darlegen. Wir sind stets im vollen Einverständnis geblieben, und die Freude gemeinsamer Arbeit wird dauern. Alsbald wurde für die ersten Strecken durch Herrn Dr. Escher jede Förderung von seiten der Züricher Stadtbibliothek uns zugesichert; Herr Ott-Daeniker entschloß sich liberal, seine wertvollen Diktathefte aus Wielands Lehrerzeit beizusteuern. Weimars und Württembergs Hilfe war von vornherein gewiß. Und so wird noch mancher Anstalt, manchem einzelnen am gehörigen Orte zu danken sein.

Wir bringen die erste vollständige Ausgabe; denn was dereinst Gruber und lange nach ihm Düntzer (bei Hempel) zur Ergänzung der viererlei Ausgaben letzter Hand getan haben, kann höheren Ansprüchen nach keiner Seite genügen, und Wielands eigene revidierte Sammlung war schon von dem unerfüllbaren Wunsch des Urhebers begleitet, durch weitere Spenden den gezogenen Kreis und seine Supplemente zu überschreiten, sich historischer darzustellen und auch als eindeutschenden Mittler fremder Literaturen in diesen langen Göschenschen Bändereihen kundzutun.

Unmaßgeblich ist Wielands großes Gebinde sowohl in der auf Kunstwerte gerichteten Anordnung als auch in seiner ihn selbst noch nicht befriedigenden Auswahl; der eigenwilligen Orthographie zu geschweigen, die wir überall nicht durch die heute geltende Norm, sondern durch die Schreibung des jeweiligen zugrunde gelegten Textes ersetzen, wobei Bodmers Antiqua und y als charakteristisch für eine dienstbare Zeit nicht fehlen dürfen. Der Zuwachs an bisher unbeachteten Schriften, verschollenen Drucken und handschriftlichen Fünden erscheint beträchtlich, und vor dem weimarischen Hofdichter wird der Züricher Hauslehrer, der in Geschichte, Religion, Ästhetik unterweisend selbst lernte, neu ans Licht treten. Wielands rege journalistische Tätigkeit muß bis in alle kleinen redaktionellen Bemerkungen des Teutschen Merkurs, aber schon vor diesem langlebigen Unternehmen, zum erstenmal herausgearbeitet werden.

Überschlägt man, wie vielseitig und unerschöpflich die schriftstellerische Fruchtbarkeit des allezeit fruchtbaren Geistes war, wie seine Prosa und seine Poesie langhin Hand in Hand gehen, große und kleine Gaben des Dichters, Psychologen, Kritikers, Historikers, Philologen, Dolmetsch,

Politikers mannigfaltig durcheinanderlaufen, so kann auch in der Abteilung der „Werke" keine bloße Zeitfolge peinlich allein herrschen,
sondern es müssen innerhalb des chronologischen Verfahrens Gruppen
gebildet werden nach Form und Inhalt. Auch darf das Gesetz, jedem
Stück seine letztwillige Fassung zu wahren, sich nicht auf die von Wieland
selbst abgegrenzten, aber teils weggebliebenen, teils verstümmelten
und verwischten Jugendwerke erstrecken, die vielmehr so dargebracht
werden sollen, wie sie in ihrer Entstehungszeit wirksam hervorgetreten
sind. Nur diese Urgestalten dienen der Erkenntnis, daß die Wandlungen
des Schriftstellers Wandlungen des Menschen waren, der nach einer
damals notwendig schief beurteilten allmählichen und peinvollen Krisis
seinen erlebten Hauptvorwurf, den Sieg der Natur über die Schwärmerei, ergriff und dessen gebundene wie ungebundene Konfessionen
den interessantesten Fortgang vom Pietismus zur Aufklärung und zur
Humanität bis in die klassischen und romantischen Vorhöfe hinein zeigen.
Nur diese hier erst völlig erschlossene Frühzeit Wielands lehrt seine
Schöpfung des Bildungsromans in antikem Gewand, seine wachsende
Fähigkeit seelischer Analyse, seine neue Gabe sinnlicher Ausmalung,
seine Weltanschauung, seine Sprachkunst verstehen.

Eine ungeheure Empfänglichkeit, die zeitweise selbst fremder Miß-
art allzu gelehrig folgt, schafft ihm Gefahren, doch der große Aneigner
überwindet sie und erscheint trotz dem Hohn des Athenäums gerade in
der Verarbeitung aller englischen, romanischen, antiken Einflüsse original.
Im flüssigen, wortreichen, unsre Sprache schmeidigenden Stil ohne
gedrungenen Umriß, unterhaltend und bildend, fesselte Wieland beide
Geschlechter, gewann Süddeutschland, den Adel für literarische Interessen der Heimat und eroberte der deutschen Schriftstellerei eine internationale Geltung. Daß diese Fruchtbarkeit, die außer ökonomischem
Antrieb in seiner Natur lag, nicht früh mechanisch erlahmte, sondern
wiederum zur weimarischen Versepik anstieg und bis ins Greisenalter
einer unablässigen Entwicklung Raum gab, daß dieser heitere, kluge
Popularphilosoph des Bonsens und des Eudämonismus zwar zu Kant
kein Verhältnis fand, aber fremdeste Individualitäten feinsinnig zu
ergründen wußte, als Politiker der französischen Revolution und ihrem
Cäsar einsichtig und prophetisch gegenübertrat, bleibt ein Phänomen,
dem der auf vielen Schriften Wielands für unzünftige Leser seit langer
Zeit gehäufte Staub der Vergessenheit nichts abbrechen kann.

Unsre Ausgabe wird den ganzen Entwicklungsgang des Schriftstellers vorführen und in den Briefen die bewegliche und eigensinnige,
reizbare und enthusiastische, launische und konziliante Persönlichkeit

lebendig machen, deren Gespräch Jahrzehnte hindurch ihren Umgangskreis bestrickte und deren rasche Feder aus dem Augenblick heraus so
zwanglos wie künstlerisch zu plaudern wußte. Wielands im Grunde
sich getreue Schmiegsamkeit, die jugendlich irren mochte, früh jedoch
bedeutende Meister und Muster der Gegenwart und der Vorzeit erfaßte,
läßt sich, wie gesagt, nicht vollauf würdigen ohne seine Übersetzungen:
abgesehn von ihren wichtigen Vorreden und Noten. Die große Auswahl Shakespearischer Dramen, voran bezeichnend genug der „Sommernachtstraum" und zwar dieser allein in Blankversen, leistet als
erste literarische Eroberung alles, was damals die Prosa, der Stil und
ein befangener Geschmack Wielands hergaben. Wir verstehen so gut,
daß neue Generationen sie schalten und vergaßen, als daß Lessing
und der reife Goethe sie dankbar anerkannten, und sehen auch in ihren
Gebrechen einen notwendigen Durchgang. Im Reiche des griechischen
Dramas unsicherer, wird er Ciceros Briefen mit leichter Hand gerecht,
erweist sich dem Lucian kongenial und gibt seelen- und stilverwandt
mit epochemachender Formfreiheit sein Bestes in den Sermonen des
Horaz. Zur parodischen Art im reinsten Wortverstande, wie Franzosen
sie pflegen, rechnet Goethe (Noten und Abhandlungen zum Westöstlichen Divan) Wielands Übersetzungen: „Auch er hatte einen eigentümlichen Verstandes- und Geschmacksinn, mit dem er sich dem Alterthum, dem Auslande nur insofern annäherte, als er seine Konvenienz
dabei fand. Dieser vorzügliche Mann darf als Repräsentant seiner
Zeit angesehen werden; er hat außerordentlich gewirkt, indem gerade
das, was ihn anmutete, wie er sich's zueignete und es wieder mitteilte,
auch seinen Zeitgenossen angenehm und genießbar begegnete."

Unsre Ausgabe bringt keinen Kommentar, soweit nicht jetzt Unverständliches einer knappen Erläuterung bedarf, aber außer Registern
zur Übersicht der Fülle und gelegentlichen Proben vom Bildschmuck
alter Ausgaben einen kritischen Apparat, worin Handschriften die
Reihe der zum Teil sehr seltenen ersten Drucke ergänzen. Nach einer
knappen Geschichte des Werks bietet er die Varianten ohne bloßen
Kehricht, entfaltet so die inneren und äußeren Wandlungen und fördert
allseitig die Kenntnis der Sprache. Zu bequemem Gebrauch erscheint der
ganze Apparat von den Texten getrennt in besondern Heften oder Bänden.

Es ist eine hübsche Fügung, daß Wieland hier dank dem Entgegenkommen des Leiters der Weidmannschen Buchhandlung, Dr. Vollert,
zur Wiedergeburt in den Verlag heimkehrt, aus dem einst die „Musarion" und andre Gebilde hervorgegangen sind.

Erich Schmidt.

Herders Sämtliche Werke. Herausgegeben von Bernhard Suphan. Vollständig in 33 Bänden. Erschienen sind: Bd. 1—13, 15—32. Geh. 168 M.

Geschichte der deutschen Litteratur von Wilhelm Scherer. Elfte Auflage. Mit dem Bilde des Verfassers. gr. 8. (XII u. 634 S.) 1908. In Leinw. geb. 10 M. In Liebhaberbd. 12 M.

Lessing. Geschichte seines Lebens und seiner Schriften von Erich Schmidt. Zweite veränderte Auflage. gr. 8. (VIII u. 715 S., VIII u. 656 S.) 1900. Geh. 18 M., eleg. geb. 20 M.

Lessings Dramen im Lichte ihrer und unserer Zeit. Von Gustav Kettner. gr. 8. (VII u. 511 S.) 1905.
Eleg. geb. 9 M.

Schiller. Sein Leben und seine Werke. Dargestellt von J. Minor, o. ö. Professor an der Universität Wien.
Erster Band: Schwäbische Heimatjahre. gr. 8. (591 S.) 1889. Geh. 8 M.
Zweiter Band: Pfälzische und sächsische Wanderjahre. gr. 8. (629 S.) 1890.
Geh. 10 M.

Schillers Dramen. Beiträge zu ihrem Verständnis von Ludwig Bellermann. Vierte Auflage. 3 Bände. 1908. Jeder Band geb. 6,60 M.

Schiller als Denker. Prolegomena zu Schillers philosophischen Schriften von Bernhard Carl Engel. 8°. (VIII u. 182 S.) 1908. Geb. 4 M.

Verlag der Weidmannschen Buchhandlung in Berlin.

eutsche Texte des Mittelalters

herausgegeben von der

öniglich Preußischen Akademie der Wissenschaften.

Inhalt.

Titelblatt und Inhaltsverzeichnis für den Jahrgang 1908.
Inhaltsverzeichnis der Jahresberichte.
